O CAPITAL

KARL MARX

O CAPITAL

CRÍTICA DA ECONOMIA POLÍTICA

Livro 3
O processo global de produção capitalista

1ª edição

Tradução
Reginaldo Sant'Anna

Preparação
Friedrich Engels

CIVILIZAÇÃO BRASILEIRA

Rio de Janeiro
2024

Copyright © 1998 da tradução

Título original: *Das Kapital: Kritik der politischen Ökonomie. Dritter Band.*
Buch III: Der Gesamtprozess der Kapitalistischen Produktion.
Primeira edição 1894

Diagramação: Abreu's System
Projeto gráfico de box e capa: Casa Rex

Todos os direitos reservados. É proibido reproduzir, armazenar ou transmitir partes deste livro, através de quaisquer meios, sem prévia autorização por escrito.

Texto revisado segundo o Acordo Ortográfico da Língua Portuguesa de 1990.

Direitos desta tradução adquiridos pela
EDITORA CIVILIZAÇÃO BRASILEIRA
Um selo da
EDITORA JOSÉ OLYMPIO LTDA.
Rua Argentina, 171 – 3º andar – São Cristóvão
Rio de Janeiro, RJ – 20921–380
Tel.: (21) 2585–2000.

Seja um leitor preferencial Record.
Cadastre-se no site www.record.com.br
e receba informações sobre nossos lançamentos e nossas promoções.

Atendimento e venda direta ao leitor:
sac@record.com.br
Impresso no Brasil

CIP-BRASIL. CATALOGAÇÃO NA PUBLICAÇÃO
SINDICATO NACIONAL DOS EDITORES DE LIVROS, RJ

M355c   Marx, Karl, 1818-1883
        O capital : crítica da economia política – o processo global de produção capitalista / Karl Marx ; tradução Reginaldo Sant'Anna. – 1. ed. – Rio de Janeiro : Civilização Brasileira, 2024.

        Tradução de: das Kapital : kritik der politischen ökonomie. dritter band. buch III : der gesamtprozess der kapitalistischen produktion
        ISBN 978-65-5802-141-4

        1. Economia. 2. Capital (Economia). I. Sant'Anna, Reginaldo. II. Título.

24-93679
        CDD: 335.4
        CDU: 330.85

Meri Gleice Rodrigues de Souza – Bibliotecária – CRB-7/6439

2024

SUMÁRIO

NOTA DO TRADUTOR   13
PREFÁCIO – FRIEDRICH ENGELS   15

**LIVRO 3
O PROCESSO GLOBAL DE PRODUÇÃO CAPITALISTA**

**PRIMEIRA SEÇÃO
A TRANSFORMAÇÃO DA MAIS-VALIA EM LUCRO
E DA TAXA DE MAIS-VALIA EM TAXA DE LUCRO**

I. Preço de custo e lucro   39

II. A taxa de lucro   55

III. Relação entre a taxa de lucro e a de mais-valia   65

1. m' constante, $\frac{v}{C}$ variável   70
   a) m' e C constantes, v variável   72
   b) m' constante, v variável, C modificado pela variação de v   76
   c) m' e v constantes, c e portanto C variáveis   76
   d) m' constante; v, c e C em conjunto variam   78
2. m' variável   80
   a) m' variável, $\frac{v}{C}$ constante   81
   b) m' e variáveis, C constante   83
   c) m', v e C variáveis   84
   d) Influência da variação de m' sobre l'   84
3. Fatores que determinam a taxa de lucro   86

IV. A rotação e a taxa de lucro   89

V. Economia no emprego de capital constante   99

1. Generalidades   101

2. Parcimônia nas condições de trabalho, à custa do trabalhador 111
   Minas de carvão. Negligenciam-se os investimentos mais necessários 111
3. Economia em produção e transmissão de energia em edifícios 120
4. Aproveitamento dos resíduos da produção 124
5. Economias por meio de invenções 127

VI. Efeitos da variação dos preços 129

1. Flutuações nos preços das matérias-primas:
   efeitos diretos na taxa de lucro 131
2. Capital: alta e baixa do valor, liberação e absorção 136
3. Ilustração geral: a crise algodoeira de 1861 a 1865 149
   Antecedentes históricos: 1845 a 1860 149
   1861/1864: Guerra Civil Americana. A fome de algodão. O exemplo mais contundente do processo de produção interrompido por escassear e encarecer a matéria-prima 153
   Resíduos de algodão. Algodão das Índias Orientais (Surat). Influência nos salários dos trabalhadores. Aperfeiçoamento da maquinaria. Substituição do algodão por amido e minerais. Efeitos da cola de amido sobre os trabalhadores. Fios mais finos. Fraude dos fabricantes 155
   Experimentos *in corpore vili* 161
   Aluguéis 163
   Emigração 163

VII. Observações complementares 165

SEGUNDA SEÇÃO
CONVERSÃO DO LUCRO EM LUCRO MÉDIO

VIII. Diferentes composições do capital nos diversos ramos e consequentes diferenças na taxa de lucro 173

IX. Formação de taxa geral de lucro (taxa média de lucro) e conversão dos valores em preços de produção 187

X. Nivelamento, pela concorrência, da taxa geral de lucro. Preços e valores de mercado. Superlucro 207

XI. Efeitos das flutuações gerais dos salários sobre os preços de produção 235

XII. Observações complementares 241

1. Causas de modificações no preço de produção 243
2. Preço de produção das mercadorias de composição média 244
3. Causas de compensação para os capitalistas 245

TERCEIRA SEÇÃO
LEI: TENDÊNCIA A CAIR DA TAXA DE LUCRO

XIII. Natureza da lei 251

XIV. Fatores contrários à lei 273

1. Aumento do grau de exploração do trabalho 275
2. Redução dos salários 278
3. Baixa de preço dos elementos do capital constante 278
4. Superpopulação relativa 279
5. Comércio exterior 279
6. Aumento do capital em ações 282

XV. As contradições internas da lei 285

1. Generalidades 287
2. Conflitam a expansão da produção e a criação de mais-valia 292
3. Excesso de capital e de população 295
4. Observações complementares 304

QUARTA SEÇÃO
CONVERSÃO DO CAPITAL-MERCADORIA E DO CAPITAL-DINHEIRO EM CAPITAL COMERCIAL E CAPITAL FINANCEIRO COMO FORMAS DO CAPITAL MERCANTIL

XVI. Capital comercial 313

XVII. O lucro comercial 329

XVIII. A rotação do capital mercantil. Os preços 351

XIX. O capital financeiro 365

XX. Observações históricas sobre o capital mercantil 375

QUINTA SEÇÃO
DIVISÃO DO LUCRO EM JURO E LUCRO DE EMPRESÁRIO.
O CAPITAL PRODUTOR DE JUROS

XXI. O capital produtor de juros 393

**XXII. Repartição do lucro. Taxa de juro.
Taxa "natural" de juro** 415

XXIII. Juro e lucro do empresário 429

**XXIV. A relação capitalista reificada na forma
do capital produtor de juros** 451

XXV. Crédito e capital fictício 463

**XXVI. Acumulação de capital-dinheiro:
sua influência na taxa de juros** 483

XXVII. Papel do crédito na produção capitalista 509

**XXVIII. Meios de circulação e capital.
As ideias de Tooke e Fullarton** 519

XXIX. Componentes do capital bancário 539

XXX. Capital-dinheiro e capital real – I 553

XXXI. Capital-dinheiro e capital real – II (continuação) 573

1. Conversão de dinheiro em capital de empréstimo 575
2. Transformação de capital ou renda em dinheiro,
e conversão deste em capital de empréstimo 582

XXXII. Capital-dinheiro e capital real – III (conclusão) 587

XXXIII. O meio de circulação no sistema de crédito 605

XXXIV. O "currency principle" e a legislação bancária inglesa de 1844 635

XXXV. Metais preciosos e taxa de câmbio 657

1. O movimento do encaixe metálico 659

2. A taxa de câmbio 668
   A taxa de câmbio com a Ásia 670
   Balança comercial da Inglaterra 685

XXXVI. Aspectos pré-capitalistas 689

Juros na idade média 707

Vantagens que a igreja auferia da proibição de juros 710

SEXTA SEÇÃO
CONVERSÃO DO LUCRO SUPLEMENTAR
EM RENDA FUNDIÁRIA

XXXVII. Introdução 713

XXXVIII. Renda diferencial. Generalidades 741

XXXIX. Primeira forma da renda diferencial (renda diferencial I) 751

XL. Segunda forma da renda diferencial (renda diferencial II) 777

XLI. Renda diferencial II – Primeiro caso: constante o preço de produção 791

XLII. Renda diferencial II – Segundo caso: descrente o preço de produção 801

1. Constante a produtividade do investimento adicional 803
2. Descrente a taxa de produtividade dos capitais adicionais 811
3. Crescente a taxa de produtividade dos capitais adicionais 813

XLIII. Renda diferencial II – Terceiro caso: crescente o preço de produção. Resultados 821

XLIV. Renda diferencial também no pior solo cultivado 851

1. Produtividade crescente das aplicações sucessivas de capital 856
2. Decrescente a produtividade dos capitais adicionais 858

   Renda diferencial e renda consideradas mero juro do capital incorporado à terra 860

XLV. A renda fundiária absoluta 863

XLVI. Renda dos terrenos para construção. Renda das minas. Preço do solo 889

XLVII. Gênese da renda fundiária capitalista 899

1. Observações preliminares 901
2. A renda em trabalho 908
3. A renda em produtos 912
4. A renda em dinheiro 914
5. A parceria e a pequena propriedade camponesa 920

SÉTIMA SEÇÃO
AS RENDAS E SUAS FONTES

XLVIII. A fórmula trinitária 933

I 935
II 936
III 937

XLIX. Elementos para a análise do processo de produção 953

L. As ilusões oriundas da concorrência 975

LI. Relações de distribuição e relações de produção 1001

LII. As classes 1011

ADITAMENTO AO LIVRO 3 DE *O CAPITAL* –
FRIEDRICH ENGELS   1015

  1. Lei do valor e taxa de lucro   1016

  2. A bolsa   1032

TABELA DE PESOS, MEDIDAS E MOEDAS INGLESES   1035

ÍNDICE ONOMÁSTICO   1037

ÍNDICE ANALÍTICO   1041

NOTA DO TRADUTOR

No legado científico de Marx figuram os manuscritos que contêm sua redação preliminar e única do Livro 4, destinado a completar *O capital*. Neles Marx trata da história das teorias econômicas, destacando a questão do valor excedente, e investiga, de maneira exaustiva, diversos problemas fundamentais da economia.

Estou agora concluindo a tradução integral desses manuscritos.

REGINALDO SANT'ANNA

PREFÁCIO

Da principal obra de Marx consigo, por fim, publicar o livro 3, em que se conclui a parte teórica. Ao editar o Livro 2, em 1885, acreditava que no Livro 3, excetuadas certas partes essenciais, só encontraria dificuldades de natureza técnica. E assim foi na realidade; mas, naquela ocasião, não tinha a menor ideia dos óbices que me criariam justamente essas partes mais importantes, nem de outros obstáculos que fariam retardar a conclusão do livro.

O primeiro e principal empeço foi a persistente fraqueza da vista, que, por anos a fio, reduziu muito o tempo que podia empregar em trabalhos de redação, e ainda hoje só excepcionalmente me permite escrever com luz artificial. Surgiram, de acréscimo, outras tarefas às quais não podia esquivar-me: reedições e traduções de trabalhos anteriores, de Marx e meus, implicando revisões, prefácios e complementos, que muitas vezes requeriam novos estudos etc. Antes de tudo, a edição inglesa do Livro 1 me tomou muito tempo, pois me cabia, em última instância, a responsabilidade por seu texto. Quem de algum modo acompanha o crescimento enorme da literatura socialista internacional, em particular atentando para o número das traduções de trabalhos anteriores, de Marx e meus, achará justo que me felicite por ser muito limitado o número de línguas em que tenho podido ser útil aos tradutores e em que não me é permitido recusar-me a rever seus trabalhos. Mas a expansão da literatura era apenas sintoma do crescimento correspondente do próprio movimento internacional dos trabalhadores. E este me impunha novas obrigações.

Desde os primeiros dias de nossa atividade pública recaía em Marx e em mim boa parte do trabalho de estabelecer relações entre os movimentos nacionais dos socialistas e dos trabalhadores nos diversos países; esse trabalho aumentava na medida em que se robusteciam esses movimentos em sua totalidade. Marx assumiu, até a morte, o peso principal da tarefa; mas esta, depois mais acrescida, recaiu unicamente sobre mim. Felizmente, a relação direta entre os partidos nacionais dos trabalhadores vai-se tornando a regra, que se impõe cada dia mais; apesar disso, minha ajuda é requerida com frequência muito maior que a adequada ao meu interesse pelos trabalhos teóricos. Para quem milita como eu há mais de cinquenta anos neste movimento, os trabalhos que ele propõe constituem dever indeclinável, a cumprir sem dilação. Na agitada época atual, como no século XVI, só do lado da reação se encontram teóricos puros na esfera dos interesses públicos, e justamente por isso esses senhores não são mesmo teóricos verdadeiros, mas simples apologistas dessa reação.

A circunstância de eu morar em Londres faz que os contatos com os partidos, no inverno, se efetuem por correspondência e, no verão, sejam sobretudo pessoais. Isto e a necessidade de acompanhar a marcha do movimento em número sempre crescente de países e em órgãos de imprensa que aumentavam em ritmo ainda mais rápido geraram para mim a impossibilidade de levar a cabo trabalhos que não admitem interrupção, fora do inverno, especialmente fora dos três primeiros meses do ano. Quando se passa dos 70 anos, as fibras de associação cerebrais de Meynert trabalham com certa circunspecção fatal; as interrupções em trabalho teórico difícil não se superam mais fácil e rapidamente como dantes. Por isso o trabalho que não era concluído num inverno tinha em grande parte de ser feito de novo no seguinte, o que se deu principalmente com a Quinta Seção, a mais difícil.

No que segue, verificará o leitor que o trabalho de redação diferiu essencialmente do requerido pelo Livro 2. Para o 3, havia apenas uma primeira redação, e ainda extremamente incompleta. Em regra, cada parte era, de início, elaborada de maneira bastante cuidadosa e, na maioria dos casos, em estilo fluente. Mas, quanto mais avançada no texto, mais a redação se tornava esquemática e inacabada, mais continha digressões sobre pontos secundários surgidos no curso da pesquisa, a serem classificadas definitivamente em ordenação posterior, tanto mais longos e complicados eram os períodos em que se expressavam os pensamentos registrados em estado nascente. Em várias passagens, a caligrafia e o estilo revelavam com a maior clareza o aparecimento e o progresso paulatino de uma daquelas recidivas oriundas de estafa, que tornavam cada vez mais difícil o trabalho de elaboração criadora, e, por fim, impossibilitando-o de todo durante algum tempo. E não é de surpreender. Entre 1863 e 1867, Marx não só rascunhara os dois últimos livros de *O capital* e preparara para a impressão o Livro 1, mas também efetuara trabalho ciclópico relacionado com a fundação e expansão da Associação Internacional dos Trabalhadores. Mas, por outro

PREFÁCIO

lado, já em 1864 e 1865 apareceram sérios sintomas daquelas perturbações de saúde que o impossibilitaram de dar a última demão nos livros 2 e 3.

Comecei meu trabalho ditando o manuscrito todo, que mesmo para mim era muitas vezes difícil de decifrar, a fim de obter cópia legível, o que já me tomou bastante tempo. Só em seguida podia iniciar a redação propriamente dita. Limitei-a ao estritamente necessário, mantendo, o mais possível, o caráter do rascunho, sempre que não prejudicasse a clareza, e não suprimi certas repetições que consideram o assunto sob outro aspecto ou o expressam de outra maneira, como era hábito de Marx. Coloquei por inteiro entre colchetes, assinalando com minhas iniciais, as modificações ou acréscimos que não constituem mero trabalho de redação, ou em que transformei os dados fornecidos por Marx em conclusões próprias elaboradas o mais possível de acordo com seu espírito. Nas notas de pé de página feitas por mim faltam às vezes os colchetes, mas sou responsável pela nota inteira, quando minhas iniciais estejam colocadas embaixo.

Tratando-se de rascunho, é natural que haja no manuscrito numerosas referências a pontos a desenvolver mais tarde, embora esses propósitos não se efetivassem em todos os casos. Deixei-as ficar, pois patenteiam os projetos de trabalho do autor.

Pormenorizemos.

Só com grandes limitações era possível utilizar o manuscrito principal para a feitura da Primeira Seção. Começa logo apresentando os cálculos sobre a relação entre taxa de mais-valia e taxa de lucro (objeto de nosso Capítulo III), enquanto a matéria desenvolvida em nosso Capítulo I só era tratada mais tarde e ocasionalmente. Dois trabalhos preliminares de reelaboração, de oito páginas em fólio cada um, embora lhes faltasse acabamento quanto à ordenação, serviram-me para organizar o atual Capítulo I. Tirei o Capítulo II do manuscrito principal. Para o Capítulo III, havia toda uma série de elaborações matemáticas inacabadas, e ainda um caderno inteiro, quase completo, da década de 1870, o qual apresentava em equações a relação entre a taxa de mais-valia e a taxa de lucro. Meu amigo Samuel Moore, que traduziu a maior parte do Livro 1 para o inglês, assumiu o encargo de refundir para mim o caderno, para o que estava mais bem capacitado como competente matemático formado por Cambridge. Com seu resumo, e recorrendo às vezes ao manuscrito principal, preparei o Capítulo III. Do Capítulo IV existia apenas o título, mas, sendo o tema – o efeito da rotação sobre a taxa de lucro – de importância decisiva, elaborei-o eu mesmo, e por isso o capítulo todo figura no texto entre colchetes. Evidenciou-se então que era mister introduzir modificação na fórmula da taxa de lucro do Capítulo III, para ela ter validade geral. O manuscrito principal é a única fonte do resto da parte, a partir do Capítulo V, embora tenha sido necessário grande número de transposições e acréscimos.

Nas três partes seguintes, com exceção das correções de estilo, pude cingir-me quase inteiramente ao manuscrito original. Certas passagens, relacionadas em regra com os efeitos da rotação, tinham de ser elaboradas de acordo com o Capítulo IV que intercalei; foram colocadas entre colchetes e assinaladas com minhas iniciais.

A maior dificuldade encontrei na Quinta Seção, que trata da matéria mais complexa do livro. E Marx, justamente quando estava trabalhando aí, foi surpreendido por uma das graves recidivas mencionadas. Não se encontra aí um esboço concluído, nem mesmo um esquema, com pontos essenciais para desenvolver, mas um começo de elaboração que várias vezes acaba em massa desordenada de notas, observações e materiais extratados. De início, procurei completar essa parte, preenchendo as lacunas e desenvolvendo os fragmentos apenas esboçados, como de algum modo conseguira fazer com a Primeira Seção, de modo que ela, pelo menos virtualmente, apresentasse tudo o que o autor tencionara oferecer. Fiz pelo menos três tentativas, mas todas elas se malograram, e o tempo que nelas perdi constitui uma das causas principais do atraso. Finalmente, compreendi que estava no caminho errado: teria sido necessário compulsar toda a volumosa literatura especializada nesse domínio para lograr por fim fazer algo que não teria constituído o livro de Marx. Não me restou outra saída senão forçar de certo modo a solução do problema, limitando-me a ordenar do melhor modo possível o que existia e a só efetuar os acréscimos indispensáveis. Assim, na primavera de 1893, concluí, no principal, o trabalho dessa parte.

Quanto aos diversos capítulos dela, os de números XXI a XXIV estavam em substância elaborados. Para os capítulos XXV e XXVI, era mister selecionar citações e inserir dados que se encontravam alhures. Os capítulos XXVII e XXIX podiam ser quase por inteiro reproduzidos de acordo com o manuscrito, enquanto certos trechos do Capítulo XXVIII tinham de ser reordenados. Com o Capítulo XXX começaram as grandes dificuldades. Daí em diante era preciso pôr na ordem adequada as citações e a marcha do pensamento a todo momento interrompida por frases intercaladas, digressões etc., e muitas vezes retomada noutras passagens de maneira de todo

PREFÁCIO

incidental. Assim, para compor o Capítulo XXX foram feitas reorganizações e suprimidas certas passagens que se deslocaram para outros pontos. O Capítulo XXXI estava elaborado de maneira mais ordenada. A seguir vem longa seção do manuscrito, intitulada "A confusão", constituída de extratos dos relatórios parlamentares de 1848 e 1857, e reunindo, de 23 homens de negócios e economistas, depoimentos relacionados notadamente com dinheiro e capital, evasão de ouro, especulação excessiva etc., às vezes objeto de breves comentários humorísticos do autor. Aparecem aí, nas perguntas e respostas, quase todas as opiniões então correntes sobre a relação entre dinheiro e capital; delas resultava "confusão" sobre o que seria dinheiro e o que seria capital no mercado monetário. O objetivo de Marx era criticá-la e satirizá-la. Após várias tentativas, convenci-me da impossibilidade de compor esse capítulo; o material, especialmente o comentado por Marx, utilizei-o nos contatos pertinentes.

O que seguia estava razoavelmente ordenado, e acomodei-o no Capítulo XXXII. Logo depois vem nova série de extratos dos relatórios parlamentares sobre todos os assuntos possíveis tratados nessa parte, de mistura com observações mais ou menos extensas do autor. Ao se aproximarem do fim, os extratos e comentários vão se concentrando cada vez mais no movimento dos metais monetários e do câmbio, e têm por remate suplementos vários. Ao contrário, estava perfeitamente elaborado o texto sobre "aspectos pré-capitalistas" (Capítulo XXXVI).

Todos esses materiais a partir de "A confusão", excetuando o que já aproveitara antes, utilizei-os para compor os capítulos XXXIII a XXXV. Naturalmente, precisei fazer então numerosas intercalações, para ligar os assuntos tratados. Essas adições, quando não são de caráter puramente formal, trazem assinalada minha autoria. Assim, consegui por fim encaixar no texto todas as declarações do autor que tinham qualquer relação com a matéria versada, e só eliminei pequena parte dos extratos, a qual repetia o que já fora apresentado alhures ou tocava pontos que o manuscrito não desenvolvia.

A parte sobre renda fundiária teve elaboração muito mais completa, embora não estivesse ordenada, como evidencia a circunstância de Marx achar necessário, no Capítulo XLIII (a última seção da parte sobre renda fundiária no manuscrito), recapitular brevemente o plano da parte inteira. E isto foi muito útil para preparar a edição, pois o manuscrito começa no Capítulo XXXVII, continua com os capítulos XLV a XLVII e acaba nos capítulos XXXVIII a XLIV. Os trabalhos maiores apareceram com os quadros relativos à renda diferencial II e quando descobri que no Capítulo XLIII não havia estudo algum sobre o terceiro caso dessa espécie de renda, o qual deverá ser tratado aí.

Para ampliar essa parte sobre renda fundiária, empreendera Marx, na década de 1870, estudos especiais, inteiramente novos. Anos a fio, estudou na língua original e resumiu os dados estatísticos e outras publicações sobre renda fundiária, de conhecimento imprescindível após a "reforma" de 1861 na Rússia. Essa documentação lhe proporcionaram amigos russos, da maneira mais completa possível, e Marx tencionava utilizá-la para refundir essa parte. Dada a variedade das formas de propriedade fundiária e de exploração dos trabalhadores agrícolas na Rússia, cabia a esse país desempenhar, na parte relativa à renda fundiária, o mesmo papel que, no Livro 1, a Inglaterra desempenha no tocante ao trabalho assalariado industrial. Infelizmente, não foi possível a Marx executar esse plano.

Finalmente, da Sétima Seção era completa a redação, embora de caráter preliminar, com períodos intermináveis que tinham de ser fracionados para a impressão. Do último capítulo só havia o começo. O propósito do autor aí era descrever as três grandes classes da sociedade capitalista desenvolvida (correspondentes às três grandes formas de renda: a renda fundiária, o lucro e o salário) – os proprietários de terras, os capitalistas e os trabalhadores assalariados – e a luta de classes inseparável de sua existência, como produto efetivo do período capitalista. Marx costumava esperar as vésperas da impressão para redigir em caráter definitivo resumos conclusivos dessa natureza, quando os acontecimentos históricos mais recentes, com regularidade infalível, lhe forneciam os exemplos mais atuais que serviam de apoio às suas gestações teóricas.

Aqui, como no Livro 2, as citações e referências são consideravelmente mais escassas que no Livro 1. Quando se cita o Livro 1, indicam-se as páginas da segunda edição e da terceira. Quando o manuscrito se reporta a afirmações teóricas de economistas anteriores, em regra indica-se apenas o nome, ficando para a redação final precisar-se a passagem correspondente. Naturalmente, tive de deixar isso como estava. Dos relatórios parlamentares, só quatro foram utilizados, mas com bastante amplitude. São eles:

Relatórios de Comissões (*Reports from Committees*) da Câmara dos Comuns, v. VIII, Depressão Comercial (*Commercial Distress*), v. II, Parte I, 1847-48, Depoimentos. – Título para citação: *Commercial Distress*, 1847-48.

PREFÁCIO

Secret Committee of the House of Lords on Commercial Distress 1847, Report Printed 1848, Evidence Printed 1857. Comissão Secreta da Câmara dos Lordes para investigar a depressão comercial em 1847. Exposição impressa em 1848; depoimentos impressos em 1857 (pois em 1848 eram considerados comprometedores demais). — Citação pelas iniciais: C.D., 1847-1857.

Relatório sobre as leis bancárias, 1857. — *Idem*, 1858. Relatórios da Câmara dos Comuns sobre os efeitos das leis bancárias de 1844 e 1845, com os depoimentos. — Citação pelas iniciais: B.A. (às vezes B.C.), 1857 ou 1858.

Logo que me seja possível, ocupar-me-ei do Livro 4, que versa a história da mais-valia.

No prefácio ao Livro 2, tive de ocupar-me com certos cavalheiros que então levantaram grande alarido porque viam "em Rodbertus a fonte secreta de Marx e um precursor que o supera". Ofereci-lhes a oportunidade de mostrar "do que é capaz a economia rodbertiana"; convidei-os a demonstrar "como se pode formar e necessariamente se forma igual taxa média de lucro, sem ferir a lei do valor, mas, ao contrário, fundamentando-se nela". Na época, esses cavalheiros, por causas subjetivas ou objetivas — em regra, de qualquer natureza, menos científicas —, proclamavam o bom Rodbertus astro supremo da economia. Sem exceção, silenciaram sobre a questão que lhes propus. Em compensação, outras pessoas achavam que valia a pena cuidar dela.

Agita-a o professor W. Lexis, ao criticar o Livro 2 (*Conrads Jahrbücher*, XI, 5, 1885, pp. 452-65), embora não se disponha a dar-lhe nenhuma solução direta. Diz ele:

> A solução dessa contradição (entre a lei do valor de Ricardo-Marx e a igual taxa média de lucro) é impossível se considerarmos isoladas as diferentes espécies de mercadorias e se o valor delas deve ser igual ao valor de troca, e este, igual ou proporcional ao preço.

A solução, segundo Lexis, só é possível se

> "renunciarmos à mensuração do valor pelo trabalho para as espécies isoladas de mercadorias e só considerarmos a produção das mercadorias *na totalidade* e a distribuição delas pelo conjunto das classes capitalista e trabalhadoras. [...] Do produto global, a classe trabalhadora recebe apenas uma parte [...] a outra que cabe aos capitalistas constitui, no sentido de Marx, o produto excedente

e em consequência [...] a mais-valia. Então, os membros da classe capitalista repartem entre si a mais-valia global, *não* segundo o número de trabalhadores que empregam, mas na proporção da magnitude do capital investido por cada um, sendo a terra incluída como valor-capital". Os valores ideais de Marx determinados pelas unidades de trabalho materializadas nas mercadorias não correspondem aos preços, mas podem "ser considerados ponto de partida de transposição que leva aos preços reais. Determina a estes o princípio de capitais iguais exigirem lucros iguais". Decorre daí receberem por suas mercadorias uns capitalistas preços superiores, e outros, preços inferiores ao valor ideal delas. "Mas, como os decréscimos e acréscimos de mais-valia se compensam reciprocamente dentro da classe capitalista, é a mesma a magnitude global da mais-valia, como se todos os preços fossem proporcionais aos valores ideais das mercadorias."

A questão aí, vê-se, está longe de ser resolvida, mas no conjunto foi *proposta* com acerto, embora de maneira descuidada e sem profundidade. Na realidade, não se poderia esperar tanto de alguém que, como o autor, se proclama com certo orgulho "economista vulgar"; suas ideias até nos surpreendem, se as comparamos com as de outros economistas vulgares, que serão examinadas mais tarde. É muito peculiar, sem dúvida, a economia vulgar do autor. Diz que o lucro do capital *pode* certamente inferir-se segundo a concepção de Marx, mas que nada torna *obrigatório* esse modo de ver. Ao contrário. A economia vulgar ofereceria explicação pelo menos mais plausível, a saber:

> Os vendedores capitalistas, o produtor de matérias-primas, o fabricante, o atacadista, o retalhista obtêm lucro nos negócios vendendo mais caro do que compram, aumentando, portanto, de certa percentagem o preço de custo da respectiva mercadoria. Só o trabalhador não é capaz de impor acréscimo semelhante de valor, pois sua situação desfavorável ante o capitalista o obriga a vender o trabalho pelo preço que a ele mesmo custa, isto é, pelos meios de subsistência necessários. [...] Assim, esses acréscimos de preço mantêm todos os efeitos para os assalariados compradores e efetuam a transferência de parte do valor do produto total para a classe capitalista.

Não é mister grande esforço de inteligência para perceber que essa aplicação "econômica vulgar" do lucro do capital leva praticamente aos mesmos resultados a que chega a teoria da mais-valia de Marx: na concepção de Lexis, os trabalhadores estão exatamente na mesma "situação desfavorável"; são do mesmo modo os depenados, pois o não trabalhador pode vender acima do preço, mas o trabalhador, não. É possível construir na base dessa teoria um socialismo vulgar pelo menos tão plausível quanto o que se constituiu na Inglaterra, fundamentado na teoria do valor de uso e da utilidade marginal de Jevons-Menger. Chego a pensar mesmo que, se George Bernard Shaw conhecesse essa teoria do lucro, seria capaz de agarrá-la com ambas as mãos, despedir-se de Jevons e de Karl Menger e reerguer sobre essa rocha a Igreja Fabiana do futuro.

Na realidade, essa teoria perifraseia Marx. De onde vêm os meios para pagar todos os acréscimos de preços? Do "produto global" dos trabalhadores. E na medida em que a mercadoria "trabalho" – ou seja, a força de trabalho, como diz Marx – se vende necessariamente abaixo do preço. Se é propriedade comum de todas as mercadorias serem vendidas por mais que o custo de produção, se a única exceção é o trabalho sempre vendido pelo custo de produção, então é ele vendido abaixo do preço, que é a regra nesse mundo da economia vulgar. O lucro extra que por isso cabe ao capitalista ou à classe capitalista procede (e esta é, em última instância, a única maneira de efetivar-se) do produto suplementar que o trabalhador tem de produzir, sem ser pago, depois de produzir o equivalente ao preço do trabalho; consiste, portanto, em produto excedente, produto de trabalho não pago, mais-valia. Lexis é de extrema prudência na escolha das expressões. Nunca afirma diretamente que esta é a sua concepção, mas, se é, está claro que não defrontamos um daqueles comuns economistas vulgares: diz Lexis que, aos olhos de Marx, cada um deles "na melhor hipótese não passa de um mentecapto irremediável". Teríamos em Lexis um marxista disfarçado de economista vulgar. Se é consciente ou não esse disfarce, é um problema que não nos interessa aqui. Quem quiser aprofundá-lo talvez investigue também como é possível que um homem tão inteligente, como ele é sem dúvida, tenha defendido em certa ocasião um disparate como o bimetalismo.

O primeiro que tentou realmente responder à questão foi o Dr. Conrad Schmidt, na obra *A taxa média de lucro na base da lei do valor de Marx*, Stuttgart, Dietz, 1889. Schmidt procura harmonizar os pormenores da formação dos preços de mercado com a lei do valor e com a taxa média de lucro. O capitalista industrial obtém com o produto, primeiro, reposição do capital adiantado; segundo, produto excedente por que nada pagou. Mas, para obter esse produto excedente, tem de adiantar capital para produzir; isto é, tem de empregar determinada quantidade de trabalho materializado, para poder apropriar-se desse produto excedente. Para o capitalista, portanto, esse capital adiantado é a quantidade de trabalho materializado, socialmente necessário, para obter esse produto excedente. Isto se estende aos demais capitalistas industriais. Uma vez que, segundo a lei do valor, os produtos se trocam na proporção do trabalho socialmente necessário para produzi-los e uma vez que, para os capitalistas, o trabalho necessário para produzir o produto excedente é justamente o trabalho pretérito acumulado em seu capital, então os produtos excedentes se trocam na proporção dos capitais exigidos para produzi-los, e não na do trabalho neles *efetivamente* corporificado. A porção que cabe a cada unidade de capital é, portanto, igual à soma de todas as mais-valias produzidas, dividida pela soma dos capitais para esse fim empregados. Por conseguinte, capitais iguais proporcionam no mesmo tempo lucros iguais, o que sucede porque o preço de custo assim calculado do produto excedente, isto é, o lucro médio, se acrescenta ao preço de custo do produto pago e se vendem por esse preço acrescido ambos os produtos, o pago e o não pago. Forma-se a taxa média de lucro, embora, como crê Schmidt, os preços médios das mercadorias isoladas se determinem pela lei do valor.

A construção é extremamente engenhosa, autêntico modelo hegeliano, embora errada, qualidade que a identifica com a maioria dos modelos desse gênero. Tanto faz o produto excedente ou o produto pago: se a lei do valor também é válida *de imediato* para os preços médios, então ambos os produtos têm de ser vendidos na proporção do trabalho socialmente necessário que a produção deles requer e consome. A lei do valor dirige-se, antes de mais nada, contra a opinião, oriunda do modo de pensar capitalista, segundo a qual o trabalho pretérito acumulado, que constitui o capital, em vez de ser determinada soma de valor pronto e acabado, é criador de valor – por ser fator da produção e da formação de lucro –, fonte, portanto, de mais valor que o que possui. Essa lei estabelece que essa propriedade cabe unicamente ao trabalho vivo. Sabe-se que os capitalistas esperam lucros iguais na proporção da magnitude dos respectivos capitais, e consideram o capital adiantado, portanto, uma espécie de preço de custo do lucro. Mas, se Schmidt utiliza essa concepção como instrumento para harmonizar com a lei do valor os preços calculados de acordo com a taxa média de lucro, o que está fazendo é destruir a própria lei do valor, incor-

PREFÁCIO

porando-lhe como um dos fatores determinantes um conceito que lhe é totalmente antagônico.

Ou o trabalho acumulado cria valor, como o trabalho vivo, e então a lei do valor não vigora, ou não o cria, e neste caso a argumentação de Schmidt é incompatível com a lei do valor.

Schmidt desviou-se, quando já estava muito próximo da solução, porque julgava ter de encontrar uma fórmula possivelmente matemática que permitisse demonstrar a harmonia entre o preço médio de cada mercadoria isolada e a lei do valor. Mas, se nas proximidades do objetivo perdeu-se por caminhos errados, o conteúdo restante de seu trabalho demonstra com que inteligência soube tirar conclusões novas dos dois primeiros livros de *O capital*. Cabe-lhe a honra de ter encontrado por si mesmo a explicação acertada da tendência, até então indecifrável, de cair a taxa de lucro, e que Marx apresenta na Terceira Seção do Livro 3; e mais, de ter derivado o lucro comercial da mais-valia industrial e de ter feito uma série de observações sobre juro e renda fundiária, que antecipam coisas que Marx desenvolveu na Quarta e Quinta Seções do Livro 3.

Em trabalho posterior sobre a questão (*Neue Zeit*, 1892-93, n. 3 e 4), procura Schmidt outro meio de solucioná-la. Este reduz-se ao fato de ser a concorrência que estabelece a taxa média de lucro, ao fazer o capital migrar de ramos com lucros baixos para ramos com superlucros. Nada há de novo na afirmação de a concorrência ser a grande niveladora dos lucros. Schmidt tenta então provar que esse nivelamento dos lucros se identifica com a redução do preço de venda das mercadorias produzidas em excesso, além da medida do valor que a sociedade pode pagar por elas, de acordo com a lei do valor. A razão por que esse caminho não podia levar ao objetivo infere-se bem das explicações de Marx no próprio Livro 3.

Após Schmidt, P. Fireman lançou-se ao problema (*Conrads Jahrbücher*, Série Terceira, III, p. 793). Não me deterei em suas observações sobre outros aspectos da teoria marxista. Baseiam-se neste quiproquó: Marx definiria onde desenvolve, e de modo geral dever-se-ia procurar nele definições rígidas, prontas e acabadas, válidas de uma vez para sempre. É por si mesmo evidente que, se as coisas e suas relações recíprocas são consideradas mutáveis, em vez de fixas, suas reproduções mentais, os conceitos, submetem-se por sua vez a alterações e mudanças, não ficando petrificados em definições rígidas, mas desenvolvendo-se de acordo com o processo histórico ou lógico de sua formação. Vê-se, assim, claramente por que Marx, no início do Livro 1 – começa lá pela produção mercantil simples, considerando-a a condição histórica prévia, para, em seguida, lançando-se dessa base, chegar ao capital –, parte justamente da mercadoria simples, e não de uma forma derivada no tocante aos conceitos e ao aspecto histórico, a mercadoria já modificada pelo capitalismo. É o que Fireman absolutamente não pode entender. Preferimos deixar de lado essas e outras coisas secundárias, que ainda poderiam motivar objeções várias, e ir diretamente ao cerne do problema. Enquanto a teoria ensina a Fireman que a mais-valia, dada sua taxa, é proporcional ao número das forças de trabalho empregadas, a experiência ensina-lhe que o lucro, uma vez dada a taxa média, é proporcional à magnitude do capital total empregado. Explica ele a coisa dizendo que o lucro é fenômeno meramente convencional (quer ele dizer, inerente a determinada formação social, existindo e desaparecendo com ela); sua existência se vincula apenas ao capital; este, quando está bastante forte para extorquir lucro, é constrangido pela concorrência a extorquir taxa igual de lucro para todos os capitais. Sem taxa igual de lucro, não é possível haver uma produção capitalista; suposta essa forma de produção, a massa de lucro para cada capitalista isolado dependerá unicamente, dada a taxa de lucro, da magnitude do respectivo capital. Por outro lado, o lucro consiste em mais-valia, em trabalho não pago. Como, então, a mais-valia, cuja magnitude depende da exploração do trabalho, se transforma em lucro, cuja magnitude depende da grandeza do capital exigido para obtê-lo?

> É simples. Em todos os ramos de produção em que é maior a relação entre [...] o capital constante e o variável, as mercadorias se vendem acima do valor, e isto significa também que, naqueles ramos de produção onde é menor a relação entre capital constante e capital variável, isto é, c : v, as mercadorias se vendem abaixo do valor, e que só quando a relação c : v configura determinada grandeza média as mercadorias se vendem pelo verdadeiro valor. [...] Essa incongruência entre preços diversos e os correspondentes valores elimina o princípio do valor? De modo nenhum. Os preços de umas mercadorias ultrapassam o valor na mesma medida em que outras caem abaixo do valor, e assim a soma total dos preços permanece igual à soma total dos valores [...] e "em última instância" desaparece a incongruência. Esta é uma "perturbação"; mas, nas ciências exatas, nunca se costuma considerar uma perturbação calculável como refutação de uma lei.

PREFÁCIO

Comparando-se o que diz Fireman com as passagens correspondentes do Capítulo IX, ver-se-á que ele realmente tocou no ponto decisivo. A acolhida fria injustamente dada a tão importante artigo de Fireman revela que ele, após essa descoberta, ainda precisaria de muitos elos intermediários, a fim de poder elaborar a solução plena, palpável do problema. Por muitos que fossem os interessados no problema, todos eles receavam escaldar-se. E isto se explica pela forma inacabada do achado de Fireman e pelas carências que ele revela na compreensão da teoria marxista e na própria crítica geral dela, baseando-se nessa compreensão.

O professor Julius Wolf, de Zurique, nunca falta quando há a oportunidade de expor-se ao ridículo numa questão difícil. O problema todo, diz ele (*Conrads Jahrbücher*, Série Terceira, II, p. 352ss.), resolve-se pela mais-valia relativa. A produção da mais-valia relativa baseia-se em acréscimo do capital constante em relação ao variável.

> Acréscimo de capital constante implica acréscimo de produtividade dos trabalhadores. Mas, uma vez que esse acréscimo de produtividade, ao baratear os meios de subsistência, acarreta acréscimo de mais-valia, estabelece-se relação direta entre mais-valia crescente e participação crescente do capital constante na totalidade do capital. Aumento de capital constante indica aumento de produtividade do trabalho. Não variando o capital variável e acrescendo o constante, aumenta por isso, necessariamente, a mais-valia, de acordo com Marx. Esta é a questão que nos foi proposta.

Marx diz exatamente o contrário em inúmeras passagens do Livro 1; afirmar que, segundo Marx, a mais-valia relativa aumenta, ao diminuir o capital variável em relação ao acréscimo do capital constante, é algo tão assombroso que ultrapassa todos os limites da linguagem parlamentar; Julius Wolf demonstra em cada linha que não entendeu nem relativa nem absolutamente o mínimo de mais-valia, seja absoluta ou relativa; ele mesmo diz: "aqui, à primeira vista, tem-se realmente a impressão de estar num poço de incongruências", o que, diga-se de passagem, é a única frase verdadeira em todo o seu artigo. Nada disto vem ao caso. Julius Wolf está tão orgulhoso de sua descoberta genial que não pode deixar de conferir a Marx, por isso, louvores póstumos e de glorificar o inescrutável desvario próprio como "nova demonstração da argúcia e perspicácia com que foi projetado seu" (de Marx) "sistema crítico da economia capitalista"!

Mas Wolf oferece algo melhor:

> Ricardo faz duas afirmações: a emprego de capital igual corresponde mais-valia igual (lucro), e a emprego de trabalho igual, mais-valia igual (segundo a quantidade). Surgiu então a pergunta: como tornar compatíveis as duas asserções? Marx, porém, não admitiu a pergunta nessa forma. *Sem dúvida demonstrou (no Livro 3)* que a segunda afirmação não deriva incondicionalmente da lei do valor, contradizendo-a mesmo, e portanto [...] deve ser rejeitada de plano.

Em seguida, examina quem de nós dois, eu ou Marx, se equivocou. Naturalmente, não pensa que ele mesmo se perdeu pelo caminho.

Seria ofender meus leitores e desconhecer de todo a comicidade da situação gastar uma palavra que fosse com essa rutilante joia. Limito-me a acrescentar: com a mesma audácia com que era capaz de já se referir ao que "Marx demonstrou sem dúvida no Livro 3", aproveita a oportunidade para noticiar suposto comentário entre professores, de que o trabalho citado de Conrad Schmidt "seria inspirado diretamente por Engels". Julius Wolf! Pode ser usual, no mundo em que viveis, propor publicamente um problema e dar, às escondidas, a solução aos amigos particulares. Não poria em dúvida vossa capacidade para tanto. Este prefácio vos prova que, no mundo que frequento, não é mister descer a tais baixezas.

Mal tinha Marx morrido, e Achille Loria, com a maior rapidez, publicou sobre ele um artigo na *Nuova antologia* (abril de 1883): uma biografia regurgitante de informações falsas, seguida de uma crítica da atividade pública, política e literária. A concepção materialista da história de Marx é aí falsificada e torcida com tal desassombro que deixa entrever um grande objetivo. E esse objetivo realizou-se: em 1886, esse mesmo Loria publicou um livro, *La teoria economica della costituzione politica*, em que apresenta aos contemporâneos estupefatos, como descoberta sua, a teoria da história de Marx, que desfigurara de maneira tão completa e intencional em 1883. Sem dúvida, a teoria de Marx está aí bastante empobrecida; nas citações e exemplos históricos pululam erros que não se toleram em nível secundário de educação; mas a que vem tudo isso? Segundo se prova aí, não foi Marx quem, no ano de 1845, descobriu que, por toda parte e sempre, as condições e acontecimentos políticos se explicam pelas correspondentes condições econômicas, e sim Loria, em 1886. Pelo menos teve a sorte de

PREFÁCIO

embair os conterrâneos e ainda vários gauleses, pois seu livro saiu depois em francês, e agora na Itália pode jactar-se de autor de uma nova e sensacional teoria da história, até que os socialistas de lá, com o tempo, despojem o ilustre Loria das furtadas penas de pavão.

Mas tudo isso não passa de uma pequena amostra do que Loria é capaz. Assegura-nos que todas as teorias de Marx repousam sobre um sofisma *consciente (un consaputo sofisma)*; que Marx não recuava diante de paralogismos, mesmo quando os reconhecia como tais *(sapendoli tali)* etc. Depois de impingir aos leitores, com inúmeras frioleiras ignóbeis do mesmo jaez, o necessário para verem um ambicioso como Loria em Marx, que, como nosso professor paduano, se exibira, para impressionar, com as mesmas ridículas e tolas pantomimas, é que se sente em condições de revelar-lhes importante segredo, o que nos traz de volta à taxa de lucro.

Diz Loria: segundo Marx, a massa de mais-valia produzida numa empresa industrial (Loria confunde aí mais-valia e lucro) se rege pelo capital variável empregado, pois o capital constante não proporciona lucro. Mas isso contradiz a realidade, pois na prática o lucro se rege não pelo capital variável, e sim pela totalidade do capital. O próprio Marx o percebe (Livro 1, Capítulo XI)[1] e admite que na aparência os fatos contradizem sua teoria. Mas como resolve a contradição? Remete os leitores a um volume a sair e que ainda não apareceu. Acerca desse volume, Loria já dissera antes a *seus* leitores não acreditar que Marx, nem por um momento, tivesse pensado em escrevê-lo, e agora proclama triunfalmente:

> Não me enganei, portanto, ao afirmar que esse segundo volume com que Marx ameaçava continuamente seus adversários, sem aparecer jamais, bem podia ser um expediente engenhoso imaginado por Marx na falta de argumentos científicos (*un ingegnoso spediente ideato dal Marx a sostituzione degli argomenti scientifici*) ·

E agora, quem não estiver convencido de que Marx se nivela ao ilustre Loria no charlatanismo científico é um caso perdido.

Ficamos, portanto, sabendo que, segundo Loria, a teoria da mais-valia de Marx é absolutamente incompatível com a realidade de igual taxa geral de lucro. Veio então à luz o Livro 2 e nele propus publicamente a questão relacio-

---

[1] Corresponde ao Capítulo IX da tradução portuguesa, feita de acordo com a quarta edição em alemão, de 1890, revista por Engels.

nada justamente com esse ponto.¹ Se Loria fosse inibido como nós alemães, teria ficado um tanto perplexo. Mas é um meridional atrevido, vivendo num clima quente, onde, como ele está em condições de afirmar, a ardidez é de certo modo condição natural. Está proposta perante o público a questão da taxa de lucro. Publicamente, Loria declarou-a insolúvel. E justamente por isso supera agora a si mesmo, resolvendo-a publicamente.

O milagre acontece nos *Conrads Jahrbücher*, nova série, v. xx, p. 272ss., num artigo sobre o trabalho anteriormente citado, de Conrad Schmidt. Depois de ter aprendido com Schmidt como se forma o lucro comercial, de súbito passa a ver tudo claro.

> "Uma vez que a determinação do valor pelo tempo de trabalho proporciona vantagem aos capitalistas que empregam maior parte do capital em salários, pode o capital improdutivo" (deveria dizer comercial) "extorquir desses capitalistas privilegiados um juro" (deveria dizer lucro) "e estabelecer assim a igualdade entre os diversos capitalistas industriais. [...] Assim, por exemplo, se os capitalistas industriais A, B e C empregam na produção, cada um, 100 jornadas de trabalho, e respectivamente 0, 100 e 200 de capital constante, encerrando-se 50 jornadas no salário de 100, obterá cada capitalista mais-valia de 50 jornadas, e a taxa de lucro será de 100% para o primeiro, 33,3% para o segundo e 20% para o terceiro. Mas, se um quarto capitalista D acumula um capital improdutivo de 300, que exige juro" (lucro) "de A no valor de 40 jornadas, e de B no valor de 20, a taxa de lucro, tanto de A quanto de B, ficará reduzida a 20%, igual à de C, e D, com um capital de 300, conseguirá um lucro de 60, isto é, uma taxa de lucro de 20%, como os demais capitalistas."

Com tão surpreendente habilidade, num estalar de dedos, o ilustre Loria resolve a mesma questão que 10 anos antes declarara insolúvel. Infelizmente não nos revelou a fonte misteriosa onde o "capital improdutivo" adquire o poder de extrair dos industriais esse lucro extra que ultrapassa a taxa média de lucro, e ainda guardá-lo para si, do mesmo modo que o proprietário da terra embolsa o lucro suplementar do arrendatário, a título de renda. Nessas condições, os comerciantes cobrariam dos industriais um tributo completamente análogo à renda fundiária e assim estabeleceriam a taxa média de lucro. Sem dúvida, o capital comercial é fator essencial na formação da taxa geral de lucro, e quase todo mundo sabe disso. Só um aventureiro

---

1 Ver Livro 2, pp. 18-19.

que maneja a pena, e no íntimo, não faz o menor caso da economia, pode atrever-se a afirmar que o capital comercial possui o poder mágico de sugar da mais-valia a porção toda que ultrapassa a taxa média de lucro – e antes de esta se ter constituído – e de transformar para si mesmo essa porção em renda como a fundiária, sem para isso precisar de propriedade fundiária. Não é menos surpreendente afirmar Loria que o capital comercial consegue descobrir aqueles industriais que só obtêm mais-valia igual à taxa média de lucro, e torna por dever mitigar um pouco a sorte dessas vítimas infelizes da lei do valor de Marx, para elas vendendo grátis os produtos, sem mesmo receber comissão alguma. Só um refinado saltimbanco poderia imaginar que Marx precisaria recorrer a tão lamentáveis truques!

Mas nosso ilustre Loria só fulge em todo o esplendor quando o comparamos aos concorrentes nórdicos, como, por exemplo, Julius Wolf, que também tem suas espertezas. Este, entretanto, ao lado do italiano, parece um fraldiqueiro a ladrar, mesmo em seu volumoso livro *Socialismo e ordem social capitalista*. Como parece bisonho, diria mesmo humilde, diante do nobre arrojo com que o maestro, personificando a evidência mesma, apresenta Marx e – ao modo como julga as pessoas – tacha-o de sofista, paralogista, impostor, charlatão de feira, como se fosse a reprodução consciente do paradigma, o próprio Loria; ou quando afirma que Marx, ao deparar-se com obstáculos intransponíveis, lança aos olhos do público os mágicos fumos de uma prometida conclusão de sua teoria num próximo volume, que, sabe muito bem, não pode nem pretende publicar! Desfaçatez sem limites, enguia a deslizar por situações impossíveis, desprezo heroico aos pontapés recebidos, rapidez no apropriar-se de trabalhos alheios, impertinente propaganda charlatanesca, promoção da glória pelas confrarias: em tudo isso, quem chega aos pés de Loria?

A Itália é a pátria do classicismo. Desde o grandioso tempo em que nela surgiu a aurora do mundo moderno, gerou protagonistas ciclópicos, de Dante a Garibaldi, de perfeição clássica nunca dantes atingida. Mas também a época da humilhação e do domínio estrangeiro trouxe-lhe caracteres clássicos, dentre os quais dois especialmente burilados: Sganarell e Dulcamara. A unidade clássica de ambos se corporifica em nosso ilustre Loria.

Por fim, temos de passar para o outro lado do Atlântico. Em Nova York, George C. Stiebeling, médico, também achou uma solução para o problema, e de extrema simplicidade. Tão simples que ninguém de cá nem de lá queria aceitá-la. A recepção irritou-o bastante, e, em série interminável de brochuras e artigos, publicados nos dois lados do oceano, se queixava amargamente dessa injustiça. Na revista *Neue Zeit* disseram-lhe que a solução toda se baseava num erro de cálculo, o que, porém, não chegava a perturbá-lo; Marx, embora tenha cometido erros ao fazer cálculos, acerta em muitas coisas. Examinemos a solução de Stiebeling.

> Sejam duas fábricas que operem, durante o mesmo tempo, com capital igual, mas com diferente relação entre capital constante e capital variável. Seja y o capital total de cada fábrica (c + v), e x a diferença na repartição entre capital constante e capital variável. Na fábrica I, y = c + v, e, na fábrica II, y = (c-x) + (v + x). Assim, na fábrica I, a taxa de mais-valia = $\frac{m}{v}$ e, na fábrica II, = $\frac{m}{v+x}$. Chamo de lucro (l) a mais-valia global (m) que, em dado espaço de tempo, acresce o capital total y, ou seja, c + v; portanto, l = m. Por conseguinte, na fábrica I, o lucro = $\frac{l}{y}$, ou seja, $\frac{m}{(c-v)+(v+x)}$, isto é, do mesmo modo $\frac{m}{c+v}$. O [...] problema resolve-se de maneira que, na base da lei do valor, aplicando-se capitais iguais no mesmo espaço de tempo, embora difiram as quantidades empregadas de trabalho vivo, resulta da modificação da taxa de mais-valia igual taxa média de lucro" (G. C. Stiebeling, *Das Uertgesetz und die Profitrate*, Nova York, John Heinrich).

Em face de tão bonita e plausível conta, é pena termos de fazer *uma* pergunta ao Dr. Stiebeling: como sabe que o montante de mais-valia produzido pela fábrica I é absolutamente igual ao montante produzido pela fábrica II? Referindo-se a todos os demais fatores, a c, v, y e x, diz-nos expressamente que representam magnitude igual, considere-se uma ou outra fábrica, mas silencia acerca de m. A igualdade entre os dois montantes de mais-valia não se pode inferir da mera circunstância de serem algebricamente batizados com m. E é justamente essa igualdade que é mister demonstrar, pois Stiebeling identifica de imediato o lucro l com a mais-valia. Então só duas hipóteses são possíveis: ou ambos os m são iguais, produzindo cada fábrica a mesma quantidade de mais-valia, e portanto lucro igual para igual capital aplicado, e nesse caso Stiebeling já estabelece de antemão o que lhe cabia demonstrar; ou uma fábrica produz de mais-valia montante maior que o da outra, e nesse caso a conta toda desmorona.

Stiebeling não poupou esforços nem despesas para erguer sobre esse erro de conta montanhas inteiras de cálculos e exibi-las ao público. Para a tranquilidade dele, posso assegurar que quase todos os cálculos são igualmente inexatos e, quando excepcionalmente estão certos, provam coisa bem diversa do que ele pretendia. Assim, comparando os dados dos recensea-

PREFÁCIO

mentos americanos de 1870 e 1880, demonstra realmente a queda da taxa de lucro, mas interpreta-a de maneira totalmente errada e acha que tinha de retificar, de acordo com a prática, a teoria de Marx de uma taxa de lucro sempre invariável, constante. Mas, agora, infere-se da Terceira Seção deste Livro 3 que essa "taxa de lucro constante" de Marx é mera fantasmagoria de Stiebeling e que a tendência a cair da taxa de lucro baseia-se em causas diametralmente opostas às por ele imaginadas. As intenções de Stiebeling são muito boas, mas, se pretendemos nos ocupar de problemas científicos, devemos, antes de mais nada, ler as obras – que queremos utilizar – como o autor as escreveu, e sobretudo não ler nelas coisas que não figuram.

Resultado da nossa investigação: também no tocante ao problema em debate, só a escola de Marx apresentou contribuições positivas. Fireman e Conrad Schmidt, ao lerem este Terceiro Volume, podem, cada um por seu lado, ficar satisfeitos com os próprios trabalhos.

FRIEDRICH ENGELS
LONDRES, 4 DE OUTUBRO DE 1894

LIVRO 3
O processo global da produção capitalista

PRIMEIRA SEÇÃO

A TRANSFORMAÇÃO DA MAIS-VALIA EM LUCRO E DA TAXA DE MAIS-VALIA EM TAXA DE LUCRO

I.
Preço de custo e lucro

1.
Preço de custo e lucro

No Livro 1, investigamos os fenômenos do *processo de produção* capitalista considerado apenas como processo imediato de produção, quando abstraímos de todos os efeitos induzidos por circunstâncias a ele estranhas. Mas o processo imediato de produção não abrange a vida toda do capital. Completa-o o *processo de circulação*, que constituiu o objeto de estudo do Livro 2. Aí – sobretudo na Terceira Seção, em que estudamos o processo de circulação como o agente mediador do processo social de reprodução – evidenciou-se que o processo de produção capitalista, observado na totalidade, é unidade constituída por processo de produção e processo de circulação. O que nos cabe neste Livro 3 não é desenvolver considerações gerais sobre essa unidade, mas descobrir e descrever as formas concretas oriundas do *processo de movimento do capital, considerando-se esse processo como um todo.* Em seu movimento real, os capitais se enfrentam nessas formas concretas; em relação a elas, as figuras do capital no processo imediato de produção e no processo de circulação não passam de fases ou estados particulares. Assim, as configurações do capital desenvolvidas neste livro abeiram-se gradualmente da forma em que aparecem na superfície da sociedade, na interação dos diversos capitais, na concorrência e ainda na consciência normal dos próprios agentes da produção.

O valor de toda mercadoria M da produção capitalista se expressa na fórmula: $M = c + v + m$. Descontando do valor do produto a mais-valia m, obteremos mero equivalente, isto é, valor que repõe em mercadoria o valor-capital $c + v$ empregado nos elementos da produção.

Se a fabricação de determinado artigo exigir um desembolso de capital de 500 libras esterlinas, repartidas em 20 para desgaste de meios de trabalho, 380 para matérias de produção,[1] 100 para força de trabalho, e se a taxa da mais-valia for de 100%, teremos o valor do produto = $400_c + 100_v + 100_m$ = 600 libras esterlinas.

Se delas deduzirmos a mais-valia de 100, ficam 500, que apenas substituem o capital desembolsado, de 500 libras esterlinas. Esta parte do valor, a qual ressarce o preço dos meios de produção consumidos e o da força de trabalho aplicada, repõe apenas o que a mercadoria custa ao próprio capitalista, constituindo para ele o preço de custo da mercadoria.

São duas magnitudes bem diversas o que a mercadoria custa ao capitalista e o que custa produzi-la. Da mercadoria, a parte constituída pela

---

[1] Matérias de produção = matérias-primas e matérias auxiliares.

mais-valia nada custa ao capitalista, justamente por custar ao trabalhador trabalho que não é pago. Ao capitalista, o preço de custo parece necessariamente constituir o verdadeiro custo da mercadoria, pois, no sistema capitalista, o trabalhador, após entrar no processo de produção, é um ingrediente do capital produtivo operante pertencente ao capitalista. Se chamarmos de k o preço de custo, a fórmula M = c + v + m transfigura-se em M = k + m, isto é, o valor da mercadoria = preço de custo + mais-valia.

Por isso, a junção, na categoria de preço de custo, das diferentes partes do valor da mercadoria que apenas repõem o valor-capital despendido na produção dela expressa o caráter específico da produção capitalista. O custo capitalista da mercadoria mede-se pelo dispêndio do *capital*, e o custo real, pelo dispêndio de *trabalho*. O custo capitalista da mercadoria é, portanto, quantitativamente diverso do valor ou verdadeiro custo dela; é menor que o valor da mercadoria, pois, se M = k + m, k = M − m. Mas o preço de custo da mercadoria é muito mais que um título existente na contabilidade capitalista. Impõe-se, contínua e praticamente, individualizar essa parte do valor na produção efetiva de mercadorias, pois ela, através do processo de circulação, tem de deixar a forma de mercadoria para reverter à de capital produtivo; o preço de custo da mercadoria deve, portanto, readquirir sempre os elementos de produção consumidos para produzi-la.

Por outro lado, a categoria preço de custo nada tem a ver com a produção do valor da mercadoria ou com o processo de valorização do capital. Embora saiba que $\frac{5}{6}$ de 600 libras esterlinas (o valor da mercadoria), ou seja, 500 libras, constituem apenas um equivalente, um valor que substitui o capital despendido de 500 libras, bastando para readquirir os elementos materiais desse capital, não sei por isso como se produziram esses $\frac{5}{6}$ do valor da mercadoria que constituem o preço de custo, nem o sexto restante em que se configura a mais-valia. Mas a investigação revelará que, na economia capitalista, o preço de custo assume o aspecto ilusório de uma categoria da produção do valor.

Voltando a nosso exemplo. Vamos supor que um trabalhador produz, numa jornada social média de dez horas,[I] um valor representado em 6 xelins = 6 marcos, então o capital adiantado de 500 libras = $400_c + 100_v$ é o valor produzido por $1.666\frac{2}{3}$ jornadas de trabalho de dez horas, e delas $1.333\frac{1}{3}$ se cristalizaram no valor dos meios de produção = 400_c, e $333\frac{1}{3}$ no

---

I Acrescentei a expressão "de dez horas".

valor da força de trabalho = 100_v. Conforme a admitida taxa de mais-valia, de 100%, a fabricação da mercadoria a produzir custa um dispêndio de força de trabalho = $100_v + 100_m = 666\frac{2}{3}$ jornadas de dez horas.

Sabemos que (Livro 1, Capítulo VII, p. 239) o valor do novo produto, de 600 libras esterlinas, compõe-se de: (1) valor que reaparece – 400 libras – do capital constantemente despendido em meios de produção e (2) novo valor produzido de 200 libras. O preço de custo = 500 libras compreende os 400_c que reaparecem e metade do novo valor produzido de 200 libras (= 100), dois elementos do valor-mercadoria inteiramente diversos, portanto, em sua origem.

Por meio do tipo apropriado do trabalho despendido em 666 jornadas de dez horas, transferiu-se para o produto o valor dos meios de produção consumidos, no montante de 400 libras. Esse valor reaparece como parte componente do valor do produto, mas não tem sua origem no processo de produção *desta* mercadoria. Só é componente do valor-mercadoria porque era antes componente do capital adiantado. O capital constante é reposto pela parte do valor-mercadoria, por ele mesmo adicionada. Esse elemento do preço de custo tem assim duplo sentido: (1) entra no preço de custo da mercadoria, porque, do valor desta, é um componente que repõe o capital despendido, e (2) constitui um componente do valor da mercadoria, por ser o valor do capital despendido, ou ser de tanto o custo dos meios de produção.

É o contrário o que se dá com o outro elemento do preço de custo. As $666\frac{2}{3}$ jornadas gastas na produção da mercadoria constituem um valor novo, de 200 libras. Dele, uma parte repõe o capital variável adiantado de 100 libras, o preço da força de trabalho empregada. Mas esse valor-capital adiantado não entra absolutamente na produção do valor novo. A força de trabalho é *valor* com referência ao adiantamento de capital, mas, no processo de produção, tem a função de *criar valor*. O valor da força de trabalho figura no adiantamento do capital, sendo porém substituído, quando o capital produtivo realmente *funciona*, pela força de trabalho viva, que cria valor.

A diferença que separa esses dois componentes do valor-mercadoria que, associados, formam o preço de custo salta aos olhos quando ocorre uma variação alternada na magnitude do valor do capital constante e do capital variável adiantados. Admitamos que o preço dos mesmos meios de produção, o capital constante, suba de 400 libras para 600, ou caia para 200. No primeiro caso, o preço de custo elevar-se-á de 500 libras para $600_c + 100_v =$ 700 libras, e o valor da mercadoria subirá de 600 para $600_c + 100_v + 100_m$ = 800 libras. No segundo, o preço de custo descerá de 500 libras para $200_c + 100_v = 300$ libras, e o valor da mercadoria cairá de 600 libras para $200_c + 100_v + 100_m = 400$ libras. Não se alterando as demais condições, o valor do produto aumenta ou diminui com a magnitude absoluta do valor do capital constante, porque esse capital desembolsado transfere o próprio valor aos produtos. Vamos supor que, sem se alterarem as demais condições, o preço da mesma massa de força de trabalho eleve-se de 100 para 150 libras, ou, ao contrário, caia para 50 libras. No primeiro caso, o preço de custo sobe efetivamente de 500 libras para $400_c + 150_v = 550$ libras, e, no segundo, cai de 500 libras para $400_c + 50_v = 450$ libras. Mas, nos dois casos, permanece invariável o valor da mercadoria = 600 libras, que se repartem em $400_c + 150_v + 50_m$ e em $400_c + 50_v + 150_m$. O capital variável adiantado não adiciona o próprio valor ao produto. Seu valor é substituído, no produto, por valor novo criado pelo trabalho. Uma variação na magnitude absoluta do valor do capital variável, se apenas expressa variação no preço da força de trabalho, em nada muda a magnitude absoluta do valor-mercadoria, pois em nada altera a magnitude absoluta do valor novo criado pela força de trabalho em ação. Essa variação só influi na relação quantitativa entre as duas partes do valor novo; uma constitui a mais-valia, e a outra, repondo o capital variável, entra no preço de custo da mercadoria.

As duas partes do preço de custo – em nosso caso, 400 + 100 – só têm em comum isto: são as duas frações do valor-mercadoria que repõem o capital adiantado.

Mas, sob o prisma da produção capitalista, essas circunstâncias efetivas aparecem às avessas.

No modo capitalista de produção, o valor – o preço – da força de trabalho se apresenta como valor – preço – do próprio trabalho, o salário (ver Livro 1, Capítulo XVII). Esta é uma das condições que o diferencia do modo de produção baseado na escravatura. Assim, a parte variável do valor do capital adiantado aparece como capital despendido na remuneração do trabalho (salário), como valor-capital que paga o valor, o preço do trabalho todo empregado na produção. Admitamos que uma jornada social média de 10 horas se corporifique numa soma de dinheiro de 6 xelins; então, um capital variável adiantado, de 100 libras, é a expressão monetária do valor produzido em $333\frac{1}{3}$ jornadas de dez horas. Mas esse valor da força de trabalho adquirida que figura nesse adiantamento de capital não constitui parte integrante do capital que realmente funciona. É substituído, no processo de produção, pela força de trabalho viva. Se o grau de exploração dela for, como em nosso exemplo, de 100%, será ela empregada durante $666\frac{2}{3}$ jornadas de dez horas e por isso acrescentará ao produto um valor novo de 200 libras. Mas, no adiantamento feito, o capital variável de 100 libras figura como capital despendido em remuneração do trabalho (salário), como preço do trabalho, executado em $666\frac{2}{3}$ jornadas de dez horas. Divididas 100 libras por $666\frac{2}{3}$, obteremos o preço da jornada de trabalho de dez horas, 3 xelins, o valor produzido em cinco horas de trabalho.

Comparando capital adiantado e valor-mercadoria, temos:

Capital adiantado de 500 libras esterlinas = 400 do capital empregado em meios de produção (preço dos meios de produção) + 100 do capital desembolsado em trabalho (preço de $666\frac{2}{3}$ jornadas em salário correspondente a elas).

Valor-mercadoria de 600 libras esterlinas = preço de custo de 500 libras (400 correspondentes ao preço dos meios de produção despendidos + 100 correspondentes ao preço das $666\frac{2}{3}$ jornadas empregadas) + 100 libras de mais-valia.

Nessa fórmula, a parte do capital adiantada em trabalho só se distingue da adiantada em meios de produção, digamos, em algodão ou carvão, por servir para pagar elemento materialmente diverso da produção, não entrando em conta a função diversa que desempenha no processo de produção do valor da mercadoria e, em consequência, no processo de valorização do capital. No preço de custo da mercadoria reaparece o preço dos meios de produção, tal como figurava no capital adiantado, e justamente por terem sido adequadamente consumidos esses meios de produção. Do mesmo modo, reaparece no preço de custo o preço ou salário das $666\frac{2}{3}$ jornadas despendidas para produzir a mercadoria, tal como figurava no capital adiantado, e justamente por ter tido emprego adequado essa quantidade de trabalho. Só vemos valores prontos e acabados, os componentes do valor do capital adiantado, que entram na formação do valor do produto; nenhum elemento aparece que crie valor. Extinguiu-se a diferença entre capital constante e variável. O custo global de 500 libras esterlinas assume duplo sentido: (1) é componente do valor-mercadoria de 600 libras, repondo o capital de 500 despendido para produzir a mercadoria; (2) esse componente do valor da mercadoria só existe por ter existido antes como preço de custo dos elementos de produção empregados, meios de produção e trabalho, isto é, como capital adiantado. O valor-capital retorna como preço de custo da mercadoria, porque e na medida em que se desembolsou como valor-capital.

A circunstância de os componentes diversos do valor serem empregados em elementos da produção materialmente diversos – meios de trabalho, matérias-primas e auxiliares e trabalho – exige apenas que o preço de custo da mercadoria dê para readquirir esses elementos materialmente diversos. Por outro lado, no tocante à formação do próprio preço de custo, só se impõe uma diferença, a existente entre capital fixo e circulante. Em nosso exemplo, 20 libras esterlinas representam o desgaste dos meios de trabalho (400 = 20 para desgaste dos meios de trabalho + 380 para as matérias de produção). Se, antes de produzir-se a mercadoria, era o valor desses meios de trabalho = 1.200 libras esterlinas, existe ele, após produzi-la, sob duas figuras: (1) 20 libras, parte do valor-mercadoria, e (2) 1.200 – 20 ou 1.180, valor restante dos meios de trabalho que continuam em poder do capitalista, isto é, elemento-valor não do capital-mercadoria, mas do capital produtivo. Ao contrário dos meios de trabalho, despendem-se as matérias de produção e salário, por inteiro, para produzir a mercadoria, e por isso seu valor todo entra no valor da mercadoria produzida. Vimos como esses diversos componentes do capital adiantado assumem, no tocante à rotação, a forma de capital fixo e a de circulante.[1]

Temos, portanto, capital adiantado = 1.680 libras esterlinas, repartidas em capital fixo = 1.200 + capital circulante = 480 (= 380 libras em matérias de produção + 100 em salário).

Entretanto, o preço de custo = 500 libras esterlinas (repartidas em 20 para desgaste do capital fixo e 480 para o capital circulante).

Essa diferença entre preço de custo da mercadoria e capital adiantado apenas patenteia que o preço de custo se constitui somente do capital de fato consumido para produzir a mercadoria.

Para produzir a mercadoria, empregam-se meios de trabalho no valor de 1.200 libras esterlinas, mas, desse valor-capital adiantado, a produção unicamente absorve 20. O capital fixo empregado só parcialmente entra no preço de custo, pois só parcialmente o consome a produção de mercadoria.

---

[1] Ver Livro 2, Capítulo VIII.

PREÇO DE CUSTO E LUCRO

O capital circulante aplicado entra por inteiro no preço de custo, pois, para produzir-se a mercadoria, é totalmente consumido. Isto serviria para provar que a parte fixa e a circulante do capital entram de maneira uniforme no preço de custo, na proporção das respectivas magnitudes, e que esse componente do valor da mercadoria deriva exclusivamente do capital despendido para produzi-la. Se assim não fora não se compreenderia por que o capital fixo adiantado de 1.200 libras esterlinas acrescenta ao valor do produto as 20 que perde, no processo de produção, sem nada mais adicionar das 1.180 restantes que não perde nele.

Essa diferença entre capital fixo e circulante, do ponto de vista do cálculo do preço de custo, demonstra apenas a origem aparente do preço de custo: o valor-capital despendido ou o preço que ao capitalista custam os elementos de produção despendidos, inclusive o trabalho. Além disso, o capital variável, despendido em força de trabalho, classificado como capital circulante, é, no tocante à formação do valor, expressamente identificado com o capital constante (consistente em matérias de produção), e assim mistifica-se completamente o processo de valorização do capital.[1]

Do valor-mercadoria só consideramos até agora um elemento: o preço de custo. É chegado o momento de nos determos também no outro componente do valor-mercadoria, o excedente sobre o preço de custo, a mais-valia. A mais-valia é, antes de mais nada, um excedente do valor da mercadoria, sobreposto ao custo dela. Mas, se o preço de custo é igual ao valor do capital despendido, revertendo continuadamente aos elementos materiais deste, passa o excedente de valor a ser acréscimo de valor do capital despendido para produzir a mercadoria e que reflui da circulação dela.

Vimos que m, a mais-valia – embora derive apenas da variação do valor de v, o capital variável, sendo simplesmente, na origem, incremento do capital variável –, constitui, após concluído o processo de produção, acréscimo também de c + v, de todo o capital despendido. A fórmula c + (v + m), que significa produzir-se m pela transformação em grandeza fluida de determinado valor-capital v adiantado em força de trabalho, convertendo-se, portanto, magnitude constante em variável, passa a apresentar-se também como (c + v) + m. Antes da produção, tínhamos um capital de

---

[1] A confusão que isso trouxe aos economistas pode ser apreciada no exemplo de N. W. Senior, apresentado no Livro 1, Capítulo VII, 3, pp. 250-254.

500 libras esterlinas. Depois dela, além desse capital, um acréscimo em valor de 100.[2]

Aliás, a mais-valia constitui acréscimo não só à parte do capital adiantado, absorvida pelo processo de valorização, mas também à parte não absorvida; incremento de valor, portanto, do capital despendido no processo, a ser reposto pelo preço de custo, e ainda do capital todo de qualquer modo utilizado. Antes da produção, tínhamos um valor-capital de 1.680 libras, repartidas em 1.200 de capital fixo empregadas em meios de trabalho – das quais 20, em virtude do desgaste desses meios, entram no valor da mercadoria –, e 480 de capital circulante desembolsadas em matérias de produção e trabalho. Após o processo de produção, temos 1.180 libras esterlinas, elemento do valor do capital produtivo, acrescidas de um capital-mercadoria de 600 libras. Com a soma das duas quantias tem o capitalista um valor de 1.780 libras. Se deduzir daí todo o capital adiantado de 1.680 libras, resta-lhe um valor excedente de 100 libras. Esta mais-valia de 100 libras constitui acréscimo de valor, tanto para o capital utilizado de 1.680 libras esterlinas quanto para a parte dele – 500 libras despendida durante a produção.

Para o capitalista fica então patente que esse acréscimo de valor provém dos processos produtivos empreendidos com o capital, derivando, portanto, do próprio capital; pois existe depois do processo de produção e não existia antes. Quanto ao capital despendido na produção, a mais-valia parece originar-se, de maneira uniforme, dos diversos elementos do valor dele, consistentes em meios de produção e trabalho, pois esses elementos entram igualmente na formação do preço de custo. Seus valores existentes como adiantamentos de capital agregam-se igualmente no valor do produto, e não se distinguem como grandezas constantes e grandezas variáveis. É o que se patenteia, se supomos por ora que todo o capital despendido consiste exclusivamente em salário ou no valor dos meios de produção. No primeiro caso, teríamos o valor-mercadoria $500_v + 100_m$, no lugar de $400_c + 100_v + 100_m$. O capital desembolsado em salário, de 500 libras, passa a ser o valor de todo o trabalho empregado para produzir o valor-

---

[2] "Já sabemos que a mais-valia é simples decorrência da variação de valor que ocorre com v, a parte do capital aplicada em força de trabalho; que $v + m = v + \Delta v$, isto é, v + acréscimo de v. Mas a verdadeira variação de valor e a proporção em que o valor se altera ficam obscurecidas por haver, com o crescimento da parte variável, um crescimento simultâneo do capital global desembolsado. O capital global era 500 e tornou-se 590" (Livro 1, Capítulo VII, 1, p. 240).

PREÇO DE CUSTO E LUCRO

-mercadoria de 600 libras e justamente por isso constitui o custo de todo o produto. A formação desse preço de custo, em que reaparece o valor do capital despendido, como componente do valor do produto, é então tudo o que sabemos da formação do valor. Ficamos sem saber a origem do outro componente, a mais-valia de 100 libras esterlinas. O mesmo se daria com o segundo caso, com o valor-mercadoria = $500_c + 100_m$. Nos dois casos, sabemos que a mais-valia deriva de um valor dado, por ter sido esse valor adiantado sob a forma de capital produtivo, configure-se este em trabalho ou em meios de produção. Mas, por outro lado, o valor-capital adiantado não pode criar a mais-valia pela simples razão de se ter despendido, constituindo por isso o preço de custo da mercadoria. Justamente por constituir o preço de custo, não produz mais-valia, formando apenas equivalente, valor de reposição do capital despendido. Se produzir mais-valia, não a produzirá em sua qualidade específica de capital despendido, mas na de capital adiantado e, portanto, utilizado. Desse modo, a mais-valia provirá tanto da parte do capital adiantado, absorvida no preço de custo, quanto da parte que não entra nesse preço; numa palavra: igualmente, dos componentes fixos e circulantes do capital utilizado. O capital todo – os meios de trabalho, as matérias de produção e o trabalho – serve materialmente para formar o produto. O capital todo entra materialmente no processo efetivo de trabalho, embora apenas parte dele, no processo de valorização. Seria precisamente esta a razão por que só parcialmente contribui para formar o preço de custo e totalmente para formar a mais-valia. Seja como for, sobressai o resultado: a mais-valia brota simultaneamente de todas as partes do capital aplicado. Sintetiza bem esse raciocínio a expressão simples e brutal de Malthus: "O capitalista espera obter o mesmo lucro de todas as partes do capital que adianta."[3]

Como fruto imaginário de todo o capital adiantado, a mais-valia toma a forma transfigurada de *lucro*. Por isso, um montante de valor é capital por ser desembolsado para produzir lucro,[4] e o lucro aparece porque se emprega um montante de valor como capital. Se chamamos o lucro de l, a fórmula $M = c + v + m = k + m$ se transforma na fórmula $M = k + l$, isto é, *valor-mercadoria = preço de custo + lucro*.

---

[3] Malthus, *Principles of Pol. Econ.*, 2ª ed., Londres, 1836, p. 268.
[4] Malthus, "Capital: that which is expend with a view to profit", em *Definitions in Pol. Econ.*, Londres, 1827, p. 86.

O lucro, tal como o vemos agora, é, portanto, o mesmo que a mais-valia, em forma dissimulada, que deriva necessariamente do modo capitalista de produção. Não se distinguindo, na formação aparente do preço de custo, entre capital constante e capital variável, é mister transferir da parte variável do capital para o capital todo a origem da mutação de valor, ocorrida durante o processo de produção. Por aparecer, num polo, o preço da força de trabalho na forma transmutada de salário, aparece a mais-valia, no polo oposto, sob a forma transmutada de lucro.

Vimos que o preço de custo é menor que o valor da mercadoria. Sendo M = k + m, k = M − m. A fórmula M = k + m só se reduz a M = k, valor-mercadoria = preço de custo da mercadoria, quando m = 0, caso incompatível com o sistema de produção capitalista, embora o preço de venda da mercadoria possa ser igual ou inferior ao custo, em conjunturas especiais de mercado.

Por isso, se a mercadoria for vendida pelo valor, realiza-se um lucro, que é igual ao excedente do valor sobre o preço de custo, igual, portanto, a toda a mais-valia encerrada no valor da mercadoria. Mas o capitalista pode vender a mercadoria com lucro, embora vendendo-a abaixo do valor. Enquanto o preço de venda supera o de custo, embora esteja abaixo do valor da mercadoria, realiza-se parte da mais-valia nela contida, obtém-se lucro. Em nosso exemplo, o valor-mercadoria = 600 libras esterlinas, preço de custo = 500. Vendendo-se a mercadoria por 510, 520, 530, 560 ou 590 libras esterlinas, estará sendo vendida abaixo do valor em 90, 80, 70, 40 ou 10, mas, apesar disso, haverá um lucro de 10, 20, 30, 60 ou 90. Entre o valor da mercadoria e o preço de custo existe, evidentemente, a possibilidade de uma série indeterminada de preços de venda. Quanto maior a parte do valor-mercadoria constituída pela mais-valia, tanto mais amplo o espaço em que podem operar esses preços intermediários.

Isso explica fenômenos cotidianos da concorrência, como, por exemplo, certos casos em que se vende mais barato (*underselling*), rebaixa anormal de preços das mercadorias em determinadas indústrias[5] etc. A lei fundamental da concorrência capitalista, até hoje não apreendida pela economia política, a lei que regula a taxa geral de lucro e os preços de produção determinados por essa taxa, baseia-se, conforme veremos mais tarde, nessa diferença entre valor da mercadoria e preço de custo, e na possibilidade daí resultante de vender a mercadoria abaixo do valor, mas com lucro.

---

5 Ver Livro 1, Capítulo XVIII, pp. 593-600.

PREÇO DE CUSTO E LUCRO

O preço de custo estabelece o limite inferior do preço de venda.

Se se vende a mercadoria abaixo do preço de custo, não podem ser plenamente repostos pelo preço de venda os componentes despendidos do capital produtivo. Se o processo continua, extinguir-se-á o valor-capital adiantado. Já por isso inclina-se o capitalista a considerar o preço de custo como o valor *intrínseco* da mercadoria, pois esse preço é indispensável à simples conservação de seu capital. Além disso, o preço de custo é o preço de compra da mercadoria, pago pelo próprio capitalista para produzi-la, o preço de compra determinado pelo próprio processo de produção dela. O valor excedente – ou mais-valia – realizado com a venda da mercadoria assume para o capitalista a aparência de excesso do preço de venda sobre o valor da mercadoria, em vez de ser o excesso desse valor sobre o preço de custo, e desse modo a mais-valia, em vez de realizar-se em dinheiro com a venda da mercadoria que a contém, origina-se da própria venda. Já analisamos essa ilusão no Livro 1, Capítulo IV, 2 ("Contradições da fórmula geral"), mas voltamos por um instante à forma em que a retomaram Torrens e outros, procurando realçá-la como progresso da economia política em relação a Ricardo.

> O preço natural, constituído pelo custo de produção, ou, em outras palavras, o capital despendido para produzir ou fabricar a mercadoria, não pode absolutamente incluir o lucro. [...] Se um arrendatário gasta 100 quartas de trigo para semear seu campo e recebe, em troca, 120, os 20 do produto que excedem o dispêndio constituem o lucro; mas seria absurdo classificar esse excedente ou lucro como parte desse dispêndio. [...] O fabricante despende certa quantidade de matérias-primas, instrumentos e meios de subsistência, e recebe, em troca, certa quantidade de mercadoria acabada. Essa mercadoria deve ter valor de troca superior às matérias-primas, instrumentos e meios de subsistência, adiantados para adquiri-la.

Daí conclui Torrens que o excedente do preço de venda sobre o preço de custo, isto é, o lucro, deriva de os consumidores "darem, em troca direta ou indireta, montante superior ao que custa produzir todos os componentes do capital".[6]

O que excede dada magnitude não pode constituir parte dela, e, portanto, o excedente do valor-mercadoria sobre o desembolso do capitalista

---

6 R. Torrens, *An Essay on the Production of Wealth*, Londres, 1821, pp. 51-53, 349.

não pode constituir parte desse desembolso. Se na formação do valor da mercadoria não entra outro elemento além do valor adiantado pelo capitalista, não se pode compreender como sairia da produção mais valor do que nela entrou, a não ser que alguma coisa viesse do nada. Torrens procura evadir-se dessa criação oriunda do nada, transferindo-a da esfera da produção de mercadorias para a da circulação. O lucro não pode provir da produção, diz Torrens, salvo se já estivesse contido nos custos de produção e não fosse, portanto, um excedente em relação a eles. O lucro não pode provir da troca de mercadorias, responde-lhe Ramsay,[I] se não existia antes dessa troca. O valor global dos produtos trocados, evidentemente, não se altera com a troca dos produtos que formam esse valor global. Permanece o mesmo antes e depois da troca. Lembramos que Malthus, a esse respeito, louva-se expressamente na autoridade de Torrens,[7] embora explique de outro modo a venda das mercadorias acima do valor respectivo, ou melhor, nada explique, pois todos os argumentos dessa espécie, objetiva e infalivelmente, acabam levando a resultado que se irmana com aquela célebre teoria do peso negativo do flogisto.

Numa sociedade dominada pela produção capitalista, mesmo o produtor não capitalista está sob o domínio das ideias capitalistas. Em seu último romance – *Les paysans* –, Balzac, admirável pela penetrante percepção das condições reais, descreve de maneira precisa como o pequeno lavrador, para ter a amizade de seu agiota, presta-lhe gratuitamente toda espécie de serviços e ainda pensa que nada lhe dá, porque não gasta dinheiro no próprio trabalho. Assim, o agiota mata dois coelhos com uma cajadada. Evita gastar dinheiro em salário e envolve cada vez mais na teia da usura o lavrador progressivamente arruinado por afastar-se do trabalho de sua lavoura.

Proudhon, com a habitual charlatanaria e pretensões científicas, trombeteou sua nova descoberta, o segredo do socialismo: a ideia vazia, segundo a qual o preço de custo constitui o verdadeiro valor da mercadoria, decorrendo a mais-valia da venda da mercadoria acima do valor; as mercadorias são assim vendidas pelo respectivo valor, quando o preço de venda é igual ao preço de custo, isto é, igual ao preço dos meios de produção consumidos mais salários. O banco popular de Proudhon se baseava nessa redução do valor da mercadoria ao preço de custo. Já vimos que os diversos componen-

---

I Ramsay, *An Essay on the Distribution of Wealth*, Edimburgo, 1836, p. 184.
7 Malthus, *Definitions in Pol. Econ.*, Londres, 1853, p. 70s.

tes do valor do produto podem ser representados por partes proporcionais do próprio produto. Se, por exemplo, o valor (Livro 1, Capítulo VII, 2, pp. 257-260) de 20 quilos de fio = 30 xelins, correspondendo 24 a meios de produção, 3 a força de trabalho e 3 a mais-valia, pode essa mais-valia 1 representar-se em $\frac{1}{10}$ do produto = 2 quilos de fio. Se os 20 quilos de fio forem vendidos ao preço de custo, 27 xelins, receberá o comprador 2 quilos gratuitamente, isto é, a mercadoria será vendida $\frac{1}{10}$ abaixo do valor; mas o trabalhador realizou, de qualquer modo, trabalho excedente, só que agora para o comprador do fio, e não para o produtor capitalista. É absolutamente falso supor que tanto faz vender todas as mercadorias ao preço de custo quanto vendê-las acima do preço de custo, mas pelo valor. Mesmo que se igualassem, em todos os casos, o valor da força de trabalho, a duração da jornada e o grau de exploração do trabalho, as quantidades de mais-valia contidas nos valores das diferentes mercadorias seriam absolutamente desiguais, de acordo com a diversa composição orgânica dos capitais adiantados para produzi-las.[8]

---

8 "As quantidades de valor e de mais-valia produzidas por diferentes capitais variam, se for dado o valor da força de trabalho e se for igual seu grau de exploração, na razão direta das magnitudes das partes variáveis desses capitais, isto é, das suas partes transformadas em força de trabalho viva." (Livro 1, Capítulo IX, pp. 336-337.)

II.
A taxa de lucro

II.
A taxa de lucro

A fórmula geral do capital é D – M – D': lança-se uma soma de valor na circulação, para retirar dela soma maior. O processo que gera essa soma maior é a produção capitalista; o processo que a realiza em dinheiro é a circulação do capital. O capitalista não produz a mercadoria por amor a ela, pelo valor de uso que encerra, nem para consumi-la pessoalmente. O produto que o interessa efetivamente não é o produto concretamente considerado, mas o valor excedente do produto acima do valor do capital consumido para produzi-lo. O capitalista adianta todo o capital, sem se preocupar com os papéis diversos que seus componentes desempenham na produção da mais-valia. Adianta igualmente esses componentes, não só para reproduzir o capital adiantado, mas também para produzir, acima dele, um valor excedente. Só pode converter em valor maior o valor do capital variável que adianta, trocando-o por trabalho vivo, explorando o trabalho vivo. Mas só pode explorar o trabalho, adiantando ao mesmo tempo as condições requeridas para se efetivar esse trabalho: meios e objeto de trabalho, maquinaria e matérias-primas, isto é, transformando em condições de produção, soma de valor em seu poder. E só é capitalista, podendo empreender o processo de exploração do trabalho, por ser o dono das condições de trabalho e encontrar o trabalhador que possui apenas a força de trabalho. No Livro 1[I] já vimos que é justamente a propriedade desses meios de produção pelos não trabalhadores que transforma os trabalhadores em assalariados e os não trabalhadores em capitalistas.

Para o capitalista, tanto faz considerar que adianta capital constante para tirar lucro do variável, ou que adianta o variável para valorizar o constante; que despende dinheiro em salário para valorizar máquinas e matérias-primas, ou que adianta dinheiro em maquinaria e matérias-primas para explorar trabalho. Embora unicamente a parte variável do capital gere mais-valia, só a gera se forem adiantadas as outras partes, as condições de produção requeridas pelo trabalho. Não podendo o capitalista explorar o trabalho sem adiantar capital constante, e não podendo valorizar este sem adiantar o variável, parece-lhe que ambos são iguais. Reforça seu ponto de vista a circunstância de a proporção real de seu ganho ser determinada não pela relação deste com o capital variável, mas com o capital todo, não pela taxa da mais-valia, mas pela taxa de lucro, que, conforme veremos, pode permanecer a mesma e, apesar disso, corresponder a taxas de mais-valia diferentes.

[I] Livro 1, pp. 176-177s., 774-776.

Ao custo do produto pertencem todos os componentes do valor, pagos pelo capitalista ou em troca dos quais lançou um equivalente na produção. O custo tem de ser reposto, para que o capital simplesmente se mantenha ou se reproduza na magnitude primitiva.

O valor contido na mercadoria é igual ao tempo de trabalho que custa produzi-la, e a soma deste engloba trabalho pago e trabalho não pago. Entretanto, para o capitalista, o custo da mercadoria consiste apenas na parte do trabalho nela corporificado, por ele paga. O trabalho excedente encerrado na mercadoria nada custa ao capitalista, embora custe ao trabalhador tanto quanto o pago e embora, tanto quanto este, gere valor e entre na mercadoria por criar valor. O lucro do capitalista provém de ter para vender algo que não pagou. A mais-valia ou o lucro consiste justamente no excedente do valor-mercadoria sobre o preço de custo, isto é, no excedente da totalidade de trabalho contida na mercadoria sobre a soma de trabalho pago nela contida. A mais-valia, qualquer que seja sua origem, é, por conseguinte, um excedente sobre todo o capital adiantado. A relação entre esse excedente e a totalidade do capital expressa-se pela fração $\frac{m}{C}$, significando C o capital total. Temos assim a *taxa de lucro* $\frac{m}{C} = \frac{m}{c+v}$ diversa da taxa de mais-valia $\frac{m}{v}$.

A razão que existe entre a mais-valia e o capital variável é a taxa de mais-valia, e a que existe entre a mais-valia e a totalidade do capital é a taxa de lucro. São duas mensurações diferentes da mesma magnitude, expressando proporções ou relações diferentes da mesma grandeza, em virtude da diferença entre as unidades de medida empregadas.

A conversão da mais-valia em lucro deve ser inferida da transformação da taxa de mais-valia em taxa de lucro, e não o contrário. Mas, de fato, o ponto de partida histórico é a taxa de lucro. Relativamente, mais-valia e taxa de mais-valia são o invisível, o essencial a investigar, enquanto a taxa de lucro e, por conseguinte, a mais-valia sob a forma de lucro transbordam na superfície dos fenômenos.

Quanto ao capitalista individual, está claro que unicamente lhe interessa a relação entre a mais-valia – ou valor excedente – realizada em dinheiro com a venda da mercadoria e a totalidade do capital empregado para produzi-la. Não tem qualquer interesse na relação definida e na conexão íntima que esse excedente tem com componentes particulares do capital, preferindo dissimulá-las.

O excedente do valor da mercadoria sobre o preço de custo, embora se origine diretamente do processo de produção, só se realiza no processo de circulação, e a aparência de provir do processo de circulação se robustece porque, efetivamente, em meio à concorrência, no mercado real, depende das condições deste a possibilidade de realizar-se e o grau em que se realiza em dinheiro esse excedente. Não é mister explicar novamente que, ao vender-se uma mercadoria acima ou abaixo do valor, a mais-valia apenas se reparte de maneira diferente, e essa modificação, essa nova proporção em que diversas pessoas repartem entre si a mais-valia, em nada altera a natureza e a magnitude dela. No processo efetivo de circulação, além de ocorrerem as transformações observadas no Livro 2, sincronizam-se com elas a concorrência existente, a compra e venda das mercadorias acima ou abaixo do valor, de modo que a mais-valia que os capitalistas, individualmente, realizam depende tanto do logro recíproco como da exploração direta do trabalho.

No processo de circulação, aparece, ao lado do tempo de trabalho, o tempo de circulação, que limita a quantidade da mais-valia realizável em determinado prazo. Outros fatores, oriundos da circulação, intervêm de maneira decisiva no processo imediato de produção. Ambos, o processo imediato de produção e o processo de circulação, confluem constantemente, interpenetram-se, e assim mascaram, sem cessar, as características que os diferenciam. A produção da mais-valia e a do valor em geral assumem no processo de circulação, conforme vimos, novas qualificações; o capital percorre o ciclo de suas metamorfoses, saindo por fim de sua vida orgânica interna e estabelecendo relações de vida externas, em que se confrontam, não capital e trabalho, mas, de um lado, os capitais e, do outro, os indivíduos na posição apenas de vendedores e compradores; entrecruzam-se os caminhos do tempo de circulação e do tempo de trabalho e ambos igualmente parecem determinar a mais-valia; a forma inicial em que se defrontam capital e trabalho assalariado é disfarçada pela intromissão de relações independentes dela na aparência; a própria mais-valia não resulta mais de apropriar-se o capitalista de tempo de trabalho, tomando a feição de excedente do preço de venda das mercadorias sobre o preço de custo, que, por isso, facilmente se apresenta como valor intrínseco, de modo que o lucro aparece como excedente do preço de venda sobre o valor imanente das mercadorias.

Sem dúvida, durante o processo imediato de produção, o capitalista tem consciência da natureza da mais-valia, conforme demonstra sua avidez por trabalho alheio etc., observada ao estudarmos a mais-valia. Contudo:

(1) O processo imediato de produção é transitório, fluindo para o processo de circulação e vice-versa; assim, a ideia que se revela mais ou menos clara no processo de produção, a respeito da fonte do ganho nele obtido, isto é, a respeito da natureza da mais-valia, parece, no máximo, equiparar-se à concepção segundo a qual o excedente realizado provém do movimento oriundo da circulação, desligado do processo de produção, próprio do capital, independentemente de suas relações com o trabalho. E mesmo economistas modernos, como Ramsay, Malthus, Senior, Torrens e outros, não citam diretamente esses fenômenos da circulação para provar que o capital considerado em sua mera existência material, excluída a relação social com o trabalho, a qual lhe dá o caráter de capital, é fonte autônoma de mais-valia, ao lado do trabalho e independentemente dele. (2) Na conta de custos, que inclui salários, preço de matérias-primas, desgaste de maquinaria etc., a extensão de trabalho não pago toma o aspecto de economia no pagamento de um dos artigos que entram nos custos, de pagamento menor por determinada quantidade de trabalho, como se fosse poupança que se faz comprando matéria-prima mais barato ou reduzindo o desgaste da maquinaria. Assim, a extração de trabalho excedente perde o caráter que a diferencia; encobre-se a relação específica dela com a mais-valia; estimula e facilita esse resultado, conforme vimos no Livro 1, Sexta Seção,[I] a apresentação do valor da força de trabalho sob a forma de salário.

A mistificação das relações do capital decorre de todas as partes dele aparecerem igualmente como fonte do valor excedente (lucro).

A maneira como, por intermédio da taxa de lucro, a mais-valia se transforma em lucro decorre de já se inverterem as posições de sujeito e objeto, no processo de produção. Já vimos que, neste, todas as forças produtivas subjetivas do trabalho assumem a aparência de forças produtivas do capital.[II] De um lado, personifica-se no capitalista o valor, o trabalho pretérito que domina trabalho vivo; do outro, ao contrário, aparece o trabalhador como força de trabalho considerada simples objeto, mercadoria. Dessa relação transtornada surge necessariamente, já na simples relação de produção, a correspondente concepção invertida, uma percepção transposta que se desenvolve com as transformações e modificações do processo de circulação propriamente dito.

I Ver Livro 1, pp. 576-578.
II Ver Livro 1, p. 369s.

A TAXA DE LUCRO

Conforme se pode verificar, através do estudo dos trabalhos da escola ricardiana, é absurdo pretender reduzir as leis da taxa de lucro diretamente a leis da taxa de mais-valia ou vice-versa. Os capitalistas, naturalmente, não veem distinções entre elas. Na fórmula $\frac{m}{C}$ mede-se a mais-valia pelo valor da totalidade do capital adiantado para produzi-la, em parte consumido integralmente e em parte apenas utilizado. Na realidade, a relação exprime o grau de valorização de todo o capital adiantado, isto é, do ponto de vista da coerência conceitual e da natureza da mais-valia, indica a relação entre a magnitude da variação do capital variável e a magnitude do capital global adiantado.

Por si mesma, a grandeza do valor de todo o capital não mantém relação intrínseca com a magnitude da mais-valia, pelo menos diretamente. A totalidade do capital menos o capital variável, o capital constante, portanto, consiste nas condições objetivas para a efetivação do trabalho: meios e materiais de trabalho. Para determinada quantidade de trabalho materializar-se em mercadoria e assim constituir valor, é mister determinada quantidade de materiais e de meios de trabalho. De acordo com o caráter particular do trabalho acrescentado, observa-se determinada relação técnica entre a quantidade de trabalho e a de meios de produção aos quais se deve adicionar esse trabalho. Sob esse aspecto, há também determinada relação entre a quantidade de mais-valia ou de trabalho excedente e a dos meios de produção. Se, por exemplo, o trabalho necessário para produzir o salário importar em 6 horas diárias, tem o operário de trabalhar 12 horas, para realizar 6 de trabalho excedente, fornecendo mais-valia de 100%. Nas 12 horas, consome duas vezes mais meios de produção do que nas 6. Mas nem por isso está a mais-valia, que acrescenta em 6 horas, em qualquer relação direta com o valor dos meios de produção consumidos nas 6 ou nas 12 horas. O que importa aí não é o valor, mas apenas a quantidade tecnicamente necessária. Tanto faz que a matéria-prima ou o meio de trabalho seja caro ou barato, desde que possua o valor de uso requerido e exista na proporção tecnicamente prescrita para o trabalho vivo a absorver. Estabelecido que em uma hora se fiam x quilos de algodão, ao custo de a xelins, é claro que em 12 horas se fiam 12x quilos de algodão = 12a xelins. Posso calcular a razão entre a mais-valia e o valor dos 12x ou 6x quilos de algodão. Mas a relação entre o trabalho vivo e o *valor* dos meios de produção só aparece aqui por a xelins ser o nome de x quilos de algodão; em virtude de determinada quantidade de algodão ter determinado preço, podendo determinado preço servir de índice de determinada quantidade de algodão, desde que o preço não varie. Se, para apropriar-me de 6 horas de trabalho excedente, tenho de fazer o operário trabalhar 12, e portanto de dispor de algodão para 12 horas, e se sei qual o preço da quantidade de algodão requerida para 12 horas, encontro, indiretamente, uma relação entre o preço do algodão – como índice da quantidade necessária – e a mais-valia. Inversamente, nunca posso deduzir do preço do material a quantidade que se pode fiar, por exemplo, numa hora ou em 6. Não há, portanto, relação intrínseca, necessária, entre o valor do capital constante ou da totalidade do capital (= c + v) e a mais-valia.

Conhecida a taxa e dada a grandeza da mais-valia, a taxa de lucro exprime apenas aquilo que efetivamente é, outra mensuração da mais-valia, tomando por base o valor da totalidade do capital, em vez do valor da parte do capital, trocada pelo trabalho e da qual a mais-valia deriva diretamente em virtude dessa troca. Mas, na realidade (isto é, no mundo dos fenômenos), dá-se o inverso. A mais-valia é um dado, o excedente do preço de venda da mercadoria sobre o preço de custo; e a origem desse excedente mergulha no mistério, não se sabendo se provém da exploração do trabalho no processo de produção, do logro aos compradores no processo de circulação ou de ambos. Estabelece-se, em seguida, a relação entre esse excedente e o valor da totalidade do capital, isto é, a taxa de lucro. Relacionar quantitativamente o excedente do preço de venda sobre o preço de custo com o valor de todo o capital adiantado é importante e natural, pois permite obter-se a proporção em que se valoriza a totalidade do capital, ou seja, o grau de valorização. Se partimos da taxa de lucro, não há lugar para inferir qualquer relação entre esse excedente e a parte do capital empregada em salário. Mais tarde,[I] veremos as divertidas cabriolas de Malthus ao tentar, por esse caminho, descobrir o segredo da mais-valia e da sua relação específica com o capital variável. Em si mesma, a taxa de lucro indica, pelo contrário, comportamento uniforme do excedente em relação a porções iguais do capital que, sob esse aspecto, revela não possuir diferenças internas, exceto a que separa capital fixo e capital circulante. E essa diferença só aparece porque o excedente é objeto de dois cálculos. No primeiro, obtém-se uma grandeza simples: o excedente sobre o preço de custo. Nesta forma, todo o capital circulante entra no preço de custo que, do capital fixo, só

I No Livro 4.

compreende o desgaste. No segundo, acha-se a relação entre esse excedente de valor e o valor da totalidade do capital adiantado. Entram neste, por inteiro, tanto o valor do capital fixo quanto o do circulante. O capital circulante figura de maneira uniforme nos dois cálculos, enquanto o capital fixo ora figura de maneira mais diferente, ora de maneira igual à do capital circulante. Assim, impõe-se aí, como única diferença, a que existe entre capital fixo e capital circulante.

Ao refletir-se em si mesmo – para usarmos a linguagem hegeliana – partindo da taxa de lucro, ou, noutras palavras, ao ser mais de perto caracterizado pela taxa de lucro, o excedente parece acréscimo produzido acima do próprio valor pelo capital, anualmente ou em determinado período de circulação.

A taxa de lucro difere quantitativamente da taxa de mais-valia, embora mais-valia e lucro sejam de fato idênticos e quantitativamente iguais; entretanto, o lucro é forma transfigurada da mais-valia, desta dissimulando e apagando a origem e o segredo da existência. A mais-valia aparece sob a forma de lucro, e é mister a análise para dissociá-la dessa forma. Na mais-valia se põe a nu a relação entre capital e trabalho; na relação entre capital e lucro, isto é, entre capital e mais-valia – em que esta aparece como excedente sobre o preço de custo da mercadoria, convertido em dinheiro no processo de circulação e mensurado por sua relação com a totalidade do capital –, apresenta-se *o capital como relação consigo mesmo*, uma relação em que, como soma inicial de valores, se distingue do valor novo por ele mesmo criado. Sabe-se que produz esse valor novo, ao movimentar-se através dos processos de produção e de circulação. Mas fica dissimulada a maneira como isso ocorre, parecendo que o valor excedente provém de propriedades ocultas, inerentes ao próprio capital.

E, quanto mais seguimos o processo de valorização do capital, mais dissimulada fica a relação-capital, e menos se percebe o segredo de sua estrutura interna.

Nesta parte do livro, a taxa de lucro difere quantitativamente da taxa de mais-valia; lucro e mais-valia, entretanto, são considerados grandezas iguais, divergindo apenas quanto à forma. Na parte seguinte, veremos como prossegue o alheamento (*Veräusserlichung*), passando o lucro a desviar-se da mais-valia também quantitativamente.

III.
Relação entre a taxa de lucro e a de mais-valia

III.
Relação entre a taxa de lucro e a de mais-valia

Conforme acentuamos no fim do capítulo anterior, supomos – e continuaremos supondo em toda esta Primeira Seção – que o montante de lucro, atribuído a determinado capital, é igual ao montante de toda a mais-valia produzida com a intervenção desse capital, em dado período de circulação. Abstraímos, por ora, da circunstância de a mais-valia cindir-se em diferentes formas secundárias – juro, renda fundiária, impostos etc. – e de não coincidir, na maioria dos casos, com o lucro obtido de acordo com a taxa média que se estabelece de maneira geral e de que falaremos na Segunda Seção.

Igualando-se quantitativamente lucro e mais-valia, a grandeza dele e a da taxa de lucro são determinadas pelas relações de grandezas numéricas simples, dadas e determináveis em cada caso particular. No momento, a pesquisa se desenvolve, portanto, no domínio puramente matemático.

Mantemos as notações adotadas nos livros 1 e 2. O capital total C se reparte em capital constante c e capital variável v, e produz mais-valia m. A relação entre a mais-valia e o capital variável v, isto é, $\frac{m}{v}$, chamamos de taxa de mais-valia, designada por m'. Assim, $\frac{m}{v}$ = m', e, por conseguinte, m = m'v. Referida ao capital total e não ao capital variável, a mais-valia chama-se lucro l, e a relação entre ela e o capital total C, isto é, $\frac{m}{C}$, taxa de lucro l'. Desse modo, l' = $\frac{m}{C}$ = $\frac{m}{c+v}$ e, substituindo m pelo seu valor m'v, encontrado acima, temos l' = m' $\frac{v}{C}$ = m' $\frac{v}{c+v}$, equação que se pode exprimir na proporção l' : m' = v : C; a taxa de lucro está para a taxa de mais-valia como o capital variável está para todo o capital.

Dessa proporção segue-se que l', a taxa de lucro, é sempre menor que m', a taxa de mais-valia, pois v, o capital variável, é sempre menor que C, a soma de v + c, de capital variável e capital constante. A única exceção seria o caso praticamente impossível em que v = C, em que o capitalista não adiantasse qualquer capital constante ou meio de produção, mas tão somente salário.

Em nossa investigação cabe considerar ainda uma série de outros fatores que exercem influência determinante na magnitude de c, v e m, e que serão objeto de sucinto exame.

1º) O *valor do dinheiro*. Supô-lo-emos sempre constante.

2º) A *rotação*. Por ora, não a levaremos em conta, pois trataremos particularmente de sua influência sobre a taxa de lucro, em capítulo posterior. [Antecipamos apenas um ponto: a fórmula l' = m' $\frac{v}{C}$ só é rigorosamente correta para *um* período de rotação do capital variável, mas podemos torná--la exata, substituindo m', a taxa simples m', pela taxa anual de mais-valia, m'n, sendo n o número de rotações do capital variável durante um ano (ver Livro 2, Capítulo XVI, 1). — F.E.]

3º) A *produtividade do trabalho* – cuja influência na taxa de mais-valia foi pormenorizadamente estudada no Livro 1, Quarta Seção – pode influir diretamente na taxa de lucro, pelo menos de um capital individual, se, conforme expomos no Livro 1, Capítulo x, pp. 347-355, esse capital individual trabalha com produtividade superior à social média, fabrica seus produtos com valor menor que o social médio das mesmas mercadorias, realizando assim um lucro extraordinário. Nesta parte abstrairemos deste caso, pois estamos, por ora, supondo que as mercadorias são produzidas em condições sociais normais e vendidas pelo seu valor. Em cada caso particular admitiremos, portanto, que a produtividade do trabalho permanece invariável. Efetivamente, a composição, segundo o valor, do capital empregado num ramo industrial – uma relação determinada, portanto, entre capital variável e capital constante[I] – exprime sempre determinado grau de produtividade do trabalho. Quando essa relação se modifica não por simplesmente variar o valor dos componentes materiais do capital constante, nem por alterar-se o salário, infere-se que se terá modificado também a produtividade do trabalho, e frequentes vezes veremos que as transformações ocorrentes nos fatores c, v e m implicam do mesmo modo modificações na produtividade do trabalho.

O mesmo se pode dizer dos três fatores restantes: *duração da jornada de trabalho, intensidade do trabalho* e *salário*. Sua influência sobre a quantidade e a taxa de mais-valia é estudada pormenorizadamente no Livro 1.[II] É, portanto, compreensível que – embora admitamos, para simplificar, a invariabilidade desses três fatores – as transformações ocorrentes em v e m estejam igualmente ligadas a alterações na magnitude desses três fatores determinantes. Lembremos, de passagem, que o salário tem, sobre a magnitude da mais-valia e sobre o nível da taxa de mais-valia, efeito inverso ao da duração do trabalho e ao da intensidade do trabalho: enquanto a elevação do salário reduz a mais-valia, aumentam-na o prolongamento da jornada e o acréscimo da intensidade do trabalho.

Se um capital de 100 produz, com 20 trabalhadores, uma jornada de dez horas e uma soma semanal de salários de 20, mais-valia de 20, temos:

I Ver Livro 1, p. 667s., p. 678.
II Ver Livro 1, pp. 554-561.

RELAÇÃO ENTRE A TAXA DE LUCRO E A DE MAIS-VALIA

$$80_c + 20_v + 20_m;\ m' = 100\%,\ l' = 20\%.$$

Prolongando-se a jornada para 15 horas, sem acréscimo de salário, o valor global produzido pelos 20 trabalhadores aumentará de 40 para 60 (pois 10 : 15 = 40 : 60); o salário pago v permanecendo o mesmo, eleva-se a mais-valia de 20 para 40, e assim teremos:

$$80_c + 20_v + 40_m;\ m' = 200\%,\ l' = 40\%.$$

Mas, se, com a jornada de dez horas, o salário cai de 20 para 12, teremos, como no início, um valor global produzido de 40, que se reparte de maneira diferente; v cai para 12, ficando o resto, 28, para m. Obtemos, portanto:

$$80_c + 12_v + 28_m;\ m' = 233\tfrac{1}{3}\%,\ l' = \tfrac{28}{92} = 30\tfrac{10}{23}\%.$$

Estamos verificando que tanto o prolongamento da jornada (ou o acréscimo da intensidade do trabalho) como a redução do salário aumentam a quantidade e a taxa de mais-valia. Inversamente, elevação de salário, não se alterando as demais condições, reduz a taxa de mais-valia. Se v, portanto, cresce por subirem os salários, isto significa quantidade de trabalho mais cara e não maior; m' e l', ao invés de subir, caem.

Isto já patenteia que modificações na jornada de trabalho, na intensidade do trabalho e no salário redundam necessariamente em modificações simultâneas em v e m e na relação entre eles; por conseguinte, em l', a relação entre m e c + v, o capital total. Do mesmo modo, fica evidente que alterações na relação entre m e v supõem alterações em pelo menos uma das três condições de trabalho mencionadas.

Revela-se aí precisamente a relação orgânica particular do capital variável com o movimento e a valorização de todo o capital, assim como a diferença que o destaca do capital constante. Do ponto de vista da formação do valor, o capital constante só é importante pelo valor que possui, e, sob esse ângulo, tanto faz que um capital constante de 1.500 libras esterlinas corresponda a 1.500 toneladas a 1 libra cada ou a 500 toneladas a 3 libras cada uma. A quantidade das matérias reais em que se configura o valor dele não importa à formação do valor nem à taxa de lucro, a qual varia na razão inversa desse valor, qualquer que seja a relação existente entre o acréscimo ou o decréscimo do valor do capital constante e a massa dos valores de uso materiais que representam esse capital.

É bem diverso o que se passa com o capital variável. O que está em primeiro plano não é o valor que possui, o trabalho que nele está materializado, e sim esse valor como índice apenas do trabalho total que o capital variável põe em movimento, mas não expressa; essa totalidade difere tanto do trabalho configurado nesse capital e, por isso, pago, e fornece mais-valia tanto maior quanto menor o trabalho nele contido. Custe uma jornada de trabalho de dez horas 10 xelins = 10 marcos. Se o trabalho necessário, o que repõe o salário, isto é, o capital variável = 5 horas = 5 xelins, será o trabalho excedente = 5 horas, e a mais-valia = 5 xelins; se o primeiro for de 4 horas, o segundo será de 6 horas, e a mais-valia = 6 xelins.

Assim, a magnitude do valor do capital variável, ao cessar de ser índice da massa de trabalho posta em movimento, ou melhor, ao modificar-se a medida do próprio índice, modifica-se também, em sentido contrário e em razão inversa, a taxa de mais-valia.

Vamos agora utilizar a equação da taxa de lucro $l' = m'\frac{v}{C}$, aplicando-a aos diversos casos possíveis. Faremos variar o valor de cada um dos fatores de $m'\frac{v}{C}$, a fim de observar o efeito dessas variações na taxa de lucro. Obteremos diferentes séries de casos, que podemos considerar modificações sucessivas nas condições em que opera um mesmo capital, ou como capitais diversos, que são comparados, existentes ao mesmo tempo, digamos, em vários ramos industriais ou países. Certos casos, se parecerem forçados ou praticamente impossíveis como alterações sucessivas de um mesmo capital, é porque então se referem a capitais independentes que são comparados.

Decompomos o produto $m'\frac{v}{C}$ nos seus dois fatores m' e $\frac{v}{C}$. Inicialmente, consideraremos m' constante e investigaremos os efeitos das possíveis variações de $\frac{v}{C}$; em seguida, presumiremos constante a fração $\frac{v}{C}$ e faremos m' passar pelas variações possíveis; por fim, suporemos variáveis todos os fatores, e assim esgotaremos todos os casos de que se podem inferir leis relativas à taxa de lucro.

1. M' CONSTANTE, $\frac{v}{C}$ VARIÁVEL

Este caso, que comporta variantes diversas, pode ser expresso numa fórmula geral. Se temos dois capitais C e C_1, com as respectivas partes variáveis v e v_1, com a mesma taxa de mais-valia m', e as taxas de lucro l' e l'_1, então:

$$l' = m'\frac{v}{C}; \quad l'_1 = m'\frac{v_1}{C_1}$$

RELAÇÃO ENTRE A TAXA DE LUCRO E A DE MAIS-VALIA

Se relacionarmos C e C_1, assim como v e v_1, fazendo o valor da fração $\frac{C_1}{C} = R$ e a fração $\frac{v_1}{v} = r$, teremos $C_1 = RC$ e $v_1 = rv$.

Substituindo l'_1, C_1 e v_1, na equação acima, pelos valores agora obtidos, temos:

$$l'_1 = m' \frac{rv}{RC}.$$

Podemos deduzir uma segunda fórmula das duas equações acima, transformando-as na proporção:

$$l' : l'_1 = m' \frac{v}{C} : m' \frac{v_1}{C_1} = \frac{v}{C} : \frac{v_1}{C_1}$$

Não se alterando o valor de uma fração, quando numerador e denominador são multiplicados ou divididos pelo mesmo número, podemos apresentar $\frac{v}{C}$ e $\frac{v_1}{C_1}$ em termos percentuais, o que faz tanto C quanto $C_1 = 100$. Temos então $\frac{v}{C} = \frac{v}{100}$ e $\frac{v_1}{C_1} = \frac{v_1}{100}$, e podemos pôr de lado os denominadores na proporção acima:
$l' : l'_1 = v : v_1$.

Em palavras: as taxas de lucro de dois capitais quaisquer que operam com igual taxa de mais-valia comportam-se do mesmo modo que as partes variáveis percentualmente calculadas em relação à totalidade dos correspondentes capitais.

As duas fórmulas abrangem todos os casos de variação de $\frac{v}{C}$. Antes de examiná-los separadamente, uma observação: sendo C a soma de c e v, do capital constante e do capital variável, e expressando-se, em regra, percentualmente a taxa de mais-valia e a taxa de lucro, o mais cômodo é fazer c + v igual a 100, e exprimir c e v em termos percentuais. Para determinar a taxa de lucro – e não a massa – tanto faz dizer que um capital de 15.000, dos quais 12.000 constante e 3.000 variável, produz mais-valia de 3.000, ou reduzi-lo à expressão percentual:

$$15.000_c = 12.000_c + 3.000_v (+ 3.000_m).$$
$$100_c = 80_c + 20_v (+ 20_m).$$

Nos dois casos, a taxa de mais-valia m' = 100% e a taxa de lucro = 20%. Podemos recorrer ao mesmo processo, para comparar dois capitais, este com o seguinte, por exemplo:

$$12.000_c = 10.800_c + 1.200_v \;(+\; 1.200_m).$$
$$100_c = 90_c + 10_v \;(+\; 10_m).$$

Enquanto l' = 10%, em ambos os casos m' = 100%, e, em termos percentuais, fica muito mais fácil de ser entendida a comparação com o capital anterior.

Quando se trata de variações ocorrentes num mesmo capital, só raramente pode ser útil a forma percentual, pois quase sempre obscurece essas variações. Se um capital evolui percentualmente da forma

$$80_c + 20_v + 20_m \text{ para}$$
$$90_c + 10_v + 10_m,$$

não se consegue ver aí como se originou a composição percentual modificada $90_c + 10_v + 10_m$; se ela surgiu de decréscimo absoluto de v ou de acréscimo absoluto de c, ou de ambos. Para isso precisamos ter as grandezas absolutas. Para estudar os casos individualizados de variação em que vamos nos deter, é indispensável saber como se origina essa modificação: se $80_c + 20_v$ se transforma em $90_c + 10_v$, porque, digamos, $12.000_c + 3.000_v$, aumentando o capital constante e não se alterando o capital variável, se tenha transformado em $27.000_c + 3.000_v$, (percentualmente, $90_c + 10_v$), ou porque se tenha transformado em $12.000_c + 1.333\frac{1}{3}_v$, (percentualmente, também $90_c + 10_v$), não se alterando o capital constante e diminuindo o capital variável; ou, finalmente, porque se tenha transformado em $13.500_c + 1.500_v$ (percentualmente, de novo $90_c + 10_v$), alterando-se ambos os termos. Mas temos de investigar cada um desses casos, e para isso temos de renunciar às comodidades da redução percentual, ou utilizá-la apenas como elemento auxiliar.

a) m' e C constantes, v variável

Ao modificar-se a magnitude de v, C só pode permanecer invariável se sua outra parte, o capital constante c, variar em sentido oposto até o ponto em que compense a modificação de v. Se, originalmente, $C = 80_c + 20_v = 100$ e v diminui para 10, só poderá C continuar igual a 100 se C elevar-se para 90; $90_c + 10_v = 100$. De modo geral, se v se transforma em v ± d, em v aumentado ou diminuído de d, tem c de transformar-se em c ± d, de experimentar uma variação em sentido oposto e de igual magnitude, para não se violarem as condições do presente caso.

Do mesmo modo, ficando invariável a taxa de mais-valia m', e modificando-se a magnitude do capital variável v, terá a massa de mais-valia m de variar, pois m = m'v, e, no produto m'v, um fator, v, recebe outro valor.

Dos pressupostos estabelecidos resulta, com a variação de v, ao lado da equação inicial, l' = m' $\frac{v}{C}$, a segunda equação, l'$_1$ = m' $\frac{v_1}{C}$, em que v_1 substitui v e l'$_1$ é a incógnita, a consequente taxa de lucro modificada.

Resolve-se a equação através da proporção correspondente:
l' : l'$_1$ = m' $\frac{v}{C}$: m' $\frac{v_1}{C}$ = v : v_1.

Em palavras: não variando a taxa de mais-valia nem a totalidade do capital, a taxa de mais-valia inicial está para a resultante da variação do capital variável como o capital variável inicial está para o modificado.

Se, no início, o capital fosse como acima:

I. $15.000_c = 12.000_c + 3.000_v (+ 3.000_m)$ e se agora for:

II. $15.000_c = 13.000_c + 2.000_v (+ 2.000_m)$, então, nos dois casos, C = 15.000 e m'=

100%, e a taxa de lucro de I, 20%, está para a de II, 13 $\frac{1}{3}$%, assim como o capital variável de I, 3.000, está para o de II, 2.000, isto é, 20% : 13 $\frac{1}{3}$% = 3.000 : 2.000.

No caso, o capital variável pode aumentar ou diminuir. Vejamos um exemplo em que aumenta. Constitua-se inicialmente um capital que opera como segue:

I. $100_c + 20_v + 10_m$; C = 120, m' = 50%, l' = $\frac{1}{3}$%.

Se o capital variável elevar-se a 30, o capital constante cairá, segundo a suposição estabelecida, de 100 para 90, a fim de ficar invariável a totalidade do capital = 120. Não se alterando a taxa de mais-valia de 50%, a mais-valia produzida aumentará para 15. Temos assim:

II. $90_c + 30_v + 15_m$; C = 120, m' = 50%, l' = 12 $\frac{1}{2}$%.

Admitamos, para começar, a hipótese da invariabilidade do salário. Em consequência, não variarão os outros fatores da taxa de mais-valia, a jornada e a intensidade do trabalho. O acréscimo de v (de 20 para 30) só pode significar que se empregam cinquenta por cento mais de trabalhadores. Então, aumenta de cinquenta por cento, de 30 para 45, a totalidade do valor produzido, distribuído, como dantes, em $\frac{2}{3}$ para salários e $\frac{1}{3}$ para mais-valia. Mas, ao mesmo tempo que o número de trabalhadores aumenta, o capital constante, o valor dos meios de produção, cai de 100 para 90. Temos assim um caso de produtividade decrescente do trabalho, ligada a decréscimo simultâneo do capital constante; é este caso economicamente possível?

Na agricultura e na indústria extrativa, onde facilmente se admite que decresça a produtividade do trabalho e, em consequência, aumente o número de trabalhadores ocupados, está esse processo – dentro dos limites e na base da produção capitalista – relacionado não com decréscimo, mas com acréscimo do capital constante. Mesmo que o decréscimo de c, mencionado anteriormente, decorresse de mera queda de preços, só em circunstâncias excepcionais extremas poderia um capital individual passar de I para II. Mas, para dois capitais independentes, empregados em diferentes países ou em diferentes ramos de agricultura, não seria de surpreender que um empregasse mais trabalhadores (e, portanto, mais capital variável) que o outro, e que os trabalhadores do primeiro operassem com meios de produção de menor valor ou mais escassos.

Ponhamos de lado a hipótese da invariabilidade do salário, e admitamos que o capital variável subiu de 20 para 30 por haver o salário aumentado de cinquenta por cento, e então teremos um caso inteiramente diverso. O mesmo número de trabalhadores – digamos, 20 – continua a operar com meios de produção idênticos ou praticamente iguais. Se a jornada de trabalho, digamos, de 10 horas, não se alterar, permanece também invariável a soma de valor produzido; continua sendo 30. Esses 30 continuam sendo inteiramente utilizados, para repor o capital variável adiantado = 30; desapareceria a mais-valia. Mas supôs-se constante a taxa de mais-valia de 50% em I. Isto só é possível se a jornada de trabalho aumentasse de metade, dilatando-se para 15 horas. Os 20 trabalhadores produziriam então em 15 horas um valor global de 45, e se preencheriam todas as condições estabelecidas:

II. $90_c + 30_v + 15_m$; C = 120, m' = 50%, l' = $12\frac{1}{2}$%.

RELAÇÃO ENTRE A TAXA DE LUCRO E A DE MAIS-VALIA

Neste caso, os 20 trabalhadores não precisam de mais meios de trabalho, instrumentos, máquinas etc. que no caso I; só as matérias-primas ou auxiliares teriam de aumentar de cinquenta por cento. Com queda de preços dessas matérias, seria economicamente bem mais admissível a passagem de I para II, dentro dos pressupostos estabelecidos, inclusive para um mesmo capital. E o capitalista seria de certo modo compensado com maior lucro pela possível perda oriunda da depreciação do capital constante.

Vamos supor que o capital variável diminua, ao invés de aumentar. Basta inverter o exemplo acima, fazendo de II o capital inicial, e ir de II para I.

II. $90_c + 30_v + 15_m$ transforma-se em

I. 100c + 20v + 10m, e é evidente que essa transposição em nada altera as condições que regem as duas taxas de lucro e a relação recíproca entre elas.

Se v cai de 30 para 20, por se empregar menos trabalhadores, ao mesmo tempo que aumenta o capital constante, teremos o caso normal da indústria moderna: produtividade crescente do trabalho, domínio de quantidades maiores de meios de produção por menos trabalhadores. Na Terceira Seção deste livro, ver-se-á que este movimento está necessariamente ligado à queda simultânea da taxa de lucro.

Mas, se v cai de 30 para 20, por se empregar a salário mais baixo o mesmo número de trabalhadores, continuará, como dantes, o valor global produzido = $30_v + 15_m = 45$, desde que não varie a jornada de trabalho; caindo v para 20, subirá a mais-valia para 25, e a taxa de mais-valia irá de 50% para 125%, o que é contra a suposição estabelecida. Para ficar dentro das condições da hipótese, a mais-valia, com a taxa de 50%, terá de cair a 10, baixando a totalidade do valor produzido de 45 para 30, o que só é possível diminuindo de $\frac{1}{3}$ a jornada de trabalho. Então obteremos como acima:

$$100_c + 20_v + 10_m;\ m' = 50\%,\ l' = 8\frac{1}{3}\%.$$

Não é mister dizer que na prática não ocorreria essa diminuição do tempo de trabalho acompanhada de redução de salário. Mas isto não importa. A taxa de lucro é função de diversas variáveis, e, se queremos saber como influem nessa taxa, teremos de investigar, sucessivamente, o efeito isolado de cada uma delas, e tanto faz que esse efeito isolado num mesmo capital seja ou não economicamente admissível.

b) m' constante, v variável, C modificado pela variação de v

Este caso diverge do anterior apenas em grau. Em vez de diminuir ou aumentar, compensando acréscimo ou decréscimo de v, c agora permanece constante. Nas condições hodiernas da grande indústria e da agricultura, o capital variável é apenas parte relativamente pequena de todo o capital, e por isso o decréscimo ou o acréscimo deste por variar aquele são também relativamente pequenos. Partamos novamente de um capital

I. $100_c + 20_v + 10_m$, C = 120, m' = 50%, l' = $8\frac{1}{3}$ %, que se converteria, digamos, em

II. $100_c + 30_v + 15_m$, C = 130, m' = 50%, l' = $11\frac{7}{13}$ %.

O caso oposto de decréscimo do capital variável pode configurar-se na passagem inversa de II para I.

As condições econômicas seriam na essência as mesmas da hipótese anterior e não é necessário ventilá-las de novo. A transição de I para II implica: decréscimo da produtividade do trabalho em cinquenta por cento; II exige cinquenta por cento mais de trabalho do que I, para dominar 100_c. Este caso pode ocorrer na agricultura.[9]

Mas enquanto, na hipótese anterior, o capital total permanecia invariável, transformando-se capital constante em variável ou vice-versa, agora o aumento da parte variável requer capital suplementar, e o decréscimo libera capital antes empregado.

c) m' e v constantes, c e portanto C variáveis

Neste caso, a equação l' = m' $\frac{v}{C}$ se transforma em l'$_1$ = m' $\frac{v}{C_1}$. Eliminando os fatores comuns das duas expressões, chegamos à proporção:

$$l'_1 : l' = C : C_1;$$

não variando a taxa de mais-valia, nem a parte variável do capital, as taxas de lucro variam na razão inversa dos capitais totais.

---

[9] Neste ponto diz o manuscrito: "Investigar mais tarde como este caso se relaciona com a renda fundiária."

RELAÇÃO ENTRE A TAXA DE LUCRO E A DE MAIS-VALIA

Vamos supor três capitais ou três situações diferentes de um mesmo capital:

I. $80_c + 20_v + 20_m$; C = 100, m' = 100%, l' = 20%;
II. $100_c + 20_v + 20_m$; C = 120, m' = 100%, l' = $16\frac{2}{3}$%;
III. $60_c + 20_v + 20_m$; C = 80, m' = 100%, l' = 25%;

temos aí as proporções seguintes:

$$20\% : 16\frac{2}{3}\% = 120 : 100 \text{ e } 20\% : 25\% = 80 : 100.$$

A fórmula geral inicialmente estabelecida para as variações de $\frac{v}{C}$, permanecendo m' invariável, era $l'_1 = m'\frac{rv}{RC}$ e se torna $l'_1 = m'\frac{v}{RC}$, pois agora v não varia, e, por conseguinte, o fator $r = \frac{v_1}{v} = 1$.

Sendo m'v = m a massa de mais-valia, e não variando m' nem v, a variação de C não influencia m; a massa de mais-valia é a mesma, antes e depois da modificação.

Se c reduzir-se a zero, seria l' = m', taxa de lucro = taxa de mais-valia.

A variação de c pode decorrer ou de simples mudança no valor dos elementos materiais do capital constante ou de alteração na composição técnica do capital total, isto é, de modificações na produtividade do trabalho no ramo de produção considerado. No segundo caso, a produtividade crescente do trabalho social, ligada ao desenvolvimento da grande indústria e da agricultura, requereria que, no exemplo acima, a transição se operasse na sequência de III a I e de I a II. Certa quantidade de trabalho remunerada com 20 e produzindo um valor de 40 dominaria inicialmente meios de trabalho no valor de 60; ao elevar-se a produtividade sem variar o valor, os meios de trabalho utilizados aumentariam primeiro para 80 e depois para 100. A sequência inversa exigiria decréscimo da produtividade; a mesma quantidade de trabalho movimentaria menos meios de produção, limitar-se-ia a atividade, o que pode ocorrer na agricultura, mineração etc.

Poupança de capital constante, além de elevar a taxa de lucro, libera capital, e daí sua importância para o capitalista. Mais adiante,[I] investigare-

---

[I] Ver pp. 101-163.

mos pormenorizadamente este ponto e a influência da variação dos preços dos elementos do capital constante e, em particular, das matérias-primas.

Patenteia-se aqui novamente que a variação do capital constante tem efeito uniforme na taxa de lucro, e tanto faz que essa variação decorra de acréscimo ou decréscimo dos elementos materiais de c ou de mera mudança de valor.

d) m' constante; v, c e C em conjunto variam

Neste caso, continua válida, para a taxa de lucro modificada, a fórmula geral apresentada no início:

$$l'_1 = \frac{rv}{RC}.$$

Infere-se daí – dada a invariabilidade da taxa de mais-valia – que:

1) A taxa de lucro cai, se R maior do que r, isto é, se o capital constante acresce de tal modo que o capital total aumenta em proporção maior que o capital variável. Se um capital de $80_c + 20_v + 20_m$ muda a composição para $170_c + 30_v + 30_m$, continua m' = 100%, e, embora ambos, v e C, tenham aumentado, $\frac{v}{C}$ cai de $\frac{20}{100}$ para $\frac{30}{200}$, o que corresponde a uma queda da taxa de lucro, de 20% para 15%.

2) A taxa de lucro só fica invariável quando r = R, isto é, quando a fração $\frac{v}{C}$, embora varie na aparência, conserva o mesmo valor, por serem numerador e denominador multiplicados ou divididos pelo mesmo número. $80_c + 20_v + 20_m$ e $160_c + 40_v + 40_m$ têm evidentemente a mesma taxa de lucro de 20%, pois continua m' = 100%, e $\frac{v}{C} = \frac{20}{100} = \frac{40}{200}$ representa, nos dois exemplos, o mesmo valor.

3) A taxa de lucro sobe, quando r maior do que R, isto é, quando o capital variável aumenta em proporção maior que a totalidade do capital. Se $80_c + 20_v + 20_m$ se transforma em $120_c + 40_v + 40_m$, a taxa de lucro eleva-se de 20% para 25%, pois, sem alterar-se m', $\frac{v}{C}$ elevou-se a $\frac{40}{160}$, indo de $\frac{1}{5}$ para $\frac{1}{4}$.

Variando v e C no mesmo sentido, podemos imaginar que, até atingir certo ponto, variam na mesma proporção, de modo que até aí $\frac{v}{C}$ não se altera. Além desse ponto, variaria um dos dois, e assim reduzimos esse caso complicado a um dos anteriores mais simples.

Se, por exemplo, $80_c + 20_v + 20_m$ se transforma em $100_c + 30_v + 30_m$, a relação entre v e c e, portanto, entre v e C permanece a mesma até $100_c + 25_v + 25_m$. Até aí não se altera a taxa de lucro. Podemos, portanto,

RELAÇÃO ENTRE A TAXA DE LUCRO E A DE MAIS-VALIA

tomar por ponto de partida $100_c + 25_v + 25_m$; desse modo, verificamos que v teve acréscimo de 5, elevando-se a 30_v, o que faz C ir de 125 para 130. Temos então o caso b), o da variação simples de v e consequente modificação de C. A taxa de lucro, inicialmente de 20%, sobe a $23\frac{1}{3}$% em virtude desse acréscimo de 5_v, desde que não se altere a taxa de mais-valia.

A mesma redução a um caso simples pode ocorrer quando v e C têm as respectivas magnitudes modificadas em sentido contrário. Partamos novamente de $80_c + 20_v + 20_m$ e transformemo-lo em $110_c + 10_v + 10_m$; se se tivesse transformado em $40_c + 10_v + 10_m$, a taxa de lucro seria a mesma inicial, a saber, de 20%. Acrescentando-se 70_c a essa forma intermediária, a taxa cairá para $8\frac{1}{3}$. Assim, passamos novamente para o caso de uma só variável, que é c.

Desse modo, variação simultânea de v, c e C não implica critérios novos e acaba sempre nos levando a um caso em que varia apenas um fator.

E praticamente nada resta a dizer com relação ao caso que falta examinar, a saber, aquele em que v e C – embora tenha variado o valor dos respectivos elementos – continuam com a mesma magnitude e em que se modifica a quantidade de trabalho representada por v e a dos meios de produção representada por c.

Configurem-se, inicialmente, em 20_v de $80_c + 20_v + 20_m$, os salários de 20 trabalhadores, com uma jornada de 10 horas. Se o salário de cada um subir de 1 para $1\frac{1}{4}$, os 20_v darão para pagar apenas 16, em vez de 20. Se os 20, em 200 horas de trabalho, produzem um valor de 40, os 16, numa jornada de 10 horas, isto é, num total de 160 horas de trabalho, produzirão um valor de 32. Descontados daí 20_v para salários, restarão 12 para mais-valia; a taxa de mais-valia terá caído de 100% para 60%. Mas, para que a taxa de mais-valia permaneça constante de acordo com o pressuposto estabelecido, é mister que a jornada aumente de $\frac{1}{4}$, passando de 10 para $12\frac{1}{2}$ horas. Se 20 trabalhadores, numa jornada de 10 horas, ou seja, em 200 horas de trabalho, produzem um valor de 40, 16 trabalhadores, numa jornada de $12\frac{1}{2}$ horas, ou seja, em 20 horas, produzem o mesmo valor, de modo que o capital $80_c + 20_v$ forneceria, como dantes, mais-valia de 20.

Em sentido oposto, se o salário cai de modo que 20_v remunera o salário de 30 trabalhadores, m' só pode permanecer constante se for reduzida para $\frac{2}{3}$ horas a jornada de 10. $20 \times 10 = 30 \times 6\frac{2}{3} = 200$ horas de trabalho.

No essencial, já se expôs acima até que ponto, dadas essas hipóteses contrárias, pode c conservar o valor expresso em dinheiro, e apesar disso representar a quantidade dos meios de produção correspondente às novas condições. Só é possível admitir-se este caso, em sua pureza, em caráter extremamente excepcional.

Quando varia o valor dos elementos de c, por variarem as respectivas quantidades, sem que se altere c, o valor total, essa variação em nada modifica a taxa de lucro nem a de mais-valia, desde que não acarrete mudança na magnitude de v.

Assim, englobamos em nossa equação todos os casos possíveis de variação de v, c e C. Vimos que, não se alterando a taxa de mais-valia, a de lucro pode cair, ficar a mesma ou subir, bastando a menor variação na relação entre v e c ou entre v e C, para que varie também a taxa de lucro.

Patenteou-se ainda que, ao variar v, chega-se sempre a um limite em que se torna impossível a invariabilidade de m'. Uma vez que toda variação unilateral de c acaba atingindo necessariamente um ponto em que v não pode mais permanecer invariável, fica manifesto que existe para todas as variações possíveis de $\frac{v}{C}$ limites além dos quais m' tem de variar também. Nas variações de m', a serem examinadas agora, ressalta mais essa ação recíproca das diferentes variáveis de nossa equação.

2. M' VARIÁVEL

A fim de obter uma fórmula geral para as taxas de lucro, quando variam as taxas de mais-valia, modifique-se ou não, consideraremos, ao lado da equação:

$$l' = m' \frac{v}{C},$$

a seguinte:

$$l'_1 = m'_1 \frac{v_1}{C_1},$$

onde l'_1, m'_1, v_1 e C_1 simbolizam os valores modificados de l', m', v e C. Temos então:

$$l' : l'_1 = m' \frac{v}{C} : m'_1 \frac{v_1}{C_1},$$

RELAÇÃO ENTRE A TAXA DE LUCRO E A DE MAIS-VALIA

donde

$$l'_1 = \frac{m'1}{m'} \times \frac{v_1}{v} \times \frac{C}{C_1} \times l'.^I$$

a) m' variável, $\frac{v}{C}$ constante

Neste caso, temos as equações:

$$l' = m'\frac{v}{C}, \; l'_1 = m'_1 \frac{v}{C},$$

em que $\frac{v}{C}$ tem o mesmo valor. Daí

$$l' : l'_1 = m' : m'_1.$$

As taxas de lucro de dois capitais de igual composição mantêm entre si a mesma proporção que existe entre as correspondentes taxas de mais-valia. É lei válida para todos os capitais de igual composição, qualquer que seja a grandeza absoluta deles, pois o que importa na fração não são as magnitudes absolutas de v e C, mas apenas a razão que existe entre ambos.

$$80_c + 20_v + 20_m; \; C = 100, \; m' = 100\%, \; l' = 20\%$$
$$160_c + 40_v + 20_m; \; C = 200, \; m' = 50\%, \; l' = 10\%$$
$$100\% : 50\% = 20\% : 10\%.$$

Se em ambos os casos forem iguais as magnitudes absolutas de v e também as de C, a razão entre as taxas de lucro será a mesma que existe entre as quantidades de mais-valia:

$$l' : l'_1 = m'v : m'_1 v = m : m_1.$$

Por exemplo:

I Recompondo os elos do raciocínio algébrico:
$$\frac{l'}{l'_1} = \frac{m'v}{C} \times \frac{C_1}{m'_1 v_1} = \frac{m'}{m'_1} \times \frac{v}{v_1} \times \frac{C_1}{C}; \text{ donde}$$
$$l'_1 = l' : \left(\frac{m'}{m'_1} \times \frac{v}{v_1} \times \frac{C_1}{C}\right) = \frac{m'_1}{m'} \times \frac{v_1}{v} \times \frac{C}{C_1} \times l'$$

$$80_c + 20_v + 20_m; \ m' = 100\%, \ l' = 20\%$$
$$80_c + 20_v + 10_m; \ m' = 50\%, \ l' = 10\%$$
$$20\% : 10\% = 100 \times 20 : 50 \times 20 = 20_m : 10_m.$$

Nessas condições, é claro que, para capitais de composição igual, absoluta ou percentualmente, a taxa de mais-valia pode diferir, se varia o salário ou a duração da jornada ou a intensidade do trabalho. Nos casos

I. $80_c + 20_v + 10_m; \ m' = 50\%, \ l' = 10\%$,
II. $80_c + 20_v + 20_m; \ m' = 100\%, \ l' = 20\%$,
III. $80_c + 20_v + 40_m; \ m' = 200\%, \ l' = 40\%$,

produz-se um valor global novo de 30 ($20_v + 10_m$) em I, de 40 em II e de 60 em III. É o que pode ocorrer de três modos.

Primeiro: Os salários variam, exprimindo 20_v, em cada caso, número diferente de trabalhadores. Seja 15 o número de trabalhadores ocupados em I, com uma jornada de 10 horas, salário de $1\frac{1}{3}$ libras, produzindo um valor de 30 libras, das quais 20 repõem o salário e 10 constituem a mais-valia. Se o salário cai para 1 libra, 20 trabalhadores poderão ser empregados na jornada de 10 horas, e produzirão um valor de 40 libras, correspondendo 20 a salário e 20 a mais-valia. Se o salário baixar ainda a $\frac{2}{3}$ de uma libra, empregar-se-ão na jornada de 10 horas 30 trabalhadores que produzirão um valor de 60 libras. Descontando-se daí 20 para salários, ficam 40 libras de mais-valia.

Neste caso, a composição percentual do capital, a jornada e a intensidade do trabalho são invariáveis; a taxa de mais-valia modifica-se em virtude da variação salarial. Apenas em relação a ele acerta a hipótese de Ricardo:

> Os lucros subirão ou descerão *exatamente na proporção* em que descerem ou subirem os salários (*Principles*, capítulo I, seção III, p. 18, em *Works of D. Ricardo*, ed. MacCulloch, 1852).

Segundo: Varia a intensidade do trabalho. Numa jornada de trabalho de 10 horas, 20 trabalhadores, por exemplo, com os mesmos meios de trabalho, fazem em I, II e III, respectivamente, 30, 40 e 60 peças de uma mercadoria, configurando cada peça, além do valor dos meios de produção

RELAÇÃO ENTRE A TAXA DE LUCRO E A DE MAIS-VALIA

nela gastos, um valor novo de 1 libra. Servindo 20 peças para repor o salário de 20 libras, ficam em i 10 peças, em ii 20, em iii 40, correspondentes, respectivamente, a 10, 20 e 40 libras de mais-valia.

Terceiro: Varia a duração da jornada de trabalho. Se, com igual intensidade de trabalho, a jornada de 20 trabalhadores, em i é de nove horas, em ii de doze e em iii de dezoito a relação entre os valores globais produzidos é 30 : 40 : 60, equivalente a 9 : 12 : 18, e, uma vez que, para i, ii e iii, o salário = 20, a mais-valia de novo será, respectivamente, 10, 20 e 40.

A variação do salário atua em sentido inversamente proporcional à da intensidade do trabalho e a da duração da jornada, em sentido diretamente proporcional, sobre o nível da mais-valia e, por conseguinte, não se modificando, sobre a taxa de lucro.

b) m' e v variáveis, C constante

Este caso é regido pela proporção:

$$l' : l'_1 = m'\frac{v}{C} : m'_1 \frac{v_1}{C_1} = m'v : m'_1 v_1 = m : m_1$$

As taxas de lucro são proporcionais às correspondentes quantidades de mais-valia.

Variação da taxa de mais-valia, sem que se altere o capital variável, significa, conforme vimos, que se modificaram a magnitude e a repartição do produto-valor. Variação simultânea de v e m' implica sempre outra repartição, mas nem sempre variação de magnitude do produto-valor. Três casos são possíveis:

Primeiro: v e m' variam em sentidos opostos, sem alterar-se a magnitude do produto-valor; por exemplo:

$$80_c + 20_v + 10_m; m' = 50\%, l' = 10\%$$
$$90_c + 10_v + 20_m; m' = 200\%, l' = 20\%.$$

É igual o valor produzido nas duas hipóteses consideradas e, por conseguinte, a quantidade de trabalho realizado. A única diferença está em que, na primeira hipótese, 20 correspondem a salário pago e 10 a mais-valia, enquanto, na segunda, o salário importa em 10 apenas e a mais-valia em 20. Só neste caso, o número de trabalhadores, a intensidade e a duração da jornada de trabalho ficam inalteráveis, com variação simultânea de v e m'.

Segundo: v e m' variam ainda em sentido contrário, alterando-se a magnitude do produto-valor. Então, ou prepondera a variação de v ou a de m'.

I. $80_c + 20_v + 20_m$, m' = 100%, l' = 20%
II. $72_c + 28_v + 20_m$, m' = 71 3/7%, l' = 20%
III. $84_c + 16_v + 20_m$, m' = 125%, l' = 20%

Em I paga-se um valor produzido de 40 com 20_v; em II, um de 48 com 28_v; em III, um de 36 com 16_v. Modificaram-se o valor produzido e o salário; mas variação do valor produzido significa variação da quantidade de trabalho realizado, portanto, de um ou mais dos três fatores: número de trabalhadores, duração do trabalho e intensidade do trabalho.

Terceiro: m' e v variam no mesmo sentido, reforçando uma variação o efeito da outra.

$90_c + 10_v + 10_m$; m' = 100%, l' = 10%
$80_c + 20_v + 30_m$; m' = 150%, l' = 30%
$92_c + 8_v + 6_m$; m' = 75%, l' = 6%

Também aqui diferem os três valores produzidos, 20, 50 e 14: essa diferença na eventual quantidade de trabalho reduz-se, por sua vez, à diferença no número dos trabalhadores, na duração do trabalho, na intensidade do trabalho, em um ou dois desses fatores ou em todos eles.

c) m', v e C variáveis

Este caso não traz novos aspectos e resolve-se com a fórmula geral apresentada em "2. m' variável".

d) Influência da variação de m' sobre l'

O efeito da variação de magnitude da taxa de mais-valia sobre a taxa de lucro dá origem aos seguintes casos:

1) l' aumenta ou diminui na mesma proporção de m', quando $\frac{v}{C}$ permanece inalterável.

$80_c + 20_v + 20_m$; m' = 100%, l' = 20%
$80_c + 20_v + 10_m$; m' = 50%, l' = 10%
100% : 50% = 50% = 20% : 10%

RELAÇÃO ENTRE A TAXA DE LUCRO E A DE MAIS-VALIA

2) l' varia em proporção maior que m', quando $\frac{v}{C}$ se move no mesmo sentido de m', isto é, acresce ou decresce quando m' aumenta ou diminui.

$$80_c + 20_v + 10_m\ ;\ m' = 50\%,\ l' = 10\%$$
$$70_c + 30_v + 20_m\ ;\ m' = 66\tfrac{2}{3},\ l' = 20\%$$
$$50\% : 66\tfrac{2}{3} < 10\% : 20\%^{\text{I}}$$

3) l' varia em proporção menor que m', se $\frac{v}{C}$ varia em sentido oposto mas em proporção menor.

$$80_c + 20_v + 10_m\ ;\ m' = 50\%,\ l' = 10\%$$
$$90_c + 10_v + 15_m\ ;\ m' = 150\%,\ l' = 15\%$$
$$50\% : 150 > 10\% : 15\%$$

4) l' sobe, embora m' caia, ou cai, embora m' suba, quando $\frac{v}{C}$ varia em direção oposta a m' e em proporção maior.

$$80_c + 20_v + 20_m\ ;\ m' = 100\%,\ l' = 20\%$$
$$90_c + 10_v + 15_m\ ;\ m' = 150\%,\ l' = 15\%$$

m' subiu de 100% para 150%, l' caiu de 20% para 15%.

5) Finalmente, l' permanece constante, embora m' suba ou desça, quando $\frac{v}{C}$ varia na direção oposta, mas em proporção correspondente à variação de m'.

Apenas este último caso exige alguma explicação. Vimos acima, ao estudar as variações de $\frac{v}{C}$, que a mesma taxa de mais-valia pode configurar-se nas mais diversas taxas de lucro, e agora verificaremos que a mesma taxa de lucro pode ter por base taxas de mais-valia bem diferentes. Enquanto, para m' invariável, basta qualquer variação na relação entre v e C, para causar mudança na taxa de lucro, para m' variável é mister uma variação inversa de $\frac{v}{C}$, exatamente compensatória, para que fique a mesma a taxa de lucro. Só em caráter extremamente excepcional seria isto possível para um mesmo capital ou para dois capitais num mesmo país. Consideremos, por exemplo:

I O símbolo < significa aí que a variação de 50% para $66\tfrac{2}{3}$ % é proporcionalmente menor que a de 10% para 20%. Logo adiante, o símbolo > com significação oposta.

$$80_c + 20_v + 20_m; c = 100, m' = 100\%, l' = 20\%$$

e admitamos que o salário caia de tal modo que se possa conseguir com 16_v o mesmo número de trabalhadores que se obtinha com 20_v. Com a liberação de 4, e não se alterando as demais condições, teremos:

$$80_c + 16_v + 24_m; c = 96, m' = 150\%, l' = 25\%.$$

Para ser l' = 20%, como inicialmente, seria necessário que a totalidade do capital se elevasse a 120 e o constante, portanto, a 104:

$$104_c + 16_v + 24_m; c = 120, m' = 150\%, l' = 20\%.$$

Isto só é possível se, simultaneamente com a baixa de salário, surgir na produtividade do trabalho modificação que suponha mudança na composição do capital; ou se subir o valor em dinheiro do capital constante, de 80 para 104; em suma, uma coincidência fortuita de condições, que só excepcionalmente ocorre. Na realidade, uma variação de m' que não implique variação de v e por conseguinte de $\frac{v}{C}$ só é concebível em circunstâncias muito especiais, a saber, nos ramos industriais em que se aplica apenas capital fixo e trabalho, sendo o objeto de trabalho fornecido pela natureza.

Mas a coisa é diferente quando se comparam as taxas de lucro de dois países. Então a mesma taxa de lucro se configura, em regra, em diferentes taxas de mais-valia.

Dos cinco casos examinados, infere-se que alta na taxa de lucro pode corresponder a baixa ou alta na taxa de mais-valia; baixa na taxa de lucro, a alta ou baixa na taxa de mais-valia; taxa de lucro invariável, a alta ou baixa na taxa de mais-valia. Em 1, vimos que taxa de lucro em ascensão, em baixa ou invariável pode corresponder a taxa constante de mais-valia.

3. FATORES QUE DETERMINAM A TAXA DE LUCRO

A taxa de lucro é, assim, determinada por dois fatores principais: a taxa de mais-valia e a composição do valor do capital. Os efeitos dos dois fatores podem ser resumidos logo adiante, e a composição pode ser expressa percentualmente, pois aqui não importa saber de qual das duas partes do capital provém a modificação.

As taxas de lucro de dois capitais ou de um mesmo capital em duas situações sucessivas diferentes *são iguais*:

1) quando iguais a composição percentual dos capitais e a taxa de mais-valia;

2) quando, diferindo a composição percentual dos capitais e a taxa de mais-valia, são iguais os produtos das taxas de mais-valia pelas partes variáveis calculadas percentualmente (m' e v), isto é, as *massas* de mais-valia (m = m'v) expressas em percentagem do capital inteiro; em outras palavras, quando, nos dois casos, os fatores m' e v estão reciprocamente em relação inversa.

São desiguais as taxas de lucro:

1) quando, invariável a composição percentual, diferem as taxas de mais-valia a que elas são proporcionais;

2) quando é a mesma a taxa de mais-valia e diferente a composição percentual, hipótese em que são proporcionais às partes variáveis dos capitais;

3) quando, diferindo a taxa de mais-valia e a composição percentual, são proporcionais aos produtos m'v, isto é, às massas de mais-valia calculadas em percentagem do capital total.[10]

---

[10] Há, no manuscrito, cálculos que descem a minúcias sobre a diferença entre taxa de mais-valia e taxa de lucro (m' – l'), que possui numerosas peculiaridades interessantes e em seu movimento ostenta casos em que as duas taxas se afastam ou se aproximam uma da outra. Esse movimento pode configurar-se em curvas. Deixo de reproduzir esse material, por ter menor importância para os objetivos imediatos deste livro, bastando aqui simplesmente chamar a atenção daqueles leitores que queiram ir mais longe no estudo do assunto. — F.E.

IV.
A rotação e a taxa de lucro

IV.
A rotação e a taxa de lucro

[No Livro 2 estudou-se o efeito da rotação sobre a produção de mais-valia e, por conseguinte, de lucro. Recapitulando, diremos que, em virtude do tempo necessário à rotação, não é possível aplicar na produção, ao mesmo tempo, o capital inteiro, que, assim, fica sempre ociosa uma fração do capital, podendo assumir a forma de capital-dinheiro, de matérias-primas em estoque, de capital-mercadoria pronto e acabado, mas não vendido ou de títulos de crédito a vencer; que essa fração reduz continuamente o capital empregado na produção para gerar e apreender mais-valia, e restringe-se na mesma proporção a mais-valia gerada e apreendida. Quanto mais reduzido o tempo de rotação, tanto menor essa parte ociosa do capital relativamente ao todo, e tanto maior, desde que inalteradas as demais condições, a mais--valia apreendida.

Já expusemos pormenorizadamente no Livro 2[I] como se eleva a quantidade de mais-valia produzida, ao reduzir-se o tempo de rotação ou um de seus dois segmentos: o tempo de produção e o de circulação. Mas, uma vez que a taxa de mais-valia apenas representa a relação entre a quantidade da mais-valia produzida e todo o capital que se comprometer em sua produção, é evidente que qualquer redução dessa natureza aumenta a taxa de lucro. O que já dissemos na Segunda Seção do Livro 2, com referência à mais-valia estende-se ao lucro e à taxa de lucro, e não é mister repeti-lo aqui. Destacaremos apenas alguns aspectos principais.

O principal meio para diminuir o tempo de produção é aumentar a produtividade do trabalho, o que se chama geralmente de progresso industrial. E, em consequência, sobe necessariamente a taxa de lucro, a não ser que a totalidade do capital investido aumente consideravelmente com o emprego de maquinaria custosa etc., e reduza assim a taxa de lucro a calcular sobre todo o capital. E é sem dúvida o que sucede com muitos dos recentes progressos da metalurgia e da indústria química. Os novos processos de produzir ferro e aço, descobertos por Bessemer, Siemens, Gilchrist-Thomas e outros, reduziram a um mínimo, com custos relativamente pequenos, o tempo exigido pelos métodos anteriores, extremamente demorados. A fabricação da alizarina ou corante extraído da ruiva, a partir do alcatrão da hulha, proporciona, em poucas semanas e com o mesmo equipamento já anteriormente utilizado para produzir corantes à base do alcatrão, o mesmo resultado que antes exigia anos; a ruiva precisava de um ano para crescer,

---

I Ver Livro 2, pp. 334-340.

e depois os rizomas levavam ainda vários anos amadurecendo, antes de se tirar deles o corante.

O principal meio de abreviar o tempo de circulação é o progresso dos transportes e comunicações. Nesse domínio, operou-se durante os últimos cinquenta anos uma revolução com que só se pode comparar a revolução industrial da segunda metade do século anterior. Em terra, a ferrovia colocou em plano inferior a estrada macadamizada; no mar, as linhas regulares dos vapores eclipsaram os irregulares e lentos navios a vela, e as linhas telegráficas cingem o globo terrestre. Só agora, a bem dizer, o canal de Suez abriu a Ásia Oriental e a Austrália ao tráfego a vapor. Em 1847, o tempo de circulação de uma mercadoria remetida à Ásia Oriental era pelo menos de doze meses (ver Livro 2, p. 284s.), o que hoje pode ser reduzido aproximadamente ao mesmo número de semanas. Os dois grandes focos de crises de 1825-1857, a América e a Índia, com essa revolução nos transportes ficaram 70-90% mais próximos dos países industriais europeus e com isso perderam grande parte da capacidade explosiva. Abreviou-se na mesma medida o tempo de rotação de todo o comércio mundial, e aumentou mais de duas ou três vezes a capacidade de operar dos capitais nele empregados. É claro que isto não podia deixar de influenciar a taxa de lucro.

Para pôr em evidência os efeitos puros da rotação da totalidade do capital sobre a taxa de lucro, temos de considerar iguais todas as demais condições referentes aos dois capitais a comparar. Admitamos que sejam as mesmas a taxa de mais-valia, a jornada de trabalho e sobretudo a composição percentual. Consideremos um capital A, com a composição $80_c + 20_v = 100_C$, que roda duas vezes por ano com uma taxa de mais-valia de 100%. O produto anual será então: $160_c + 40_v + 40_m$. Mas, para achar a taxa de lucro, relacionamos os 40_m, não com o valor-capital rodado de 200, e sim com o adiantado de 100, e obtemos assim l' = 40%.

Comparemos A com o capital B = $160_c + 40_v = 200_C$, que roda com a mesma taxa de mais-valia de 100%, mas apenas uma vez por ano. O produto anual é o mesmo: $160_c + 40_v + 40_m$. Mas os 40_m se relacionam com um capital adiantado de 200, o que dá a taxa de lucro de 20%, a metade da taxa de A.

Infere-se daí que as taxas de lucro de dois capitais – com iguais composição percentual, taxa de mais-valia e jornada de trabalho – estão na razão inversa dos respectivos tempos de rotação. Se ambos diferirem na composição, ou na taxa de mais-valia, ou na jornada de trabalho, ou no

A ROTAÇÃO E A TAXA DE LUCRO

montante dos salários, haverá em consequência diferenças na taxa de lucro; estas, porém, não dependem da rotação e, por isso, deixam de nos interessar aqui, já tendo sido tratadas no Capítulo III.

O efeito direto que a redução do tempo de rotação tem sobre a produção de mais-valia e, portanto, sobre o lucro consiste na maior eficácia que ela dá à parte variável do capital. A respeito dessa matéria consulte-se o Capítulo XVI do Livro 2: "A rotação do capital variável". Mostrou-se aí que um capital variável de 500, que roda dez vezes ao ano, apreende nesse tempo tanto mais-valia quanto um capital variável de 5.000 que, com iguais taxa de mais-valia e salários, só roda uma vez por ano.

Seja um capital I, constituído de 10.000 de capital fixo, com um desgaste anual de 10% = 1.000, um capital constante circulante de 500 e um capital variável de 500, rodando este dez vezes ao ano, com uma taxa de mais-valia de 100%. Para simplificar, admitamos, em todos os exemplos, que o capital circulante rode no mesmo tempo do variável, o que acontece bastante na prática. Então, o produto de um período de rotação será:

$$100_c \text{ (desgaste)} + 500_c + 500_v + 500_m = 1.600$$

e todo o produto anual de dez rotações:

$$1.000_c \text{ (desgaste)} + 5.000_c + 5.000_v + 5.000_m = 16.000,$$

$$C = 11.000, \, m = 5.000, \, l' = \frac{5.000}{11.000} = 45\frac{5}{11}\%.$$

Seja agora um capital II: capital fixo 9.000, desgaste anual deste 1.000, capital constante circulante 1.000, capital variável 1.000, taxa de mais-valia 100%, número de rotações finais do capital variável: 5. O produto de cada período de rotação do capital variável será:

$$200_c \text{ (desgaste)} + 1.000_c + 1.000_v + 1.000_m = 3.200,$$

e todo o produto anual, após cinco rotações:

$$1.000_c \text{ (desgaste)} + 5.000_c + 5.000_v + 5.000_m = 16.000,$$

$$C = 11.000, \, m = 5.000, \, l' = \frac{5.000}{11.000} = 45\frac{5}{11}\%.$$

Admitamos ainda um capital III, sem parte fixa, mas com a parte constante circulante = 6.000 e a variável = 5.000, rodando uma vez por ano, com uma taxa de mais-valia = 100%. Todo o produto anual será então:

$$6.000_c + 5.000_v + 5.000_m = 16.000,$$

$$C = 11.000, \; m = 5.000, \; l' = \frac{5.000}{11.000} = 45\frac{5}{11}\%.$$

Em todos os três casos, temos a mesma quantidade anual de mais-valia = 5.000, e, uma vez que neles não difere o capital total = 11.000, é a mesma a taxa de lucro = $45\frac{5}{11}$ %.

No capital I, se tivéssemos 5 rotações anuais do capital variável, em vez de 10, a coisa se apresentaria de outra maneira. O produto de cada rotação seria:

$$200_c \text{ (desgaste)} + 500_c + 500_v + 500_m = 1.700$$

e o produto anual:

$$1.000_c \text{ (desgaste)} + 2.500_c + 2.500_v + 2.500_m = 8.500,$$

$$C = 11.000, \; m = 2.500; \; l' = \frac{2.500}{11.000} = 22\frac{8}{11}\%$$

A taxa de lucro caiu à metade, por ter dobrado o tempo de rotação.

Assim, a quantidade de mais-valia apreendida durante o ano = quantidade de mais-valia obtida num período de rotação × número de rotações por ano. Chamemos de L a mais-valia ou lucro anualmente apreendido, de m a mais-valia apreendida num período de rotação, de n o número das rotações por ano do capital variável; temos, então, L = mn, e a taxa anual de mais-valia T = m'n, conforme se expôs no Livro 2, Capítulo XVI, 1.[I]

A fórmula da taxa de lucro l' = m'$\frac{v}{C}$ = m'$\frac{v}{c+v}$ evidentemente só está certa quando o v do numerador é o mesmo do denominador. No denominador, v é a fração toda do capital total, em média empregada como capital variável, para pagar salários. Inicialmente, o v do numerador é determinado por ter produzido e apreendido determinada quantidade de mais-valia = m, e com

---

I Pp. 339-340.

esta se relaciona, em $\frac{m}{v}$, a taxa de mais-valia m'. Só dessa maneira a equação l' = $\frac{m}{c+v}$ se transforma em l' = m' $\frac{v}{c+v}$. O v do numerador é precisamente determinado no sentido de que tem de ser igual ao v do denominador, a toda a parte variável do capital C. Em outras palavras, a equação l' = $\frac{m}{C}$ só pode transformar-se, sem erros, em l' = m' $\frac{v}{c+v}$, se m significa a mais-valia produzida *num* período de rotação do capital variável. Se m abrange apenas parte dessa mais-valia, a equação m = m'v continua certa, mas este v é menor que o v de C = c + v, que a totalidade do capital variável desembolsado em salários. Se m, porém, compreende mais que a mais-valia de uma rotação de v, é porque v, de maneira completa ou incompleta, funciona duas vezes, inicialmente na primeira rotação, depois na segunda, ou na segunda e na seguinte; o v que produz a mais-valia e que é a soma de todos os salários pagos é, portanto, maior que o v em c + v, e o cálculo deixa de ser exato.

Para tornar absolutamente exata a fórmula da taxa anual de lucro, temos de substituir a taxa simples de mais-valia pela taxa anual de mais-valia, colocando T ou m'n em lugar de m'. Em outras palavras, é mister multiplicar m', a taxa de mais-valia – ou, o que dá no mesmo, v, a parte do capital variável contida em c –, por n, o número de rotações por ano desse capital variável. Assim, obtemos l' = m'n$\frac{v}{C}$, a fórmula para calcular a taxa anual de lucro.

O próprio capitalista, em regra, não sabe a quanto monta o capital variável num negócio. Vimos no Capítulo VIII do Livro 2 e adiante veremos ainda que a única distinção que lhe parece essencial no seu capital é a que existe entre a parte fixa e a circulante. Retira da caixa – onde guarda a parte disponível em dinheiro do capital circulante, quando não a deposita em bancos – o dinheiro para salários; da mesma caixa, o dinheiro para matérias-primas e auxiliares, e credita tudo isto à mesma conta de caixa. E, se mantiver também uma conta especial para os salários pagos, ficará registrado no fim do ano o total de salários pagos, vn, mas não o próprio capital variável v. Para achar este, é mister fazer um cálculo pertinente, de que segue exemplo.

Utilizaremos para isso a fiação de algodão com 10.000 fusos descrita no Livro 1, p. 244s., e suporemos que os dados relativos a uma semana de abril de 1871 eram válidos para o ano inteiro. O capital fixo corporificado na maquinaria era de 10.000 libras esterlinas. Não se informava o capital circulante; admitamos que era de 2.500 libras, estimativa bastante alta, mas que se justifica em virtude do postulado, que temos de estabelecer sempre em casos desta natureza, de que não se realizam operações de crédito,

O CAPITAL

nenhuma utilização duradoura ou passageira de capital alheio. Segundo o valor – em libras esterlinas –, o produto semanal era constituído de 20 para desgaste da maquinaria, 358 correspondentes a capital constante circulante desembolsado (repartidas em 6 para aluguel, 342 para algodão e 10 para carvão, gás e óleo), 52 relativas ao capital variável empregado em salários e 80 de mais-valia. Temos, assim:

$$20_c \text{ (desgaste)} + 358_c + 52_v + 80_m = 510$$

O capital circulante semanalmente adiantado era, portanto, $358_c + 52_v = 410$, com composição percentual $= 87,3_c + 12,7_v$. Aplicada esta a todo o capital circulante de 2.500 libras, obteremos 2.182 relativas ao capital constante e 318 ao variável. Tendo sido o desembolso de salários durante o ano = 52 × 52 libras esterlinas = 2.704, resulta daí que o capital de 318 libras esterlinas rodou durante o ano cerca de $8\frac{1}{2}$ vezes. A taxa de mais--valia era de $\frac{80}{52} = 153\frac{11}{13}$ %. Com esses dados calculamos a taxa de lucro, substituindo as letras da fórmula l' = m'n $\frac{v}{C}$ pelos respectivos valores: m' = $153\frac{11}{13}$, n = $8\frac{1}{2}$, v = 318, c = 12.500. Obteremos, assim:

$$l' = 153\frac{11}{13} \times 8\frac{1}{2} \times \frac{2.500}{12.500} = 33,27\%.$$

Tiraremos a prova dessa conta utilizando a fórmula simples l' = $\frac{m}{C}$. Toda a mais-valia ou todo o lucro do ano importa em 80 libras esterlinas × 52 = 4.160, que divididas pelo capital total de 12.500 libras dão 33,28%, praticamente o mesmo resultado acima. É uma taxa de lucro anormalmente alta, que só se explica pelas circunstâncias momentâneas extremamente favoráveis (preços do algodão muito baixos coincidindo com preços do fio muito altos) e que sem dúvida não se manteve realmente o ano inteiro.

Na fórmula l'= m'n $\frac{v}{C}$, m'n é, como já se disse, o que se chamou de taxa anual de mais-valia no Livro 2. No caso acima, ela monta a $153\frac{11}{13}$ % × $8\frac{1}{2}$, ou, em cálculo exato, a $1.307\frac{9}{13}$ %. Quem tiver a ingenuidade de pôr as mãos na cabeça por causa da monstruosidade de uma taxa anual de mais-valia de 1.000%, apresentada num exemplo do Livro 2, talvez se tranquilize à vista do exemplo extraído da prática vivida em Manchester, no qual a taxa anual de mais-valia ultrapassa 1.300%. Taxas dessa ordem não são raras em fases de grande prosperidade, as quais por certo, já faz muito tempo, deixaram de aparecer.

De passagem, observemos que temos aí um exemplo da efetiva composição do capital na grande indústria moderna. O capital total = 12.500 libras esterlinas se divide em duas partes, a constante com 12.182 e a variável com 18. Em termos percentuais: $97\frac{1}{2}_c + 2\frac{1}{2}_v = 100_C$. Só $\frac{1}{40}$ do todo serve, fazendo mais de oito giros por ano, para pagar os salários.

Só a poucos capitalistas, por certo, ocorre fazer cálculos dessa natureza referentes ao próprio negócio, e, por isso, a estatística silencia quase totalmente sobre a relação entre a parte constante e a variável de todo o capital da sociedade. Apenas o censo americano fornece o que é possível nas condições de hoje: o montante dos salários pagos e dos lucros obtidos em cada ramo industrial. Embora não inspirem confiança, pois estão baseados em informações não controladas dos próprios industriais, esses dados são extremamente valiosos e constituem a única coisa de que se pode dispor nesse domínio. Na Europa, somos delicados demais para exigir dos grandes industriais semelhantes indiscrições. — F.E.]

V.
Economia no emprego de capital constante

V
Economia no emprego de capital constante

1. GENERALIDADES

O acréscimo da mais-valia absoluta ou o prolongamento do trabalho excedente e, por conseguinte, da jornada, sem que se altere o capital variável, empregando-se portanto o mesmo número de trabalhadores com o mesmo salário nominal – e no caso não importa que se pague ou não o tempo extraordinário –, faz cair o valor do capital constante em relação ao capital todo e ao capital variável, e assim subir a taxa de lucro, ainda que não se considere o incremento da quantidade de mais-valia e da taxa de mais-valia, possivelmente em ascensão. O volume da parte fixa do capital constante, edifícios de fábrica, maquinaria etc. permanece o mesmo, sejam 16 ou 12 horas de trabalho. O prolongamento não exige desembolso adicional nesta parte mais cara do capital constante. Acresce que o valor do capital fixo se reproduz, assim, em série menor de períodos de rotação, reduzindo-se o tempo durante o qual tem de ser adiantado para obter-se determinado lucro. O prolongamento da jornada aumenta o lucro; mesmo quando pago o tempo extraordinário, e, até certo ponto, mesmo quando pago mais caro que as horas normais de trabalho. Por isso, no sistema industrial moderno, a necessidade cada vez maior de aumentar o capital fixo era poderoso incentivo no sentido de levar os capitalistas ávidos de lucro a prolongar a jornada.[11]

A coisa muda quando a jornada de trabalho é constante. Neste caso surgem necessariamente dois caminhos. Um deles é aumentar o número de trabalhadores e em certa proporção a quantidade de capital fixo – os edifícios, a maquinaria etc. –, a fim de explorar quantidade maior de trabalho (estamos abstraindo de descontos de salário ou de pressões para colocá-lo abaixo do nível normal). Quando se eleva a intensidade ou a produtividade do trabalho com o objetivo de produzir quantidade maior de mais-valia relativa, aparece o outro caminho: acresce nos ramos industriais que empregam matérias-primas a massa da parte circulante do capital constante, transformando-se quantidade maior de matérias-primas em dado espaço de tempo, e, além disso, aumenta a maquinaria posta em movimento pelo mesmo número de trabalhadores, isto é, a parte fixa do capital constante. Assim, o aumento da mais-valia está ligado a aumento do capital constante,

---

11 "Em todas as fábricas configura-se em edifícios e em máquinas montante muito alto de capital fixo, e, por isso, o lucro é tanto maior quanto maior o número de horas em que se possa manter operando essa maquinaria" (*Rep. Of Insp. of Fact.*, 31 de outubro de 1858, p. 8).

a exploração crescente do trabalho, a condições de produção mais caras com que se explora o trabalho, isto é, a maior desembolso de capital. Em consequência, a taxa de lucro diminui de um lado e aumenta do outro.

Há um bom número de despesas correntes que não variam ou quase, prolongue-se ou reduza-se a jornada de trabalho. O custo para controlar 500 trabalhadores em 18 horas é menor do que para controlar 750 em 12 horas. "As despesas gerais numa fábrica quase não se alteram se a jornada se prolonga de dez para doze horas" (*Rep. Fact.*, outubro de 1862, p. 19).

Impostos e taxas, seguro contra fogo, salários de diversos funcionários graduados, depreciação da maquinaria e diversas outras despesas de uma fábrica prosseguem inalteradas com maior ou menor jornada de trabalho; na medida em que a produção decresce, elas aumentam relativamente ao lucro (*Rep. Fact.*, outubro de 1862, p. 19).

O prazo em que se reproduz o valor da maquinaria e de outros componentes do capital fixo é determinado praticamente não pela simples duração deles, mas pela duração global do processo de trabalho em que funcionam e são consumidos. Se os trabalhadores têm de mourejar 18 horas em vez de 12, a semana fica com mais três dias, uma semana valerá uma e meia, e dois anos, três. Se não se paga o tempo extraordinário, os trabalhadores darão gratuitamente, além do tempo normal do trabalho excedente, uma semana em cada três e um em cada três anos. E assim a reprodução do valor da maquinaria aumenta de 50% e é atingida em $\frac{2}{3}$ do tempo ordinariamente necessário.

Nesta pesquisa e na relativa às variações dos preços das matérias-primas (Cap. VI), para evitar complicações inúteis, suporemos dadas a quantidade e a taxa de mais-valia.

Conforme já acentuamos, ao tratar da cooperação, da divisão do trabalho e da maquinaria,[1] a economia nas condições de produção, característica da produção em grande escala, decorre essencialmente de funcionarem elas como condições do trabalho social, socialmente combinado, como condições sociais do trabalho, portanto. No momento de produção, consome-as em comum uma coletividade de trabalhadores; não são consumidas fragmentariamente por uma massa de trabalhadores desligados entre si ou que, no máximo, só em pequena escala cooperam de maneira direta. Numa grande fábrica, os custos de um ou dois motores centrais não aumentam

---

[1] Ver Livro 1, p. 360s.

ECONOMIA NO EMPREGO DE CAPITAL CONSTANTE

na mesma proporção da força desses motores, a qual determina o possível raio de ação deles; os custos do mecanismo de transmissão não aumentam na mesma proporção do volume das máquinas operadoras, às quais leva o movimento; o tronco da máquina operadora não encarece em proporção com o acréscimo de número de ferramentas, que constituem os membros por meio dos quais ela funciona etc. A concentração dos meios de produção traz ainda economias em construções de toda espécie, não só as destinadas a oficinas, mas também a armazenamento etc. O mesmo acontece com as despesas em aquecimento, iluminação etc. Outras condições de produção não se alteram, sejam elas utilizadas por poucos ou por muitos.

Toda essa economia oriunda da concentração dos meios de produção e de seu emprego em massa tem por condição essencial que os trabalhadores se aglomerem e atuem em conjunto, a combinação social do trabalho, portanto. Decorre por conseguinte do caráter social do trabalho, do mesmo modo que a mais-valia provém do trabalho excedente de cada trabalhador, isoladamente considerado. Mesmo os aperfeiçoamentos constantes, que nesse domínio são possíveis e necessários, têm sua origem única e exclusiva nas experiências e observações sociais, proporcionadas e possibilitadas pela produção do conjunto de trabalhadores combinados em grande escala.

O mesmo se estende à segunda grande faixa de economias nas condições de produção. Referimo-nos à transformação dos resíduos da produção em novos elementos de produção da mesma ou de outra indústria; aos processos pelos quais esses resíduos retornam ao ciclo da produção e por conseguinte do consumo – produtivo ou individual. Também essa ordem de economia resulta do trabalho social em grande escala. A massa correspondente de resíduos é tão grande que os torna objetos de comércio e assim novos elementos de produção. Só por serem resíduos, de produção coletiva e por conseguinte em grande escala, adquirem essa importância para o processo de produção e ainda possuem valor de troca. Esses resíduos, além de úteis como novos elementos da produção, sendo por sua vez vendáveis, barateiam os custos das matérias-primas nos quais sempre se inclui a perda normal delas, isto é, a quantidade que necessariamente se desperdiça quando são objeto de transformação. A redução dos custos dessa parte do capital corresponde a acréscimo da taxa de lucro, desde que dadas a magnitude do capital variável e a taxa de mais-valia.

Estabelecida a taxa de mais-valia, a taxa de lucro só pode subir reduzindo-se o valor do capital constante exigido para a produção de mercadorias.

Quando o capital constante entra na produção de mercadorias, deixa-se de lado o valor de troca e considera-se apenas o valor de uso. O volume de trabalho que a fibra do linho pode absorver ao ser fiada não depende do valor, mas da quantidade dela, e corresponde a dado nível da produtividade do trabalho, isto é, a dado grau de desenvolvimento técnico. A ajuda que uma máquina pode dar, por exemplo, a três trabalhadores, não depende do valor, mas do valor de uso dela como máquina. Num nível de desenvolvimento técnico, uma máquina de baixa eficácia pode ser dispendiosa, e, noutro, uma de grande eficácia, barata.

O lucro maior que o capitalista obtém por terem o algodão e a maquinaria de fiar, por exemplo, ficado mais baratos decorre da maior produtividade do trabalho, não na fiação, mas na construção de máquinas e na cultura de algodão. Para determinada quantidade de trabalho, para dada quantidade de trabalho excedente de que se apropria, é menor o desembolso a fazer nas condições de trabalho. Caem os custos necessários para a apreensão dessa quantidade determinada de trabalho excedente.

Já falamos da economia que, no processo de produção, advém da utilização em comum dos meios de produção pelo trabalhador coletivo – os trabalhadores com suas operações socialmente combinadas. Mais adiante, estudaremos outras economias no emprego de capital constante, oriundas da redução do tempo de circulação (aí o fator objetivo e essencial é o desenvolvimento dos meios de transportes e comunicações). Mas pretendemos falar logo das economias provenientes da melhoria contínua da maquinaria: (1) mudança da matéria com que é feita, por exemplo, ferro em vez de madeira; (2) barateamento resultante do progresso na fabricação de máquinas em geral, de modo que o valor da parte fixa do capital constante, embora cresça constantemente com o desenvolvimento do trabalho em grande escala, está longe de acompanhar o ritmo desse desenvolvimento;[12] (3) aperfeiçoamentos especiais que permitem à maquinaria já existente operar mais barato e mais eficazmente, por exemplo, o aperfeiçoamento das caldeiras etc.; sobre o assunto, apresentaremos adiante alguns pormenores; (4) redução dos resíduos com o emprego de melhores máquinas.

Tudo o que diminui o desgaste da maquinaria e do capital fixo em geral num dado período de produção, além de baixar o preço da mercadoria isolada – pois toda mercadoria reproduz no preço a parte alíquota do des-

---

12 Sobre o progresso na construção das fábricas, ver Ure.

gaste sobre ela incidente –, reduz o desembolso alíquota de capital referente a esse período. Trabalhos de reparação e outros semelhantes, na medida em que são necessários, fazem parte, nos cálculos, dos custos originais da maquinaria. Sua redução em virtude da maior durabilidade das máquinas implica redução correspondente no preço delas.

À maior parte das economias dessa natureza estende-se o que já foi dito: só são possíveis com o trabalhador coletivo, e, frequentes vezes, só se tornam exequíveis em trabalhos de escala ainda maior, exigindo combinação ainda maior de trabalhadores diretamente no processo de produção.

Por outro lado, o desenvolvimento da produtividade do trabalho *num* ramo de produção, por exemplo, o de ferro, de carvão, máquinas, construção etc. – esse desenvolvimento, por sua vez, pode estar ligado ao progresso no domínio da produção intelectual, notadamente das ciências naturais e da sua aplicação –, patenteia-se condição para que se reduza o valor e portanto os custos dos meios de produção *noutros* ramos industriais, por exemplo, a indústria têxtil ou a agricultura. É o que naturalmente se infere, pois a mercadoria que sai como produto de um ramo industrial entra noutro como meio de produção. A redução maior ou menor de seu preço depende da produtividade do trabalho no ramo de produção de que sai como produto, e é simultaneamente condição: para baixar o preço das mercadorias de que é meio de produção; para reduzir o valor do capital constante de que se torna parte integrante, e, por consequência, para aumentar a taxa de lucro.

Essa espécie de economia de capital constante, oriunda do progresso contínuo da indústria, tem por característico o seguinte: a elevação da taxa de lucro *num* ramo industrial deve-se ao desenvolvimento da produtividade industrial *noutro* ramo. O capitalista aí se beneficia novamente de um ganho que é produto do trabalho social, embora não o seja dos trabalhadores por ele diretamente explorados. Aquele desenvolvimento da produtividade se reduz, em última análise, ao caráter social do trabalho posto em movimento; à divisão do trabalho dentro da sociedade; ao desenvolvimento do trabalho intelectual, notadamente das ciências naturais. O capitalista se aproveita aí das vantagens de todo o sistema da divisão social do trabalho. É o desenvolvimento da produtividade do trabalho no setor externo – o setor que lhe fornece meios de produção – que faz diminuir relativamente o valor do capital constante por ele empregado e, em consequência, subir a taxa de lucro.

O CAPITAL

Outra elevação da taxa de lucro provém não da economia do trabalho com que se produz o capital constante, mas da economia no emprego do próprio capital constante. Economiza-se capital constante com a concentração e a cooperação dos trabalhadores em grande escala. Os mesmos edifícios, instalações de aquecimento e iluminação etc. custam, para um grande volume de produção, proporcionalmente menos do que para um pequeno volume. Isto se estende às máquinas-motrizes e às máquinas-operatrizes. O valor delas, embora suba em termos absolutos, cai em relação à expansão crescente da produção e à magnitude do capital variável ou à massa da força de trabalho, posta em movimento. A economia que um capital faz na própria esfera de produção consiste, antes de mais nada e diretamente, em economia de trabalho, isto é, em diminuir o trabalho pago dos respectivos trabalhadores; a economia que foi mencionada antes, ao contrário, reduz-se a apreender a maior quantidade possível de trabalho alheio não pago, da maneira mais econômica possível, isto é, com o menor custo possível, no nível de produção dado. Quando essa economia não se baseia na exploração já mencionada da produtividade do trabalho social empregado na produção do capital constante, mas na aplicação do próprio capital constante, tem ela sua origem diretamente na cooperação e na forma social do trabalho dentro do ramo de produção considerado, ou na produção das máquinas etc., numa escala em que o valor não cresça na mesma medida do valor de uso.

Há aqui dois pontos a considerar: (1) se o valor de c = 0, seria l' = m', e a taxa de lucro teria atingido o máximo; (2) mas o que tem peso na exploração direta do próprio trabalho não é o valor dos meios de produção empregados, trate-se de capital fixo ou de matérias-primas e auxiliares. Deixa de importar o valor de troca da maquinaria, dos edifícios, das matérias-primas etc., quando considerados meios de sugar trabalho, meios em que e por que se materializa o trabalho e, em consequência, o trabalho excedente. Aí só dois fatores decidem: a quantidade desses meios, a qual tecnicamente tem de combinar-se com determinada quantidade de trabalho vivo, e a eficaz adequação deles, isto é, boa maquinaria, matérias-primas e auxiliares boas. Da qualidade das matérias-primas depende em parte a taxa de lucro. Com bom material há menos perdas; exige-se quantidade menor de matérias-primas para sugar a mesma quantidade de trabalho. Demais, é menor a resistência que a máquina operatriz encontra. Em parte, tem isto influência também na mais-valia e na respectiva taxa.

ECONOMIA NO EMPREGO DE CAPITAL CONSTANTE

O trabalhador precisa de mais tempo para transformar a mesma quantidade de matéria-prima, quando esta é ruim; não variando o salário, daí resulta redução do trabalho excedente. Isto influi, ademais, vigorosamente na reprodução e na acumulação do capital, as quais, segundo vimos no Livro 1, p. 676ss., dependem mais da produtividade que da quantidade do trabalho empregado.

É compreensível, portanto, o fanatismo com que o capitalista procura economizar meios de produção. Que nada se perca nem se desperdice, que os meios de produção só se utilizem da maneira requerida pela própria produção, depende do adestramento e da formação dos trabalhadores e ainda da disciplina que o capitalista exerce sobre os trabalhadores combinados, a qual seria desnecessária num sistema social em que os trabalhadores trabalhassem por sua conta, como quase já se observa hoje no trabalho por peça. Esse fanatismo se exterioriza, de maneira inversa, quando o capitalista, para aumentar a taxa de lucro, utiliza um dos principais meios de reduzir o valor do capital constante em relação ao variável: a falsificação dos elementos da produção. Do logro faz parte um pormenor importante: na venda do produto, o valor desses elementos está acima do que nele reaparece. Esse fator desempenha importante papel sobretudo na indústria alemã, que tem por lema: "Só pode ser agradável para as pessoas receber boas amostras e depois mercadorias ruins." Mas esses aspectos relativos à concorrência não nos interessam aqui.

Convém observar que, da taxa de lucro, essa elevação obtida com a redução do valor, do custo elevado do capital constante, não depende da natureza do ramo industrial onde ocorre, se de artigos de luxo, se de meios de subsistência que entram no consumo dos trabalhadores, ou de meios de produção em geral. Essa circunstância só seria importante quando se trata da taxa de mais-valia, que depende essencialmente do valor da força de trabalho, isto é, do valor dos meios de subsistência costumeiros do trabalhador. Mas aqui supõem-se dadas mais-valia e taxa de mais-valia. A relação entre a mais-valia e todo o capital – e é isto que determina a taxa de lucro – depende, nessas condições, apenas do valor do capital constante, nada tendo a ver com o valor de uso dele.

O barateamento relativo dos meios de produção não exclui, naturalmente, que cresça o montante do valor absoluto, pois a amplitude em que são empregados aumenta extraordinariamente com o desenvolvimento da produtividade do trabalho e da escala de produção que a acompanha.

Qualquer que seja a posição do observador, a economia no emprego do capital constante resulta sempre da circunstância de os meios de produção servirem de meios de produção comuns de uma combinação de trabalhadores que os empregam, de modo que essa economia se patenteia produto do caráter social do trabalho diretamente produtivo; ou, então, do desenvolvimento da produtividade do trabalho nas esferas que fornecem ao capital os meios de produção. Desse modo, se confrontamos o trabalho global com o capital global e não apenas os trabalhadores empregados pelo capitalista x com o capitalista x, essa economia evidencia-se novamente produto do desenvolvimento das forças produtivas do trabalho social. A única distinção a considerar é que esse capitalista tira partido tanto da produtividade do trabalho da própria fábrica quanto das fábricas alheias. Apesar disso, a economia de capital constante, segundo o prisma capitalista, é condição de todo estranha, que não diz respeito ao trabalhador, que com ela nada tem que ver. Mas está sempre evidente para o capitalista que o trabalhador algo tem que ver com a circunstância de o capitalista comprar muito ou pouco trabalho pela mesma quantia (como se patenteia em sua consciência a transação entre capitalista e trabalhador). Essa economia no emprego dos meios de produção, esse método de atingir determinado resultado com menores custos, afigura-se-lhe força inerente ao capital – bem mais do que quando considera as outras forças imanentes do trabalho – e característica própria do modo de produção capitalista.

Não admira essa maneira de ver, tanto mais que lhe corresponde a aparência dos fatos, e a relação capitalista dissimula o contexto interno que os liga na completa indiferença, dissociação e alienação a que leva o trabalhador com respeito às condições em que se realiza o próprio trabalho.

Primeiro: Os meios de produção em que consiste o capital constante representam apenas o dinheiro do capitalista (do mesmo modo que o corpo do devedor romano, segundo Linguet, representava o dinheiro do credor) e só estão relacionados com ele, enquanto o trabalhador, ao entrar em contato com esses meios, emprega-os apenas como valores de uso da produção, meios ou matérias de trabalho. Não alteram a natureza da relação que existe entre ele e o capitalista o acréscimo ou decréscimo do valor deles nem a circunstância de trabalhar em ferro ou cobre. Sem dúvida, este prefere, de acordo com os fatos examinados adiante, ver a ocorrência de outra maneira, quando há acréscimo de valor dos meios de produção e, portanto, redução da taxa de lucro.

ECONOMIA NO EMPREGO DE CAPITAL CONSTANTE

Segundo: Uma vez que, no processo de produção capitalista, esses meios de produção constituem ao mesmo tempo meios de exploração do trabalho, não se preocupa o trabalhador com o alto ou baixo custo relativo dos meios de exploração, do mesmo modo que a um cavalo não importa se são caros ou baratos o bocal e a brida que o governam.

Finalmente, conforme vimos,[I] surge perante o trabalhador, como potência estranha, o caráter social de seu trabalho, a combinação desse trabalho com o de outros para um objetivo comum; as condições para que essa combinação se realize constituem propriedade alheia que não se importaria em dissipar, se não fosse constrangido a poupá-la. A coisa é diferente quando as fábricas pertencem aos próprios trabalhadores, por exemplo, em Rochdale.

Por isso – e quase não seria necessário dizê-lo –, quando a produtividade do trabalho num ramo da produção aparece noutro, com o barateamento e melhoria dos meios de produção, elevando a taxa de lucro, essa interdependência geral do trabalho social se apresenta como algo inteiramente estranho ao trabalhador e que de fato diz respeito apenas ao capitalista, o único que compra esses meios e deles se apropria. Compra o produto dos trabalhadores de outra indústria com o produto dos trabalhadores de sua própria indústria, só dispõe dos produtos dos trabalhadores de outro ramo por se ter apoderado gratuitamente do produto dos seus trabalhadores, mas, para sua ventura, o processo de circulação dissimula essa interdependência.

E mais. Desenvolvendo-se a produção em grande escala a partir da forma capitalista, a avidez de lucro, de um lado e, do outro, a concorrência (que força o capitalista a produzir as mercadorias o mais barato possível) criam a ilusão de que essa economia no emprego do capital constante é peculiaridade do modo capitalista de produção e, em consequência, função do capitalista.

O modo capitalista de produção impulsiona, de um lado, o desenvolvimento das forças produtivas do trabalho social e, do outro, a economia no emprego do capital constante.

Mas não vigoram apenas a alienação e a indiferença do trabalhador, o portador do trabalho vivo, relativamente ao emprego econômico, isto é, racional e parcimonioso de suas condições de trabalho. De acordo com suas contradições e antagonismos, prossegue o sistema capitalista considerando

---

I Ver Livro 1, p. 360s.

o desperdício da vida e da saúde dos trabalhadores, o aviltamento de suas condições de existência, como economias no emprego do capital constante e, portanto, meios de elevar a taxa de lucro.

Passando o trabalhador a maior parte da vida no processo de produção, as condições desse processo constituem em grande parte aquelas em que se desenvolvem suas atividades, condições de sua vida, e economizá-las é método de elevar a taxa de lucro; exatamente como vimos antes,[I] o trabalho excessivo, a transformação do trabalhador numa besta de trabalho, constitui método de acelerar a valorização do capital, a produção de mais-valia. Fazem parte dessas economias: superlotar de trabalhadores locais estreitos e insalubres, o que, em linguagem capitalista, significa poupar em construção; concentrar num mesmo local máquinas perigosas, ao mesmo tempo que se negligenciam os meios de proteção contra o perigo; descurar de medidas de precaução em processos de produção que por sua natureza são insalubres ou perigosos, como nas minas etc. Isto para não falar da inexistência de quaisquer medidas destinadas a humanizar, a tornar agradável ou apenas suportável para o trabalhador o processo de produção. Tais providências seriam, do ponto de vista capitalista, uma dissipação sem finalidade e sem sentido. Com toda essa mesquinhez, a produção capitalista revela a maior prodigalidade com o material humano, dilapidando-o. Em virtude do método de distribuir o produto pelo comércio e da maneira como realiza a concorrência, também desperdiça em demasia meios materiais: o que, de um lado, perde para a sociedade, ganha, do outro, para o capitalista isoladamente considerado.

O capital tem a tendência a reduzir ao necessário o trabalho vivo diretamente empregado, a encurtar sempre o trabalho requerido para fabricar um produto – explorando as forças produtivas sociais do trabalho –, e, portanto, a economizar o mais possível o trabalho vivo diretamente aplicado. E acresce outra tendência – a de empregar o trabalho, reduzido à medida necessária, nas condições mais econômicas, isto é, a de restringir o valor do capital constante aplicado ao mínimo possível. O valor das mercadorias é determinado pelo necessário tempo de trabalho – e não por qualquer outro tempo de trabalho – nelas contido. Determina-o, primeiro, o capital, que ao mesmo tempo abrevia continuamente o tempo de trabalho socialmente

---

I Livro 1, pp. 259-330.

necessário para produzir a mercadoria. Assim, o preço da mercadoria reduz-se ao mínimo, ao restringir-se ao mínimo cada camada de trabalho requerida para produzi-la.

É mister fazer distinções quanto às economias no emprego do capital constante. Se aumenta a quantidade e com ela o valor total do capital empregado, temos de início concentração simplesmente de mais capital numa só mão. Mas é justamente essa quantidade maior aplicada por um só – à qual corresponde um número absoluto maior e relativo menor de trabalhadores utilizados – que permite economizar capital constante. Considerando-se o capitalista isolado, aumenta a dimensão do desembolso necessário de capital, especialmente de capital fixo; mas decresce o valor relativo da quantidade das matérias que são transformadas e do trabalho explorado.

Cabe-nos agora desenvolver com brevidade o assunto, ilustrando-o com pormenores. Comecemos pelo fim, com as economias nas condições de produção que ao mesmo tempo configuram condições de existência do trabalhador.

2. PARCIMÔNIA NAS CONDIÇÕES DE TRABALHO, À CUSTA DO TRABALHADOR

Minas de carvão. Negligenciam-se os investimentos mais necessários.

A concorrência reinante entre os proprietários das minas de carvão leva-os a só fazerem os investimentos estritamente necessários para vencer as dificuldades materiais mais ostensivas. E a concorrência entre os trabalhadores das minas, de ordinário excessivos em número, leva-os prazerosamente a exporem-se a consideráveis perigos e às influências mais nocivas por um salário ligeiramente maior que o dos jornaleiros agrícolas vizinhos, pois o trabalho das minas lhes permite lucrar empregando os filhos. Essa dupla concorrência é o bastante para induzir a exploração de grande parte das minas, com os mais precários sistemas de drenagem e ventilação; frequentes vezes, nelas se encontram poços mal construídos, fracas vigas de sustentação, maquinistas incapazes, galerias e carris mal projetados e construídos. Consequência de tudo isto – destruição de vidas, mutilações e doenças, que, se forem estatisticamente apuradas, nos darão um quadro horripilante (*First Report on Children's Employment in Mines and Collieries* etc., 21 de abril de 1829, p. 102).

Por volta de 1860, nas minas de carvão inglesas, 15 homens pereciam em média por semana. Na década de 1852-1861, em acidentes, morreram ao todo, nessas minas, 8.466, segundo o relatório *Coal Mines Accidents*, de 6 de fevereiro de 1862. Mas o número está muito aquém da realidade, conforme diz o próprio relatório, pois nos anos iniciais, quando os inspetores começavam a atuar e sua circunscrição era demasiadamente extensa, numerosos acidentes e mortes no trabalho mineiro deixaram de ser registrados. Revela a tendência natural da exploração capitalista a circunstância de ter diminuído muito o número de acidentes depois de se estabelecer a inspeção, embora a mortandade ainda seja muito grande, insuficiente o número e parcos os poderes dos inspetores. Essa hecatombe é devida, na maior parte, à sórdida avareza dos donos de minas, que, por exemplo, frequentes vezes mandam cavar apenas um poço, e desse modo, além de não haver suficiente ventilação, não existirá saída possível se o poço se obstruir.

Se observamos de perto a produção capitalista, abstraindo do processo de circulação e da hipertrofia da concorrência, verificamos que procede de maneira extremamente parcimoniosa com o trabalho efetuado, corporificado em mercadorias. Entretanto, mais do que qualquer outro modo de produção, esbanja seres humanos, desperdiça carne e sangue, dilapida nervos e cérebros. Na realidade, só malbaratando monstruosamente o desenvolvimento individual assegura-se e realiza-se o desenvolvimento da humanidade na época histórica que precede a fase em que se reconstituirá conscientemente a sociedade humana. Todas as parcimônias de que estamos tratando decorrem do caráter social do trabalho, e é de fato esse caráter diretamente social do trabalho a causa geradora desse desperdício da vida e da saúde dos trabalhadores. Expressiva a esse respeito é a questão levantada pelo inspetor de fábrica R. Baker: "Releva meditar seriamente nesta questão: qual a melhor maneira de evitar *esse sacrifício da vida dos menores, causado pelo trabalho congregado em massa?*" (*Rep. Fact.*, outubro de 1863, p. 157).

Fábricas – Cabe aqui tratar da supressão, nas fábricas propriamente, de todas as medidas relacionadas com a segurança, comodidade e saúde dos trabalhadores. Derivam daí, em grande parte, os mortos e feridos dos verdadeiros comunicados de batalha do exército industrial. A carência de espaço e de ventilação etc. têm a mesma influência mortífera.

Ainda em outubro de 1855, queixava-se Leonard Horner da resistência de muitos fabricantes contra as normas legais relativas aos dispositivos de proteção nas árvores horizontais, embora o perigo existente se tenha confirmado continuamente com acidentes, frequentes vezes mortais, e o dispositivo de proteção não fosse dispendioso nem perturbasse de maneira alguma o funcionamento das máquinas (*Rep. Fact.*, outubro de 1855, p. 6). Na resistência contra essas e outras normas legais foram os fabricantes honradamente defendidos pelos juízes de paz honorários que, na sua maioria fabricantes também ou amigos destes, tinham de decidir os casos. De que espécie eram as sentenças desses senhores, diz o desembargador Campbell a propósito de uma decisão, deles recorrida: "Isto não é interpretação, mas simples ab-rogação da lei do Parlamento" (*loc. cit.*, p. 11). No mesmo relatório, refere Horner que em muitas fábricas a maquinaria é posta em movimento sem aviso aos trabalhadores. Havendo sempre alguma coisa a fazer na maquinaria parada, nelas estão sempre ocupados mãos e dedos, e continuamente surgem acidentes oriundos da simples omissão de um sinal (*loc. cit.*, p. 44). Para resistir à legislação fabril, os fabricantes organizaram na época uma associação, a chamada National Association for the Amendment of the Factory Laws, em Manchester, a qual, em março de 1855, levantou, mediante contribuições de 2 xelins por cavalo-vapor, quantia superior a 50.000 libras, para pagar as despesas de processo dos membros denunciados à justiça pelos inspetores de fábricas e para litigar por conta própria. Tratava-se de provar que matar não é assassinar, quando a causa é o lucro. O inspetor de fábrica para a Escócia Sir John Kincaid fala de uma empresa em Glasgow que, com o ferro-velho da fábrica, proveu toda a sua maquinaria com dispositivos de proteção que lhe custaram 9 libras e 1 xelim. Se tivesse entrado para aquela associação, teria de pagar uma contribuição de 11 libras esterlinas por seus 110 cavalos-vapor, mais do que custara todo o dispositivo de proteção. A National Association fora fundada em 1854 expressamente para combater a lei que prescrevia esses dispositivos de proteção. Os fabricantes, em todo o período de 1844-1854, não fizeram caso dela. Quando, por ordem de Palmerston, os inspetores avisaram aos fabricantes que a lei era para valer, fundaram estes imediatamente a Associação, que passou a ter, entre os seus mais eminentes associados, muitos que eram juízes de paz, obrigados pela própria função judiciária a aplicar a lei. A Associação recusou indignada a proposta mediadora feita em abril de 1855 pelo novo ministro do Interior, Sir George Grey, e em que o governo se contentaria com dispositivos de segurança quase puramente fictícios. O famoso engenheiro William Fairbairn prontificou-se, em vários processos, a arriscar sua reputação defendendo como perito a parcimônia e a liberdade ferida do capital. Os fabricantes perseguiram e caluniaram de todos os modos o chefe da inspeção das fábricas, Leonard Horner.

O CAPITAL

Os fabricantes não descansaram até conseguir um julgamento da Corte Criminal (*Court of Queen's Bench*), estabelecendo a interpretação de que a lei de 1844 não prescrevia dispositivos de proteção para árvores horizontais instaladas a mais de 7 pés acima do chão. Finalmente, em 1856, graças ao tartufo Wilson-Patten – uma dessas almas piedosas que exibe religião para servir sordidamente os irmãos que têm a bolsa cheia de ouro –, obtiveram do Parlamento uma lei que, nas circunstâncias, podia satisfazê-los. A lei efetivamente retirava ao trabalhador qualquer proteção específica, e, nos casos de indenização por acidentes ocasionados por máquinas, remetia-os à justiça comum (pura ironia, visto o custo da justiça na Inglaterra), ao mesmo tempo que, em virtude de uma disposição extremamente sutil relativa à perícia judicial necessária, quase impossibilitava que o fabricante perdesse o processo. Daí resultou aumento rápido dos acidentes. No semestre de maio a outubro de 1858, o inspetor Baker verificou terem os acidentes acrescido de 21% em relação apenas ao semestre anterior. É de parecer que 36,7% dos acidentes podiam ser evitados. Entretanto, em 1858 e 1859 diminuiu expressivamente, em relação a 1845 e 1846, o número de acidentes, isto é, por volta de 29%, enquanto o número de trabalhadores nas indústrias submetidas à inspeção aumentava de 20%. Mas como se explica essa ocorrência? Dentro dos limites em que o problema está esclarecido até agora (1865), a explicação está principalmente em que se introduziram novas máquinas, já antecipadamente providas de dispositivos de proteção, conformando-se o fabricante em utilizá-las por não lhe acarretarem custo suplementar. Além disso, alguns trabalhadores conseguiram ganhar judicialmente vultosas indenizações, e com as sentenças confirmadas na instância suprema (*Rep. Fact.*, 30 de abril de 1861, p. 31, e abril de 1862, p. 17).

Tomamos contato, assim, com as economias nos meios de proteger a vida e os membros dos trabalhadores (dentre os quais numerosas crianças) contra os perigos que os ameaçam por trabalharem com máquinas.

Trabalho em locais fechados – É sabido como a parcimônia em espaço, em construções, comprime os trabalhadores em locais estreitos. Acresce ainda a sovinice em meios de ventilação. Conjugadas às longas jornadas de trabalho, produzem grande aumento das doenças dos órgãos respiratórios e, em consequência, mortalidade maior. As informações apresentadas a seguir foram extraídas do *Public Health, 6th Rep.*, 1863, relatório compilado pelo Dr. John Simon, que já nos foi útil no Livro 1.

ECONOMIA NO EMPREGO DE CAPITAL CONSTANTE

A combinação dos trabalhadores e a cooperação deles permitem empregar a maquinaria em grande escala, concentrar os meios de produção e aplicá-los economicamente. Do mesmo modo, esse trabalho coletivo em massa, em recintos fechados e em condições que não consideram a saúde do trabalhador, destinando-se a facilitar a fabricação do produto, essa concentração maciça no mesmo local de trabalho, é fonte do lucro crescente do capitalista e, além disso, quando não compensada por redução da jornada ou por medidas de precaução adequada, arruína a vida e a saúde dos trabalhadores.

O Dr. Simon estabelece e, com abundantes dados estatísticos, demonstra a seguinte regra:

> Não se alterando as demais condições, a taxa de mortalidade correspondente a doenças pulmonares, verificada numa área, eleva-se na proporção em que a população é constrangida a trabalhar coletivamente em recintos fechados (p. 23). A causa é a má ventilação. E provavelmente não há em toda a Inglaterra uma única exceção à regra de que, em todo distrito que possui indústria de vulto explorada em recintos fechados, a mortalidade elevada dos trabalhadores basta para enegrecer a estatística de mortalidade de todo o distrito com o número excessivo de doenças pulmonares (p. 23).

Vejamos a estatística de mortalidade nas indústrias exploradas em locais fechados e visitados pelo departamento de saúde pública, em 1860 e 1861. Dela inferimos: para dado número de homens – entre 15 e 55 anos – a que correspondem nos distritos rurais ingleses 100 óbitos por tuberculose e outras doenças pulmonares, há 163 óbitos por tuberculose em Coventry, 167 em Blackburn e Skipton, 168 em Congleton e Bradford, 171 em Leicester, 182 em Leck, 184 em Macclesfield, 190 em Bolton, 192 em Nottingham, 193 em Rochdale, 198 em Derby, 203 em Salford e Ashton-under-Lyne, 218 em Leeds, 220 em Preston e 263 em Manchester (p. 24). O quadro adiante apresenta dados ainda mais contundentes. Os óbitos por doenças pulmonares estão classificados segundo o sexo, compreendendo as idades de 15 a 25, e foram calculados para cada 100.000. Os distritos escolhidos são aqueles em que as mulheres trabalham em recintos fechados, e os homens, em todos os ramos possíveis de trabalho.

Nas áreas da indústria de seda, em que aumenta a participação dos homens no trabalho das fábricas, se acentua também sua mortalidade. A taxa de mortalidade por tuberculose etc. para ambos os sexos, desvenda, diz o relatório, "as cruéis condições sanitárias em que opera grande parte da nossa indústria de seda".

E foi para essa indústria de seda que os fabricantes exigiram e em parte conseguiram que lhes fosse permitido prolongar excepcionalmente a jornada de trabalho de menores com menos de 13 anos, alegando as excepcionais condições benignas em que ela se processava (Livro 1, Capítulo VIII, 6, pp. 320-322).

Distrito	Indústria principal	Óbitos por doenças pulmonares ocorridos entre 15 e 25 anos, para cada 100.000	
		Homens	Mulheres
Berkhampstead	Entrançamento de palha, por mulheres	219	578
Leighton Buzzard	Entrançamento de palha, por mulheres	309	554
Newport Pagnell	Fabricação de rendas, por mulheres	301	617
Towcester	Fabricação de rendas, por mulheres	239	577
Yeovil	Luvarias, onde se empregam em regra mulheres	280	409
Leek	Indústria de seda, onde predominam mulheres	437	856
Congleton	Indústria de seda, onde predominam mulheres	566	790
Macclesfield	Indústria de seda, onde predominam mulheres	593	890
Zonas rurais salubres	Agricultura	331	333

Nenhuma das indústrias até agora investigadas apresenta por certo imagem pior que a transmitida pelo Dr. Smith, a propósito das alfaiatarias. [...] As oficinas, diz ele, diferem muito do ponto de vista sanitário; mas todas elas estão superlotadas, mal ventiladas, sendo altamente malsãs. [...] Os compartimentos já são necessariamente quentes, e quando se acende o gás, nos dias de nevoeiro ou nas tardes de inverno, o calor sobe a 80 e mesmo 90 graus (Fahrenheit = 27 – 33ºC); "em consequência ficam todos suando muito e o vapor se condensa nas vidraças – a água passa então a escorrer ou a gotejar da claraboia;

ECONOMIA NO EMPREGO DE CAPITAL CONSTANTE

os trabalhadores são forçados a manter abertas algumas janelas, embora por isso inevitavelmente se resfriem. Assim descreve a situação de 16 das mais importantes oficinas da extremidade oriental de Londres: O maior espaço cúbico que a um trabalhador cabe nesses compartimentos mal ventilados é de 270 pés cúbicos; o menor é de 105, sendo a média geral de 156 por pessoa. Numa oficina circundada por uma galeria e que só tem claraboia, trabalham de 92 até mais de 100 pessoas, com muitos bicos de gás acesos; bem junto, as privadas, e o espaço não ultrapassa 150 pés cúbicos por pessoa.

Noutra oficina, parecendo um canil, situada num pátio iluminado apenas por cima, e que só podia ser ventilada por uma pequena trapeira, trabalham 5 ou 6 pessoas com um espaço de 112 pés cúbicos para cada uma. [...] Nessas abjetas oficinas, descritas pelo Dr. Smith, os alfaiates trabalham de ordinário 12 a 13 horas por dia, e em certas épocas o trabalho dura 15 a 16 horas (p. 25, 26, 28).

Número de pessoas empregadas	Atividade e localização	Taxa de mortalidade para cada 100.000 na idade de		
		25-35	35-45	45-55
Homens e Mulheres				
958.265	Agricultura, Inglaterra e			
22.301	Gales	743	805	1.145
12.377	Alfaiates, Londres	958	1.262	2.093
13.803	Tipógrafos e impressores, Londres	894	1.747	2.367

Quanto ao quadro (p. 127), cabe observar, de acordo com John Simon, que preparou o relatório como chefe do setor médico, que a taxa de mortalidade dos alfaiates, tipógrafos e impressores londrinos, na faixa etária de 25-35, está muito subestimada, pois em ambas as atividades os patrões recebem grande número de jovens (provavelmente até 30 anos), vindos do interior, como aprendizes e como profissionais que desejam aperfeiçoar-se em seu ofício. Esses jovens aumentam o número de empregados sobre que se devem calcular as taxas de mortalidade de Londres, mas não contribuem na mesma proporção para o número de óbitos que lá ocorrem, pois sua residência na capital inglesa tem caráter transitório; se na ocasião ficam doentes, voltam para casa no interior, onde, no caso de morrerem, se registra o óbito. É circunstância que deforma ainda mais as faixas etárias mais jovens, tirando às taxas de mortalidade londrinas para essas faixas qualquer valor como instrumento para medir a insalubridade industrial (p. 127).

O que se disse dos alfaiates estende-se aos tipógrafos, que, além de estarem sujeitos à má ventilação, à atmosfera mefítica etc., ainda trabalham à noite. Sua costumeira jornada de trabalho dura de 12 a 13 horas, frequentes vezes, de 15 a 16.

> Muito calor e ar asfixiante quando se acende o gás. [...] Não raro, emanações de uma fundição, ou fedentina de maquinaria ou escoadouros, localizados embaixo, agravam os males dos compartimentos de cima. O ar aquecido dos compartimentos inferiores transmite calor aos superiores, esquentando-lhes o piso, o que se torna bastante nocivo quando os compartimentos são baixos e há grande consumo de gás. Pior ainda quando funciona a caldeira a vapor no andar de baixo, irradiando por toda a casa um calor desagradável. [...] Em geral, pode-se dizer que a renovação de ar é falha e de todo insuficiente para eliminar o calor e os resíduos de combustão do gás, após o pôr do sol, e que em muitos locais de trabalho, especialmente quando resultam da conversão de antigas residências, a situação é profundamente lamentável. [...] Em certas oficinas, notadamente as que imprimem semanários e onde se empregam também jovens de 12 a 16 anos, trabalha-se dois dias e uma noite quase sem interrupção; enquanto em outras tipografias, que executam encomendas urgentes, não há descanso aos domingos para o trabalhador que tem na semana, 7 dias de trabalho, em vez de 6 (pp. 26-28).

Já referimos o excesso de trabalho das modistas, no Livro 1, Capítulo VIII, 3, pp. 282-284. O Dr. Ord descreve os locais de trabalho delas, no relatório que estamos apreciando. Mesmo os melhores durante o dia, com o gás aceso à noite, ficam superaquecidos, mefíticos, insalubres. O Dr. Ord registrou a cubagem média (em pés cúbicos) por costureira em 34 das oficinas de melhor categoria. Diz ele:

> Em 4 casos, as cubagens verificadas superam 500; em outros 4, a média está entre 400 e 500; em 5, [entre 300 e 400; em outros 5, entre 250 e 300; em 7],[1] entre 200 e 250; em 4, entre 150 e 200; e, finalmente, em 9, entre 100 e 150 apenas. Se o recinto não for bem ventilado, mesmo a melhor das oficinas

---

I A intercalação entre colchetes é da edição de 1965 da Dietz Verlag.

ECONOMIA NO EMPREGO DE CAPITAL CONSTANTE

apenas sofrivelmente serve para trabalho prolongado. [...] Ainda quando bem ventiladas, as oficinas ficam, depois do escurecer, muito quentes e com o ar pesado, em virtude dos numerosos bicos de gás necessários à iluminação.

A respeito de uma oficina de classe inferior por ele visitada e que funcionava por conta de um intermediário, observa o Dr. Ord:

> Um quarto com 1.280 pés cúbicos; presentes 14 pessoas; espaço para cada uma, 91,5 pés cúbicos. As trabalhadoras com o aspecto de esgotamento e decadência física. Ganhavam, segundo informação que obtive, 7 a 15 xelins por semana, mais o chá. [...] Jornada de trabalho das 8 às 20 horas. Era mal ventilado o pequeno quarto onde se comprimiam essas 14 pessoas. Havia duas janelas que podiam ser abertas e uma chaminé que estava entupida; não existia a mais leve sombra de uma instalação qualquer para ventilação (p. 27).

O mesmo relatório observa, a respeito do trabalho excessivo das modistas:

> O trabalho em excesso de jovens mulheres nas refinadas casas de modas, durante uns 4 meses do ano, predomina na extensão monstruosa que, em muitas ocasiões, momentaneamente surpreende o público e causa-lhe repugnância. Durante esses meses, de ordinário trabalha-se diariamente nas oficinas 14 horas inteiras e, com as encomendas urgentes acumuladas, até 17 a 18 horas, dias seguidos. Nas outras estações do ano, é provável que se trabalhe, nas oficinas, 10 a 14 horas; quando trabalham em casa, as costureiras, de ordinário, empregam em seu serviço 12 ou 13 horas. É menor o tempo gasto nas oficinas coletivas, na confecção de mantôs, colarinhos etc., inclusive o trabalho com a máquina de costura, não ultrapassando em regra 10 a 12 horas; mas, diz o Dr. Ord, em certas épocas, as horas regulares de trabalho, em certas oficinas, podem ser prolongadas consideravelmente com pagamento à parte das horas extraordinárias, e noutras o trabalho é levado para casa, onde é concluído após a jornada regular de trabalho: tanto um tipo de trabalho extraordinário quanto o outro é muitas vezes imposto (p. 28).

Em nota na mesma página, observa John Simon:

> O secretário da Sociedade de Pesquisas das Epidemias *(Epidemiological Society)*, Mr. Radcliffe, examinou em muitas ocasiões as modistas das casas de primeira categoria, tendo verificado que, em cada 20 que diziam estar com perfeita saúde, só uma estava sã; as demais apresentavam graus diversos de esgotamento

físico e nervoso, e numerosas perturbações orgânicas daí decorrentes. E aponta as causas: em primeiro lugar, a longa jornada de trabalho, que avalia em 12 horas, pelo menos, nas estações calmas; em segundo, superlotação e má ventilação dos locais de trabalho, ar poluído pelas chamas de gás, alimentação insuficiente ou ruim, ausência de consideração pelo conforto em casa.

O diretor do Conselho de Saúde da Inglaterra conclui que

> é praticamente impossível aos trabalhadores sustentarem o que, na teoria, é seu direito primordial no tocante à saúde: o direito de ter seu trabalho coletivo, livre de todas as condições insalubres desnecessárias, no que dependam elas do empregador e à custa dele, qualquer que seja a tarefa para a qual os mobilize. E, enquanto os próprios trabalhadores não forem capazes de compelir a que se lhes aplique essa justiça sanitária, não poderão esperar – apesar da intenção, que se presume, do legislador – qualquer ajuda eficaz dos funcionários encarregados de aplicar as leis relativas à higiene (p. 29). Haverá sem dúvida pequenas dificuldades técnicas para demarcar o limite exato a partir do qual devem os empregadores ficar submetidos à regulamentação. Mas [...] em princípio é universal o direito de proteção à saúde. E, no interesse de miríades de trabalhadores e trabalhadoras que hoje, pelo simples fato de trabalharem, têm a vida atormentada e encurtada desnecessariamente por sofrimentos físicos sem fim, ouso expressar a esperança de que as condições sanitárias do trabalho sejam colocadas, universalmente, sob adequada proteção da lei, de modo que pelo menos se assegure a ventilação eficaz dos recintos fechados e, tanto quanto possível, se contenham os efeitos particularmente nocivos à saúde em todos os trabalhos por natureza insalubres (p. 31).

3. ECONOMIA EM PRODUÇÃO E TRANSMISSÃO DE ENERGIA EM EDIFÍCIOS

Em seu relatório de outubro de 1852, cita L. Horner carta do famoso engenheiro James Nasmyth, de Patricroft, inventor do martelo-pilão, na qual, dentre outras coisas, se lê:

> O público sabe muito pouco a respeito do aumento enorme de força-motriz, obtido com as modificações de sistema e aperfeiçoamentos (nas máquinas a vapor) do tipo a que estou me referindo. A força-motriz em nossa zona (Lancashire) esteve durante quase quarenta anos prisioneira de uma tradição opres-

ECONOMIA NO EMPREGO DE CAPITAL CONSTANTE

siva, feita de receios e preconceitos, mas agora felizmente abolida. Nos últimos quinze anos, e notadamente nos últimos quatro (desde 1848, portanto) houve modificações muito importantes no funcionamento das máquinas a vapor com condensador. [...] Daí resultou [...] que as mesmas máquinas deram rendimento muito maior e, além disso, reduziu-se consideravelmente o consumo do carvão. [...] Durante muitos e muitos anos, desde a introdução da energia a vapor nas fábricas destes distritos, a velocidade considerada apropriada das máquinas a vapor com condensador era aproximadamente de 220 pés por minuto para o curso de êmbolo, isto é, se o êmbolo de uma máquina tinha curso de 5 pés, a árvore estava, por princípio, limitada a 22 rotações por minuto. Não se achava adequado pôr a máquina a funcionar mais rapidamente; e, uma vez que todo o mecanismo era adaptado a essa velocidade do êmbolo de 220 pés por minuto, esse ritmo lento e absurdamente limitado regulou toda a marcha da produção durante muitos anos. Mas, por fim, fosse por ignorância das normas, fosse por argumentos convincentes de algum inovador audacioso, experimentou-se velocidade maior e, tendo o resultado sido extremamente favorável, foi o exemplo seguido por outros; deixou-se a máquina com a rédea solta, como se dizia, modificaram-se as rodas principais do mecanismo de transmissão, de modo que a máquina a vapor podia fazer 300 pés e mais por minuto, enquanto a maquinaria se mantinha na antiga velocidade. [...] Esta aceleração da máquina a vapor é hoje quase geral, pois evidenciou-se que se obtinha da mesma máquina mais força utilizável e, ademais, o movimento era muito mais regular, em virtude do movimento maior do volante. Sem alterar-se a pressão do vapor e o vácuo no condensador, bastou acelerar o curso do êmbolo, para obter-se mais força. Se, por exemplo, com modificação apropriada, pudermos levar uma máquina a vapor – que fornece 40 cavalos de força para 200 pés por minuto – a fazer 400 pés por minuto com pressão e vácuo inalterados, teremos exatamente o dobro da força. E, sendo os mesmos nos dois casos a pressão e o vácuo, com a velocidade acrescida não aumenta substancialmente o esforço das diversas partes da máquina nem o perigo de acidentes, portanto. Toda a diferença se reduz a que mais vapor consumiremos proporcionalmente, ou quase, à aceleração do êmbolo; além disso, haverá desgaste ligeiramente maior dos mancais ou das superfícies de atrito, de pouco interesse prático. [...] Mas para obter mais força de uma máquina, acelerando o movimento do êmbolo, temos de queimar quantidade maior de carvão debaixo da caldeira ou empregar caldeira com maior capacidade de vaporização, enfim, produzir mais vapor. É o que se deu, instalando-se caldeiras com capacidade maior de produzir vapor nas velhas máquinas "aceleradas"; estas passaram, em muitos casos, a ter um acréscimo de 100% no rendimento. Por volta de 1842, começou a despertar atenção a produção extraordinariamente barata de energia pelas máquinas a vapor empregadas nas minas da Cornualha; a concorrência na fiação de algodão forçava os fabricantes a procurarem a principal fonte de lucro em "economias"; a notável diferença no consumo de carvão por hora e cavalo-vapor, apresentada por aquelas máquinas, e o funcionamento extremamente econômico das máquinas Woolf de dois cilindros trouxeram para o primeiro plano, em nossa zona, a economia de combustível. As máquinas da Cornualha e as de dois cilindros produziam um cavalo-vapor por hora para $3\frac{1}{2}$ a 4 libras de carvão, enquanto as máquinas nos distritos da indústria têxtil algodoeira consumiam 8 ou 12 libras por cavalo vapor-hora. Diferença tão importante induziu os fabricantes e construtores de máquinas de nossa zona a procurarem obter, com semelhantes artifícios, essas economias extraordinárias que já constituíam a regra em Cornualha e na França, onde o alto preço do carvão forçava os fabricantes a reduzirem ao máximo possível esse item oneroso do negócio. Isto levou a resultados da maior importância. Primeiro, muitas caldeiras que, nos velhos bons tempos de lucros altos, tinham a metade da superfície exposta ao ar frio exterior, passaram a ser cobertas por espessos forros metálicos ou de tijolos e argamassa, ou de outros materiais, a fim de evitar a irradiação do calor, de produção muito cara. Da mesma maneira era protegida a tubulação do vapor, e se cercava o cilindro com cobertura metálica e de madeira. Segundo, veio depois o emprego de pressões altas. A resistência da válvula era calculada de modo que já se abria a uma pressão, por polegada quadrada, de 4, 6 ou 8 libras; descobriu-se que, elevando-se a pressão para 14 ou 20 libras [...] obtinha-se considerável economia de carvão; em outras palavras, realizava-se o trabalho da fábrica, com um consumo de carvão bem menor. [...] Os que tinham meios e audácia bastantes adotaram, em toda a amplitude, o sistema de pressões altas, empregando caldeiras adequadamente construídas, que produziam vapor com pressão de 30, 40, 60 e 70 libras por polegada quadrada, pressão que poria em pânico um engenheiro da velha escola. Mas o resultado econômico desse acréscimo da pressão [...] logo se divulgou em forma que não deixava margem a dúvidas, a de libras esterlinas, xelins e pence, e assim tornou-se quase a regra o emprego de caldeiras de alta pressão nas máquinas de condensador. Os radicais na renovação empregaram as máquinas Woolf, conforme se tem observado na maioria das máquinas recentemente construídas; refiro-me às de dois cilindros, num dos quais o vapor da caldeira atua pela pressão superior à da atmosfera, e em seguida, em vez de escapar para o ar livre após cada golpe do êmbolo, entra num cilindro de pressão baixa, com capacidade quatro vezes maior; depois de aí expandir-se novamente, é levado para o condensador. Nessas máquinas, para obter-se um cavalo-vapor-hora, bastam $3\frac{1}{4}$ a 4 libras de

ECONOMIA NO EMPREGO DE CAPITAL CONSTANTE

carvão, enquanto nas antigas eram necessárias 12 a 14 libras. Um dispositivo engenhoso tem permitido aplicar-se o sistema Woolf de dois cilindros, ou de alta e baixa pressões combinadas, às velhas máquinas e assim aumentar-lhes o rendimento, com decréscimo simultâneo do consumo de carvão. Alcançou-se o mesmo resultado nos últimos 8 a 10 anos, combinando-se uma máquina de alta pressão com uma de condensador, de modo que o vapor utilizado na primeira passasse para a segunda, impulsionando-a. É um sistema útil em muitos casos. Não seria fácil formar uma ideia exata do acréscimo de rendimento de máquinas a vapor idênticas, a que se aplicassem alguns desses melhoramentos ou todos. Mas estou certo de que, para o mesmo peso de máquina a vapor, obtemos em média, pelo menos, 50% mais de serviço ou trabalho, e que em muitos casos a mesma máquina a vapor que fornecia 50 cavalos-vapor, ao tempo da velocidade limitada de 220 pés por minuto, produz hoje mais de 100. Os resultados extremamente econômicos que se obtêm aplicando as pressões altas das máquinas com condensador e o rendimento crescente exigido das velhas máquinas para a expansão dos negócios levaram, nos últimos três anos, à introdução das caldeiras tubulares, que por sua vez reduziram consideravelmente os custos da produção de vapor (*Rep. Fact.*, outubro de 1852, pp. 23-27).

O que se disse das máquinas que produzem energia estende-se às que a transmitem e às máquinas operadoras.

A rapidez com que se desenvolveram, nestes últimos anos, os aperfeiçoamentos das máquinas têm capacitado os fabricantes a aumentar a produção sem o emprego de força motriz adicional. O emprego mais econômico do trabalho tornou-se necessário com a redução da jornada de trabalho, e, na maioria das fábricas bem administradas, procura-se sempre aumentar a produção com menores custos. Graças à gentileza de um industrial muito inteligente do meu distrito, obtive uma relação que dá o número e idade dos trabalhadores ocupados em sua fábrica, as máquinas empregadas e os salários pagos desde 1840 até hoje. Em outubro de 1840, sua firma empregava 600 trabalhadores, dos quais 200 com menos de 13 anos; em outubro de 1852, apenas 350, dos quais 60 com menos de 13 anos. Nesses dois anos, funcionava quase o mesmo número de máquinas, e era o mesmo o montante de salários (Relatórios de Redgrave em *Rep. Fac.*, outubro de 1852, p. 58s.).

Esses melhoramentos feitos nas máquinas só revelam toda a eficácia quando estas são montadas em edifícios fabris adequadamente construídos.

Quanto aos melhoramentos das máquinas, cabe observar antes de tudo que houve grande progresso na construção de fábricas, apropriadas para essa nova maquinaria. [...] No rés do chão teço o fio todo e instalei, apenas aí, 29.000 fusos de dobar. Só nesta peça e no barracão economizo em trabalho 10% pelo menos; não tanto em virtude de aperfeiçoamentos no sistema de fusos, quanto pela concentração das máquinas sob um comando único; posso impulsionar o mesmo número de fusos com uma única árvore motora e assim poupo em transmissão 60 a 80%, em relação às outras firmas. Daí resulta ainda grande economia de óleo, gordura etc. [...] enfim, aperfeiçoando a organização da fábrica e melhorando a maquinaria economizei, calculando com pessimismo, 10% em trabalho, havendo ademais grandes economias de energia, carvão, óleo, sebo, árvores motoras e correias etc. (Exposição de um industrial da fiação, em *Rep. Fact.*, outubro de 1863, p. 109s.).

4. APROVEITAMENTO DOS RESÍDUOS DA PRODUÇÃO

Com o modo capitalista de produção, desenvolve-se o aproveitamento dos resíduos da produção e do consumo. À primeira categoria pertencem os da indústria e agricultura e à segunda os resultantes do metabolismo natural do homem e a forma em que remanescem os objetos de consumo após o uso. São resíduos da produção os subprodutos que, na indústria química, se perdem na produção em pequena escala; as limalhas que, na fabricação de máquinas, se desperdiçam e voltam à produção siderúrgica como matéria-prima etc. Resíduos do consumo são as matérias naturalmente excretadas pelos seres humanos, os restos de vestuário sob a forma de trapos etc. Os resíduos do consumo são da maior importância para a agricultura. Quanto à aplicação deles, há um colossal desperdício na economia capitalista; em Londres, por exemplo, o melhor que se sabe fazer com os excrementos de $4\frac{1}{2}$ milhões de habitantes é utilizá-los, com enorme dispêndio, para infectar o Tâmisa.

O encarecimento das matérias-primas incentiva naturalmente a que se aproveitem os resíduos. De modo geral, são condições desse aproveitamento: o volume atingido por esses resíduos, o que supõe trabalho em grande escala; aperfeiçoamento da maquinaria, possibilitando matérias antes inaproveitáveis se transformarem em elementos utilizáveis pela nova produção; progresso da ciência – especialmente da química –, que descobre as propriedades úteis desses resíduos. Há por certo grande economia desse gênero na pequena agricultura, de caráter hortícola, praticada por exemplo

ECONOMIA NO EMPREGO DE CAPITAL CONSTANTE

na Lombardia, na China Meridional e no Japão. Mas, nesse sistema, obtém-se em geral a produtividade da agricultura com grande desperdício de forças humanas, subtraídas às outras esferas da produção.

Os resíduos desempenham papel importante em quase toda indústria. Assim, segundo o relatório fabril de 1863, um dos principais motivos por que, na Inglaterra e em muitas partes da Irlanda, os arrendatários só raramente e com pouco interesse cultivam o linho, é

> o grande volume de resíduos [...] na preparação do linho nas pequenas fábricas que o estomentam, movidas a água. [...] Os resíduos do algodão são proporcionalmente pequenos, mas os do linho, muito grandes. Tratamento apropriado na maceração e na estomentação mecânica pode reduzir apreciavelmente essa desvantagem. [...] Na Irlanda, o linho é muito mal estomentado, de modo que se perdem 28 a 30%,

o que se poderia evitar com o emprego de melhor maquinaria. Perde-se tanta estopa que o inspetor de fábrica diz:

> Soube, de algumas fábricas que extraem o linho, que os estomentadores muitas vezes levam para casa os resíduos, a fim de usá-los no fogão como combustível, apesar do grande valor que têm (*loc. cit.*, p. 40).

Falaremos adiante dos resíduos do algodão, quando tratarmos das variações dos preços das matérias-primas.

A indústria de lã foi mais precavida que a de estomentar o linho.

> Antigamente, costumava-se desacreditar o preparo dos desperdícios de lã e dos trapos de lã para serem reaproveitados, mas o preconceito foi totalmente superado com relação à indústria de lã artificial, que se tornou importante ramo do distrito lanífero de Yorkshire, e em breve a indústria de desperdícios de algodão ocupará sem dúvida posição igual, constituindo um ramo que satisfaz uma necessidade reconhecida. Há 30 anos, trapos de lã, isto é, pedaços de panos usados, de lã pura etc. valiam em média 4 libras e 4 xelins aproximadamente por tonelada; nestes últimos anos subiram para 44 libras por tonelada. E a procura aumentou tanto que se aproveita tecido de lã misturada com algodão, desde que se encontrou meio de destruir este sem prejudicar aquela; e hoje há milhares de trabalhadores empregados na fabricação de lã artificial, e o consumidor usufrui daí a grande vantagem de poder comprar pano de boa qualidade média a preço bem razoável (*Rep. Fact.*, outubro de 1863, p. 107).

Já nos fins de 1862, a lã assim artificialmente restaurada participaria de um terço de todo o consumo de lã da indústria inglesa (*Rep. Fact.*, outubro de 1862, p. 81). A "grande vantagem" para "o consumidor" consiste em que as roupas de lã se gastam num terço, e se puem num sexto, do tempo anteriormente normal.

A indústria de seda inglesa vai pelo mesmo declive. De 1839 a 1862, diminuiu um pouco o consumo de seda verdadeiramente natural, duplicando, em compensação, o dos resíduos de seda. Com maquinaria melhorada, tornou-se possível fabricar seda utilizável para muitos fins, com esse material que, de outro modo, era praticamente sem valor.

A indústria química fornece o exemplo mais contundente de aproveitamento dos resíduos. Além de empregar os próprios resíduos, encontrando para eles novas aplicações, utiliza os das mais diversas indústrias, e transforma, por exemplo, o alcatrão gaseificado em anilinas – corantes como a alizarina – e, recentemente, em medicamentos.

Essa economia obtida com o aproveitamento dos resíduos distingue-se da economia nos desperdícios, que se faz reduzindo ao mínimo os resíduos da produção e aproveitando imediatamente, ao máximo, todas as matérias-primas e auxiliares que entram na produção.

A economia nos desperdícios depende, em parte, da qualidade das máquinas empregadas. Quanto mais precisas e mais bem polidas as partes das máquinas, mais se economiza em óleo, sabão etc. Isto quanto às matérias auxiliares. Em parte, e é o mais importante, depende da qualidade das máquinas e instrumentos empregados a porção que se transforma em resíduo, da matéria-prima. Essa porção depende, finalmente, da qualidade da própria matéria-prima, fator por sua vez determinado pelo desenvolvimento da indústria extrativa e da agricultura, que produzem a matéria-prima (do progresso na cultura do solo, propriamente), e pela melhoria dos processos que ela percorre antes de entrar na fábrica.

> Parmentier demonstrou que, a partir de época não muito distante, do tempo de Luís XIV, por exemplo, a arte de moer o trigo aperfeiçoou-se notavelmente na França, podendo os moinhos novos, com a mesma quantidade de trigo, produzir até metade mais de pão que os velhos. Inicialmente, em Paris, calculava-se o consumo anual de trigo por habitante em 4 *setiers*, depois em 3, finalmente 1 em 2, mas hoje em dia é apenas de $\frac{1}{3}$ ou seja, 342 libras-peso aproximadamente. [...] Em Perche, onde vivi muito tempo, moinhos feitos

ECONOMIA NO EMPREGO DE CAPITAL CONSTANTE

grosseiramente, com mós de granito e rochas vulcânicas, foram reconstruídos segundo as regras da mecânica que tanto progrediu nos últimos trinta anos. Foram providos com as boas mós de La Ferté; sendo o trigo moído duas vezes, deu-se ao peneiro movimento circular, e a farinha produzida, para a mesma quantidade de trigo, aumentou de $\frac{1}{6}$. Assim encontro facilmente a explicação para a enorme desproporção entre o consumo diário de trigo dos romanos e o nosso; a razão está inteiramente na deficiência dos processos de moagem e de panificação. Do mesmo modo se deve explicar o fato notável mencionado por Plínio, XVIII, Capítulo 20, 2. [...] Vendia-se a farinha em Roma por 40, 48 ou 96 asses o *modius*, segundo a qualidade. Esses preços, tão altos em relação aos preços correntes do trigo naquela época, decorrem dos moinhos imperfeitos, que estavam então na infância, e dos consequentes custos elevados da farinha (Dureau de la Malle, *Écon. pol. des romais*, Paris, 1840, I, p. 28s.).

5. ECONOMIAS POR MEIO DE INVENÇÕES

As economias na utilização do capital fixo são, como dissemos, consequência do emprego em grande escala das condições de trabalho, de servirem estas de condições para o trabalho diretamente coletivo, socializado, para a cooperação imediata dentro do processo de produção. Primeiro, é isto que permite o emprego das invenções químicas e mecânicas, sem aumentar o preço da mercadoria, constituindo *conditio sine qua non*. Segundo, só na produção em grande escala são possíveis as economias oriundas do consumo produtivo coletivo. Finalmente, é a experiência do trabalhador coletivo que descobre e mostra onde e como economizar, como pôr em prática, da maneira mais simples, as descobertas já feitas, quais as dificuldades práticas a vencer etc. na aplicação, no emprego da teoria ao processo de produção.

Importa distinguir, observemos incidentalmente, entre trabalho universal e trabalho coletivo. Ambos têm função no processo de produção, ambos se entrelaçam, mas, ao mesmo tempo, se distinguem. Trabalho universal é todo trabalho científico, toda descoberta, toda invenção. É condição dele, além da cooperação com os vivos, a utilização dos trabalhos dos antecessores. O trabalho coletivo supõe a cooperação imediata dos indivíduos.

O que dissemos comprova-se também com o que frequentemente se observa: (1) a enorme diferença entre o custo de fabricação do protótipo de uma máquina e o de sua reprodução (a respeito, ver Ure e Babbage);

O CAPITAL

(2) os custos muito maiores com que funciona um estabelecimento industrial baseado em invenções novas, comparados com os dos estabelecimentos posteriores surgidos sobre a ruína, sobre a caveira dele. Isto vai ao ponto de os primeiros empresários, em regra, falirem e só prosperarem os posteriores, a cujas mãos chegam, mais baratos, os edifícios, maquinaria etc. Por isso, em regra, são os mais inertes e os mais abomináveis capitalistas financeiros que tiram o lucro maior do trabalho universal do espírito humano e de sua aplicação social através do trabalho coletivo.

VI.
Efeitos da variação dos preços

VI.
Efeitos da variação dos preços

1. FLUTUAÇÕES NOS PREÇOS DAS MATÉRIAS-PRIMAS: EFEITOS DIRETOS NA TAXA DE LUCRO

Continuaremos mantendo o pressuposto de que não varia a taxa de mais-valia, hipótese necessária para investigarmos a matéria em sua pureza. Sem alterar-se, entretanto, a taxa de mais-valia, seria possível que um capital ocupasse número crescente ou decrescente de trabalhadores, em virtude da contração ou expansão nele causada por variação nos preços das matérias-primas, o problema a estudar aqui. Neste caso, poderia variar a quantidade de mais-valia, sem alterar-se a taxa. Mas trata-se de caso incidental, a ser também posto de lado. Se o aperfeiçoamento das máquinas e a variação nos preços das matérias-primas operam ao mesmo tempo, seja sobre a quantidade dos trabalhadores empregados por determinado capital ou sobre o montante dos salários, basta considerar apenas o conjunto: (1) o efeito da variação do capital constante na taxa de lucro, e (2) o efeito da variação dos salários na taxa de lucro. O resultado então se evidenciará por si mesmo.

Cabe aqui, relacionada com a matéria anterior, uma observação geral: variações decorrentes de economias no capital constante ou de flutuações nos preços das matérias-primas repercutirão sempre na taxa de lucro, mesmo quando em nada alterem os salários e, por conseguinte, a taxa e a quantidade de mais-valia. Modificarão em $m'\frac{v}{C}$ a magnitude de C e, portanto, o valor de toda a fração. Assim, também aqui não interessa saber – ao contrário do que se evidenciou ao analisarmos a mais-valia – quais os ramos de produção em que sucedem essas variações: se elas atingem ramos industriais que produzem meios de subsistência para os trabalhadores, ou capital constante destinado a produzir esses meios de subsistência. Isto se estende às variações ocorrentes nas indústrias de luxo, e entendemos por produto de luxo todo aquele que não é necessário à reprodução da força de trabalho.

Aqui, nosso conceito de matéria-prima inclui também as matérias auxiliares, como anil, carvão, gás etc. Para as máquinas, constituem matéria-prima o ferro, a madeira, o couro etc. Influenciam o preço delas as variações nos preços das matérias-primas que servem para construí-las. Se esse preço se eleva em virtude das variações nos preços das matérias-primas que as constituem ou das matérias auxiliares por elas consumidas ao funcionarem, cairá em correspondência a taxa de lucro. E reciprocamente.

No estudo que segue, trataremos as variações nos preços das matérias-primas que entram no processo de produção da mercadoria, mas excluindo as matérias-primas com que se fazem as máquinas com a função de meios de trabalho e as matérias auxiliares utilizadas em seu funcionamento. A este respeito observaremos apenas: a riqueza natural em ferro, carvão, madeira etc. (os elementos principais da construção e do emprego das máquinas) aparece como fecundidade natural do capital e é elemento que influencia a taxa de lucro, independentemente do nível dos salários.

Sendo a taxa de lucro $\frac{m}{C} = \frac{m}{c+v}$, é claro que tudo o que causa modificação na magnitude de c e, por conseguinte, na de C faz variar também a taxa de lucro, mesmo quando permaneçam invariáveis m e v e sua relação recíproca. As matérias-primas constituem parte fundamental do capital constante. Até nos ramos industriais em que não entram matérias-primas propriamente ditas aparecem elas como matérias auxiliares ou componentes das máquinas etc. e assim suas variações de preço influenciam, em correspondência, a taxa de lucro. Se o preço da matéria-prima cai de quantia = d, $\frac{m}{C}$ ou $\frac{m}{c+v}$ se transforma em $\frac{m}{C-d}$ ou $\frac{m}{(c-d)+v}$. Eleva-se, portanto, a taxa de lucro. Ao contrário, se subir o preço das matérias-primas, $\frac{m}{C}$ ou $\frac{m}{c+v}$ se torna $\frac{m}{C+d}$ ou $\frac{m}{(c+d)+v}$ caindo, por conseguinte, a taxa de lucro. Não se alterando as demais circunstâncias, a taxa de lucro varia em sentido contrário à modificação do preço das matérias-primas. Infere-se daí a importância para os países industriais de matérias-primas com preços baixos, mesmo quando as variações nesses preços não se acompanham de modificações no domínio da venda do produto, pondo-se de lado, portanto, a relação entre a procura e a oferta. Infere-se ainda que o comércio exterior influi na taxa de lucro, mesmo pondo-se de lado toda a sua influência sobre os salários, ao baratear os meios de subsistência necessários. Influencia os preços das matérias-primas ou auxiliares, utilizadas na indústria ou na agricultura. A análise de todo falha, até agora ainda vigente, tanto da natureza da taxa de lucro quanto da diferença que a separa especificamente da taxa de mais-valia é a razão de haver, de um lado, economistas que, ressaltando o efeito considerável dos preços das matérias-primas na taxa de lucro, verificada pela experiência, explicam-na, no campo teórico, de maneira por inteiro falsa (Torrens), e, do outro, economistas prisioneiros dos princípios gerais, como Ricardo, que desconhecem, por exemplo, a influência do comércio mundial na taxa de lucro.

Compreende-se a grande importância, para a indústria, da abolição ou redução das tarifas aduaneiras incidentes sobre as matérias-primas; tornar sua entrada o mais possível livre já era doutrina fundamental do sistema protecionista mais racionalmente desenvolvido. Este era, além da abolição das tarifas incidentes sobre o trigo, desígnio fundamental dos livre-cambistas ingleses, que procuravam sobretudo suprimir as tarifas que pesavam sobre o algodão.

O emprego da farinha na indústria têxtil algodoeira pode servir de exemplo da importância da baixa de preços, não de uma matéria-prima propriamente dita, mas de matéria auxiliar, que, aliás, é ao mesmo tempo elemento fundamental da alimentação. Já em 1837, R.H. Greg[13] calculava que os 100 mil teares mecânicos e 250 mil teares manuais da tecelagem de algodão que funcionavam então, na Grã-Bretanha, consumiam por ano 41 milhões de libras-peso de farinha, para colar a urdidura. Além disso, empregava-se $\frac{1}{3}$ dessa quantidade em branqueamento e outros processos. O valor global da farinha assim utilizada montava, na última década, a 342 mil libras esterlinas por ano. A comparação com os preços da farinha no Continente revelou que apenas o acréscimo em preço da farinha, imposto aos fabricantes em virtude das tarifas aduaneiras incidentes sobre o trigo, importara em 170 mil libras esterlinas por ano. Em 1837, Greg estimou esse acréscimo em pelo menos 200 mil libras esterlinas, e fala de uma firma para quem tal custo suplementar chegou a mil libras esterlinas por ano. Por isso, "grandes fabricantes, meticulosos e afeitos aos cálculos, disseram que 10 horas de trabalho diário bastariam sem dúvida, se fossem abolidas as tarifas aduaneiras incidentes sobre o trigo" (*Rep. Fact.*, outubro de 1848, p. 98).

Aboliram-se os direitos aduaneiros incidentes sobre o trigo e, além disso, os que recaíam sobre o algodão e outras matérias-primas; mas, assim que se atingiram esses desígnios, a oposição dos fabricantes contra o projeto de lei instituindo a jornada de 10 horas tornou-se mais violenta que em qualquer outra época. Apesar disso, a jornada de 10 horas nas fábricas logo se tornou lei, e a primeira consequência foi a tentativa de redução geral dos salários.[I]

O valor das matérias-primas e matérias auxiliares entra por inteiro e de uma vez no valor do produto em que foram consumidas, enquanto o valor dos elementos do capital fixo só entra aí na medida do desgaste, pouco a pouco, portanto. Segue-se daí que o preço do produto é influenciado pelo preço da matéria-prima em grau bem maior que pelo do capital fixo, embora a taxa de lucro se determine pelo valor global do capital aplicado,

---

13 *The Factory Questions and the Ten Hours Bill*, por R.H. Greg, Londres, 1837, p. 115.
I Ver Livro 1, pp. 311-314.

não importando quanto dele foi ou não consumido. Entretanto, está claro – o que só mencionamos de passagem, pois ainda continuamos supondo que as mercadorias se vendem pelo valor, não nos interessando por ora as variações de preço ocasionadas pela concorrência – que a expansão ou contração do mercado depende do preço da mercadoria particular considerada, estando em razão inversa à ascensão ou queda desse preço. Por isso, na realidade, verifica-se ainda que o aumento do preço do produto não se dá em proporção à ascensão do preço da matéria-prima, e o mesmo se observa com referência à queda do preço da matéria-prima. Por conseguinte, a taxa de lucro num caso cai mais e no outro sobe mais do que quando a mercadoria é vendida pelo valor.

Demais, o volume e o valor da maquinaria empregada aumentam com o desenvolvimento da produtividade do trabalho, mas não aumentam em proporção correspondente ao acréscimo dessa produtividade, isto é, ao acréscimo do produto fornecido pela maquinaria. Nos ramos industriais onde matéria-prima se consome, ou seja, onde o próprio objeto de trabalho já é produto de trabalho anterior, a produtividade crescente do trabalho expressa-se justamente na proporção maior da matéria-prima absorvida por determinada quantidade de trabalho, pelo volume crescente, portanto, de matéria-prima que uma hora de trabalho, por exemplo, transforma em produto, em mercadoria. Na medida em que se desenvolve a produtividade do trabalho, o valor da matéria-prima vai se tornando componente cada vez maior do valor do produto mercadoria, pois entra nele por inteiro, e, além disso, vão constantemente diminuindo em cada parte alíquota do produto total a porção que repõe o desgaste da maquinaria e a porção que representa o novo trabalho adicionado. Em virtude dessa queda, aumenta proporcionalmente a outra parte do valor constituída pela matéria-prima, desde que não se interrompa esse crescimento por decréscimo correspondente no valor da matéria-prima, em virtude de aumento da produtividade do trabalho empregado na produção dela.

E mais. Matérias-primas e matérias auxiliares – componentes do capital circulante, como salários – têm constantemente de ser por inteiro repostas em cada venda do produto (da maquinaria só se tem de repor o desgaste, e sob a forma de fundo de reserva, não sendo essencial, no caso, que cada venda contribua com sua cota para esse fundo, bastando que toda a venda anual forneça a correspondente cota), e isto evidencia novamente a possibilidade de o acréscimo no preço da matéria-prima cercear ou estorvar

EFEITOS DA VARIAÇÃO DOS PREÇOS

todo o processo de reprodução, desde que o preço obtido com a venda da mercadoria não seja suficiente para repor todos os elementos dela, ou torne impossível prosseguir o processo em escala adequada à sua base técnica, de modo a empregar-se apenas em parte a maquinaria, ou esta não poder trabalhar inteira todo o tempo normal.

Finalmente, os custos decorrentes dos resíduos variam na razão direta das variações do preço da matéria-prima, subindo quando ele sobe e caindo quando ele cai. Veremos que há aí um limite. Contudo, em 1850 se dizia:

> Alguém sem prática de fiação dificilmente perceberia importante perda oriunda da elevação do preço da matéria-prima, a saber, a perda constituída pelos desperdícios. Informaram-me que, ao encarecer o algodão, o custo para a fiação, sobretudo a que emprega qualidades inferiores, aumenta em proporção maior que a indicada pelo acréscimo do preço. O desperdício para produzir fio grosseiro eleva-se bem a 15%; se dessa percentagem decorre perda de $\frac{1}{2}$ pêni por libra-peso para o preço do algodão, por libra-peso, de $3\frac{1}{2}$ pence, essa perda subirá a 1 pêni se esse preço elevar-se a 7 pence. (*Rep. Fact.*, abril de 1850, p. 17).

Mas, quando os preços do algodão, em virtude da Guerra Civil americana, atingiram níveis que não se viam há quase 100 anos, mudou totalmente o relato da situação:

> O preço que se paga hoje pelo resíduo do algodão e o reaproveitamento do resíduo nas fábricas como matéria-prima compensam de certo modo a diferença na perda por desperdício, entre o algodão índico e o americano. Essa diferença é de cerca de $12\frac{1}{2}$ %. A perda de algodão índico na fabricação é de 25%, de maneira que o algodão custa à fiação realmente $\frac{1}{4}$ mais do que se pagou por ele. A perda do desperdício não era tão importante quando o algodão americano custava 5 ou 6 pence por libra-peso, pois não ultrapassava de $\frac{3}{4}$ de pêni; mas agora é muito importante, pois a libra-peso de algodão custa 2 xelins e a perda por desperdício se eleva a 6 pence[14] (*Rep. Fact.*, outubro de 1863, p. 106).

---

14 Há um erro no final da frase. Em vez de 6 pence de perda por desperdício, devia-se dizer 3 pence. Essa perda é de 25% para o algodão índico, mas apenas de $12\frac{1}{2}$ a 15% para o algodão americano, de que se trata aí, e com essa percentagem se fez o cálculo certo para o preço de 5 e 6 pence. Sem dúvida, o algodão americano que chegava à Europa nos últimos anos da Guerra Civil teve consideravelmente aumentada, com frequência, a percentagem de desperdício em relação à verificada anteriormente. — F.E.

2. CAPITAL: ALTA E BAIXA DO VALOR, LIBERAÇÃO E ABSORÇÃO

Os fenômenos que vamos tratar requerem, para seu pleno desenvolvimento, o crédito e a concorrência no mercado mundial, que constituem a base do modo capitalista de produção e a atmosfera em que vive. Essas formas mais concretas da produção capitalista só podem ser completamente caracterizadas depois de compreendida a natureza geral do capital; mas expô-las está fora do plano desta obra e faz parte de sua eventual continuação. Entretanto, podem ser aqui estudados de maneira geral os fenômenos mencionados na epígrafe acima. Relacionam-se uns com os outros, e com a taxa e com a quantidade de lucro. Por isso, cabe descrevê-los sumariamente, pois geram a aparência de que a taxa de lucro e ainda a massa – idêntica na realidade à massa de mais-valia – podem acrescer ou decrescer independentemente dos movimentos da mais-valia, da massa ou taxa dela.

A liberação e a absorção de capital, de um lado, e a alta e a baixa de seu valor, do outro, podem ser considerados fenômenos distintos?

Antes de mais nada: que entendemos por liberação e absorção de capital? Alta e baixa de valor são termos de sentido evidente. Significam apenas que capital existente, em virtude de quaisquer circunstâncias econômicas gerais – pois não estamos tratando de eventos especiais de um capital singular – teve o valor acrescido ou decrescido; que, portanto, sobe ou desce o valor do capital adiantado à produção, pondo-se de lado a valorização decorrente do trabalho excedente por ele empregado.

Por absorção de capital entendemos a circunstância de certas proporções determinadas do valor global do produto terem de reconverter-se de novo nos elementos do capital constante ou variável, a fim de que a produção prossiga na mesma escala. Por liberação de capital, a circunstância de parte do valor global do produto, até agora obrigatoriamente reconvertida em capital constante ou variável, torna-se disponível e supérflua, se o objetivo for manter a produção dentro dos limites da escala anterior. Essa liberação ou absorção de capital difere da liberação ou absorção de renda. Se para um capital C a mais-valia anual for igual a x, poderá ocorrer que, em virtude de baratearem as mercadorias destinadas ao consumo dos capitalistas, baste $x - a$ para obter-se a mesma quantidade de fruição. Libera-se, portanto, parte da renda = a, a qual pode servir para aumentar o consumo ou reverter o capital (acumulação). Inversamente: se for necessário $x + a$ para manter o mesmo padrão de vida, haverá o dilema: ou rebaixar esse padrão, ou gastar como renda, da mais-valia, a parte = a antes acumulada.

A alta e a baixa do valor podem atingir ou o capital constante ou o variável ou ambos e, no caso do capital constante, a parte fixa ou a circulante ou ambas.

Com referência ao capital constante, cabe examinar matérias-primas e matérias auxiliares, os semimanufaturados agora classificados como matérias-primas, além da maquinaria e demais elementos do capital fixo.

Examinamos acima a variação no preço ou no valor da matéria-prima, sob o aspecto particular da influência que exerce sobre a taxa de lucro, ficando assentada a lei geral de que, não se alterando as demais circunstâncias, a taxa de lucro varia inversamente à variação do valor da matéria-prima. E isto é absolutamente adequado para nova absorção de capital, pela primeira vez investido, transformando-se dinheiro em capital produtivo.

Mas, excetuado esse novo capital investido, encontra-se, do que já está funcionando, grande parte na esfera da circulação, e outra parte, na esfera da produção. Uma fração se acha no mercado como mercadoria e deve transformar-se em dinheiro; outra fração existe como dinheiro, seja qual for a forma, e deve reconverter-se nas condições de produção; terceira fração, finalmente, está na esfera da produção, na forma primitiva de meios de produção – matérias-primas, matérias auxiliares, semifabricados obtidos no mercado, maquinaria e demais elementos do capital –, ou na forma de produto no curso da fabricação. O efeito da alta ou baixa do valor depende muito da proporção que exista entre essas frações. Para simplificar o problema, poremos de lado todo o capital fixo e observaremos apenas a parte do capital constante constituída de matérias-primas, matérias auxiliares, semimanufaturados e mercadorias em elaboração ou prontas, já lançadas no mercado.

Se subir o preço da matéria-prima, o algodão, por exemplo, elevar-se-á também o preço das mercadorias feitas de algodão – os produtos semifabricados, como fios, e os produtos acabados, como tecidos etc. –, as quais foram produzidas com algodão mais barato; elevar-se-á também o valor do algodão ainda não transformado, em estoque, e do que está sendo empregado no processo de fabricação. Este último, ao tornar-se, retroativamente, expressão de tempo acrescido de trabalho, adiciona ao produto em que entra como componente valor maior que o que antes possuía e foi pago pelo capitalista.

Se a elevação no preço da matéria-prima coincide com a existência no mercado de quantidade apreciável de mercadorias fabricadas, seja qual for o grau de elaboração, subirá o valor dessas mercadorias, e, em consequência, ocorrerá acréscimo no valor do capital existente. Isto se estende aos estoques de matérias-primas etc. existentes em poder dos fabricantes. Esse aumento de valor pode compensar ou mais do que compensar o capitalista individual ou todo um ramo particular de produção do capital, pela queda da taxa de lucro, subsequente à elevação do preço da matéria-prima. Sem cuidar dos pormenores relativos aos efeitos da concorrência, podemos, para completar a exposição, observar que (1) os estoques de matérias-primas em depósito, se são importantes, podem exercer efeito contrário à subida de preços ocorrente no domínio da produção da matéria-prima, (2) se as mercadorias semimanufaturadas ou as acabadas abarrotam o mercado, o preço delas não pode aumentar em proporção correspondente ao acréscimo do preço da respectiva matéria-prima.

Se cair o preço da matéria-prima, dá-se o contrário: a queda eleva a taxa de lucro, desde que não se alterem as demais circunstâncias. Depreciam-se as mercadorias lançadas no mercado, os artigos que se encontram em elaboração, os estoques de matéria-prima, e assim se opõem a que se eleve, ao mesmo tempo, a taxa de lucro.

Quanto mais reduzidos os estoques disponíveis na esfera da produção e no mercado – o que se dá, por exemplo, no fim do ano comercial, quando as matérias-primas são de novo fornecidas em massa, após a colheita, portanto, no caso de produtos agrícolas –, tanto mais claramente se revela o efeito causado por variação de preço das matérias-primas.

Em todo o nosso estudo, supomos que alta ou baixa dos preços expressam variações reais do valor. Tratando-se do efeito dessas variações de preço sobre a taxa de lucro, não importa saber a origem delas; nossa investigação continua válida, mesmo quando os preços sobem e descem não em consequência de variações de valor, mas em consequência da atuação do sistema de crédito, da concorrência etc.

Sendo a taxa de lucro igual à relação entre o excedente do valor do produto e o valor de todo o capital adiantado, estaria uma elevação da taxa de lucro, em virtude de depreciação do capital adiantado, relacionada com perda de valor-capital, e uma queda da taxa de lucro, em virtude de alta do valor do capital adiantado, possivelmente ligada a ganho.

Quanto à outra parte do capital constante, maquinaria e capital fixo em geral, as variações de valor aí ocorrentes e que se relacionam em particular com construções, solo etc. não podem ser analisadas sem a teoria da renda fundiária, e, por isso, não cabe tratá-las aqui. Para a desvalorização, têm importância geral as observações que seguem:

Os aperfeiçoamentos constantes despojam do valor de uso relativo, e por conseguinte do valor, a maquinaria existente, as instalações das fábricas etc. A atuação desse processo é violenta sobretudo ao começar a introdução de novos tipos de máquina, que ainda não atingiram determinado grau de maturidade, ficando por isso antiquados antes de terem tempo de reproduzir o próprio valor. Esta é uma das razões do prolongamento desmesurado da jornada de trabalho, usual nessas fases, do revezamento de turmas, dia e noite, a fim de reproduzir-se o valor deles em menor espaço de tempo, não se considerando demasiado o desgaste da maquinaria. Se o curto tempo de eficácia da maquinaria (a breve existência dela em face de aperfeiçoamentos prováveis) não for compensado, cederá ela ao produto fração desmesurada de valor, relativa a desgaste moral, de modo que nem mesmo com o trabalho manual pode concorrer.[15]

Se maquinaria, instalações dos edifícios, capital fixo em geral, atingiram certa maturidade, de modo que permanecem invariáveis por bastante tempo, pelo menos em sua estrutura fundamental, haverá desvalorização análoga, decorrente de aperfeiçoamentos dos métodos de reproduzir esse capital fixo. Então, cai o valor da máquina etc., não por ser rapidamente suplantada ou até certo ponto desvalorizada por máquina mais nova, mais produtiva etc., mas por ser possível reproduzi-la mais barato. Esta é uma das razões por que grandes investimentos industriais muitas vezes só florescem em segunda mão, depois de ter falido o primeiro proprietário, de modo que o segundo que os comprou barato começa a explorar a produção com menor desembolso de capital.

Sobretudo na agricultura, é evidente que as mesmas causas que elevam ou baixam o preço do produto também elevam ou baixam o valor do ca-

---

15 Exemplos em Babbage, entre outros autores. Então, emprega-se também o recurso habitual – rebaixa dos salários –, e assim essa desvalorização contínua atua de maneira inteiramente diversa da sonhada pelo intelecto harmônico de Carey.

pital, pois em grande parte este consiste no produto agrícola: trigo, gado etc. (Ricardo).

Restaria ainda mencionar o capital variável.

Quando sobe o valor da força de trabalho, por subir o valor dos meios de subsistência necessários para reproduzi-la, ou quando desce, por descer o valor desses meios de subsistência – e a alta e a baixa do valor de capital variável nada expressam além dessas duas coisas –, à alta corresponde queda da mais-valia e, à baixa, aumento da mais-valia, desde que não se altere a duração da jornada de trabalho. Mas a isto podem estar ligadas outras circunstâncias, a liberação e a absorção de capital, as quais ainda não foram examinadas e agora serão brevemente referidas.

Se caem os salários por cair o valor da força de trabalho (o que pode mesmo estar ligado à alta no preço real do trabalho), liberar-se-á parte do capital até então desembolsado em salários. Dá-se liberação de capital variável. Para novo capital a investir, resultará simplesmente que vai operar com taxa mais elevada de mais-valia. Com menos dinheiro, se põe em movimento a mesma quantidade anterior de trabalho, e assim eleva-se a parte não paga do trabalho à custa da parte paga. Mas, para o capital que já está empregado, além de elevar-se a taxa de mais-valia, libera-se parte do capital até agora desembolsada em salários. Até então estava comprometida e constituía fração permanente, deduzida da venda do produto, e tendo de ser empregada em salários, de funcionar como capital variável, a fim de que o negócio prosseguisse na mesma escala. Essa fração se torna disponível e pode, portanto, ser novamente investida, para ampliar o mesmo negócio ou para funcionar em outra esfera da produção.

Admitamos, por exemplo, que, para pôr em movimento 500 trabalhadores por semana, eram necessárias 500 libras esterlinas e que agora bastam 400. Então, se nos dois casos a quantidade produzida de valor, em libras esterlinas, for de 1.000, temos, no primeiro caso, a quantidade de mais-valia anual = 500, a taxa de mais-valia $\frac{500}{500}$ = 100%. Mas, após a baixa dos salários, temos a quantidade de mais-valia 1.000 – 400 = 600 e a taxa $\frac{600}{400}$ = 150%. E esse aumento da taxa de mais-valia é o único efeito que resulta para quem estabelece novo negócio no mesmo ramo, com capital variável de 400 libras esterlinas e correspondente capital constante. Mas, num negócio que já está funcionando, a desvalorização do capital variável, além de elevar a massa de mais-valia de 500 para 600 libras esterlinas e a taxa de

100 para 150, libera 100 libras esterlinas de capital variável com as quais se pode explorar mais trabalho. Explora-se, portanto, mais vantajosamente a mesma quantidade de trabalho, e ainda, uma vez que foram liberadas 100 libras esterlinas, com taxa mais elevada podem ser explorados, com o mesmo capital variável de 500, mais trabalhadores que antes.

Imaginemos o contrário. Seja a composição percentual do produto de 500 trabalhadores empregados = $400_v + 600_m = 1.000$, e a consequente taxa de mais-valia = 150%. Assim, o trabalhador recebe por semana $\frac{4}{5}$ de libra esterlina = 16 xelins. Se, em virtude da alta do valor do capital variável, 500 trabalhadores passarem a custar por semana 500 libras esterlinas, o salário semanal de cada um será de 1 libra esterlina, e 400 libras esterlinas poderão pôr em movimento 400 trabalhadores. Se for posto em movimento o mesmo número anterior de trabalhadores, teremos $500_v + 500_m = 1.000$; a taxa de mais-valia cairia de 150 para 100%, de $\frac{1}{3}$, portanto. Para um capital a investir, a única consequência seria esta: menor taxa de mais-valia. Não se alterando as demais circunstâncias, a taxa de lucro cairia de maneira correspondente, mas não na mesma proporção. Se, por exemplo, c = 2.000, teremos num caso $2.000_c + 400_v + 600_m = 3.000$, m' = 150%, l' = $\frac{600}{2.400}$ = 25%. Na segunda hipótese, temos $2.000_c + 500_v + 500_m = 3.000$, m'= 100%, l'= $\frac{500}{2.500}$ = 20%. Para o capital que já está funcionando, entretanto, o efeito seria duplo. Com 400 libras esterlinas de capital variável, só se pode empregar agora 400 trabalhadores, e com taxa de mais-valia de 100%. Toda a mais-valia será, portanto, de 400 libras esterlinas apenas. Demais, se capital constante no valor de 2.000 libras esterlinas exige 500 trabalhadores para ser posto em movimento, 400 trabalhadores só poderão operar com capital constante no valor de 1.600 libras esterlinas. Para a produção manter a mesma escala anterior e não parar $\frac{1}{5}$ da maquinaria, é mister aumentar o capital variável de 100 libras esterlinas e assim empregar, como dantes, 500 trabalhadores; e isto só é possível comprometendo-se capital até agora disponível, utilizando-se, para preencher a lacuna, parte da acumulação destinada a expandir o negócio, ou adicionando-se ao capital antigo fração da soma que se gastava como renda. Com desembolso de capital variável aumentado de 100, a produção de mais-valia diminui de 100. Para se pôr em movimento o mesmo número de trabalhadores, é mister mais capital, ao mesmo tempo que se reduz a mais-valia que fornece cada trabalhador.

As vantagens da liberação e as desvantagens da absorção do capital variável existem apenas para o capital já comprometido e que, por isso, se reproduz em condições dadas. Para o novo capital a investir, elas se reduzem respectivamente à elevação ou à redução da taxa de mais-valia, com variação correspondente, embora não proporcional, da taxa de lucro.

A liberação e a absorção, agora investigadas, de capital variável são a consequência de alta e de baixa do valor dos elementos do capital variável, isto é, dos custos de reprodução da força de trabalho. Poder-se-ia também liberar capital variável, se, em virtude do desenvolvimento da produtividade e sem que se alterasse a taxa do salário, fossem necessários menos trabalhadores para operar o mesmo volume de capital constante. Do mesmo modo, poderia ocorrer absorção de capital variável adicional, se, em virtude de decréscimo da produtividade do trabalho, fossem necessários mais trabalhadores para pôr em movimento o mesmo volume de capital constante. Se, entretanto, parte do capital variável anteriormente empregado é investida sob a forma de capital constante, modificando-se apenas a proporção entre os componentes do mesmo capital, terá essa mudança influência na taxa de mais-valia e na de lucro, mas não se classificará no domínio, aqui estudado, da absorção e liberação de capital.

Conforme já vimos, capital constante pode ser absorvido ou liberar-se em virtude da alta ou baixa do valor dos elementos que o compõem. Além disto, só é possível absorção de capital constante (sem que parte do variável se converta em constante) se acresce a produtividade do trabalho, criando a mesma quantidade de trabalho produto maior e pondo, por isso, em movimento mais capital constante. Em certas circunstâncias, o mesmo pode suceder se a produtividade decresce, na agricultura, por exemplo, de modo que a mesma quantidade de trabalho precisa, para gerar o mesmo produto, de mais meios de produção, maior quantidade, digamos, de sementes ou de adubos, mais drenagem etc. Sem baixa do valor pode liberar-se capital constante, se com aperfeiçoamentos, emprego de forças naturais etc. fica em condições de prestar tecnicamente o mesmo serviço capital constante menor que o anterior, com valor menor, portanto.

Vimos no Livro 2 que, depois de vendidas as mercadorias, se transformadas em dinheiro, parte determinada desse dinheiro tem por sua vez de reconverter-se nos elementos materiais do capital constante e nas proporções exigidas pelo caráter técnico particular de cada ramo. Aí o elemento de maior peso em todos os ramos – pondo-se de lado o salário, o capital variável – é a matéria-prima, inclusive as matérias auxiliares, importantes sobretudo nos ramos de produção onde não entra matéria-prima propriamente dita, como na exploração das minas e na indústria extrativa em geral. Do preço, a fração que reporá o desgaste da maquinaria entra nas contas de maneira bastante ideal, enquanto a maquinaria ainda está em condições de operar; não importa muito saber se essa fração será paga e reposta em dinheiro hoje ou amanhã, nesta ou naquela fase da rotação do capital. É diferente o que se dá com a matéria-prima. Se sobe o preço da matéria-prima, pode ser impossível repô-lo totalmente, após deduzir-se o salário do valor da mercadoria. Flutuações violentas de preços provocam, por isso, interrupções, perturbações graves e mesmo catástrofes no processo de reprodução. Mormente os produtos agrícolas, as matérias-primas oriundas da natureza orgânica, estão submetidos a essas flutuações de valor (não estamos considerando o sistema de crédito), decorrentes dos resultados variáveis das colheitas etc. Em virtude de condições incontroláveis da natureza, das sazões boas ou más etc., a mesma quantidade de trabalho pode configurar-se em quantidades bem diversas de valores de uso e o preço de determinado volume desses valores de uso pode variar extremamente. Se x, expressa o valor de 100 quilos da mercadoria *a*, o preço de um quilo de *a* será igual a $\frac{x}{100}$; se o de 1.000 quilos de *a*, o preço de um quilo de *a* será $\frac{x}{1.400}$ e assim por diante. Este é, portanto, um dos elementos dessas flutuações de preços das matérias-primas. Vejamos outro que só mencionamos para completar a exposição (pois a concorrência e o crédito ainda estão fora do domínio de nossa observação): as matérias vegetais e animais, que crescem e se produzem sujeitas a determinadas leis orgânicas dependentes de certos prazos naturais, de acordo com a natureza, não podem aumentar subitamente como, por exemplo, as máquinas e outros elementos do capital fixo, carvão, minérios etc., que podem ter a produção acrescida com extrema rapidez num país industrialmente desenvolvido, desde que existam as correspondentes condições naturais. É por isso possível, e mesmo inevitável em produção capitalista desenvolvida, que a produção e o acréscimo da parte do capital constante, constituída de capital fixo, maquinaria etc. tomem considerável dianteira em relação à parte constituída de matérias-primas orgânicas, de modo que a procura dessas matérias-primas aumenta mais rapidamente que a oferta, subindo por conseguinte o preço. Essa elevação de preço acarreta na prática: (1) que essas matérias-primas passam a ser importadas de regiões mais distantes, cobrindo o preço ascendente os custos mais altos de transporte; (2) que a produção delas se amplia, mas que, em virtude de razões naturais, só talvez um ano mais tarde possa realmente acrescer a quantidade produzida; e (3) utilização de todas as espécies de sucedâneos antigamente abandonados e emprego mais econômico dos resíduos. Quando a elevação dos preços começa a atuar de maneira muito perceptível sobre a expansão da produção e sobre a oferta, é geralmente porque já se está à beira do momento crítico em que, em virtude da alta, por longo tempo mantida, da matéria-prima e de todas as mercadorias nas quais entra como componente, cai a procura com a consequente repercussão sobre o preço da matéria-prima. Além das convulsões daí decorrentes, por força da desvalorização de capital sob diversas formas, sobrevêm outras circunstâncias que mencionaremos a seguir.

Antes de mais nada, evidencia-se do exposto: quanto mais desenvolvida a produção capitalista e quanto mais poderosos, por isso, os meios de aumentar de maneira súbita e sustentada a parte do capital constante, constituída de maquinaria etc., tanto mais rápida a acumulação (sobretudo em épocas de prosperidade), tanto maior a superprodução relativa de maquinaria e de outros itens do capital fixo e tanto mais frequente a subprodução das matérias-primas vegetais e animais, tanto mais acentuados a elevação dos preços descrita e o correspondente revés. Tanto mais se amiúdam, portanto, as convulsões provocadas por essa violenta flutuação dos preços de um dos principais elementos do processo de reprodução.

Esses altos preços se desmoronam porque sua elevação reduziu a procura, ampliou a produção das zonas fornecedoras, motivou o abastecimento oriundo de regiões mais afastadas que antes nada ou pouco forneciam, e assim, conjugada com estas duas ocorrências, faz a oferta de matérias-primas ultrapassar a procura – ultrapassando-a principalmente com os altos preços antigos. Os resultados desse desmoronamento podem, portanto, ser vistos de diferentes ângulos. O colapso dos preços das matérias-primas trava a reprodução delas, e assim o monopólio dos primeiros países fornecedores que produzem nas condições mais favoráveis restabelece-se, talvez com certas limitações, mas restabelece-se. Com o empuxão dado, as matérias-primas passam a reproduzir-se em escala ampliada, notadamente nos países que mais ou menos monopolizam a produção delas. Mas a base em que se efetua a produção industrial, em virtude da maquinaria ampliada etc., e que após algumas flutuações se torna a base normal, o novo ponto de partida, ficou sendo muito maior com os acontecimentos ocorridos no último ciclo de mudanças. Ao mesmo tempo, em parte das fontes secundárias de abastecimento, a reprodução recentemente acrescida volta a encontrar obstáculos consideráveis. Assim, nas estatísticas de exportação ressalta palpavelmente como, nos últimos 30 anos (até 1865), aumenta a produção algodoeira índica, quando escasseia a americana, para ter em seguida súbito retrocesso que persiste bastante. Nas épocas de alta das matérias-primas, unem-se os capitalistas industriais, formam associações para regular a produção. É o que se deu em Manchester, em 1848, após a alta dos preços do algodão, e na Irlanda com a produção de linho. Desaparecido o impacto e voltando a reinar soberano o princípio geral da concorrência, "comprar no mercado mais barato" (aquelas associações visam favorecer a capacidade de produção das regiões fornecedoras apropriadas, abstraindo do preço imediato, momentâneo, a que podem estas entregar a matéria-prima na ocasião), deixa-se ao "preço" a tarefa de regular a oferta. Todo propósito de controlar de maneira comum, geral e previdente a produção das matérias-primas cede lugar à crença de que a procura e a oferta se governam reciprocamente.[16] Esse controle, que em princípio é inconciliável com as leis da produção capitalista, fica, por isso, no domínio das boas intenções ou se limita a medidas de interesse comum, excepcionalmente adotadas em momentos de graves perigos imediatos e de perplexidade. A superstição dos capitalistas aí é tão robusta que os inspetores de fábrica, nos relatórios, sempre dela se espantam. Anos bons sucedem aos ruins, daí também resultando naturalmente matérias-primas mais baratas. Além do efeito imediato que essa baixa tem na expansão da procura, há a considerar o efeito antes mencionado na taxa de lucro, e que é estimulante. E o processo referido acima, em que a produção de maquinaria etc. ultrapassa progressivamente a de matérias-primas, se repete então em escala maior. A melhora real da matéria-prima, de modo que o abastecimento se efetuasse

---

16 Depois de escritas as linhas acima (1865), aguçou-se consideravelmente a concorrência no mercado mundial em virtude do desenvolvimento rápido na indústria em todos os países civilizados, em particular na América e na Alemanha. Hoje, impõe-se cada vez mais à consciência dos capitalistas a circunstâncias de que as forças produtivas modernas, em crescimento veloz e gigantesco, ultrapassam cada dia mais o domínio das leis capitalistas relativas à troca de mercadorias, dentro das quais deveriam mover-se. Isto se evidencia sobretudo em dois sintomas. Primeiro, na nova mania generalizada de barreiras aduaneiras, que se distingue do protecionismo antigo especialmente porque protege, em regra, justamente os artigos exportáveis. Segundos, nos cartéis (trustes) formados pelos fabricantes de ramos inteiros de produção, para regular a produção e em consequência os preços e lucros. É claro que esses experimentos só são exequíveis em atmosfera econômica relativamente favorável. A primeira tempestade os derrubará e provará que, embora se imponha regular a produção, por certo não cabe à classe capitalista executar essa tarefa. Até lá, esses cartéis só têm mesmo a incumbência de cuidar de que os pequenos, com mais rapidez que antes, sejam deglutidos pelos grandes. — F.E.

na quantidade e também na qualidade requeridas – por exemplo, algodão da Índia no nível da qualidade americana –, exigiria procura europeia sustentada por longo tempo, com crescimento regular, permanente (estamos abstraindo das condições econômicas em que vive o produtor indiano em sua pátria). Mas a produção das matérias-primas marcha aos solavancos, expandindo-se de maneira brusca para depois contrair-se violentamente. Tudo isto, como o espírito da produção capitalista em geral, pode ser bem estudado através da crise algodoeira de 1861 a 1865, lustro em que ainda ocorria temporariamente falta absoluta de uma matéria-prima que é um dos elementos mais essenciais da reprodução. O preço pode também subir, embora seja bastante a oferta, quando esta se realiza em condições mais difíceis. Ou pode haver escassez real de matéria-prima. É nesta segunda ocorrência que está a raiz da crise algodoeira.

Na história da produção, quanto mais nos aproximamos da atualidade, tanto mais regular se revela, sobretudo nos ramos industriais decisivos, alternação sempre repetida entre encarecimento relativo e desvalorização posterior, dele decorrente, das matérias-primas tomadas à natureza orgânica. Confirmam o exposto os exemplos apresentados a seguir, que tiramos dos relatórios dos inspetores de fábrica.

A moral da história, que se pode extrair de outras observações sobre a agricultura, é que o sistema capitalista se opõe a uma agricultura racional ou que a agricultura racional é incompatível com o sistema capitalista (que entretanto favorece o desenvolvimento técnico dela) e precisa da ação do pequeno agricultor que vive do próprio trabalho, ou do controle dos produtores associados.

Vejamos agora os exemplos ilustrativos que encontramos nos relatórios de fábrica ingleses.

> Os negócios melhoram; mas torna-se mais rápido o ciclo de tempos bons e ruins com o aumento da maquinaria, e, ao acrescer por isso a procura de matérias-primas, ficam mais frequentes as flutuações na marcha dos negócios. [...] No momento, recuperou-se a confiança perdida no pânico de 1857, e o próprio pânico parece inteiramente esquecido. A possibilidade de essa melhora persistir depende extremamente do preço das matérias-primas. Já se patenteiam prenúncios de que se atingiu em alguns casos o máximo além do qual a fabricação se torna cada vez menos lucrativa até que cesse inteiramente de proporcionar lucro. Tomemos, por exemplo, os anos frutuosos para a fiação de lã, de 1849

e 1850, e verificamos que o preço por libra-peso da lã cardada inglesa era de 13 pence e o da australiana, de 14 a 17, e que, na década de 1841 a 1850, o preço médio da lã inglesa jamais ultrapassou 14 pence nem o da australiana, 17. Mas, no começo do infausto ano de 1857, a lã australiana era cotada a 23; em dezembro, quando o pânico era maior, caiu a 18, mas volta a subir no decurso de 1858, cotando-se ao preço atual de 21. Em 1857, a lã inglesa começou cotando-se a 20, elevou-se em abril e setembro a 21, caiu em janeiro de 1858 a 14 e desde então alçou-se a 17, ficando assim 3 pence por libra-peso acima da média da referida década. [...] No meu modo de ver, isso demonstra que se esqueceu terem sido semelhantes preços o motivo das falências de 1857, ou que a quantidade de lã produzida mal chega para a capacidade de fiar dos fusos existentes, ou que os preços dos tecidos experimentarão alta durável. [...] Mas, na minha experiência atual, verifiquei que o número dos fusos e teares e a velocidade em que operam aumentaram em tempo incrivelmente curto, e que nossa exportação de lã para a França continuou subindo na mesma proporção, enquanto no país e no exterior a média etária das ovelhas criadas se torna cada vez mais baixa, pois o rebanho se reproduz rápido e os criadores desejam transformá-lo em dinheiro com a maior celeridade possível. Por isso, muitas vezes tenho me preocupado ao ver pessoas que, sem saber dessas coisas, arriscam o talento e o capital em empresas que têm o sucesso dependente do futuro de um produto que só pode aumentar de acordo com certas leis da natureza orgânica. [...] A situação da oferta e da procura de todas as matérias-primas [...] parece explicar muitas flutuações na indústria algodoeira, a conjuntura do mercado de lã inglês no outono de 1857 e a crise comercial daí decorrente[17] (R. Baker, em *Rep. Fact.*, outubro de 1858, pp. 56-61).

Os anos de 1849 e 1850 constituem o período florescente da fiação de lã do distrito ocidental de Yorkshire. Nela se ocupavam, em 1838, 29.246 pessoas; em 1843, 37.060; em 1845, 48.097; em 1850, 74.891. No mesmo distrito: em 1838, 2.768 teares mecânicos; em 1841, 11.458; em 1843, 16.870; em 1845, 19.121; e em 1850, 29.539 (*Rep. Fact.*, [outubro de] 1850, p. 60). Esse florescimento da indústria de lã já começara a ficar suspeito em outubro de 1850. A respeito de Leeds e Bradford, diz o subinspetor Baker, no relatório de abril de 1851:

---

17 Está claro que não explicamos a crise da lã de 1857, como Baker, com a desproporção entre o preço da matéria-prima e o do produto manufaturado. Essa desproporção não passava de sintoma, tendo a crise caráter geral. — F.E.

O CAPITAL

Há algum tempo que os negócios não vão bem. As fiações de lã de fibra longa perdem rapidamente os lucros de 1850, e a maioria das tecelagens não prospera satisfatoriamente. Creio que nunca se pararam tantas máquinas na indústria de lã como agora, e as fiações de linho despedem trabalhadores e suprimem funcionamento de máquinas. Hoje, os ciclos da indústria têxtil são na realidade extremamente incertos, e creio que em breve compreenderemos [...] que não há proporcionalidade entre a capacidade de produção dos fusos, a quantidade de matéria-prima e o acréscimo dos rebanhos (p. 52).

O mesmo se verifica na indústria têxtil algodoeira. O citado relatório de outubro de 1858 diz:

Desde que se fixou a duração da jornada de trabalho nas fábricas, reduziu-se a uma regra de três simples a determinação da quantidade de matéria-prima consumida, do volume de produção e do montante de salários em todas as indústrias têxteis. [...] Passo a citar passagens de uma conferência recente [...] do Sr. Baynes, o prefeito atual de Blackburn, sobre a indústria têxtil algodoeira, e na qual condensa com a maior exatidão possível a estatística industrial de sua área:
"Cada cavalo-vapor real move 450 fusos automáticos juntamente com maquinaria preparatória auxiliar, ou 200 fusos da *throstle*, ou 15 teares para tecido de 40 polegadas de largura com a correspondente maquinaria de dobar, aparar e alisar. Cada cavalo-vapor ocupa na fiação $2\frac{1}{2}$ trabalhadores e, na tecelagem, 10; o salário médio semanal é bem $10\frac{1}{2}$ xelins por pessoa. [...] Os tamanhos médios elaborados são números 30 a 32 para o urdume e números 34 a 36 para a trama; se admitimos produzir-se por semana 13 onças de fio por fuso, temos semanalmente 824.700 libras-peso de fio, para as quais se consomem, de algodão, 970 mil libras-peso ou 2.300 fardos, ao preço de 28.300 libras esterlinas. [...] Em nosso distrito (compreendido num circuito em volta de Blackburn, com raio de 5 milhas inglesas), o consumo semanal de algodão é de 1.530.000 libras-peso ou 3.650 fardos, ao preço de 44.625 libras esterlinas. Nele temos $\frac{1}{10}$ de toda a fiação de algodão do Reino Unido 18 e toda a tecelagem mecânica."
Segundo os cálculos de Baynes, o total de fusos para algodão do Reino Unido era de 28.800.000, e para mantê-los em funcionamento pleno seriam necessários por ano 1.432.080.000 libras-peso de algodão. Mas a importação anual de algodão, depois de deduzidas as exportações, foi em 1856 e 1857 apenas de 1.022.576.832 libras-peso; houve necessariamente, portanto, um déficit de 409.503.168 libras-peso. Baynes, que teve a gentileza de trocar ideias comigo a respeito, acredita que um cálculo do consumo anual de algodão, baseado em levantamento do distrito de Blackburn, resultaria exagerado,

em virtude da diferença relativa aos números dos fios e à excelência da maquinaria. Estima todo o consumo anual de algodão do Reino Unido em 1 bilhão de libras-peso. Mas, se ele tem razão e há de fato, na oferta, excedente de $22\frac{1}{2}$ milhões, parece que procura e oferta quase já encontraram o equilíbrio, se não considerarmos os fusos e teares adicionais que, segundo Baynes, estão sendo montados em sua própria circunscrição e, pelo visto, provavelmente também em outros distritos (p. 59s.).

3. ILUSTRAÇÃO GERAL: A CRISE ALGODOEIRA DE 1861 A 1865

Antecedentes históricos: 1845 a 1860

1845. Período de prosperidade da indústria têxtil algodoeira. Preços muito baixos do algodão. Diz L. Horner:

> Nos últimos oito anos, nunca vi tão próspera época de negócios quanto a do verão e outono últimos. Sobretudo na fiação de algodão. Durante todo o semestre, chegavam-me cada semana notícias de novos investimentos de capital em fábricas: ora novas fábricas eram construídas, ora novos locatários apareciam para as poucas fábricas vazias, ora ampliavam-se fábricas em funcionamento, instalando-se máquinas a vapor mais possantes e maior número de máquinas operadoras (*Rep. Fact.*, outubro de 1845, p. 13).

1846. Começam as queixas.

> Há muito tempo que ouço dos fabricantes do setor algodoeiro queixas generalizadas de depressão nos negócios. [...] Nas últimas seis semanas, diversas fábricas reduziram a jornada, passando a trabalhar ordinariamente 8 horas por dia em vez de 12, o que parece propagar-se. [...] Acresceu muito o preço do algodão e [...] os preços das manufaturas, em vez de elevarem-se [...] estão mais baixos do que antes da alta do algodão. O grande aumento do número das fábricas do ramo algodoeiro nos últimos quatro anos teve por consequência necessária considerável acréscimo da procura de matéria-prima e da oferta de manufaturas; ambas as causas tinham de atuar conjuntamente para reduzir o lucro, desde que não variassem a oferta de matéria-prima e a procura das manufaturas; mas o efeito delas foi ainda maior, pois ultimamente houve deficiência na oferta de algodão e diminuiu a procura das manufaturas em diversos mercados internos e externos (*Rep. Fact.*, outubro de 1846, p. 10).

A procura crescente de matéria-prima e o abarrotamento do mercado com manufaturas marcham naturalmente paralelos.

De passagem, uma observação: a expansão da indústria nessa época e a posterior estagnação não se deram apenas nos distritos da indústria têxtil algodoeira. Em Bradford, área da lã penteada, havia, em 1836, 318 fábricas somente e, em 1846, 490. Esses números estão longe de exprimir o verdadeiro incremento da produção, pois as fábricas existentes foram ainda consideravelmente ampliadas. Isto se estende especialmente às fiações de linho.

> Nos últimos 10 anos, todas essas indústrias contribuíram mais ou menos para a congestão do mercado, a principal causa da paralisia atual dos negócios. [...] A depressão é consequência natural de expansão tão rápida das fábricas e da maquinaria (*Rep. Fact.*, outubro de 1846, p. 30).

1847. Em outubro, crise de dinheiro. Desconto a 8%. Antes, o fim catastrófico da especulação ferroviária e das fraudes com os saques sobre as praças das Índias Orientais. Mas:

> Baker apresenta pormenores muito interessantes sobre a procura acrescida, nos últimos anos, de algodão, lã e linho, em virtude de se terem expandido as correspondentes indústrias. Acha que a procura acrescida dessas matérias-primas, notadamente por ter ocorrido quando a oferta estava bem abaixo da média, quase basta para explicar a depressão atual desses ramos industriais, sem recorrer-se ao transtorno existente no mercado financeiro. Esse modo de ver é plenamente confirmado por minhas próprias observações e pelo que tenho ouvido de experientes homens de negócios. Esses ramos industriais já estavam fortemente deprimidos, quando ainda era fácil obter descontos a 5% e a menos. Em compensação, era abundante a oferta de seda crua, razoáveis os preços e animada, em concordância, a indústria, até [...] nas últimas duas ou três semanas, quando a crise de dinheiro atingiu sem dúvida os próprios fabricantes e, com mais força ainda, seus principais clientes, os fabricantes de artigos de moda. Os relatórios oficiais revelam que a indústria algodoeira têxtil, nos últimos três anos, aumentou quase 27%. Por isso, o algodão, em números redondos, aumentou o preço por libra-peso de 4 para 6 pence, enquanto o fio, em virtude da oferta acrescida, tem preço ligeiramente acima do anterior. A indústria de lã começou a expandir-se em 1836; desde então, aumentou 40% em Yorkshire, e ainda mais na Escócia. Bem maior foi o incremento da indústria têxtil de lã de fibra longa.[18] Para o mesmo período, dão-lhe os cálculos

---

[18] Na Inglaterra, distingue-se rigorosamente entre *wolen manufacture*, a indústria de lã que fica e tece lã cardada, de fibra curta (centro principal Leeds), e *worsted manufacture*, a que fica e tece lã cardada de fibra longa (sede principal Bradford, em Yorkshire). — F.E.

EFEITOS DA VARIAÇÃO DOS PREÇOS

incremento superior a 74%. Por isso, é enorme o consumo de lã. Depois de 1839, a indústria de linho apresenta na Inglaterra um crescimento de quase 25%, na Escócia de 22% e, na Irlanda, de quase 90%;[19] daí a consequência, sincronizada com más colheitas de linho, foi que a matéria-prima subiu 10 libras esterlinas por tonelada, enquanto o preço do fio caiu para 6 pence a meada (*Rep. Fact.*, outubro de 1847, p. 30s.).

1849. A partir dos últimos meses de 1848, reanimaram-se os negócios.

O preço da fibra de linho, tão baixo que, quase em todas as condições ulteriores possíveis, assegurava lucro razoável, induziu os fabricantes a prosseguirem nos negócios sem interrupções. No começo do ano, os fabricantes estiveram por algum tempo em intensa atividade [...] mas receio que as consignações de artigos de lã muitas vezes tomem o lugar da procura efetiva, e que períodos de prosperidade aparente, isto é, de ocupação plena, não coincidam sempre com os períodos de verdadeira procura. Durante alguns meses, a indústria de lã de fibra longa esteve muito bem. [...] No começo do período mencionado, houve baixa acentuada da lã; as fiações abasteceram-se a preços vantajosos e por certo em quantidades consideráveis. Lucraram com a alta dos preços da lã nas vendas da primavera, e conservaram essa vantagem, pois a procura de manufaturas se tornou considerável e premente (*Rep. Fact.*, [abril de] 1849, p. 42).

Quando observamos as flutuações dos negócios, ocorrentes nos distritos industriais de três ou quatro anos para cá, temos de admitir, creio, que existe algures grande causa perturbadora. [...] Não constituirá novo elemento do problema a enorme produtividade da maquinaria aumentada? (*Rep. Fact.*, abril de 1849, p. 42s.)

Em novembro de 1848, em maio e no verão de 1849 até outubro, os negócios estavam cada vez mais prósperos.

Isto se aplica principalmente à fabricação de tecidos de lã de fibra longa, agrupada nas cercanias de Bradford e Halifax; esta indústria nunca alcançou, nem aproximadamente, a expansão que tem agora. [...] Especulação com a matéria-prima e incerteza quanto à oferta provável causaram sempre excitação maior e flutuações mais frequentes na indústria têxtil algodoeira que em

---

19 Essa expansão rápida da fiação mecânica na Irlanda assestou golpe de morte na exportação do linho alemão (Silésia, Lusácea, Westfália) produzido na base da fiação manual. — F.E.

qualquer outra indústria. Os estoques de artigos mais grosseiros de algodão que se amontoam agora intranquilizam as pequenas fiações e as prejudicam, de modo que várias delas estão reduzindo a jornada de trabalho (*Rep. Fact.*, outubro de 1849, p. 64s.)

1850, abril: os negócios continuam animados. Exceção:

> Grande depressão em parte da indústria têxtil algodoeira em virtude da escassez de matéria-prima justamente para fios grossos e tecidos pesados. [...] Teme-se que a nova maquinaria instalada pela indústria de lã de fibra longa provocará reação análoga. Baker calcula que, neste ramo, só em 1849, o produto dos teares acresceu de 40% e o dos fusos de 25 a 30%, e que a expansão prossegue no mesmo ritmo (*Rep. Fact.*, abril de 1850, p. 54).

1850, outubro:

> O preço do algodão continua [...] a causar significativa depressão nesse setor industrial, especialmente para as mercadorias em que a matéria-prima constitui parte considerável dos custos de produção. O grande acréscimo de preço da seda crua ocasionou, com frequência, depressão no correspondente ramo industrial (*Rep. Fact.*, outubro de 1850, p. 14).

Segundo o relatório aí citado do comitê da Sociedade Real da Cultura de Linho na Irlanda, o alto preço dessa fibra, em face dos preços baixos de outros produtos agrícolas, assegurou para o ano seguinte considerável aumento na produção do linho (p. 33).

1853, abril: grande prosperidade.

> Em nenhuma ocasião, nos dezessete anos em que tenho tomado conhecimento oficial da situação dos distritos industriais, vi semelhante prosperidade geral; a atividade em todos os ramos é extraordinária, diz L. Horner (*Rep. Fact.*, abril de 1853, p. 19).

1853, outubro: depressão na indústria têxtil algodoeira. "Superprodução" (*Rep. Fact.*, outubro de 1853, p. 15).

1854, abril:

> A indústria de lã, embora não esteja próspera, teve todas as fábricas plenamente ocupadas; o mesmo se estende à indústria algodoeira têxtil. A indústria de lã

de fibra longa, em todo o semestre anterior, esteve totalmente irregular. [...] Houve perturbações na indústria de linho por ficar reduzida a oferta das fibras de linho e cânhamo, oriundas da Rússia, em virtude da Guerra da Crimeia (*Rep. Fact.*, [abril de] 1854, p. 37).

1859:

A indústria escocesa de linho ainda está deprimida [...] pois a matéria-prima é escassa e cara; a baixa qualidade da colheita anterior nos países bálticos, nossa principal fonte de abastecimento, exercerá efeito prejudicial sobre os negócios nessa área; em compensação, a juta, que progressivamente vai substituindo o linho em muitos artigos grosseiros, não é excepcionalmente cara nem escassa [...] cerca de metade das máquinas em Dundee fiam agora juta. (*Rep. Fact.*, abril de 1859, p. 19).

Em virtude do alto preço da matéria-prima, a fiação de linho continua a não ser rentável, e enquanto todas as outras fábricas funcionam plenamente, temos diversos exemplos de parada de maquinaria de linho. [...] A fiação de juta [...] está em situação satisfatória, pois recentemente caiu a um nível mais razoável o preço da matéria-prima (*Rep. Fact.*, outubro de 1859, p. 20).

1861/1864: Guerra Civil Americana. A fome de algodão. O exemplo mais contundente do processo de produção interrompido por escassear e encarecer a matéria-prima

1860, abril:

No tocante à situação dos negócios, apraz-me poder comunicar-lhe que, apesar dos altos preços das matérias-primas, todas as indústrias têxteis, excetuada a de seda, estiveram em intensa atividade no decurso do último semestre. [...] Por meio de anúncios procuraram-se trabalhadores em algumas zonas da indústria têxtil algodoeira para onde acorreram eles, vindo de Norfolk e de outros condados rurais. [...] Em todo o ramo industrial parece reinar grande escassez de matéria-prima. É [...] apenas essa escassez que nos contém. Na indústria têxtil algodoeira, nunca foi tão grande quanto agora o número de novas fábricas construídas, a ampliação das já existentes e a procura de trabalhadores. Procura-se matéria-prima de todos os lados (*Rep. Fact.*, abril de 1860, p. 57).

1860, outubro:

O CAPITAL

> Foi boa a situação dos negócios nos distritos industriais, têxteis de algodão, lã e linho; na Irlanda há mais de um ano tem sido até muito boa e teria sido melhor, não fora o alto preço da matéria-prima. As fiações de lã parecem esperar mais impacientes que antes pela abertura, com as ferrovias, das fontes de abastecimento da Índia, e pelo desenvolvimento correspondente de sua agricultura, a fim de obter por fim [...] oferta de linho adequada às próprias necessidades (*Rep. Fact.*, outubro de 1860, p. 37).

1861, abril:

> No momento, a situação dos negócios está deprimida [...] só poucas fábricas da indústria têxtil trabalham e com horas reduzidas, e muitas fábricas de seda estão em atividade parcial. A matéria-prima está cara. Em quase todo o ramo têxtil, o preço está acima do adequado para a fabricação destinada à massa dos consumidores (*Rep. Fact.*, abril de 1861, p. 33).

Ficou patente agora que em 1860 houve superprodução na indústria têxtil algodoeira; ainda se sentiam os efeitos dela no ano seguinte. "Foram necessários de dois a três anos, para que o mercado mundial absorvesse a superprodução de 1860" (*Rep Fact.*, outubro de 1863, p. 127).

> A depressão dos mercados de manufaturas de lã na Ásia Oriental, no início de 1860, teve repercussão correspondente nos negócios em Blackburn, onde em média funcionam 30.000 teares mecânicos para produzir tecidos destinados quase exclusivamente àquele mercado. Em consequência, já se restringira aí a procura de trabalho muitos meses antes de se tornarem perceptíveis os efeitos do bloqueio do algodão. [...] Por isso, muitos fabricantes tiveram a sorte de se salvar da ruína. Subiu a cotação dos estoques armazenados, e deixou de haver a apavorante baixa, de outro modo inevitável numa crise dessa natureza (*Rep. Fact.*, outubro de 1862, p. 28s.).

1861, outubro:

> Há algum tempo os negócios estão muito deprimidos. [...] É de esperar-se que nos meses de inverno muitas fábricas reduzam consideravelmente a jornada de trabalho. É o que já era de se prever. [...] Mesmo não se levando em conta as causas que interromperam nossas habituais importações de algodão da América e nossas exportações para lá, seria necessário reduzir a jornada de trabalho no próximo inverno, em virtude do grande aumento da produção nos últimos três anos e das perturbações do mercado índico e chinês (*Rep. Fact.*, outubro de 1861, p. 19).

EFEITOS DA VARIAÇÃO DOS PREÇOS

Resíduos de algodão. Algodão das Índias Orientais (Surat). Influência nos salários dos trabalhadores. Aperfeiçoamento da maquinaria. Substituição do algodão por amido e minerais. Efeitos da cola de amido sobre os trabalhadores. Fios mais finos. Fraude dos fabricantes

Escreve-me um fabricante: Vossa estimativa do consumo de algodão por fuso não leva na devida conta que, se o algodão está caro, fiam-se fios ordinários (digamos, até número 40, sobretudo os números 12 a 32), o mais possível finos, de modo que se fia número 16 em lugar do número 12 anterior, ou 22 em lugar de 16, etc.; e o tecelão que emprega esses fios assim finos dá ao tecido o peso costumeiro adicionando-lhe mais goma. É vergonhosa a extensão em que hoje se utiliza esse recurso. Soube de boa fonte que há panos de camisas para exportação os quais em 8 libras-peso contêm $2\frac{3}{4}$ de goma. Em outros tipos de tecidos, a adição de goma chegou frequentes vezes a 50%. Desse modo, não mente o fabricante que se vangloria de tornar-se rico, vendendo a libra-peso de seu tecido por menos do que paga pela do fio com que o faz (*Rep. Fact.*, abril de 1864, p. 27).

Informaram-me que os tecelões atribuem o aumento das doenças que os acometem à goma aplicada nos urdumes feitos de fios de algodão das Índias Orientais e que não é mais a goma pura de farinha de antigamente. É um sucedâneo da farinha que, dizem, oferece a enorme vantagem de aumentar consideravelmente o peso do tecido, de modo que 15 libras-peso de fio, quando tecidas, se transformam em 20. (*Rep. Fact.*, outubro de 1863, p. 63). Esse sucedâneo era talco moído, denominado argila chinesa (*China clay*), ou gesso, denominado giz de alfaiate (*French chalk*).

Reduziu-se muito a remuneração dos tecelões com o emprego de sucedâneos da farinha para engomar o urdume. Essa nova goma torna o fio, além de mais pesado, duro e quebradiço. No tear, cada fio do urdume passa pelo chamado cadilho, que tem fios fortes para manter o urdume na posição adequada; os urdumes endurecidos pela goma causam contínuas quebras nos fios do cadilho; cada ruptura leva o tecelão a perder cinco minutos para repará-la; o número de vezes em que o tecelão consertava essas quebras aumentou pelo menos de 10, e houve naturalmente diminuição correspondente no rendimento do tear nas horas de trabalho (*loc. cit.*, p. 42s.).

Em Ashton, Stalybridge, Mossley, Oldham etc., diminuiu de um rotundo terço a jornada de trabalho, que continua a ser reduzida todas as semanas [...] Ao lado dessa redução, ainda há em muitos ramos rebaixa de salário (p. 13).

O CAPITAL

No começo de 1861, greve dos tecelões dos teares mecânicos em algumas zonas de Lancashire. Diversos fabricantes tinham anunciado rebaixa nos salários de 5 a 7 $\frac{1}{2}$ %; os trabalhadores sustentavam que os salários deviam ser mantidos, mas com jornada reduzida. A proposta não foi aceita, e a greve começou. Depois de um mês os trabalhadores tiveram de ceder. Ganharam então dois prêmios: "Além da rebaixa de salários com que por fim se conformaram os trabalhadores, as fábricas funcionam agora com jornada reduzida" (*Rep. Fact.*, abril de 1864, p. 23).

1862, abril:

> Depois de meu último relatório, aumentaram consideravelmente os sofrimentos dos trabalhadores; jamais na história da indústria suportaram-se sofrimentos tão abruptos e duros com resignação tão silenciosa e dignidade tão paciente (*Rep. Fact.*, abril de 1862, p. 10).

> O número relativo dos trabalhadores inteiramente desocupados no momento não parece ser muito maior que em 1848, quando reinava o costumeiro pânico, embora de intensidade bastante para levar os intranquilos fabricantes a coligir estatística sobre a indústria algodoeira têxtil, semelhante à que hoje se publica semanalmente. [...] Em maio de 1848, em Manchester, de todos os trabalhadores do ramo têxtil algodoeiro, 15% estavam desocupados, 12% trabalhavam tempo parcial, e tempo integral, mais de 70%. Em 28 de maio de 1862, estavam desocupados 15%, trabalhavam tempo parcial 35%, e 49% tempo integral. [...] Nos lugares vizinhos, em Stockport, por exemplo, é maior o número relativo dos desocupados e o dos ocupados em tempo parcial, e menor o dos plenamente ocupados, pois fiam-se aí números mais grossos que em Manchester (p. 16).

1862, outubro:

> Segundo as últimas estatísticas oficiais no Reino Unido [em 1861], havia 2.887 fábricas têxteis de algodão, das quais 2.109 em meu distrito (Lancashire e Cheshire). Sabia que grande número das 2.109 fábricas de meu distrito eram pequenos estabelecimentos que só empregavam poucas pessoas. Mas fiquei surpreso ao descobrir como eram numerosos. Das fábricas, 392, ou 19%, eram movidas por menos de 10 cavalos-vapor, sendo a força motriz vapor ou água; 345, ou 16%, por 10 a 20 cavalos-vapor; 1.372, por 20 ou mais. [...] Esses pequenos fabricantes, em proporção muito grande – constituíam mais de um

terço da totalidade –, eram até pouco tempo trabalhadores; são pessoas que não têm capital à disposição. [...] O peso maior recairia, portanto, sobre os restantes dois terços (*Rep. Fact.*, outubro de 1862, p. 18s.).

Segundo o mesmo relatório, em Lancashire e Cheshire, dos trabalhadores da indústria têxtil algodoeira, estavam plenamente empregados 40.146 ou 11,3%, parcialmente empregados 134.767 ou 38%, e desempregados 179.721 ou 50,7%. Descontando-se os dados relativos a Manchester e Bolton, onde se fiam sobretudo fios finos, setor relativamente pouco atingido pela escassez de algodão, a situação apresenta-se ainda mais desfavorável: plenamente empregados 8,5%, parcialmente empregados 38%, desempregados 53,5% (p. 19s.).

> Para o trabalhador, há diferença essencial entre algodão bom e algodão ruim. Nos primeiros meses do ano, quando os fabricantes procuravam manter as fábricas em movimento, consumindo todo o algodão comprável a preços moderados, foram abastecidas com algodão ruim fábricas que antes empregavam, de ordinário, matéria-prima de boa qualidade; a diferença ocasionada nos salários dos trabalhadores era tão grande que ocorreram muitas greves, pois, na base do antigo salário por peça, não podiam eles obter um salário-dia aceitável. [...] Em alguns casos, mesmo quando se trabalhava tempo integral, a diferença resultante do emprego de algodão ruim atingia a metade de todo o salário (p. 27).

1863, abril:

> No decurso deste ano, não se poderá empregar plenamente mais que a metade dos trabalhadores da indústria têxtil algodoeira (*Rep. Fact.*, abril de 1863, p. 14).

> É muito desvantajoso o emprego, que as fábricas hoje não podem evitar, do algodão das Índias Orientais, pois torna necessário reduzir-se muito a velocidade da maquinaria. Nos últimos anos, fez-se tudo para acelerar essa velocidade, de modo que a mesma máquina desse rendimento maior. A velocidade reduzida tanto atinge o trabalhador quanto o fabricante, pois a maioria dos trabalhadores é paga por peça, os fiandeiros tanto por libra-peso de fio, os tecelões tanto por determinada quantidade tecida; e mesmo os trabalhadores remunerados por semana têm seu salário reduzido em virtude da produção diminuída. Segundo averiguei [...] e de acordo com dados que obtive a

respeito, a remuneração dos trabalhadores da indústria têxtil algodoeira no curso deste ano [...] diminuiu em média de 20% e em alguns casos de 50%, calculando-se pelos níveis reinantes em 1861 (p. 13).

A remuneração recebida depende [...] do material com que se trabalha. [...] A situação dos trabalhadores, no tocante ao nível do salário, é hoje muito melhor (outubro de 1863) que na mesma época do ano anterior. Melhorou a maquinaria, conhece-se melhor a matéria-prima, e os trabalhadores resolvem mais facilmente as dificuldades com que tinham de lutar no início. Na última primavera estive em Preston, numa escola de costura (estabelecimento de beneficência para as desempregadas); duas jovens que na véspera foram mandadas a uma tecelagem para atender a fabricante que informara poderem elas ganhar 4 xelins por semana, pediram readmissão na escola e queixaram-se de que nem 1 xelim por semana lhes teria sido possível ganhar. Tive informações de fiandeiros que trabalham com máquinas automáticas.[...] Tomam conta de várias dessas máquinas e, após 14 dias de trabalho com tempo integral, ganharam 8 xelins e 11 pence; dessa soma deduziu-se o aluguel da habitação, tendo o fabricante lhes dado de presente metade do aluguel (quanta generosidade!). Esses fiandeiros ficaram com 6 xelins e 11 pence. Nos últimos meses de 1862, houve lugares em que os fiandeiros ganharam 5 a 9 xelins por semana, os tecelões 2 a 6. [...] Atualmente, a situação melhorou muito, embora a remuneração dos trabalhadores tenha continuado a baixar consideravelmente na maioria dos distritos.[...] Além da fibra curta e das impurezas do algodão índico, várias outras causas têm contribuído para diminuir essa remuneração. Assim, por exemplo, costuma-se agora misturar no algodão índico resíduos de algodão, o que naturalmente aumenta ainda mais as dificuldades do fiandeiro. Por serem curtas as fibras, rompem-se os fios mais facilmente ao puxar-se o carro e ao torcer-se o fio, e não se pode manter a máquina em movimento com toda a regularidade. [...] Em virtude da grande atenção exigida pelos fios, é frequente que uma tecelã só possa tomar conta de um tear, sendo raras as que podem lidar com mais de dois. [...] Em muitos casos, diminuiu-se o salário do trabalhador, de 5, $7\frac{1}{2}$ e 10%. [...] Na maioria dos casos, o trabalhador tem de cuidar de vencer os embaraços da matéria-prima e de obter o salário que puder na base usual de remuneração. [...] Outra dificuldade com que os tecelões têm às vezes de lutar é a de fazer bom tecido com matéria de má qualidade, sendo castigados com descontos em salário, quando o trabalho não sai de acordo com o desejo do patrão (*Rep. Fact.*, outubro de 1863, pp. 41-3).

Os salários eram miseráveis, mesmo quando se trabalhava tempo integral. Os trabalhadores da indústria têxtil algodoeira prontificaram-se a acei-

EFEITOS DA VARIAÇÃO DOS PREÇOS

tar os trabalhos públicos, o de drenar, de construir estradas, britar pedras, calçar ruas, a que foram condenados para obter socorro (ajudava-se na realidade aos fabricantes; ver Livro 1, pp. 627-629) das autoridades locais. Toda a burguesia mantinha vigilância sobre os trabalhadores. Bastava que o trabalhador recusasse o pior salário de cão que lhe oferecessem para que o comitê de ajuda o eliminasse da lista de socorro. Era a época áurea dos senhores fabricantes: seus cérberos, os comitês de ajuda, vigiavam os trabalhadores, colocados diante do dilema de morrer de fome ou de trabalhar para os burgueses ao preço mais baixo possível. Ao mesmo tempo, em entendimento secreto com o governo, os fabricantes procuravam impedir a emigração, a fim de ter sempre disponível seu capital configurado na carne e no sangue dos trabalhadores e não perder o aluguel destes extorquido.

> Os comitês de ajuda eram muito severos neste ponto. Os trabalhadores a que se oferecesse trabalho eram cortados da lista e assim forçados a aceitá-lo. Quando o recusavam [...] os motivos eram a remuneração apenas nominal e o caráter extremamente penoso do trabalho (*loc. cit.*, p. 97).

Os trabalhadores aceitavam prontamente qualquer trabalho que lhes aparecesse em virtude das leis de obras públicas.

> Variavam bastante os princípios seguidos pelas diversas cidades, na organização das ocupações dos trabalhadores. Mesmo nos lugares em que o trabalho ao ar livre não era considerado prova obrigatória, esse trabalho era pago apenas pelo abono normal de socorro ou por pouco mais do que isso, e tornava-se na prática prova obrigatória (p. 69.)
>
> A lei de obras públicas de 1863 visava corrigir esses abusos e capacitar o trabalhador a ganhar seu salário como jornaleiro independente. O objetivo da lei era triplo: (1) possibilitar às autoridades locais obterem (com o consentimento do presidente da junta central de assistência aos pobres) empréstimos em dinheiro dos comissários do tesouro; (2) facilitar os melhoramentos das cidades das zonas da indústria têxtil algodoeira; (3) proporcionar aos operários desocupados trabalho remunerador.

Até fim de outubro de 1863, foram concedidos, sob essa lei, empréstimos no montante de 883.700 libras esterlinas (p. 70). Os principais trabalhos empreendidos foram canalização, construção de estradas, calçamento de ruas, reservatórios de serviços de água etc.

O CAPITAL

Sobre o assunto, escreve o Sr. Henderson, presidente do comitê de Blackburn, ao inspetor de fábrica Redgrave:

> Em tudo o que tenho experimentado nestes tempos de sofrimento e de miséria, nada me impressionou mais ou me causou maior satisfação que ver a alegre disposição com que os trabalhadores desocupados deste distrito têm aceitado o trabalho oferecido pelo conselho municipal de Blackburn, de acordo com a lei de obras públicas. Dificilmente se poderia imaginar contraste maior – o fiandeiro, antes trabalhador qualificado na fábrica, e hoje jornaleiro cavando uma vala de 14 ou 18 pés de profundidade.

(Ganhavam por isso, conforme o tamanho da família, 4 a 12 xelins por semana, e esta quantia monumental devia muitas vezes chegar para uma família de 6 pessoas. Com isto lucravam duplamente os honestos burgueses: obtinham, a juros excepcionalmente baixos, dinheiro para os melhoramentos de suas cidades enegrecidas pelo fumo e lançadas ao desleixo, e pagavam aos trabalhadores salários muito abaixo dos níveis normais.)

> Habituado que era a temperatura quase tropical, a trabalho em que a manipulação hábil e exata era muito mais importante que a força muscular, acostumado a ganhar o dobro, às vezes o triplo da remuneração que pode receber agora, sua boa vontade em aceitar a ocupação oferecida revela grande dose de abnegação e discrição, que lhe dá o mais honroso destaque. Em Blackburn, essa gente foi posta à prova de todos os trabalhos possíveis ao ar livre: cavar terra argilosa, dura e pesada, a profundidade considerável, drenar terrenos, britar pedras, construir estradas, abrir nas ruas valas para canalização, a profundidades de 14, 16 e às vezes 20 pés. Com frequência estão dentro de lama e água com 10 a 12 polegadas de altura, sempre expostos a clima frio e úmido, de rigor nunca ultrapassado, se atingido, por qualquer outro distrito da Inglaterra. (p. 91s.).

> Quase impecável a atitude dos trabalhadores [...] a boa vontade em aceitar o trabalho ao ar livre e prosseguir lutando pela vida (p. 69).

1864, abril:

> Ouvimos em certas ocasiões queixas sobre a escassez de trabalhadores, principalmente em certos ramos como tecelagem. [...] Mas, atrás dessas queixas,

> tanto está o salário baixo a que podem ficar limitados os trabalhadores, em virtude da má qualidade dos fios empregados, quanto alguma carência verdadeira da própria mão de obra nesse ramo especial. Mês passado, houve numerosas divergências por salário entre certos fabricantes e os trabalhadores. Lamento que as greves tenham ocorrido com demasiada frequência. [...] Os fabricantes estão sentindo que a lei de obras públicas está criando uma concorrência para eles, e por isso o comitê local de Bacup sustou suas atividades, pois embora nem todas as fábricas estejam funcionando, revelou-se certa escassez de trabalhadores (*Rep. Fact.*, abril de 1864, p. 9).

Sem dúvida, o tempo urgia para os fabricantes. Por causa da lei de obras públicas, a procura aumentou tanto que nas pedreiras de Bacup havia trabalhadores de fábrica ganhando 4 a 5 xelins por dia. E, assim, foram aos poucos se encerrando os trabalhos públicos – essa nova edição das oficinas nacionais de 1848,[I] feita desta vez em benefício da burguesia.

Experimentos *in corpore vili*

> Embora tenha eu apresentado os salários fortemente reduzidos (dos empregados com tempo integral), a remuneração real dos trabalhadores nas diferentes fábricas, não se deduza daí que eles recebam a mesma importância todas as semanas. Seus salários estão sujeitos às maiores flutuações, em virtude das contínuas experiências que os fabricantes fazem com as diversas espécies e proporções de algodão e resíduos no mesmo estabelecimento fabril; as misturas, como são chamadas, variam com frequência, e a remuneração do trabalhador sobe e desce com a qualidade da mistura do algodão. Às vezes, seus salários só se afastam em 15% do nível primitivo, e uma ou duas semanas depois diminuem de 50 a 60% em relação a esse nível.

É o que diz o inspetor Redgrave, fornecendo sobre salários dados extraídos da prática, dos quais basta ver os seguintes:

A, tecelão, família de 6 pessoas, trabalhando 4 dias na semana, recebeu 6 xelins e $8\frac{1}{2}$ pence; B, torcedor, $4\frac{1}{2}$ dias por semana, 6 xelins: C, tecelão, família de 4, 5 dias por semana, 5 xelins e 1 pêni; D, torcedor de lã, família de 6, 4 dias por semana, 7 xelins e 10 pence; E, tecelão, família de 7, 3 dias, 5 xelins, e assim por diante. Prossegue Redgrave:

I Ver Livro 1, p. 459, nota 183.

Os dados acima merecem atenção, pois demonstram haver famílias em que o trabalho se converteria em desgraça, pois reduz a receita, rebaixando-a tanto que absolutamente não chega para satisfazer mais que parte mínima das necessidades impostergáveis, se não for dado em complemento abono nos casos em que a remuneração da família não atinge a soma que receberia a título de socorro, se todos os membros estivessem desempregados (*Rep. Fact.*, outubro de 1863, pp. 50-53).

Desde 5 de junho de 1863, não houve semana em que o emprego da totalidade dos trabalhadores ultrapassasse em média 2 dias, 7 horas e alguns minutos (*loc. cit.*, p. 121).

As administrações de assistência aos pobres, o comitê central de socorro e o comitê do Paço Municipal de Londres distribuíram, desde o começo da crise até 25 de março de 1863, 3 milhões de libras esterlinas (p. 13).

> Em distrito em que se fia sem dúvida o fio mais fino [...] tiveram os fiandeiros redução indireta de salários de 15%, em virtude de substituir-se o algodão Sea Island pelo egípcio. [...] Em extenso distrito em que se misturam resíduos de algodão com algodão índico, os fiandeiros tiveram redução salarial de 5%, e além disso ainda perderam 20 a 30% com o emprego de Surat e resíduos. Os tecelões passaram de 4 teares para 2. Em 1860, faziam 5 xelins e 7 pence por tear, e em 1863, apenas 3 xelins e 4 pence. [...] As multas (incidentes sobre o fiandeiro), com algodão americano, variavam antes entre 3 e 6 pence, e hoje vão de 1 a 3 xelins e 6 pence.

Em distrito onde se empregava algodão egípcio misturado com o das Índias Orientais:

> Em 1860, o salário médio dos fiandeiros que trabalhavam com a *mule* era de 18 a 25 xelins, e agora é de 10 a 18. Isto decorre não só de ter piorado a qualidade do algodão, mas também de reduzir-se a velocidade da máquina, a fim de dar ao fio uma torção mais forte, pelo que em tempos normais se fazia pagamento extra de acordo com a tarifa de salários (pp. 43-50).

> Embora possa haver casos em que o fabricante lucra empregando o algodão índico, verificamos que os trabalhadores ficam aí prejudicados, em face dos níveis de remuneração de 1861 (ver tarifa de salários à p. 53). Quando se estabelece o emprego de Surat, os trabalhadores exigem a mesma remuneração de 1861; mas isto feriria seriamente o lucro do fabricante, caso não exista compensação no preço, ou do algodão, ou da manufatura (p. 105).

Aluguéis

Lemos sobre o assunto:

> Quando os trabalhadores moram em habitações que pertencem ao fabricante, os aluguéis são deduzidos com frequência do salário, mesmo quando trabalham tempo parcial. Apesar disso, caiu o valor desses imóveis, e casinholas se conseguem 25 a 50% mais baratas hoje que antes; uma que se obtinha antes a 3 xelins e 6 pence por semana, aluga-se hoje por 2 xelins e 4 pence, e às vezes até por menos (p. 57).

Emigração

Os fabricantes eram naturalmente contra a emigração dos trabalhadores, pois

> esperando melhores tempos para a indústria têxtil algodoeira, queriam ter disponíveis os meios para explorar as fábricas nas condições mais vantajosas. Além disso, muitos fabricantes são proprietários das habitações onde moram os trabalhadores que empregam, e pelo menos alguns deles contam como absolutamente certo receber mais tarde parte dos aluguéis devidos que se acumularam (p. 96).

O Sr. Bernal Osborne, em discurso a seus eleitores, em 22 de outubro de 1864, disse que os trabalhadores de Lancashire se comportaram como os filósofos da Antiguidade (os estoicos). Ou como carneiros?

VII.
Observações complementares

VII.
Observações complementares

Mesmo que, de acordo com a suposição aqui feita, o montante de lucro obtido em cada ramo particular de produção fosse igual à soma de mais--valia produzida por todo o capital nele investido, ainda assim o burguês não identificaria o lucro com a mais-valia, isto é, com o trabalho excedente não pago, pelas seguintes razões:

1) No processo de circulação, esquece o de produção. Quando converte em dinheiro o valor das mercadorias – que abrange a mais-valia –, acredita que cria essa mais-valia [um espaço deixado no manuscrito revela que Marx pretendia desenvolver este ponto. F.E.].

2) Suposto invariável o grau de exploração do trabalho, evidenciou-se que – excluindo-se todas as modificações decorrentes do sistema de crédito, todos os logros e fraudes recíprocos dos capitalistas, e a escolha mais ou menos feliz do mercado – a taxa de lucro pode variar muito, dependendo: do nível do preço da matéria-prima e do conhecimento técnico com que foi adquirida; de ser a maquinaria mais ou menos produtiva, adequada e barata; da maneira mais ou menos perfeita como se integram as diversas etapas do processo de produção; da medida em que se eliminam desperdícios de matéria-prima e em que são simples e eficazes a direção e o controle etc. Em suma, dada a mais-valia correspondente a determinado capital variável, ainda depende muito da capacidade profissional do próprio capitalista, ou de seus superintendentes e empregados, expressar-se a mesma mais-valia em taxa de lucro maior ou menor, e, portanto, obter ele montante maior ou menor de lucro. Admitamos que, em libras esterlinas, a mesma mais-valia de 1.000, produto de 1.000 empregadas em salários, esteja relacionada em A com 9.000 e em B com 11.000, de capital constante. No caso A, temos l' = $\frac{1.000}{10.000}$ = 10%. No caso B, l' = $\frac{1.000}{10.000}$ = $8\frac{1}{3}$ %. Em A, produz a totalidade do capital mais lucro que em B, pois a taxa de lucro é mais alta naquele que neste, embora nos dois casos o capital variável adiantado = 1.000 e a mais-valia dele extraída = 1.000, explorando-se, portanto, igualmente o mesmo número de trabalhadores. A maneira diferente como se apresenta a mesma quantidade de mais-valia, a divergência nas taxas de lucro e, por conseguinte, nos próprios lucros, sem que varie a exploração do trabalho, se pode decorrer de outras causas, pode decorrer única e exclusivamente da diferença na competência com que se dirigem os dois negócios. Essa circunstância leva o capitalista a acreditar – convencendo-o – que seu lucro não decorre da exploração do trabalho, ou pelo menos decorre também de outros fatores dela independentes, mas sobretudo de sua ação individual.

O CAPITAL

* * *

Do exposto nesta primeira parte infere-se a falsidade da ideia (de Rodbertus): a variação na magnitude do capital (com a renda fundiária, seria diferente, podendo ficar a mesma a superfície do solo e aumentar a renda) não influencia a relação entre lucro e capital, a taxa de lucro, portanto, pois, ao crescer a quantidade do lucro, cresce também a do capital com que se relaciona e vice-versa.

Isto só é verdadeiro em dois casos. Primeiro, quando, não se alterando as demais circunstâncias, sobretudo a taxa de mais-valia, sobrevém variação no valor da mercadoria que é a mercadoria-dinheiro (isto se estende à variação apenas nominal de valor, ascensão ou queda dos símbolos de valor, não se modificando as demais circunstâncias). Seja a totalidade do capital = 100 libras esterlinas, o lucro = 20 e portanto a taxa de lucro = 20%. Se o ouro cair ou subir de 100%,[I] na primeira hipótese o capital, que valia 100 libras esterlinas, passará a valer 200, e o lucro, que tinha antes valor de 20, passará a ter o de 40, isto é, ficará representado nessa expressão monetária. Na segunda hipótese, o capital passa a valer 50 libras esterlinas e o lucro configurar-se-á em produto no valor de 10 libras esterlinas. Mas, nas duas hipóteses, 200 : 40 = 50 : 10 = 100 : 20 = 20%. Em nenhuma hipótese dessa natureza sucede realmente variação na magnitude do valor-capital, mas apenas na expressão monetária do valor e da mais-valia. Assim, essa mudança não poderia influenciar $\frac{m}{C}$ nem a taxa de mais-valia.

Temos o segundo caso quando se modifica realmente a magnitude do valor, mas essa variação não se acompanha de variação na razão de v : c, isto é, quando, sendo constante a taxa de mais-valia, permanece a mesma a relação entre o capital desembolsado em força de trabalho (o capital variável considerado índice da força de trabalho posta em movimento) e o capital investido em meios de produção. Nessas condições, tenhamos C ou nc ou $\frac{C}{n}$, por exemplo, 1.000 ou 2.000 ou 500, o lucro, para uma taxa de 20%, será na primeira suposição de 200, na segunda de 400 e, na terceira, de 100, e $\frac{200}{1.000} = \frac{400}{2.000} = \frac{100}{500} = 20\%$. Vale dizer, a taxa de lucro permanece invariável porque a composição do capital continua a mesma e não foi atingida pela variação de sua magnitude. Acréscimo ou decréscimo do montante de lucro indica aí apenas acréscimo ou decréscimo na magnitude do capital empregado.

I Esse modo de dizer supõe que a base para o cálculo da percentagem é sempre a quantidade menor.

OBSERVAÇÕES COMPLEMENTARES

No primeiro caso, há variação apenas aparente na magnitude do capital empregado; no segundo, variação real sem que se altere a composição orgânica do capital, a relação entre a parte variável e a constante. Mas, excetuados esses dois casos, a variação na magnitude do capital aplicado ou é *consequência* de variação no valor ocorrida antes numa das partes componentes, e por isso (desde que a mais-valia varie, mas não com o capital variável) de variação na magnitude relativa desses componentes; ou é *causa* (trabalhos em grande escala, introdução de maquinaria nova etc.) de variação na magnitude relativa de ambos os componentes orgânicos. Por isso, em todos esses casos e desde que não se alterem as demais circunstâncias, a variação na magnitude do capital aplicado tem de estar acompanhada de variação correspondente na taxa de lucro.

A elevação da taxa de lucro deriva sempre de a mais-valia aumentar relativa ou absolutamente, do ponto de vista dos custos de produção, isto é, de todo o capital adiantado, ou de reduzir-se a diferença entre a taxa de lucro e a de mais-valia.

Flutuações na taxa de lucro, que não dependam de variarem os componentes orgânicos do capital ou a magnitude absoluta dele, são possíveis, se o valor do capital adiantado, na forma de capital fixo ou circulante, sobe ou desce em virtude de acréscimo ou decréscimo, independente do capital já existente, no tempo de trabalho necessário para reproduzi-lo. O valor de toda mercadoria – portanto das mercadorias de que se constitui o capital – é determinado não pelo tempo de trabalho necessário nela contido, mas pelo trabalho *socialmente* necessário, exigido para reproduzi-la. Essa reprodução pode suceder em condições mais fáceis ou mais difíceis, diferentes daquelas reinantes quando da produção primitiva. Se nas condições modificadas for mister o dobro ou a metade do tempo para reproduzir o mesmo capital material, passaria este, se valia antes 100 e desde que não se alterasse o valor do dinheiro, a valer 200 ou 50. Se essa elevação ou queda do valor atingisse igualmente todas as partes do capital, o lucro passaria correspondentemente a expressar-se em soma de dinheiro que seria o dobro ou a metade da anterior. Se a variação do valor redunda em alterar a composição orgânica do capital, fazendo subir ou descer a razão entre capital variável e capital constante, a taxa de lucro, não se alterando as demais condições, aumentará com o acréscimo relativo e diminuirá com decréscimo relativo do capital variável. Se apenas o valor monetário do capital adiantado sobe ou cai (em virtude de variação no valor do dinheiro), subirá ou cairá na mesma proporção a expressão monetária da mais-valia. A taxa de lucro fica invariável.

SEGUNDA SEÇÃO
CONVERSÃO DO LUCRO EM LUCRO MÉDIO

VIII.
Diferentes composições do capital nos diversos ramos e consequentes diferenças na taxa de lucro

VIII.

Diferentes composições do
capital nos diversos ramos
e consequentes diferenças
na taxa de lucro

Na Primeira Seção demonstrou-se, entre outras coisas, que a taxa de lucro pode variar, subir ou descer, sem que se altere a taxa de mais-valia. Neste capítulo, supomos que o grau de exploração do trabalho e, em consequência, a taxa de mais-valia e a duração da jornada são iguais, têm a mesma grandeza em todos os ramos de produção em que se reparte o trabalho social de dado país. A. Smith já demonstrou amplamente que muitas diferenças na exploração do trabalho em diversos ramos de produção se compensam pelos mais variados motivos reais ou aceitos pelo preconceito, e, por isso, como diferenças apenas aparentes ou efêmeras, não se consideram na pesquisa das condições gerais. Outras diferenças, no nível dos salários, por exemplo, decorrem em grande parte da existente entre trabalho simples e trabalho complexo, já mencionada no início do Livro 1, p. 62, e, embora tornem bem desigual a sorte dos trabalhadores nos diversos ramos de produção, não alteram aí o grau de exploração do trabalho. Se o trabalho de um oficial de ourivesaria é mais caro que o de um jornaleiro, produz o trabalho excedente do primeiro, para a mesma proporção, mais-valia maior que a do segundo. E, embora os mais variados obstáculos locais dificultem a nivelação dos salários e das jornadas de trabalho – por conseguinte, da taxa de mais-valia – nos diversos ramos de produção e mesmo nos diversos investimentos no mesmo ramo de produção, ainda assim ela se realiza cada vez mais com o progresso da produção capitalista e com a subordinação de todas as relações econômicas a esse modo de produção. Importa estudar as discrepâncias quando se trata particularmente de pesquisar salários, mas, na investigação geral da produção capitalista, devem elas ser postas de lado como fortuitas e acessórias. Nesta pesquisa de ordem geral, suporemos sempre que as condições reais correspondem ao respectivo conceito, ou, em outras palavras, as condições reais só estarão presentes na medida em que configuram o tipo geral delas.

Não interessam a esta pesquisa as diferenças nas taxas de mais-valia dos diversos países nem nos correspondentes graus de exploração do trabalho, portanto. O que pretendemos estudar agora é justamente a maneira como se forma num país uma taxa geral de lucro. Entretanto, é claro que, para comparar as taxas de lucro dos diversos países, teremos de conjugar o que se vai expor com o que já se expôs. A primeira coisa a observar é a divergência entre as taxas nacionais de mais-valia, comparando-se a seguir, na base dessas taxas, a diversidade nas taxas nacionais de lucro. Quando esta diversidade não decorre da divergência entre as taxas nacionais de mais-valia, é porque é devida a circunstâncias em que a mais-valia, como sucede nesta pesquisa, se supõe igual, constante por toda a parte.

No capítulo anterior, ficou patente que, suposta invariável a taxa de mais-valia, a taxa de lucro correspondente a determinado capital pode subir ou descer em virtude de circunstâncias que aumentam ou diminuem o valor desta ou daquela fração do capital constante, e por isso alteram a relação entre o componente constante e o variável do capital. Demais, vimos que circunstâncias que prolongam ou reduzem o tempo de rotação de um capital podem, de maneira semelhante, alterar a taxa de lucro. Sendo a quantidade de lucro idêntica à quantidade de mais-valia, à própria mais-valia, ficou também patente que a *quantidade* de lucro — ao contrário da *taxa* de lucro — não é atingida pelas flutuações de valor mencionadas. Estas modificavam apenas a percentagem em que se expressa determinada mais-valia, ou seja, lucro de magnitude dada, isto é, a grandeza relativa, a mais-valia medida pela magnitude do capital adiantado. Absorção ou liberação de capital, em virtude daquelas flutuações de valor, pode indiretamente alterar a taxa de lucro e, ainda, o próprio lucro. Entretanto, isto só se estendia a capital já investido, e não a novo investimento de capital; além disso, acréscimo ou decréscimo de lucro dependia sempre da medida em que, em virtude daquelas flutuações de valor, se podia, com o mesmo capital, mobilizar mais ou menos trabalho, produzir quantidade maior ou menor de mais-valia, para taxa constante. Vimos que, longe de contradizer a lei geral ou escapar a seu domínio, essa contradição aparente é de fato caso particular de aplicação dessa lei.

Na parte anterior, verificamos que, para o mesmo grau de exploração do trabalho, a taxa de lucro se modifica com variação no valor dos componentes do capital constante e no tempo de rotação do capital. Daí se infere naturalmente que as taxas de lucro de ramos de produção diversos, existentes ao lado um do outro, são diferentes, quando, não se alterando as demais condições, difere o tempo de rotação ou a relação de valor entre os componentes orgânicos dos capitais aplicados nesses ramos. O que antes examinávamos como alterações sucessivas ocorridas com o mesmo capital, examinaremos agora como diferenças verificadas ao mesmo tempo entre capitais que estão investidos em diferentes ramos de produção.

Teremos então de investigar: (1) a divergência na *composição orgânica* dos capitais e (2) a divergência no tempo de rotação deles.

DIFERENTES COMPOSIÇÕES DO CAPITAL NOS DIVERSOS RAMOS...

Em toda esta pesquisa, ao falar de composição ou rotação do capital de determinado ramo de produção, suporemos sempre, naturalmente, as proporções normais médias do capital aplicado no ramo, referir-nos-emos à média de todo o capital, e não às diferenças eventuais dos capitais aí aplicados, singularmente considerados.

Ademais, supondo-se constante a taxa de mais-valia e a jornada de trabalho, ficando, portanto, inalterável o salário, certa quantidade de capital variável expressa certa quantidade de força de trabalho posta em movimento e, por conseguinte, determinada quantidade de trabalho que se materializa. Assim, se 100 libras esterlinas expressam o salário semanal de 100 trabalhadores, indicam realmente a força de 100 trabalhadores, n × 100 libras esterlinas a de n × 100 trabalhadores e $\frac{100 \text{ libras esterlinas}}{n}$ a de $\frac{100}{n}$ trabalhadores. Aqui serve o capital variável, como sempre ocorre quando é dado o salário, de índice da massa de trabalho posta em movimento por determinado capital em sua totalidade; diferenças na magnitude do capital variável aplicado indicam, por isso, diferenças na quantidade da força de trabalho empregada. Se 100 libras esterlinas, correspondendo a 100 trabalhadores por semana com 60 horas semanais de trabalho para cada um, representam 6.000 horas de trabalho, 200 representarão 12.000, e 50, apenas 3.000 horas de trabalho.

Entendemos por composição do capital, conforme já vimos no Livro 1, a relação entre seu componente ativo e o passivo, entre a parte variável e a constante. Importam aí duas relações, que não têm igual peso, embora possam produzir em certas circunstâncias efeitos iguais.

A primeira é de ordem técnica e deve considerar-se dada para cada nível de desenvolvimento da produtividade. Quantidade determinada de força de trabalho, representada por número certo de trabalhadores, é necessária para produzir determinada quantidade de produto numa jornada, por exemplo, e inclusive para pôr em movimento, consumir produtivamente quantidade certa de meios de produção, de maquinaria, matérias-primas etc. Determinado número de trabalhadores corresponde a quantidade certa de meios de produção e, por isso, determinada quantidade de trabalho vivo, a quantidade certa de trabalho já materializado nos meios de produção. Esta relação difere muito nos diversos ramos de produção e amiúde nas diversas modalidades da mesma indústria, embora eventualmente possa ser a mesma ou quase, em ramos industriais muito afastados entre si.

Esta relação constitui a composição técnica do capital e é o verdadeiro fundamento de sua composição orgânica.

Mas é igualmente possível que ela seja a mesma em diferentes ramos industriais, tomando-se o capital variável por mero índice da força de trabalho e o capital constante por mero índice da massa de meios de produção posta em movimento. Por exemplo, certos trabalhos em cobre e ferro podem supor relação igual entre força de trabalho e massa de meios de produção. Mas, sendo o cobre mais caro que o ferro, será diferente nos dois casos a relação entre a parte variável e a constante, e, por conseguinte, a composição do valor nos dois capitais globais. Em cada indústria aparece a diferença entre a composição técnica e a composição segundo o valor, porque, não variando a composição técnica, pode variar a relação de valor entre as duas partes do capital, e, variando a composição técnica, ficar a mesma a relação de valor, ocorrendo naturalmente a última hipótese quando a mudança da relação entre as quantidades empregadas de meios de produção e de força de trabalho for compensada por mudança inversa nos respectivos valores.

Chamamos de composição *orgânica* do capital à composição do capital segundo o valor, na medida em que é determinada pela composição técnica e a reflete.[20]

Quanto ao capital variável, supomos que é índice de determinada quantidade de força de trabalho, de número certo de trabalhadores ou de quantidade certa de trabalho vivo posto em movimento. Vimos na parte anterior que mudança na magnitude do valor do capital variável pode representar apenas preço maior ou menor da mesma quantidade de trabalho; mas aqui descartamos essa hipótese, pois estamos considerando constantes a mais-valia e a jornada, e dado o salário para determinado tempo de trabalho. Por outro lado, diferença na magnitude do capital constante pode ser índice de mudança na quantidade dos meios de produção mobilizados por determinada quantidade de força de trabalho, mas pode provir também da diferença que existe, de um para outro ramo, no valor dos meios de produção empregados. Consideraremos os dois aspectos.

---

20 A passagem já está sucintamente desenvolvida na terceira edição do Livro 1, p. 628, no começo do Capítulo XXIII.[1] A circunstância de as duas edições anteriores não a conterem acentua a conveniência de reproduzi-la. — F.E.

[1] Ver Livro 1, pp. 667-668.

DIFERENTES COMPOSIÇÕES DO CAPITAL NOS DIVERSOS RAMOS...

Por fim, é essencial observar:

Sejam 100 libras esterlinas o salário semanal de 100 trabalhadores, o tempo de trabalho semanal = 60 horas, e a taxa de mais-valia = 100%. Neste caso, das 60 horas, os assalariados trabalham 30 para si mesmos e 30 gratuitamente para o capitalista. Nas 100 libras esterlinas de salários configuram-se de fato apenas 30 horas de trabalho dos 100 trabalhadores, ou seja, ao todo 3.000 horas de trabalho, enquanto as outras 3.000 horas que trabalham se corporificam nas 100 libras esterlinas de mais-valia, ou lucro, que o capitalista embolsa. O salário de 100 libras esterlinas, embora não expresse o valor em que se materializa o trabalho semanal dos 100 trabalhadores, indica entretanto (dados a duração da jornada e a taxa de mais-valia) que esse capital mobilizou 100 trabalhadores durante 6.000 horas de trabalho ao todo. O capital de 100 libras esterlinas indica isso, primeiro, porque revela o número dos trabalhadores mobilizados, sendo 1 libra esterlina = 1 trabalhador por semana, portanto 100 libras esterlinas = 100 trabalhadores; segundo, porque cada trabalhador mobilizado, à taxa dada de mais-valia de 100%, realiza o dobro do trabalho contido no salário, mobilizando 1 libra esterlina – o salário, expressão de meia semana de trabalho – semana inteira de trabalho, e 100 libras esterlinas, expressão de 50 semanas de trabalho, 100 semanas de trabalho. Há, portanto, diferença essencial a fazer nos dois aspectos do capital variável, desembolsado em salários: enquanto valor que representa a soma dos salários, determinada quantidade de trabalho materializado, e enquanto valor que é mero índice da quantidade de trabalho vivo que mobiliza. O trabalho vivo é sempre maior que o trabalho contido no capital variável e, por isso, configura-se em valor maior que o desse capital, valor determinado conjuntamente pelo número dos trabalhadores mobilizados pelo capital variável e pela quantidade de trabalho excedente que eles realizam.

Desse modo de ver o capital variável, infere-se:

Se para o capital global investido de 700 correspondem, no ramo de produção A, 100 a capital variável e 600 a constante, e, no ramo de produção B, 600 a variável e 100 a constante, o capital global A de 700 mobilizará força de trabalho de 100 e, de acordo com a suposição já formulada, apenas 100 semanas de trabalho ou 6.000 horas de trabalho vivo, enquanto o capital global B, da mesma magnitude, mobilizará 600 semanas de trabalho e, por conseguinte, 36.000 horas de trabalho vivo. O capital A apropriar-se-ia, portanto, de 50 semanas de trabalho ou de 3.000 horas de trabalho excedente, enquanto o capital B, de igual magnitude, de 300 semanas de trabalho ou de 18.000 horas. O capital variável é o índice do trabalho nele mesmo contido e ainda, dada a taxa de mais-valia, do trabalho mobilizado além desse conteúdo, o trabalho excedente. Para o mesmo grau de exploração do trabalho seria o lucro, no primeiro caso, $\frac{100}{700} = \frac{1}{7} = 14\frac{2}{7}$ % e, no segundo caso, $\frac{600}{700} = 85\frac{5}{7}$ %, registrando-se taxa de lucro seis vezes maior. Mas o lucro então seria realmente seis vezes maior, 600 para B contra 100 para A, porque se mobilizou, com o mesmo capital, seis vezes mais trabalho, produzindo-se, com o mesmo grau de exploração do trabalho, mais-valia seis vezes maior, por conseguinte seis vezes mais lucro.

Se se investissem em A não 700, mas 7.000 libras esterlinas, e em B apenas 700 libras esterlinas, empregaria A, não se alterando a composição orgânica do capital, em capital variável 1.000 libras esterlinas das 7.000, portanto 1.000 trabalhadores por semana = 60.000 horas de trabalho vivo, das quais 30.000 de trabalho excedente. Mas, agora como dantes, A mobilizaria para cada 700 libras esterlinas apenas $\frac{1}{6}$ do trabalho vivo e $\frac{1}{6}$ do trabalho excedente de B, e, por consequência, só produziria $\frac{1}{6}$ do lucro. Verifica-se que a taxa de lucro é $\frac{1.000}{7.000} = \frac{100}{700} = 14\frac{2}{7}$ % contra $\frac{600}{700}$ ou $85\frac{5}{7}$ % do capital B. Para iguais montantes de capital diferem as taxas de lucro porque, para igual taxa de mais-valia, mobilizando-se quantidades diversas de trabalho vivo, diferem as quantidades de mais-valia produzidas e, por conseguinte, de lucro.

Chegamos efetivamente ao mesmo resultado quando as relações técnicas de um ramo são iguais às de outro, mas é maior ou menor o valor dos elementos do capital constante aplicado. Admitamos que nos dois ramos o capital variável seja de 100 libras esterlinas, sendo necessários, portanto, 100 trabalhadores por semana para mobilizar a mesma quantidade de maquinaria e matéria-prima, mais caras, entretanto, em B que em A. Então, às 100 libras esterlinas de capital variável corresponderiam, digamos, capital constante de 200 em A e de 400 em B. Em cada um dos dois ramos, para a taxa de mais-valia de 100%, a mais-valia produzida seria de 100 libras esterlinas, e o lucro, de 100 libras esterlinas. Mas obtemos em $\frac{100}{200_c + 100_v} = \frac{1}{3} = 33\frac{1}{3}$ %, e em B $\frac{100}{400_c + 100_v} = \frac{1}{5} = 20$%. Com efeito, tomemos nos dois casos determinada parte alíquota do capital global: para cada 100 libras esterlinas, em B 20 ou $\frac{1}{5}$ constituem capital variável, enquanto em A 33 $\frac{1}{3}$ libras esterlinas ou $\frac{1}{3}$. B produz para cada 100 libras esterlinas menos lucro porque mobiliza menos trabalho vivo que A. A diversidade nas taxas de lucro reduz-se aqui, portanto, à diversidade, para cada 100 de capital investido, nas quantidades de lucro, ou seja, nas quantidades de mais-valia.

Este segundo exemplo difere do precedente nisto apenas: a equiparação entre A e B exigiria mudança no valor do capital constante, de A ou de B, sem alteração na base técnica, enquanto no primeiro exemplo, ao contrário, por ser a base técnica diferente nos dois ramos, teria ela de ser modificada para haver equiparação.

A composição orgânica dos capitais difere, portanto, sem depender da magnitude absoluta deles. Basta saber quanto em cada 100 é capital variável e, quanto, constante.

Capitais de magnitude diversa, reduzidos a 100, ou, o que resulta aqui no mesmo, capitais de igual magnitude produzem, portanto, com jornada e grau de exploração de trabalho iguais, quantidades diferentes de lucro, ou seja, de mais-valia. E a razão disso é que, segundo a diversa composição orgânica que os capitais apresentam nos diversos ramos, difere a parte variável, portanto as quantidades do trabalho vivo que mobilizaram e as quantidades do trabalho excedente – substância da mais-valia e, por conseguinte, do lucro – de que se apropriaram. Porções iguais do capital global nos diferentes ramos de produção constituem fontes desiguais de mais-valia, e a única fonte de mais-valia é o trabalho vivo. Para o mesmo grau de exploração do trabalho, a quantidade de trabalho mobilizada por um capital = 100 e, em consequência, o trabalho excedente de que se apropria depende da magnitude da parte variável. Se um capital, com a composição percentual de $90_c + 10_v$, produzisse, com o mesmo grau de exploração do trabalho, tanta mais-valia ou lucro quanto um capital com a composição $10_c + 90_v$, seria evidente que a mais-valia e, por conseguinte, o valor em geral não teriam o trabalho por fonte, e assim se eliminaria todo o fundamento racional da economia política. Se continuamos a supor que 1 libra esterlina corresponde ao salário semanal de um trabalhador por 60 horas de trabalho, e que a mais-valia é de 100%, é claro que todo o valor que um trabalhador pode produzir por semana = 2 libras esterlinas; 10 trabalhadores só podem produzir 20, e uma vez que 10 delas repõem o salário, não poderiam os 10 trabalhadores produzir mais que 10 libras esterlinas de mais-valia, enquanto 90 trabalhadores, com o produto-valor global = 180 libras esterlinas e o salário 90 libras esterlinas, criariam mais-valia de 90. Num caso, a taxa de lucro seria de 10%, e no outro de 90%. Se assim não fora, valor e mais-valia não seriam trabalho materializado, mas outra coisa. Como capitais em diversos ramos de produção, considerados percentualmente, ou seja, capitais de igual magnitude se repartem de maneira desigual em constante e em variável, mobilizando quantidade desigual de trabalho vivo e produzindo montante desigual de mais-valia, por conseguinte de lucro, difere neles a taxa de lucro, constituída justamente pela relação percentual entre a mais-valia e todo o capital.

Se os capitais percentualmente considerados, ou seja, capitais de igual magnitude, em diferentes ramos de produção produzem lucros desiguais em virtude da composição orgânica diversa, infere-se daí que os lucros de capitais desiguais em diferentes ramos de produção não podem estar na proporção da respectiva grandeza; que os lucros, portanto, em diferentes ramos de produção não são proporcionais às magnitudes dos correspondentes capitais aí aplicados. O acréscimo do lucro, na proporção da magnitude do capital aplicado, pressuporia que os lucros são percentualmente iguais; que, portanto, capitais de igual magnitude têm taxas de lucro iguais em diferentes esferas de produção, apesar de diferir a respectiva composição orgânica. Só no mesmo ramo de produção em que seja dada a composição orgânica do capital, ou em ramos diferentes com igual composição orgânica, são as quantidades de lucro proporcionais à quantidade dos capitais aplicados. Afirmar que os lucros de capitais desiguais são proporcionais à grandeza destes equivale apenas a dizer que capitais de igual magnitude dão lucros iguais, ou que a taxa de lucro é igual para todos os capitais, qualquer que seja a grandeza e a composição orgânica deles.

O exposto supõe que as mercadorias se vendem pelos respectivos valores. O valor de uma mercadoria é igual ao valor do capital constante nela contida, mais o valor do capital variável nela reproduzido, mais o acréscimo desse capital variável, a mais-valia produzida. A quantidade de mais-valia, para igual taxa, depende evidentemente da quantidade de capital variável. O valor do produto do capital de 100 é, num caso, de $90_c + 10_v + 10_m = 110$, e, no outro caso, de $10_c + 90_v + 90_m = 190$. Vendidas as mercadorias pelos respectivos valores, o primeiro produto sê-lo-á por 110, dos quais 10 representam mais-valia ou trabalho não pago, e o segundo por 190, correspondendo 90 a mais-valia ou a trabalho não pago.

Isto é sobretudo importante quando se comparam taxas de lucro de diferentes países. Digamos que a taxa de mais-valia, num país europeu, seja de 100%, trabalhando o operário meia jornada para si e meia para o empregador, e que, num país asiático, seja de 25%, trabalhando o operário $\frac{4}{5}$ da jornada para si e $\frac{1}{5}$ para o empregador. Admitamos ainda $84_c + 16_v$, e, no país asiático – onde se emprega pouca maquinaria etc., e dada quantidade de força de trabalho em dado tempo consome relativamente pouca matéria-prima na produção –, essa composição seja de $16_c + 84_v$. Temos então o seguinte:

No país europeu, valor do produto = $84_c + 16_v + 16_m = 116$; taxa de lucro = $\frac{16}{100} = 16\%$.

No país asiático, valor do produto = $16_c + 84_v + 21_m = 121$; taxa de lucro = $\frac{21}{100} = 21\%$.

Assim, a taxa de lucro no país asiático está mais de 25% acima da do europeu, embora a taxa de mais-valia daquele seja muito menor que a deste. Os Careys, Bastiats e outros do mesmo naipe pensarão justamente o contrário.

De passagem, observamos que taxas de lucro nacionais diversas, em regra, se baseiam em taxas de mais-valia nacionais diversas. Mas, neste capítulo, comparamos taxas de lucro desiguais, oriundas da mesma taxa de mais-valia.

Além da composição orgânica diversa dos capitais, por conseguinte além das quantidades diversas de trabalho e – supostas invariáveis as demais condições – de trabalho excedente mobilizadas por capitais de igual magnitude em diferentes ramos de produção, há a considerar ainda outra fonte de desigualdade nas taxas de lucro: a diferença na duração da rotação do capital nos diversos ramos de produção. Vimos no Capítulo IV que, com a mesma composição dos capitais e invariáveis as demais condições, as taxas de lucro se comportam em razão inversa aos tempos de rotação, e também que o mesmo capital variável, quando roda em prazos diferentes, produz quantidades diferentes de mais-valia anual. A diversidade dos tempos de rotação é, portanto, outra causa de capitais de igual magnitude em diferentes ramos de produção não produzirem lucros iguais em prazos iguais e de assim diferirem as taxas de lucro nesses diversos ramos.

Por outro lado, se consideramos os capitais compostos de elementos fixos e circulantes, veremos que a relação entre esses elementos, por si mesma, não influencia a taxa de lucro. Só pode influenciá-la quando a mudança nessa composição coincide com mudança na relação entre a parte variável e a constante, sendo a diferença na taxa de lucro devida a esta mudança, e não àquela relativa aos elementos fixos e circulantes; ou ainda, quando a relação diferente entre componentes fixos e circulantes determina diferença no tempo de rotação no qual se realiza dado lucro. A proporção diferente em que capitais se repartem em fixo e circulante terá sempre influência no tempo de rotação, diversificando-o; mas não se infira daí que seja diferente o tempo de rotação em que esses capitais realizam lucro. Se A, por exemplo, tem de converter constantemente parte maior do produto em matéria-prima etc., e B emprega por mais tempo máquinas equivalentes etc., com menos matéria-prima, ambos, enquanto estão produzindo, comprometem parte do respectivo capital; o primeiro, em matéria-prima, capital circulante, portanto, e o segundo em máquinas etc., ou seja, capital fixo. Sem cessar, A transforma parte do capital, que passa da forma de mercadoria para a de dinheiro e desta volta à de matéria-prima; mas B utiliza seu capital sem essa transformação, como instrumento de trabalho por prazo maior. Se ambos empregam a mesma quantidade de trabalho, a quantidade de produto vendida por um não será igual à vendida pelo outro, mas ambas as quantidades conterão mais-valia igual, e as taxas de lucro, calculadas sobre todo o capital adiantado, serão as mesmas, embora difiram a composição entre capital fixo e circulante e o tempo de rotação. Ambos os capitais realizam lucros iguais em tempos iguais, embora rodem em tempos diferentes.[21] De per si, a variação no tempo de rotação só importa quando influencia a quantidade de trabalho excedente possível de ser apropriado e realizado num tempo dado pelo mesmo capital. Se divergência na composição formada por capital circulante e capital fixo não implica necessariamente discrepância no tempo de rotação, a qual por sua vez determina diferença na taxa de lucro, é claro que, ao ocorrer essa diferença, não decorre ela da divergência nessa composição, mas antes da circunstância de essa divergência indicar discrepância nos tempos de rotação, a qual influencia a taxa de lucro.

Em si mesma, a composição diversa do capital constante segundo os elementos circulantes e os fixos, em diferentes ramos industriais, não tem importância para a taxa de lucro, pois a proporção do capital variável com o constante é o que decide, e o valor do capital constante, e portanto sua

---

21 [Do Capítulo IV resulta que a afirmativa só é verdadeira no caso de os capitais A e B terem composição diversa segundo o valor, mas se comportarem seus componentes variáveis, determinados percentualmente, em razão inversa aos tempos de rotação, isto é, ao número de rotações. Percentualmente, seja o capital A composto de 20_c fixo + 70c circulante e ao todo de $90_c + 10_v = 100$. Para taxa de mais-valia de 100%, 10_v produzem 10_m, numa rotação a que corresponde taxa de lucro = 100%. Seja B composto de 60_c fixo + 20c circulante, portanto $80_c + 20_v = 100$. Com a mesma taxa de mais-valia, os 20_v produzem 20_m numa rotação a que corresponde taxa de lucro = 20%, o dobro, portanto, em relação a A. Mas se A roda duas vezes por ano e B apenas uma, obterá aquele também 2 x 10 = 20_m por ano, e a taxa de lucro anual será igual para ambos, isto é, 20%. — F.E.

magnitude relativa em face do variável, não depende absolutamente do caráter fixo ou circulante de seus componentes. É evidente que – e isto leva a falsas conclusões – desenvolvimento importante do capital fixo expressa apenas que a produção se faz em grande escala, e, por isso, o capital constante prepondera muito sobre o variável, isto é, a força de trabalho viva aplicada é pequena em relação à massa dos meios de produção que ela põe em movimento.

Mostramos, portanto: em diferentes ramos industriais reinam taxas de lucro desiguais que correspondem à diversa composição orgânica dos capitais e, dentro dos limites referidos, aos diferentes tempos de rotação; e, por isso, também para igual taxa de mais-valia, só para capitais de igual composição orgânica – admitidos tempos de rotação iguais – é válida a lei segundo a qual os lucros se comportam de acordo com as magnitudes dos capitais, e, assim, capitais de magnitude igual fornecem, em prazos iguais, lucros de igual magnitude (de acordo com a tendência geral). A validade do exposto depende da base em que se fundamentou até agora nosso estudo: a de que as mercadorias são vendidas pelo valor. Por outro lado, não há a menor dúvida de que, na realidade, excluídas diferenças não essenciais, fortuitas e que se compensam, não existe diversidade nas taxas médias de lucro relativas aos diferentes ramos industriais, nem poderia existir, sem pôr abaixo todo o sistema de produção capitalista. Parece, portanto, que a teoria do valor é neste ponto incompatível com o movimento real, com os fenômenos positivos da produção, e que, por isso, se deve renunciar a compreendê-los.

Da Primeira Seção deste livro infere-se que os preços de custo são os mesmos para produtos de diferentes ramos, quando se adiantam para produzi-los porções iguais de capital, por mais diversa que seja a composição orgânica desses capitais. No preço de custo desaparece para o capitalista a diferença entre capital variável e capital constante. Se tem de adiantar 100 libras esterlinas para produzir uma mercadoria, o custo dela é o mesmo, invista ele $90_c + 10_v$ ou $10_c + 90_v$. Custa-lhe sempre 100 libras esterlinas, nem mais nem menos. Os preços de custo são os mesmos para investimentos iguais de capital em diferentes ramos de produção, por mais que difiram os valores e as mais-valias produzidos. Essa igualdade dos custos constitui a base da concorrência entre os capitais investidos, e a partir daí se forma o lucro médio.

IX.
Formação de taxa geral de lucro (taxa média de lucro) e conversão dos valores em preços de produção

A composição orgânica do capital, em qualquer momento, depende de duas circunstâncias: da relação técnica entre a força de trabalho empregada e a quantidade dos meios de produção utilizados, e do preço desses meios de produção. Deve ser considerada, como vimos, em termos percentuais. Expressamos pela fórmula $80_c + 20_v$ a composição orgânica de um capital constituído de $\frac{4}{5}$ do capital constante e $\frac{1}{5}$ de variável. Além disso, para estabelecer comparações, suporemos uma taxa invariável qualquer de mais-valia, digamos, de 100%. Assim, o capital de $80_c + 20_v$ proporciona mais-valia de 20_m, o que, em relação a todo o capital, constitui taxa de lucro de 20%. A magnitude do valor real do produto depende do montante da parte fixa do capital constante e de quanto dela, a título de desgaste, entra no produto. Uma vez que esta circunstância não altera a taxa de lucro, não importando, portanto, à presente pesquisa, suporemos, para simplificar, que o capital constante por inteiro entra sempre no produto anual dos capitais. Suporemos ainda que os capitais nos diferentes ramos realizam quantidade de mais-valia em inalterável proporção à grandeza da respectiva parte variável. Abstrairemos da diferença que aí pode surgir, em virtude da diversidade dos tempos de rotação. Trataremos deste ponto mais adiante.

Consideremos cinco ramos industriais diferentes em que os capitais investidos têm em cada um composição orgânica diversa, conforme apresentamos no quadro seguinte:

	Capitais	Taxa de mais-valia	Mais-valia	Valor do produto	Taxa de lucro
I.	$80_c + 20_v$	100%	20	120	20%
II.	$70_c + 30_v$	100%	30	130	30%
III.	$60_c + 40_v$	100%	40	140	40%
IV.	$85_c + 15_v$	100%	15	115	15%
V.	$95_c + 5_v$	100%	5	105	5%

Temos aí para ramos diversos, com a mesma exploração do trabalho, taxas de lucro diversas, correspondentes à diferente composição orgânica dos capitais.

Soma dos capitais investidos nos cinco ramos = 500, e a da mais-valia que produziram = 110; valor total das mercadorias que produziram = 610. Consideremos os 500 como um capital único, do qual I a V constituiriam diferentes partes (numa fábrica têxtil, por exemplo, nas diversas seções – a de cardas, a preparatória de fiação, a de fiação e a de tecelagem –, difere a relação entre capital variável e constante, sendo necessário calcular a relação média para toda a fábrica): a composição média do capital seria de 500 = $390_c + 110_v$, ou, percentualmente, $78_c + 22_v$. Todo capital de 100, convertido a $\frac{1}{5}$ do capital global, teria essa composição média de $78_c + 22_v$; correspondendo a cada 100 a mais-valia média de 22; assim, seria a taxa média do lucro = 22%, e, finalmente, seria de 122 o preço de cada quinta parte do produto global produzido pelos 500. O produto de cada quinto de todo o capital adiantado deveria, portanto, ser vendido por 122.

Todavia, para não se chegar a conclusões totalmente falsas, é mister não igualar a 100 todos os preços de custo.

Com $80_c + 20_v$ e taxa de mais-valia = 100%, o valor total da mercadoria produzida pelo capital I = 100 seria de $80_c + 20_v + 20_m = 120$, se todo o capital constante entrasse no produto anual. Isto pode eventualmente ocorrer em certos ramos industriais, mas é difícil de verificar-se nesse caso, em que a razão c : v = 4 : 1. Quanto aos valores das mercadorias produzidas por cada 100 dos diversos capitais, cabe ponderar que diferirão segundo a maneira diversa como c se compõe de elementos fixos e elementos circulantes, e que os componentes fixos dos diversos capitais se desgastam em maior ou menor espaço de tempo, acrescentando ao produto, em períodos iguais, quantidades desiguais de valor. Mas isto não influencia a taxa de lucro. Sendo 80_c o valor de 80 ou de 50 ou 5 ao produto anual, sendo o produto anual = $80_c + 20_v + 20_m = 120$, ou = $50_c + 20_v + 20_m = 90$, ou = $5_c + 20_v + 20_m = 45$, em todos esses casos é o excedente do valor do produto sobre o preço de custo = 20, e em todos eles determina-se a taxa de lucro relacionando-se esses 20 com um capital de 100; em todos eles, portanto, a taxa de lucro do capital I = 20%. Para maior clareza, no quadro seguinte fazemos entrar partes diferentes do capital constante no valor do produto dos mesmos cinco capitais.

	Capitais	Taxa de mais-valia	Mais-valia	Taxa de lucro	Desgaste de c	Valor das mercadorias	Preço de custo
I.	$80_c + 20_v$	100%	20	20%	50	90	70
II.	$70_c + 30_v$	100%	30	30%	51	111	81
III.	$60_c + 40_v$	100%	40	40%	51	131	91
IV.	$85_c + 15_v$	100%	15	15%	40	70	55
V.	$95_c + 5_v$	100%	5	5%	10	20	15
Soma	$390_c + 110_v$	–	110	–	–	–	–
Média	$78_c + 22_v$	–	22	–	22%	–	–

FORMAÇÃO DE TAXA GERAL DE LUCRO (TAXA MÉDIA DE LUCRO)...

Considerando novamente os capitais I a V como um capital global único, verificamos que continua a mesma a composição das somas dos cinco capitais = 500 = $390_c + 110_v$, por conseguinte a composição média = $78_c + 22_v$, e a mais-valia média = 22. Repartida igualmente a mais-valia por I a V, obteremos, para as mercadorias, os seguintes preços:

Capitais	Mais--valia	Valor das mercadorias	Preço de custo	Preço das mercadorias	Taxa de lucro	Desvio de preço (em relação ao valor)
I. $80_c + 20_v$	20	90	70	92	22%	+2
II. $70_c + 30_v$	30	111	81	103	22%	-8
III. $60_c + 40_v$	40	131	91	113	22%	-18
IV. $85_c + 15_v$	15	70	55	77	22%	+7
V. $95_c + 5_v$	5	20	15	37	22%	+17

Em suma, as mercadorias são vendidas 2 + 7 + 17 = 26 acima do valor e 8 + 18 = 26 abaixo do valor, de modo que os desvios de preços reciprocamente se anulam com a repartição uniforme da mais-valia, ou então com o acréscimo do lucro médio de 22 para cada 100 de capital adiantado, aos preços de custo das mercadorias I a V. Uma parte das mercadorias se vende acima do valor na mesma medida em que a outra é vendida abaixo. E só a venda a esses preços possibilita que a taxa do lucro de I a V seja uniforme, de 22%, apesar da diversa composição orgânica dos capitais I a V. Os preços que obtemos, acrescentando a média das diferentes taxas de lucro dos diferentes ramos aos preços de custo dos diferentes ramos, são os *preços de produção*. Requerem a existência de taxa geral de lucro, e esta, por sua vez, supõe que as taxas de lucro consideradas de per si em cada ramo particular de produção já estejam reduzidas a outras tantas taxas médias. Essas taxas particulares de lucro são em cada ramo de produção = $\frac{m}{C}$, e devem ser inferidas, como fizemos na Primeira Seção, do valor da mercadoria. Sem essa inferência, esvazia-se de sentido e conteúdo a noção da taxa geral de lucro e, por conseguinte, a de preço de produção da mercadoria. O preço de produção da mercadoria é, portanto, igual ao preço de custo mais o lucro que percentualmente se lhe acrescenta correspondente à taxa geral de lucro, ou igual ao preço de custo mais o lucro médio.

Em virtude da diversa composição orgânica dos capitais investidos em diferentes ramos de produção, em virtude de capitais de igual magnitude mobilizarem quantidades muito diferentes de trabalho, de conformidade com a diversa porcentagem que o capital variável representa num capital global de grandeza dada, apropriam-se esses capitais de quantidades muito diversas de trabalho excedente, ou seja, produzem quantidades muito diferentes de mais-valia. Por isso, originalmente diferem muito as taxas de lucro reinantes nos diferentes ramos de produção. As taxas diferentes de lucros, por força da concorrência, igualam-se numa taxa geral de lucro, que é a média de todas elas. O lucro que, de acordo com essa taxa geral, corresponde a capital de grandeza dada, qualquer que seja a composição orgânica, chama-se de lucro médio. O preço de produção de uma mercadoria é igual ao preço de custo + a parte do lucro médio anual relativo ao capital aplicado (consumido ou não, na produção dela, calculando-se essa parte de acordo com as condições de rotação dessa mercadoria. Tomemos, por exemplo, um capital de 500, sendo a porção fixa de 100, com 10% de desgaste, durante um período de rotação da porção circulante de 400. Seja de 10% o lucro médio para esse período de rotação. Então, o preço de custo do produto obtido durante essa rotação será: 10_c dará desgaste + $400_{(c+v)}$ de capital circulante = 410; e o preço de produção: 410 de preço de custo + (10% de lucro sobre 500) 50 = 460.

Os capitalistas dos diferentes ramos, ao venderem as mercadorias, recobram os valores de capital consumidos para produzi-las, mas a mais-valia (ou lucro) que colhem não é a gerada no próprio ramo com a respectiva produção de mercadorias, e sim a que cabe a cada parte alíquota do capital global, numa repartição uniforme da mais-valia (ou lucro) global produzida, em dado espaço de tempo, pelo capital global da sociedade em todos os ramos. Cada 100 de capital adiantado, qualquer que seja a composição, recolhe, todo ano ou noutro espaço de tempo, o lucro que corresponde, nesse período, a cada 100, como simples fração do capital global. Aqui, do ponto de vista do lucro, os capitalistas são vistos como simples acionistas de uma sociedade anônima em que os dividendos se repartem segundo percentagem uniforme, só se distinguindo os dividendos correspondentes a cada capitalista pela magnitude do capital que cada um colocou no empreendimento comum, pela participação percentual que tem na empresa, pelo número de ações que possui. Assim, regula-se inteiramente pelo dispêndio feito

FORMAÇÃO DE TAXA GERAL DE LUCRO (TAXA MÉDIA DE LUCRO)...

dentro do respectivo ramo o preço de custo, isto é, a parte do preço das mercadorias a qual substitui as frações de valor do capital consumidas na produção e, por isso, necessariamente serve para comprá-las de volta. Mas, diversamente, o outro componente do preço das mercadorias, o lucro acrescentado ao preço de custo, não se regula pela quantidade de lucro que determinado capital produz em determinado ramo em dado tempo, e sim pela quantidade de lucro que corresponde em média, em dado período, a cada capital aplicado como parte alíquota do capital global da sociedade empregado em toda a produção.[22]

Um capitalista, vendendo mercadoria ao preço de produção, recebe dinheiro no valor do capital consumido para produzi-la e obtém lucro na proporção do capital adiantado, qualificado como simples parte alíquota de todo o capital da sociedade. Os preços de custo são específicos. O acréscimo do lucro ao preço de custo não depende de seu ramo particular de produção; é simples média percentual do capital adiantado.

Admitamos que pertençam a uma só pessoa os cinco investimentos de I a V do exemplo anterior. Dada, para cada um dos investimentos I a V, a percentagem consumida de capital variável e capital constante para produzir as mercadorias, essa fração do valor das mercadorias I a V constituiria, sem dúvida, parte do preço delas, pois é necessário, no mínimo, preço que recupere a parte adiantada e consumida do capital. Esses preços de custo variariam, portanto, segundo cada espécie das mercadorias I a V, e, por isso, o dono os fixaria em níveis diversos. Mas, quanto às diferentes quantidades de mais-valia ou lucro produzidas por I a V, poderia o capitalista muito bem considerá-las lucro resultante de todo o capital adiantado, de modo que correspondesse a cada 100 de capital determinada parte alíquota. Assim, seriam diferentes os preços de custo das mercadorias produzidas nas seções individualizadas I a V, mas seria igual em todas as mercadorias a parte do preço de venda, oriunda do lucro acrescentado para cada 100 de capital. O preço total das mercadorias I a V seria, portanto, igual ao valor total delas, isto é, igual à soma dos preços de custo I a V + a soma da mais-valia ou lucro produzida em I a V; seria, na realidade, a expressão monetária da quantidade total de trabalho contido nas mercadorias I a V, o passado e o novo acrescentado. Da mesma maneira, na sociedade, considerada a

---

22 Cherbuliez.[I]
I Cherbuliez, *Richesse ou pauvreté*, Paris, 1841, pp. 70-72.

totalidade dos ramos de produção, a soma dos preços de produção das mercadorias produzidas é igual à soma dos valores delas.

A esta afirmativa parece opor-se a circunstância de, na produção capitalista, serem em regra comprados no mercado os elementos do capital produtivo, já contendo seus preços o lucro já realizado, e de entrar o lucro de um ramo industrial, uma vez que o preço de produção abrange o lucro, no preço de custo de outro ramo. Mas, quando a soma dos preços de custo das mercadorias de todo o país se colocam de um lado, e do outro a soma dos lucros ou mais-valias, é claro que as contas têm de se ajustar. Tomemos, por exemplo, uma mercadoria A; seu preço de custo pode incluir os lucros de B, C, D, do mesmo modo que os lucros de A podem entrar nos preços de custo de B, C, D etc. Assim, verificamos que falta o lucro de A no próprio preço de custo, e os lucros de B, C, D etc., nos respectivos preços de custo. Nenhum deles inclui o próprio lucro no preço de custo. Se houver, por exemplo, n ramos de produção, fazendo-se em cada um lucro igual a l, o preço de custo de todos juntos = $k - nl$. Se considerarmos a conta toda, os lucros de um ramo de produção que entram no preço de custo de outros já estão computados no preço global do produto final, e não podem ser novamente computados na coluna de lucro. Só devem aparecer nessa coluna, quando a própria mercadoria é produto final, não entrando seu preço de produção no preço de custo de outra.

Se, no preço de custo de uma mercadoria, entra uma soma = l correspondente aos lucros dos produtores do meio de produção, e se se adiciona a esse preço de custo lucro = l_1, então o lucro global $L = l + l_1$. O preço de custo total da mercadoria, excluídas todas as partes do preço correspondentes a lucro, é o preço de custo menos L. Chamando-se de k esse preço de custo, é claro que $k + L = k + l + l_1$. Ao tratar da mais-valia no Livro 1, Capítulo VII, p. 239s., vimos que, no produto de todo capital, pode-se considerar uma parte destinada apenas a repor o capital e a outra a configurar mais-valia somente. Aplicada essa maneira de calcular ao produto global da sociedade, há retificações a fazer, de modo que, no conjunto social, o lucro, por exemplo, contido no preço da fibra de linho não figure duas vezes: como elemento do preço do linho e como parte do lucro do produtor da fibra.

Não cria diferenças entre lucro e mais-valia a circunstância de a mais--valia de A entrar no capital constante de B. Não importa ao valor das mercadorias que seja pago ou não o trabalho nelas contido. Isto apenas demonstra que B paga a mais-valia de A. Não se pode considerar duas vezes a mais-valia de A na contabilidade global.

Mas há a considerar a seguinte diferença entre lucro e mais-valia: sabemos que o preço do produto do capital B, por exemplo, se desvia do valor porque a mais-valia realizada por B pode ser maior ou menor que o lucro incluído no preço dos produtos de B, o que se estende às mercadorias que constituem a parte constante do capital B e às que, indiretamente, como meios de subsistência dos trabalhadores, formam a parte variável. Assim, a parte constante é igual ao preço de custo acrescido de mais-valia, igual, portanto, ao preço de custo + lucro, e este pode ultrapassar ou ser ultrapassado pela mais-valia que substitui. Quanto ao capital variável, o salário médio diário é igual ao produto-valor do número de horas que o trabalhador tem de trabalhar para produzir os meios de subsistência necessários. Mas esse número de horas é, por sua vez, alterado por se desviarem de seus valores os preços de produção dos meios de subsistência necessários. Todavia, essa discrepância se reduz sempre ao seguinte: se uma mercadoria tem mais-valia demais, outra a tem de menos, e, por isso, os desvios do valor apresentados pelos preços de produção das mercadorias se compensam reciprocamente. Aliás, em toda a produção capitalista a lei geral só se impõe como a tendência dominante de maneira aproximativa e muito baralhada, transparecendo, em média, móvel de flutuações eternas.

Sendo a taxa geral de lucro constituída pela média das diferentes taxas de lucro, num determinado prazo, digamos um ano, para cada 100 de capital adiantado, desaparece aí também a diferença resultante da diversidade dos tempos de rotação dos vários capitais. Mas essas diferenças influem decisivamente nas diferentes taxas de lucro dos vários ramos, e **a** média dessas taxas constitui a taxa geral de lucro.

Para ilustrar a formação da taxa geral de lucro, fizemos todo capital em todo ramo de produção igual a 100, pois importa pôr em evidência a variação percentual da taxa de lucro e, portanto, a variação dos valores das mercadorias produzidas por capitais de igual magnitude. Mas é evidente que as quantidades reais de mais-valia produzidas em cada ramo particular de produção dependem, uma vez que é dada em cada um desses ramos a composição do capital, da magnitude dos capitais aplicados. Entretanto, a *taxa* particular de lucro de um ramo de produção isolado não se altera se tomarmos por capital 100, 100m ou 100mx. A taxa de lucro continua a ser 10%, relacione-se o lucro global de 10 ou de 1.000 respectivamente com 100 ou 10.000.

O CAPITAL

As taxas de lucro nos diferentes ramos diferem, em virtude de neles serem produzidas quantidades muito diversas de mais-valia e, portanto, de lucro, de acordo com a relação existente entre o capital variável e todo o capital. É claro que o lucro médio para cada 100 do capital da sociedade, e, portanto, a taxa média de lucro ou a taxa geral de lucro, diferirão muito, de acordo com as magnitudes correspondentes aos capitais aplicados nos diferentes ramos. Sejam quatro capitais A, B, C e D, todos eles com taxa de mais-valia de 100%. Admitamos, para cada 100 do capital total, que o capital variável de A = 25, o de B = 40, o de C = 15 e o de D = 10. Assim, para cada 100 do capital total, seria mais-valia ou lucro de A = 25, de B = 40, de C = 15 e de D = 10; soma = 90, e, por conseguinte, se os quatro capitais são de igual magnitude, taxa média de lucro = $\frac{90}{4}$ = $22\frac{1}{2}$ %.

Mas digamos que as magnitudes dos capitais globais sejam: A = 200, B = 300, C = 1.000 e D = 4.000. Então, os lucros produzidos seriam respectivamente 50, 120, 150 e 400. Ao todo, 5.500 de capital, lucro de 720 ou taxa média de lucro de $13\frac{1}{11}$ %.

As quantidades do valor total produzido são diversas segundo as diferentes magnitudes dos capitais globais respectivos de A, B, C e D. Para se formar a taxa geral de lucro, o que está em jogo não são apenas as diferentes taxas de lucro nos vários ramos, das quais se tiraria a média, mas o peso relativo com que essas diferentes taxas de lucro entram na formação da média. Isto, porém, depende da magnitude relativa do capital aplicado em cada esfera particular de produção ou da parte alíquota que o capital aplicado em cada ramo particular representa do capital total da sociedade. Fará, naturalmente, grande diferença a circunstância de parte maior ou menor do capital total proporcionar taxa de lucro mais ou menos elevada. E isto, por sua vez, decorre da quantidade de capital empregado nos ramos com proporção grande ou pequena de capital variável. É o mesmo que se dá com a taxa média de juros obtida por um usurário que empresta diferentes capitais a diferentes taxas de juros, digamos, a 4, 5, 6, 7%. A taxa média depende da quantidade de seu capital emprestada a cada uma dessas várias taxas.

Assim, a taxa geral de lucro é determinada por dois fatores: (1) pela composição orgânica dos capitais nos diferentes ramos, portanto pelas diferentes taxas de lucro dos vários ramos; (2) pela repartição do capital total da sociedade nesses diferentes ramos, portanto pela magnitude relativa do capital aplicado em cada ramo particular e, por isso, a uma taxa particular

FORMAÇÃO DE TAXA GERAL DE LUCRO (TAXA MÉDIA DE LUCRO)...

de lucro; vale dizer, pela proporção das cotas do capital total da sociedade, absorvidas pelos ramos particulares de produção.

Nos livros 1 e 2 só tínhamos de nos ocupar com os *valores*. Agora, destacou-se como parte do valor o *preço de custo* e, além disso, surgiu uma forma transmutada do valor, o *preço de produção* da mercadoria.

Se a composição do capital médio da sociedade for $80_c + 20_v$ e a taxa anual de mais-valia T = 100%, a taxa média de lucro anual para 100 de capital seria de 20, e a taxa geral de lucro anual, de 20%. Qualquer que seja o preço de custo k das mercadorias anualmente produzidas por um capital de 100, será o preço de produção delas = k + 20. Nos ramos de produção em que a composição do capital = $(80 - x)_c + (20 + x)_v$, a mais-valia efetivamente produzida, ou seja, o lucro anual produzido dentro desse ramo, será igual a 20 + x, ultrapassando 20, portanto, e o valor das mercadorias produzidas = k + 20 + x, ultrapassando k + 20, o preço da produção delas. Nos ramos em que a composição do capital = $(80 + x)_c + (20 - x)_v$, será a mais-valia anualmente produzida ou lucro = 20 - x, menor, portanto, que 20, e por isso o valor da mercadoria k + 20 - x será menor do que o preço de produção k + 20. Excetuadas eventuais diferenças no tempo de rotação, o preço de produção das mercadorias só coincidirá com o valor delas nos ramos em que a composição do capital, casualmente, for de $80_c + 20_v$.

O desenvolvimento específico da produtividade social do trabalho varia segundo os ramos particulares de produção e está na razão direta da quantidade dos meios de produção mobilizados por determinada quantidade de trabalho, portanto, por determinado número de trabalhadores para dada jornada, e na razão inversa da quantidade de trabalho exigida para determinada quantidade de meios de produção. Por isso, chamamos os capitais que relativamente contêm mais capital constante e menos variável do que o capital médio da sociedade, de capitais de composição *superior*. Inversamente, aqueles que têm percentagem maior de capital constante e menor de capital variável que o capital social médio, chamamos de capitais de composição *inferior*. Finalmente, chamamos de capital de composição média aqueles cuja composição coincide com a do capital social médio. Se o capital social médio se compõe percentualmente de $80_c + 20_v$, um capital de $90_c + 10_v$ está acima, e um de $70_c + 30_v$ está abaixo da média social. Generalizando, se a composição do capital social médio = $m_c + n_v$, sendo m e n grandezas constantes e m + n = 100, representa $(m + x)_c + (n - x)_v$ a composição superior, e $(m - x)_c + (n + x)_v$ a composição inferior, de um capital único ou de um grupo de capitais. O esquema abaixo mostra como funcionam esses capitais, após formar-se a taxa média de lucro, supondo-se uma rotação por ano. I representa a composição média e por isso a taxa média de lucro = 20.

I. $80_c + 20_v + 20_m$. Taxa de lucro = 20%
Preço do produto = 120.
Valor = 120.

II. $90_c + 10_v + 10_m$. Taxa de lucro = 20%
Preço do produto = 120.
Valor = 110.

III. $70_c + 30_v + 30_m$. Taxa de lucro = 20%.
Preço do produto = 120.
Valor = 130.

Para as mercadorias produzidas pelo capital II, o valor seria menor do que o preço de produção; para as do capital III, o preço de produção menor que o valor, e só as produzidas pelos capitais dos ramos de produção de composição por casualidade coincidente com a social média teriam valor e preço de produção iguais. Demais, ao aplicar-se essa terminologia a casos determinados, é preciso, naturalmente, levar em conta até que ponto mera variação no valor dos elementos do capital constante — e não eventual diferença na composição técnica — faz a relação entre c e v desviar-se da média geral.

Em virtude do exposto, modificou-se a determinação do preço de custo das mercadorias. No início, admitimos que o preço de custo de uma mercadoria era igual ao *valor* das mercadorias consumidas para produzi-la. Mas, para o comprador, o preço de produção de uma mercadoria é o preço de custo, podendo, por isso, entrar na formação do preço de outra mercadoria como preço de custo. Uma vez que o preço de produção da mercadoria pode desviar-se do valor, também o preço de custo de uma mercadoria, no qual se inclui esse preço de produção de outra mercadoria, está acima ou abaixo da parte do valor global formada pelo valor dos correspondentes meios de produção consumidos. Em virtude dessa significação modificada do preço de custo, é necessário lembrar que é sempre possível um erro quando, num ramo particular de produção, se iguala o preço de custo da mercadoria ao valor dos meios de produção consumidos para produzi-la.

FORMAÇÃO DE TAXA GERAL DE LUCRO (TAXA MÉDIA DE LUCRO)...

Em nossa pesquisa atual, é desnecessário insistir neste ponto. Entretanto, continua correta a afirmativa de que o preço de custo das mercadorias é menor que o valor. Assim, por mais que o preço de custo da mercadoria se desvie do valor dos correspondentes meios de produção consumidos, temos aí desacerto pretérito que não interessa ao capitalista. O preço de custo da mercadoria é um dado, uma condição preliminar, independente da produção que o capitalista está explorando, enquanto o resultado dessa produção é mercadoria que contém mais-valia, valor que excede, portanto, o preço de custo. Fora disso, a afirmativa de ser o preço de custo menor que o valor da mercadoria se transforma agora praticamente na afirmativa de ser o preço de custo menor que o de produção. As duas afirmativas são idênticas, quando consideramos todo o capital da sociedade, pois, para ele, o preço de produção é igual ao valor. Embora a diferença de sentido se manifeste nos ramos particulares de produção, subsiste sempre o fato fundamental de que, para todo o capital da sociedade, o preço de custo das mercadorias por ele produzidas é menor do que o valor ou do que o preço de produção, idêntico ao valor, considerando-se toda a massa das mercadorias produzidas. O preço de custo de uma mercadoria refere-se à quantidade do trabalho pago nela contido; o valor, à totalidade do trabalho nela contido, pago e não pago; o preço de produção, à soma do trabalho pago, acrescida de determinada quantidade de trabalho não pago, segundo cada ramo de produção e independente dele.[I]

O preço de produção de uma mercadoria = k + l, preço de custo + lucro: esta fórmula se torna agora mais precisa com l = kl', sendo l' a taxa geral de lucro, e assim temos o preço de produção = k + kl'. Se k = 300 e l' = 15%, o preço de produção k + kl' = 300 + 300 $(\frac{15}{100})$ = 345.

Em cada ramo particular, pode variar o preço de produção das mercadorias:
1) em virtude de variação na taxa geral de lucro, independentemente do ramo particular de produção, sem alterar-se nele o valor das mercadorias, de modo que se continue a empregar a mesma quantidade de trabalho morto e vivo para produzi-las;
2) em virtude de variação do valor – constante a taxa geral de lucro – ocorrida no próprio ramo particular de produção e decorrente de modificação técnica, ou ocorrida nas mercadorias que são elementos constitutivos do capital constante do ramo;

I Ver Livro 1, p. 113s.

3) finalmente, pela ação conjugada das circunstâncias mencionadas.

Como veremos adiante, ocorrem sem cessar grandes mudanças nas taxas de lucro efetivas dos ramos particulares de produção. Apesar disso, uma alteração verdadeira na taxa geral de lucro, quando não decorre excepcionalmente de acontecimentos econômicos extraordinários, é o resultado tardio de uma série de oscilações que se estendem por períodos muito longos. Essas oscilações precisam de muito tempo até que se estabilizem e se compensem com a alteração da taxa geral de lucro. Por isso, tratando-se de períodos curtos e excluídas as flutuações dos preços de mercado, sempre se explica evidentemente qualquer alteração nos preços de produção por variação efetiva no valor das mercadorias, por variação na quantidade global do trabalho necessário para produzi-las. Naturalmente, não se levam em conta aí mera variação na expressão monetária desses valores.[23]

É claro que, se consideramos todo o capital da sociedade, a soma de valores (ou seja, monetariamente, dos preços) das mercadorias por ele produzidas = valor do capital constante + valor do capital variável + mais-valia. Suposto constante o grau de exploração do trabalho, a taxa de lucro só pode então variar, sem que se altere a quantidade de mais-valia, se variar ou o valor do capital constante ou o do variável, ou o de ambos, de modo que C se modifique e, em consequência, $\frac{m}{C}$, a taxa geral de lucro. Nesses casos, uma variação na taxa geral de lucro supõe variação no valor das mercadorias que são elementos constitutivos do capital constante, ou do capital variável ou de ambos ao mesmo tempo.

A taxa geral de lucro pode variar, sem que se altere o valor das mercadorias, quando varia o grau de exploração do trabalho.

A taxa geral de lucro ainda pode variar, sem que se altere o grau de exploração do trabalho, quando a soma do trabalho aplicado varia em relação ao capital constante, em virtude de modificações técnicas no processo de trabalho. Mas essas modificações técnicas têm de revelar-se numa variação de valor das mercadorias, sendo por ela acompanhadas. Então, produzir as mercadorias exigirá quantidade de trabalho maior ou menor que anteriormente.

Vimos na Primeira Seção: mais-valia e lucro eram idênticos, quanto à massa. Todavia, a taxa de lucro desde logo se distinguiu da taxa de mais-valia, parecendo ser inicialmente apenas outra forma de calcular; mas isto

---

23 Corbet, p. 714.

desde logo obscurece e dissimula a verdadeira origem da mais-valia, pois a taxa de lucro pode subir ou descer sem que se altere a taxa da mais-valia ou vice-versa, além de só interessar praticamente ao capitalista a taxa de lucro. Entretanto, só se notava diferença de magnitude entre taxa de mais-valia e taxa de lucro, e não entre mais-valia e lucro. Uma vez que, para o cálculo da taxa de lucro, se relaciona a mais-valia com o capital global, como se fosse a medida dela, a mais-valia aparece como derivada de todo o capital, uniformemente de todas as suas partes, de modo que desaparece, com a ideia de lucro, a diferença orgânica entre capital constante e capital variável. Por isso, na figura transmutada de lucro, a mais-valia encobre sua origem, perde seu caráter, torna-se irreconhecível. Até aí, a diferença entre lucro e mais-valia referia-se apenas à mudança quantitativa de forma, só existindo diferença quantitativa, nessa primeira ordem de transformação, entre taxa de lucro e taxa de mais-valia, e não entre lucro e mais-valia.

A coisa muda quando se estabelece taxa geral de lucro e, por meio dela, lucro médio, correspondente à magnitude dada do capital aplicado nos diferentes ramos de produção.

Agora sabemos que só por casualidade a mais-valia realmente produzida num ramo particular de produção, ou seja, o lucro, coincide com o lucro contido no preço de venda da mercadoria. Em regra, lucro e mais-valia, e não apenas as respectivas taxas, são magnitudes de fato diferentes. Dado o grau de exploração do trabalho, a quantidade de mais-valia produzida num ramo particular de produção é mais importante para o lucro médio global do capital da sociedade, portanto para a classe capitalista em conjunto, do que diretamente para o capitalista em cada ramo particular de produção. Para ele,[24] a quantidade de mais-valia produzida em seu ramo só tem consequências quando contribui para regular o lucro médio. Mas isto é um processo de que não toma consciência, que não vê, não compreende e efetivamente não lhe interessa. A diferença quantitativa real entre lucro e mais-valia – e não apenas entre as respectivas taxas – nos ramos particulares de produção oculta, então, inteiramente a verdadeira natureza e a origem do lucro, não apenas para o capitalista, que tem aí especial interesse em enganar-se, mas também para o trabalhador. Com a transformação dos valores em preços de produção, encobre-se a própria base da determinação

---

[24] Evidentemente, aí está posta de lado a possibilidade de obtenção momentânea de lucro extraordinário, reduzindo-se salários, estabelecendo-se preço de monopólio etc. — F.E.

do valor. E mais. A simples transformação da mais-valia em lucro leva a parte do valor a qual constitui o lucro a confrontar a outra parte, o preço de custo da mercadoria, já fazendo desaparecer para o capitalista a noção do valor. É que não tem ele diante de si o trabalho total que custa produzir a mercadoria, mas apenas a parte paga desse total, viva ou morta, configurada em meios de produção, aparecendo-lhe desse modo o lucro como algo extrínseco ao valor encerrado na mercadoria. E essa imagem plenamente se confirma, consolida e ossifica quando, na realidade, o lucro acrescentado ao preço de custo, em cada ramo particular de produção, não é determinado pelos limites da formação do valor aí ocorrida, mas por fatores inteiramente externos.

Revela-se aqui, pela primeira vez, esse encadeamento interno. E, como veremos a seguir e no Livro 4, a economia até agora forçadamente abstraiu das diferenças entre mais-valia e lucro, entre taxa de mais-valia e taxa de lucro, para continuar tendo por fundamento a determinação do valor, ou então renunciou não só a essa determinação do valor, mas também a toda base de atividade científica, a fim de ater-se às diferenças ostensivas e superficiais. Essa confusão teórica é a melhor prova de que o capitalista prático não está em condições de ver além dos fenômenos da concorrência que o empolga; de reconhecer, ultrapassando a aparência, a essência recôndita e a estrutura interna desse processo.

Todas as leis apresentadas na Primeira Seção, relativas à variação da taxa de lucro, têm na realidade a dupla significação seguinte:

I) Por um lado, elas são as leis da taxa geral de lucro. Em face das causas diferentes e múltiplas que, segundo o exposto, fazem variar a taxa de lucro, seria de pensar que a taxa geral de lucro tivesse de modificar-se todos os dias. Mas o movimento num ramo de produção neutraliza o ocorrente noutro, as influências cruzam-se e freiam-se. Mais adiante, investigaremos para onde, em última instância, tendem as flutuações. Mas elas são lentas. A rapidez, a multiplicidade e a duração diversa das flutuações nos vários ramos fazem que elas se compensem em parte na sequência cronológica, seguindo à ascensão a queda de preço e inversamente; que se localizem, isto é, se limitem a determinado ramo; e, finalmente, que as diversas flutuações localizadas se neutralizem reciprocamente. Dentro de cada ramo particular de produção, ocorrem variações, desvios da taxa geral de lucro, que não a influenciam porque se compensam em determinado decurso de tempo ou porque são anuladas por outras flutuações simultâneas no próprio ramo.

FORMAÇÃO DE TAXA GERAL DE LUCRO (TAXA MÉDIA DE LUCRO)...

A taxa geral de lucro é determinada não só pela taxa média de lucro em cada ramo, mas também pela repartição de todo o capital pelos diferentes ramos particulares, a qual, mudando sem cessar, constitui causa permanente de variação na taxa geral de lucro, mas causa que, por sua vez, em virtude do caráter ininterrupto e ubíquo desse movimento, se torna muitas vezes ineficaz.

II) Em cada ramo, é maior ou menor a amplitude dada de tempo em que a correspondente taxa de lucro flutua antes de chegar à fase em que essa flutuação, através de ascensões e quedas, se consolide em tendência que demore o bastante para influenciar a taxa geral de lucro e atingir, assim, significação que ultrapasse os limites do ramo. Dentro dessas fronteiras de tempo e de espaço, continuam, portanto, válidas as leis relativas à taxa de lucro apresentadas na Primeira Seção deste livro.

A teoria que, no tocante à primeira transformação da mais-valia em lucro, sustenta que cada parte do capital rende a mesma proporção de lucro,[25] expressa uma realidade prática. Qualquer que seja a composição do capital industrial, mobilize ele $\frac{1}{4}$ de trabalho morto e $\frac{3}{4}$ de trabalho vivo, ou $\frac{3}{4}$ de trabalho morto e $\frac{1}{4}$ de trabalho vivo, seja num caso três vezes maior que no outro o trabalho excedente absorvido ou a mais-valia produzida – sendo igual o grau de exploração do trabalho e postas de lado diferenças individuais que, de qualquer modo, desaparecem, pois nas duas hipóteses só estamos considerando a composição média de todo o ramo –, proporcionará o capital industrial o mesmo lucro. O capitalista individual, ou o conjunto dos capitalistas em cada ramo particular, com horizonte limitado, tem razão em acreditar que seu lucro não deriva do trabalho empregado por ele ou em todo o ramo. Isto é absolutamente exato com referência a seu lucro médio. Até que ponto esse lucro se deve à exploração global do trabalho por todo o capital, isto é, por todos os confrades capitalistas, é uma conexão para ele submergida em total mistério, tanto mais quanto os teóricos da burguesia, os economistas políticos, até hoje não a desvendaram. Poupança de trabalho – não só do trabalho necessário para fabricar determinado produto, mas também do número dos trabalhadores ocupados – e aplicação maior de trabalho morto (capital constante) revela-se operação absolutamente certa do ponto de vista econômico e parece *a priori* não influenciar de maneira nenhuma a taxa geral de lucro e o lucro

---

25 Malthus [Thomas Robert], *Principles of Political Economy*, 2ª ed., Londres, 1836, p. 268].

médio. Como poderia então o trabalho vivo ser fonte exclusiva do lucro, se o decréscimo da quantidade de trabalho necessária para a produção parece não prejudicar o lucro, revelando-se antes, em certas circunstâncias, fonte direta de aumento do lucro, pelo menos para o capitalista individual?

Quando, em dado ramo de produção, sobe ou desce, do preço de custo, a parte que representa o valor do capital constante, provém essa parte da circulação e desde logo entra aumentada ou diminuída no processo de produção da mercadoria. Se, por outro lado, o número de trabalhadores empregados produz mais ou menos no mesmo tempo, variando, portanto, com número constante de trabalhadores, a quantidade requerida de trabalho para produzir determinada quantidade de mercadorias, pode então, do preço de custo, a parte que representa o valor do capital variável permanecer a mesma, isto é, entrar com igual magnitude no preço de custo do produto global. Mas, sobre cada uma das mercadorias, que somadas perfazem o produto global, recai mais ou menos trabalho, pago e por conseguinte não pago, correspondendo a cada uma desembolso maior ou menor para trabalho, porção maior ou menor do salário. O salário pago pelo capitalista continua globalmente o mesmo, mas é outro quando calculado por unidade de mercadoria produzida. Haveria, assim, modificação nessa parte do preço de custo da mercadoria. Então, suba ou desça o preço de custo da mercadoria isolada, em virtude dessas variações de valor, ocorridas nela mesma ou em seus elementos (suba ou desça também o preço de custo da soma das mercadorias produzidas por capital de grandeza dada), o lucro médio, se é por exemplo de 10%, continuará sendo de 10%, embora, do ponto de vista da mercadoria isolada, 10% representem grandeza bem diversa de acordo com as variações no preço de custo da mercadoria isolada, oriundas da variação de valor admitida em nossa hipótese.[26]

Quanto ao capital variável – o elemento mais importante, por ser a fonte da mais-valia, e porque tudo o que dissimula sua relação com o enriquecimento do capitalista cria visão deturpada de todo o sistema –, a questão se apresenta de modo mais grosseiro ou se afigura ao capitalista, conforme exemplificamos a seguir. Digamos que um capital variável de 100 libras esterlinas constitua o salário semanal de 100 trabalhadores. Se estes, dada a jornada de trabalho, fabricam produto semanal de 200 unidades de mercadoria = 200 M, custará 1 M, omitindo-se do preço de custo a parte

---

26 Corbet [Thomas], *An Inquiry into the Causes and Modes of the Wealth of Individuals*, Londres, 1841, p. 20].

correspondente ao capital constante, 10 xelins, pois 100 libras esterlinas = 200 M, e 1 M = $\frac{100 \text{ libras esterlinas}}{200}$ = 10 xelins. Se variar a produtividade do trabalho, duplicando-se, o mesmo número de trabalhadores produzirá no mesmo tempo duas vezes a quantidade anterior de 200 M. Nesta hipótese, 1 M custará 5 xelins (desde que o preço de custo se constitua apenas de salário), pois agora 100 libras esterlinas = 400 M, 1 M = $\frac{100 \text{ libras esterlinas}}{400}$ = 5 xelins. Se a produtividade cair à metade, o mesmo trabalho produzirá $\frac{200 \text{ M}}{2}$ e, uma vez que 100 libras esterlinas = $\frac{200 \text{ M}}{2}$, será 1 M = $\frac{200 \text{ libras esterlinas}}{200}$ = 1 libra esterlina. Quanto ao preço de custo e, portanto, ao preço de produção, a variação no tempo de trabalho requerido para produzir as mercadorias, e por conseguinte no valor delas, se patenteia agora repartição diversa do mesmo salário por mais ou menos mercadorias, segundo se produzam mais ou menos mercadorias no mesmo tempo de trabalho pelo mesmo salário. O que o capitalista e o economista político veem é que a cota do trabalho pago por unidade de mercadoria muda com a produtividade do trabalho e assim varia o valor de cada unidade. O capitalista não percebe que o mesmo se dá com o trabalho não pago contido em cada unidade, principalmente porque o lucro médio só casualmente se determina de fato pelo trabalho não pago absorvido pelo respectivo ramo. Só dessa forma grosseira e opaca transparece então o fato de ser o valor das mercadorias determinado pelo trabalho nelas contido.

X.
Nivelamento, pela concorrência, da taxa geral de lucro. Preços e valores de mercado. Superlucro

X.

Nivelamento, pela concorrência, da taxa geral de lucro. Preços e valores de mercado. Superlucro

Em certos ramos de produção, o capital empregado tem composição que coincide com a composição do capital social médio ou dela se aproxima.

Nesses ramos, o preço de produção das mercadorias produzidas coincide mais ou menos com o valor delas expresso em dinheiro. Assim seria este, na falta de outro, o meio de atingir o limite matemático. A concorrência reparte o capital da sociedade entre os diferentes ramos de produção, de maneira tal que os preços de produção em cada ramo se constituem segundo o modelo dos preços de produção nos ramos de composição média, e daí ser válida para eles a fórmula k + kl' (preço de custo + o produto da taxa média de lucro pelo preço de custo). Essa taxa média de lucro nada mais é do que o lucro percentualmente calculado nos ramos de composição média, em que o lucro coincide, portanto, com a mais-valia. A taxa de lucro é, assim, a mesma em todos os ramos, sendo, portanto, nivelada por aquela dos ramos médios, em que domina a composição média do capital. Em consequência, a soma dos lucros de todos os ramos de produção deve ser igual à soma das mais-valias, e a soma dos preços de produção da totalidade do produto social, igual à soma dos valores. Mas é evidente que a uniformização dos ramos de composição diversa sempre tenderá necessariamente para nivelá-los aos ramos com composição que corresponda à média social de maneira exata ou apenas aproximada. Entre os ramos que mais se aproximam da média ocorre a mesma tendência à uniformização, no sentido de chegar ao centro, de natureza ideal, pois inexistente na realidade, isto é, a tendência a normalizar-se segundo o próprio centro. Assim, reina necessariamente a tendência que faz dos preços de produção simples formas modificadas do valor, ou dos lucros meras porções de mais-valia, que se distribuem não na proporção da mais-valia produzida em cada ramo particular, mas na proporção da quantidade de capital aplicado em cada ramo, de modo que a magnitudes iguais de capital, qualquer que seja a composição, correspondem cotas iguais (cotas alíquotas) da totalidade da mais-valia produzida por todo o capital da sociedade.

Para os capitais de composição média ou quase média, de maneira total ou aproximada coincide o preço de produção com o valor, e o lucro, com a mais-valia por eles produzida. Sob a pressão da concorrência, propendem a se equiparar com eles todos os outros capitais, qualquer que seja a composição. Mas, uma vez que os capitais com essa composição média são iguais ou quase ao capital social médio, tendem todos os capitais, qualquer que seja a mais-valia por eles produzida, a realizar, em vez dessa mais-valia, o lucro médio, por meio dos preços das mercadorias, ou seja, a realizar os preços de produção.

Onde quer que se constitua um lucro médio, por conseguinte uma taxa geral de lucro – não importa a maneira como se chegue a esse resultado –, esse lucro médio só pode ser o lucro que corresponde ao capital social médio e cuja totalidade é igual à soma das mais-valias; além disso, os preços obtidos com o acréscimo desse lucro médio sobre os preços de custo só podem ser os valores transformados em preços de produção. Nada se alteraria se capitais em certos ramos de produção, por quaisquer causas, não se submetessem ao processo de uniformização. O lucro médio seria então calculado sobre a parte do capital social que entra no processo de uniformização. É claro que o lucro médio só pode ser a massa global de mais-valia repartida na proporção das magnitudes dos capitais em cada ramo de produção. O que cabe aos capitalistas é a totalidade do trabalho não pago realizado, configurada, como o trabalho pago, morto e vivo, na massa total de mercadorias e dinheiro.

A questão propriamente difícil é esta: Como se opera essa uniformização dos lucros na taxa geral de lucro, uma vez que, evidentemente, é resultado, e não pode ser ponto de partida?

Antes de mais nada, é claro que uma estimativa dos valores das mercadorias – em dinheiro – por exemplo, só pode ser consequência da troca, e que, se supomos essa estimativa, temos de considerá-la resultante de trocas efetivas de valor-mercadoria por valor-mercadoria. Mas como se teria efetuado essa troca das mercadorias pelos valores reais?

Admitamos, para começar, que todas as mercadorias dos diferentes ramos se vendam por seus valores reais. Que aconteceria então? De acordo com o exposto, nos diversos ramos de produção reinariam taxas de lucro muito diferentes. Evidentemente, são duas coisas bem diversas a venda das mercadorias a seus valores (isto é, a troca na proporção do valor nelas contido, aos preços-valores) e a venda a preços tais que proporcione lucros iguais para quantidades iguais dos capitais comprometidos na produção delas.

A circunstância de capitais, que mobilizam quantidade desigual de trabalho vivo, produzirem montante desigual de mais-valia, requer, pelo menos até certo ponto, que seja o mesmo o grau de exploração de trabalho ou a taxa de mais-valia, ou que se compensem por causas reais ou imaginárias (convencionais) as diferenças aí existentes. Isto supõe concorrência entre os trabalhadores e nivelamento em virtude da migração constante de um ramo de produção para outro. Como simplificação teórica, admitimos taxa geral de mais-valia, que expressa uma tendência como todas as leis econômicas; na realidade, é o pressuposto efetivo do modo de produção capitalista, embora mais ou menos estorvado por complicações práticas, que geram diferenças locais mais ou menos importantes, como, por exemplo, as leis que fixam o domicílio do jornaleiro agrícola na Inglaterra (*settlement laws*). Mas, na teoria, supõe-se que as leis do modo de produção capitalista operam plenamente. O que existe na realidade é aproximação, que é tanto maior quanto mais se desenvolve o modo capitalista de produção e quanto mais se eliminam as contaminações e as misturas com as sobrevivências de condições econômicas antigas.

A dificuldade toda provém de as mercadorias se trocarem não como *mercadorias* simplesmente, mas como *produtos de capitais*, que exigem, na proporção da respectiva magnitude, ou para magnitude igual, participação igual na totalidade de mais-valia. E deve satisfazer essa exigência o preço global das mercadorias produzidas por determinado capital em dado tempo. O preço global dessas mercadorias é apenas a soma dos preços das mercadorias particulares que constituem o produto do capital.

Ficará mais fácil pôr em evidência o ponto fundamental da questão se supusermos que os trabalhadores são os donos dos meios de produção e trocam as mercadorias entre si. Nessas condições, as mercadorias não seriam produtos do capital. Segundo a natureza técnica dos trabalhos, diferiria o valor dos meios e das matérias de trabalho, empregados nos diferentes ramos; além de haver essa divergência no valor dos meios de produção, a quantidade deles exigida por determinada quantidade de trabalho diferiria segundo a mercadoria pudesse ser fabricada numa hora, ou num dia etc. Admitamos ainda que esses trabalhadores, em média, trabalhem tempo igual, considerando-se as compensações oriundas da intensidade diversa do trabalho etc. Dois trabalhadores, digamos, teriam então, primeiro, coberto os desembolsos feitos com as mercadorias, produto de sua jornada, constituídos pelos preços de custo dos meios de produção consumidos, que diferem segundo a natureza técnica dos ramos de trabalho. Segundo, ambos teriam criado igual valor novo, isto é, a jornada de trabalho acrescentada aos meios de produção. Isto abrange, além do salário, a mais-valia, o trabalho excedente que ultrapassa as necessidades estritas, mas cujo resultado a eles pertenceria. Em termos capitalistas, ambos receberiam o mesmo salário, acrescido do mesmo lucro, ou seja, o valor expresso, por exemplo, no produto de uma jornada de 10 horas. Mas, de saída, seriam diferentes os valores de suas mercadorias. Digamos que a mercadoria i, quanto aos meios de produção empregados, contivesse maior porção de valor que a ii, e, para trazer à baila todas as diferenças possíveis, absorvesse mais trabalho vivo e exigisse mais tempo de trabalho em sua fabricação que a mercadoria ii. O valor da mercadoria i difere, portanto, muito do da ii, e o mesmo acontece com as somas dos valores-mercadorias produzidos pelos trabalhadores i e ii num tempo dado. i e ii teriam taxas de lucro bem diversas, se chamamos de taxa de lucro a relação entre a mais-valia e o valor global dos meios de produção adiantados. Os meios de subsistência que i e ii consomem diariamente durante a produção, e que representam o salário, constituem aqui a parte dos meios de produção adiantados, a qual alhures chamamos de capital variável. Mas, para i e ii, as mais-valias seriam as mesmas para tempo igual de trabalho, ou mais exatamente, uma vez que i e ii recebem cada um o valor do produto de uma jornada, obtêm eles, após deduzir o valor dos elementos "constantes" adiantados, valores iguais: uma parte destes pode ser considerada reposição dos meios de subsistência consumidos na produção e a outra, a mais-valia, que abrange tudo o que excede a primeira. Se i faz maior desembolso, recobra-o por meio de fração maior do valor de sua mercadoria, fração destinada a repor essa parte "constante", e por isso tem de converter de novo parte maior do valor global de seu produto nos elementos materiais dessa parte constante, enquanto ii, se para esse fim recebe menos, em compensação tem de reconverter menos. Nessas condições, a diversidade das taxas de lucro não teria importância, do mesmo modo que hoje o assalariado não se preocupa com a taxa de lucro em que se expressa a quantidade de mais-valia que lhe foi extorquida. Também no comércio internacional não importa às nações a diversidade das taxas de lucro relativas à troca das mercadorias.

A troca das mercadorias, exata ou aproximadamente, por seus valores supõe *condições bem mais atrasadas* que a troca aos preços de produção, a qual exige determinado nível de desenvolvimento capitalista.

Qualquer que seja o modo como, de início, os preços das diferentes mercadorias reciprocamente se fixem ou regulem, a lei do valor governa o movimento deles. Quando diminui o tempo de trabalho exigido para produzi-las, caem os preços, quando aumenta, aumentam os preços, desde que não se alterem as demais condições.

Mesmo não se levando em conta que os preços e o movimento dos preços se regem pela lei do valor, enquadra-se inteiramente na realidade considerar que os valores das mercadorias precedem os preços de produção, não só *teórica*, mas *historicamente*. Isto é válido em condições *em que os meios de produção pertencem ao trabalhador*, e esse é o caso, tanto no mundo antigo quanto no moderno, do camponês que cultiva a própria terra e do artesão. Isto concorda com nossa ideia anterior[27] de que a transformação dos produtos em mercadorias tem sua origem na troca entre diferentes comunidades, e não entre membros da mesma comunidade. O que vale para essa fase social primitiva estende-se às fases ulteriores baseadas na escravatura e na servidão, e às corporações de ofícios. Isto vigora enquanto os meios de produção fixados num ramo só com dificuldade se podem transferir para outro, e por isso os diferentes ramos de produção, até certo ponto, se comportam reciprocamente como se fossem países estrangeiros ou comunidades coletivistas.

A fim de que os preços por que se trocam as mercadorias correspondam aproximadamente aos valores, basta: (1) que a troca das diferentes mercadorias deixe de ser meramente fortuita ou ocasional; (2) que, se consideramos a troca direta de mercadorias, produzam-se elas aproximadamente nas proporções adequadas às necessidades recíprocas dos dois lados, o que vem com a experiência mútua de venda e resulta da própria troca continuada; e (3) que, no tocante à venda, nenhum monopólio natural ou artificial capacite uma das partes contratantes a vender acima do valor, ou a force a vender abaixo dele. Entendemos por monopólio fortuito o que surge, para o comprador ou vendedor, em virtude de situação ocasional da oferta e da procura.

A hipótese de que as mercadorias dos diferentes ramos se vendem pelos valores significa apenas que o valor é o centro em torno do qual gravitam os preços e para o qual tendem, compensando-se, as altas e baixas. Além disso, há a distinguir um *valor de mercado*, assunto a tratar adiante, do valor individual das diversas mercadorias produzidas pelos diferentes produtores. Para certas mercadorias, o valor individual está abaixo do valor do mercado (para produzi-las, é mister menos tempo de trabalho que o indicado pelo valor de mercado), para outras, está acima. Releva considerar como valor de mercado o valor médio das mercadorias produzidas num ramo, ou o valor individual das mercadorias produzidas nas condições médias do ramo e que constituem

---

27 Então, em 1865, "ideia" de Marx apenas. Hoje, após as amplas investigações sobre as comunidades primitivas, feitas por pesquisadores que vão de Maurer a Morgan, é fato que não se cogita de contestar. — F.E.

a grande massa de seus produtos. Só em conjunturas excepcionais, as mercadorias produzidas nas piores condições ou as produzidas nas condições mais favoráveis regulam o valor de mercado, que constitui por sua vez o centro das flutuações dos preços de mercado. Estes são os mesmos para a mesma espécie de mercadoria. Quando a oferta das mercadorias ao valor médio, isto é, ao valor da massa situada entre aqueles dois extremos, satisfaz a procura corrente, realizam as mercadorias, de valor individual abaixo do valor de mercado, mais-valia extra ou superlucro, enquanto as de valor individual acima do valor de mercado não podem realizar parte da mais-valia nelas contida.

De nada adianta dizer que a venda das mercadorias produzidas nas piores condições demonstra que são elas necessárias para satisfazer a procura. Se o preço no caso for maior que o valor médio do mercado, a procura será menor. A certos preços, pode determinada espécie de mercadoria encontrar certo espaço no mercado; mas esse espaço só poderá continuar cabendo-a se preço maior coincidir com quantidade menor de mercadoria, e preço menor, com quantidade maior. Se a procura, entretanto, é tão forte que não se contrai, quando o preço se regula pelo valor das mercadorias produzidas nas piores condições, determinam estas o valor de mercado. Isto só é possível quando a procura está acima ou a oferta está abaixo do nível ordinário. Finalmente, se a massa das mercadorias produzidas é maior que a que se pode escoar aos valores médios de mercado, regulam o valor de mercado as mercadorias produzidas nas melhores condições. É possível, por exemplo, que essas mercadorias se vendam pelo valor individual ou quase, podendo então acontecer que as mercadorias produzidas nas piores condições nem realizem o preço de custo, enquanto as que estavam em situação média realizam apenas parte da mais-valia nelas contida. O que dissemos do valor de mercado estende-se ao preço de produção quando o substitui. O preço de produção é regulado em cada ramo, e também segundo as condições particulares. E ele mesmo é o centro em torno do qual giram os preços quotidianos de mercado, que nele tendem a nivelar-se dentro de determinados períodos (ver Ricardo, quanto à determinação dos preços de produção pelos que trabalham nas piores condições).[I]

Como quer que os preços se regulem, infere-se o seguinte:

1) Rege o movimento deles a lei do valor, no sentido de que decréscimo ou acréscimo do trabalho exigido para a produção faz cair ou subir os preços de produção. É neste sentido que Ricardo,[II] percebendo que seus

---

[I] Ricardo, *On the Principles of Political Economy, and Taxation*, 3ª ed., Londres, 1821, pp. 60-1.
[II] Ricardo, *op. cit.*, p. 15.

preços de produção se desviam dos valores das mercadorias, diz que a pesquisa que deseja submeter à atenção do leitor tem por objeto o efeito das variações no valor relativo das mercadorias, e não no valor absoluto delas.

2) O lucro médio que determina os preços de produção tende sempre necessariamente a igualar-se à quantidade de mais-valia, correspondente a dado capital como parte alíquota de todo o capital da sociedade. Admitamos que a taxa geral de lucro, e portanto o lucro médio, se expresse em valor-dinheiro maior do que a mais-valia média real, estimada pelo valor monetário. Quanto aos capitalistas, não importa que se atribuam, reciprocamente, lucro de 10 ou de 15%. Uma percentagem não abrange mais valor-mercadoria real que a outra, enquanto é recíproco o exagero na expressão monetária. Supusemos que os trabalhadores recebem salários normais, e, por isso, o acréscimo do lucro médio não expressa redução efetiva dos salários, ou seja, algo inteiramente diverso da mais-valia normal do capitalista. Assim, para os trabalhadores, o aumento dos preços das mercadorias, oriundo do acréscimo do lucro médio, tem de ser anulado por aumento na expressão monetária do capital variável. Na realidade, essa alta nominal e geral da taxa de lucro e do lucro médio acima da percentagem estabelecida pela relação entre a mais-valia real e o capital adiantado não é possível sem acarretar alta dos salários e também dos preços das mercadorias que formam o capital constante. Dá-se o contrário quando há baixa. Uma vez que o valor global das mercadorias regula a mais-valia global, e esta, o nível do lucro médio e por consequência a taxa geral de lucro, como lei geral ou tendência que domina as flutuações, então inferimos que a lei do valor rege os preços de produção.

Antes de mais nada, o que a concorrência leva a cabo num ramo é estabelecer valor e preço de mercado iguais, a partir dos valores individuais das mercadorias. Mas é a concorrência dos capitais nos diferentes ramos que dá origem ao preço de produção que uniformiza neles as taxas de lucro. A segunda ocorrência só se verifica depois que o modo de produção capitalista alcança desenvolvimento superior ao exigido para haver a primeira.

Duas coisas são necessárias para que as mercadorias do mesmo ramo de produção, da mesma espécie e mais ou menos da mesma qualidade se vendam por seus valores.

Primeiro. Os diferentes valores individuais devem reduzir-se a um valor social *único*, o valor de mercado visto acima, sendo mister, para isso, a concorrência entre os produtores das mercadorias da mesma espécie e a existência de mercado onde eles ofereçam conjuntamente suas mercadorias. Para que o preço de mercado de mercadorias idênticas, mas produzidas em condições individuais diversas, corresponda ao valor de mercado, dele não se desvie nem para cima nem para baixo, é necessário que a pressão exercida pelos diferentes vendedores seja bastante para lançar no mercado a quantidade de mercadorias exigida pelas necessidades sociais, ou seja, a quantidade que a sociedade é capaz de pagar ao valor de mercado. Se a massa de produtos ultrapassar essas necessidades, teriam as mercadorias de se vender abaixo do valor de mercado; e, ao contrário, acima desse valor, se a massa de produtos não for suficiente, vale dizer, se a pressão da concorrência entre os vendedores não for bastante para compeli-los a levarem ao mercado essa massa de mercadorias. Se variar o valor de mercado, variarão também as condições em que pode ser vendida a massa global de mercadorias. Caindo o preço de mercado, aumenta em média a necessidade social (que aqui significa sempre procura solvente), que poderá, dentro de certos limites, absorver quantidades maiores de mercadoria. Subindo o valor de mercado, contrai-se a necessidade social da mercadoria, absorvendo-se menores quantidades dela. Por consequência, se a oferta e a procura regulam o preço de mercado, ou antes os desvios que os preços de mercado têm do valor de mercado, por outro lado, o valor de mercado rege a relação entre a oferta e a procura ou constitui o centro em torno do qual as flutuações da oferta e da procura fazem girar os preços de mercado.

Observando mais de perto, verificamos que as condições relativas ao valor da mercadoria isolada estendem-se ao valor da totalidade das mercadorias de uma espécie; não fosse a produção capitalista, por natureza, produção em massa. Demais, outros modos de produção menos desenvolvidos – pelo menos com relação às mercadorias principais – concentram nas mãos de relativamente poucos comerciantes, acumulam e põem à venda no mercado grandes quantidades, produzidas em pequenas quantidades, mas que aparecem como produto comum de todo um ramo ou de um setor maior ou menor dele, embora provenham de grande número de produtores minúsculos.

Observemos de passagem que a "necessidade social", isto é, o que rege o princípio da procura, depende essencialmente da relação existente entre as diversas classes e da posição delas na economia, notadamente, portanto, da relação da mais-valia global com o salário e da relação entre as diferentes porções em que a mais-valia se reparte (lucro, juros, renda fundiária, tributos etc.). E assim evidencia-se mais uma vez que nada absolutamente se pode explicar com a relação entre a oferta e a procura, antes de se conhecer a base sobre que opera essa relação.

Embora a mercadoria – e o dinheiro – seja unidade de valor de troca e valor de uso, já vimos (Livro 1, Capítulo I, 3) como essas funções, na compra e venda, se destacam em dois polos extremos, de modo que a mercadoria (vendedor) representa o valor de uso, e o dinheiro (comprador), o valor de troca. Um dos pressupostos da venda era ter a mercadoria valor de uso; satisfazer, portanto, uma necessidade social. A outra era o trabalho contido na mercadoria configurar trabalho socialmente necessário, e o valor individual (o preço de venda, na presente hipótese, é a mesma coisa) da mercadoria coincidir por isso com o valor social.[28]

Apliquemos isto à massa de mercadoria que está no mercado e que constitui o produto de um ramo inteiro.

O assunto fica mais fácil de expor se considerarmos a totalidade das mercadorias – as de *um mesmo* ramo de produção – como uma mercadoria *única*, e a soma dos preços das muitas mercadorias idênticas como um preço *único* que os totaliza. O que dissemos da mercadoria isolada estende-se agora literalmente à totalidade, que está no mercado, das mercadorias de determinado ramo de produção. Essa totalidade contém o trabalho social necessário para produzi-la, e o valor dela = valor de mercado; assim, melhor se efetua ou se define a correspondência entre o valor individual da mercadoria e o valor social.

Admitamos que a grande massa dessas mercadorias se produza aproximadamente em condições sociais normais, de modo que esse valor seja ao mesmo tempo o valor individual de cada uma das mercadorias que constituem essa massa. Se há duas frações menores, uma produzida abaixo, outra acima dessas condições, de modo que o valor individual de uma é maior, e o da outra, menor que o valor médio dessa massa central, os dois extremos se compensam, de modo que o valor médio das mercadorias neles situadas é igual ao valor das mercadorias da faixa do meio, e assim o valor de mercado fica determinado pelo valor das mercadorias produzidas em condições médias.[29] O valor da totalidade das mercadorias é igual à soma real dos valores individuais de todas as mercadorias, tanto das produzidas em condições médias quanto das produzidas abaixo ou acima dessas

---

28 K. Marx, *Zur Kritik der pol Oek.*, Berlim, 1859.
29 K. Marx, *idem*.

condições. Neste caso, o valor de mercado ou o valor social da totalidade das mercadorias – o tempo de trabalho necessariamente nelas contido – é determinado pelo valor da grande massa central.

Ao contrário, admitamos que sem variar a totalidade das mercadorias trazidas ao mercado, o valor das mercadorias produzidas nas condições mais desfavoráveis não se compense com o valor das produzidas nas melhores condições, de modo que a porção produzida nas condições mais desfavoráveis constitua magnitude de maior peso, tanto em relação à massa intermediária quanto ao outro extremo; nessas condições, a massa produzida nas condições mais desfavoráveis rege o valor de mercado ou o valor social.

Suponhamos, finalmente, que a massa de mercadorias produzidas nas condições mais favoráveis ultrapasse a das produzidas nas mais desfavoráveis e, por isso, constitua magnitude de maior peso que a das produzidas nas condições intermédias; então, a massa das produzidas nas condições mais favoráveis rege o valor de mercado. Estamos abstraindo da hipótese de abarrotar-se o mercado, quando a massa produzida nas condições mais favoráveis regula o preço de mercado; mas agora não estamos tratando do preço de mercado naquilo que difere do valor de mercado, e sim das próprias determinações diversas desse valor.[30]

De um ponto de vista esquemático (o esquema só ocorre na realidade de maneira aproximada e com mil modificações), o valor de mercado da totalidade das mercadorias no caso 1, determinado pelos valores da faixa

---

[30] A divergência entre Storch e Ricardo a propósito da renda fundiária (nessa divergência, um não se refere ao outro) consiste na questão de saber se o valor de mercado (que para eles é antes o preço de mercado ou de produção) é regulado pelas mercadorias produzidas nas condições mais desfavoráveis (Ricardo) ou pelas produzidas nas mais favoráveis (Storch). A divergência ficou, portanto, resolvida no sentido de haver erro e acerto dos dois lados e de ambos terem omitido o caso intermédio.[I] Ver Corbet,[II] a propósito dos casos em que as mercadorias produzidas nas melhores condições regem o preço: "Isto não significa que ele" (Ricardo) "tenha afirmado que se troquem duas partidas de dois artigos diferentes, digamos, chapéus e sapatos, por ter sido cada uma delas produzida pela mesma quantidade de trabalho. Por mercadoria devemos entender aqui a totalidade das mercadorias de uma espécie não um chapéu isolado, um só par de sapatos etc. A totalidade do trabalho que produz todos os chapéus na Inglaterra deve, para esse fim, repartir-se por todos os chapéus. Isto, parece-me, não foi tratado no início nem na exposição das generalidades dessa doutrina" ("Observations on some verbal disputes", em *Pol. Econ.* etc., Londres, 1821, p. 53s.).

[I] Ricardo, *On the Principles of Political Economy, and Taxation*, 3ª ed., Londres, 1821, p. 60s.; Storch, *Cours d'économie politique, ou exposition des principles qui déterminent la prospérité des nations*, v. 2, Petersburgo, 1815, p. 78s.

[II] Corbet, *An Inquiry into the Causes and Modes of the Wealth of Individuals; or the Principles of Trade and Speculation Explained*, Londres, 1836, pp. 42-44.

central, é igual à soma dos valores individuais, embora aquele valor se patenteie valor médio imposto às mercadorias produzidas nas faixas extremas. Os que produzem no extremo desfavorável têm de vender as mercadorias abaixo do valor individual, e acima deste valor, os que produzem no extremo favorável.

No caso II, não se compensam as massas de valores individuais produzidas nos dois extremos, decidindo a produzida nas condições desfavoráveis. A rigor, o preço médio ou o valor de mercado de cada mercadoria ou de cada parte alíquota da totalidade seria então determinado pelo valor global resultante da adição dos valores das mercadorias produzidas nas diversas condições, e pela parte alíquota que, desse valor global, coubesse a cada mercadoria. O valor de mercado assim obtido estaria acima do valor individual das mercadorias situadas no extremo melhor e das colocadas na faixa intermediária; mas estaria sempre abaixo das produzidas no extremo desfavorável. Até que ponto se aproxima deste ou com ele finalmente coincide, depende inteiramente da proporção que a massa de mercadorias produzidas no extremo oposto ocupa no ramo considerado. Se a procura tiver preponderância suficiente, o valor individual das mercadorias produzidas nas condições desfavoráveis passará a determinar o preço de mercado.

Se ocorre o caso III, ocupando a massa de mercadorias produzidas no extremo favorável espaço maior em relação ao outro extremo e à faixa intermediária, cairá o valor de mercado abaixo do valor correspondente a essa faixa. O valor médio obtido totalizando-se as somas de valor dos dois extremos e da faixa interposta fica abaixo do valor intermédio dessa faixa e aproxima-se ou afasta-se dele segundo o espaço relativo ocupado pelo extremo favorável. Se a procura é fraca em relação à oferta, o extremo favorecido, qualquer que seja a magnitude, apodera-se do mercado reduzindo o preço ao valor individual. Excetuado o caso em que a oferta predomina muito sobre a procura, o valor de mercado não coincide com o valor individual das mercadorias produzidas nas melhores condições.

Esta determinação do valor de mercado, vista de maneira *abstrata*, realiza-se no mercado real pela concorrência entre os compradores, desde que a procura seja bastante para absorver a massa de mercadorias ao valor assim fixado. E assim chegamos ao segundo ponto.

Segundo. A mercadoria possui valor de uso, isto é, satisfaz uma necessidade social qualquer. Quando tratamos das mercadorias isoladas, pudemos supor existente a necessidade das mercadorias consideradas – já se referindo o preço à quantidade delas –, sem preocupar-nos a quantidade da necessidade a satisfazer. Mas esta quantidade é elemento essencial, quando se considera, de um lado, o produto de um ramo inteiro de produção e, do outro, a necessidade social. Agora, é necessário observar a medida, isto é, a quantidade dessa necessidade social.

Na análise acima sobre o valor de mercado – supusemos que permanece a mesma –, é dada a massa das mercadorias produzidas, que só variava a relação entre os componentes dessa massa, produzidos em diferentes condições, e que por isso se regulava de maneira diferente o valor de mercado dessa massa de mercadorias. Admitamos que essa massa seja a quantidade normal da oferta, abstraindo da possibilidade de parte das mercadorias produzidas retirar-se temporariamente do mercado. Se continua normal a procura dessa quantidade, será a mercadoria vendida pelo valor de mercado, qualquer que seja, dos três casos investigados, o que regula o valor de mercado. Além de satisfazer uma necessidade, a massa de mercadorias a satisfaz em sua dimensão social. Se a quantidade é maior ou menor que a procura, o preço de mercado se desvia do valor de mercado. Primeiro desvio a considerar: se a quantidade é de menos, regula o valor de mercado a mercadoria produzida nas piores condições, e se é de mais, a produzida nas melhores; um dos extremos regula o valor de mercado, embora se devesse esperar outro resultado segundo a mera relação entre os volumes produzidos nas diferentes condições. À medida que aumenta a diferença entre a procura e quantidade produzida, tende o preço de mercado a desviar-se mais do valor de mercado, para cima ou para baixo. Mas pode decorrer de dupla causa a diferença entre a quantidade das mercadorias produzidas e a quantidade em que se vendem ao valor de mercado. Primeira causa: varia a própria quantidade produzida, para menos ou para mais, ocorrendo reprodução em escala diversa da que regulava dado valor de mercado. Neste caso, varia a oferta, embora a procura fique a mesma e por isso surja super ou subprodução relativas. Segunda causa: a reprodução, isto é, a oferta, continua a mesma, mas a procura cai ou sobe, o que pode acontecer por diversas razões. Embora a grandeza absoluta da oferta permaneça a mesma, variou a magnitude relativa, tomando-se por medida a necessidade. O efeito é como o do primeiro caso, mas em sentido inverso. Enfim, se variam os dois lados, em sentido inverso, ou no mesmo sentido mas em medida diversa, em suma, se há uma variação bilateral que altera a proporção anterior entre os dois lados, o resultado final conduzirá necessariamente a um dos dois casos observados.

Parece que a conceituação geral da oferta e da procura leva a uma tautologia, e justamente aí está a dificuldade. De início, observemos a oferta, o produto que está no mercado ou nele pode ser oferecido. Deixemos de lado pormenores inúteis, e consideremos a massa da reprodução anual em cada ramo industrial, abstraindo da maior ou menor capacidade, que possuem diversas mercadorias, de serem retiradas do mercado e armazenadas para consumo, digamos, do próximo ano. A reprodução anual se exprime, antes de mais nada, em determinada quantidade, contada ou medida, conforme a massa de mercadorias seja discreta ou contínua; não se trata apenas de valores de uso que satisfazem necessidades humanas, mas também da quantidade, que se encontra no mercado, desses valores de uso. Além disso, essa massa de mercadorias tem determinado valor de mercado, que pode ser expresso num múltiplo do valor de mercado da mercadoria ou da medida da mercadoria, tomadas por unidades. Entre o volume das mercadorias que estão no mercado e o valor de mercado não existe relação necessária, pois há mercadorias com valor específico alto e outras com valor específico baixo, e, desse modo, dada soma de valor pode representar-se em quantidade muito grande de uma e em quantidade muito pequena de outra. Entre a quantidade dos artigos que estão no mercado e o valor de mercado só existe esta conexão: dada a produtividade do trabalho, a fabricação de determinada quantidade de artigos, em cada ramo particular de produção, exige determinada quantidade de tempo de trabalho social, embora essa proporção difira muito de um ramo para outro e não tenha qualquer relação de causa e efeito com a utilidade desses artigos ou a natureza particular de seus valores de uso. Se a quantidade a de uma espécie de mercadoria custa o tempo de trabalho b, a quantidade $n \times a$ custará o tempo de trabalho $n \times b$, desde que continuem invariáveis todas as demais condições. Se a sociedade quer satisfazer necessidades, produzindo um artigo para esse fim, tem ela de pagá-lo. Uma vez que a produção de mercadorias supõe divisão de trabalho, a sociedade compra efetivamente esses artigos, empregando parte do tempo de trabalho disponível para produzi-los; adquire-os por determinada quantidade do tempo de trabalho de que pode dispor. Da sociedade a parte a quem cabe, pela divisão do trabalho, empregar seu trabalho para produzir esses determinados artigos tem de receber um equivalente em trabalho social configurado nos artigos que satisfazem suas necessidades. Mas não existe relação necessária, e sim casual, entre, de um lado, a quantidade global do trabalho social aplicada num artigo social, ou ainda a parte alíquota que, da totalidade da força de trabalho, a sociedade emprega para produzi-lo, ou ainda o espaço que a produção dele ocupa na produção global, e, do outro, a medida em que a sociedade exige satisfação da necessidade provida por esse artigo. Cada artigo isolado ou cada quantidade determinada de uma espécie de mercadoria só pode conter o trabalho social exigido para produzi-los, e, sob esse ponto de vista; o valor de mercado da totalidade dessa espécie configura apenas trabalho necessário. Entretanto, se a mercadoria considerada se produz em quantidade que ultrapassa a necessidade social, dissipa-se parte do tempo de trabalho social, e a massa de mercadorias então representa no mercado quantidade menor de trabalho social que a realmente nela contida. (Só quando a produção estiver sob controle efetivo e preestabelecido da sociedade, fixará esta a relação entre a quantidade do tempo de trabalho social, empregada para produzir determinado artigo, e o volume da necessidade social provida por esse artigo.) Por isso, essas mercadorias têm de ser vendidas abaixo do valor, e parte delas pode mesmo ficar invendável. Dá-se o inverso, quando a quantidade de trabalho social empregada para produzir determinada espécie de mercadorias é pequena para o volume da necessidade social particular a ser satisfeita pelo produto. Mas, se a quantidade de trabalho social empregada para produzir determinado artigo corresponde à amplitude da necessidade social a satisfazer, de modo que a massa produzida coincida com a escala normal da reprodução, sem se alterar a procura, será a mercadoria vendida pelo valor de mercado. A troca ou venda das mercadorias pelo valor é o racional, a lei natural do equilíbrio delas; devemos partir daí para explicar os desvios, e não o contrário, partir dos desvios para explicar a própria lei.

Vejamos o outro lado, a procura.

As mercadorias são compradas como meios de produção ou meios de subsistência, destinando-se ao consumo produtivo ou ao consumo individual, havendo as que servem aos dois fins. Existe, portanto, a procura dos produtores (aqui os capitalistas, pois supõe-se que os meios de produção se transformam em capital) e a dos consumidores. Ambos os fatos parecem, antes de mais nada, supor, do lado da procura, dada quantidade de necessidades sociais, à qual correspondem, do outro lado, determinadas quantidades de produção social nos diferentes ramos. Para realizar nova reprodução anual na escala vigente, a indústria têxtil algodoeira, por exemplo, precisa da quantidade habitual de algodão; mas precisa ainda de quantidade adicional, se considerarmos o acréscimo anual da reprodução, em virtude de acumular-se capital, desde que não variem as demais condições. Isto se estende aos meios de subsistência. A classe trabalhadora, para prosseguir no mesmo nível de vida, tem de encontrar pelo menos a mesma quantidade de meios de subsistência necessários, embora talvez sortidos de maneira diferente, e de uma quantidade suplementar, se considerarmos o acréscimo anual da população. Com maiores ou menores modificações, isto se aplica às demais classes.

Parece haver, do lado da procura, certo volume de determinada necessidade social, exigindo, para satisfazer-se, determinada quantidade de um artigo no mercado. Mas a determinação quantitativa dessa necessidade é de todo elástica e flutuante. Ela se fixa apenas na aparência. Se os meios de subsistência fossem mais baratos ou os salários mais altos, os trabalhadores comprariam mais, e haveria maior "necessidade social" dessas espécies de mercadorias, e não precisamos falar dos indigentes etc., isto é, da "procura" que não dá para satisfazer as necessidades físicas mais elementares. Se o algodão, por exemplo, ficasse mais barato, aumentaria a procura de algodão pelo capitalista, lançar-se-ia mais capital na indústria têxtil etc. Lembremos que a procura para consumo produtivo, segundo nossa hipótese, parte do capitalista, e que seu verdadeiro objetivo é a produção de mais-valia, escolhendo para esse fim a mercadoria a produzir. Isto não impede que, como comprador de algodão no mercado, represente a necessidade dessa matéria-prima, ao mesmo tempo que não importa ao vendedor que o comprador use o algodão para fazer tecidos de camisa ou explosivos, ou para entupir os ouvidos de todo o mundo. Mas isto tem, por certo, grande influência sobre a maneira de agir do comprador. Sua necessidade de algodão é essencialmente modificada pela circunstância efetiva de apenas dissimular sua necessidade de fazer lucro. Os limites em que a necessidade de mercadorias configurada no *mercado*, a procura, difere quantitativamente da necessidade *social efetiva*, naturalmente variam muito para as diversas mercadorias; trata-se da discrepância entre a quantidade procurada de mercadorias e a que seria procurada se fossem outros os preços ou as condições monetárias ou de vida dos compradores.

Nada mais fácil de compreender que as disparidades entre a oferta e a procura e a divergência daí oriunda entre preços de mercado e valores de mercado. A verdadeira dificuldade reside na conceituação do que devemos entender por coincidência da procura com a oferta.

O CAPITAL

Procura e oferta coincidem quando estão em relação tal que a massa de mercadorias de determinado ramo pode ser vendida ao valor de mercado, nem por mais nem por menos. É a primeira coisa que ouvimos. A segunda: quando as mercadorias são vendáveis ao valor de mercado, a procura e a oferta coincidem.

Quando procura e oferta coincidem, cessam de atuar, e justamente por isso vende-se a mercadoria pelo valor de mercado. Duas forças iguais em direções opostas se anulam e não se manifestam exteriormente. Os fenômenos ocorrentes, nessa hipótese, terão de explicar-se por outras causas, e não pela interferência dessas duas forças. Quando procura e oferta se igualam reciprocamente, cessam de explicar qualquer coisa, não influenciam o valor de mercado e, mais que nunca, deixam na obscuridade esta questão: Por que o valor de mercado se exprime nesta, e não noutra soma de dinheiro? Evidentemente, as leis internas efetivas da produção capitalista não podem ser explicadas pela interação da procura e da oferta (estamos pondo de lado análise mais profunda, que não cabe aqui, dessas duas forças motoras sociais). É que só se patenteia a realização dessas leis em toda a sua pureza quando a oferta e a procura cessam de agir, isto é, coincidem. Todavia, essa coincidência nunca é real, a não ser por mera casualidade, e o que não passa de casualidade é nulo do ponto de vista científico, devendo considerar-se inexistente. E por que a economia política supõe que elas coincidem? A fim de observar os fenômenos na figura correspondente ao conceito, concordante com as leis que o regem, e que transcende à aparência oriunda do movimento da oferta e da procura. E mais, para descobrir e, por assim dizer, fixar a tendência efetiva desse movimento. Sendo antagônicas as divergências e revezando-se sem cessar, anulam-se por terem sentidos opostos, pela própria contradição delas. Mesmo que a oferta e a procura não coincidam num caso real, as divergências se sucedem – e o desvio num sentido suscita outro desvio em sentido oposto –, de maneira que, observando-se no todo um período mais ou menos longo, oferta e procura coincidem constantemente, mas nessa coincidência apenas se expressam a média das oscilações ocorridas e o movimento contínuo da contradição de ambas. Assim, em média, os preços de mercado que se desviam dos valores de mercado tendem a igualar-se a esses valores, na medida em que esses desvios, com sinais positivos e negativos, se eliminam. E a importância dessa média não é meramente teórica; é prática também, interessando ao investimento de capital, calculado na base das flutuações e compensações em período mais ou menos determinado.

Por isso, a relação entre procura e oferta explica apenas os desvios que os preços de mercado têm dos valores de mercado e a tendência para eliminar esses desvios, isto é, para anular o efeito da relação entre procura e oferta (não nos cabe examinar aqui as mercadorias que constituem exceções, tendo preços sem possuir valor). Procura e oferta podem levar a cabo, de maneira muito diversa, a anulação do efeito resultante de sua desigualdade. A queda da procura e, por consequência, do preço de mercado pode ocasionar retirada de capital e, assim, diminuição da oferta. Mas pode acontecer também que invenções, encurtando o tempo de trabalho necessário, rebaixem o valor de mercado, igualando-o ao preço de mercado. Inversamente, se a procura sobe, ultrapassando o preço de mercado o valor de mercado, pode ocorrer então que se encaminhe capital em demasia para esse ramo de produção e a produção se eleve tanto que o preço de mercado caia abaixo do valor de mercado; ou pode acontecer também elevação de preços que faça a procura recuar. Existe ainda a possibilidade de, neste ou naquele ramo de produção, elevar-se, por período mais ou menos longo, o valor de mercado, na medida em que parte dos produtos procurados durante esse tempo tenha de ser produzida em piores condições.

Se procura e oferta determinam o preço de mercado, este e, levando a análise mais longe, o valor de mercado determinam a procura e a oferta. Isto é patente para a procura, uma vez que ela se move em sentido oposto ao preço, aumenta quando ele diminui, e vice-versa. Mas isto se estende à oferta: os preços dos meios de produção que entram nas mercadorias ofertadas determinam a procura desses meios de produção e, por conseguinte, a oferta dessas mercadorias, a qual implica a procura desses meios de produção. Os preços de algodão têm importância decisiva para a oferta de tecidos de algodão.

A oferta e a procura determinam os preços, e os preços determinam a oferta e a procura; a essa confusão acresce que a procura determina a oferta, e, inversamente, a oferta, a procura; a produção determina o mercado, e o mercado, a produção.[31]

---

31 Disparate com máscara de argúcia: "Quando a quantidade de salário, de capital e de terra, necessária para produzir uma mercadoria, varia em relação ao que era necessário antes, modifica-se também o que Adam Smith chama de preço natural dela. Esse preço que era antes o preço natural

O CAPITAL

Até o economista mediano (ver nota) percebe que, sem haver na oferta ou na procura alteração causada por circunstâncias externas, pode mudar a relação entre ambas, em virtude de variação no valor de mercado das mercadorias. Mesmo ele tem de reconhecer que, qualquer que seja o valor de mercado, é mister, para obtê-lo, que procura e oferta se igualem. Vale dizer, a relação entre a oferta e a procura não explica o valor de mercado, mas, ao contrário, este explica as flutuações da oferta e da procura. Prossegue o autor de *Observations*, na passagem citada:

> Esta relação (entre oferta e procura), entretanto, se entendemos procura e preço natural no sentido que aceitamos, segundo Adam Smith, tem de ser sempre uma relação de igualdade; pois, o preço natural só é realmente pago quando a oferta é igual à procura efetiva, isto é, à procura que paga o preço natural, nem mais nem menos. Por conseguinte, para a mesma mercadoria pode haver, em épocas diferentes, dois preços naturais bem diversos e, apesar disso, nos dois casos ser a mesma a relação entre a oferta e a procura, a saber, a relação de igualdade.

Admite-se, portanto, que, com dois "preços naturais" diferentes, em épocas diferentes, a oferta e a procura da mesma mercadoria, nas duas épocas, podem coincidir e têm de coincidir, para que a mercadoria se venda ao "preço natural". Não havendo nos dois casos diferença na relação entre oferta e procura, e sim na magnitude do próprio "preço natural", é evidente

---

torna-se, com essa alteração, o preço de mercado porque, embora possam não se ter modificado a oferta e a quantidade procurada" (aí variam ambas, justamente porque o valor de mercado, ou o preço de produção, segundo A. Smith, varia em virtude de variação de valor), "essa oferta não corresponde plenamente à procura das pessoas capazes e desejosas de pagar o que representa os atuais preços de produção, sendo maior ou menor, de modo que difere da anterior a relação entre a oferta e o que, relativamente aos novos custos de produção, configura a procura efetiva. Haverá então na oferta, se nada se opõe a isto, alteração que finalmente levará a mercadoria a seu novo preço natural. Nessas condições, algumas pessoas poderiam achar que, atingindo a mercadoria o preço natural por meio de alteração na oferta, outra proporção, e, por conseguinte, que o preço natural, como o preço de mercado, depende da relação existente entre a procura e a oferta. (A grande lei da oferta e da procura põe-se em atividade para determinar os preços naturais e os preços de mercado, conforme os chama A. Smith. – Malthus.)" (*Observations on Certain Verbal Disputes* etc., Londres, 1821, p. 60.) Nosso arguto comentarista não percebe que, no caso, justamente a mudança nos custos de produção, no valor, portanto, provocara alteração na procura, logo na relação entre procura e oferta, e que essa alteração na procura pode provocar alteração na oferta; isto, ao invés de provar o que o nosso pensador pretende, demonstraria que a alteração nos custos de produção de maneira nenhuma se governa pela relação entre a procura e a oferta, mas, ao contrário, regula essa relação.

que a determinação deste não depende da oferta e da procura, que não estão em condições de determiná-lo.

Para uma mercadoria vender-se ao valor de mercado, isto é, de acordo com o trabalho socialmente necessário nela contido, é mister que a totalidade do trabalho social aplicado à totalidade dessa espécie de mercadoria corresponda ao volume da necessidade social dela, isto é, da necessidade social capaz de pagar. A concorrência, as flutuações dos preços de mercado, que correspondem às flutuações da relação entre oferta e procura, procuram sem cessar reduzir a essa medida a totalidade do trabalho aplicado em cada espécie de mercadoria.

A relação entre procura e oferta reflete, primeiro, a relação entre o valor de uso e o valor de troca, entre mercadoria e dinheiro, entre comprador e vendedor, e, segundo, a relação entre produtor e consumidor, embora ambos possam estar representados por terceiros, os comerciantes. Para estudar a relação entre comprador e vendedor basta confrontá-los individualmente um ao outro. Três pessoas chegam para a metamorfose completa da mercadoria, ou seja, para o conjunto da venda e da compra. Converte A sua mercadoria no dinheiro recebido de B, a quem a vende, e reconverte seu dinheiro em mercadoria comprada a C; todo o processo se passa entre os três. Demais, quando estudamos o dinheiro, supusemos que as mercadorias se vendem pelo valor, pois não havia motivo para considerar os desvios que os preços têm do valor, tratando-se, então, apenas das modificações de forma experimentadas pela mercadoria, ao converter-se em dinheiro e reconverter-se, de dinheiro, em mercadoria. De modo geral, vendida a mercadoria e comprada nova com o resultado da venda, está por inteiro diante de nós a metamorfose, e, como tal, não lhe importa estar o preço da mercadoria abaixo ou acima do valor. O valor da mercadoria continua a ter importância fundamental, porque só se pode estudar racionalmente o dinheiro a partir dessa base, e o preço, em sua conceituação geral, é antes de mais nada o valor na forma de dinheiro. Ao observar o dinheiro como meio de circulação, supomos, por certo, que não se dá apenas *uma* metamorfose de uma mercadoria única. O que então importa examinar é o entrelaçamento social dessas metamorfoses. Só assim chegamos ao curso do dinheiro e ao desenvolvimento de sua função como meio de circulação. Mas esse encadeamento, por mais importante que seja para o dinheiro exercer a função de meio de circulação e, em consequência, modificar sua figura, não é levado em conta na transação entre compradores e vendedores considerados isoladamente.

O contrário acontece com a oferta e a procura. A oferta é igual à soma dos vendedores ou produtores de determinada espécie de mercadoria, e a procura é igual à soma dos compradores ou consumidores, individuais ou produtivos, da mesma espécie de mercadoria. Os dois conjuntos agem um sobre o outro como unidades, como agregados de forças. O indivíduo age aí como parte de uma força social, como átomo da massa, e é sob essa forma que a concorrência faz valer o caráter *social* da produção e do consumo.

Da concorrência, o lado no momento mais fraco é também aquele em que o indivíduo age independentemente da massa dos competidores, e, muitas vezes, diretamente contra ela, tornando, por isso mesmo, palpável a dependência recíproca, enquanto o lado mais forte enfrenta sempre o adversário como unidade mais ou menos homogênea. Se, para determinada espécie de mercadoria, a procura é maior que a oferta, um comprador, dentro de certos limites, sobrepuja outro e assim encarece para todos a mercadoria, cotando-a acima do valor de mercado, enquanto do outro lado os vendedores, em conjunto, procuram vender a alto preço de mercado. Ao contrário, se a oferta é maior que a procura, começam uns a vender mais barato e os outros os têm de seguir, enquanto os compradores, em conjunto, se empenham em deprimir o mais possível o preço de mercado abaixo do valor de mercado. Cada um só se interessa pelo lado comum se ganha mais com ele que contra ele. E a solidariedade desaparece logo que o lado, como conjunto, fica débil, procurando então cada um, por sua própria conta, arranjar-se o melhor possível. Demais, quem produz mais barato e pode vender mais, apoderar-se de parte maior do mercado, vendendo abaixo do preço corrente de mercado ou do valor de mercado, assim fará, iniciando ação que força os outros, pouco a pouco, a introduzirem estilo de produção mais barato e que reduz o trabalho socialmente necessário a quantidade inferior, nova. Quando um lado tem posição predominante, ganham todos que dele fazem parte; é como se tivessem de tirar partido de um monopólio comum. No lado débil, pode cada um procurar, por sua conta, ser o mais forte (por exemplo, quem trabalha com menores custos de produção), ou pelo menos safar-se o melhor possível da situação, sem se preocupar com o destino dos confrades, embora os resultados de sua ação atinjam não só os seus interesses, mas também os de todos os companheiros.³²

Oferta e procura supõem a transformação do valor em valor de mercado, e, na medida em que ocorrem em base capitalista, sendo as mercadorias produtos do capital, supõem processos de produção capitalistas, portanto relações bem mais complexas que a compra e venda simples de mercadorias. Não se trata aí da conversão formal do valor das mercadorias em preço, isto é, de simples mudança de forma; trata-se de determinados desvios quantitativos que os preços de mercado têm dos valores de mercado e ainda dos preços de produção. Na compra e venda simples, basta que se defrontem, como tais, os produtores de mercadorias. Análise mais aprofundada revela que oferta e procura supõem existirem diferentes classes e subdivisões de classe que repartem entre si a renda global da sociedade e, como renda, a consomem, configurando assim a procura criada pela renda; por outro lado, para entender a oferta e a procura que se realiza entre os produtores como tais, é mister penetrar na estrutura global do processo capitalista de produção.

Na produção capitalista, o objetivo é retirar da circulação, em troca da massa de valor nela lançada sob a forma de mercadoria, igual massa de valor sob outra forma – dinheiro ou outra mercadoria –, mas retirar dela, para o capital adiantado à produção, a mesma mais-valia ou lucro que obtém qualquer outro capital de qualquer ramo, mas da mesma magnitude, ficando o lucro na proporção da magnitude; trata-se de vender as mercadorias que, pelo menos, proporcionem o lucro médio, ou seja, a preços de produção. Assim, o capital é uma *força social* que se torna consciente e de que participa cada capitalista na proporção de sua cota no capital global da sociedade.

Primeiro, o interesse precípuo da produção capitalista não é o valor de uso concreto, nem o caráter específico da mercadoria que produz. Em cada ramo de produção, importa-lhe apenas produzir mais-valia, apossar-se de determinada quantidade de trabalho não pago, encerrada no produto do trabalho. Também está na natureza do trabalho assalariado subordinado

---

32 "Todo indivíduo de um grupo, quando não pode ter mais que dada participação ou parte alíquota dos ganhos e haveres do todo, associa-se juntamente com os demais para aumentar os ganhos" (é o que faz, quando permite a relação entre a oferta e a procura): "isto é monopólio. Mas todo indivíduo, quando pensa que pode de algum modo aumentar a soma absoluta da própria participação – embora daí resulte diminuição do montante global –, assim o fará muitas vezes: isto é concorrência" (*An Inquiry into those Principles Respecting the Nature of Demand* etc., Londres, 1821, p. 105).

ao capital não se importar com o caráter específico do trabalho, nem com as necessidades de mudança ditadas pelo capital, nem com a circunstância inapelável de ser jogado de um ramo para outro.

Segundo, na realidade, tanto faz um como outro ramo de produção; cada um deles rende o mesmo lucro e deixaria de ter finalidade se a mercadoria que produz não satisfizesse uma necessidade social qualquer.

Entretanto, se as mercadorias se vendem por seus valores, surgem, conforme vimos, taxas de lucro bem diferentes nos diferentes ramos, segundo a composição orgânica diversa das massas de capital neles aplicadas. O capital, porém, deixa o ramo com baixa taxa de lucro e lança-se no que tem taxa mais alta. Com essa migração ininterrupta, em suma, repartindo-se entre os diferentes ramos segundo sobe ou desce a taxa de lucro, o capital determina uma relação entre a oferta e a procura, de tal natureza que o lucro médio se torna o mesmo nos diferentes ramos, transformando-se por isso os valores em preços de produção. O capital consegue essa equiparação na medida em que se desenvolve o capitalismo em dada sociedade nacional, em que as condições do país considerado se adaptam ao modo capitalista de produção. Com o progresso da produção capitalista, desenvolvem-se suas condições; ela submete a seu caráter específico e às suas leis imanentes o conjunto das condições sociais dentro das quais se realiza o processo de produção.

O nivelamento contínuo das disparidades incessantes é tanto mais rápido (1) quanto mais móvel for o capital, quanto mais fácil se transferir de um ramo ou de um local para outro; e (2) quanto mais rápida se puder fazer, de um ramo ou de um local para outro, a transferência da força de trabalho. O item 1 pressupõe completa liberdade de comércio no interior da sociedade e eliminação de todos os monopólios, exceto os naturais, isto é, oriundos do próprio modo capitalista de produção. E mais, supõe o desenvolvimento do sistema de crédito, que concentra, perante os capitalistas isolados, a massa inorgânica do capital disponível da sociedade, e ainda a subordinação dos diversos ramos aos capitalistas. Esta condição já ficou estabelecida ao fixar-se o problema da transformação dos valores em preços de produção nos ramos explorados pelos métodos capitalistas. Esse nivelamento encontra obstáculos maiores, quando ramos de produção numerosos e importantes, explorados por métodos não capitalistas (por exemplo, a lavoura dos pequenos agricultores) se interpõem entre as empresas capitalistas e com elas se entrelaçam. O item 1 supõe, finalmente, grande densidade demográfica. O item 2 supõe: derrogação de todas as leis que impeçam os trabalhadores de se deslocarem de um ramo ou de um local de produção para outro qualquer; indiferença do trabalhador quanto ao conteúdo do trabalho; redução máxima possível do trabalho a trabalho simples, em todos os ramos de produção; não possuírem os trabalhadores preconceitos profissionais; finalmente, e sobretudo, subordinação do trabalhador ao modo capitalista de produção. No estudo especial sobre a concorrência, cabe prosseguir no assunto.

Do exposto, infere-se que todo capitalista individual, assim como o conjunto dos capitalistas de todo ramo particular de produção, participa da exploração da totalidade da classe trabalhadora pela totalidade do capital e do grau dessa exploração, não só por solidariedade geral de classe, mas também por interesse econômico direto, pois, supondo-se dadas todas as demais condições, inclusive o valor da totalidade do capital constante adiantado, a taxa média de lucro depende do grau de exploração da totalidade do trabalho pela totalidade do capital.

O lucro médio coincide com a mais-valia média produzida para cada 100 de capital, e, com referência à mais-valia, tem evidência imediata o que acabamos de expor. Além do lucro médio, cabe considerar apenas o valor do capital adiantado como um dos elementos determinantes da taxa de lucro. Na realidade, o interesse particular que um capitalista, ou o capital de determinado ramo, tem na exploração dos trabalhadores que ocupa diretamente, está limitado à possibilidade de obter um lucro extraordinário acima do lucro médio, seja fazendo os operários trabalharem em excesso, ou reduzindo os salários abaixo da média, ou ainda aumentando excepcionalmente a produtividade do trabalho empregado. Fora disso, um capitalista que, em seu ramo, não empregasse capital variável, ou seja, trabalhadores (hipótese inverossímil), estaria tão interessado na exploração da classe trabalhadora pelo capital e tiraria seu lucro de trabalho excedente não pago como um capitalista que (outra hipótese inverossímil) só empregasse capital variável, gastando, portanto, seu capital por inteiro em salários. Dada a jornada de trabalho, o grau de exploração do trabalho depende da intensidade média do trabalho, e, dada a intensidade, da duração da jornada. O grau de exploração do trabalho determina a taxa de mais-valia e, dada a massa global do capital variável, a magnitude da mais-valia e, por conseguinte, do lucro. O capital de um ramo se distingue do capital global pelo interesse particular que tem em explorar os trabalhadores que ocupa em seu setor especial, do mesmo modo que o capitalista individual se distingue de seu ramo pelo interesse especial que possui em explorar os trabalhadores que pessoalmente emprega.

Cada ramo particular de emprego do capital e cada capitalista individual têm o mesmo interesse na produtividade do trabalho social empregado pela totalidade do capital, pois daí dependem duas coisas: (1) a massa dos valores de uso em que se expressa o lucro médio, duplamente importante, por servir este de fundo de acumulação de novo capital e de fundo de renda a usufruir; (2) a magnitude do valor do capital total adiantado (constante e variável), a qual, dada a grandeza da mais-valia ou do lucro de toda a classe capitalista, determina a taxa de lucro, ou seja, o lucro relativo a determinada quantidade de capital. A produtividade particular do trabalho em determinado ramo ou em determinada empresa desse ramo interessa apenas aos capitalistas aí diretamente participantes, e na medida em que capacita esse ramo especial em relação ao capital total, ou o capitalista individual em relação a esse ramo, a extrair um lucro extra.

Temos aí matematicamente demonstrada a razão por que os capitalistas, embora simulem fraternidade no seu logro recíproco, constituem verdadeira irmandade maçônica ao se defrontarem com o conjunto da classe trabalhadora. O preço de produção inclui o lucro médio. O que denominamos preço de produção é na realidade o mesmo que A. Smith chama preço natural; Ricardo, preço de produção, custo de produção; e os fisiocratas, preço necessário, pois, no curso do tempo, é condição da oferta, da reprodução da mercadoria de cada ramo particular de produção.[33] Mas nenhum deles desvendou a diferença entre preço de produção e valor. Compreende-se também por que os mesmos economistas que se opõem à determinação do valor das mercadorias pelo tempo de trabalho, pela quantidade de trabalho nelas contida, consideram sempre os preços de produção os centros em torno dos quais oscilam os preços de mercado. Sustentam este ponto de vista porque o preço de produção é uma forma do valor-mercadoria já deste alheada e evidentemente destituída de conteúdo, tal como aparece na concorrência e passa a existir na consciência do capitalista vulgar e, por conseguinte, na do economista vulgar.

A análise precedente revelou como o valor de mercado (e o que se disse a respeito estende-se, com as restrições necessárias, ao preço de produção)

---

33 Malthus.

compreende um superlucro para os que produzem nas melhores condições em cada ramo particular de produção. Excetuados de modo geral casos de crises e superprodução, isto se aplica a todos os preços de mercado, por mais que se desviem dos valores de mercado ou dos preços de produção de mercado, pois o preço de mercado supõe ser o mesmo o preço pago por mercadorias da mesma espécie, embora sejam elas produzidas em condições individuais bem diversas e, por isso, tenham preços de custo bem diferentes (não estamos considerando os superlucros, decorrentes de monopólios, no sentido usual, sejam eles artificiais ou naturais).

Pode ainda haver superlucro quando certos ramos de produção estão capacitados para evitar que os valores das mercadorias se transformem em preços de produção, e, por conseguinte, que seus lucros se reduzam ao lucro médio. Na parte referente à renda fundiária, teremos de estudar outros aspectos dessas duas formas de superlucro.

XI.
Efeitos das flutuações gerais dos salários sobre os preços de produção

Seja a composição média do capital da sociedade $80_c + 20_v$, e o lucro, 20%. Temos aí taxa de mais-valia de 100%. Alta geral dos salários, não se alterando as demais condições, significa diminuição da taxa de mais-valia. Para o capital médio, coincidem lucro e mais-valia. Admitamos que os salários aumentem de 25%. Agora, em vez de 20, é mister 25 para mobilizar a mesma massa de trabalho. Assim, rota um valor de $80_c + 25_v + 15_l$, em lugar de $80_c + 20_v + 20_l$. O trabalho mobilizado pelo capital variável continua produzindo a mesma soma de valor, 40. Se v aumenta de 20 para 25, ainda fica o excedente m ou l = 15. O lucro de $\frac{15}{105}$ dá $14\frac{2}{7}$%, a nova taxa do lucro médio. Uma vez que o preço de produção das mercadorias produzidas pelo capital médio coincide com o valor delas, não se teria alterado esse preço de produção; a elevação dos salários teria, portanto, acarretado queda do lucro, mas nenhuma variação do valor nem do preço das mercadorias.

Antes, o lucro médio era igual a 20%; o preço de produção das mercadorias produzidas num período de rotação era igual ao preço de custo acrescido do lucro representado por 20% desse preço, ou seja, k + kl' = $k + \frac{20k}{100}$, sendo k a variável que depende do valor dos meios de produção que entram nas mercadorias e do valor de desgaste que a parte fixa empregada na produção transfere ao produto. Agora, o preço de produção se exprime em $k + \frac{14\frac{2}{7}k}{100}$.

Consideremos um capital de composição inferior a $80_c + 20_v$, a primitiva do capital social médio (transformada em $76\frac{4}{21}_c + 23\frac{17}{21}_c$).[1] Seja essa nova composição $50_c + 50_v$. Para simplificar, admitamos que o capital fixo entra globalmente, por desgaste, no produto anual, e que o tempo de rotação é o mesmo do caso I. Então, antes de se elevarem os salários, temos o preço de produção do produto anual $50_c + 50_v + 20_l = 120$. Aumento nos salários de 25%, sem que varie a quantidade do trabalho mobilizado, faz o capital variável elevar-se de 50 para $62\frac{1}{2}$. Se o produto anual for vendido pelo preço de produção anterior de 120, teríamos $50_c + 62\frac{1}{2}_v + 7\frac{1}{2}_l$, uma taxa de lucro, portanto, de $6\frac{2}{3}$%. Mas a nova taxa do lucro médio que foi estabelecida é de $14\frac{2}{7}$%, e, uma vez que supomos invariáveis todas as demais condições, terá o capital de $50_c + 62\frac{1}{2}_v$ de fazer também esse lucro. A essa taxa de $14\frac{2}{7}$%, um capital de $112\frac{1}{2}$ fará um lucro de $16\frac{1}{14}$. O preço

---

[1] Forma percentual de $80_c + 25_v$.

de produção das mercadorias por ele produzidas passa a ser, portanto, $50_c + 62\frac{1}{2_v} + 16\frac{1}{4_c} = 128\frac{8}{14}$. Em virtude da alta de 25% verificada nos salários, o preço de produção de igual quantidade da mesma mercadoria subiu de 120 para $128\frac{8}{14}$, ou seja, mais de 7%.

Vejamos a hipótese oposta: um ramo de produção com composição superior à do capital médio, por exemplo, $92_c + 8_v$. Aí é também 20 o lucro médio primitivo, e, se supomos que todo o capital fixo entra no produto anual e o tempo de rotação é o mesmo de I e II, o preço de produção da mercadoria = 120.

Se os salários subirem em 25%, o capital variável aumentará, para a mesma quantidade de trabalho, de 8 para 10, o preço de custo das mercadorias, de 100 para 102. Por outro lado, a taxa média de lucro caiu de 20% para $14\frac{2}{7}$%. Mas a relação $100 : 14\frac{2}{7} = 102 : 14\frac{4}{7}$. O lucro correspondente a 102 é, portanto, $14\frac{4}{7}$. Todo o produto do ramo se vende, portanto, por $k + kl' = 102 + 14\frac{4}{7} = 116\frac{4}{7}$. Assim, o preço de produção cai de 120 para $116\frac{4}{7}$, ou seja, de $3\frac{3}{7}$.

A elevação dos salários em 25% tem por consequência:

1) para o capital de composição social média, fica inalterado o preço de produção das mercadorias;

2) para o capital de composição inferior, eleva-se o preço de produção da mercadoria, embora não na mesma proporção em que decresce o lucro;

3) para o capital de composição superior, cai o preço de produção da mercadoria, embora não na mesma proporção do lucro.

Uma vez que o preço de produção das mercadorias do capital médio permaneceu o mesmo, igual ao valor do produto, terá permanecido também a mesma soma dos preços de produção dos produtos de todos os capitais, igual à soma dos valores produzidos pela totalidade do capital; a elevação de um lado se compensa com a queda do outro, para todo o capital, no nível do capital médio da sociedade.

No exemplo II, o preço de produção das mercadorias sobe, e no III cai. Esses efeitos contrários oriundos da queda na taxa de mais-valia ou da elevação geral dos salários já mostram que não pode haver no preço compensação para a alta dos salários, pois, em III, a queda do preço de produção torna ao capitalista impossível indenizar-se pelo decréscimo do lucro, e, em II, a ascensão do preço não impede a queda do lucro. Na verdade, tanto no caso de ascensão do preço como no de queda, o lucro permaneceu igual ao do capital médio, cujo preço ficou invariável. Para II e III, o lucro médio é o mesmo, diminuído de $5\frac{5}{7}$ ou de um pouco mais que 25%. Daí se infere que, se o preço não subisse em II e não caísse em III, II venderia abaixo e III venderia acima do nível correspondente ao novo lucro médio diminuído. Considerando-se o emprego de 50, ou 10% do capital em trabalho, é evidente que a alta dos salários terá efeitos bem diversos conforme o capitalista inverta $\frac{1}{10}$ ou $\frac{1}{4}$ ou $\frac{1}{2}$ de seu capital em salários. O igualamento no nível do novo lucro médio diminuído ocasiona a elevação dos preços de produção de um lado e sua ascensão do outro, segundo a composição do capital é inferior ou superior à média social.

Consideremos agora uma queda geral dos salários com a correspondente alta geral da taxa de lucro e, por conseguinte, dos lucros médios. Como influenciaria essa queda os preços de produção das mercadorias, produto de capitais que se desviam da composição social média em sentidos opostos? Basta inverter o raciocínio que acabamos de desenvolver, para obter a resposta (Ricardo não investiga essa matéria).

I. Capital médio = $80_c + 20_v = 100$; taxa de mais-valia = 100%; preço de produção = valor-mercadoria = $80_c + 20_v + 20_l = 120$; taxa de lucro = 20%. Se os salários caírem de $\frac{1}{4}$, o montante 15_v, em vez de 20_v, mobilizará o mesmo capital constante. Obtemos assim o valor-mercadoria = $80_c + 15_v + 25_l = 120$. Continua invariável a quantidade de trabalho produzida por v, com a diferença apenas de repartir-se de maneira diversa entre capitalista e trabalhador o valor novo então criado. A mais-valia sobe de 20 para 25 e a taxa de mais-valia de $\frac{20}{20}$ para $\frac{25}{15}$, portanto de 100% para $166\frac{2}{3}$%. Com 95 obtém-se lucro = 25, sendo portanto a taxa de lucro = $26\frac{6}{19}$%. Agora, a nova composição percentual do capital é $84\frac{4}{19_c} + 15\frac{15}{19_v} = 100$.

II. Composição inferior. Originalmente, $50_c + 50_v$, como acima. Diminuindo os salários de $\frac{1}{4}$, reduz-se v a $37\frac{1}{2}$ e todo o capital adiantado, por conseguinte, a $50_c + 37\frac{1}{2_v} = 87\frac{1}{2}$. Aplicando-se aí a nova taxa de lucro de $26\frac{6}{19}$%, obtemos: $100 : 26\frac{6}{19} = 87\frac{1}{2} : 23\frac{1}{38}$. A mesma massa de mercadorias que custava antes 120, custa agora $87\frac{1}{2} + 23\frac{1}{38} = 110\frac{10}{19}$; o preço diminuiu de quase 10.

III. Composição superior. Primitivamente, $92_c + 8_v = 100$. Se os salários diminuírem de $\frac{1}{4}$, 8_v cai para 6_v, e todo o capital, para 98. Em consequência, $100 : 26\frac{6}{19} = 98 : 25\frac{15}{19}$. O preço de produção da mercadoria era antes $100 + 20 = 120$; agora, após a queda dos salários, é $98 + 25\frac{15}{19_v} = 123\frac{15}{19_v}$, tendo subido quase 4.

Para estudar os efeitos da baixa geral dos salários, basta, portanto, desenvolver, em sentido inverso, o raciocínio anterior, fazendo-lhe as modificações necessárias. Estamos vendo que uma baixa geral nos salários tem por consequência alta geral da mais-valia, da taxa de mais-valia, e, não se alterando as demais circunstâncias, da taxa de lucro, embora em proporção diferente; queda dos preços de produção para os produtos-mercadorias de capitais de composição inferior, e alta dos preços de produção para os produtos-mercadorias de capitais de composição superior. Justamente o resultado inverso do que verificamos na alta geral dos salários.[34] Nos dois casos – alta e baixa dos salários –, supõem-se inalteráveis a jornada de trabalho e os preços de todos os meios de subsistência necessários. Nessas condições, a queda dos salários só é possível se estavam antes acima do preço normal ou se forem comprimidos a nível inferior a esse preço. Na parte relativa à renda fundiária, voltaremos a investigar parcialmente as modificações que ocorrem quando a alta ou baixa dos salários decorrem de variação no valor e, portanto, no preço de produção das mercadorias que entram normalmente no consumo do trabalhador. Cabe aqui, entretanto, uma observação final.

Se a alta ou a baixa dos salários decorrem de variação no valor dos meios de subsistência necessários, só cabe alterar o que se expôs acima, se as mercadorias, cuja variação de preço aumenta ou diminui o capital variável, forem ainda elementos constitutivos do capital constante, não tendo, portanto, influência limitada aos salários. Mas, se há essa limitação, não é mister ir além da análise já feita.

Em todo este capítulo, supomos que a formação da taxa geral de lucro, do lucro médio e, portanto, a transformação dos valores em preços de produção eram fatos estabelecidos. Tratava-se apenas de saber como alta ou baixa geral dos salários influem sobre os preços de produção das mercadorias, considerados fatores dados. Esta questão é bastante secundária comparada com os demais importantes problemas tratados nesta parte. Mas é a única questão aqui pertinente e que Ricardo, conforme veremos, trata de maneira unilateral e truncada.

---

[34] Admira que Ricardo (que, naturalmente, seguia outro método, pois não compreendia a compensação dos valores no nível dos preços de produção) nunca tenha tido essa ideia, examinando apenas o primeiro caso, alta dos salários e sua influência sobre os preços de produção das mercadorias. E a grei servil dos imitadores nem chegou a tratar dessa aplicação, evidente por si mesma, realmente tautológica.

XII.
Observações complementares

XII.
Observações
complementares

1. CAUSAS DE MODIFICAÇÕES NO PREÇO DE PRODUÇÃO

O preço de produção de uma mercadoria pode variar por duas causas apenas:

Primeiro. Muda a taxa geral de lucro. Para haver essa mudança, é mister que se modifique a taxa média de mais-valia ou, não variando essa taxa, a relação entre a soma de mais-valia obtida e a soma de todo o capital adiantado da sociedade.

Se a modificação na taxa de mais-valia não decorre de decréscimo ou acréscimo no salário em relação ao nível normal – e movimentos dessa natureza têm de ser meramente oscilatórios –, só pode ela se dar por ter baixado ou por ter subido o valor da força de trabalho; estas duas hipóteses são impossíveis se não se modificar a produtividade do trabalho que produz meios de subsistência, sem que varie, portanto, o valor das mercadorias que entram no consumo do trabalhador.

Pode variar também a relação entre a soma de mais-valia obtida e o capital total da sociedade adiantado. Uma vez que a mudança aí não provém da taxa de mais-valia, terá ela de vir da totalidade do capital, e mais precisamente da parte constante, cuja massa, do ponto de vista técnico, aumenta ou diminui em proporção à força de trabalho comprada pelo capital variável. E a magnitude do valor do capital constante acresce ou decresce com o acréscimo ou decréscimo da própria massa; também varia, portanto, na razão da magnitude do valor do capital variável. Se trabalho igual mobiliza mais capital constante, é que o trabalho se tornou mais produtivo, e vice-versa. Logo, se houver mudança na produtividade do trabalho, haverá necessariamente mudança no valor de certas mercadorias.

Rege ambos os casos esta lei: Se varia o preço de produção de uma mercadoria em virtude de mudança na taxa geral de lucro, poderá o valor dela ter ficado invariável, mas terá ocorrido necessariamente mudança no valor de outras mercadorias.

Segundo. Não se altera a taxa geral de lucro. Então, o preço de produção de uma mercadoria só pode variar por ter mudado o valor dela. Torna-se então necessário mais ou menos trabalho para reproduzi-la, seja por ter mudado a produtividade do trabalho que produz a mercadoria na forma final ou a do trabalho que produz mercadorias que entram na produção dela. Pode cair o preço de produção do algodão porque se produz mais barato a matéria-prima algodão ou porque o trabalho do fiandeiro, com melhores máquinas, se tornou mais produtivo.

Conforme vimos, o preço de produção = k + l, igual a preço de custo + lucro. Mas essa expressão é igual a k + kl', sendo k o preço de custo, magnitude que varia segundo os diferentes ramos de produção e que é sempre igual ao valor dos capitais constante e variável consumidos para produzir a mercadoria, e l' a taxa percentual média de lucro. Se k = 200 e l' = 20%, o preço de produção k + kl' = 200 + 200 ($\frac{20}{100}$) = 200 + 40 = 240. É claro que esse preço de produção pode ficar o mesmo, embora mude o valor das mercadorias.

Todas as variações do preço de produção das mercadorias reduzem-se, em última análise, a variação de valor, mas nem todas as variações de valor das mercadorias se expressam necessariamente em mudança no preço de produção, pois este é determinado não só pelo valor da mercadoria particular considerada, mas também pelo valor global de todas as mercadorias. A variação na mercadoria A pode, portanto, ser compensada por variação oposta na mercadoria B, de modo que a relação geral permanece invariável.

2. PREÇO DE PRODUÇÃO DAS MERCADORIAS DE COMPOSIÇÃO MÉDIA

Vimos que os preços de produção se desviam dos valores pelas seguintes causas:

1) acrescenta-se ao preço de custo da mercadoria não a mais-valia nela contida, mas o lucro médio;

2) o preço de produção de uma mercadoria, desviado do valor, é componente do preço de custo de outras mercadorias, e assim o preço de custo de uma mercadoria já pode diferir do valor dos meios de produção consumidos para fabricá-la, além do desvio que ela mesma pode apresentar em virtude da diferença entre lucro médio e mais-valia.

Em consequência, é possível que até mercadorias produzidas por capitais de composição média tenham o preço de custo desviado do valor total dos componentes dessa parte do preço de produção. Seja a composição média $80_c + 20_v$. É possível então que, em capitais assim efetivamente compostos, 80_c seja maior ou menor que o valor de c, o capital constante por constituir-se e de mercadorias cujo preço de produção se desvia do valor. Também 20_v poderá desviar-se do valor, se naquilo que o salário consome entram mercadorias com preço de produção diverso do valor, tendo o trabalhador, para resgatar essas mercadorias (para repô-las), de trabalhar tempo maior ou menor, de executar quantidade necessária de trabalho maior ou menor do que se exigiria se os preços de produção dos meios de subsistência necessários coincidissem com os valores.

Essa possibilidade, entretanto, em nada altera a justeza das proposições referentes às mercadorias de composição média. A quantidade de lucro correspondente a essas mercadorias é igual à quantidade de mais-valia nelas mesmas contida. No capital acima, por exemplo, com a composição $80_c + 20_v$, o que importa para determinar a mais-valia não é a circunstância de esses números expressarem os valores efetivos, mas a relação que existe entre eles, isto é, que $v = \frac{1}{5}$ de todo o capital e $c = \frac{4}{5}$. Nessas condições, a mais-valia produzida por v é, conforme suposição já feita, igual ao lucro médio. E, por ser igual ao lucro médio, é o preço de produção igual a preço de custo + lucro = k + l = k + m, sendo igualado na prática ao valor da mercadoria. Vale dizer, k + 1, como o valor da mercadoria, não varia com a alta ou a baixa dos salários, e gera apenas movimento oposto, de baixa ou alta do lucro. Se variasse aí o preço das mercadorias, em virtude de alta ou baixa dos salários, a taxa de lucro nesses ramos de composição média se situaria acima ou abaixo do nível que atinge nos outros ramos. Só na medida em que o preço não varia, conservam os ramos de composição média o nível de lucro igual ao dos demais ramos. Praticamente é como se os produtos daqueles ramos se vendessem pelo valor efetivo deles. Se as mercadorias são vendidas pelos valores reais, é claro que, não se alterando as demais condições, alta ou baixa dos salários gera correspondente baixa ou alta do lucro, mas nenhuma alteração no valor das mercadorias, e que em quaisquer circunstâncias alta ou baixa dos salários não pode influenciar o valor das mercadorias, mas apenas a magnitude da mais-valia.

3. CAUSAS DE COMPENSAÇÃO PARA OS CAPITALISTAS

Vimos que a concorrência iguala as taxas de lucro dos diversos ramos de produção, gerando a taxa de lucro médio, e justamente por isso converte os valores dos produtos desses diferentes ramos em preços de produção. Isto acontece porque o capital, sem cessar, se transfere de um ramo para outro onde momentaneamente o lucro está acima da média; aí, entretanto, cabe considerar as flutuações de lucro ligadas à sucessão de anos bons e ruins, observada em determinado ramo em dado período. Essa migração ininterrupta do capital entre os diferentes ramos de produção produz movimentos ascendentes e descendentes da taxa de lucro que, reciprocamente, mais ou menos se compensam e, por isso, têm a tendência a reduzir a taxa de lucro, em todos os setores, ao mesmo nível geral.

Esse movimento dos capitais é determinado, primordialmente, pela conjuntura dos preços de mercado que ora elevam os lucros acima do nível médio, ora os rebaixam em relação a esse nível. Continuamos abstraindo do capital mercantil que ainda não cabe tratar aqui, e que, como patenteiam os surtos paroxísticos da especulação com certos artigos em voga, pode, com extraordinária velocidade, retirar massas de capital de um negócio e lançá-las noutro com a mesma rapidez. Mas, em todos os ramos da produção propriamente dita – indústria, agricultura, mineração etc. – a transferência de capital de um ramo para outro oferece dificuldades consideráveis, especialmente em virtude do capital fixo empregado. Além disso, a experiência mostra que um ramo industrial, digamos, o têxtil algodoeiro, proporciona numa época lucros excepcionalmente altos e noutra lucros muito baixos ou mesmo dá prejuízo, de modo que, tomando-se certo ciclo de anos, o lucro médio é aproximadamente o mesmo dos demais ramos, e o capital logo aprende a levar em conta essa experiência.

Mas o que a concorrência *não mostra* é a força determinante do valor, que rege o movimento da produção, os valores que estão atrás dos preços de produção e, em última análise, os determinam. Ao contrário, a concorrência mostra:

1) os lucros médios, independentes da composição orgânica do capital nos diferentes ramos, por conseguinte, da massa de trabalho vivo de que se apropria dado capital em determinado ramo de exploração;

2) ascensão e queda dos preços de produção, por variar o nível dos salários – fenômeno que, à primeira vista, contradiz por inteiro a relação de valor nas mercadorias;

3) flutuações dos preços de mercado, que, em dado período, reduzem o preço médio de mercado das mercadorias não ao *valor* de mercado, mas a preço de produção de mercado que diverge claramente desse valor.

Todos esses fenômenos *parecem* contradizer a determinação do valor pelo tempo de trabalho e a natureza da mais-valia consistente em trabalho excedente não pago. *Na concorrência, portanto, tudo aparece invertido.* A figura pronta e acabada das relações econômicas tal como se patenteia na superfície – na existência real, por conseguinte, nas ideias que formam dessas relações seus representantes e agentes, ao tentar compreendê-las –

diverge muito, sendo efetivamente o inverso, o oposto da estrutura interna delas, essencial, mas recôndita, e da correspondente conceituação.

E mais. Logo que a produção capitalista atinge certo nível de desenvolvimento, a igualação numa taxa média geral das diversas taxas de lucro dos diferentes ramos não se processa mais em virtude apenas de os preços de mercado atraírem ou repelirem capital. Depois que os preços médios e os correspondentes preços de mercado se estabilizam por algum tempo, tomam os diversos capitalistas *consciência* de que nessa uniformização se compensam *determinadas diferenças*, e assim logo as incluem em sua contabilidade recíproca. Elas vivem na mente dos capitalistas, que as consideram, em suas contas, motivos de compensação.

Aí a representação fundamental é a do próprio lucro médio, a ideia de que capitais de igual magnitude têm de produzir lucros iguais em tempos iguais. E atrás disso está a opinião de que o capital de cada ramo de produção, na proporção da magnitude, tem de participar na mais-valia global extorquida dos trabalhadores pelo capital total da sociedade; ou seja, a de que cada capital particular deve ser considerado apenas fração da totalidade do capital, cada capitalista acionista efetivo da empresa global, participando do lucro global na proporção da respectiva cota.

Sobre essa concepção assenta a contabilidade do capitalista: por exemplo, um capital que rota mais lentamente por a mercadoria permanecer mais tempo no processo de produção ou por ter de vender-se em mercados distantes, perde por isso lucro que, entretanto, lhe cabe em virtude de compensação decorrente de acréscimo ao preço; ou ainda investimentos expostos a maiores riscos, como os dos armadores, têm compensação resultante de aumento do preço. Desde que se desenvolve a produção capitalista e com ela as companhias de seguros, o risco passa, realmente, a ser igual em todos os ramos de produção (ver Corbet); os mais arriscados, porém, pagam prêmio mais elevado de seguro, recuperando-o no preço das mercadorias. Na prática, tudo se resume a que toda circunstância que torna um investimento – e todas se consideram igualmente necessárias, dentro de certos limites – menos lucrativo e outro mais lucrativo é levada em conta de uma vez por todas como motivo de compensação, prescindindo da atuação incessante da concorrência para legitimar esse motivo ou os elementos de cálculo. Apenas esquece o capitalista – ou melhor, não vê, pois a concorrência não lho revela –, que todas essas razões de compensação que os capitalistas fazem valer na contabilidade recíproca dos preços das mercadorias dos diferentes ramos significam apenas que todos eles, na proporção do respectivo capital, têm o mesmo direito à presa comum, a mais-valia global. Divergindo o lucro embolsado da mais-valia que extraíram, *parece-lhes* antes que os motivos de compensação não servem para igualar a participação na mais-valia global, mas *criam o próprio lucro*, derivando este simplesmente do acréscimo, por qualquer que seja o motivo, ao preço de custo das mercadorias.

De resto, estende-se ao lucro médio o que dissemos no Capítulo VII, pp. 167-168, sobre as representações do capitalista referentes à origem da mais-valia. Há um aspecto diferente a considerar aqui: para dado preço de mercado das mercadorias e para dada exploração do trabalho, a economia nos preços de custo depende da habilidade individual, da atenção etc.

TERCEIRA SEÇÃO
LEI: TENDÊNCIA A CAIR DA TAXA DE LUCRO

XIII.
Natureza da lei

Dados o salário e a jornada de trabalho, um capital variável, digamos, de 100 representa determinado número de trabalhadores mobilizados; é o índice desse número. Seja de 100 libras esterlinas o salário de 100 trabalhadores, por uma semana. Se a quantidade de trabalho necessário executada por esses 100 trabalhadores é igual à de trabalho excedente, se, da jornada, a parte destinada a eles, a reproduzir o salário, é igual à destinada ao capitalista, a gerar a mais-valia, produzirão eles o valor global de 200 libras esterlinas, e a mais-valia será de 100 libras esterlinas. Então, seria a taxa da mais-valia $\frac{m}{v}$ = 100%. Entretanto, essa taxa da mais-valia se expressaria, conforme já vimos, em taxas de lucro bem diversas, segundo o tamanho diverso do capital constante c e, por conseguinte, do capital global C, pois é a taxa de lucro = $\frac{m}{C}$. Na base de uma taxa de mais-valia de 100%, temos:

Para c = 50 e v = 100, l' = $\frac{100}{150}$ = 66 $\frac{2}{3}$ %
Para c = 100 e v = 100, l' = $\frac{100}{200}$ = 50 %
Para c = 200 e v = 100, l' = $\frac{100}{300}$ = 33 $\frac{1}{3}$ %
Para c = 300 e v = 100, l' = $\frac{100}{400}$ = 25 %
Para c = 400 e v = 100, l' = $\frac{100}{500}$ = 20 %

A mesma taxa de mais-valia, não se alterando o grau de exploração do trabalho, expressar-se-ia em taxa decrescente de lucro, pois o montante do valor do capital constante e, por conseguinte, de todo o capital aumenta com o volume material, embora não na mesma proporção.

Admitamos que essa variação de grau na composição do capital não se dá apenas em alguns ramos de maneira esporádica, porém mais ou menos em todos, ou nos ramos decisivos, implicando, portanto, modificações na composição orgânica média da totalidade do capital de uma sociedade determinada. Então, esse aumento progressivo do capital constante em relação ao variável deve, necessariamente, ter por consequência *queda gradual na taxa geral de lucro*, desde que não varie a taxa de mais-valia ou o grau de exploração do trabalho pelo capital. Ora, vimos ser uma lei do modo de produção capitalista que, ao desenvolver-se ele, o capital variável decresce relativamente, comparado com o constante e, por conseguinte, com todo o capital posto em movimento. Em outras palavras, o mesmo número de trabalhadores, a mesma quantidade de força de trabalho, obtida por capital variável de valor determinado, em virtude dos métodos de produção peculiares que se desenvolvem dentro da produção capitalista, mobiliza, emprega, consome produtivamente, no mesmo espaço de tempo, massa crescente de meios de trabalho, de máquinas, de capital fixo de toda espécie, de matérias-primas e auxiliares, em suma, um capital constante com magnitude cada vez maior de valor. Esse gradual decréscimo relativo que o capital variável experimenta, confrontado com o constante e, portanto, com todo o capital, identifica-se com a ascensão progressiva da composição orgânica do capital social médio. É apenas outra maneira de expressar-se o desenvolvimento progressivo da produtividade social do trabalho, a qual se patenteia justamente na circunstância de o mesmo número de trabalhadores, no mesmo tempo, com o emprego crescente de máquinas, de capital fixo em geral, transformar em produtos quantidade maior de matérias-primas e auxiliares, havendo, portanto, redução de trabalho. A esse montante crescente do valor do capital constante – embora só de maneira longínqua represente ele o acréscimo da massa efetiva dos valores de uso que constituem materialmente o capital constante – corresponde redução crescente do preço do produto. Cada produto individual, isoladamente considerado, passa a conter quantidade menor de trabalho, tomando-se por termo de comparação estágios inferiores de produção, onde o capital desembolsado em trabalho é muito maior relativamente ao empregado em meios de produção. As equações que propusemos no início expressam, portanto, a tendência real da produção capitalista. Essa tendência produz, simultaneamente com o decréscimo relativo do capital variável em relação ao constante, cada vez mais elevada composição orgânica do capital global, daí resultando diretamente que a taxa de mais-valia, sem variar e mesmo elevando-se o grau de exploração do trabalho, se expresse em taxa geral de lucro em decréscimo contínuo (mais adiante, veremos por que esse decréscimo não se concretiza nessa forma absoluta, mas em tendência à queda progressiva). A tendência gradual, para cair, da taxa geral de lucro é, portanto, apenas *expressão, peculiar ao modo de produção capitalista*, do progresso da produtividade social do trabalho. A taxa de lucro pode, sem dúvida, cair em virtude de outras causas de natureza temporária, mas ficou demonstrado que é da essência do modo capitalista de produção, constituindo necessidade evidente, que, ao desenvolver-se ele, a taxa média geral da mais-valia tenha de exprimir-se em taxa geral cadente de lucro. A massa de trabalho vivo empregado decresce sempre em relação à massa de trabalho materializado que põe em movimento, à massa dos meios de produção produtivamente consumidos, inferindo-se daí que a parte não paga do trabalho vivo, a qual se concretiza em mais-valia, deve continuamente decrescer em relação ao montante de valor do capital global aplicado. Mas essa relação entre a massa de mais-valia e o valor de todo o capital aplicado constitui a taxa de lucro, que, por consequência, tem de ir diminuindo.

Embora a lei seja tão simples conforme se patenteia do exposto, nenhum economista conseguiu até hoje descobri-la, conforme veremos ulteriormente.[1] A economia política via a aparência, o fenômeno, e esgotava-se em tentativas de interpretação contraditórias. Dada a grande importância, porém, que essa lei tem para a produção capitalista, pode-se dizer que constitui o mistério em cuja solução se absorve a economia política desde Adam Smith, e que as diferentes escolas, depois dele, divergem nas tentativas de resolvê-lo. Mas, se ponderarmos que até hoje a economia política, embora vislumbrasse a diferença entre capital constante e variável, não chegou a formulá-la claramente; que nunca apresentou a mais-valia separada do lucro e a configurar o lucro em sua pureza, destacado de seus componentes diversos que ostentam autonomia recíproca, como lucro industrial, lucro comercial, juros, renda fundiária; que nunca analisou em seus fundamentos a variação da composição orgânica do capital e, por isso, tampouco a formação da taxa geral de lucro – deixa então de ser enigma a circunstância de não ter conseguido a solução desse mistério.

De propósito, apresentamos essa lei antes de tratar da dissociação do lucro em diversas categorias que se destacam entre si como entidades independentes. A circunstância desta exposição sobre a lei não depender da dissociação do lucro em diferentes partes que cabem a categorias diversas de pessoas demonstra desde logo a independência que a lei, em sua generalidade, tem daquela dissociação e das relações recíprocas, daí decorrentes, entre as categorias de lucro. O lucro de que ora falamos é apenas outro nome para a própria mais-valia, considerada em relação a todo o capital, e não em relação ao capital variável, donde deriva. A queda da taxa de lucro expressa, portanto, a proporção decrescente da própria mais-valia com o capital global adiantado, e, por isso, não depende da distribuição, qualquer que ela seja, da mais-valia entre diversas categorias.

Vimos que, no nível de desenvolvimento capitalista em que a composição do capital $c : v = 50 : 100$, a taxa de mais-valia de 100% se expressa em

---

[1] Ver *Theorien über den Mehrwert*, de Karl Marx, zweiter Teil, pp. 435-66.

taxa de lucro de 66 $\frac{2}{3}$ %, e que em nível superior, em que c : v = 400:100, a mesma taxa de mais-valia se expressa em taxa de lucro de apenas 20%. O que vale para os diversos níveis sucessivos de desenvolvimento de um país aplica-se aos diversos e coexistentes níveis de desenvolvimento em que se encontram os diferentes países. No país não desenvolvido, em que a primeira composição do capital constitui a média, a taxa geral de lucro seria de 66 $\frac{2}{3}$ %, enquanto que no país da segunda, de nível de desenvolvimento bem mais elevado, ela seria de 20%.

A diferença entre ambas as taxas nacionais poderia desaparecer e mesmo inverter-se, se, no país menos desenvolvido, o trabalho ficasse mais improdutivo, configurando-se quantidade maior de trabalho em quantidade menor da mesma mercadoria, maior valor de troca em menor valor de uso; o trabalhador teria, portanto, de dedicar parte maior de seu tempo para reproduzir os próprios meios de subsistência ou o valor deles e parte menor para produzir mais-valia; forneceria menos trabalho excedente, de modo que seria menor a taxa de mais-valia. Se, de acordo com o suposto no exemplo anterior,[I] o trabalhador do país menos desenvolvido trabalhasse, digamos, $\frac{2}{3}$ da jornada para si mesmo e $\frac{1}{3}$ para o capitalista, seriam pagos 133 $\frac{1}{3}$ à mesma força de trabalho que forneceria excedente de apenas 66 $\frac{2}{3}$ %. Ao capital variável de 133 $\frac{2}{3}$ corresponderia capital constante de 50. A taxa de mais-valia seria, portanto, 66 $\frac{2}{3}$: 133 $\frac{1}{3}$ = 50%, e a taxa de lucro, 66 $\frac{2}{3}$: 183 $\frac{1}{3}$, ou seja, 36 $\frac{1}{2}$ % aproximadamente.

Considerando que até agora não investigamos os diversos componentes em que se reparte o lucro, os quais ainda não existem para nós, faremos, para evitar mal-entendidos, a seguinte observação preliminar: ao comparar países em fases diversas de desenvolvimento, é grave erro pretender determinar o nível da taxa nacional de lucro em função do nível da taxa nacional de juro, sobretudo quando se confrontam países de produção capitalista desenvolvida e países onde o trabalho ainda não está formalmente subordinado ao capital, embora o trabalhador seja na realidade explorado pelo capitalista (na Índia, por exemplo, o camponês trabalha como agricultor independente, a produção em si mesma ainda não está subordinada ao capital, embora o usurário dele possa extorquir, sob a forma de juro, não só todo o trabalho excedente, mas também – em termos capitalistas – parte do salário). Esse juro abrange todo o lucro e algo mais, em vez de exprimir

---

I Valor produzido pela jornada: 200 = 100 de trabalho necessário + 100 de trabalho excedente.

apenas, como nos países de produção capitalista desenvolvida, parte alíquota da mais-valia produzida, ou seja, do lucro. Por outro lado, a taxa de juro é aí determinada predominantemente por condições (adiantamentos dos usurários aos grandes proprietários, os donos da renda fundiária) que nada têm com o lucro, ou melhor, apenas indicam a proporção em que o usurário se apropria da renda fundiária.

Em países com produção capitalista de níveis diversos e, por conseguinte, com diversa composição orgânica do capital, pode a taxa de mais-valia (um dos fatores que determinam a taxa de lucro) ser mais alta no país onde a jornada normal é mais curta que naquele onde é mais longa. *Primeiro*, se a jornada de 10 horas da Inglaterra, em virtude da intensidade, for igual à jornada de 14 horas da Áustria, é possível que, para igual repartição da jornada, 5 horas de trabalho excedente daquele país representem no mercado mundial valor superior a 7 horas deste. *Segundo*, na Inglaterra, fração maior da jornada pode constituir trabalho excedente.

A lei da taxa decrescente de lucro em que se exprime a mesma taxa de mais-valia ou até uma taxa ascendente significa, em outras palavras: dada uma quantidade determinada de capital social médio, digamos, um capital de 100, a porção que se configura em meios de trabalho é cada vez maior, e a que se configura em trabalho vivo, cada vez menor. Uma vez que a massa global de trabalho vivo adicionada aos meios de produção decresce em relação ao valor desses meios de produção, o trabalho não pago e a parte que o representa, do valor, também diminuem em relação ao valor de todo o capital adiantado. Em outras palavras, parte alíquota cada vez menor de todo o capital desembolsado se transforma em trabalho vivo, e a totalidade desse capital suga, portanto, relativamente à magnitude, quantidade cada vez menor de trabalho excedente, embora, ao mesmo tempo, possa aumentar a parte não paga em relação à parte paga do trabalho aplicado. O decréscimo e o acréscimo relativos, respectivamente, do capital variável e do constante, embora cresçam ambos em termos absolutos, constituem apenas, conforme vimos, outra expressão do aumento da produtividade do trabalho.

Seja um capital de 100, composto de $80_c + 20_v$, correspondendo ao último termo 20 trabalhadores. Seja a taxa de mais-valia de 100%, isto é, metade da jornada pertence aos trabalhadores e a outra metade ao capitalista. Imaginemos agora que, num país menos desenvolvido, a composição do capital seja de $20_c + 80_v$, correspondendo ao último termo 80 trabalhadores, que precisam de $\frac{2}{3}$ da jornada para si e trabalham $\frac{1}{3}$ dela para o capitalista. Igualando-se todas as demais condições, os trabalhadores, no primeiro caso, produzem um valor de 40, e, no segundo, de 120. O primeiro capital produz $80_c + 20_v + 20_m = 120$, com taxa de lucro = 20%, e o segundo capital, $20_c + 80_v + 40_m = 140$, com taxa de lucro = 40%. Esta, portanto, no segundo caso é duas vezes maior que no primeiro, embora neste a taxa de mais-valia = 100% seja o dobro da taxa do segundo, apenas de 50%. Em compensação, capital da mesma magnitude se apropria, no primeiro caso, do trabalho excedente de somente 20 trabalhadores, e, no segundo, do trabalho excedente de 80.

A lei da queda progressiva da taxa de lucro ou do decréscimo relativo do trabalho excedente extorquido, ao confrontar-se com a massa de trabalho materializado posta em movimento pelo trabalho vivo, não exclui de maneira alguma que aumente a massa absoluta do trabalho explorado e mobilizado pelo capital social, e, portanto, que cresça a massa absoluta do trabalho excedente de que se apropria, nem tampouco impede que os capitais sob o domínio dos diversos capitalistas comandem massa crescente de trabalho e, por conseguinte, de trabalho excedente, podendo este aumentar mesmo quando o número de trabalhadores comandados não aumente.

Imaginemos uma população de dois milhões de trabalhadores, sendo dados, além do salário, a duração e a intensidade da jornada média de trabalho e, por conseguinte, a relação entre trabalho necessário e trabalho excedente. Nessas condições, a totalidade do trabalho desses dois milhões produzirá sempre igual magnitude de valor, o que abrange o trabalho excedente que se configura em mais-valia. Mas, à medida que aumenta a massa do capital constante – fixo e circulante – que esse trabalho mobiliza, aquela magnitude de valor diminui em relação ao valor desse capital, valor que aumenta com sua massa, embora não na mesma proporção. Com essa diminuição relativa, cai a taxa de lucro, embora o capital continue a comandar a mesma massa de trabalho vivo e a sugar a mesma massa de trabalho excedente. A relação muda não porque diminua a massa de trabalho vivo, mas porque aumenta a massa de trabalho já materializado, posta em movimento. O decréscimo é relativo e não absoluto, e nada tem realmente com magnitude absoluta do trabalho e do trabalho excedente mobilizados. A queda da taxa de lucro advém não de decréscimo absoluto, e sim de decréscimo relativo da parte variável do capital global, do decréscimo dela em relação à parte constante.

O que vale para dada massa de trabalho e de trabalho excedente estende-se também a número crescente de trabalhadores, e, por conseguinte, nas condições estabelecidas, a massa crescente do trabalho comandado em geral e da parte não paga em particular, o trabalho excedente. Se a população de 2 milhões de trabalhadores aumenta para 3 milhões, se o capital variável que recebe em salários cresce da mesma maneira, indo de 2 para 3 milhões, e se, por outro lado, o capital constante sobe de 4 para 15 milhões, aumentará nas condições estabelecidas (invariáveis a jornada de trabalho e a taxa de mais-valia) de metade, de 50%, indo de 2 para 3 milhões, a massa de trabalho excedente, de mais-valia. Entretanto, apesar de crescer em 50% a massa absoluta do trabalho excedente e, por conseguinte, da mais-valia, a relação entre capital variável e capital constante cairia de 2 : 4 para 3 : 15, e a relação entre a mais-valia e o capital global seria a apresentada a seguir (em milhões):

$$\text{I. } 4_c + 2_v + 2_m \text{ ; } C = 6, l' = 33\tfrac{1}{3}\%$$
$$\text{II. } 15_c + 3_v + 3_m \text{ ; } C = 18, l' = 16\tfrac{2}{3}\%.$$

Enquanto a massa de mais-valia aumentou de metade, a taxa de lucro caiu à metade do que era. Mas o lucro nada mais é do que a mais-valia medida pelo capital social, e a massa do lucro, sua magnitude absoluta, é, portanto, do ponto de vista social, igual à magnitude absoluta da mais-valia. A magnitude absoluta do lucro, toda a sua massa, teria aumentado, portanto, de 50%, apesar do enorme decréscimo dessa massa em relação ao capital global adiantado, ou apesar do enorme decréscimo da taxa geral de lucro. O número de trabalhadores que o capital emprega, ou seja, a massa absoluta de trabalho que mobiliza e, por conseguinte, a massa absoluta de trabalho excedente que suga, ou de mais-valia ou de lucro que produz, podem, portanto, crescer, e crescer de maneira contínua, apesar da queda progressiva da taxa de lucro. No regime de produção capitalista, isto é mais que uma *possibilidade*, é uma *necessidade*, se abstraímos das flutuações temporárias.

O processo capitalista de produção, na essência, é ao mesmo tempo processo de acumulação. Vimos como, ao progredir a produção capitalista, a massa de valores que tem de ser simplesmente reproduzida, conservada, aumenta e cresce ao elevar-se a produtividade do trabalho, mesmo quando não varia a força de trabalho aplicada. Mas, ao desenvolver-se a produtividade social do trabalho, aumenta ainda mais a massa dos valores de uso produzidos, parte dos quais é constituída pelos meios de produção. E o trabalho adicional de que o capitalista se apropria para poder reconverter esse acréscimo de riqueza em capital não depende do valor, mas da massa desses meios de produção (inclusive meios de subsistência), pois o trabalhador, no processo de trabalho, não lida com o valor, mas com o valor de uso dos meios de produção. A própria acumulação – e a concentração que ela implica – é meio material de aumentar a produtividade. Nesse acréscimo dos meios de produção se inclui o crescimento da população trabalhadora, a formação de população adequada ao capital excedente e que até exceda sempre de modo geral suas necessidades, em suma, uma superpopulação de trabalhadores. Excesso momentâneo de capital em relação à população obreira que comanda teria duplo efeito. De um lado, aumentaria progressivamente a população trabalhadora, elevando os salários, por conseguinte suavizando as condições que destroem, dizimam os filhos dos trabalhadores e facilitando os casamentos; por outro lado, com o emprego dos métodos que produzem a mais-valia relativa (introdução e aperfeiçoamento de máquinas), geraria com rapidez ainda maior superpopulação relativa, artificial, que por sua vez é o viveiro onde realmente se procria gente de maneira rápida, pois na produção capitalista a miséria produz população. Da natureza do processo de acumulação capitalista – que é apenas um aspecto do processo de produção capitalista – infere-se, evidentemente, que a massa acrescida dos meios de produção, destinada a converter-se em capital, encontra sempre um acréscimo correspondente, quando não excessivo, na população trabalhadora explorável. Ao progredir o processo de produção e de acumulação, cresce *necessariamente* também a massa de trabalho excedente de que o capital se apropria e pode se apropriar, e, por conseguinte, a massa absoluta do lucro obtido pelo capital da sociedade. Mas as mesmas leis da produção e da acumulação aumentam, além da massa, o valor do capital constante em progressão crescente, de maneira mais rápida que o do capital variável, que se converte em trabalho vivo. As mesmas leis geram, para o capital da sociedade, crescimento absoluto da massa de lucro e taxa cadente de lucro.

Estamos abstraindo de que, com o progresso da produção capitalista, com o desenvolvimento da produtividade do trabalho social, com a diversificação dos ramos de produção e, por conseguinte, dos produtos, a mesma magnitude de valor se configura em massa cada vez maior de valores de uso e de coisas a fruir.

NATUREZA DA LEI

O desenvolvimento da produção e da acumulação capitalistas leva a processos de trabalho em escala, em dimensões cada vez maiores, e, em consequência, a desembolsos crescentes de capital para cada estabelecimento particular. Por isso, além de ser uma das condições materiais delas, é um dos resultados por elas produzidos a concentração crescente dos capitais, acompanhada, embora em proporção menor, de aumento do número dos capitalistas. Junto e em interação com isso, há a expropriação progressiva dos produtores diretos ou indiretos. Fica, assim, compreensível a circunstância de capitalistas isoladamente considerados comandarem exércitos crescentes de trabalhadores (por mais que o capital variável diminua em relação ao constante), e a de aumentar a massa da mais-valia de que se apropriam e, por conseguinte, o montante do lucro, simultaneamente com a queda da taxa de lucro e apesar dessa queda. As causas que concentram grandes massas de trabalhadores sob o comando de capitalistas individuais são as mesmas que aumentam em proporção crescente a massa do capital fixo aplicado, a das matérias-primas e auxiliares, em confronto com a massa do trabalho vivo empregado.

Aqui basta lembrar que, dada a população trabalhadora, se sobe a taxa de mais-valia, seja prolongando-se ou intensificando-se a jornada de trabalho, seja reduzindo-se o valor do salário em virtude de desenvolver-se a produtividade do trabalho, cresce necessariamente a massa de mais-valia e, por conseguinte, a massa absoluta de lucro, apesar de o capital variável diminuir em relação ao constante.

O desenvolvimento da produtividade do trabalho social – com as leis que se configuram na diminuição do capital variável proporcionalmente ao capital global e na consequente acumulação acelerada, enquanto a acumulação, reagindo, se torna ponto de partida de nova expansão da produtividade e de novo decréscimo relativo do capital variável – é o mesmo desenvolvimento que se expressa, excluídas flutuações temporárias, no acréscimo progressivo da totalidade da força de trabalho empregada no crescimento progressivo da massa absoluta da mais-valia e, por conseguinte, do lucro.

Como se deve apresentar esta lei de dupla fisionomia, que atribui o decréscimo da *taxa* de lucro a causas que ao mesmo tempo provocam o acréscimo da *massa* absoluta do lucro? Deveria a lei fundar-se na circunstância de, nas condições estabelecidas, crescer a massa de trabalho excedente de que se apropria o capitalista e, por conseguinte, o montante de mais-valia, e na de serem lucro e mais-valia magnitudes idênticas, do ponto de vista da totalidade do capital, ou do capital individual considerado mera fração dessa totalidade?

Seja 100 a parte alíquota do capital, sobre a qual calculamos a taxa de lucro. Representem esses 100 a composição média da totalidade do capital, digamos, $80_c + 20_v$. Na Segunda Seção deste livro, vimos que a taxa média de lucro nos diferentes ramos não é determinada pela composição do capital peculiar a cada um deles, mas pela composição social média. Com o decréscimo relativo da parte variável, em confronto com a constante e, portanto, com todo o capital de 100, cai a taxa de lucro sem que varie e até elevando-se o grau de exploração do trabalho; cai a magnitude relativa da mais-valia, isto é, a proporção dela com o valor de todo o capital adiantado de 100. Mas não diminui apenas essa magnitude relativa. Decresce, em termos absolutos, a grandeza da mais-valia ou do lucro sugado por todo o capital de 100. Para uma taxa de mais-valia de 100%, produz um capital de $60_c + 40_v$, massa de mais-valia e, por conseguinte, de lucro igual a 40; um capital de $70_c + 30_v$, massa de lucro igual a 30; se o capital é de $80_c + 20_v$, cai o lucro a 20. Essa queda é da massa da mais-valia, ou seja, do lucro, e, uma vez que todo o capital de 100 mobiliza quantidade menor de trabalho vivo, ficando invariável o grau de exploração, decorre ela de esse capital pôr em movimento menos trabalho excedente e produzir, por isso, quantidade menor de mais-valia. Tomada qualquer parte alíquota do capital social, ou seja, do capital de composição social média, como unidade para medir a mais-valia – o que se faz quando se trata de calcular o lucro –, verificamos serem idênticas a queda relativa e a queda absoluta da mais-valia. Nos casos acima, decresce a taxa de lucro, passando ela de 40 para 30 e depois para 20, justamente porque diminuiu de fato, em termos absolutos, a massa de mais-valia, ou seja, de lucro produzida pelo mesmo capital, indo de 40 para 30 e depois para 20. Uma vez que é igual a 100 a magnitude dada do valor do capital com a qual se mede a mais-valia, uma queda na proporção da mais-valia com essa magnitude invariável só pode ser outra maneira de exprimir o decréscimo da magnitude absoluta da mais-valia e do lucro. Isto é de fato uma tautologia. Mas a ocorrência dessa diminuição advém da natureza do desenvolvimento do processo capitalista de produção, conforme já demonstramos.

Mas, por outro lado, as mesmas causas que produzem decréscimo absoluto da mais-valia ou do lucro referente a dado capital e, por conseguinte, da taxa de lucro percentualmente calculada provocam aumento da massa absoluta da mais-valia ou do lucro de que se apropria o capital social, isto é, a totalidade dos capitalistas. Como se deve configurar esta lei, como lhe dar expressão que abranja apenas a ela, ou que condições implica essa contradição aparente?

É magnitude dada cada parte alíquota igual a 100 do capital social e, por conseguinte, cada 100 de capital de composição social média; nessas condições, o decréscimo da taxa de lucro coincide com o decréscimo da magnitude absoluta do lucro, justamente porque o capital em que elas se medem é grandeza constante. Ao contrário, a totalidade do capital social, como o capital que se encontra nas mãos de cada um dos capitalistas, é magnitude variável, que, para corresponder às condições pressupostas, tem de alterar-se em razão inversa do decréscimo da parte variável.

Sendo no exemplo anterior a composição percentual $60_c + 40_v$, era a mais-valia ou o lucro de 40, e a taxa de lucro, portanto, de 40%. Admitamos que, nesse nível de composição, a totalidade do capital seja de 1 milhão. Assim, a mais-valia global, ou seja, o lucro global é de 400.000. Se mais tarde a composição se torna $80_c + 20_v$, a mais-valia ou o lucro, ficando inalterável o grau de exploração do trabalho, passa a ser de 20 para cada 100 de capital. Mas, conforme demonstramos, a mais-valia ou o lucro aumenta em magnitude absoluta, apesar dessa taxa cadente de lucro ou da produção decrescente de mais-valia por cada 100 de capital. Assim, admitamos que a mais-valia ou lucro aumente de 400.000 para 440.000, e isto só é possível se a totalidade do capital, com a nova composição, tiver se elevado a 2.200.000. A massa do capital global mobilizado aumentou de 120%, enquanto a taxa de lucro caiu de 50%. Se o capital tivesse apenas duplicado, só teria ele podido produzir, com a taxa de lucro de 20%, a mesma massa de mais-valia e lucro obtida pelo capital anterior de 1.000.000 à taxa de 40%. Se chegasse a menos do dobro do que era, teria produzido menos mais-valia ou lucro que o capital anterior de 1.000.000, o qual, com sua composição, só precisava aumentar de 1.000.000 para 1.100.000, para aumentar sua mais-valia de 400.000 para 440.000.

Patenteia-se aqui a lei já anteriormente apresentada:[I] com o decréscimo relativo do capital variável, portanto, com o desenvolvimento da produtividade social do trabalho, massa cada vez maior de capital é necessária para pôr em movimento a mesma quantidade de força de trabalho e extrair a mesma quantidade de trabalho excedente. Assim, na mesma proporção em que se desenvolve a produção capitalista, acentua-se a possibilidade de

---

I Ver Livro 1, pp. 677s., 698s.

um excesso relativo da população trabalhadora, não por *decrescer*, mas por *acrescer* a força produtiva do trabalho social, por conseguinte, não por surgir desproporção essencial entre trabalho e meios de subsistência ou meios de produzi-los, mas por ocorrer desequilíbrio, oriundo da exploração capitalista do trabalho, entre o aumento progressivo do capital e o decréscimo relativo da necessidade que tem de população crescente.

Se a taxa de lucro diminui de 50%, reduz-se ela à metade, tendo o capital, portanto, de duplicar-se, para que não varie a massa de lucro. Para a massa de lucro ficar invariável ao decrescer a taxa de lucro, é necessário que o multiplicador que indica o aumento do capital global seja igual ao divisor que indica a diminuição da taxa de lucro. Se a taxa de lucro cai de 40 para 20, o capital global, inversamente, tem de elevar-se na razão de 20 para 40, a fim de que o resultado continue o mesmo. Se a taxa de lucro tiver caído de 40 para 8, teria o capital de aumentar na razão de 8 para 40, isto é, de quintuplicar-se. Um capital de 1.000.000 a 40% produz 400.000, e um capital de 5.000.000 a 8% produz os mesmos 400.000. Isto para o resultado ficar o mesmo, mas, se o objetivo é aumentá-lo, o capital tem de crescer em proporção maior do que aquela em que decresce a taxa de lucro. Noutras palavras: a fim de que a parte variável do capital global não fique a mesma, mas cresça em termos absolutos, embora se reduza sua percentagem em relação ao capital global, tem este de aumentar em proporção maior do que aquela em que diminui a percentagem do capital variável. Tem de crescer tanto que, em sua nova composição, precise de capital variável maior que o anterior para comprar força de trabalho. Se, de um capital = 100, a parte variável cair de 40 para 20, tem o capital total de elevar-se a mais de 200, para poder empregar capital variável superior a 40.

Mesmo que a massa explorada da população trabalhadora permanecesse constante e aumentassem apenas a duração e a intensidade da jornada de trabalho, ainda assim teria de elevar-se a massa do capital aplicado, pois ela já tem de elevar-se com a mudança da composição do capital, para empregar, nas antigas condições de exploração, a mesma quantidade de trabalho.

Assim, ao progredir o modo capitalista de produção, o desenvolvimento da produtividade social do trabalho se configura na tendência à baixa progressiva da taxa de lucro e, além disso, no aumento absoluto da massa da mais-valia ou lucro extraído; desse modo, no conjunto, ao decréscimo relativo do capital variável e do lucro corresponde acréscimo absoluto de ambos. Esse duplo efeito, segundo mostramos, só pode explicar-se em virtude de o capital global aumentar em progressão mais rápida que aquela em que diminui a taxa de lucro. Para empregar-se capital variável absolutamente acrescido, no caso de composição superior ou de acréscimo relativo maior do capital constante, é mister que o capital global não aumente apenas na proporção da composição superior, porém mais rapidamente. Infere-se daí que, quanto mais desenvolvido o modo capitalista de produção, tanto maior é a massa de capital necessária para ocupar a mesma força de trabalho, e maior ainda quando se trata de crescente força de trabalho. Assim, no regime capitalista, a produtividade ascendente do trabalho produz necessariamente, com caráter de permanência, uma superpopulação aparente de trabalhadores. Se o capital variável constitui $\frac{1}{6}$ do capital global, em vez de $\frac{1}{2}$, como anteriormente, tem o capital global de triplicar-se para empregar a mesma força de trabalho; mas, se o objetivo é duplicar a força de trabalho empregada, terá ele de sextuplicar-se.

A economia, que até hoje não soube explicar a lei da taxa cadente de lucro, procura consolar-se com a massa crescente de lucro, com o aumento da magnitude absoluta do lucro, para o capitalista isolado ou para todo o capital da sociedade, apegando-se a lugares-comuns e a meras conjecturas.

É mera tautologia dizer que a massa de lucro é determinada por dois fatores: pela taxa de lucro e pela massa do capital empregado a essa taxa. É, portanto, mero corolário dessa tautologia dizer que a massa de lucro pode crescer, embora simultaneamente diminua a taxa de lucro, e de nada nos adianta, pois tanto pode aumentar o capital, sem que aumente a massa de lucro, quanto pode aumentar enquanto ela diminui. 100 a 25% dá 25, e 400 a 5%, 20 apenas.[35] Se as causas que fazem cair a taxa de lucro são as

---

35 "Também é de esperar que – embora diminua a taxa de lucro do capital em virtude da acumulação de capital no solo e da alta dos salários – suba a totalidade dos lucros. Assim, admitamos que, para sucessivas acumulações de 100.000 libras esterlinas cada uma, caia a taxa de lucro de 20 para 19, para 18, para 17%, taxa sempre descrente, portanto; é de esperar que a soma de lucros recebida pelos sucessivos possuidores do capital vá aumentando; que ela seja maior para o capital de 200.000 libras esterlinas que para o capital de 100.000; maior ainda para o de 300.000, e que assim prossiga aumentando, com cada acréscimo de capital, apesar da taxa cadente. Essa progressão, entretanto, só é verdadeira durante algum tempo: 19% de 200.000 libras esterlinas. Mas, depois de o capital ter atingido elevado montante e caído os lucros, a acumulação ulterior diminui a totalidade dos lucros. Suposto fosse a acumulação de 1.000.000 de libras esterlinas e o lucro de 7%, a totalidade do lucro seria de 70.000 libras esterlinas. Se agora a um milhão se juntassem 100.000 libras esterlinas de capital e o lucro caísse para 6%, então os donos do capital receberiam 66.000 libras esterlinas, havendo uma redução de 4.000 libras esterlinas, embora a totalidade do capital tivesse aumentado de 1.000.000 de libras esterlinas para 1.100.000" (Ricardo, *Pol. Econ.*, cap. VII, *Works*, ed. MacCulloch, 1852, p. 68s.). Admite-se aí que o capital aumenta de 1.000.000 para 1.100.000, acréscimo de 10%, portanto, enquanto a taxa de lucro passa de 7 para 6, diminuindo de $14\frac{2}{7}$%. Daí as lágrimas.

mesmas que favorecem a acumulação, isto é, a formação de capital adicional, e se cada capital adicional mobiliza trabalho adicional e produz mais-valia adicional; se, além disso, a simples queda da taxa de lucro envolve a circunstância de o capital constante ter crescido, e, por conseguinte, todo o capital antigo, cessa de ser misterioso todo esse processo. Mais tarde, veremos[I] a que deformações de cálculo se recorre para escamotear a possibilidade de o acréscimo da massa de lucro coincidir com o decréscimo da taxa de lucro.

Mostramos que as mesmas causas que fazem a taxa geral de lucro tender para baixa determinam acumulação acelerada do capital e, portanto, aumento da magnitude absoluta ou da totalidade do trabalho excedente (mais-valia, lucro) de que ele se apropria. Tudo na concorrência e, por conseguinte, na consciência dos seus agentes se configura invertido, e o mesmo se dá com esta lei, com esta conexão interna e necessária que existe entre duas coisas que na aparência são contraditórias. É claro que, nas proporções acima apresentadas, um capitalista que dispõe de grande capital realiza quantidade maior de lucro que um pequeno capitalista que parece obter lucros elevados. A observação mais superficial da concorrência revela ademais que, em certas circunstâncias, quando o capitalista mais forte quer expandir-se no mercado, suplantar os menores, como nos tempos de crise, emprega esta prática: reduz a propósito a taxa de lucro, a fim de eliminar os mais débeis. Sobretudo o capital mercantil, de que falaremos adiante, põe à mostra fenômenos que fazem a queda do lucro aparecer como consequência da expansão do negócio e, portanto, do capital. Decorre daí concepção errônea, e mais adiante daremos a explicação propriamente científica. Análogas interpretações superficiais resultam da comparação das taxas de lucro obtidas nos diferentes ramos segundo estão submetidos a regime de livre concorrência ou de monopólio. Toda a ideação superficial que vive no espírito dos agentes da concorrência encontramos em nosso Roscher, para quem essa baixa da taxa de lucro "é mais inteligente e mais humana".[II] O decréscimo da taxa de lucro aparece aí como consequência do acréscimo do capital e do cálculo dos capitalistas, relacionado com esse acréscimo, de que embolsarão massa maior de lucro com menor taxa de lucro. Toda a concepção (A. Smith constitui exceção de que falaremos mais tarde)[III] repousa sobre o desconhecimento total do que seja a taxa geral de

---

I Ver, do autor, *Theorien über den Mehrwert*, 2. Teil, pp. 435-66, 541-43.
II *Die Grundlagen der Nationalökonomie*, 3ª ed., Stuttgart, Augsburgo, 1858, p. 192.
III Ver, do autor, *Theorien über den Mehrwert*, 2. Teil, pp. 214-28.

lucro, e sobre a ideia grosseira de que os preços são de fato determinados por acréscimo de cota mais ou menos arbitrária, correspondente a lucro, sobre o verdadeiro valor das mercadorias. Por mais simplórias que sejam essas ideias, provêm elas necessariamente da imagem invertida, gerada na concorrência, das leis imanentes da produção capitalista.

O acréscimo da massa de lucro acompanha a baixa da taxa de lucro, provocada pelo desenvolvimento da produtividade. Esta lei expressa-se também na circunstância de a baixa no preço das mercadorias produzidas pelo capital acompanhar-se de crescimento, em relação à totalidade, das massas de lucro nelas contidas e realizadas por meio da venda.

Uma vez que o desenvolvimento da produtividade e a correspondente composição superior do capital mobiliza quantidade cada vez maior de meios de produção com quantidade cada vez menor de trabalho, então, cada mercadoria isolada ou cada porção determinada da massa total produzida absorve menos trabalho vivo e, além disso, contém menos trabalho materializado, oriundo do desgaste do capital fixo aplicado ou das matérias-primas e auxiliares consumidas. É menor, portanto, a soma, encerrada em cada mercadoria, de trabalho materializado em meios de produção e de trabalho novo, adicionado durante a produção. Por isso, cai o preço de cada mercadoria. A massa de lucro contida em cada uma das mercadorias pode, entretanto, aumentar, se crescer a taxa da mais-valia absoluta ou relativa. Cada uma contém menos trabalho novo adicionado, mas a parte dele não paga aumenta em relação à paga. Ao desenvolver-se a produção, decresce enormemente, em termos absolutos, a soma de trabalho vivo de novo acrescentado a cada mercadoria, e, com esse decréscimo, a parte não paga do trabalho nela contido diminui absolutamente, por mais que aumente em relação à parte paga. A massa de lucro correspondente a cada mercadoria diminuirá com o desenvolvimento da produtividade do trabalho, apesar de crescer a taxa de mais-valia, e essa diminuição, como sucede com a taxa de lucro, apenas se modera com o barateamento dos componentes do capital constante e com as outras circunstâncias apresentadas na Primeira Seção deste livro, as quais elevam a taxa de lucro para taxa dada, e mesmo cadente, de mais-valia.

Dizer que baixa o preço das mercadorias isoladas, que, em conjunto, formam o produto global do capital, significa apenas que dada quantidade de trabalho realiza quantidade maior de mercadorias, cada mercadoria isolada passando a conter, portanto, menos trabalho que antes. É o que se dá, mesmo quando sobe o preço de parte do capital constante, matérias-primas etc. Com exceção de casos isolados (por exemplo, quando a produtividade do trabalho barateia uniformemente todos os elementos do capital constante e do variável), a taxa de lucro diminuirá, apesar da alta da taxa de mais-valia: (1) porque fração maior não paga da totalidade menor do novo trabalho adicional é menor que fração menor não paga da totalidade anterior maior e (2) porque a composição superior do capital expressa-se na mercadoria isolada, pela circunstância de a parte de seu valor, que representa trabalho novamente adicionado, diminuir em relação à que representa matérias-primas, auxiliares e desgaste do capital fixo. Essa mudança na proporção entre os diversos componentes do preço da mercadoria singularmente considerada, o decréscimo da fração em que se configura trabalho vivo novamente adicionado, e o acréscimo das frações de preço nas quais se configura trabalho anteriormente materializado – eis aí a forma em que se expressa, no preço de cada mercadoria, o decréscimo do capital variável em relação ao constante. Esse decréscimo é absoluto para dada unidade de capital, digamos, 100, sendo-o também para cada mercadoria singular como parte alíquota do capital reproduzido. Entretanto, a taxa de lucro se apresentaria diversa do que é na realidade, se calculada em relação aos elementos do preço de cada mercadoria singularmente considerada. E eis a razão:

[Calcula-se a taxa de lucro em relação a todo o capital empregado, durante determinado tempo, na prática, um ano. É a relação, percentualmente calculada, entre a mais-valia ou lucro obtido e realizado num ano e todo o capital. Não é, portanto, necessariamente igual a uma taxa de lucro, calculada não na base de um ano, mas na do período de rotação do capital considerado; só pode haver coincidência entre ambas quando o capital só rota uma vez por ano.

Ademais, o lucro feito num ano é apenas a soma dos lucros sobre as mercadorias produzidas e vendidas no mesmo ano. Calculando o lucro sobre o preço de custo das mercadorias, obtemos taxa de lucro igual a $\frac{l}{k}$ sendo l o lucro realizado no decurso do ano, e k, a soma dos preços de custo das mercadorias produzidas e vendidas no mesmo período. É claro que essa taxa de lucro $\frac{l}{k}$ só pode coincidir com a verdadeira taxa de lucro $\frac{l}{C}$, massa de lucro dividida por todo o capital, se k = C, isto é, quando o capital rote exatamente uma vez por ano.

Consideremos um capital industrial em três situações diferentes.

I. O capital de 8.000 libras esterlinas produz e vende por ano 5.000 mercadorias, a 30 xelins a unidade, tendo, portanto, uma rotação anual de 7.500 libras esterlinas. O lucro por unidade é de 10 xelins, o que corresponde a 2.500 libras por ano. Cada unidade contém 20 xelins de capital adiantado e 10 xelins de lucro, sendo, portanto, a taxa de lucro por unidade $\frac{10}{20}$ = 50%. Das 7.500 libras esterlinas, a soma rodada, 5.000 são adiantamento de capital, e 2.500 lucro; taxa de lucro referente à soma rodada, $\frac{1}{k}$, também 50%. Entretanto, a taxa de lucro calculada em relação a todo o capital $\frac{1}{C} = \frac{2.500}{8.000} = 31\frac{1}{4}$%.

II. Admitamos que o capital aumente para 10.000 libras esterlinas e que, em virtude de maior produtividade do trabalho, esteja capacitado a produzir por ano 10.000 mercadorias ao preço de custo de 20 xelins por unidade. Seja esta vendida com lucro de 4 xelins, por 24 xelins, portanto. Então, o preço do produto anual = 12.000 libras esterlinas, das quais 10.000 constituem capital adiantado, e 2.000, lucro. Por unidade, = $\frac{1}{k}$ = $\frac{4}{20}$, e para toda a rotação anual é $\frac{2.000}{10.000}$, sendo, portanto, nos dois casos, igual a 20%. E, uma vez que a totalidade do capital é igual à soma dos preços de custo, libras esterlinas, também $\frac{1}{C}$, a verdadeira taxa de lucro é desta vez igual a 20%.

III. Se o capital, sendo crescente a produtividade do trabalho, elevar-se a libras esterlinas e produzir anualmente 30.000 mercadorias, vendidas a 15 xelins a unidade, sendo 13 o preço de custo e 2 o lucro, teremos: rotação anual = 30.000 × 15 xelins = 22.500 libras esterlinas, das quais 19.500 constituem capital adiantado, e 3.000, lucro. Assim, $\frac{1}{k} = \frac{2}{13} = \frac{3.000}{19.500}$ = 15$\frac{5}{13}$ %. Entretanto, $\frac{1}{C} = \frac{3.000}{15.000}$ = 20%.

Só no caso II, portanto, onde o valor-capital rodado é igual à totalidade do capital, a taxa de lucro calculada por unidade de mercadoria ou pela soma rodada é a mesma que a taxa de lucro calculada em relação a todo o capital. No caso I, onde a soma rodada é menor que a totalidade do capital, é maior a taxa de lucro calculada pelo preço de custo da mercadoria; no caso III, onde a totalidade do capital é menor do que a soma rodada, ela é mais baixa que a taxa real, calculada em relação a todo o capital. O que estamos verificando tem validade geral.

Na prática comercial, costuma-se calcular erradamente a rotação. Admite-se que o capital fez uma rotação, quando a soma dos preços das mercadorias realizadas atinge a soma correspondente a todo o capital. Mas o *capital* só pode perfazer uma rotação completa quando a soma dos *preços de custo* das mercadorias realizadas for igual à soma que representa todo o capital. — F.E.]

Mais uma vez, verificamos a importância, para a produção capitalista, de se considerar a mercadoria singular ou o produto-mercadoria de determinado período não isoladamente, como simples mercadoria, mas como produto do capital adiantado e em relação com todo o capital que produz a mercadoria.

A *taxa* de lucro tem de ser calculada comparando-se a massa da mais-valia produzida e realizada, não com a parte consumida do capital, a qual reaparece nas mercadorias, mas com essa parte acrescida da não consumida, mas empregada na produção e que nela continua funcionando. A *massa* de lucro, entretanto, só pode ser igual à massa de lucro ou mais-valia contida nas próprias mercadorias e realizada com a venda delas.

Se aumenta a produtividade da indústria, diminui o preço da mercadoria singularmente considerada. Ela encerra menos trabalho, pago e não pago. Digamos que o mesmo trabalho passe a produzir o triplo; então, cada produto terá $\frac{2}{3}$ menos de trabalho. E, uma vez que o lucro só pode constituir parte dessa massa de trabalho contida na mercadoria isolada, tem a massa de lucro de diminuir para cada mercadoria, mesmo quando, dentro de certos limites, sobe a taxa de mais-valia. Em relação ao produto global, a massa de lucro não cai abaixo da massa primitiva de lucro, quando o capital emprega a mesma quantidade de trabalhadores com o mesmo grau anterior de exploração (isto pode ocorrer também quando se empregam menos trabalhadores com grau de exploração mais elevado), pois, na mesma proporção em que decresce a massa de lucro por cada produto, acresce o número dos produtos. A massa de lucro permanece a mesma, embora se reparta de maneira diferente pela totalidade das mercadorias, isto em nada altera a distribuição, entre trabalhadores e capitalistas, do montante de valor criado pelo trabalho de novo adicionado. A massa de lucro só pode aumentar, empregando-se a mesma quantidade de trabalho, quando aumenta o trabalho excedente não pago, ou, não se alterando o grau de exploração do trabalho, quando aumenta o número dos trabalhadores, ou, ainda, quando as duas causas atuam conjuntamente. Em todos esses casos – que, de acordo com o pressuposto estabelecido, implicam aumento do capital constante em relação ao variável e magnitude crescente de todo o capital aplicado –, a mercadoria isolada contém massa menor de lucro e cai a taxa de lucro, mesmo quando calculada em relação a cada mercadoria singularmente considerada; dada quantidade de trabalho adicional configura-se em quantidade maior de mercadorias; cai o preço de cada mercadoria. De um ponto de vista abstrato, ao cair o preço da mercadoria isolada em virtude de aumento da produtividade, e, por consequência, ao multiplicar-se o número dessas mercadorias mais baratas, pode permanecer a mesma a taxa de lucro, por exemplo, se o aumento da produtividade atuar de maneira uniforme e simultânea sobre todos os componentes dessas mercadorias, de modo que todo o preço da mercadoria diminua na mesma proporção em que aumenta a produtividade do trabalho e ainda permaneça a mesma a relação recíproca entre os diferentes componentes da mercadoria. A taxa de lucro poderia até subir, se importante redução no valor dos elementos do capital constante sobretudo do fixo coincidisse com elevação da taxa de mais-valia. Mas, na realidade, conforme vimos, a taxa de lucro, com o tempo, acabará caindo. Apenas a queda de preço da mercadoria isolada não basta, de maneira alguma, para que se formule conclusão sobre a taxa de lucro. Tudo depende da magnitude da totalidade do capital empregado para produzir a mercadoria. Admitamos ter caído o preço do metro de um tecido, indo de 3 xelins para $1\frac{2}{3}$, e que, antes dessa queda, $1\frac{2}{3}$ correspondia a capital constante, fio etc., $\frac{2}{3}$ a salário, $\frac{2}{3}$ a lucro, e que, após a queda, 1 xelim a capital constante, $\frac{1}{3}$ a salário e $\frac{1}{3}$ a lucro. Com isso, não sabemos se a taxa de lucro ficou ou não a mesma. Isto depende de haver ou não aumentado o capital global adiantado, da magnitude desse aumento e da quantidade a mais de metros que produz, em dado espaço de tempo.

Fenômeno decorrente da natureza do modo capitalista de produção: aumentando a produtividade do trabalho, diminui o preço de cada mercadoria ou de dada quantidade de mercadoria, multiplica-se o número das mercadorias, reduzem-se a massa de lucro por mercadoria isolada e a taxa de lucro relativa à totalidade das mercadorias, mas aumenta a massa de lucro correspondente à totalidade das mercadorias. Na superfície, este fenômeno mostra apenas: queda da massa de lucro por cada mercadoria, queda de seu preço, aumento da massa de lucro correspondente à totalidade aumentada das mercadorias que produz todo o capital da sociedade ou ainda o capitalista isolado. Aventa-se então que o capitalista, por ser esta sua livre e espontânea vontade, reduz o lucro por unidade, mas se compensa pelo maior número de mercadorias que produz. Essa ideia repousa sobre a concepção do lucro como decorrência da venda (*profit upon alienation*),[1] a qual, por sua vez, tem sua origem no prisma do capital mercantil.

Nas seções Quarta e Sétima do Livro 1, vimos que a massa cada vez maior de mercadorias e o barateamento da mercadoria isolada, oriundos da produtividade do trabalho, não influenciam diretamente (desde que essas mercadorias não sejam elementos determinantes do preço da força de trabalho), apesar da baixa de preço, a relação entre trabalho pago e não pago na mercadoria singularmente considerada.

Uma vez que, na concorrência, as coisas se apresentam mascaradas, isto é, invertidas, pode o capitalista individualmente imaginar: (1) que reduz o lucro por unidade, diminuindo o preço da mercadoria, mas obtém lucro maior com a venda de quantidade maior de mercadorias; e (2) que fixa o preço da unidade e, por multiplicação, determina o preço do produto global, quando a operação primacial é a divisão (ver Livro 1, Capítulo x, p. 351s.), vindo depois a multiplicação, que estará certa se pressupõe essa divisão. O economista vulgar apenas traduz as ideias peculiares dos capitalistas prisioneiros da concorrência em linguagem aparentemente mais teórica, mais geral, e peleja por justificá-las.

De fato, a queda dos preços das mercadorias e o aumento da massa de lucro, em virtude da massa maior das mercadorias mais baratas, é apenas outra maneira de apresentar-se a lei da taxa cadente de lucro com acréscimo simultâneo da massa de lucro.

Não cabe aqui pesquisar até onde pode a taxa cadente de lucro coincidir com preços decrescentes, nem tampouco a questão relacionada com a mais-valia relativa, expendida no Livro 1, p. 351s. O capitalista, que emprega métodos melhores de produção, mas ainda não generalizados, vende abaixo do preço de mercado, mas acima de seu preço individual de produção; assim, eleva-se para ele a taxa de lucro, até que a concorrência desfaz essa vantagem; no decurso do período de nivelamento, sobrevém a segunda condição, o aumento do capital adiantado; segundo a magnitude desse acréscimo, poderá o capitalista empregar, nas novas condições, parte da massa dos trabalhadores que anteriormente despedira, talvez mesmo toda ela ou ainda mais, e, por conseguinte, produzir a mesma quantidade ou quantidade maior de lucro.

I Ver, do autor, *Theorien über den Mehrwert*, 1. Teil, pp. 7-9.

XIV.
Fatores contrários à lei

XIV.
Fatores contrários à lei

Quando observamos o enorme desenvolvimento da produtividade do trabalho social, mesmo que seja apenas nos últimos 30 anos, comparando este período com todos os anteriores; quando, sobretudo, consideramos a massa gigantesca de capital fixo que, além das máquinas propriamente ditas, entra em todo o processo social de produção, vemos que a dificuldade com que se têm entretido até agora os economistas – a de explicar a queda da taxa de lucro – se transmuta na dificuldade inversa, a de explicar por que essa queda não é maior ou mais rápida. Devem estar em jogo fatores adversos que estorvam e anulam o efeito da lei geral, conferindo-lhe apenas o caráter de tendência. Por isso, demos à baixa da taxa geral de lucro a qualificação de tendência à baixa. Apresentamos a seguir os mais gerais desses fatores adversos.

1. AUMENTO DO GRAU DE EXPLORAÇÃO DO TRABALHO

O grau de exploração do trabalho, a extração de trabalho excedente e de mais-valia, aumenta, antes de mais nada, pelo prolongamento da jornada e pela intensificação do trabalho. Estes dois assuntos foram extensamente tratados no Livro 1, quando estudamos a produção da mais-valia absoluta e da relativa. Muitos fatores que intensificam o trabalho implicam aumento do capital constante em relação ao variável, por conseguinte, queda da taxa de lucro. É o que se dá quando um trabalhador tem o encargo de vigiar quantidade maior de máquinas. Neste caso, como na maioria dos processos empregados para produzir mais-valia relativa, as mesmas causas que provocam aumento da taxa de mais-valia podem implicar queda na massa de mais-valia, considerando-se magnitudes dadas de capital total aplicado. Mas há outros meios de intensificação, como, por exemplo, aceleração da velocidade das máquinas, os quais, no mesmo espaço de tempo, consomem quantidade maior de matérias-primas, e, quanto ao capital fixo, desgastam mais rapidamente as máquinas, sem alterar a relação entre o valor delas e o preço do trabalho que as põe em movimento. Mas sobretudo o prolongamento da jornada de trabalho, inventado pela indústria moderna, faz aumentar a massa do trabalho excedente extraído, sem modificar essencialmente a relação entre a força de trabalho aplicada e o capital constante por ela posto em movimento, e na realidade faz este, a bem dizer, diminuir relativamente. Além disso, já demonstramos – e nisto consiste todo o mistério da tendência à baixa, da taxa de lucro – que os meios de produzir mais-valia relativa reduzem-se, em suma, ao seguinte: converter a maior quantidade possível de dada massa de trabalho em mais-valia, ou empregar a menor quantidade possível de trabalho em relação ao capital adiantado. Assim, as mesmas causas que permitem elevar-se o grau de exploração do trabalho impedem que se explore com o mesmo capital global a mesma quantidade anterior de trabalho. Há aí tendências opostas que, simultaneamente, atuam no sentido de elevar a taxa de mais-valia e de baixar a massa de mais-valia e, por conseguinte, a taxa de lucro, correspondentes a dado capital. Cabe mencionar o emprego em massa de mulheres e crianças, pois toda a família tem de fornecer quantidade de trabalho excedente maior que antes, mesmo quando a soma global dos salários que recebe aumenta, o que aliás não constitui a regra. Tem o mesmo efeito tudo o que favorece a produção da mais-valia relativa, com simples melhoria dos métodos, como na agricultura, sem alterar-se a magnitude do capital aplicado. Então, o capital constante aplicado não aumenta em relação ao variável, considerado este como índice da força de trabalho empregada, mas aumenta a massa do produto em relação à força de trabalho aplicada. O mesmo se dá quando a produtividade do trabalho (não importa então que o produto entre no consumo dos trabalhadores ou nos elementos do capital constante) se libera de barreiras, de limitações arbitrárias ou que se tornam perturbadoras no correr do tempo, de todos os entraves em geral, mas sem atingir por isso a relação entre capital variável e capital constante.

Poder-se-ia perguntar se, entre as causas que freiam mas, em última análise, aceleram a queda da taxa de lucro, figuram as elevações temporárias, porém sempre repetidas, da mais-valia acima do nível geral, ocorrentes ora neste ora naquele ramo, e que beneficiam o capitalista que utiliza invenções etc. antes de elas se generalizarem. A resposta aí é necessariamente afirmativa.

A massa de mais-valia, produzida por um capital de magnitude dada, é o produto de dois fatores: a taxa de mais-valia e o número de trabalhadores empregados a essa taxa. Ela depende, dada a taxa de mais-valia, do número de trabalhadores e, dado esse número, da taxa de mais-valia; de modo geral, portanto, depende conjuntamente da magnitude absoluta do capital variável e da taxa de mais-valia. Ora, vimos que, em média, as mesmas causas que aumentam a taxa da mais-valia relativa diminuem a massa da força de trabalho empregada. Mas é claro que pode haver variação, segundo a proporção em que se desenvolva esse movimento antagônico, e que a tendência para cair a taxa de lucro se enfraquece sobretudo com o aumento da taxa da mais-valia absoluta, oriundo do prolongamento da jornada de trabalho.

Quanto à taxa de lucro, verificamos, de modo geral, que à queda da taxa, em virtude da massa crescente do capital global aplicado, corresponde acréscimo da massa de lucro. Do ponto de vista de todo o capital variável da sociedade, a mais-valia produzida é igual ao lucro produzido. Junto com a massa absoluta, cresceu a taxa de mais-valia; aquela, porque aumentou a massa de força de trabalho, empregada pela sociedade e esta, porque elevou-se o grau de exploração do trabalho. Mas, para um capital de magnitude dada, digamos, de 100, pode aumentar a taxa de mais-valia, enquanto a massa em média decresce, pois a taxa é determinada pela proporção em que se valoriza a parte variável do capital, enquanto a massa é determinada pela magnitude do capital variável em relação a todo o capital.

A elevação da taxa de mais-valia – mormente quando ocorre em circunstâncias como as expostas acima, em que não se verifica aumento absoluto ou relativo do capital constante com referência ao variável – é um fator que concorre para determinar a massa de mais-valia e, por conseguinte, a taxa de lucro. Esse fator, embora não derrogue a lei geral, faz que ela opere mais como tendência, isto é, como lei cuja efetivação absoluta é detida, retardada, enfraquecida pela ação de circunstâncias opostas. Mas as mesmas causas que elevam a taxa de mais-valia (mesmo o prolongamento da jornada é um produto da indústria moderna) concorrem para diminuir a força de trabalho aplicada por capital dado, e, assim, essas mesmas causas contribuem para diminuir a taxa de lucro e para retardar essa diminuição. Se um operário é forçado a executar trabalho que racionalmente requer dois operários, e se isso ocorre em circunstâncias em que esteja substituindo três, fornecerá esse operário único tanto trabalho excedente quanto, anteriormente, dois, e, em consequência, subirá a taxa de mais-valia. Mas não produzirá ele tanto quanto antes os três, e assim cairá a massa de mais-valia. Essa queda, entretanto, é compensada ou limitada pela elevação da taxa de mais-valia. Se toda a população é empregada com taxa mais alta de mais-valia, aumentará a massa de mais-valia, embora a população continue a mesma. E aumentará ainda mais com população crescente; e, embora esse aumento se vincule à queda do número de trabalhadores em relação à magnitude do capital total, essa queda é moderada ou detida pela taxa mais alta de mais-valia. Cabe aqui acentuar mais uma vez que, dada a magnitude do capital, pode aumentar a *taxa* de mais-valia, embora diminua sua *massa*, e vice-versa. A massa de mais-valia é igual à taxa multiplicada pelo número de trabalhadores; não se calcula a taxa em relação a todo o capital, mas apenas em relação ao capital variável; na realidade, faz-se o cálculo por jornada de trabalho. A *taxa de lucro*, ao contrário, dada a magnitude do valor-capital, não pode aumentar ou diminuir, sem que aumente ou diminua a *massa de mais-valia*.

2. REDUÇÃO DOS SALÁRIOS

O assunto é enunciado aqui apenas empiricamente, pois realmente, como muitos outros que caberia aqui mencionar, nada tem com a análise geral do capital, tratada nesta obra, enquadrando-se no domínio da concorrência. Entretanto, é um dos fatores mais importantes que detêm a tendência à queda da taxa de lucro.

3. BAIXA DE PREÇO DOS ELEMENTOS DO CAPITAL CONSTANTE

Ajusta-se aqui tudo o que dissemos na Primeira Seção deste livro sobre as causas que elevam a taxa de lucro, com taxa constante de mais-valia, ou independentemente dessa taxa: em particular, a circunstância, ocorrente no capital total, de o valor do capital constante não crescer na mesma proporção do volume material. Na fábrica moderna, por exemplo, a quantidade de algodão transformada por um fiandeiro europeu aumentou em proporção imensa, em comparação com a que ele transformava com a antiga roda de fiar. Mas o valor do algodão transformado não aumentou na mesma proporção da quantidade. O mesmo se estende às máquinas e aos outros itens do capital fixo. Em suma, o mesmo desenvolvimento que aumenta a quantidade de capital constante em relação ao variável diminui o valor de seus elementos, em virtude da produtividade acrescida do trabalho, e, por isso, impede que o valor do capital constante, embora crescendo sem cessar, cresça na mesma proporção do volume material, isto é, do volume dos meios de produção postos em movimento pela mesma quantidade de força de trabalho. Em certos casos, pode até aumentar o volume dos elementos do capital constante, enquanto o valor permanece o mesmo ou chega a diminuir.

Faz parte do que acabamos de ver a redução do valor do capital existente, isto é, de seus elementos materiais, oriunda do desenvolvimento da indústria. É também uma das causas que atuam sem cessar no sentido de deter a queda da taxa de lucro, embora diminua ela em certas circunstâncias a massa de lucro, reduzindo a massa de capital que proporciona lucro. Mais uma vez, patenteia-se que as mesmas causas que produzem a tendência à queda da taxa de lucro moderam a realização dessa tendência.

4. SUPERPOPULAÇÃO RELATIVA

É inseparável da superpopulação relativa e acelera a sua formação o desenvolvimento da produtividade do trabalho que se expressa no decréscimo da taxa de lucro. A superpopulação relativa se torna, num país, tanto mais palpável, quanto mais nele se desenvolve o modo capitalista de produção. Ela permite que, em muitos ramos de produção, perdure mais ou menos incompleta a subordinação do trabalho ao capital, e por mais tempo do que seria à primeira vista de esperar da situação geral de desenvolvimento; isto acontece por baratearem e se tornarem abundantes os trabalhadores desempregados ou liberados, e por vários ramos de produção oporem, de acordo com sua natureza, maior resistência à transformação do trabalho manual em trabalho mecânico. Ademais, surgem novas indústrias, sobretudo no setor de consumo de luxo, as quais se baseiam justamente nessa superpopulação relativa, muitas vezes liberada pela predominância, noutros ramos de produção, do capital constante, e ostentam a predominância do trabalho vivo, só pouco a pouco realizando a evolução por que passaram os outros ramos. Nos dois casos, o capital variável representa proporção considerável de todo o capital e o salário é inferior à média, de modo que a taxa e a massa de mais-valia são extraordinariamente altas em tais indústrias. E, uma vez que a taxa geral de lucro se forma pelo nivelamento das taxas de lucro dos ramos particulares de produção, a mesma causa que produz a tendência cadente da taxa de lucro gera uma reação contra essa tendência, mais ou menos paralisando-a.

5. COMÉRCIO EXTERIOR

O comércio exterior, ao baratear elementos do capital constante e meios de subsistência necessários em que se converte o capital variável, contribui para elevar a taxa de lucro, aumentando a taxa de mais-valia e reduzindo o valor do capital constante. De modo geral, atua nesse sentido, ao permitir que se amplie a escala de produção. Assim, acelera a acumulação, mas faz o capital variável decrescer em relação ao constante, e, por conseguinte, cair a taxa de lucro. Ademais, a expansão do comércio exterior, base do modo capitalista de produção em seus albores, torna-se, com o desenvolvimento do capitalismo, o próprio produto desse modo de produção, impelido por necessidade interna e pela exigência de mercado cada vez maior. De novo, patenteia-se a mesma duplicidade de efeitos (Ricardo não considerou esse aspecto do comércio exterior).

Outra questão que, a bem dizer, ultrapassa, por seu caráter especial, os limites de nossa pesquisa: sobe a taxa geral de lucro em virtude da taxa mais alta obtida pelo capital empregado em comércio exterior e particularmente no comércio colonial?

Capitais empregados em comércio exterior podem conseguir taxa mais alta de lucro, antes de mais nada, porque enfrentam a concorrência de mercadorias produzidas por outros países com menores facilidades de produção, de modo que o país mais adiantado vende suas mercadorias acima do valor, embora sejam mais baratas que as dos países competidores. Na medida em que o trabalho do país mais adiantado se valoriza como trabalho de peso específico superior, aumenta a taxa de lucro, pois trabalho que não é pago como de nível superior, como tal é vendido. Essa situação pode funcionar em relação ao país para onde se exportam e donde se importam mercadorias, dando ele, em produtos, mais trabalho materializado do que recebe e, apesar disso, recebendo mercadoria a preço mais barato do que poderia produzi-la. O mesmo se dá com o fabricante que utiliza invenção nova antes de ela generalizar-se, vendendo mais barato que os competidores, e, apesar disso, vende a mercadoria acima do valor individual, isto é, faz valer como trabalho excedente a produtividade especificamente mais alta do trabalho que emprega. Desse modo, realiza um superlucro. Quanto aos capitais aplicados nas colônias etc., podem eles proporcionar taxas de lucro mais elevadas, pois nelas, em virtude do menor desenvolvimento, é em geral mais alta a taxa de lucro e maior a exploração do trabalho, com o emprego de escravos, cules etc. Nessas condições, não seria compreensível que as taxas mais altas de lucro obtidas por capitais empregados em determinados ramos e remetidas para a metrópole não repercutissem aí no nivelamento da taxa geral de lucro, elevando-a em proporção correspondente, desde que não haja monopólios de permeio.[36] Incompreensível sobretudo quando os

---

36 A razão aí está com A. Smith, e não com Ricardo, que diz: "Sustentam que se realizará a uniformização dos lucros por meio da elevação geral dos lucros, mas sou de opinião que os lucros do ramo favorecido rapidamente cairão ao nível geral" (*Works*, ed. MacCulloch, p. 73)

ramos em que se aplica o capital estão sob as leis da livre concorrência. Mas o que Ricardo imagina é particularmente isto: o preço mais alto auferido no exterior proporciona a receita com que aí se compram mercadorias que são remetidas para a metrópole, onde se vendem no mercado interno, e daí pode, no máximo, resultar vantagem excepcional temporária desses ramos favorecidos em relação aos demais. Essa aparência se desvanece quando abstraímos da forma dinheiro. No intercâmbio, o país favorecido recebe mais trabalho do que dá, embora essa diferença, esse mais, como ocorre no intercâmbio entre trabalho e capital, embolse-o determinada classe. A taxa de lucro mais alta, por ser mais alta no país colonial, pode coincidir, havendo nele condições naturais favoráveis, com mercadorias de preços baixos. Ocorre uniformização de taxa, mas não no nível antigo, conforme pensa Ricardo.

Mas o comércio exterior aumenta internamente o modo capitalista de produção, reduzindo assim o capital variável relativamente ao constante, e gera, por outro lado, superprodução em relação ao mercado externo, produzindo, por isso, com o correr do tempo, efeito em sentido contrário.

E, assim, evidenciou-se que as mesmas causas que provocam a queda da taxa geral de lucro geram efeitos opostos que a embaraçam, retardam e parcialmente paralisam. Não suprimem a lei, mas atenuam seus efeitos. Se assim não fora, seria incompreensível não a queda da taxa geral de lucro, mas a lentidão relativa dessa queda. Assim, como tendência apenas atua a lei, e o efeito dela só se torna palpável em circunstâncias determinadas e no decurso de períodos longos.

Antes de prosseguir, vamos relembrar, para evitar mal-entendidos, duas teses já várias vezes expendidas.

Primeiro: O mesmo processo que barateia as mercadorias, ao desenvolver-se o modo capitalista de produção, muda a composição orgânica do *capital social* empregado para produzir as mercadorias e, por conseguinte, faz cair a taxa de lucro. Assim, o decréscimo do custo relativo da *mercadoria singular* e da parte desse custo oriunda do desgaste das máquinas não deve ser identificado com o valor ascendente do capital constante, um confronto com o variável, embora, inversamente, todo decréscimo no custo relativo do capital constante – invariável ou crescente o volume de seus elementos materiais – atue no sentido de elevar a taxa de lucro, isto é, no de diminuir em proporção correspondente o valor do capital constante, com o variável aplicado em proporções decrescentes.

Segundo: A quantidade de trabalho vivo adicional contido nas mercadorias singulares, que, somadas, formam o produto do capital, decresce em relação às matérias de trabalho nelas encerradas e aos meios de trabalho consumidos para produzi-las, materializando-se portanto, nelas, quantidade cada vez menor de trabalho vivo adicional, por exigir-se menos trabalho na produção delas, ao desenvolver-se a força produtiva social. Mas nada disso reduz a proporção em que o trabalho vivo contido na mercadoria se divide em pago e não pago. Ao contrário. Embora diminua a totalidade do trabalho vivo adicional nela contido, aumenta a parte não paga em relação à paga, em virtude de queda absoluta ou proporcional da parte paga, pois, no mesmo processo de produção que reduz a massa global do trabalho vivo adicional encerrado numa mercadoria, elevam-se a mais-valia absoluta e a relativa. A tendência de a taxa de lucro cair está ligada à tendência de subir a taxa de mais-valia e, por conseguinte, o grau de exploração do trabalho. Nada mais estúpido, portanto, que sustentar ser a causa da baixa da taxa de lucro a elevação da taxa dos salários, embora isto possa ocorrer excepcionalmente. Só depois de compreendidas as condições que formam a taxa de lucro poderemos, com métodos estatísticos, empreender análises verídicas da taxa de salário em diferentes épocas e países. A taxa de lucro cai não por tornar-se o trabalho mais improdutivo, mas por tornar-se mais produtivo. Ambas, a elevação da taxa de mais-valia e a queda da taxa de lucro, são apenas formas particulares em que se expressa, em termos capitalistas, a produtividade crescente do trabalho.

6. AUMENTO DO CAPITAL EM AÇÕES

Aos cinco pontos tratados acima acrescentaremos o seguinte, que, por ora, não podemos aprofundar. Com o progresso da produção capitalista, que está aliado à acumulação acelerada, parte do capital é contabilizada e empregada apenas como capital que dá um rendimento, ou seja, um juro. Não no sentido de o capitalista que empresta capital contentar-se com o juro, enquanto o capitalista industrial embolsa o ganho de empresário. Isto não atinge o nível da taxa geral de lucro, pois aí o lucro = juro + lucro de toda espécie + renda fundiária, estando fora de seu domínio a repartição nessas categorias particulares. O sentido aqui é o de esses capitais, embora aplicados em grandes empreendimentos produtivos, só fornecerem, após deduzidos todos os custos, juros grandes ou pequenos, os chamados dividendos. É o que se dá, por exemplo, com as estradas de ferro. Eles não entram no nivelamento da taxa geral de lucro, uma vez que fornecem taxa menor que a taxa média de lucro. Se entrassem, fariam esta cair muito mais. Do ponto de vista teórico, podemos incluí-las no cálculo e obter uma taxa de lucro menor que aquela que parece existir e realmente determina os capitalistas, pois é justamente naqueles empreendimentos que o capital constante é maior em relação ao variável.

XV.
As contradições internas da lei

1. GENERALIDADES

Vimos no Livro 1 que a taxa de lucro se expressa sempre em nível inferior ao da taxa de mais-valia. Verificamos agora que mesmo taxa ascendente de mais-valia tende a corresponder a taxa cadente de lucro. A taxa de lucro só seria igual à taxa de mais-valia, se c = 0, isto é, se o capital todo fosse empregado em salários. Taxa cadente de lucro só corresponde, portanto, a taxa decrescente de mais-valia quando permanece invariável a relação entre o valor do capital constante e a quantidade da força de trabalho que o põe em movimento, ou quando esta tiver aumentado em relação ao valor do capital constante.

Ricardo, alegando estudar a taxa de lucro, estudava na realidade a taxa de mais-valia, e, além disso, considerando apenas a hipótese de ser a jornada de trabalho intensiva e extensivamente magnitude constante.

Queda da taxa de lucro e acumulação acelerada são apenas aspectos diferentes do mesmo processo, no sentido de que ambas expressam o desenvolvimento da produtividade. A acumulação acelera a queda da taxa de lucro, na medida em que acarreta a concentração dos trabalhos em grande escala e, com isso, composição mais alta do capital. A queda da taxa de lucro, por sua vez, acelera a concentração do capital e sua centralização, expropriando-se os capitalistas menores, tomando-se dos produtores diretos remanescentes o que ainda exista para expropriar. Assim, acelera-se a acumulação, em seu volume, embora sua taxa diminua com a queda da taxa de lucro.

Demais, se o motor da produção capitalista (cuja finalidade única é a valorização do capital) é a taxa de valorização do capital todo, a taxa de lucro, a diminuição dela retarda a formação de novos capitais independentes e se patenteia ameaçadora ao desenvolvimento do processo capitalista de produção, pois contribui para superpopulação, especulação, crises, capital supérfluo ao lado de população supérflua. Os economistas que, como Ricardo, consideram o modo capitalista de produção sistema absoluto sentem que ele cria aí limite a si mesmo e, por isso, atribuem esse limite não ao sistema, mas à natureza (na teoria da renda). O que mais pesa, porém, no horror que os acomete diante da taxa cadente de lucro é o sentimento de que o modo capitalista de produção encontra no desenvolvimento das forças produtivas uma barreira que nada tem com a produção da riqueza em si. E essa barreira peculiar evidencia que o modo capitalista de produção, com suas limitações, possui caráter simplesmente histórico, transitório, que não é modo absoluto de produção da riqueza, entrando antes em conflito com o desenvolvimento ulterior dela, ao atingir certo estágio de evolução.

Sob esse aspecto, Ricardo e sua escola se detiveram no lucro industrial que inclui o juro; mas acontece que também a taxa da renda fundiária tem tendência a cair, embora a massa absoluta cresça e possa mesmo aumentar proporcionalmente em relação ao lucro industrial (ver Ed. West, que desenvolveu, *antes de* Ricardo, a lei da renda fundiária). Consideremos C, a totalidade do capital social, chamemos o lucro industrial remanescente, após deduzir juro e renda fundiária, de l_1, o juro, de j, e a renda fundiária, de r. Temos então $\frac{m}{C} = \frac{l}{C} = \frac{l_1 + j + r}{C} = \frac{l_1}{C} + \frac{j}{C} + \frac{r}{C}$. Já vimos que m, a totalidade da mais-valia, cresce sempre ao desenvolver-se a produção capitalista, mas que, apesar disso, $\frac{m}{C}$ decresce com a mesma constância, pois o crescimento de C é mais rápido que o de m. Não há, portanto, contradição em que l_1, j e r possam, cada um de per si, crescer sempre, enquanto $\frac{m}{C} = \frac{l}{C}$, e $\frac{l_1}{C}, \frac{j}{C}$ e $\frac{r}{C}$ fiquem, cada um de per si, cada vez menores, ou em que l_1 aumente em relação a j, ou r em relação a l_1 ou ainda em relação a l_1 e j. Subindo a mais-valia global ou o lucro, m = l, mas, caindo ao mesmo tempo a taxa de lucro $\frac{m}{C} = \frac{l}{C}$, podem variar à vontade, dentro dos limites estabelecidos pela totalidade de m, as relações quantitativas entre as partes l_1, j e r, nas quais se fraciona m = l, sem por isso alterar-se a magnitude de m ou a de $\frac{m}{C}$.

A variação recíproca entre l_1, j e r não passa de repartição diversa de m entre esses diferentes itens. Por isso, $\frac{l_1}{C}, \frac{j}{C}$ ou $\frac{r}{C}$, a taxa do lucro industrial, a taxa de juro e a relação entre a renda e a totalidade do capital, podem aumentar um em relação ao outro, embora caia a taxa geral de lucro $\frac{m}{C}$. Só se impõe aí uma condição: a de ser igual a $\frac{m}{C}$ a soma dos três itens. Se a taxa de lucro passa de 50% para 25% e se a composição do capital, para uma taxa de mais-valia de 100%, muda de $50_c + 50_v$ para $75_c + 25_v$, um capital de 1.000 dará, no primeiro caso, lucro de 500, e um capital de 4.000 dará, no segundo, lucro de 1.000. Duplicou m ou l, porém l' caiu à metade. E se, dos anteriores 50%, 20 eram lucro, 10 juro e 20 renda, teremos $\frac{l_1}{C}$ = 20%, $\frac{j}{C}$ = 10%, $\frac{r}{C}$ = 20%. Se com a modificação para 25% essas relações não se alterarem, teremos $\frac{l_1}{C}$ = 10%, = $\frac{j}{C}$ = 5% e $\frac{r}{C}$ = 10%. Se $\frac{l_1}{C}$ cair para 8% e $\frac{j}{C}$ para 4%, subirá $\frac{r}{C}$ a 13%. A magnitude proporcional de r terá subido em confronto com l_1 e j, mas, apesar disso, l' não se terá alterado. Quando passamos do primeiro para o segundo caso, a soma de l_1, j e r sobe, por ter sido produzida por capital quatro vezes maior. Demais, é falsa histórica e logicamente a ideia ricardiana de que o lucro industrial (mais juro) absorve no início toda a mais-valia. Ao contrário, o progresso da produção capitalista (1) dá, em primeira mão, aos capitalistas industriais e comerciantes todo o lucro para repartição posterior, e (2) reduz a renda a excedente do lucro. Nesta base capitalista forma-se então a renda que é parte do lucro (isto é, da mais-valia considerada produto da totalidade do capital), mas não é a parte específica do produto, embolsada pelo capitalista.

Existindo os meios de produção necessários, isto é, acumulação bastante de capital – e dada a taxa de mais-valia, portanto o grau de exploração do trabalho –, a criação de mais-valia só tem por limite a população trabalhadora e, se esta for dada, o grau de exploração do trabalho. O processo capitalista de produção consiste essencialmente na produção de mais-valia, configurada no produto excedente ou na parte alíquota das mercadorias produzidas na qual está materializado trabalho não pago. Nunca devemos esquecer que a produção dessa mais-valia – e faz parte dessa produção reconverter fração da mais-valia em capital, ou seja, acumular – é o objetivo imediato e o motivo determinante da produção capitalista. Nunca deve, portanto, ser apresentada como algo diverso do que é, digamos, como produção que tem por objetivo imediato o gozo do capitalista ou produzir para ele meios de fruição. Isto seria omitir o caráter específico que se infunde no âmago de sua estrutura interna.

A obtenção dessa mais-valia constitui o processo imediato de produção, que não tem outros limites além dos indicados acima. Produz-se mais-valia quando se materializa em mercadorias a quantidade de trabalho excedente que se pode extorquir. Mas com essa produção de mais-valia encerra-se apenas o primeiro ato do processo capitalista de produção, o processo imediato de produção. O capital sugou determinada quantidade de trabalho não pago. À medida que o processo se desenvolve, expressando-se na taxa cadente de lucro, expande-se imensamente a massa da mais-valia assim produzida. Começa então o segundo ato do processo. Tem de ser vendida toda a massa de mercadorias, todo o produto, tanto a parte que repõe o capital constante e o variável, quanto a que representa a mais-valia. Se não houver essa venda, ou se ela apenas ocorrer em parte ou a preços que estejam abaixo dos preços de produção, terá o trabalhador sido explorado, mas essa exploração não se concretizará em resultado para o capitalista, podendo estar ligada à realização nula ou parcial da mais-valia extorquida e mesmo a prejuízo parcial ou total do capital. Não são idênticas as condições da exploração imediata e as da realização dessa exploração. Diferem no tempo e no espaço e ainda em sua natureza. As primeiras têm por limite apenas a força produtiva da sociedade, e as últimas, a proporcionalidade entre os diferentes ramos e o poder de consumo da sociedade. Mas, esse poder não é determinado pela força produtiva absoluta, nem pela capacidade de consumo absoluta, e sim pela condicionada por relações antagônicas de distribuição, que restringem o consumo da grande massa da sociedade a um mínimo variável dentro de limites mais ou menos estritos. Além disso, limita-o a propensão a acumular, a aumentar o capital e a produzir mais--valia em escala ampliada. É a lei da produção capitalista, imposta pelas revoluções constantes nos próprios métodos de produção e pela depreciação consequente do capital em funcionamento, pela luta geral da concorrência e pela necessidade de melhorar a produção e de ampliar sua escala, para a empresa simplesmente conservar-se, não perecer. O mercado tem, por isso, de ser constantemente ampliado, e, desse modo, suas conexões e as condições que as regulam assumem cada vez mais a configuração de lei natural independente dos produtores e se tornam cada vez mais incontroláveis. Essa contradição interna busca um equilíbrio, aumentando o campo externo da produção. A produtividade, quanto mais se desenvolve, tanto mais conflita com a base estreita em que repousam as relações de consumo. Ajusta-se perfeitamente a esse sistema contraditório a circunstância de o excesso de capital estar aliado ao excesso de população, pois, embora a combinação dos dois aumente a massa da mais-valia produzida, esse aumento aguçaria a contradição entre as condições em que se produz essa mais-valia e as condições em que ela se realiza.

Dada a taxa de lucro, o montante do lucro depende sempre da magnitude do capital adiantado. Mas a acumulação é então determinada pela fração desse montante, a qual se reconverte em capital. Essa fração, por ser igual ao lucro menos a renda consumida pelo capitalista, dependerá não só do valor desse montante, mas também do nível dos preços das mercadorias que o capitalista pode comprar com ele: as mercadorias que integram o consumo, a renda consumida, e as que entram no capital constante (aqui supõe-se dado o salário).

A massa de capital que o trabalhador mobiliza, e cujo valor conserva, fazendo-o reaparecer no produto, é absolutamente diversa do valor que acrescenta. Se a massa do capital = 1.000, e o trabalho acrescentado = 100, será o capital reproduzido = 1.100. Se a massa = 100 e o trabalho acrescido

= 20, será capital reproduzido = 120. No primeiro caso, a taxa de lucro é de 10% e, no segundo, de 20%. Entretanto, pode-se acumular mais com 100 do que com 20. E assim a torrente do capital (estamos abstraindo de sua depreciação, oriunda do acréscimo da produtividade) ou sua acumulação continua a rolar em função da pujança que ele já possui, e não em função do nível da taxa de lucro. Alta taxa de lucro, baseada em alta taxa de mais-valia, é possível quando é muito longa a jornada de trabalho, embora o trabalho tenha baixa produtividade; é possível, então, porque são muito reduzidas as necessidades dos trabalhadores e, por conseguinte, muito baixo o salário médio. Ao salário baixo corresponde a falta de energia dos trabalhadores. Então, o capital acumula-se lentamente, apesar da alta taxa de lucro. A população estagna-se, o produto custa longo tempo de trabalho, embora seja reduzido o salário pago ao trabalhador.

A taxa de lucro cai não por explorar-se menos o trabalhador, e sim por empregar-se menos trabalho em relação ao capital aplicado.

Se, conforme vimos, a taxa cadente de lucro coincide com o aumento da massa de lucro, apropriar-se-á o capitalista de parte maior do produto anual do trabalho (repondo capital consumido), sob a categoria de capital, e de parte menor, sob a categoria de lucro. Daí a fantasia do reverendo Chalmer: quanto menor a massa do produto anual que os capitalistas despendem como capital, tanto maiores os lucros que deglutem, vindo-lhes então em ajuda a Igreja Nacional, para cuidar de consumir, em vez de capitalizar, grande parte do produto excedente. O reverendo confunde causa e efeito. Demais, mesmo com baixa taxa de lucro, aumenta o montante de lucro com a magnitude do capital empregado. E isto implica, ao mesmo tempo, concentração de capital, exigindo as condições atuais de produção o emprego de capital em massa. Implica também a centralização do capital: os grandes capitalistas engolem os pequenos e lhes tiram o capital. Ocorre mais uma vez, porém em outro nível, a dissociação entre as condições de trabalho e os produtores dos quais fazem parte esses capitalistas menores, pois entre eles o próprio trabalho ainda importa; em regra, o trabalho do capitalista está na razão inversa da magnitude de seu capital, isto é, do grau em que é capitalista. Esta dissociação entre condições de trabalho e produtores, que constitui o conceito de capital, inaugura-se com a acumulação primitiva (Livro 1, Capítulo XXIV), depois aparece como processo ininterrupto na acumulação e concentração do capital e agora, finalmente, se expressa pela centralização, em poucas mãos, de capitais já existentes e pela descapitalização (a nova forma de expropriação) de grande número de capitalistas. Esse processo não tardaria em levar à catástrofe a produção capitalista, se, além dessa força centrípeta, não estivessem sempre atuando tendências contrárias, de efeito descentralizador.

2. CONFLITAM A EXPANSÃO DA PRODUÇÃO E A CRIAÇÃO DE MAIS-VALIA

O desenvolvimento da produtividade social do trabalho revela-se: primeiro, na grandeza das forças produtivas já produzidas, no valor e no volume das condições de produção que regem a nova produção e na magnitude absoluta do capital produtivo já acumulado; segundo, na exiguidade relativa da parte do capital desembolsada em salários em relação ao capital total, isto é, na exiguidade relativa do trabalho vivo exigido para reproduzir e valorizar dado capital, para produzir em massa, o que supõe ao mesmo tempo concentração do capital.

Quanto à força de trabalho empregada, o desenvolvimento da produtividade patenteia-se também sob dois aspectos: primeiro, no aumento do trabalho excedente, vale dizer na redução do trabalho necessário para reproduzir a força de trabalho; segundo, no decréscimo da quantidade de força de trabalho (número de trabalhadores) em regra empregada para pôr em movimento dado capital.

Ambos os movimentos, além de correrem juntos, condicionam-se reciprocamente, sendo fenômenos em que se manifesta a mesma lei. Entretanto, são opostos os sentidos em que atuam sobre a taxa de lucro. A massa global do lucro é igual à massa global da mais-valia, a taxa de lucro = $\frac{m}{C}$ = $\frac{\text{mais-valia}}{\text{capital total adiantado}}$. Em sua totalidade, porém, a mais-valia é determinada, primeiro, pela sua taxa, segundo, pela massa do trabalho simultaneamente empregado a essa taxa, ou seja, pela magnitude do capital variável. Por um lado, aumenta um fator, a taxa de mais-valia; por outro, decresce (relativa ou absolutamente) o outro fator, o número de trabalhadores. O desenvolvimento da força produtiva, ao diminuir a parte paga do trabalho aplicado, aumenta a mais-valia, por aumentar-lhe a taxa; todavia, ao reduzir a massa global de trabalho aplicado por determinado capital, diminui o fator numérico por que se multiplica a taxa de mais-valia, para obter-se a massa de mais-valia. Dois trabalhadores que trabalham por dia 12 horas não podem fornecer a mesma massa de mais-valia que 24 que trabalham apenas duas horas, mesmo que vivessem do ar e não tivessem absolutamente de trabalhar para si mesmos. Estamos vendo, portanto, que a compensação do número reduzido de trabalhadores com o aumento do grau de exploração do trabalho encontra certos limites intransponíveis; ela pode retardar a queda da taxa de lucro, mas não eliminá-la.

Com o desenvolvimento do modo capitalista de produção, decresce, portanto, a taxa de lucro, enquanto sua massa aumenta com o montante crescente do capital aplicado. Dada a taxa, o montante absoluto de crescimento do capital depende de sua magnitude presente. Mas, dada essa magnitude, a proporção em que cresce, a taxa de seu crescimento, depende da taxa de lucro. O acréscimo da produtividade (o qual, aliás, vai sempre de par com a depreciação do capital existente) só pode aumentar diretamente a magnitude do valor do capital se, elevando a taxa de lucro, aumentar a parte do valor do produto anual a qual se reconverte em capital. Tratando-se da produtividade do trabalho, isto só pode sobrevir (pois essa produtividade nada tem diretamente com o *valor* do capital existente) se acrescer a mais-valia relativa ou se diminuir o valor do capital constante, portanto em virtude de baratearem as mercadorias que entram na reprodução da força de trabalho ou as que se tornam componentes do capital constante. Mas ambas as consequências implicam depreciação do capital constante, e ambas vão juntas com o decréscimo do capital variável em relação ao constante. Ambas determinam a queda da taxa de lucro e ambas retardam essa queda. Além disso, na medida em que taxa elevada de lucro gera procura maior de trabalho, influi ela no sentido de aumentar a população trabalhadora e, por conseguinte, o material cuja exploração imprime ao capital sua natureza de capital.

Mas, de maneira indireta, o desenvolvimento da produtividade do trabalho contribui para aumentar o valor-capital existente, ampliando, para o mesmo valor de troca, o volume e a variedade dos valores de uso que constituem o substrato material, os elementos objetivos do capital, as coisas corpóreas em que consistem o capital constante e, indiretamente pelo menos, o variável. Com o mesmo capital e o mesmo trabalho criam-se mais coisas que se podem transformar em capital, qualquer que seja o valor de uso delas. Coisas que podem servir para absorver trabalho adicional, por conseguinte trabalho excedente adicional, e assim constituir capital adicional. A massa de trabalho que o capital pode comandar não depende de seu valor, e sim da massa de matérias-primas e auxiliares, de maquinaria e de elementos do capital fixo e dos meios de subsistência que o compõem; qualquer que seja o valor desses componentes. Ao crescer, por isso, a massa de trabalho aplicado e, por conseguinte, a de trabalho excedente, crescem também o valor do capital reproduzido e o valor excedente adicional.

Para estudar esses dois fatores do processo de acumulação, não basta justapô-los tranquilamente, como o faz Ricardo; eles implicam contradição que se patenteia em tendências e fenômenos conflitantes. Os elementos antagônicos atuam uns contra os outros ao mesmo tempo.

Junto com os impulsos para aumentar realmente a população trabalhadora, oriundos do acréscimo da fração do produto global social, a qual desempenha a função de capital, atuam os elementos que geram superpopulação apenas relativa.

Ao mesmo tempo que baixa a taxa de lucro, aumenta a massa dos capitais, e, com esse aumento, vem depreciação do capital existente, a qual detém essa baixa e acelera a acumulação do valor-capital.

Ao desenvolver-se a produtividade, eleva-se a composição do capital, isto é, a parte variável decresce em relação à constante.

Essas diferentes tendências ora se positivam no espaço, umas ao lado das outras, ora no tempo, umas após outras; periodicamente, patenteia-se nas crises o conflito entre os elementos antagônicos. As crises não são mais do que soluções momentâneas e violentas das contradições existentes, erupções bruscas que restauram transitoriamente o equilíbrio desfeito.

Em termos bem genéricos, a antinomia consiste no seguinte: o modo capitalista de produção tende a desenvolver de maneira absoluta as forças produtivas, independentemente do valor, da mais-valia nele incluída e das condições sociais nas quais se efetua a produção capitalista, ao mesmo tempo que tem por finalidade manter o valor-capital existente e expandi-lo ao máximo (isto é, acelerar sempre o acréscimo desse valor). Caracteriza-o especificamente a circunstância de o valor-capital ser utilizado como meio de acrescer esse valor o máximo possível. Os métodos com que alcança esse objetivo implicam decréscimo da taxa de lucro, depreciação do capital existente e desenvolvimento das forças produtivas do trabalho à custa das forças produtivas já criadas.

A depreciação periódica do capital existente, meio imanente ao modo capitalista de produção, de deter a queda da taxa de lucro e de acelerar acumulação do valor-capital pela formação de capital novo, perturba as condições dadas em que se efetua o processo de circulação e reprodução do capital, e, assim, é acompanhada de paradas súbitas e crises do processo de produção.

A diminuição do capital variável em relação ao constante, a qual vem com o desenvolvimento das forças produtivas, incentiva o crescimento da população trabalhadora e, ao mesmo tempo, gera continuamente superpopulação artificial. A taxa cadente de lucro retarda a acumulação do capital, do ponto de vista do valor, acelerando-se a acumulação do valor de uso, enquanto esta, por sua vez, leva a acumulação, do ponto de vista do valor, a acelerar-se.

A produção capitalista procura sempre ultrapassar esses limites imanentes, mas ultrapassa-os apenas com meios que de novo lhe opõem esses mesmos limites, em escala mais potente.

A *barreira efetiva* da produção capitalista é o *próprio capital*: o capital e sua autoexpansão se patenteiam ponto de partida e meta, móvel e fim da produção; a produção existe para o *capital*, ao invés de os meios de produção serem apenas meios de acelerar continuamente o desenvolvimento do processo vital para a *sociedade* dos produtores. Os limites intransponíveis em que se podem mover a manutenção e a expansão do valor-capital, a qual se baseia na expropriação e no empobrecimento da grande massa dos produtores, colidem constantemente com os métodos de produção que o capital tem de empregar para atingir seu objetivo e que visam ao aumento ilimitado da produção, à produção como fim em si mesma, ao desenvolvimento incondicionado das forças produtivas sociais do trabalho. O meio – desenvolvimento ilimitado das forças produtivas sociais –, em caráter permanente, conflita com o objetivo limitado, a valorização do capital existente. Por conseguinte, se o modo capitalista de produção é um meio histórico para desenvolver a força produtiva social e criar o mercado mundial apropriado, é ele ao mesmo tempo a contradição permanente entre essa tarefa histórica e as relações sociais de produção que lhe correspondem.

3. EXCESSO DE CAPITAL E DE POPULAÇÃO

Com a queda da taxa de lucro, aumenta o mínimo de capital que tem de estar nas mãos de cada capitalista para o emprego produtivo de trabalho; o mínimo exigido para se explorar o trabalho em geral e ainda para que o tempo de trabalho aplicado seja o necessário para a produção das mercadorias, não ultrapassando a média do tempo de trabalho socialmente necessário para produzi-las. Ao mesmo tempo, aumenta a concentração, pois, além de certos limites, capital grande com pequena taxa de lucro acumula-se mais rapidamente que capital pequeno com taxa elevada. A certo nível, essa concentração crescente de capital, por sua vez, acarreta nova queda da taxa de lucro. A massa dos pequenos capitais dispersos é assim empurrada para as peripécias da especulação, das manobras fraudulentas com crédito e ações, das crises. A chamada pletora de capital é sempre e essencialmente a de capitais cujo montante não compensa a queda da taxa de lucro – e assim vão constantemente se formando os novos viveiros de capital – ou a pletora que, sob a forma de crédito, põe esses capitais, incapazes de ação autônoma, à disposição dos condutores dos grandes negócios. Essa pletora de capitais nasce das mesmas circunstâncias que provocam superpopulação relativa, sendo, portanto, fenômeno que a completa, embora ambas estejam em polos opostos, de um lado capital desempregado e, do outro, população trabalhadora desempregada.

Superprodução de capital, não de mercadorias isoladas – embora a superprodução de capital implique sempre superprodução de mercadorias –, nada mais significa que superacumulação de capital. Para entender o que é essa superacumulação (mais adiante, estudá-la-emos de maneira mais pormenorizada), basta supô-la em termos absolutos. Quando seria absoluta a superprodução de capital? Trata-se aqui de superprodução que não concerne apenas a este ou àquele ou a alguns ramos importantes da produção, mas que seria absoluta em sua amplitude, abrangendo todos os domínios da produção.

Haveria superprodução absoluta de capital quando o capital adicional, para o objetivo da produção capitalista, fosse equivalente a zero. O objetivo da produção capitalista é a valorização do capital, isto é, apropriar-se de trabalho excedente, produzir mais-valia, lucro. Se o capital, em relação à população trabalhadora, tivesse crescido em proporção tal que não se pudesse ampliar o tempo absoluto de trabalho que essa população fornece, nem distender o tempo relativo de trabalho excedente (e isto não seria possível com procura intensa de trabalho, havendo tendência para elevação dos salários); se o capital, depois de acrescido, continuasse a produzir a mesma massa de mais-valia ou até menor, haveria então superprodução absoluta de capital, isto é, o capital acrescido $C + \Delta C$ não produziria mais lucro ou mesmo menos lucro que o capital C antes de ser aumentado de ΔC. Nos dois casos, haveria queda forte e brusca na taxa geral de lucro, por mudar a composição do capital; essa mudança decorreria não do desenvolvimento da força produtiva, e sim da elevação do valor monetário do capital variável (em virtude da alta dos salários) e do correspondente decréscimo na proporção do trabalho excedente com o trabalho necessário.

Na prática, veríamos que uma parte do capital ficaria ociosa total ou parcialmente (pois, para valorizar-se, teria de desalojar de sua posição capital que já está funcionando) e a outra parte valorizar-se-ia a taxa mais baixa de lucro, em virtude da pressão do capital desocupado ou meio ocupado. Então, não importaria que parte do capital adicional substituísse o antigo, e este passasse à posição de adicional. Continuaríamos a ter, de um lado, a antiga soma de capital e, do outro, a soma adicional. A queda da taxa de lucro iria agora de par com decréscimo absoluto da massa de lucro, pois, segundo pressupomos, a massa da força de trabalho aplicada não pode ser aumentada, nem elevada a taxa de mais-valia, nem, portanto, acrescida a massa de mais-valia. A massa de lucro teria de relacionar-se com o capital total maior. Mas, suposto que o capital ocupado prossiga valorizando-se à antiga taxa de lucro e que permaneça, portanto, a mesma a massa de lucro, de qualquer modo relacionar-se-ia essa massa com capital total acrescido, o que implica queda da taxa de lucro. Se um capital global de 1.000 dava um lucro de 100 e, após aumentar para 1.500, rende apenas 100, o rendimento de 1.000, no segundo caso, passará a ser de somente $66\frac{2}{3}$. Em termos absolutos, diminuiu a valorização do capital antigo. Nas novas circunstâncias, o capital = 1.000 não renderia mais que antes um capital = $666\frac{2}{3}$.

Mas é claro que essa depreciação efetiva do capital antigo não poderia ocorrer sem luta; que o capital adicional ΔC não poderia, sem combate, funcionar como capital. A taxa de lucro não cairia em virtude de competição decorrente da superprodução de capital. Ao contrário, justamente porque a baixa da taxa de lucro e a superprodução do capital provêm das mesmas circunstâncias, desencadear-se-ia agora a luta da concorrência. A parte de ΔC que estivesse nas mãos dos capitalistas veteranos em atividade poriam eles mais ou menos em ociosidade, a fim de não desvalorizar o próprio capital original e de manter a área ocupada por este capital no ramo da produção, ou eles a aplicariam, mesmo com perda momentânea, a fim de levar os novos e os concorrentes em geral a ficarem com o custo da *ociosidade* do capital adicional.

A parte de ΔC que se encontrasse em novas mãos procuraria apoderar-se de área do capital antigo, o que conseguiria pondo na *ociosidade* parte do capital antigo, forçando-o a ceder-lhe lugar e a tomar mesmo a posição do capital adicional total ou parcialmente desocupado.

De qualquer modo, parte do antigo capital teria de ficar ociosa no tocante à propriedade do capital, de funcionar e de valorizar-se como capital. Cabe à luta da concorrência decidir qual seria essa parte. Enquanto tudo vai bem, gera a concorrência, conforme se patenteou no caso do nivelamento da taxa geral de lucro, a irmandade prática da classe capitalista, que então reparte entre os membros, na proporção da magnitude da cota empregada por cada um, o esbulho coletivamente efetuado. Mas, quando não se trata mais de repartir os lucros e sim as perdas, procura cada um reduzir ao máximo possível a parte que tem nelas, transferindo-a para os outros. As perdas são inevitáveis para a classe. Quanto cada um terá de suportar delas, até onde terá de nelas participar, é problema a ser resolvido pela força e pela astúcia, transformando-se a concorrência em luta entre os irmãos inimigos. Positiva-se então a contradição entre o interesse de cada capitalista e o da classe capitalista, do mesmo modo que antes, por meio da concorrência, se impunha a identidade desses interesses.

Como se resolveria esse conflito e como se restabeleceriam as condições correspondentes ao movimento "sadio" da produção capitalista? A maneira de resolvê-lo já está contida no mero enunciado do conflito que se trata de superar. Ela implica que capital seja posto na ociosidade e mesmo parcialmente destruído, até o montante do valor de todo o capital adicional ΔC ou de, pelo menos, parte dele. Não obstante, conforme já ressalta do que vimos sobre o conflito, a repartição dessas perdas não se faz de maneira uniforme pelos capitais particulares, sendo decidida na luta da concorrência. Nessa luta, as perdas se distribuem de maneira bem desigual e de forma bem diversa, segundo as vantagens particulares de cada um ou as posições já conquistadas, e, desse modo, um capital é posto em ociosidade, outro é destruído, um terceiro tem somente perda relativa ou experimenta apenas depreciação passageira etc.

De qualquer modo, porém, restabelecer-se-ia o equilíbrio, pondo-se na ociosidade e mesmo destruindo-se capital, em maior ou menor amplitude. Isto atingiria parte da substância material do capital: parte dos meios de produção, capital fixo e capital circulante, não funcionaria, não operaria como capital; paralisar-se-iam certos empreendimentos industriais iniciados. Acresce que o tempo ataca e deteriora todos os meios de produção (excetuada a terra), mas aí a destruição efetiva dos meios de produção seria muito maior, em virtude de terem eles sua função interrompida. Sob esse aspecto, entretanto, o efeito principal seria o fato de esses meios de produção cessarem de exercer o papel de meios de produção, suprimindo-se sua função por tempo mais ou menos longo.

A destruição principal, e de caráter mais agudo, atingiria os *valores*-capital, o capital na medida em que configura a propriedade valor. A parte do valor-capital na forma apenas de direitos a participações futuras na mais-valia, no lucro, na realidade meros títulos de crédito sobre a produção em diversas modalidades, logo se deprecia com a queda das receitas que servem de base para determiná-la. Parte do ouro e da prata em espécie fica ociosa, não funcionando como capital. Parte das mercadorias que estão no mercado só pode efetuar o processo de circulação e de reprodução com enorme contração de preços; portanto por meio de depreciação do capital que ela representa. Do mesmo modo, depreciam-se mais ou menos os elementos do capital fixo. Acresce que relações de preços determinadas, de antemão estabelecidas, condicionam o processo de reprodução, e por isso a queda geral de preços estagna-o e desorganiza-o. Essa perturbação e essa estagnação paralisam a função de meio de pagamento, exercida pelo dinheiro, ligada ao desenvolvimento do capital e baseada sobre aquelas relações de preços pressupostas; interrompem em inúmeros pontos a cadeia das obrigações de pagamento em prazos determinados, e se agravam com o consequente desmoronamento do sistema de crédito que se desenvolve junto com o capital. Assim, redundam em crises violentas, agudas, em depreciações bruscas, brutais, em estagnação e perturbação físicas do processo de reprodução e, por conseguinte, em decréscimo real da reprodução.

Mas, ao mesmo tempo, outros fatores estariam em jogo. A estagnação ocorrente na produção teria desempregado parte da classe trabalhadora e assim colocado a parte empregada em condições em que teria de conformar-se com redução do salário abaixo da média, daí decorrendo para o capital o mesmo efeito que um aumento da mais-valia relativa ou absoluta, sem alteração do salário médio. A fase de prosperidade favorece os casamentos entre os trabalhadores e diminui a dizimação dos descendentes. Essa circunstância, por mais que implique aumento verdadeiro da população, não resulta em acréscimo da população efetivamente trabalhadora, mas opera na relação entre trabalhadores e capital como se tivesse aumentado o número de trabalhadores realmente empregados. A queda de preços e a luta da concorrência teriam incitado cada capitalista a reduzir o valor individual do respectivo produto global a nível inferior ao valor geral desse produto, com o emprego de novas máquinas, novos métodos aperfeiçoados de trabalho, novas combinações, isto é, a elevar a produtividade de dada quantidade de trabalho, a diminuir a proporção do capital variável com o constante e assim liberar, desempregar trabalhadores, em suma, gerar uma superpopulação artificial. Além disso, a própria depreciação do capital constante seria um fator que implicaria elevação da taxa de lucro. A massa do capital constante aplicado teria aumentado em relação ao variável, mas o valor dessa massa poderia ter caído. A estagnação sobrevinda à produção teria preparado expansão posterior da produção, dentro dos limites capitalistas.

Assim, ter-se-ia percorrido todo o ciclo. Parte do capital, que se depreciara por paralisar-se a função, recuperaria o valor antigo. Demais, com as condições de produção e mercado ampliados, com produtividade acrescida, voltaria a repetir-se o mesmo círculo vicioso.

Entretanto, mesmo na hipótese extrema que examinamos, a superprodução absoluta de capital não é, de modo algum, superprodução absoluta de meios de produção. É uma superprodução de meios de produção apenas na medida em que estes *funcionam como capital*, estão subordinados ao objetivo de expandir o valor — em proporção ao valor aumentado com o acréscimo da massa de tais meios —, de produzir um valor adicional.

Haveria superprodução porque o capital se tornaria incapaz de explorar o trabalho com o grau requerido pelo desenvolvimento "sadio, normal" do processo capitalista de produção, com o grau de exploração que permita ao menos aumentar a massa de lucro com a massa crescente do capital aplicado, e que impeça, portanto, que a taxa de lucro caia na mesma medida em que o capital aumenta, ou com maior rapidez.

Superprodução de capital significa apenas superprodução de meios de produção — meios de trabalho e meios de subsistência —, que podem funcionar como capital, isto é, ser empregados para explorar o trabalho, com dado grau de exploração, e a queda desse grau abaixo de dado ponto causa perturbações e estagnações no processo capitalista de produção, crises, destruição de capital. Não há conflito entre essa superprodução de capital e a maior ou menor superpopulação relativa que a acompanha. As circunstâncias que elevaram a produtividade do trabalho, aumentaram a massa dos produtos-mercadorias, ampliaram os mercados, aceleraram a acumulação do capital, em volume e em valor, e reduziram a taxa de lucro, são as mesmas que geraram superpopulação relativa e constantemente a geram, uma superpopulação de trabalhadores que não é empregada pelo capital excedente por ser baixo o grau, que possibilita, de exploração do trabalho, ou, ao menos, por ser baixa a taxa de lucro que se obteria com esse grau de exploração.

Se o capital é remetido para o exterior, tal acontece não por impossibilidade absoluta de aplicá-lo no país. É que pode ser empregado no exterior com taxa mais alta de lucro. Mas esse capital, de maneira absoluta, é capital excedente para a população trabalhadora ocupada e para o país de origem em geral. Existe como tal ao lado da superpopulação relativa, o que mostra que ambos coexistem e reciprocamente se condicionam.

Além disso, a queda, ligada à acumulação, da taxa de lucro leva necessariamente à luta da concorrência. A compensação da queda da taxa de lucro pela massa crescente de lucro só vigora para a totalidade do capital da sociedade e para os grandes capitalistas, fortemente organizados. O novo capital adicional, operando autonomamente, não encontra essas condições compensatórias, tem antes de conquistá-las, e, assim, é a queda da taxa de lucro que provoca a luta da concorrência entre os capitais, e não o contrário. Essa luta é por certo acompanhada de alta passageira dos salários e de nova baixa transitória, daí decorrente, da taxa de lucro. O mesmo se verifica na superprodução de mercadorias, no abarrotamento de mercados. O objetivo do capital não é satisfazer as necessidades, mas produzir lucro, alcançando essa finalidade por métodos que regulam o volume da produção pela escala da produção, e não o contrário. Por isso, terá sempre de haver discrepância entre as dimensões limitadas do consumo em base capitalista e uma produção que procura constantemente ultrapassar o limite que lhe é imanente. Além disso, o capital consiste em mercadorias e a superprodução de capital implica, portanto, a de mercadorias. Admira, por isso, ver economistas que negam a superprodução de mercadorias admitir a de capital. Dizer que não há superprodução geral e sim desproporção entre os diversos ramos de produção equivale a afirmar que, na produção capitalista, a proporcionalidade entre os diferentes ramos de produção se revela processo constante oriundo da desproporcionalidade, impondo-se aos agentes da produção a conexão interna de toda a produção como lei cega, e não como lei apreendida racional e coletivamente, por isso dominada, e mediante a qual teriam eles submetido o processo de produção a seu controle comum. Com aquele postulado exige-se ainda que países onde não está desenvolvido o modo capitalista de produção consumam e produzam em nível conveniente aos países de produção capitalista. É exato e correto afirmar que a superprodução é apenas relativa, e o modo capitalista de produção é, por inteiro, modo relativo de produção, com limites que não são absolutos, embora para ele, em relação à base em que assenta, sejam absolutos. Do contrário, como explicar que falte procura das mercadorias de que precisa a massa do povo, e que se tenha de buscar essa procura no exterior, em mercados longínquos, a fim de ser possível pagar aos trabalhadores do país a quantia regular para os meios de subsistência? É que, nessa contextura especificamente capitalista, e nela apenas, o produto em excesso recebe forma que só permite ao possuidor pô-lo à disposição do consumo depois de reconvertido para ele em capital. Dizer, finalmente, que basta os próprios capitalistas trocarem e consumirem as próprias mercadorias é esquecer por inteiro o caráter da produção capitalista, e não ver que se trata de valorizar o capital, e não de consumi-lo. Em suma, todas as objeções contra os fenômenos contundentes da superprodução (fenômenos que não se alteram com essas objeções) resultam na afirmação de que os limites da produção *capitalista* não são limites da produção em geral e, por isso, não constituem limites desse modo específico de produção, o capitalista. Mas a contradição do modo capitalista de produção consiste justamente na tendência para desenvolver, de maneira absoluta, as *forças* produtivas que colidem sempre com as *condições* específicas da produção, nas quais se move o capital e as únicas em que se pode mover.

Não se produzem meios de subsistência demais em relação à população existente. Pelo contrário, o que se produz é muito pouco para satisfazer, de maneira adequada e humana, a massa da população.

Não se produzem meios de produção em excesso para empregar a parte da população, apta para o trabalho. Ao contrário. Primeiro, porção demasiada da população é produzida em condições de invalidez prática, e depende, pelas circunstâncias que a cercam, da exploração do trabalho alheio, ou de trabalhos que só podem passar por tais, num modo miserável de produção. Segundo, não se produzem meios de produção suficientes, para toda a população apta ao trabalho funcionar nas condições mais produtivas, para reduzir-se, portanto, o tempo absoluto de trabalho com o volume e a eficácia do capital constante empregado durante a jornada.

Entretanto, os meios de trabalho e os meios de subsistência periodicamente produzidos são demasiados para funcionarem, com determinada taxa de lucro, como meios de exploração dos trabalhadores. As mercadorias produzidas são demais para poderem realizar e reconverter em novo capital o valor nelas contido e a mais-valia aí incluída, nas condições de repartição e de consumo estabelecidas pela produção capitalista, vale dizer, para efetuarem esse processo sem as explosões que constantemente se repetem.

Não se produz riqueza demais. Mas a riqueza que se produz periodicamente é demais nas formas antagônicas do capitalismo. O limite da produção capitalista patenteia-se nos seguintes fatos:

1. O desenvolvimento da produtividade do trabalho gera, com a queda da taxa de lucro, uma lei que, em certo ponto, se opõe frontalmente a esse desenvolvimento e, por isso, tem de ser constantemente superada por meio de crises.

2. A obtenção de trabalho não pago, a relação entre esse trabalho não pago e o trabalho materializado em geral, ou, em termos capitalistas, o lucro e a relação entre esse lucro e o capital aplicado, por conseguinte, certo nível da taxa de lucro, é o que determina a decisão de expandir ou restringir a produção, e não a relação entre a produção e as necessidades sociais, as necessidades de seres humanos socialmente desenvolvidos. Por isso, a produção já encontra limites em certo grau de expansão, embora se patenteie muito insuficiente, se considerarmos o segundo desígnio. Ela se estagna no ponto exigido pela produção e realização de lucro, e não pela satisfação das necessidades.

Se cai a taxa de lucro, o capital se torna tenso, o que transparece no propósito de cada capitalista de reduzir, com melhores métodos etc., o valor individual de suas mercadorias abaixo do valor médio social, e assim fazer um lucro extra, na base do preço estabelecido pelo mercado; ocorrerá ainda especulação geralmente favorecida pelas tentativas apaixonadas de experimentar novos métodos de produção, novos investimentos de capital, novas aventuras, a fim de obter um lucro extra qualquer, que não dependa da média geral e a ultrapasse.

A taxa de lucro, isto é, o crescimento proporcional do capital, é sobretudo importante para todas as novas aglomerações autônomas de capital. E, logo que a formação de capital fosse exclusividade de alguns poucos grandes capitalistas amadurecidos, para os quais o montante de lucro compensasse a taxa, extinguir-se-ia definitivamente o fogo sagrado da produção. Esta ficaria inerte. A taxa de lucro é a força propulsora da produção capitalista, e só se produz o que se pode e quando se pode produzir com lucro. Daí mostrarem-se os economistas ingleses apreensivos com o decréscimo da taxa de lucro. Que a mera possibilidade desse decréscimo tenha inquietado Ricardo demonstra justamente a profunda compreensão que tinha das condições da produção capitalista. A importância de Ricardo reside precisamente naquilo em que é criticado, isto é, que abstrai dos seres humanos, ao estudar a produção capitalista, considerando apenas o desenvolvimento das forças produtivas, qualquer que seja o custo em sacrifícios humanos e em *valores*-capital. O desenvolvimento das forças produtivas do trabalho social é a tarefa histórica do capital e o legitima. Exercendo justamente essa função, cria ele as condições materiais de forma superior de produção, sem que esteja consciente disso. O que preocupa Ricardo é a circunstância de o próprio desenvolvimento da produção ameaçar a taxa de lucro, o estimulante da produção capitalista e, ao mesmo tempo, condição e móvel da acumulação. E nele tudo gira em torno da relação quantitativa, mas há, na realidade, algo bem mais profundo que ele apenas pressente. Patenteia-se aí, no plano puramente econômico, isto é, sob o prisma burguês, dentro das barreiras da compreensão capitalista, do ponto de vista da própria produção capitalista, a limitação, a relatividade deste modo de produção, seu caráter histórico, vinculado a determinada época de desenvolvimento limitado das condições materiais de produção.

4. OBSERVAÇÕES COMPLEMENTARES

O desenvolvimento da produtividade do trabalho é muito desigual nos diferentes ramos industriais, e não diverge somente quanto ao grau, mas, frequentes vezes, segue direções opostas. Daí resulta que a massa do lucro médio (= mais-valia) tem de estar muito abaixo do nível que seria de esperar de acordo com o desenvolvimento da produtividade nos ramos mais adiantados. Por que a produtividade se desenvolve em proporções bem diversas nos diferentes ramos industriais, e frequentes vezes segue direções opostas? As causas disso não residem apenas na anarquia da concorrência e na peculiaridade do modo burguês de produção. A produtividade do trabalho está também vinculada às condições naturais, cujo rendimento muitas vezes diminui na mesma proporção em que aumenta a produtividade, na medida em que esta depende de condições sociais. Daí movimentos opostos nos diferentes ramos: progresso nuns, regressão noutros. Basta pensar, por exemplo, na influência das estações, de que depende a quantidade da maior parte das matérias-primas, no esgotamento das florestas, das minas de carvão e de ferro etc.

A parte circulante do capital constante, matérias-primas etc. aumenta sempre a respectiva massa na proporção da produtividade do trabalho. O mesmo não ocorre com o capital fixo, os edifícios, a maquinaria, as instalações de iluminação, aquecimento etc. Com o aumento do tamanho, a máquina se torna absolutamente mais cara e relativamente mais barata. Se cinco trabalhadores produzem dez vezes mais mercadorias que antes, não se decuplica por isso o desembolso em capital fixo, e, embora o valor dessa parte do capital constante cresça com o desenvolvimento da produtividade, está bem longe de aumentar na mesma proporção. Já ressaltamos várias vezes a diferença entre estes dois aspectos da relação entre capital constante e capital variável: quando ela se expressa na queda da taxa de lucro e quando se manifesta, com o desenvolvimento da produtividade do trabalho, na mercadoria singular e no seu preço.

[O valor da mercadoria é determinado pela totalidade do trabalho, pretérito e vivo, que absorve. A elevação da produtividade do trabalho consiste justamente em diminuir a participação do trabalho vivo e aumentar a do trabalho pretérito, de modo que se reduza a soma de trabalho encerrada na mercadoria, sendo a quantidade de que diminui o trabalho vivo maior do que aquela em que aumenta o trabalho pretérito. O trabalho pretérito corporificado no valor de uma mercadoria – a parte constante do capital – consiste no desgaste de capital fixo e no capital constante circulante absorvido por inteiro pela mercadoria, as matérias-primas e as matérias auxiliares. A parte do valor oriunda das matérias-primas e das auxiliares tem de diminuir com o aumento da produtividade, que, no tocante a essas matérias, se patenteia justamente na queda do valor delas. Quanto à parte fixa do capital constante, é o oposto o que caracteriza a produtividade ascendente do trabalho: esta aumenta-a fortemente e, por conseguinte, eleva a parte do valor que, pelo desgaste, se transfere às mercadorias. Então, novo método de produção só aumenta realmente a produtividade quando transfere a cada exemplar da mercadoria fração adicional de valor relativa a capital fixo menor que a fração de valor economizada com a diminuição de trabalho vivo – em suma, quando reduz o valor da mercadoria. Essa diferença tem de existir, é evidente, mesmo quando, conforme ocorre em casos isolados, além da fração adicional correspondente ao capital fixo, entra no valor da mercadoria fração adicional relativa a acréscimo de quantidade ou de preço de matérias-primas ou auxiliares. Todos os acréscimos de valor têm de ser mais do que compensados pela redução de valor oriunda da diminuição do trabalho vivo.

Essa redução do trabalho total transposto para a mercadoria parece, por conseguinte, ser a característica essencial da produtividade acrescida do trabalho, não importa quais sejam as condições de produção. Essa redução serviria incondicionalmente para medir a produtividade do trabalho numa sociedade em que os produtores regulassem a produção segundo plano previamente estabelecido, e mesmo na produção simples de mercadorias. É isto válido para a produção capitalista?

Admitamos que determinada indústria capitalista produza a unidade normal de sua mercadoria nas seguintes condições: desgaste do capital fixo, $\frac{1}{2}$ xelim ou marco; matérias-primas e matérias auxiliares, $17\frac{1}{2}$ xelins; salários, 2 xelins, e mais-valia, com uma taxa de 100%, 2 xelins. Valor global = 22 xelins ou marcos. Para simplificar; suporemos que nessa indústria o capital tem a composição social média, coincidindo, portanto, com o valor o preço de produção da mercadoria, e o lucro do capitalista, com a mais-valia obtida. Nessas condições, temos o preço de custo da mercadoria $= \frac{1}{2} + 17\frac{1}{2} + 2 = 20$ xelins, a taxa média de lucro $= \frac{2}{20} = 10\%$, e o preço de produção da unidade igual ao valor, a 22 xelins ou marcos.

Imaginemos que se invente máquina que reduza à metade, para cada unidade, o trabalho vivo exigido, mas que, em compensação, triplique a fração do valor relativa ao desgaste do capital fixo. Teríamos então $1\frac{1}{2}$ xelins para desgaste, $17\frac{1}{2}$ xelins para matérias-primas e matérias auxiliares, 1 para salários, 1 para mais-valia, ao todo, 21 xelins ou marcos. O valor da mercadoria diminuiu então de 1 xelim; a nova máquina aumentou, sem dúvida, a produtividade do trabalho. Mas o capitalista vê as coisas de maneira diferente. Seu preço de custo agora é: $1\frac{1}{2}$ xelins de desgaste, $17\frac{1}{2}$ de matérias-primas e matérias auxiliares, 1 de salários, ao todo 20 xelins, como dantes. Uma vez que a nova máquina não implica alteração automática da taxa de lucro, terá ele de acrescentar 10% sobre o preço de custo, isto é, 2 xelins; não se modifica, portanto, o preço de produção = 22 xelins, ficando, portanto, 1 xelim acima do valor. Para uma sociedade que produz em condições capitalistas, a mercadoria *não* barateou, a nova máquina *não* trouxe aperfeiçoamento algum. O capitalista não tem o menor interesse de introduzir a nova máquina. E, uma vez que, introduzindo-a, simplesmente tornaria sem valor sua maquinaria atual, ainda não desgastada, transformá-la-ia em ferro-velho e nada mais, experimentando, portanto, séria perda, abstém-se de praticar o que para ele não passa de disparate, de mera utopia.

AS CONTRADIÇÕES INTERNAS DA LEI

Para o capital, não vige incondicionalmente a lei do aumento da produtividade do trabalho. Para o capital, aumenta essa produtividade quando, mais do que se acrescenta em trabalho pretérito, se economiza em trabalho vivo *pago*, e não em trabalho vivo em geral, o que já vimos sucintamente no Livro 1, Capítulo XIII, p. 430s. O modo capitalista de produção revela aí nova contradição. Sua missão histórica é o desenvolvimento implacável, em progressão geométrica, da produtividade do trabalho humano. Trai essa missão quando, como nesse caso, estorva o desenvolvimento da produtividade. Assim, de novo demonstra que se torna senil, sendo cada vez mais superado pelo tempo.][37]

Vejamos como se evidencia, na concorrência, o mínimo ascendente de capital que, com a elevação da produtividade, se torna necessário para a exploração eficaz de uma empresa industrial. Logo que no ramo industrial se generaliza o emprego de instalações mais custosas, passam a ser dele excluídos os capitais menores. Estes só podem funcionar nos diversos ramos industriais de maneira autônoma; enquanto neles se inicia o emprego das invenções mecânicas. Demais, empresas muito grandes, com proporção extraordinariamente alta de capital constante, tais como ferrovias, não proporcionam a taxa de lucro médio, e sim parte dela, um juro. Se esse rendimento não fora considerado assim, cairia ainda mais a taxa geral de lucro. Mas, por outro lado, grandes concentrações de capital encontram aí possibilidade de aplicação, sob a forma de ações.

Crescimento do capital, acumulação, portanto, do capital, só implica redução da taxa de lucro quando com esse crescimento coincidem as alterações acima observadas na proporção dos componentes orgânicos do capital. Ora, apesar das transformações contínuas, cotidianas, observadas no modo de produção, frações maiores ou menores da totalidade do capital social, durante certo período, prosseguem acumulando na base de dada proporção média entre aqueles componentes, de modo que esse crescimento não envolve modificação orgânica nem, portanto, as causas da queda da taxa de lucro. Essa expansão contínua do capital e, por conseguinte, da produção, na base do método antigo que prossegue sereno, enquanto ao lado já se introduzem os métodos novos, explica por que a taxa de lucro não decresce na mesma proporção em que aumenta todo o capital da sociedade.

---

37 A parte acima entre colchetes está assim delimitada porque, embora redigida na base de nota do manuscrito do autor, se estende, em alguns pontos, além do original. — F.E.

Apesar do decréscimo relativo do capital variável, empregado em salários, há o aumento do número absoluto de trabalhadores, o que não se dá em todos os ramos industriais, nem de maneira uniforme. Na agricultura, o decréscimo do trabalho vivo pode ser absoluto.

Demais, só no regime capitalista o número de trabalhadores tem de crescer de maneira absoluta, embora relativamente decresça. As forças de trabalho já se tornam supérfluas quando não é mais necessário empregá-las de 12 a 15 horas por dia. Um desenvolvimento das forças produtivas que diminuísse o número absoluto dos trabalhadores, isto é, capacitasse realmente a nação inteira a efetuar toda a produção em menor espaço de tempo, acarretaria revolução, pois tornaria marginal a maior parte da população. Mais uma vez, revela-se o limite específico da produção capitalista, e vê-se que não é de maneira alguma forma absoluta do desenvolvimento das forças produtivas e da criação da riqueza, colidindo com este desenvolvimento, a partir de certo ponto. Percebe-se em parte esse conflito nas crises periódicas, oriundas da circunstância de ficar supérflua, no antigo tipo de atividade, ora esta, ora aquela fração da população trabalhadora. O limite do sistema está no tempo excedente dos trabalhadores. Não lhe interessa a sobra de tempo que a sociedade ganha. A produtividade só lhe importa quando aumenta o tempo de trabalho excedente da classe trabalhadora, e não quando diminui apenas o tempo de trabalho da produção material. Assim, move-se a produção contraditoriamente.

Vimos que a acumulação crescente de capital redunda em concentração crescente. Assim, aumenta a força do capital, a autonomia em relação aos produtores reais, personificada no capitalista, das condições sociais de produção. O capital, cada vez mais, se patenteia força social: tem o capitalista por agente e não se relaciona mais com o que pode criar o trabalho de cada indivíduo; mas patenteia-se força social alienada, autônoma, que enfrenta a sociedade como coisa e como poder do capitalista por meio dessa coisa. A contradição entre a força social geral que o capital encarna e o poder privado dos diferentes capitalistas sobre essas condições sociais torna-se cada vez mais aguda e acarreta que se dissolva essa relação, e a dissolução implica que os meios de produção se tornem sociais, coletivos e gerais. Essa transformação está ligada ao desenvolvimento das forças produtivas na produção capitalista e à maneira como se efetua esse desenvolvimento.

Nenhum capitalista, voluntariamente, emprega processo novo de produção que diminua a taxa de lucro, por mais produtivo que seja ou por mais que aumente a taxa de mais-valia. Mas todo processo novo desse gênero reduz o preço das mercadorias. Por isso, no início vende-as o capitalista acima do preço de produção, talvez acima do valor. Embolsa a diferença que existe entre seus custos de produção e o preço de mercado das mercadorias concorrentes produzidas a custos mais elevados. Pode fazê-lo, porque o tempo médio de trabalho socialmente exigido para produzir essas mercadorias é maior que o tempo de trabalho requerido pelo novo processo de produção. Seu processo de produção tem eficácia superior à média social. A concorrência, porém, generaliza-o e submete-o à lei geral. Há então queda da taxa de lucro, primeiro talvez nesse ramo, nivelando-o aos demais, queda que absolutamente não depende da vontade dos capitalistas.

Cabe aqui observar que essa lei vigora também nos ramos de produção cujo produto não entra direta nem indiretamente no consumo do trabalhador ou nas condições de produção de seus meios de subsistência. Ela se estende aos ramos de produção em que o barateamento das mercadorias não pode contribuir para aumentar a mais-valia relativa, nem para baratear a força de trabalho (por certo, a redução do preço do capital constante em todos esses ramos de produção pode elevar a taxa de lucro, não variando a exploração do trabalho). Quando o novo método de produção começa a difundir-se, e, por conseguinte, se comprova de fato que essas mercadorias podem ser produzidas mais barato, têm os capitalistas, que operam nas condições antigas de produção, de vender seu produto abaixo do respectivo preço de produção, pois o valor de sua mercadoria caiu, o tempo de trabalho exigido para produzi-la está acima da média social. Em suma – o fenômeno é efeito da concorrência –, eles têm de introduzir também o novo processo que reduz a proporção do capital variável com o constante.

Tudo o que leva o emprego da maquinaria a baratear o preço das mercadorias produzidas reduz-se sempre a decréscimo da quantidade de trabalho absorvida por cada unidade de mercadoria e a decréscimo da fração de desgaste da maquinaria, ou seja, do correspondente valor que entra em cada unidade. Quanto menos rápido esse desgaste, tanto maior a quantidade de mercadorias por que se reparte, tanto maior a quantidade de trabalho vivo que repõe até que chegue o momento da reprodução. Nos dois casos, aumentam a quantidade e o valor do capital constante fixo em relação ao variável.

O CAPITAL

> Não se alterando as demais condições, o poder de uma nação, de economizar lucros, varia com a taxa de lucro, sendo maior quando eles são altos e menor, quando baixos; mas, quando decresce a taxa de lucro, as demais condições não continuam inalteradas. [...] Baixa taxa de lucro coincide ordinariamente com ritmo de acumulação rápido, relativamente ao número de habitantes, como na Inglaterra [...] e taxa alta de lucro com taxa mais lenta de acumulação, em relação ao número de habitantes. [Exemplos: Polônia, Rússia, Índia, etc.] (Richard Jones, *An Introductory Lecture on Pol. Econ.*, Londres, 1833, p. 50s.)

Jones acentua acertadamente que, apesar da taxa cadente de lucro, aumentam as oportunidades e as possibilidades de acumular, em virtude das seguintes razões: (1) superpopulação relativa crescente; (2) com a produtividade ascendente do trabalho, aumenta a massa de valores de uso configurada no mesmo valor de troca, ou seja, a massa dos elementos materiais do capital; (3) é cada vez maior a diversificação dos ramos industriais; (4) desenvolvem-se o sistema de crédito, as sociedades por ações etc. e, em consequência, fica fácil para o investidor transformar seu dinheiro em capital, sem precisar ser capitalista industrial; (5) aumento das necessidades e da avidez de enriquecer; (6) investimento de capital fixo em escala crescente etc.

Três fatos fundamentais marcam a produção capitalista:

1) Concentração dos meios de produção em poucas mãos, e, por isso, não aparecem mais eles como propriedade dos trabalhadores imediatos, transformando-se, ao contrário, em potências sociais da produção, embora se apresentem como propriedade particular dos capitalistas. Estes são os síndicos da sociedade burguesa, mas embolsam todos os frutos da administração que exercem.

2) Organização do trabalho como trabalho social, por meio da cooperação, da divisão do trabalho e da união do trabalho com as ciências naturais. Nos dois sentidos, o modo capitalista de produção suprime a propriedade privada e o trabalho privado, embora sob formas contraditórias.

3) Constituição do mercado mundial.

No modo capitalista de produção, relativamente à população, desenvolve-se em demasia a produtividade, e, embora sem atingir a mesma proporção, aumentam os valores-capital (e não só o substrato material desses valores) de maneira mais rápida que a população. Os dois fatos colidem com a base – que, em relação à riqueza crescente, é cada vez mais estreita, e para a qual opera essa produtividade imensa – e com as condições de valorização do capital que se expande. Daí as crises.

QUARTA SEÇÃO

CONVERSÃO DO CAPITAL-MERCADORIA E DO CAPITAL-DINHEIRO EM CAPITAL COMERCIAL E CAPITAL FINANCEIRO COMO FORMAS DO CAPITAL MERCANTIL

XVI.
Capital comercial

XVI.
Capital comercial

O capital mercantil se subdivide em duas formas ou variedades – capital comercial e capital financeiro – que vamos caracterizar agora com os pormenores necessários à análise do capital em sua estrutura íntima. E tanto mais necessários quanto os mais destacados corifeus da economia moderna confundem o capital mercantil com o capital industrial e omitem por completo as peculiaridades características do primeiro.

No Livro 2^I analisou-se o movimento do capital-mercadoria. Considerando todo o capital da sociedade, vemos parte dele – embora variem sempre seus componentes e mesmo sua magnitude – constituída de mercadorias lançadas ao mercado para converter-se em dinheiro, e parte que está no mercado, configurada em dinheiro, para converter-se em mercadoria. Está ele sempre em via de transformar-se, de efetuar essa mera mudança de forma. Quando essa função do capital que está no processo de circulação adquire autonomia como função particular de um capital particular, tornando-se, em virtude da divisão do trabalho, função própria de determinada categoria de capitalistas, converte-se o capital-mercadoria em capital comercial.

Examinamos (Livro 2, Capítulo VI) até onde a indústria de transporte, a conservação e a distribuição das mercadorias em forma adequada ao consumo podem ser consideradas processos de produção que se prolongam no processo de circulação. Essas atividades ligadas acessoriamente à circulação do capital-mercadoria ora se confundem com as funções peculiares do capital mercantil ou do capital comercial, ora se associam na prática às funções específicas peculiares deste, embora a função do capital mercantil sobressaia de maneira pura com o desenvolvimento da divisão social do trabalho, isto é, dissociada daquelas atividades em relação às quais se torna autônoma. Para nosso objetivo de determinar o que diferencia especificamente essa figura particular do capital, temos de abstrair daquelas atividades reais. Quando o capital que funciona apenas no processo de circulação, em particular o capital comercial, associa em parte as suas funções àquelas atividades, não se patenteia ele em sua forma pura. Esta se evidencia quando se eliminam e se afastam aquelas atividades.

Conforme vimos, a existência do capital como capital-mercadoria e a correspondente metamorfose por que passa na esfera da circulação, no mercado – transformação que se reduz a compras e vendas, ou seja, conversão

---

I Ver Livro 2, pp. 99-110.

de capital-mercadoria em capital-dinheiro e vice-versa — constituem fase do processo de reprodução do capital industrial e, por conseguinte, de todo o seu processo de reprodução; mas que esse capital nesta função de capital de circulação se distingue de si mesmo como capital produtivo. Trata-se de duas formas de existência diferentes, distintas do mesmo capital. Parte do capital total da sociedade encontra-se sempre no mercado nessa forma de existência de capital de circulação, em via de metamorfosear-se. Não obstante, para cada capital em particular, a existência como capital-mercadoria e a metamorfose como tal constitui apenas uma fase transitória que ora desaparece ora se renova, um estádio efêmero na continuidade de seu processo de produção. Por isso, os elementos do capital-mercadoria que se encontram no mercado estão sempre mudando; continuamente se retiram do mercado e a ele voltam como novo produto do processo de produção.

O capital comercial nada mais é do que a forma a que se converte parte desse capital de circulação que está constantemente no mercado em via de metamorfosear-se e se situa sempre na esfera da circulação. Dizemos parte porque há ainda as compras e vendas de mercadorias que se efetuam constantemente de maneira direta entre os próprios capitalistas industriais. Em nossa pesquisa abstraímos delas por inteiro, pois em nada nos ajudam para determinar o conceito, para penetrar na natureza específica do capital mercantil, e além disso no Livro 2 já tratamos delas em todos os aspectos apropriados ao nosso objetivo.

Na qualidade de capitalista, o comerciante aparece no mercado antes de mais nada representando certa soma de dinheiro, a qual adianta como capitalista, isto é, com o propósito de transformar x (o valor da soma original) em $x + \Delta x$ (a soma original + o lucro). É evidente que a qualidade de capitalista e sobretudo a de comerciante exigem, de início, que apareça no mercado com o capital na forma de dinheiro, pois não produz mercadorias, apenas negocia com elas, propicia o movimento delas, e para mercadejar, tem antes de comprá-las, de ser possuidor de capital-dinheiro.

Imaginemos um comerciante que possua 3.000 libras esterlinas para valorizar como capital comercial. Com essas 3.000 libras esterlinas compra, digamos, do fabricante 30.000 metros de linho, a 2 xelins o metro. A seguir vende toda a mercadoria. Se a taxa média anual de lucro = 10% e se, excluídas todas as despesas acessórias, obtém o lucro anual de 10%, terá ele no fim do ano convertido as 3.000 libras esterlinas em 3.300. Como se gera esse lucro é questão de que trataremos mais tarde. Por ora limitamo-nos a examinar a mera forma de movimento do capital. Com essas 3.000 libras esterlinas compra sempre linho para revender; repete constantemente essa operação de comprar para vender, D – M – D', a forma simples do capital, por inteiro encerrada no processo de circulação, sem interromper-se pelo intervalo do processo de produção, que se situa fora do movimento e da função que dela são próprios.

Nessas condições, qual a relação que o capital comercial tem com o capital-mercadoria, mera forma de existência do capital industrial? Quanto ao fabricante de linho, realizou o valor de seu produto com o dinheiro do comerciante, efetuou a primeira fase da metamorfose de seu capital-mercadoria, transformando-o em dinheiro, e pode agora, continuando invariáveis as demais condições, reconverter o dinheiro em fio, algodão, salários etc., e ainda em meios de subsistência etc. correspondentes ao consumo de sua renda; portanto, fazendo-se abstração da renda consumida, prosseguirá no processo de produção.

Mas, embora para o produtor do linho tenha havido venda, metamorfose em dinheiro, esta não ocorreu para o linho, que se encontra ainda no mercado como capital-mercadoria destinado a efetuar a primeira metamorfose, a ser vendido. O linho mudou apenas de possuidor. De acordo com o destino, com a posição que ocupa no processo, continua a ser capital-mercadoria, mercadoria à venda; a única diferença é que agora está nas mãos do comerciante e não mais nas do produtor. A função de vendê-lo, de efetuar a primeira fase de sua metamorfose, transfere-a o produtor ao comerciante, que a converte em seu negócio particular, que antes era função do produtor, depois de ter levado a cabo a função de produzi-lo.

Admitamos que o comerciante não consiga vender os 30.000 metros de linho durante o intervalo que o fabricante precisa para lançar no mercado outros 30.000 metros no valor de 3.000 libras esterlinas. O comerciante não pode comprá-los novamente, pois ainda armazena, sem vender, 30.000 metros ainda não reconvertidos em capital-dinheiro. Então para, cessa a reprodução. Entretanto, é possível que o produtor dispusesse de capital-dinheiro adicional, que ele poderia, sem haver a venda dos 30.000 metros, transformar em capital produtivo e assim prosseguir o processo de produção. O problema, porém, em nada se alteraria com essa suposição. Para o capital adiantado nos 30.000 metros está e continua interrompido o processo de reprodução. Patenteia-se aí, portanto, de maneira contundente que as operações do comerciante não passam de operações indispensáveis para transformar em dinheiro o capital-mercadoria do produtor e que por intermédio delas se efetuam as funções do capital-mercadoria no processo de circulação e de reprodução. Essa conexão íntima ficaria totalmente descoberta se, em vez de um comerciante independente, um mero empregado do produtor fosse o encarregado exclusivo dessas vendas e também das compras.

O capital comercial, portanto, nada mais é do que o capital-mercadoria que o produtor fornece e tem de passar por processo de transformação em dinheiro, de efetuar a função de capital-mercadoria no mercado, com a diferença apenas de que essa função, em vez de ser operação acessória do produtor, surge como operação exclusiva de variedade especial de capitalistas, os comerciantes, e adquire autonomia como negócio correspondente a um investimento específico.

É o que se vê na forma especial de circulação do capital comercial. O comerciante compra a mercadoria e em seguida a vende: $D - M - D'$. Na circulação de mercadorias, seja a simples ou a que se processa como circulação do capital industrial, $M' - D - M$, a circulação efetua-se trocando-se o dinheiro de mãos por duas vezes. O fabricante vende sua mercadoria, o linho, transforma-o em dinheiro; o dinheiro do comprador vai para suas mãos. Com esse dinheiro compra fios, carvão, trabalho etc., desembolsa o mesmo dinheiro, para reconverter o valor do linho nas mercadorias que constituem seus elementos de produção. A mercadoria que compra não é a mesma, não é da mesma espécie da que ele vende. Vendeu produtos e comprou meios de produção. Mas o movimento do capital mercantil se efetiva de maneira diferente. Com as 3.000 libras esterlinas, o comerciante compra 30.000 metros de linho; vende esses 30.000 metros de linho, para retirar da circulação o capital-dinheiro (3.000 libras esterlinas, além do lucro). Aqui não são as mesmas peças de dinheiro que trocam de lugar duas vezes e sim a mesma mercadoria; esta vai das mãos do vendedor para as do comprador, e das mãos do comprador, que se torna vendedor, para as de outro comprador. É vendida duas vezes e ainda pode vender-se mais vezes, se houver a intromissão de uma série de comerciantes; e é justamente por causa dessa venda repetida, dessa troca de posição da mesma mercadoria duas vezes, que o primeiro comprador recupera o dinheiro adiantado na aquisição da mercadoria, consegue seu retorno. No caso $M' - D - M$, a dupla troca de posição do mesmo dinheiro permite que a figura da mercadoria alienada difira da figura da adquirida. No caso $D - M - D'$, a dupla troca de posição da mesma mercadoria permite que se retire da circulação o dinheiro que foi adiantado. Justamente aí evidencia-se que a mercadoria ainda não se vende definitivamente quando passa das mãos do produtor para as do comerciante, que este apenas prossegue a operação de venda, servindo de intermediário da função do capital-mercadoria. Mas encontramos também aí esta evidência: o que para o capitalista produtivo é M – D, mera função de seu capital na figura transitória de capital-mercadoria, é para o comerciante D – M – D', valorização particular do capital-dinheiro que adiantou. Assim, para o comerciante, uma fase da metamorfose das mercadorias aparece como D – M – D', como evolução, portanto, de uma espécie particular de capital.

É ao consumidor que o comerciante vende em caráter definitivo a mercadoria, no caso o linho, seja o consumidor produtivo (uma branquearia, por exemplo) ou individual, o que pessoalmente utiliza o linho. Assim volta-lhe o capital adiantado (com lucro) e ele pode reiniciar a operação. Se, na compra de linho, o dinheiro servir apenas de meio de pagamento, só tendo o comerciante de pagar a mercadoria seis semanas depois de recebê-la, e se vendê-la antes desse prazo, poderá pagar ao fabricante de linho, sem adiantar capital-dinheiro. Se não vender o linho, a data para adiantar as 3.000 libras é a do vencimento da dívida, posterior à do recebimento da mercadoria. E se, em virtude de queda dos preços de mercado, vender o linho abaixo do preço de compra, terá de repor a diferença com o próprio capital.

Que dá ao capital comercial o caráter de capital com função autônoma, quando para o produtor, que o vende diretamente, se revela apenas forma particular do respectivo capital em fase especial do processo de reprodução e enquanto está na esfera da circulação?

Primeiro: a circunstância de o capital-mercadoria efetuar nas mãos de um agente, diverso do produtor, sua conversão definitiva em dinheiro, portanto sua primeira metamorfose, a função que lhe cabe no mercado como capital-mercadoria e que se efetiva por meio das operações do comerciante, das suas compras e vendas, de modo que essa atividade constitui negócio próprio, dissociado das demais funções do capital industrial e por isso autônomo. É uma forma particular da divisão social do trabalho, e desse modo parte da função a efetuar em fase especial do processo de reprodução do capital – a circulação – aparece como função exclusiva de um agente específico, distinto do produtor. Mas, ainda assim, esse negócio particular não se caracteriza como a função de um capital especial, distinto do capital industrial em seu processo de reprodução e autônomo em relação a ele, não se manifestando realmente como tal quando o comércio de mercadorias se faz por meio de caixeiros-viajantes ou de outros agentes diretos do capitalista industrial. É mister adicionar aí um segundo fator.

Segundo: esse fator é o adiantamento que o agente autônomo da circulação, o comerciante, de acordo com sua condição, faz de capital-dinheiro próprio ou emprestado. O que para o capital industrial se representa simplesmente em M – D, transformação do capital-mercadoria em capital-dinheiro ou mera venda, configura-se, para o comerciante, em D – M – D', em compra e venda da mesma mercadoria e, portanto, em retorno do capital-dinheiro, que dele se afastara com a compra, por ter efetuado a venda.

Para o comerciante, M – D, a conversão do capital-mercadoria em capital-dinheiro, representa-se sempre em D – M – D, quando adianta capital para comprar a mercadoria do produtor; é sempre a primeira metamorfose do capital-mercadoria, embora para um produtor ou para o capital industrial que está em seu processo de reprodução possa representar-se em D – M, o fato de o dinheiro reconverter-se em mercadoria (os meios de produção), ou seja, a segunda fase da metamorfose. Para o fabricante de linho, M – D era a primeira metamorfose, conversão do capital-mercadoria em dinheiro. Para o comerciante, essa operação se configura em D – M, transformação de seu capital-dinheiro em capital-mercadoria. Se ele então vende o linho à branquearia, essa operação para a branquearia se representa em D – M, conversão de capital-dinheiro em capital produtivo, constituindo a segunda metamorfose do respectivo capital-mercadoria; mas para o comerciante M – D expressa a venda do linho que comprou. Mas, na realidade, só agora se vendeu definitivamente o capital-mercadoria produzido pelo fabricante de linho, pois o D – M – D do comerciante configura apenas um processo intermediário correspondente ao M – D entre dois produtores. Admitamos que o fabricante de linho compra de um comerciante fio com parte do valor do linho vendido. Para ele, a operação é D – M. Mas para o comerciante, que vende o fio, é M – D, revenda do fio; e quanto ao próprio fio, capital-mercadoria, ocorre sua venda definitiva, pois passa da esfera da circulação para a do consumo: M – D é então o término definitivo de sua primeira metamorfose. Compre o comerciante do capitalista industrial ou a ele venda, seu D – M – D, o ciclo do capital mercantil, expressa sempre o que, para o próprio capital-mercadoria, considerado forma transitória do capital

CAPITAL COMERCIAL

industrial que se reproduz, é apenas M – D, efetuação da primeira metamorfose. O D – M do capital mercantil só para o capitalista industrial é ao mesmo tempo M – D, mas não para o capital-mercadoria que ele produziu: há somente transferência do capital-mercadoria das mãos do industrial para as do agente de circulação; só o M – D do capital mercantil é o definitivo M – D do capital-mercadoria em funcionamento. D – M – D não passam de dois M – D do mesmo capital-mercadoria, duas vendas sucessivas dele, que permitem a venda final e definitiva.

Assim, o capital-mercadoria, quando capital comercial, toma a figura de uma espécie autônoma de capital, por adiantar o comerciante capital--dinheiro que só se valoriza e funciona como capital, ocupando-se exclusivamente em propiciar a metamorfose do capital-mercadoria, a função do capital-mercadoria, sua transformação em dinheiro, o que faz por meio de compra e venda contínuas de mercadorias. Efetua exclusivamente essa operação; essa atividade que propicia o processo de circulação do capital industrial é a função exclusiva do capital-dinheiro com que opera o comerciante. Com essa função transforma ele seu dinheiro em capital-dinheiro, submete D ao processo D – M – D', e assim converte o capital-mercadoria em capital comercial.

Considerando-se o processo de reprodução de todo o capital da sociedade, o capital comercial, enquanto está na forma de capital-mercadoria, evidentemente é apenas parte do capital industrial, a qual se encontra no mercado, em processo de metamorfose, existindo e funcionando como capital-mercadoria. Assim, do ponto de vista da totalidade do processo de reprodução do capital, cabe examinar aqui unicamente o capital-*dinheiro* adiantado pelo comerciante, destinado exclusivamente às operações de comprar e vender, só assumindo por isso as formas de capital-mercadoria e de capital-dinheiro e nunca a de capital produtivo, ficando sempre cativo da esfera da circulação do capital.

Quando o produtor, o fabricante, vende seus 30 metros de linho ao comerciante por 3.000 libras esterlinas, compra ele com o dinheiro assim obtido os meios de produção necessários, e seu capital entra de novo no processo de produção; este continua, prossegue sem cessar. Para ele, sua mercadoria transformou-se em dinheiro. Mas, conforme vimos, ainda não houve essa transformação com o linho, que não se reconverteu ainda de maneira definitiva em dinheiro, ainda não entrou, como valor de uso, no consumo produtivo ou no individual. O comerciante de linho representa agora no mercado o mesmo capital-mercadoria que aí era antes representado pelo fabricante de linho. Para este o processo da metamorfose foi abreviado e encerrou-se, mas para prosseguir nas mãos do comerciante.

O processo de produção interromper-se-ia se o produtor dependesse de o linho cessar realmente de ser mercadoria, transferindo-se ao último comprador, o consumidor produtivo ou individual. Ou então para evitar essa interrupção, deveria ele reduzir suas operações, converter parte menor de seu linho em fio, algodão, trabalho etc., ou seja, nos elementos do capital produtivo, e manter parte maior como reserva monetária. Assim, enquanto parte de seu capital estiver no mercado como mercadoria, parte pode prosseguir o processo de produção, de modo que, ao aparecer esta no mercado, retorna aquela sob a forma dinheiro. A interferência do comerciante não elimina essa repartição de seu capital. Mas, sem essa interferência, a parte relativa a capital de circulação, existente sob a forma de reserva monetária, teria de ser sempre maior em relação à parte empregada sob a forma de capital produtivo, o que acarretaria decréscimo da escala da reprodução. Em virtude da interferência do comerciante, pode o produtor continuamente empregar parte maior de seu capital no processo de produção propriamente e manter menor reserva monetária.

Mas, em compensação, há sempre uma parte do capital da sociedade, sob a forma de capital mercantil, a qual está sempre na esfera da circulação. Só é empregada para comprar e vender mercadoria. Parece ter ocorrido apenas mudança das pessoas que detêm esse capital.

Se o próprio comerciante aplicasse produtivamente as 3.000 libras esterlinas em vez de empregá-las para comprar o linho com o intuito de revendê-lo, a consequência seria o aumento do capital produtivo da sociedade. Sem dúvida, o produtor de linho teria, nessas condições, de manter parte maior de seu capital como reserva monetária, e o mesmo teria de fazer o comerciante agora transformado em capitalista industrial. Mas se o comerciante continuar comerciante, economizará o produtor o tempo que se gasta em venda, o qual poderá empregar na vigilância do processo de produção, e o comerciante terá de dedicar à venda todo o seu tempo.

Se o capital mercantil não ultrapassa as proporções necessárias, são plausíveis as seguintes suposições:

1) em virtude da divisão do trabalho, o capital que se ocupa exclusivamente com compra e venda (e aí figura, além do dinheiro para compra de mercadorias, o dinheiro que tem de ser empregado no trabalho requerido

para a exploração do negócio comercial, em capital constante do comerciante, depósitos, transportes etc.) é menor do que o que seria necessário para esse fim se o próprio capitalista industrial tivesse de explorar toda a parte mercantil de seu negócio;

2) ocupando-se o comerciante exclusivamente com esse negócio, converte-se a mercadoria mais rapidamente em dinheiro para o respectivo produtor; além disso, o próprio capital-mercadoria efetua mais prontamente sua metamorfose do que o faria nas mãos do produtor;

3) considerando-se a totalidade do capital mercantil em relação ao capital industrial, uma rotação do capital mercantil pode representar não só as rotações de muitos capitais dum mesmo ramo de produção, mas também as rotações de uma série de capitais de diferentes ramos de produção. Dá-se o primeiro caso quando, por exemplo, o comerciante de linho, depois de ter comprado com suas 3.000 libras esterlinas o linho de um fabricante e de o ter revendido, compra e revende o linho de outro ou de vários outros fabricantes antes daquele lançar a mesma quantidade de mercadoria no mercado, permitindo, assim, as rotações de diferentes capitais do mesmo ramo de produção. O segundo, quando o comerciante, por exemplo, após vender o linho, compra seda, possibilitando, assim, a rotação de capital de outro ramo de produção.

De modo geral cabe aqui observar que a rotação do capital industrial é delimitada pelo tempo de circulação e ainda pelo de produção. A rotação do capital mercantil que opera com uma única espécie de mercadoria tem por limite não a rotação de um capital industrial, mas a de todos os capitais industriais do mesmo ramo de produção. O comerciante, depois de comprar e vender linho de um fabricante, poderá comprar e vender o de outro, antes de o primeiro voltar ao mercado com nova mercadoria. O mesmo capital mercantil pode, portanto, propiciar sucessivamente as diferentes rotações dos capitais empregados num ramo de produção, e desse modo sua rotação não se identifica com as rotações de um capital industrial isolado, não se limitando a substituir apenas a reserva monetária de que precisaria esse capitalista industrial isolado. A rotação do capital mercantil num ramo de produção está naturalmente delimitada pela produção total do ramo. Mas não está jungida aos limites da produção ou ao tempo de rotação de um capital desse ramo, na medida em que esse tempo de rotação é determinado pelo tempo de produção. Imaginemos que A forneça mercadoria que precise de três meses para ser produzida. Depois de o comerciante tê-la comprado e revendido, digamos num mês, pode ele comprar e revender o mesmo produto de outro fabricante. Depois de ter vendido o trigo de um arrendatário, pode com o mesmo dinheiro comprar e revender o de outro, e assim por diante. A rotação de seu capital está determinada pela quantidade de trigo que pode comprar e vender sucessivamente num tempo determinado, digamos num ano, enquanto a rotação do capital do arrendatário, fazendo-se abstração do tempo de circulação, está limitada pelo tempo de produção, que dura um ano.

Mas a rotação do mesmo capital mercantil pode propiciar também as rotações de capitais de diferentes ramos de produção.

O mesmo capital mercantil, ao servir em diferentes rotações, para converter em dinheiro sucessivamente diferentes capitais-mercadoria, comprando-os e vendendo-os um depois do outro, efetua como capital-dinheiro, em relação ao capital-mercadoria, a mesma função que o dinheiro com seus movimentos perfaz num período dado em relação às mercadorias.

A rotação do capital mercantil não se identifica com a rotação ou a reprodução isolada de um capital industrial de igual magnitude; é antes igual à soma das rotações de certo número de capitais, pertençam eles ao mesmo ramo de produção ou a ramos diferentes. Quanto mais rápido rota o capital mercantil, tanto menor, e quanto mais lento, tanto maior a parte – da totalidade do capital-dinheiro – que figura como capital mercantil. Quanto menos desenvolvida a produção, tanto maior a soma de capital mercantil em relação à soma das mercadorias lançadas na circulação, mas tanto menor é ele em termos absolutos ou comparado com o existente em condições de produção mais desenvolvidas. E vice-versa. Por isso, nesses estágios menos desenvolvidos, a maior parte do capital-dinheiro propriamente dito se encontra nas mãos dos comerciantes, cujo patrimônio se destaca dos haveres dos outros por constituir a riqueza em dinheiro.

A velocidade da circulação do capital-dinheiro adiantado pelo comerciante depende: (1) da velocidade com que se renova o processo de produção e se engrenam os diferentes processos de produção; (2) da rapidez do consumo.

O capital mercantil não está limitado a efetuar apenas a rotação acima observada, sendo o valor todo empregado para comprar mercadoria e em seguida vendê-la. Ao contrário, o comerciante faz as duas coisas ao mesmo tempo. Nessas condições, o capital se divide em duas partes. Uma consiste em capital-mercadoria e a outra, em capital-dinheiro. Compra aqui e converte assim seu dinheiro em mercadoria. Vende ali e com isso transforma outra parte do capital-mercadoria em dinheiro. De um lado, retorna-lhe o capital como capital-dinheiro, e, do outro, aflui-lhe capital-mercadoria. Se aumenta a parte que está sob uma forma, diminui a que está sob a outra, alternando-se e compensando-se as variações. Se o dinheiro, além de servir de meio de circulação, desempenha o papel de meio de pagamento e se combina com o sistema de crédito que a partir daí se desenvolve, a parte monetária do capital mercantil reduz-se mais em relação à magnitude das transações por ele efetuadas. Se compro vinho no montante de 1.000 libras esterlinas para pagar três meses depois e consigo vender o vinho à vista antes de decorridos os três meses, não haverá para essa transação um centavo de adiantamento. Nesse caso está meridianamente claro que o capital-dinheiro que figura aí como capital mercantil nada mais é do que o próprio capital industrial em sua forma de capital-dinheiro, em seu movimento de retorno na forma de dinheiro (a circunstância de o produtor, que vendeu mercadoria por 1.000 libras esterlinas a pagar três meses depois, poder descontar a duplicata, o título de crédito, no banco, em nada altera o problema em exame e nada tem com o capital do comerciante). Se na ocasião de vender a mercadoria o preço tiver baixado, digamos, de $\frac{1}{10}$ em relação ao que pagou, não obterá ele lucro e, além disso, só recuperará 2.700 libras esterlinas, em vez de 3.000. Para pagar, precisará fazer um acréscimo de 300 libras esterlinas. Essas 300 libras esterlinas serviram apenas de reserva para compensar a diferença de preço. Isto se estende também ao produtor. Tivesse ele mesmo vendido, com baixa de preço, perdendo também 300 libras esterlinas, não poderia recomeçar a produção na mesma escala sem capital de reserva.

O comerciante, por 3.000 libras esterlinas, compra linho do fabricante; este tira dessas 3.000 libras, digamos, 2.000 para pagar fio que adquire do comerciante de fio. O dinheiro com que o fabricante paga o comerciante de fio não é o dinheiro do comerciante de linho, pois este recebeu, em troca, mercadoria em montante equivalente; é a forma dinheiro de seu próprio capital. Nas mãos do comerciante de fio aparecem então as 2.000 libras esterlinas como capital-dinheiro recuperado; mas até onde o são, distinguindo-se das 2.000 libras esterlinas, referentes à forma dinheiro oriunda do linho e à forma dinheiro que o fio assumiu? Se o comerciante de fio comprou a crédito e vendeu à vista antes de chegar o prazo de pagamento, nenhum centavo de capital mercantil se insere nessas 2.000 libras esterlinas, diferenciando-as da forma dinheiro que o próprio capital industrial assume em seu processo cíclico. O capital comercial, quando não é mera forma do capital industrial que se encontra na figura de capital-mercadoria ou capital-dinheiro em poder do comerciante, nada mais é do que a parte do capital-dinheiro que pertence ao próprio comerciante e circula na compra e venda de mercadorias. Em escala reduzida, essa parte representa, do capital adiantado para a produção, a fração que deveria sempre estar nas mãos do industrial como reserva de dinheiro, meio de compra, e circular como seu capital-dinheiro. Essa fração encontra-se agora reduzida nas mãos dos capitalistas comerciantes, e assim funciona constantemente no processo de circulação. Do capital total é a fração que, se abstraímos do que se despende como renda, tem de circular sempre no mercado como meio de compra, para manter a continuidade do processo de reprodução. É tanto menor em relação a todo o capital, quanto mais rápido o processo de reprodução e quanto mais se desenvolve a função de meio de pagamento, do dinheiro, isto é, o sistema de crédito.[1]

O capital mercantil é capital que só funciona na esfera da circulação. O processo de circulação é uma fase do processo global de reprodução. Mas no processo de circulação não se produz valor nem mais-valia, portanto. A mesma quantidade de valor experimenta apenas mudanças de forma. Na realidade ocorre somente a metamorfose das mercadorias, a qual de

---

[1] Para poder classificar o capital mercantil de capital de produção, Ramsay confunde-o com a indústria de transporte e qualifica-o de "o transporte das mercadorias de um lugar para outro" (*An Essay on the Distribution of Wealth*, p. 19). A mesma confusão já se encontra em Verri (*Meditazioni sull'Ec. Pol.*, § 4, [p. 32]) e em Say (*Traité d'éc. Pol.*, 1, p. 14s) – Em seus *Elements of Pol. Ec.* (Andover e New York, 1835), diz S. P. Newman: "Na organização econômica atual da sociedade, o verdadeiro papel do comerciante é o de servir de intermediário entre o produtor e o consumidor, adiantando capital ao primeiro para receber em troca produtos, e transferindo esses produtos ao segundo para ter de volta capital. Essa transação facilita o processo econômico da comunidade e ainda acrescenta valor aos produtos com os quais se relaciona" (p. 174). Assim, produtor e consumidor economizam tempo e dinheiro com a interferência do comerciante. Esse serviço exige adiantamento de capital e de trabalho e tem de ser remunerado, "pois acrescenta valor aos produtos, valendo os mesmos produtos mais nas mãos dos consumidores que nas mãos dos produtores". Ele se harmoniza totalmente com Say, parecendo-lhe o comércio ser "estritamente um ato de produção" (p. 175). Newman incide aí num erro fundamental. O *valor de uso* de uma mercadoria é maior nas mãos do consumidor que nas do produtor por só realizar-se em poder daquele. Só quando a mercadoria penetra na esfera de consumo é que o valor de uso se realiza, entra em função. Nas mãos do produtor existe apenas em forma potencial. Mas não se paga mercadoria duas vezes, primeiro o valor da troca e depois, ainda por cima, o valor de uso. Por ter pago o valor de troca, aproprio-me do valor de uso. E o valor de troca não tem o menor acréscimo por transferir-se a mercadoria das mãos do produtor ou do comerciante intermediário para as do consumidor.

per si nada tem com criação ou variação de valor. Na venda da mercadoria produzida realiza-se mais-valia, porque esta já existe naquela; por isso, no segundo ato, a reversão do capital-dinheiro à mercadoria (elementos de produção), o comprador não realiza mais-valia, e sim prepara a produção da mais-valia, trocando dinheiro por meios de produção e força de trabalho. Ao contrário, na medida em que custam tempo de circulação – durante o qual o capital nada produz e muito menos mais-valia –, essas metamorfoses impedem a criação de valor, e a mais-valia exprimir-se-á em taxa de lucro, variando na razão inversa da magnitude do tempo de circulação. Diretamente, o capital mercantil não cria valor nem mais-valia. Ao concorrer para abreviar o tempo de circulação, pode indiretamente contribuir para aumentar a mais-valia produzida pelo capitalista industrial. Ao contribuir para ampliar o mercado e ao propiciar a divisão do trabalho entre os capitais, capacitando, portanto, o capital a operar em escala maior, favorece a produtividade do capital industrial e a respectiva acumulação. Ao encurtar o tempo de circulação, aumenta a proporção da mais-valia com o capital adiantado, portanto, a taxa de lucro. Ao reter na esfera da circulação parte menor de capital na forma de capital-dinheiro, aumenta a parte do capital diretamente aplicada na produção.

XVII.
O lucro comercial

Vimos no Livro 2 que as funções puras do capital na esfera da circulação não produzem valor nem mais-valia. Compreendem as operações que o capitalista industrial tem de empreender, primeiro para realizar o valor de suas mercadorias, e segundo para reconverter esse valor nos elementos de produção da mercadoria, as operações destinadas a propiciar as metamorfoses do capital-mercadoria M' – D – M, os atos, portanto, de compra e venda. Patenteou-se que o tempo exigido por essas operações levanta barreiras – objetivamente com relação às mercadorias e subjetivamente com relação ao capitalista – à criação de valor e de mais-valia. O que se aplica à metamorfose do capital-mercadoria, considerada de per si, naturalmente não se modifica em virtude de parte dele assumir a figura de capital comercial ou de as operações por meio das quais se efetua a metamorfose do capital-mercadoria aparecerem como negócio particular de uma variedade especial de capitalistas ou como função exclusiva de parte do capital-dinheiro. Se a venda e a compra de mercadorias – e a isso se reduz a metamorfose do capital mercadoria M' – D – M – não criam valor nem mais-valia ao serem efetuadas pelos capitalistas industriais, é impossível que passem a criá-los, se forem efetuadas não por eles, mas outras pessoas. Demais, se, da totalidade do capital social, a parte que tem de estar constantemente disponível como capital-dinheiro para que o processo de reprodução não seja interrompido pelo de circulação, mas tenha continuidade, não cria valor nem mais-valia, não poderá ela adquirir essa propriedade por ser lançada continuamente na circulação não mais pelo capitalista industrial, mas por outra variedade de capitalistas, para exercer as mesmas funções. Já nos referimos à extensão em que o capital mercantil pode ser indiretamente produtivo, e mais adiante entraremos em pormenores sobre o assunto.

O capital comercial, despojado de todas as funções heterogêneas com ele relacionadas, como estocagem, expedição, transporte, classificação, fracionamento das mercadorias, e limitado a sua verdadeira função de comprar para vender não cria valor nem mais-valia, mas propicia sua realização e por isso a troca real das mercadorias, sua transferência de uma mão para outra, o intercâmbio material da sociedade. Mas a fase da circulação do capital industrial, como a produção, constitui também fase do processo de reprodução, e, por isso, o capital que funciona de maneira autônoma no processo de circulação tem de proporcionar, como o que opera nos diversos ramos de produção, o lucro médio anual. Se o capital mercantil fornecesse lucro médio percentual maior que o capital industrial, parte deste se converteria em capital mercantil. Se esse lucro médio fosse menor, haveria o processo oposto. Parte do capital mercantil transformar-se-ia em industrial. Nenhuma classe de capital tem mais facilidade que o capital mercantil para mudar de destino, de função.

Uma vez que o próprio capital mercantil não produz mais-valia, é claro que a mais-valia que lhe cabe, na forma de lucro médio, constitui parte da mais-valia produzida pela totalidade do capital produtivo. Mas como consegue o capital mercantil puxar para si essa cota de mais-valia ou de lucro?

Só na aparência, o lucro mercantil é mero acréscimo, elevação nominal do preço acima do valor das mercadorias.

É claro que o comerciante só pode extrair seu lucro do preço das mercadorias que vende, e ainda mais que esse lucro, que faz ao vender as mercadorias, tem de ser igual à diferença entre o preço de compra e o de venda, ao excedente deste sobre aquele.

É possível que se incorporem à mercadoria, depois da compra e antes da venda, custos adicionais (despesas de circulação), e é também possível que isso não ocorra. Havendo esses custos, é evidente que o excedente do preço de venda sobre o de compra não represente apenas lucro. Para simplificar a pesquisa, suporemos inicialmente que não existem esses custos.

Para o capitalista industrial, a diferença entre o preço de venda e o preço de compra de suas mercadorias é igual à que se estabelece entre o preço de produção e o de custo ou, se consideramos a totalidade do capital social, à que existe entre o valor das mercadorias e o preço de custo para os capitalistas, o que se reduz à diferença entre a quantidade global do trabalho nelas materializado e a quantidade do trabalho nelas materializado mas pago. As mercadorias compradas pelo capitalista industrial, antes de serem lançadas ao mercado para a venda, percorrem o processo de produção, onde se produz a parte de seu preço a realizar-se depois como lucro. Mas com o comerciante é diferente. As mercadorias só estão em seu poder quando se encontram no processo de circulação. Ele apenas continua a efetuar a venda iniciada pelo capitalista produtivo, a realizar o preço da mercadoria, e não a faz passar por processo intermediário onde ela possa de novo sugar mais-valia. Enquanto o capitalista industrial apenas realiza na circulação a mais-valia (ou o lucro) anteriormente produzida, o objetivo do comerciante é não só realizar, mas, antes de mais nada, gerar o lucro na circulação e por meio dela. Segundo parece, isto só seria possível da seguinte maneira.

O LUCRO COMERCIAL

As mercadorias que adquire do capitalista industrial pelos preços de produção – ou se consideramos a totalidade do capital-mercadoria –, pelos respectivos valores, vende-as acima desses preços de produção, fazendo um acréscimo nominal a seus preços (se consideramos a totalidade do capital-mercadoria, a venda se faz acima do valor), e embolsa esse excedente de valor nominal sobre o valor real; em suma, vende as mercadorias mais caro.

Essa forma de acréscimo é muito fácil de entender. Admitamos que 1 metro de linho custe 2 xelins. Para obter 10% de lucro com a revenda, tenho de acrescentar $\frac{1}{10}$ sobre o preço, vender o metro por 2 xelins e $2\frac{2}{5}$ pence. A diferença entre o preço real de produção e o preço de venda é, portanto, de $2\frac{2}{5}$ pence, e isto representa 10% de lucro em relação a 2 xelins. Na realidade, vendo o metro por preço que efetivamente corresponde a $1\frac{1}{10}$ metro. Daria no mesmo se vendesse $\frac{10}{11}$ metro por 2 xelins e ficasse com $\frac{1}{11}$ metro. Com efeito, posso comprar de volta $\frac{1}{11}$ metro por $2\frac{2}{5}$ pence, se o preço do metro for 2 xelins e $2\frac{2}{5}$ pence. Tudo se reduziria a um rodeio para participar da mais-valia e do produto excedente por meio de elevação nominal do preço das mercadorias.

Esta é a realização, tal como aparece à primeira vista, do lucro mercantil, mediante acréscimo do preço das mercadorias. E, na realidade, toda a ideia de o lucro provir de elevação nominal do preço das mercadorias ou da venda delas acima do valor deriva da própria concepção do capital mercantil.

A observação mais detida logo revela que isto não passa de aparência e que, suposto dominante o modo capitalista de produção, o lucro comercial não se realiza dessa maneira (continuamos a tratar aqui da média, abstraindo de casos isolados). Por que supomos que o comerciante pode, por exemplo, realizar um lucro de 10% sobre suas mercadorias apenas se vendê-las 10% acima dos preços de produção? Porque admitíramos que o produtor dessas mercadorias, o capitalista industrial (ao personificar o capital industrial figura ele com "o produtor" para o mundo externo), vende-as ao comerciante pelo preço de produção. Se os preços de compra das mercadorias pagos pelo comerciante são iguais aos preços de produção, ou seja, em última análise, aos valores, de modo que o preço de produção ou, em última instância, o valor das mercadorias representa o preço de custo para o comerciante, terá de fato o excedente de seu preço de venda sobre o preço de compra – e essa diferença apenas é que constitui a fonte de seu lucro – de ser um excedente de seu preço mercantil sobre o preço de produção, e, em última análise, deverá o comerciante vender todas as mercadorias acima dos respectivos valores. Mas por que se supôs que o capitalista industrial vende, pelos preços de produção, suas mercadorias ao comerciante? Ou melhor, que é que estava por trás dessa hipótese? O pressuposto de que o capital mercantil (só o estamos considerando agora sob o aspecto de capital comercial) não entra na formação da taxa geral de lucro. Tínhamos de partir necessariamente desse pressuposto ao tratar da taxa geral de lucro primeiro, porque o capital mercantil como tal não existia então para nós; segundo, porque o lucro médio e, por conseguinte, a taxa geral de lucro, tinham de ser estudados antes como nivelamento dos lucros ou mais-valias, produzidos pelos capitais industriais dos diferentes ramos. Com o capital mercantil, ao contrário, temos de nos haver com um capital que participa do lucro, sem participar de sua produção. É necessário, portanto, completar o estudo anterior.

Admitamos que a totalidade do capital industrial adiantado durante o ano seja de $720_c + 180_v = 900$ (digamos, milhões de libras esterlinas), sendo m' = 100%. Assim, temos o produto = $720_c + 180_v + 180_m$. Chamemos de M esse produto ou o capital-mercadoria produzido, com o valor ou preço de produção (ambos coincidem para a totalidade das mercadorias) de 1.080 e a taxa de lucro para todo o capital de 900 = 20%. Segundo o anteriormente exposto, esses 20% representam a taxa média de lucro, pois a mais-valia não se calcula aí em relação a este ou àquele capital, com determinada composição particular, e sim em relação ao capital industrial todo, com sua composição média. Temos assim M = 1.080 e a taxa de lucro = 20%. Mas imaginemos que, além dessas 900 libras esterlinas de capital industrial, há ainda 100 de capital mercantil, como aquele participando no lucro, na proporção da magnitude. De acordo com nossa suposição, é $\frac{1}{10}$ de todo o capital de 1.000. Sua participação, portanto, na mais-valia global de 180 é de $\frac{1}{10}$, obtendo assim lucro com taxa de 18%. Assim, o lucro a distribuir pelos $\frac{9}{10}$ restantes do capital global ainda é de 162, sendo a taxa também de 18%, em relação ao capital de 900. O preço pelo qual os possuidores do capital industrial de 900 vendem M aos comerciantes é de $720_c + 180_v + 162_m = 1.062$. Se o comerciante acrescentar a seu capital de 100 o lucro médio de 18%, venderá ele as mercadorias por 1.062 + 18 = 1.080, isto é, pelo preço de produção, ou considerada a totalidade do capital-mercadoria, pelo valor, embora faça seu lucro na circulação e por meio dela, e só mediante o excedente do preço de venda sobre o preço de compra. Apesar disso, não vende as mercadorias acima do valor ou acima do preço de produção, justamente porque as comprou do capitalista industrial abaixo do valor ou abaixo do preço de produção.

Por conseguinte, o capital mercantil concorre para formar a taxa geral de lucro, determinando-a na proporção da parte que representa do capital total. Se no caso em exame a taxa média de lucro é de 18%, ela seria de 20%, se $\frac{1}{10}$ do capital global não fosse capital mercantil, que está reduzindo de $\frac{1}{10}$ a taxa geral de lucro. Daí resulta determinação mais precisa, restritiva do preço de produção. Continuamos a entender por preço de produção o preço da mercadoria = custo (o valor nela contido do capital constante e do capital variável) + lucro médio. Mas agora se determina o lucro médio de maneira diferente. É determinado pelo lucro global gerado pela totalidade do capital produtivo; mas não é calculado na base dessa totalidade, como acima, onde, para 900, temos o lucro de 180 e a taxa média de lucro de $\frac{180}{900}$ = 20%, e sim calculado em relação à soma do capital produtivo global o do capital mercantil, de modo que, se o primeiro é de 900 e o segundo de 100, a taxa média de lucro é de $\frac{180}{1.000}$ = 18%. Por conseguinte, o preço de produção = k (custos) 1.000 + 18, em vez de k + 20. O valor real ou o preço de produção da totalidade do capital-mercadoria é, portanto, k + 1 + g (g representa o lucro comercial). O preço de produção ou o preço a que o capitalista industrial vende, sem ultrapassar sua função específica, é, portanto, menor que o preço real de produção das mercadorias; ou, se consideramos a totalidade das mercadorias, os preços por que as vende a classe capitalista industrial são menores que os respectivos valores. Assim, no caso acima temos 900 (custos) + 18% de 900, ou seja, 900 + 162 = 1.062. O comerciante, ao vender por 118 mercadoria que lhe custa 100 a ela acrescenta sem dúvida 18%; mas, uma vez que a mercadoria que comprou a 100, vale 118, não a vende acima do valor. Conservaremos a expressão preço de produção, mas nesse sentido mais preciso. É claro que o lucro do capitalista industrial é igual ao excedente do preço de produção da mercadoria sobre o preço de custo e que, diferindo do lucro industrial, o lucro comercial é igual ao excedente do preço de venda sobre o preço de produção da mercadoria, o qual para o comerciante é o preço de compra; mas é evidente que o verdadeiro preço da mercadoria = preço de produção + lucro mercantil (comercial). O capital industrial só obtém lucro que já esteja inserido no valor da mercadoria como mais-valia, e o mesmo se dá com o capital mercantil, pois a totalidade da mais-valia ou do lucro ainda não está realizada no preço da mercadoria realizado pelo capital industrial.[2] O preço de venda do comerciante está acima do preço de compra não por estar aquele acima, e sim por estar este abaixo do valor total.

Assim, o capital mercantil, embora não contribua para produzir a mais-valia, concorre para nivelá-la de acordo com o lucro médio. Por isso, na taxa geral de lucro já se considera a parte que cabe ao capital mercantil (descontada da mais-valia), ou seja, uma dedução do lucro do capital industrial.

Daí resulta que:

1) quanto maior o capital mercantil em relação ao capital industrial, tanto menor a taxa do lucro industrial, e vice-versa;

2) conforme se evidenciou na Primeira Seção, a taxa de lucro é sempre menor que a taxa da mais-valia real, isto é, exprime sempre o grau de exploração do trabalho de maneira remota: no caso acima temos $720_c + 180_v + 180_m$, uma taxa de mais-valia de 100% para uma taxa de lucro de apenas 20%. Essa diferença fica ainda maior quando diminui a taxa média de lucro, por incluir-se a participação do capital mercantil, o que se dá aqui com a queda de 20% para 18%. Na taxa média de lucro do capitalista que explora diretamente, a taxa de lucro aparece menor do que é na realidade.

Supostas invariáveis todas as demais condições, o tamanho relativo do capital mercantil (excetuado o retalhista, uma variedade híbrida) varia na razão inversa da velocidade de sua rotação, ou seja, da energia do processo de reprodução. No curso da análise científica, a formação da taxa geral de lucro parece provir dos capitais industriais e da concorrência entre eles, e só mais tarde é ajustada, completada e modificada pela interferência do capital mercantil. No curso do desenvolvimento histórico sucede o oposto. É o capital mercantil que primeiro determina os preços das mercadorias mais ou menos pelos valores, e é na esfera da circulação, mediadora do processo de reprodução, que inicialmente se forma uma taxa geral de lucro. Primitivamente, o lucro comercial determina o lucro industrial. Só quando se implanta o modo capitalista de produção e o próprio produtor se torna comerciante, o lucro mercantil se reduz à parte alíquota – da mais-valia global – que cabe ao capital mercantil, por sua vez parte alíquota do capital global ocupado no processo social de reprodução.

No nivelamento complementar dos lucros oriundos da interferência do capital mercantil, patenteou-se que o capital-dinheiro adiantado pelo

---

2 John Bellers.

comerciante não traz elemento adicional para o valor da mercadoria, que a majoração de preço por meio da qual o comerciante obtém lucro é apenas igual à fração do valor da mercadoria, não computada pelo capital produtivo no preço de produção. Acontece com esse capital-dinheiro o mesmo que se dá com o capital fixo do capitalista industrial quando não é consumido: seu valor não constitui elemento do valor da mercadoria. O preço de compra do capital-mercadoria, pago pelo comerciante, repõe o preço de produção desse capital, em dinheiro (= D). Seu preço de venda, conforme já expusemos, é D + Δ D, exprimindo Δ D o acréscimo, determinado pela taxa geral de lucro, ao preço da mercadoria. Se vende, portanto, a mercadoria, reflui para ele, além de Δ D, o capital-dinheiro primitivo que adiantou para comprar as mercadorias. Ressalta mais uma vez que seu capital-dinheiro nada mais é que o capital-mercadoria do capitalista industrial convertido em capital-dinheiro, o que em nada influencia a magnitude do valor desse capital-mercadoria, a qual seria a mesma se fosse ele vendido ao consumidor final e não ao comerciante. Efetivamente, este limita-se a antecipar o pagamento que aquele faria. Entretanto, isto só é exato se, conforme supomos até agora, o comerciante não tem despesas, isto é, não tem de adiantar, além do capital-dinheiro necessário para comprar a mercadoria do produtor, nenhum outro capital, circulante ou fixo, no processo da metamorfose das mercadorias, da compra e venda. Mas as coisas não se passam assim, conforme verificamos ao estudar os custos de circulação (Livro 2, Capítulo VI). E para o comerciante, esses custos de circulação se apresentam como custos a recuperar pagos a outros agentes da circulação, ou como custos que derivam diretamente de seu negócio específico.

Qualquer que seja a natureza desses custos de circulação, decorram eles do negócio estritamente comercial, isto é, sejam eles custos de circulação específicos do comerciante, ou representem desembolsos relativos a processos de produção acrescentados depois no processo de circulação, como expedição, transporte, armazenamento etc., eles supõem sempre, do lado do comerciante, além do capital-dinheiro adiantado para comprar mercadorias, um capital adicional para adquirir e pagar esses meios de circulação. Esses custos entram como elemento adicional no preço de venda das mercadorias, integralmente quando consistem em capital circulante, e, na medida do desgaste, quando consistem em capital fixo, e constituem valor nominal mesmo quando não adicionam valor real à mercadoria, como se dá com os estritos custos comerciais de circulação.

Circulante ou fixo, todo esse capital adicional concorre para formar a taxa geral de lucro.

Os estritos custos comerciais de circulação (excetuados, portanto, os de expedição, transporte, armazenamento etc.) reduzem-se aos custos necessários para realizar o valor da mercadoria, para transformá-lo, convertendo a mercadoria em dinheiro ou o dinheiro em mercadoria, em suma, para propiciar a troca das mercadorias. Abstraímos aí totalmente de processos eventuais de produção que prosseguem no processo de circulação, podendo existir deles dissociada por inteiro a atividade comercial. Assim, a indústria de transportes e a expedição podem ser, e na realidade são, ramos inteiramente diversos do comércio, e as mercadorias que estão no mercado podem ser guardadas em armazéns gerais ou outros depósitos públicos, e os custos daí oriundos são debitados ao comerciante, quando os tem de adiantar. É o que se passa com o comércio em grosso propriamente, onde o capital mercantil aparece mais puro e menos se associa a outras funções. O empresário de transportes, o diretor de ferrovia, o armador não são "comerciantes". Os custos que estamos estudando são os de compra e venda. Já observamos anteriormente que se reduzem a cálculos, contabilidade, mercância, correspondência etc. O capital constante requerido para isso consiste em escritório, papel, correio etc. Os outros custos se reduzem a capital variável, desembolsado para empregar assalariados que exercerão atividades comerciais (despesas de expedição, de transporte, custos aduaneiros etc. podem ser em parte considerados como se o comerciante os adiantasse para adquirir as mercadorias, incluindo-os por isso no preço de compra).

Nenhum desses custos se faz para produzir o valor de uso das mercadorias, mas para realizar o valor delas; são custos estritos de circulação. Não entram no processo imediato de produção, mas no de circulação e, portanto, no processo global de reprodução.

Só nos interessa a parte desses custos desembolsada em capital variável (aqui também caberia investigar: primeiro, como se estende ao processo de circulação a lei segundo a qual só entra no valor da mercadoria o trabalho necessário; segundo, como se dá a acumulação do capital mercantil; terceiro, como o capital mercantil opera no conjunto do processo de reprodução real da sociedade).

Esses custos resultam da forma econômica do produto – a de mercadoria.

Se o tempo de trabalho que os próprios capitalistas industriais perdem para vender diretamente uns aos outros suas mercadorias – falando objetivamente, o tempo de circulação das mercadorias – não acrescenta valor a essas mercadorias, é claro que esse tempo de trabalho não muda de caráter por recair no comerciante e não no capitalista industrial. Transformar mercadoria (produto) em dinheiro e dinheiro em mercadoria (meios de produção) é função necessária do capital industrial e por isso operação necessária do capitalista, na realidade, o capital em pessoa, dotado de consciência e vontade próprias. Mas essas operações não aumentam o valor nem criam mais-valia. O comerciante, ao efetuá-las, ao incumbir-se como intermediário das funções do capital na esfera da circulação depois de o capitalista produtivo ter cessado de exercê-las, apenas substitui o capitalista industrial. O tempo de trabalho que essas operações custam, embora sejam elas necessárias ao processo de reprodução do capital, não acrescenta valor algum. Se o comerciante não executasse essas operações (não empregasse, portanto, o tempo de trabalho por elas exigido), não aplicaria ele seu capital como agente de circulação do capital industrial; não continuaria a função interrompida do capitalista industrial e não haveria razão para participar, como capitalista, segundo a proporção do capital adiantado, na massa de lucro, produzida pela classe dos capitalistas industriais. E para participar da massa de mais-valia, para valorizar como capital o dinheiro que adiantou, o capitalista mercantil não precisa empregar assalariados: se seu negócio e seu capital são pequenos, pode ele ser o único trabalhador que emprega. Ele é pago pela parte do lucro oriunda da diferença entre o preço de compra das mercadorias e o preço real de produção.

Demais, sendo reduzido o capital adiantado pelo comerciante, o lucro que realiza pode ser igual ou mesmo inferior ao salário de um dos mais bem pagos trabalhadores qualificados. Com efeito, operam a seu lado agentes comerciais diretos do capitalista produtivo, compradores, vendedores, viajantes, que ganham tanto ou mais que ele, remunerados com salário ou com participação no lucro (comissões, percentagens) relativo a cada venda. No primeiro caso, o comerciante, como capitalista autônomo, obtém o lucro comercial; no segundo, o empregado, o assalariado, o agente direto do capitalista industrial recebe parte do lucro, seja na forma de salário, seja na forma de participação percentual no lucro do capitalista industrial, e seu patrão embolsa então tanto o lucro industrial quanto o comercial. Mas nos dois casos, embora ao próprio agente da circulação sua receita possa parecer mero salário, pagamento por trabalho que efetuou, e, quando assim não se lhe afigure, o montante de seu lucro não seja maior que o salário de um trabalhador bem pago, a verdade é que a receita dele deriva unicamente do lucro mercantil. E isto porque seu trabalho não cria valor.

Prolongando-se o ato de circulação (1) o capitalista industrial perde tempo pessoal ao ficar impedido de exercer a função de dirigente do processo de produção; (2) seu produto, na forma dinheiro ou na forma mercadoria, demora no processo de circulação, ou seja, em processo em que não se valoriza, e o processo imediato de produção se interrompe. Para evitar essa interrupção, é mister limitar a produção ou adiantar capital-dinheiro adicional, a fim de o processo de produção prosseguir sempre na mesma escala. Isto equivale a dizer que se faz lucro menor com o mesmo capital ou então se tem de adiantar capital-dinheiro adicional para se obter o mesmo lucro anterior. Nada aí se altera se o comerciante substitui o capitalista industrial. Então, em vez deste, é o comerciante quem emprega mais tempo no processo de circulação e quem tem de adiantar capital adicional para a circulação; ou, o que dá no mesmo: é do comerciante o capital que fica por inteiro encerrado no processo de circulação, substituindo parte maior do capital industrial que nele sempre se encontrava; e o capitalista industrial tem de ceder parte do lucro ao comerciante, em vez de fazer lucro menor. Se o capital mercantil fica dentro dos limites em que é necessário, haverá apenas a seguinte diferença: com essa divisão das funções do capital, menor tempo se empregará especificamente no processo de circulação, menor capital adicional se adiantará para esse processo e a perda no lucro total, configurada no lucro mercantil, se reduzirá. No exemplo acima $720_c + 180_v + 180_m$, ao lado de um capital mercantil de 100, proporciona ao capitalista industrial um lucro de 162 ou 18%, decorrendo daí uma redução de 18. Se não houvesse essa dissociação, seria necessário capital adicional, digamos, de 200, e o capitalista industrial, então, adiantaria 1.100, em vez de 900, e assim a taxa de lucro, para mais-valia de 180, seria apenas de $16\frac{4}{11}$ %.

Se o capitalista industrial, que é seu próprio comerciante, adianta capital adicional para comprar nova mercadoria antes de se reconverter em dinheiro seu produto que está na circulação, e além disso desembolsa capital (despesas de escritório e salários de empregados comerciais) para realizar o valor de seu capital-mercadoria, ou seja, para o processo de circulação, constituem estes adiantamentos capital adicional, mas não produzem mais-valia. Têm de ser ressarcidos com recursos tirados do valor das mercadorias; parte do valor dessas mercadorias tem de cobrir esses custos de circulação, mas, com isso, não se constitui mais-valia adicional. No tocante ao capital social em sua totalidade ressalta aí que parte dele é necessária para operações secundárias que não entram no processo de valorização, devendo essa parte ser para esse fim continuamente reproduzida. Para o capitalista individual e toda a classe dos capitalistas industriais diminui com isso a taxa de lucro, resultado decorrente de todo acréscimo de capital adicional, quando necessário para pôr em movimento a mesma massa de capital variável.

Na medida em que o capitalista comercial substitui o industrial, assumindo esses custos adicionais oriundos das operações de circulação, ocorre também essa redução da taxa de lucro, mas em grau menor e de outra maneira. A coisa agora assim se apresenta: o comerciante adianta mais capital do que seria necessário se não houvesse esses custos de circulação, e o lucro sobre esse capital adicional aumenta a soma do lucro mercantil, e mais capital mercantil, portanto, se associa ao capital industrial para nivelar a taxa média de lucro, de modo que o lucro médio cai. Se, no exemplo acima, além dos 100 de capital mercantil, se adiantassem 50 de capital adicional para os referidos custos, a mais-valia global de 180 repartir-se-ia por um capital produtivo de 900 acrescido de um capital mercantil de 150, ao todo, 1.050. A taxa média de lucro cairia para $17\frac{1}{7}$ %. O capitalista industrial venderia as mercadorias ao comerciante por $900 + 154\frac{2}{7} = 1054\frac{2}{7}$, e o comerciante vendê-las-ia por 1.130 (= 1.080 + 50 para custos de circulação, dos quais tem de indenizar-se). De resto, é de supor-se que a dissociação entre capital mercantil e capital industrial está ligada à centralização dos custos comerciais e por conseguinte, à diminuição deles.

Importa saber agora o que se passa com os assalariados do comércio empregados pelo capitalista mercantil, no caso, o comerciante.

Sob certo aspecto o trabalhador comercial é um assalariado como qualquer outro. Primeiro, o comerciante compra o trabalho utilizando capital variável e não dinheiro que despende como renda; assim, não o adquire para serviço pessoal e sim para valorizar o capital adiantado nessa compra. Segundo, determina-se então o valor da força de trabalho e, por conseguinte, o salário, como acontece com todos os demais assalariados, pelos custos de produção e reprodução dessa força de trabalho específica e não pelo produto de seu trabalho.

Mas entre o empregado do comércio e os trabalhadores diretamente empregados pelo capital industrial deve haver a mesma diferença que se dá entre o capital industrial e o capital mercantil e, portanto, entre o capitalista industrial e o comerciante. Uma vez que o comerciante, enquanto mero agente da circulação, não produz valor nem mais-valia, é impossível que os trabalhadores que emprega para exercer suas funções produzam diretamente mais-valia (o valor que o comerciante, com seus custos, acrescenta às mercadorias reduz-se a valor preexistente que adiciona, embora se imponha aí a questão de saber como mantém, conserva o valor de seu capital constante). Continuamos agora com a mesma suposição feita para os trabalhadores produtivos, isto é, que o salário é determinado pelo valor da força de trabalho. Assim, o comerciante não se enriquece reduzindo o salário, não diminui o pagamento de trabalho que deve ser previsto em seus cálculos de custos, em suma, não se enriquece fraudando seu empregado etc.

A dificuldade, com relação aos empregados comerciais, não está em explicar como produzem diretamente lucro para o empregador, embora não produzam diretamente mais-valia (e o lucro não passe de outra forma dela). Esse problema já está realmente resolvido pela análise do lucro comercial. O capital industrial obtém lucro vendendo trabalho inserido e materializado nas mercadorias, obtido gratuitamente, e o capital mercantil, não pagando por inteiro ao capital produtivo o trabalho não pago encerrado na mercadoria (na mercadoria, na medida em que o capital desembolsado para produzi-la funciona como parte alíquota da totalidade do capital industrial). Ao vender as mercadorias, o capital mercantil faz-se pagar essa parte que não pagou e que nelas ainda se contém. A relação que o capital mercantil estabelece com a mais-valia difere da que o capital industrial mantém com ela. Este produz a mais-valia apropriando-se diretamente de trabalho alheio não pago. Aquele se apropria de parte dessa mais-valia fazendo que essa parte se transfira do capital industrial para ele.

Em virtude apenas de sua função de realizar os valores, opera o capital mercantil no processo de reprodução como capital e, por isso, como capital que funciona, retira algo da mais-valia produzida pelo capital em seu conjunto. Para o comerciante isolado, o montante do lucro depende do montante de capital que pode aplicar nesse processo, e poderá aplicar tanto mais capital em compra e venda quanto maior o trabalho não pago que extrai de seus empregados. O capitalista comercial em grande parte faz os empregados desempenharem a própria função que torna seu dinheiro capital. O trabalho não pago desses empregados, embora não crie mais-valia, permite-lhe apropriar-se de mais-valia, o que para esse capital é a mesma coisa; esse trabalho não pago e, portanto, fonte de lucro. De outro modo, a empresa comercial nunca poderia ser explorada em grande escala, nem de maneira capitalista.

Se o trabalho não pago do trabalhador cria diretamente mais-valia para o capital produtivo, o trabalho não pago dos trabalhadores comerciais proporciona ao capital mercantil participação nessa mais-valia.

A dificuldade está no seguinte: se o tempo de trabalho e o trabalho do próprio comerciante não criam valor, embora possibilitem participação em mais-valia já produzida, que sucede com o capital variável que ele desembolsa para adquirir força de trabalho comercial? É esse capital variável desembolso a ser incluído na conta de capital mercantil adiantado? A hipótese contrária parece contradizer a lei do nivelamento da taxa de lucro; que capitalista adiantaria 150 se só pudesse contabilizar 100 como capital adiantado? Mas aquela inclusão na conta do capital mercantil parece contradizer a essência desse capital, que não funciona como capital por mobilizar trabalho alheio, como capital industrial, mas por trabalhar ele mesmo, isto é, por efetuar as funções de compra e venda, e justamente para isso e por isso transferindo para si parte da mais-valia produzida pelo capital industrial.

(É mister, portanto, investigar os seguintes pontos: o capital variável do comerciante; a lei do trabalho necessário na circulação; como o trabalho do comerciante mantém o valor do capital constante; o papel do capital mercantil no conjunto do processo de reprodução; a bifurcação em capital-mercadoria e capital-dinheiro, de um lado, e em capital comercial e capital financeiro, do outro.)

Se cada comerciante só possuísse a quantidade de capital que fosse capaz de girar pessoalmente, com o próprio trabalho, sucederia uma fragmentação sem fim do capital mercantil; essa fragmentação teria de estender-se no mesmo ritmo em que o capital produtivo, com o progresso do modo capitalista de produção, fosse aumentando sua escala de produção e os montantes com que opera. Cresceria, portanto, a desproporção entre ambos. O capital centralizar-se-ia na esfera da produção na medida em que se descentralizasse na da circulação. A atividade puramente comercial do capitalista industrial e, por conseguinte, suas despesas puramente comerciais aumentariam tremendamente se ele tivesse de negociar não com 100, mas com 1.000 comerciantes. Assim perder-se-ia grande parte das vantagens da autonomia do capital mercantil; além dos estritos, cresceriam os demais custos de circulação, como sortimento, expedição etc. Isto, quanto ao capital industrial. Consideremos o capital mercantil. Comecemos pelos trabalhos estritamente comerciais. Quanto ao tempo que se gasta, tanto faz calcular com números grandes quanto com números pequenos. Fazer 10 compras de 100 libras esterlinas cada custa dez vezes mais tempo que uma compra de 1.000. O custo de trabalho, papel e selos para corresponder-se com dez pequenos comerciantes é dez vezes maior que o exigido pela correspondência com um grossista apenas. A divisão do trabalho confinada na atividade comercial, onde as funções de contabilidade, de caixa, de correspondência, de compra, de venda, de viagem etc. se repartem por diferentes empregados, economiza tempo imenso de trabalho, de modo que, no comércio em grosso, o número de trabalhadores comerciais empregados está bem longe de manter proporção com a magnitude do negócio. É o que se dá, porque no comércio, muito mais do que na indústria, a mesma função exige a mesma quantidade de tempo de trabalho, seja executada em grande ou em pequena escala. Por isso, a concentração aparece historicamente mais cedo no comércio do que na indústria. E quanto aos desembolsos de capital constante, 100 escritórios pequenos custam muito mais que um grande, 100 armazéns pequenos, muito mais que um grande etc. Os custos de transporte, que pelo menos entram como custos a adiantar na atividade comercial, aumentam com a fragmentação.

O capitalista industrial teria de despender mais trabalho e precisaria arcar com maiores custos de circulação na parte comercial de seu negócio. O mesmo capital mercantil, repartido por muitos comerciantes pequenos, exigiria, em virtude dessa fragmentação, muito mais trabalhadores para levar a cabo suas funções, e além disso seria necessário maior capital mercantil para fazer rotar o mesmo capital mercadoria.

Chamemos de B a totalidade do capital mercantil empregado diretamente na compra e venda de mercadorias, e de b o capital variável correspondente empregado na compra de trabalhadores comerciais; nessas condições, B + b é menor do que o seria todo o capital mercantil B se o comerciante operasse sem empregados, se uma parte do capital, portanto, não fosse aplicada em b. Mas ainda não resolvemos a dificuldade.

O preço de venda das mercadorias deve bastar, primeiro, para pagar o lucro médio de B + b. Isto já se explica pela circunstância de B + b ser redução do primitivo B, representar capital mercantil menor do que seria necessário sem b. Mas, segundo, esse preço de venda deve bastar para repor, além do lucro adicional correspondente a b, o salário pago, o capital

O LUCRO COMERCIAL

variável do comerciante, o próprio b. É aí que está a dificuldade. Constitui b novo componente do preço ou é mera fração do lucro obtido com B + b, a qual para o trabalhador mercantil assume o aspecto de salário e para o comerciante não passa de simples reposição do capital variável? Neste caso, o lucro obtido pelo comerciante com o capital adiantado B + b seria apenas igual ao lucro que de acordo com a taxa geral caberia a B, mas que estaria acrescido de b que desembolsa na forma de salário e que, apesar disso, não lhe proporcionaria lucro.

Importa determinar os limites (no sentido matemático) de b. Vejamos antes em que consiste exatamente a dificuldade. Chamemos de B o capital diretamente aplicado para comprar e vender mercadorias, de K o capital constante consumido nessa função (os custos materiais do comércio) e de b o capital variável desembolsado pelo comerciante.

A reposição de B não oferece dificuldade alguma. Para o comerciante, é o preço de compra realizada e, para o fabricante, o preço de produção. O comerciante paga esse preço e, ao revender a mercadoria, recupera B como parte do preço de venda; recebe, além de B, o lucro sobre B, conforme explicamos anteriormente. Por exemplo, se a mercadoria custa 100 libras esterlinas e o lucro for de 10%, será ela vendida por 110. A mercadoria custara antes 100; o capital mercantil de 100 acrescentou-lhe 10.

Quanto a K, é no máximo igual, mas na realidade inferior à fração do capital constante, a qual o produtor gastaria nas operações de comprar e vender, significando para ele acréscimo ao capital constante empregado diretamente na produção. Entretanto, tem de sair do preço da mercadoria o bastante para repor essa parte, vale dizer, fração correspondente da mercadoria tem constantemente de ser gasta nessa forma, de ser reproduzida nessa forma, se encaramos a totalidade do capital social. Essa parte do capital constante adiantado concorreria para reduzir a taxa de lucro, do mesmo modo que toda a massa de capital constante aplicada diretamente na produção. O capitalista industrial, quando transfere a parte comercial de sua empresa ao comerciante, não precisa de adiantar essa fração do capital. É o que faz, no lugar dele, o comerciante. Mas em caráter apenas nominal, pois o comerciante não produz nem reproduz o capital que consome (os custos materiais do comércio). A produção desse capital patenteia-se, portanto, negócio específico ou pelo menos parte do negócio de certos capitalistas industriais que assim desempenham papel análogo àqueles que fornecem capital constante aos que produzem meios de subsistência. O comerciante, além de conseguir a reposição desse capital, obtém o lucro que lhe corresponde. Ambas as coisas reduzem o lucro do capitalista industrial. Mas em virtude da concentração e da economia ligadas à divisão do trabalho, essa redução é menor se comparada com a que haveria caso ele mesmo tivesse de adiantar esse capital. É menor a diminuição da taxa de lucro, porque o capital assim adiantado é menor.

Até agora, o preço de compra consiste, portanto, em B + K + lucro relativo a (B + K). Essa parte do preço não apresenta mais dificuldades. Mas há a considerar b, ou seja, o capital variável adiantado pelo comerciante.

Temos então o preço de venda B + K + b + lucro relativo a (B + K) + lucro relativo a b.

B repõe o preço de compra e nada mais acrescenta a esse preço além do lucro de B. K acrescenta seu lucro, além de adicionar ele mesmo; mas K + lucro de K, a parte dos custos de circulação adiantada na forma de capital constante + o correspondente lucro médio, seria maior nas mãos do capitalista industrial do que nas mãos do capitalista comercial. A redução do lucro médio se apresenta da seguinte forma: o lucro médio global é calculado depois de deduzir-se B + K do capital industrial adiantado, e o que se retira do lucro médio para B + K é pago ao comerciante. Essa retirada aparece então como lucro de um capital particular, o capital mercantil.

Mas é diferente o que se passa com b + lucro de b, ou seja, com b + $\frac{1}{10}$ b, pois estamos supondo taxa de lucro de 10%. E é aí que está a verdadeira dificuldade.

O que o comerciante compra com b é, segundo nossa hipótese, trabalho comercial apenas; portanto, trabalho necessário para que se efetuem as funções de circulação do capital, M – D e D – M. Mas o trabalho comercial é o trabalho necessário para que um capital funcione como capital mercantil, de modo a propiciar a conversão de mercadoria em dinheiro e a de dinheiro em mercadoria. É trabalho que realiza, mas não cria valores. E só na medida em que um capital leva a cabo essas funções – um capitalista com seu capital faz executar essas operações, esse trabalho – funciona esse capital como capital mercantil e concorre para regular a taxa geral de lucro, isto é, retira seus dividendos do lucro global. Em (b + lucro de b) parece primeiro ser pago o trabalho (tanto faz que o capitalista industrial pague trabalho efetuado pelo próprio comerciante ou por empregado pago pelo comerciante) e segundo o lucro correspondente ao pagamento desse trabalho que o próprio comerciante deveria executar. O capital mercantil recupera b e, além disso, recebe o correspondente lucro. Isto resulta de fazer que lhe paguem o trabalho por meio do qual funciona como capital *mercantil* e ainda que lhe paguem o lucro, por funcionar como *capital*, isto é, por executar o trabalho que lhe é pago no lucro obtido como capital em operação. Este, portanto, o problema a resolver.

Admitamos B = 100, b = 10 e a taxa de lucro = 10%. Façamos K = 0, para não levar em conta desnecessariamente elemento já estudado do preço de compra e que não interessa ao problema. Assim temos preço de compra = B + l + b + l (= B + Bl' + b + bl', sendo l' a taxa de lucro) = 100 + 10 + 10 + 1 = 121.

Se o comerciante não empregasse b em salário – e entendido que se paga com b o trabalho mercantil, isto é, o trabalho necessário para realizar o valor do capital-mercadoria que o capital industrial lança no mercado –, o problema se apresentaria da seguinte maneira: para comprar ou vender por B = 100, cederia o comerciante seu tempo, e admitimos que é o único de que dispõe. O trabalho mercantil, representado por b ou 10, se não fosse remunerado por salário e sim por lucro, suporia outro capital mercantil = 100, pois esse capital a 10% é igual a b = 10. O que entraria adicionalmente no preço da mercadoria não seria o segundo B = 100, mas os 10%. Assim, duas operações de 100, o que faz 200, comprariam 200 + 20 = 220 de mercadorias.

Uma vez que o capital mercantil nada mais é que forma, que se tornou autônoma, de parte do capital industrial enquadrada no processo de circulação, todas as questões a ele referentes terão de ser resolvidas, encarando-se o problema, antes de mais nada, na forma em que os fenômenos peculiares do capital mercantil ainda não se patenteiam independentes, ainda estão em ligação direta com o capital industrial, como sua ramificação. Instalado no escritório e não na oficina funciona o capital mercantil sem cessar no processo de circulação. E cabe investigar o problema suscitado por b no escritório do próprio capitalista industrial.

Antes de mais nada, esse escritório é minúsculo comparado com a fábrica propriamente. Demais, é claro que, ao crescer a escala da produção, aumentam as operações comerciais a efetuar constantemente para que circule o capital industrial, tenha-se em mira vender o produto que se representa no capital-mercadoria ou reconverter o dinheiro recebido em meios de produção e contabilizar tudo. Cabem aí cálculo dos preços, contabilidade, serviço de caixa, correspondência. Quanto maior a escala da produção, tanto maiores, mas não na mesma proporção, as operações comerciais do capital industrial e, por conseguinte, o trabalho e demais custos de circulação destinados a realizar o valor e a mais-valia. Daí a necessidade de empregar assalariados comerciais que formam o escritório propriamente dito. O que se paga a eles, embora na forma de salário, difere do capital variável empregado para adquirir o trabalho produtivo: aumenta os adiantamentos do capitalista industrial, o montante do capital a desembolsar, sem aumentar diretamente a mais-valia. Paga-se trabalho destinado apenas a realizar valores já criados. Como qualquer desembolso dessa natureza, diminui a taxa de lucro, por aumentar o capital adiantado sem acrescer a mais-valia. Se a mais-valia m permanece constante, mas o capital adiantado C aumenta para C + ΔC, a taxa de lucro $\frac{m}{C}$ será substituída pela taxa menor $\frac{m}{C + \Delta C}$. O capitalista industrial procura reduzir ao mínimo esses custos de circulação, como faz com seus desembolsos de capital constante. Por conseguinte, o tratamento que o capital industrial dá aos assalariados comerciais não é o mesmo que dispensa aos trabalhadores produtivos. Quanto mais destes empregar, desde que não se alterem as demais condições, tanto maior o volume de produção e tanto maior a mais-valia ou lucro. E vice-versa. Quanto maior a escala de produção, quanto maior o valor e, por conseguinte, a mais-valia a realizar, quanto maior, portanto, o capital-mercadoria produzido, tanto mais aumentarão os custos de escritório em termos absolutos, embora não relativos, motivando uma espécie de divisão de trabalho. O lucro é condição primordial desses desembolsos conforme evidencia, entre outras, a circunstância de, ao crescer o salário comercial, ser parte dele paga mediante participação percentual no lucro. Trabalho que consiste apenas nas operações intermediárias de calcular os valores, de realizá-los, de reconverter o dinheiro realizado em meios de produção, e cuja dimensão depende da magnitude dos valores produzidos e a realizar, é trabalho que por seu conteúdo não é causa, como o trabalho diretamente produtivo, mas consequência dos montantes e das massas correspondentes a esses valores. Isto se estende aos demais custos de circulação. Para medir, pesar, empacotar, transportar determinada quantidade de mercadorias, deve ela existir antes; o volume do trabalho de empacotar, transportar etc. depende da massa das mercadorias, objeto dessas atividades, e o inverso não é verdadeiro.

O trabalhador comercial não produz mais-valia diretamente. Mas o preço de seu trabalho é determinado pelo valor da força de trabalho, pelo que custa produzi-la, portanto, enquanto o exercício dessa força, expresso em esforço, dispêndio de energia e em desgaste, conforme acontece com os demais assalariados, não está limitado pelo valor dela. Por conseguinte, não há relação necessária entre o salário e o montante de lucro que esse trabalhador ajuda o capitalista a realizar. São magnitudes diversas o que custa e o que proporciona ao capitalista. É produtivo, para o capitalista, não por criar mais-valia diretamente, mas por concorrer para diminuir os custos de realização da mais-valia, efetuando trabalho em parte não pago. O trabalhador comercial em sentido estrito figura entre os trabalhadores mais bem pagos, entre os que efetuam trabalho qualificado, acima do trabalho médio. Entretanto, com o progresso do modo capitalista de produção, seu salário tende a cair, mesmo em relação ao trabalho médio. Uma das causas é a divisão do trabalho no escritório: daí resulta um desenvolvimento apenas unilateral das aptidões de trabalho, em parte gratuito para o capitalista, pois o trabalhador torna-se competente exercendo a própria função, e tanto mais rapidamente quanto mais unilateral for a divisão do trabalho. Outra causa é a circunstância de a preparação, os conhecimentos de comércio e de línguas etc. se difundirem, com o progresso da ciência e da vulgarização científica, mais rápida, mais facilmente, de maneira geral e mais barato, quanto mais o modo capitalista de produção imprime aos métodos de ensino etc. um sentido prático. A generalização da instrução pública permite recrutar esses assalariados de camadas sociais antes à margem dessa possibilidade e que estavam habituadas a nível de vida mais baixo. Aumenta o afluxo desses trabalhadores e em consequência a competição entre eles. Por isso, ressalvadas algumas exceções, a força de trabalho dessa gente deprecia-se com o progresso da produção capitalista; o salário cai, enquanto aumenta a capacidade de trabalho. O capitalista aumenta o número desses trabalhadores, quando se trata de realizar quantidade maior de valor e de lucro. O acréscimo desse trabalho é sempre consequência e jamais causa do aumento da mais-valia.[3a]

[3a] Esse prognóstico a respeito do proletariado comercial, feito em 1865, vem se confirmando desde então, e disso têm experiência direta as centenas de comerciários alemães que, experimentados em todas as operações comerciais e dominando de três a quatro línguas, oferecem em vão seus serviços, na City de Londres, ao preço de 25 xelins por semana – muito abaixo do salário de um ajustador qualificado. Duas páginas em branco no manuscrito indicam a intenção de desenvolver este ponto. De resto, lembro que o Livro 2, no Capítulo VI (Os Custos de Circulação), pp. 130-137, ventila diversas das questões aqui tratadas. — F.E.

Há assim duplo aspecto a considerar: de um lado, as funções de capital-mercadoria e capital-dinheiro (aliás designadas como capital comercial) são destinações gerais ligadas a formas do capital industrial; do outro, capitais especiais, grupos especiais, portanto, de capitalistas exercem com exclusividade essas funções que se tornam ramos especiais de valorização do capital.

As funções comerciais e os custos de circulação só adquirem autonomia com o capital mercantil. O aspecto que o capital industrial apresenta na circulação revela-se na sua existência de capital-mercadoria e capital-dinheiro e ainda no escritório da fábrica. Mas torna-se autônomo com o capital mercantil. Deste, a única fábrica é o escritório. A parte do capital aplicada na forma de custos de circulação é bem maior para o comerciante por atacado do que para o industrial, pois, excetuadas as agências que os industriais mantêm junto às fábricas, a parte do capital a qual assim deveria ser empregada por toda a classe dos capitalistas industriais está concentrada nas mãos de poucos comerciantes que, ao encarregar-se das funções de circulação, cuidam também dos custos de circulação daí resultantes.

Para o capital industrial, os custos de circulação se revelam e são custos necessários, mas não produtivos. Para o comerciante revelam-se fonte de lucro, que – suposta a taxa geral de lucro – está na proporção da magnitude deles. O desembolso a fazer nesses custos de circulação é, portanto, investimento produtivo para o capital mercantil. Pela mesma razão, o trabalho comercial que compra é para ele diretamente produtivo.

XVIII.
A rotação do capital mercantil. Os preços

A rotação do capital industrial conjuga o tempo de produção e o tempo de circulação e por isso abrange todo o processo de produção. A rotação do capital mercantil, ao contrário, sendo apenas o movimento, com caráter autônomo, do capital-mercadoria, representa exclusivamente a primeira fase da metamorfose da mercadoria, M – D, quando reverte a si mesmo um capital particular; para o comerciante, a rotação do capital mercantil é constituída de D – M e M – D. O comerciante compra, converte seu dinheiro em mercadoria, depois vende, reconverte essa mercadoria em dinheiro, e prossegue repetindo essas operações. Na circulação, a metamorfose do capital industrial se configura sempre em $M_1 - D - M_2$; o dinheiro obtido com a venda de M_1, da mercadoria produzida, é utilizado para comprar M_2, novos meios de produção; ocorre troca real entre M_1 e M_2 e o mesmo dinheiro troca de mãos duas vezes. Seu movimento possibilita a troca de duas mercadorias diferentes, M_1 e M_2. Mas com o comerciante acontece o oposto: na operação D – M – D', a mesma mercadoria muda de mãos duas vezes e serve apenas de meio para que o dinheiro a ele retorne.

Se, por exemplo, o capital mercantil é de 100 libras esterlinas, e o comerciante com elas compra mercadoria que depois vende por 110 libras esterlinas, terá esse capital de 100 efetuado uma rotação, e o número anual das rotações dependerá da frequência com que se repete durante o ano esse movimento D – M – D'.

Aqui abstraímos por inteiro dos custos que se insiram na diferença entre preço de compra e preço de venda, pois esses custos em nada modificam a forma que temos de examinar agora.

Assim, as rotações de dado capital mercantil ostentam aqui analogia com a repetição dos movimentos do dinheiro como simples meio de circulação. Se o mesmo táler que circula 10 vezes compra o décuplo de seu valor em mercadorias, também o mesmo capital-dinheiro do comerciante, de 100 por exemplo, se rota 10 vezes, compra o décuplo de seu valor em mercadorias ou realiza um capital-mercadoria global de valor 10 vezes maior = 1.000. Entretanto, há uma diferença a considerar: no curso do dinheiro como meio de circulação é a mesma moeda que corre por diferentes mãos, que efetua repetidas vezes a mesma função, e assim a velocidade da circulação substitui a massa das moedas circulantes. Já para o comerciante é o mesmo capital-dinheiro, quaisquer que sejam as moedas que o formem, o mesmo valor-dinheiro, com que, dentro do limite da magnitude, compra e vende, sem cessar, capital-mercadoria, e que por isso reflui continuamente às mesmas mãos como D + Δ D, ou seja, ao ponto de partida como valor acrescido de mais-valia. Esse movimento fica assim caracterizado como rotação de capital. Sempre retira da circulação mais dinheiro do que nela põe. Demais, é claro que, ao acelerar-se a rotação do capital mercantil (desenvolvendo-se o crédito, quando a função predominante do dinheiro passa a ser a de meio de pagamento), circula mais rapidamente a mesma quantidade de dinheiro.

A rotação repetida do capital comercial nada expressa além da repetição de compras e vendas, enquanto a rotação repetida do capital industrial exprime a periodicidade e a renovação de todo o processo de reprodução (que abrange também o processo de consumo). Para o capital mercantil, isto constitui apenas condição externa: para haver rotação rápida do capital mercantil, é mister que incessantemente o capital industrial lance na circulação e dela retire mercadorias. Se a reprodução é lenta, sê-lo-á também a rotação do capital mercantil. Este, como intermediário, propicia a rotação do capital produtivo, ao reduzir-lhe o tempo de circulação. Não atua diretamente sobre o tempo de produção, o qual também é um limite para o tempo de rotação do capital industrial. Este é o primeiro limite à rotação do capital mercantil. O segundo, omitindo-se o que decorre do consumo reprodutivo, é constituído pela velocidade e pela dimensão da totalidade do consumo individual, pois daí depende toda a parte do capital-mercadoria incorporada ao fundo de consumo.

O capital mercantil antes de mais nada abrevia a fase M – D para o capital produtivo (estamos abstraindo das rotações no mundo comercial onde um comerciante costuma vender a outro a mesma mercadoria, espécie de circulação que pode florescer muito nas fases de especulação). Depois, com o moderno sistema de crédito, o capital mercantil dispõe de grande parte do capital-dinheiro global da sociedade, podendo repetir as compras antes de ter vendido definitivamente o que já comprou, e assim é possível que o comerciante venda diretamente ao consumidor final ou que entre ambos medeiem 12 outros comerciantes. Com a grande elasticidade do processo de reprodução, que pode sempre ultrapassar todo limite que surja, o comerciante não encontra na produção empecilho ou apenas barreira muito elástica. Além de M – D e D – M se separarem, o que decorre da natureza da mercadoria, gera-se aí uma procura fictícia. Apesar do caráter autônomo que possui, o movimento do capital mercantil nada mais é que o movimento do capital industrial na esfera da circulação. Mas em virtude dessa autonomia,

A ROTAÇÃO DO CAPITAL MERCANTIL. OS PREÇOS

o capital mercantil move-se até certo ponto sem depender dos limites do processo de reprodução e por isso leva este a transpor os próprios limites. A dependência interna e a autonomia externa fazem o capital mercantil chegar a um ponto em que surge uma crise para restaurar a coesão interior.

Daí o fenômeno de as crises não começarem pela venda a retalho, ligada ao consumo direto, mas no comércio por atacado e nos bancos, que põem à disposição desse comércio o capital-dinheiro da sociedade.

O fabricante pode efetivamente vender ao exportador, este ao estrangeiro, o importador traspassar as matérias-primas ao fabricante e, este, seu produto ao comerciante por atacado etc. Mas algures, num ponto invisível, há mercadoria que não foi vendida; às vezes, acumulam-se progressivamente, além do normal, os estoques de todos os produtores e intermediários. Exatamente nessa ocasião costuma o consumo atingir o máximo, seja porque uma empresa industrial provoca o funcionamento de uma série de outras, seja porque os trabalhadores por elas ocupados em situação de pleno emprego têm mais para gastar que usualmente. Os dispêndios dos capitalistas aumentam com seus rendimentos. Além disso, conforme vimos (Livro 2, Terceira Seção),[1] há uma circulação contínua entre capitais constantes (mesmo não se considerando a acumulação acelerada), a qual de imediato não depende do consumo individual, nunca entrando nele. Entretanto, é por ele definitivamente limitada, pois o capital constante não se produz pelo capital constante, mas porque aumenta a procura dele nos ramos de produção voltados para o consumo individual. Sendo promissora a procura esperada, as coisas podem correr tranquilamente por algum tempo, e prosseguir prósperos nesses ramos os negócios dos comerciantes e industriais. A crise aparece quando os reembolsos dos comerciantes que vendem em mercados distantes (ou têm estoques acumulados no mercado interno) se tornam tão lentos e escassos que os bancos reclamam pagamento ou as letras correspondentes às mercadorias compradas vencem antes de estas serem revendidas. Começam então as vendas forçadas, destinadas a obter dinheiro para pagar. E aí sobrevém o craque que de súbito encerra a prosperidade aparente.

A rotação do capital mercantil tem caráter extrínseco e vazio, que mais ressalta quando ela é o meio que propicia as rotações simultâneas ou sucessivas de capitais produtivos bem diversos.

---

1 Ver Livro 2, pp. 468-471, 474-479.

E a rotação do capital mercantil pode não só propiciar as rotações de capitais industriais diversos, mas também servir de meio à efetuação da fase oposta da metamorfose do capital-mercadoria. É o que se dá, por exemplo, quando o comerciante compra linho do fabricante e vende-o à branquearia. Aí, a rotação do mesmo capital mercantil – de fato a mesma fase M – D, a realização do linho – representa duas fases opostas correspondentes a dois capitais industriais diferentes. Sempre que o comerciante vende para o consumo produtivo, seu M – D representa o D – M de um capital industrial, e seu D – M, o M – D de outro capital industrial.

Neste capítulo pusemos de lado K, os custos de circulação, a fração do capital adiantada pelo comerciante além da soma que desembolsa para comprar as mercadorias. Em consequência, temos de excluir Δ K, o lucro adicional, obtido com esse capital adicional. Esta é a posição estritamente lógica e matematicamente correta para investigar como lucro e rotação do capital mercantil influem sobre os preços.

Se o preço de produção de 1 quilo de açúcar for 1 libra esterlina, o comerciante poderá, com 100 libras esterlinas, comprar 100 quilos de açúcar. Se comprar e vender essa quantidade no decurso do ano e se a taxa média anual de lucro for de 15%, acrescentará ele às 100 libras esterlinas 15, e a 1 libra esterlina, o preço de produção de 1 quilo, 3 xelins. Venderá, portanto, o quilo de açúcar por 1 libra esterlina e 3 xelins. Se o preço de produção de 1 quilo de açúcar cair para 1 xelim, o comerciante com 100 libras esterlinas comprará 2.000 quilos e venderá o quilo por 1 xelim e $1\frac{4}{5}$ pence. O lucro anual obtido com o capital de 100 libras esterlinas empregado no negócio de açúcar continuará sendo de 15 libras esterlinas, com a diferença de que, no primeiro caso, terá de vender 100 quilos e no segundo, 2.000. A variação do preço de produção nada terá que ver com a taxa de lucro, mas influirá muito e de maneira decisiva na magnitude da fração alíquota – que se converte em lucro mercantil – do preço de venda de cada quilo de açúcar, ou seja, na magnitude do que o comerciante acrescenta ao preço de determinada quantidade de mercadoria (produto). Se diminui o preço de produção de uma mercadoria, decresce a soma que o comerciante adianta, correspondente ao preço, para comprar determinada quantidade dela, e por isso, dada a taxa de lucro, reduz-se o montante de lucro obtido com essa quantidade. Em outras palavras, pode o comerciante com determinado capital, digamos, de 100, comprar grande quantidade dessa mercadoria de preço reduzido, e o lucro total de 15 que faz sobre esses 100 se repartirá em frações ínfimas por todas as unidades dessa massa de mercadorias. Na hipótese contrária temos o inverso. Tudo aí depende do nível de produtividade do capital industrial com cujas mercadorias o comerciante negocia. Excetuado o caso do comerciante monopolista e que ainda monopoliza a produção, como por exemplo em seu tempo a Companhia Holandesa das Índias Orientais, nada mais tolo que a noção corrente de que o comerciante pode a seu bel-prazer vender muita mercadoria com pequeno lucro ou pouca mercadoria com grande lucro, por unidade. Determinam o preço de venda dois fatores sobre os quais não exerce domínio: o preço de produção da mercadoria e a taxa média de lucro. A única coisa sobre a qual tem de decidir é se comercia com mercadorias caras ou baratas, mas, para essa decisão, importa a magnitude do capital disponível, além de outras circunstâncias. Nessas condições, o procedimento do comerciante depende por completo do grau de desenvolvimento do modo capitalista de produção, e não de seu arbítrio. Só uma empresa de espírito puramente mercantil, como a velha Companhia Holandesa das Índias Orientais, que tinha monopólio da produção, podia imaginar manter, em condições inteiramente modificadas, método na melhor hipótese adequado aos primórdios da produção capitalista.[4]

O que sustém essa concepção vulgar que deriva, como todas as noções falsas sobre lucro etc., da visão puramente comercial e do preconceito mercantil, são entre outras as seguintes circunstâncias.

Primeiro: Fenômenos da concorrência, mas que concernem apenas à repartição do lucro mercantil entre os comerciantes, singularmente considerados, e pelos quais se divide a totalidade do capital mercantil; um comerciante, por exemplo, para expulsar competidores do mercado, vende mais barato.

Segundo: Um economista do calibre do Prof. Roscher pode ainda imaginar em Leipzig que razões de "bom-senso e humanidade" fizeram variar os preços de venda e que essa variação não resultou de se ter transformado o próprio modo de produção.

---

4 "Em princípio, o lucro não se altera, qualquer que seja o preço; é como um corpo que flutua, vaze ou encha a maré. Por isso, o comerciante, ao subirem os preços, aumenta os seus, e, ao caírem, reduz os seus (Corbet, *An Inquiry into the Causes* etc. *of the Wealth of Individuals*, Londres, 1841, p. 20). – Agora, como ao longo do texto, só estamos estudando o comércio normal, abstraindo da especulação, que está fora de nosso campo de observação, como tudo o que se refere à distribuição do capital mercantil. "O lucro comercial é valor acrescentado ao capital, sem depender do preço, o segundo" (lucro especulativo) "funda-se na alteração do valor do capital ou na do próprio preço" (*loc. cit.*, p. 128).

Terceiro: Ao caírem os preços de produção por elevar-se a produtividade do trabalho, e assim baixarem os preços de venda, sobe com frequência a procura mais rapidamente que a oferta, repercutindo nos preços de mercado, de modo que os preços de venda proporcionam mais que o lucro médio.

Quarto: Um comerciante pode diminuir o preço de venda (o que será sempre redução do lucro usual que acrescenta ao preço), a fim de acelerar a rotação de um capital maior. Todos os casos concernem simplesmente à concorrência entre os próprios comerciantes.

Já vimos no Livro 1[I] que a variação dos preços das mercadorias não determina o montante de mais-valia obtido por dado capital nem a taxa de mais-valia, mas que o preço da mercadoria singular e, por conseguinte, a parte nele encerrada de mais-valia variam com o volume relativo de mercadorias produzido por dada quantidade de trabalho. Os preços, na medida em que correspondem aos valores, são determinados, para cada mercadoria, pela quantidade total de trabalho nela materializado. Se pouco trabalho se corporifica em grande volume de mercadorias, será baixo o preço de cada unidade e pequena a mais-valia que nela se contém. A maneira como o trabalho corporificado numa mercadoria se reparte em pago e não pago, isto é, a quantidade desse preço que representa mais-valia, nada tem que ver com a totalidade desse trabalho, ou seja, com o preço da mercadoria. A taxa de mais valia não depende da grandeza absoluta da mais-valia contida no preço da mercadoria singular, e sim da magnitude relativa, da proporção dela com o salário contido na mesma mercadoria. Por isso, a taxa pode ser grande, embora seja pequena a magnitude absoluta da mais-valia contida em cada mercadoria. A magnitude absoluta de mais-valia encerrada em cada mercadoria depende, em primeiro lugar, da produtividade do trabalho, e, em segundo, da repartição do trabalho em pago e não pago.

Para o preço comercial de venda, o preço de produção é um dado extrínseco.

Outrora, o nível elevado dos preços comerciais era devido (1) aos altos preços de produção, isto é, à baixa produtividade do trabalho, e (2) à falta de taxa geral de lucro, apoderando-se o capital mercantil de cota de mais-valia bem maior do que a que lhe caberia se houvesse mobilidade geral dos capitais. Considerada sob esses dois aspectos, a cessação desse estado de coisas decorreu do desenvolvimento do modo capitalista de produção.

I Ver Livro 1, Capítulo xv.

A ROTAÇÃO DO CAPITAL MERCANTIL. OS PREÇOS

Segundo os diversos ramos de comércio, duram mais ou menos as rotações do capital mercantil, é maior ou menor o número anual delas. No mesmo ramo de comércio, o tempo de rotação varia com as diferentes fases do ciclo econômico. A experiência, entretanto, registra um número médio de rotações.

Já vimos que a rotação do capital mercantil se distingue da do capital industrial, o que resulta da natureza das coisas: uma só fase da rotação do capital industrial se apresenta na rotação completa de um capital mercantil autônomo ou de parte dele. Difere a maneira como a rotação do capital mercantil se relaciona com a determinação do lucro e do preço.

Para o capital industrial, a rotação expressa a periodicidade da reprodução, e dela depende, portanto, a massa de mercadorias lançadas no mercado, em determinado espaço de tempo. Além disso, o tempo de circulação constitui barreira, na verdade elástica, que limita até certo ponto a formação de valor e de mais-valia, em virtude da influência que tem no tamanho do processo de produção. Assim, a rotação tem efeito não positivo, mas restritivo, no montante da mais-valia anualmente produzida e, portanto, na formação da taxa geral de lucro. Para o capital mercantil, ao contrário, a taxa média de lucro é grandeza dada. Não contribui ele diretamente para criar o lucro ou mais-valia e só concorre para formar a taxa geral de lucro, na medida em que, de acordo com a parte que representa do capital total, retira seus dividendos do montante de lucro produzido pelo capital industrial.

Quanto maior o número de rotações de um capital industrial nas condições expostas na Segunda Seção do Livro 2, tanto maior é o montante de lucro que ele obtém. A instituição da taxa geral de lucro tem por consequência repartir-se o lucro global entre os diferentes capitais não na proporção em que concorrem diretamente para produzi-lo, mas de acordo com as partes alíquotas que representam do capital global, isto é, na proporção da respectiva grandeza. Mas não decorre daí alteração essencial para este fato: quanto maior o número de rotações da totalidade do capital industrial, tanto maior o montante de lucro, o montante de mais-valia anualmente produzida e, portanto, não se alterando as demais condições, a taxa de lucro. É diferente o que se passa com o capital mercantil. Para ele, a taxa de lucro é grandeza dada, determinada, de um lado, pelo montante de lucro que o capital industrial obtém, e, do outro, pela magnitude relativa da totalidade do capital mercantil, por sua relação quantitativa com a soma do capital adiantado no processo de produção e no processo de circulação. Por certo, o número de suas rotações tem influência decisiva na sua relação com a totalidade do capital ou na magnitude relativa do capital mercantil requerido pela circulação, pois é claro que a grandeza absoluta do capital mercantil necessário está na razão inversa da velocidade de rotação desse capital; entretanto, sua magnitude relativa ou a cota que representa da totalidade do capital depende da magnitude absoluta, desde que não se alterem as demais condições. Se o capital mercantil for $\frac{1}{10}$ do capital total, o primeiro será de 1.000, se o segundo = 10.000, ou de 100, se o capital total = 1.000. Diverge aí a magnitude absoluta do capital mercantil de acordo com a grandeza do capital total, embora permaneça a mesma a magnitude relativa. Admitamos essa magnitude relativa de $\frac{1}{10}$ do capital total. Mas a magnitude relativa do capital mercantil, é por sua vez, determinada pela rotação. Vamos supor que a magnitude absoluta de 1.000 no primeiro caso e de 100 no segundo, e por conseguinte a magnitude relativa de $\frac{1}{10}$ se verifique quando a rotação é rápida. Se a rotação for lenta, a magnitude absoluta no primeiro caso será, digamos, de 2.000 e no segundo de 200. Assim, a magnitude relativa aumentou de $\frac{1}{10}$ para $\frac{1}{5}$ do capital total. Circunstâncias que abreviam a rotação média do capital mercantil, como o desenvolvimento dos meios de transporte, reduzem em proporção correspondente a magnitude absoluta desse capital, elevando, portanto, a taxa geral de lucro. E vice-versa. Comparado com épocas anteriores, o capitalismo desenvolvido atua duplamente sobre o capital mercantil: dele torna menor a quantidade que efetivamente faz girar a mesma quantidade de mercadorias; reduz a proporção do capital mercantil com o capital industrial, em virtude da rotação mais rápida daquele e da velocidade maior do processo de reprodução em que o capital mercantil se baseia. E mais: com o desenvolvimento do capitalismo, toda a produção se torna produção de mercadorias e todos os produtos se encaminham para as mãos dos agentes da circulação. Acresce ainda que, no antigo modo de produção, de escala ínfima, além do volume dos produtos consumidos diretamente pelos próprios produtores e do volume de serviços remunerados com pagamento em espécie, parte bem grande dos produtores vendia sua mercadoria diretamente ao consumidor ou trabalhava por encomenda pessoal dele. Por isso, nos modos de produção de outrora, embora o capital mercantil fosse maior em relação ao capital-mercadoria, cuja rotação possibilitava:

A ROTAÇÃO DO CAPITAL MERCANTIL. OS PREÇOS

1) era menor, em termos absolutos, pois fração relativamente menor do produto total era produzida como mercadoria, tinha de entrar na circulação como capital-mercadoria e caía nas mãos dos comerciantes; menor, porque era menor o capital-mercadoria. Entretanto, ao mesmo tempo, era relativamente maior, em confronto com o volume de mercadorias cuja rotação propicia, por ser mais lenta a rotação dele; por ser maior que na produção capitalista, o preço desse volume de mercadorias – e, por conseguinte, o correspondente capital mercantil a adiantar –, em virtude da menor produtividade do trabalho, configurando-se, por isso, o mesmo valor em menor volume de mercadorias;

2) no sistema capitalista produz-se volume maior de mercadorias (e há redução do valor desse volume de mercadorias) e, ademais, a mesma massa produzida, por exemplo de trigo, representa volume maior de mercadorias, isto é, porção cada vez maior dela vai para o comércio. Em consequência, não só aumenta a massa de capital mercantil, mas também cresce todo o capital empregado na circulação, digamos em transporte marítimo, em ferrovias, telégrafo etc.;

3) o capital mercantil inativo, ou ativo em parte, aumenta com o progresso do modo capitalista de produção, com a facilidade de penetrar no comércio a varejo, com a especulação e com o excesso de capital disponível. Cabe analisar esse aspecto no estudo da "concorrência entre os capitais".

Supondo-se dada, por comparação com a totalidade do capital, a magnitude relativa do capital mercantil, verifica-se que a diversidade das rotações nos diferentes ramos de comércio não influi sobre a grandeza do lucro global que cabe ao capital mercantil, nem sobre a taxa geral de lucro. O lucro do comerciante não é determinado pelo volume do capital-mercadoria que ele faz rotar, mas pela magnitude do capital-dinheiro que adianta para propiciar essa rotação. Se a taxa geral de lucro é de 15% ao ano e se o comerciante adianta 100 libras esterlinas, efetuando seu capital apenas uma rotação por ano, venderá ele sua mercadoria por 115. Se seu capital efetua 5 rotações por ano, venderá 5 vezes por 103 um capital-mercadoria adquirido por 100, obtendo no fim do ano 515 por um capital-mercadoria de 500. Assim, continua sendo de 15 o lucro anual obtido para o capital adiantado de 100. Se não fosse assim, o capital mercantil obteria proporcionalmente ao número de rotações lucro muito superior ao do capital industrial, o que contraria a taxa geral de lucro.

O número de rotações do capital mercantil nos diferentes ramos de comércio tem, portanto, influência direta nos preços comerciais das mercadorias. O acréscimo mercantil do preço, a fração alíquota do lucro mercantil relativo a dado capital, a qual se adiciona ao preço de produção, varia na razão inversa do número de rotações ou da velocidade de rotação dos capitais mercantis nos diferentes ramos de comércio. Se um capital mercantil efetua 5 rotações por ano, sobrecarregará o capital-mercadoria de igual valor com $\frac{1}{5}$ do acréscimo que outro capital mercantil, efetuando apenas uma rotação, fará num capital-mercadoria de igual valor.

A influência do tempo médio de rotação dos capitais, segundo os ramos de comércio, sobre os preços de venda reduz-se ao seguinte: proporcionalmente à velocidade de rotação, a mesma massa de lucro – determinada, para magnitude dada de capital mercantil, pela taxa geral de lucro anual, determinada, portanto, sem depender do caráter especial da operação mercantil desse capital – se reparte de maneira diversa por volumes de mercadorias do mesmo valor. Assim, por exemplo, ela adiciona ao preço da mercadoria $\frac{15}{5}$ = 3%, para cinco rotações por ano, e 15%, para uma rotação apenas.

A mesma porcentagem de lucro comercial nos diferentes ramos de negócios aumenta, na proporção dos respectivos tempos de rotação, os preços de venda das mercadorias, de quantidade percentual bem diversa, calculada sobre o valor dessas mercadorias.

Para o capital industrial, ao contrário, o tempo de rotação não influi de maneira alguma na magnitude do valor de cada mercadoria produzida, embora atue sobre o montante dos valores e mais-valias produzidos por dado capital num tempo determinado, em virtude da influência que tem na massa de trabalho explorado. Isto por certo se dissimula e aparenta outro aspecto quando se atenta para os preços de produção, mas apenas porque os preços de produção das diferentes mercadorias se desviam dos valores delas, de acordo com leis que já foram anteriormente apresentadas. Se consideramos o processo global de produção, o volume de mercadorias produzidas por todo o capital industrial, veremos imediatamente confirmada a lei geral.

A observação mais detida da influência do tempo de rotação do capital industrial sobre a formação do valor leva-nos à lei geral, à base da economia política: os valores das mercadorias são determinados pelo tempo de trabalho nelas contido. Entretanto, a influência das rotações do capital mercantil sobre os preços comerciais revela fenômenos que, se não anali-

A ROTAÇÃO DO CAPITAL MERCANTIL. OS PREÇOS

sarmos os elos intermediários que encobrem, parecem indicar que os preços se determinam de maneira puramente arbitrária, bastando que o capital decida obter determinada quantidade de lucro anual. Essa influência das rotações gera sobretudo a impressão de que o processo de circulação como tal determina os preços das mercadorias, sem depender, dentro de certos limites, do processo de produção. Todas as ideias superficiais e errôneas acerca do processo total da reprodução derivam da observação adstrita ao capital mercantil e das representações que os movimentos peculiares desse capital fazem nascer no espírito dos agentes da circulação.

Como o leitor terá verificado à sua custa, a análise das reais conexões internas do processo capitalista de produção é tarefa assaz complicada e muito laboriosa; demais, cabe à ciência reduzir o movimento visível, apenas aparente, ao movimento interno real. Por isso é natural que no espírito dos agentes capitalistas da produção e da circulação necessariamente se formem, acerca das leis de produção, ideias que se desviam por completo dessas leis e apenas refletem na consciência o movimento aparente. As concepções de um comerciante, de um especulador de bolsa, de um banqueiro, por força, espelham o real às avessas. Transtornam-no as ideias dos fabricantes, oriundas dos atos de circulação – a que está sujeito o capital deles – e do nivelamento da taxa geral de lucro.[5] Inverte-se por força na mente deles o papel que a concorrência desempenha. Dados os limites do valor e da mais-valia, é fácil de ver como a concorrência entre os capitais transforma os valores em preços de produção, depois em preços comerciais, e converte a mais-valia em lucro médio. Mas sem esses limites não se pode absolutamente compreender por que a concorrência reduz a taxa geral de lucro a esta e não àquela proporção, a 15% e não a 1.500%. Pode no máximo reduzi-la a *certo* nível, mas não possui elemento algum que determine esse mesmo nível.

Do ponto de vista do capital mercantil, a própria rotação aparece como elemento que determina o preço. Para o capital industrial, o montante de lucro e, por consequência, a taxa geral de lucro são determinados e limitados pela velocidade de rotação, na medida em que essa velocidade capacita

---

5 Observação ingênua, mas ao mesmo tempo acertada: "Por certo, a circunstância de a mesma mercadoria ter preços essencialmente diversos pelos diferentes vendedores encontra frequentes vezes explicação num erro de cálculo" (Feller und Odermann, *Das Ganze der kaufmänischen Arithmetik*, 7ª ed., 1859, [p. 451]). Vemos aí como a determinação do preço se torna puramente teórica, abstrata.

dado capital a explorar mais ou menos trabalho, enquanto para o capital mercantil a taxa de lucro é um elemento externo dado e desaparece por inteiro a conexão interna entre ela e a formação de mais-valia. Quando, não se alterando as demais condições, sobretudo a composição orgânica, o mesmo capital industrial rota por ano quatro vezes em vez de duas, produzirá ele mais-valia e, por conseguinte, lucro duas vezes maior, o que se patenteia palpavelmente, desde que e enquanto esse capital possua monopólio do método aperfeiçoado de produção que lhe permite essa rotação mais rápida. Nos diferentes ramos comerciais, ao contrário, a diversidade do tempo de rotação se patenteia na circunstância de o lucro, obtido com a rotação de determinado capital-mercadoria, estar na razão inversa do número das rotações do capital-dinheiro que movimenta esse capital-mercadoria. Lucros pequenos e reembolsos rápidos é a norma que se impõe ao lojista, que por princípio a segue.

É evidente que essa lei das rotações do capital mercantil em cada ramo – e estamos abstraindo da variação das rotações, ora mais rápidas, ora mais lentas, compensando-se reciprocamente – só é válida para a média das rotações que o capital mercantil empregado nesse ramo efetua. O número de rotações do capital de A que opera no mesmo ramo de B pode ser maior ou menor que a média, e nesse caso será superior ou inferior ao dos demais capitais. Isto em nada altera a rotação da totalidade do capital mercantil empregado no ramo. Mas é de importância decisiva para cada comerciante, do atacado ou do varejo. Obterá então um lucro extra se estiver em situação análoga à do capitalista industrial que produz em condições mais favoráveis que as que constituem a média. Se forçado pela concorrência, poderá vender mais barato que seus companheiros, sem que o lucro fique abaixo da média. Se puder comprar as condições que possibilitam rotação mais rápida, por exemplo, a localização dos pontos de venda, poderá pagar uma renda extra para obtê-la, convertendo parte do lucro extra em renda fundiária.

XIX.
Capital financeiro

XIX
Capital financeiro

O dinheiro efetua movimentos puramente técnicos no processo de circulação do capital industrial e, conforme podemos acrescentar agora, do capital comercial (pois este se incumbe de parte da circulação do capital industrial, parte que se torna operação própria e peculiar do capital comercial). Esses movimentos – ao se tornarem função autônoma de um capital particular que os executa, como operações peculiares, e nada mais faz além disso – transformam esse capital em capital financeiro. Parte do capital industrial, e também do capital comercial, na forma dinheiro, existiria sempre não só como capital-dinheiro em geral, mas como capital-dinheiro empenhado apenas nessas funções técnicas. Da totalidade do capital destaca-se e se torna autônoma determinada parte, na forma de capital-dinheiro, tendo a função capitalista de efetuar com exclusividade essas operações para toda a classe dos capitalistas industriais e comerciais. Como se dá com o capital comercial, parte do capital industrial existente no processo de circulação na figura de capital-dinheiro se destaca e executa essas operações do processo de reprodução para todo o capital restante. Os movimentos desse capital-dinheiro, portanto, são, por outro lado, movimentos apenas de parte que se tornou autônoma do capital industrial empenhado no processo de reprodução.

Só quando e na medida em que se emprega novo capital – o que também se dá com a acumulação –, capital na forma dinheiro se revela início e fim do movimento. Mas para cada capital já entrosado no processo, o início e o fim se apresentam como estação de passagem. Na metamorfose M' – D – M que o capital industrial tem de percorrer entre a saída da produção e a entrada nela, D, conforme se demonstrou na circulação simples de mercadorias, é na realidade o resultado final de uma fase da metamorfose, apenas para ser o ponto de partida da fase oposta que a completa. E embora o M – D do capital industrial se apresente sempre como D – M – D, para o capital mercantil, este, uma vez entrosado, tem continuamente o processo real M – D – M. Mas o capital mercantil executa ao mesmo tempo os atos M – D e D – M. Isto não quer dizer que *um* capital esteja no estádio M – D, e outro no estádio D – M, mas que o mesmo capital compra e vende sem cessar, ao mesmo tempo, em virtude da continuidade do processo de produção; encontra-se todo o tempo simultaneamente nos dois estádios. Enquanto parte do mesmo capital se converte em dinheiro, para reconverter-se depois em mercadoria, outra parte ao mesmo tempo se converte em mercadoria, para reconverter-se em dinheiro.

Que o dinheiro exerça a função de meio de circulação ou de meio de pagamento depende da forma de troca das mercadorias. Em ambos os casos, o capitalista tem de lidar incessantemente com dinheiro, pagando muitas pessoas ou recebendo-o de muitas pessoas. Essa tarefa puramente técnica de pagar e de receber dinheiro constitui de per si trabalho que, ao servir o dinheiro de meio de pagamento, exige balanços de contas, operações de compensação. Esse trabalho representa custo de circulação e não cria valor. Reduz-se, quando é executado por categoria especial de agentes ou capitalistas que o efetuam para toda a classe capitalista.

Parte determinada do capital tem de existir constantemente como tesouro, como capital-dinheiro potencial: reserva de meios de compra, reserva de meios de pagamento, capital vadio na forma dinheiro à espera de aplicação; e, nessa forma, parte do capital reflui sem cessar. Além dos recebimentos, pagamentos e contabilidade, torna-se então necessária a guarda do tesouro, o que por sua vez é uma operação particular. Ela se caracteriza de fato pela transformação constante do tesouro em meios de circulação e em meios de pagamento e pela reconstituição dele com o dinheiro obtido com as vendas e com os pagamentos vencidos; esse movimento contínuo da parte do capital, configurada em dinheiro, separada da própria função do capital, essa operação puramente técnica, ocasiona trabalho e custos especiais – custos de circulação.

A divisão do trabalho faz que essas operações técnicas, condicionadas pelas funções do capital, sejam tanto quanto possível executadas para toda a classe capitalista por uma categoria de agentes ou capitalistas como funções exclusivas, ficando concentradas em suas mãos. Há aí divisão do trabalho em duplo sentido, como acontece com o capital mercantil. Aquelas funções se tornam negócio especializado, e porque se efetuam como negócio especializado concernente ao mecanismo financeiro de toda a classe, concentram-se, são exercidas em grande escala; ocorre então nova divisão do trabalho nesse negócio especializado, por se repartir em diversos ramos independentes entre si e por se aperfeiçoarem as condições de trabalho desses ramos (grandes escritórios, numerosos contadores e caixas, adiantada divisão de trabalho). Pagamentos, recebimentos de dinheiro, operações de compensação, escrituração de contas-correntes, guarda do dinheiro etc., todas essas operações técnicas, separadas dos atos que as tornam necessárias, transformam em capital financeiro o capital nelas adiantado.

CAPITAL FINANCEIRO

As diferentes operações que, ao se tornarem autônomas convertidas em negócios especiais, dão origem ao comércio de dinheiro resultam das diversas destinações do próprio dinheiro e de suas funções, que também o capital na forma de capital-dinheiro tem de exercer.

Já tive oportunidade de mostrar como o uso do dinheiro primitivamente se desenvolve na troca de produtos entre diversas comunidades.[6]

Por isso, de início, o comércio de dinheiro, o comércio com a mercadoria dinheiro se desenvolve com o tráfico internacional. Desde que existam diferentes moedas nacionais, têm os comerciantes, que compram em países estrangeiros, de converter sua moeda nacional em moeda local e vice-versa, ou ainda de trocar diferentes moedas por prata ou ouro puros sem cunhar, como moeda universal. Daí as operações de câmbio que devem ser consideradas uma das bases naturais do moderno comércio de dinheiro.[7] Desenvolveram-se daí as casas de câmbio onde prata (ou ouro) funciona como dinheiro universal – agora como dinheiro bancário ou comercial – por oposição à moeda corrente. As operações cambiais no sentido de mera ordem do cambista de um país a outro em favor do viajante já se tinham desenvolvido em Roma e na Grécia, a partir do negócio propriamente dito do cambista.

---

6 *zur Kritik der Pol. Oekon.*, p. 27.[I]
I Ver Livro 1, pp. 97-99.
7 "A grande diversidade das moedas, na liga o no título, e a multidão de príncipes e cidades com o privilégio de cunhar moeda fizeram surgir a necessidade, nos negócios em que se impunha a liquidação com moeda, de utilizar-se por toda a parte a moeda local. Para pagamentos de contado muniam-se os comerciantes, quando percorriam mercados estrangeiros de prata pura não amoedada e provavelmente de ouro. Quando tratavam da viagem de volta, da mesma maneira cambiavam a moeda local recebida por prata ou ouro não amoedados. Operações cambiais, troca de metais preciosos não cunhados por moedas locais e vice-versa tornaram-se, por isso, negócio muito generalizado e lucrativo" (Hüllmann, *Städtewesen des Mittelalters*, Bonn, 1826-1829, I, p. 437s). – "O banco de câmbio não deve o nome... à letra de câmbio, mas ao câmbio de moedas. Bem antes de fundar-se o Banco de Câmbio de Amsterdã, em 1609, havia nas praças de comércio dos Países Baixos cambistas e casas de câmbio, e até bancos de câmbio... O negócio desses cambistas consistia em trocar numerosas moedas de diversos tipos, trazidas ao país por comerciantes estrangeiros, por moedas de curso legal. Foi aumentando pouco a pouco seu campo de ação... tornaram-se os caixas e banqueiros de seu tempo. Mas o governo de Amsterdã achava perigosa a conjunção das atividades de caixa com as do cambista e, para contornar esse perigo, resolveu fundar um grande estabelecimento, com o objetivo de cuidar, com autoridade pública, do câmbio e da função de caixa. Surgiu então o famoso Banco de Câmbio de Amsterdã de 1609. Os bancos de câmbio de Veneza, Gênova, Estocolmo, Hamburgo deviam igualmente seu aparecimento à necessidade contínua de cambiar moedas. De todos eles, o de Hamburgo é o único que ainda existe hoje, pois ainda se faz sentir a necessidade de tal instituição nessa praça de comércio que não possui sistema monetário próprio" (S. Vissering, *Handboek van Praktische Staathuishoudkunde*, Amsterdã, 1860, I, p. 247).

O comércio de ouro e de prata como mercadorias (matérias-primas para a fabricação de artigos de luxo) constitui a base natural do comércio de lingotes desses metais, o qual facilita ao dinheiro a função de dinheiro universal. Essa função, conforme já mostramos (Livro 1, Capítulo III, 3, c), é dupla: ir e vir entre as diferentes esferas de circulação nacionais para liquidar os pagamentos internacionais e quando da migração dos capitais em busca de renda; além disso, movimento dos metais preciosos, saídos das fontes de produção, pelo mercado mundial e repartição da oferta deles entre as diferentes esferas de circulação nacionais. Na Inglaterra, ainda na maior parte do século XVII, os ourives exerciam a função de banqueiro. Não trataremos por ora do desenvolvimento do balanço de pagamentos internacionais no comércio cambiário, abstraindo de tudo o que concerne a operações com títulos, em suma, de todas as formas particulares de crédito, matéria a ventilar mais adiante.

Para chegar a dinheiro mundial, a moeda nacional se despoja de seu caráter local; uma moeda nacional se expressa noutra, e ambas se reduzem ao respectivo teor em ouro ou prata, enquanto esses dois metais, na condição de mercadorias que circulam como dinheiro mundial, se reduzem à relação mútua de valor, que varia constantemente. Os agentes de câmbio fazem dessa mediação negócio particular. O negócio de cambista e o comércio de lingotes de metais preciosos são as formas mais primitivas do comércio de dinheiro e têm sua origem nas duas funções do dinheiro: a de moeda nacional e a de dinheiro mundial. O processo capitalista de produção e o comércio em geral, mesmo quando o modo de produção é pré-capitalista, implicam o seguinte:

Primeiro, o dinheiro se amontoa constituindo tesouro, isto é, a parte do capital que tem de existir sempre na forma dinheiro, como fundo de reserva de meios de pagamento e de meios de compra. Esta é a primeira forma do tesouro, e assim reaparece ele no modo capitalista de produção e se constitui pelo menos para o capital mercantil, à medida que este se desenvolve. Isto se aplica tanto à circulação interna quanto à internacional. Esse tesouro está sempre fluindo, e sem cessar lança-se na circulação e dela retorna. A segunda forma do tesouro é o capital na forma dinheiro, vadio, momentaneamente desocupado, que abrange o capital-dinheiro novamente acumulado, ainda não investido. As funções que o entesouramento especificamente exige são, antes de mais nada, a guarda, a contabilização etc.

Mas, *segundo*, de tudo isso fazem parte desembolsar dinheiro nas compras, recebê-lo nas vendas, pagar e receber pagamentos, realizar compensações etc. São operações que o negociante de dinheiro inicialmente efetua como simples caixa dos comerciantes e dos capitalistas industriais.[8]

O comércio de dinheiro atinge seu pleno desenvolvimento, o que sempre se verifica nas suas origens, quando às suas demais funções se associam as de emprestar, de tomar emprestado e de negociar com crédito. Voltaremos ao assunto na parte seguinte, quando trataremos do capital a juros.

O próprio comércio de lingotes, que transfere ouro ou prata de um país para outro, deriva apenas do comércio de mercadorias. O curso do câmbio determina-o, e expressa a posição dos pagamentos internacionais e da taxa de juros nos diferentes mercados. Em sua atividade específica, o comerciante de lingotes não passa de mediador de resultados.

Ao estudar o dinheiro, como seus movimentos e as formas que assume se desenvolvem derivando da simples circulação das mercadorias, vimos que (Livro 1, Capítulo III) o movimento do volume do dinheiro que circula servindo de meio de compra e de meio de pagamento é determinado pela metamorfose das mercadorias, pelo volume e pela velocidade dessa metamorfose que, como sabemos agora, é apenas um elemento da totalidade do processo de reprodução. Quanto à obtenção do material dinheiro – ouro e prata – de suas fontes de produção, reduz-se ela à troca direta de mercadorias, à troca de ouro e prata como mercadorias por outra mercadoria, sendo,

---

[8] Nenhures, a instituição do caixa conservou talvez o caráter primitivo, autônomo, tão puro quanto nas praças de comércio holandesas (sobre a origem dos caixas em Amsterdã, ver E. Luzac, *Hollands Rijkdom*, deel III). Suas funções coincidem em parte com as do antigo Banco de Câmbio de Amsterdã. O caixa recebe dos comerciantes, que empregam seus serviços, determinada soma de dinheiro, pela qual nos livros dele lhes abre um crédito. Os comerciantes mandam-lhe seus títulos de crédito, que cobra e lhes credita; em sentido contrário, executa as ordens de pagamento dos comerciantes e debita-lhes na conta-corrente a importância correspondente. Por essas entradas e pagamentos cobra uma comissão ínfima que, só em virtude da importância das operações ao todo efetuadas, proporciona salário adequado a seu trabalho. Os pagamentos a saldar entre dois comerciantes que trabalham com o mesmo caixa se liquidam por mera escrituração recíproca, compensando os caixas todos os dias as obrigações recíprocas. A função própria do caixa, portanto, é a de servir de intermediário dos pagamentos; exclui assim empreendimentos industriais, especulações e a abertura de créditos a descoberto, pois a norma estabelecida é a de que o caixa não pague além do haver de quem tem conta aberta em seus livros" (Vissering, *loc.*, p. 243s). – Com referência às associações de caixas em Veneza: "Em virtude das necessidades e da localização de Veneza, onde transportar dinheiro de contado era mais oneroso que em outros lugares, instituíram os grandes comerciantes dessa cidade associações de caixas com garantia, supervisão e administração adequadas. Os membros delas depositavam certas somas, contra as quais emitiam ordens de pagamento em favor de seus credores: a soma paga era deduzida da conta do devedor escriturada no livro correspondente e acrescentada ao saldo que o credor tivesse em conta. Essas operações constituíram o início dos chamados bancos de giro. Essas associações são bem antigas. Mas se as colocamos no século XII, estaremos confundindo-as com o estabelecimento de empréstimos do Estado, fundado em 1171" (Hüllmann, *loc. cit.*, p. 453s).

portanto, ocorrência da troca de mercadorias, como a obtenção de ferro ou de outros metais. O movimento dos metais preciosos no mercado mundial (estamos abstraindo desse movimento quando corresponde a transferência de capital por empréstimo, movimento que também ocorre na forma de capital-mercadoria) é inteiramente determinado pela troca internacional de mercadorias, como o movimento do dinheiro nas funções de meio de compra e de meio de pagamento também o é pela troca interna de mercadorias. As migrações dos metais preciosos de uma esfera de circulação nacional para outra, quando decorrem apenas de depreciação da moeda nacional ou do duplo padrão monetário, são estranhas à circulação do dinheiro propriamente dita e constituem mera correção de desvios arbitrariamente impostos pelo Estado. E o entesouramento constitui depósito necessário do processo de circulação quando representa fundo de reserva de meios de compra e de meios de pagamento, seja para o comércio interno seja para o exterior, e quando é mera forma de capital provisoriamente vadio.

O montante, as formas e os movimentos da circulação do dinheiro não passam de resultado da circulação das mercadorias, a qual, no capitalismo, representa apenas o processo de circulação do capital, onde se inclui a troca de capital por renda, de renda por renda, desde que se trate de desembolso de renda a consumir do capitalista no comércio a retalho. Nessas condições, é evidente que o comércio de dinheiro não promove a circulação do dinheiro, mero resultado da circulação das mercadorias, maneira de esta aparecer. Para ele é um dado a própria circulação do dinheiro, aspecto da circulação das mercadorias, e o que ele propicia são as operações técnicas da circulação monetária, as quais concentra, abrevia e simplifica. O comércio de dinheiro não forma os tesouros, mas fornece os meios técnicos para reduzir ao mínimo econômico o entesouramento, desde que voluntário (não expressa desemprego do capital ou transtorno do processo de reprodução), pois os fundos de reserva de meios de compra e de meios de pagamento, administrados para toda a classe capitalista, não precisam ser tão grandes quanto teriam de ser se a administração deles fosse incumbência particular de cada capitalista. O comércio de dinheiro não compra os metais preciosos, mas propicia a repartição deles, desde que os tenha comprado o comércio de mercadorias. O comércio de dinheiro facilita a compensação dos saldos, onde o dinheiro serve de meio de pagamento, e diminui a massa de dinheiro exigida para esse fim por meio do mecanismo artificial das compensações; mas não determina a conexão nem o montante dos pagamentos recíprocos. Por exemplo, as letras e cheques que para liquidar se confrontam nos bancos e câmaras de compensação representam negócios por inteiro independentes, constituem, de operações dadas, resultados que aí tecnicamente melhor se compensam. Onde o dinheiro circula como meio de compra, o montante e o número das compras e das vendas não dependem absolutamente do comércio de dinheiro. Este pode apenas abreviar as operações técnicas que as acompanham e assim reduzir a massa de dinheiro efetivo que seria necessária para levá-las a cabo.

O comércio de dinheiro na forma pura, que consideramos aqui, isto é, separado do crédito, só tem, portanto, que ver com a técnica relativa a um aspecto da circulação das mercadorias, a saber, com a circulação do dinheiro e com as diversas funções do dinheiro que daí derivam.

Isto distingue essencialmente o comércio de dinheiro do comércio de mercadorias, que propicia a metamorfose da mercadoria e a troca das mercadorias, ou mesmo faz esse processo do capital-mercadoria aparecer como processo de um capital destacado do capital industrial. O capital comercial possui forma peculiar de circulação, D – M – D, trocando a mercadoria de lugar duas vezes e por isso refluindo o dinheiro, ao contrário de M – D – M, onde o dinheiro troca de mãos duas vezes e assim propicia a troca das mercadorias. Entretanto, não se pode demonstrar que exista forma especial para o capital financeiro.

Quando, nessa mediação técnica da circulação do dinheiro, o capital--dinheiro for adiantado por categoria especial de capitalistas – um capital que representa, reduzindo a escala, o capital adicional que, não fora essa ocorrência, os próprios comerciantes e os capitalistas industriais teriam de adiantar para esse fim –, temos, também aí, a forma geral do capital D – D'. Ao adiantar D, quem o desembolsa obtém D + Δ D. Mas a mediação de D – D' não se refere aí aos elementos materiais, mas sim aos elementos técnicos da metamorfose.

É evidente que a massa de capital-dinheiro, que os comerciantes de dinheiro (banqueiros) manipulam, é o capital-dinheiro que está na circulação, dos capitalistas comerciantes e industriais, e que as operações que realizam são apenas as operações desses capitalistas a que servem de intermediários.

Também é claro que seu lucro é apenas dedução da mais-valia, pois só lidam com valores já realizados, mesmo quando realizados apenas na forma de créditos.

Ocorre aí a duplicação de função observada no comércio de mercadorias, pois parte das operações técnicas relativas à circulação do dinheiro tem de ser executada pelos próprios comerciantes e produtores de mercadorias.

XX.
Observações históricas sobre o capital mercantil

Trataremos na parte seguinte da forma particular em que o capital comercial e o capital financeiro acumulam dinheiro.

Do exposto ressalta absurdo considerar o capital mercantil, seja na forma de capital comercial ou na de capital financeiro, espécie particular de capital industrial, como, por exemplo, a mineração, a agricultura, a pecuária, a manufatura, a indústria de transporte etc., que, em virtude da divisão social do trabalho, constituem ramificações determinadas e, por conseguinte, esferas especiais de aplicação do capital industrial. Bastaria para aniquilar essa concepção grosseira a simples observação de que todo capital industrial, quando na fase de circulação do processo de reprodução, enquanto capital-mercadoria e capital-dinheiro, desempenha funções que são as mesmas e as únicas do capital mercantil em suas duas formas. No capital comercial e no financeiro há autonomia da fase de circulação do capital industrial, dissociada da produtiva, pois as formas e funções determinadas que este capital assume transitoriamente nessa fase passam a ser formas e funções autônomas e exclusivas de parte separada do capital. Essa forma transmutada do capital industrial nada absolutamente tem com as diferenças materiais entre os capitais produtivos aplicados, oriundas da natureza diversa dos ramos de produção.

A falta de sensibilidade dos economistas para as diferenças de forma, que geralmente só lhes interessam sob o aspecto material, explica essa confusão que a economia vulgar sustenta por dois motivos: primeiro, sua incapacidade de esclarecer o que é peculiar ao lucro mercantil; segundo, seu empenho apologético em derivar do próprio processo de produção, como figuras que dele necessariamente se originam, as formas de capital-mercadoria e capital-dinheiro (e ainda as de capital-comercial e capital-financeiro), decorrentes da forma específica do modo capitalista de produção, que antes de tudo tem por base a circulação de mercadorias e, por conseguinte, a circulação de dinheiro.

Se o capital comercial e o financeiro não se distinguem da triticultura de outra maneira que não seja aquela que a distingue da pecuária e da manufatura, fica meridianamente claro que a produção e a produção capitalista são coisas absolutamente idênticas, e sobretudo que a repartição dos produtos sociais entre os membros da sociedade, seja para consumo produtivo ou individual, tem de ser feita pelos comerciantes e banqueiros tão eternamente quanto o fornecimento de carne tem de ser feito pela pecuária e o de roupas, pela indústria de confecções.⁹

Os grandes economistas, como Smith, Ricardo etc., por terem estudado o capital em sua forma básica, a de capital industrial, e o capital de circulação (capital-dinheiro e capital-mercadoria) na realidade apenas como fase do processo de reprodução de todo capital, ficaram embaraçados com o capital mercantil como espécie distinta. As proposições derivadas imediatamente da observação do capital industrial, sobre formação do valor, lucro etc., não se ajustavam diretamente ao capital mercantil. Por isso, deixaram-no inteiramente de lado, mencionando-o apenas como variedade do capital industrial. Quando dele tratavam especificamente, como Ricardo ao discorrer sobre comércio exterior, procuravam demonstrar que não criava valor algum (nem mais-valia, portanto). Mas o que é válido para o comércio exterior estende-se ao comércio interno.

Até agora examinamos o capital mercantil do ângulo e dentro dos limites do modo capitalista de produção. Mas o capital mercantil – e o comércio – é mais antigo que o modo capitalista de produção; é, na realidade, do ponto de vista histórico, o modo independente de existência mais antigo do capital.

Só trataremos agora do capital comercial, pois já vimos que o comércio de dinheiro e o capital nele adiantado só precisam, para desenvolver-se, da existência do comércio em grande escala e do capital comercial a ele ligado.

O capital comercial está confinado na esfera da circulação, e sua função consiste exclusivamente em propiciar a troca das mercadorias. Por isso, para existir – excetuadas formas rudimentares derivadas da troca direta – bastam

---

9 O sábio Roscher[I] concebeu a luzente ideia de que, se certos autores caracterizam o comércio como "mediação" entre produtores e consumidores, poderemos, com a mesma razão, caracterizar a própria produção como "mediação" do consumo (entre que elementos?). Infere-se daí naturalmente que o capital mercantil é parte do capital produtivo, como o capital da agricultura e o de uma indústria. Assim, por se dizer que o homem só pode obter seu consumo por meio da produção (o que tem de fazer mesmo sem o diploma de Leipzig), ou que o trabalho é necessário para o ser humano apropriar-se da natureza (o que se pode chamar de "mediação") deduz-se naturalmente que uma "mediação" social decorrente de uma forma social específica da produção – por ser mediação – tem o mesmo caráter absoluto da necessidade, a mesma importância. O que decide tudo é a palavra mediação. De resto, os comerciantes não são intermediários entre produtos e consumidores, se deixamos provisoriamente de lado os consumidores que não produzem: são intermediários da troca entre os próprios produtores, são as pessoas interpostas de um intercâmbio que em milhares de casos se efetua sem eles.

I *Die Grundlagen der Nationalökonomic*, 3ª ed., Stuttgart, 1858, p. 103.

as condições indispensáveis à circulação das mercadorias e do dinheiro. Ou melhor, esta é que é *sua* condição de existência. Qualquer que seja o modo de produção donde saem os produtos que entram na circulação como mercadorias – seja a comuna primitiva, a produção escravista, a da pequena agricultura, a pequeno-burguesa ou capitalista – não se altera o caráter deles como mercadorias, e como tais têm de passar pelo processo de troca e por todas as metamorfoses que ele implica. O capital mercantil supõe, como acontece com o dinheiro e o movimento do dinheiro, os extremos entre os quais medeia: basta que esses extremos existam como mercadorias, não importando que a produção seja em sua totalidade produção de mercadorias, ou que se lance ao mercado só o excedente sobre o consumo direto de produtores independentes. O capital mercantil apenas agencia o movimento desses extremos, as mercadorias que para ele são condições de existência.

O volume da produção que entra no comércio, passa pelas mãos dos comerciantes, depende do modo de produção e atinge o máximo com o pleno desenvolvimento da produção capitalista, onde o produto assume, com exclusividade, o caráter de mercadoria e não mais o de meio de subsistência imediato. Mas qualquer que seja o sistema econômico, o comércio incentiva o acréscimo de produção destinado a entrar na troca, para aumentar as fruições ou os tesouros dos produtores, ou melhor, dos proprietários da produção, subordinando-a, portanto, cada vez mais ao valor de troca.

A metamorfose das mercadorias, o movimento delas, consiste (1) materialmente, na troca das mercadorias umas pelas outras, (2) formalmente, na conversão da mercadoria em dinheiro, venda, e na conversão do dinheiro em mercadoria, compra. A função do capital mercantil se reduz assim à troca de mercadorias por meio de compra e venda. Limita-se, portanto, a propiciar a troca de mercadorias, que, entretanto, não deve ser *a priori* interpretada como troca efetuada entre os produtores diretos. Na escravatura, na servidão, na vassalagem (sociedades de tipo primitivo) é o senhor de escravos, o senhor feudal, o estado que recebe o tributo, os possuidores e, portanto, os vendedores do produto. O comerciante compra de muitos e vende para muitos. Em suas mãos concentram-se compras e vendas, que por isso deixam de estar ligadas à necessidade imediata do comprador enquanto comerciante.

Qualquer que seja a organização social das esferas de produção donde saem as mercadorias trocadas por intermédio dos comerciantes, o patrimônio destes existe sempre como haveres em dinheiro e seu dinheiro exerce sempre a função de capital. A forma desse capital é sempre D — M — D'; o ponto de partida é o dinheiro, a forma independente do valor de troca, e o objetivo autônomo é o aumento do valor de troca. A própria troca de mercadorias e as operações que a propiciam — separadas da produção e efetuadas por não produtores — são apenas meio de acrescer a riqueza, mas a riqueza em sua forma social geral, o valor de troca. O motivo e o fim determinantes é converter D em D + Δ D; os atos D — M e M — D', que possibilitam a operação D — D', constituem meros aspectos transitórios dessa transformação de D em D + Δ D. D — M — D', movimento característico do capital mercantil, distingue-o de M — D — M, que representa o comércio de mercadorias entre os próprios produtores, subordinado à troca do valor de uso como fim último.

Por isso, quanto menos desenvolvida a produção, tanto mais os haveres em dinheiro se concentram nas mãos dos comerciantes, tanto mais se patenteiam forma específica da fortuna mercantil. No modo capitalista de produção — isto é, depois que o capital se apoderou da própria produção e lhe imprimiu forma específica inteiramente nova —, o capital mercantil aparece apenas como capital destinado a uma função *particular*. Em todos os modos anteriores de produção, o capital mercantil se apresenta como a função por excelência do capital, e é tanto mais assim quanto mais a produção tem por objetivo o consumo imediato dos próprios produtores.

É fácil, portanto, de compreender por que o capital mercantil aparece como forma histórica do capital muito antes de o capital submeter a própria produção a seu domínio. Para desenvolver-se o modo capitalista de produção, é mister historicamente que o capital mercantil exista e atinja certo grau de desenvolvimento, (1) pois é condição prévia da concentração dos haveres monetários e (2) porque o modo capitalista de produção supõe produção para o comércio, venda em grande escala e não a freguês individual, logo, a comerciante que não compra para satisfazer necessidades pessoais, mas em sua compra concentra muitos atos de compra. Demais, todo desenvolvimento do capital mercantil atua no sentido de orientar a produção cada vez mais para o valor de troca, de transformar os produtos cada vez mais em mercadorias. Todavia, seu desenvolvimento, considerado de per si, não é, conforme veremos, suficiente para possibilitar e explicar a transição de um modo de produção para outro.

Na produção capitalista, o capital mercantil deixa a antiga existência soberana para ser um elemento particular do investimento de capital, e o nivelamento dos lucros reduz sua taxa de lucro à **média geral. Passa a funcionar como agente do capital produtivo**. As condições sociais **particulares** que se formaram com o desenvolvimento do capital mercantil deixam de ser determinantes; ao revés, onde ele ainda prevalece, reinam condições arcaicas. É o que se verifica até no mesmo país, onde, por exemplo, as cidades puramente mercantis estão próximas e as industriais se distanciam do passado.[10]

O desenvolvimento autônomo e preponderante do capital como capital mercantil significa que a produção não se subordina ao capital, que o capital portanto, se desenvolve na base de uma forma social de produção a ele estranha e dele independente. O desenvolvimento autônomo do capital mercantil está, portanto, na razão inversa do desenvolvimento econômico geral da sociedade.

A fortuna mercantil autônoma, como forma dominante do capital, é o processo de circulação que se torna autônomo perante seus extremos, e esses extremos são os próprios produtores que participam da troca. Esses extremos permanecem independentes do processo de circulação e vice-versa. O produto aí se torna mercadoria por meio do comércio. Aí é o comércio que leva os produtos a se transformarem em mercadorias; não é a mercadoria produzida que, movimentando-se, forma o comércio. Aí, o capital mesmo aparece, portanto, primacialmente no processo de circulação. É no processo de circulação que o dinheiro vira capital. É na circulação que o produto se torna valor de troca, mercadoria e dinheiro. O capital pode e tem de formar-se no processo de circulação, antes de aprender a dominar seus extremos, os diferentes ramos de produção, ligados pela circulação. A circulação de dinheiro e a de mercadorias podem servir de intermediários a ramos de produção com as mais diversas organizações, essencialmente dirigidas, por sua estrutura interna, para a produção de valor de uso. Essa autonomia do processo de circulação na qual um terceiro fator liga os ramos de produção tem duplo significado: primeiro, a circulação ainda não

---

10 W. Kiesselbach (*Der Gang des Welthandels im Mittelalter*, 1860) ainda continua a viver efetivamente num mundo onde o capital mercantil é a forma do capital. Não tem a menor ideia do que seja o conceito moderno de capital, do mesmo modo que Mommsen, quando em sua história romana fala de "capital" e de domínio do capital. Na história inglesa moderna, os comerciantes propriamente e as cidades mercantis se revelam reacionários, no domínio político, e ligados à aristocracia rural e à financeira contra o capital industrial. Basta comparar o papel político de Liverpool com o de Manchester e Birmingham. O capital mercantil inglês e a aristocracia financeira só reconheceram o domínio completo do capital industrial depois de abolida a proteção aduaneira aos cereais etc.

se apoderou da produção, que desempenha o papel de condição prévia da circulação; segundo, o processo de produção ainda não incorporou a circulação a si como simples fase dele. Ao revés, essas duas circunstâncias se verificam na produção capitalista: o processo de produção repousa por inteiro na circulação, e esta é mero elemento, fase transitória da produção, simples realização monetária do produto gerado como mercadoria, e reposição dos elementos de produção também gerados como mercadorias. A forma do capital oriunda diretamente da circulação – o capital mercantil – aparece então como uma das formas do capital em seu movimento de reprodução.

A lei segundo a qual o desenvolvimento do capital mercantil está na razão inversa do grau de desenvolvimento da produção capitalista patenteia-se melhor na história do tráfico praticado pelos venezianos, genoveses, holandeses etc. Obtinham o lucro principal não exportando os produtos do respectivo país, mas servindo de intermediários na troca dos produtos de comunidades menos desenvolvidas no plano comercial ou mesmo econômico e explorando os dois países produtores.[11] O capital mercantil aparece aí puro, separado dos extremos, os ramos de produção que enlaça. Temos aí uma das principais fontes de sua formação. Mas ao decair o monopólio do tráfico, decai o próprio tráfico na proporção em que progride a economia dos povos, que explorava como intermediário e cujo subdesenvolvimento era a base de sua existência. Essa transformação significa mais que a decadência de um tipo determinado de comércio; marca o fim da preponderância dos povos puramente comerciais e de sua riqueza mercantil, nele baseada. Temos aí apenas uma forma particular em que a subordinação do capital comercial ao industrial transparece no curso do desenvolvimento da produção capitalista. De mais a mais, a economia colonial em geral (o chamado sistema colonial) e em particular a economia da antiga Companhia Holandesa das Índias Orientais ilustram de maneira contundente como o capital mercantil administra onde domina diretamente a produção.

---

11 "Os habitantes das cidades mercantis importavam de países mais ricos manufaturas refinadas e artigos de luxo caros, destinados a satisfazer a vaidade dos grandes proprietários de terras, que avidamente compravam essas mercadorias, pagando-as com grandes quantidades de produtos primários de suas terras. Assim, naquele tempo, o comércio de grande parte da Europa consistia na troca dos produtos primários de um país por manufaturas de outro país, mais adiantado industrialmente... Logo que o gosto por elas se generaliza e ocasiona procura importante, começam os comerciantes, para evitar os custos de transporte, a estabelecer manufaturas semelhantes no respectivo país" (A. Smith, [*Wealth of Nations*, Aberdeen, Londres, 1848] livro III, capítulo III [p. 267]).

OBSERVAÇÕES HISTÓRICAS SOBRE O CAPITAL MERCANTIL

O movimento do capital mercantil é D – M – D'. Por isso, o lucro do comerciante provém, primeiro, de atos que ocorrem no processo de circulação, os atos de comprar e de vender, e, segundo, realiza-se no último ato, o de venda. É, portanto, lucro de venda, *profit upon alienation*. É evidente que o lucro comercial puro, independente, não pode aparecer quando os produtos se vendem por seus valores. Comprar barato para vender caro é a lei do comércio. Não se trata, portanto, de trocar equivalentes. O conceito de valor está aí implícito, na medida em que as diferentes mercadorias representam todas valor e, por conseguinte, dinheiro; qualitativamente são todas elas por igual expressões do trabalho social. Mas não são valor da mesma magnitude. No início, é inteiramente fortuita, casual, a relação quantitativa em que os produtos se trocam. Assumem a forma de mercadoria, na medida em que são permutáveis, isto é, expressões do terceiro termo que as torna homogêneas. A troca continuada e a reprodução mais regular para troca elimina cada vez mais essa casualidade: no começo, porém, não para os produtores e consumidores, e sim para o intermediário entre ambos, o comerciante, que compara os preços em dinheiro e embolsa a diferença. Com as próprias operações estabelece ele a equivalência.

Nos primórdios, o capital mercantil é movimento mediador entre extremos que não domina e pressupostos que não cria.

Da mera forma da circulação das mercadorias, M – D – M, surge dinheiro não só como medida do valor e meio de circulação, mas também como forma absoluta da mercadoria e, por conseguinte, da riqueza, como tesouro, e a imobilização e acréscimo como dinheiro tornam-se um fim em si mesmo. Analogamente, da simples forma de circulação do capital mercantil, D – M – D', surge o dinheiro, o tesouro, como algo que se conserva e aumenta por meio de mera alienação.

Os povos comerciantes da Antiguidade existiam como os deuses de Epicuro que habitavam nos intermúndios do universo, ou melhor, como os judeus que vivem nos poros da sociedade polonesa. As primeiras cidades e os primeiros povos mercantis independentes e grandemente desenvolvidos exerciam comércio apoiado, como puro tráfico, na barbárie dos povos produtores, entre os quais desempenhavam o papel de intermediários.

Nos primórdios da sociedade capitalista, o comércio domina a indústria; na sociedade moderna, dá-se o inverso. O comércio naturalmente influi mais ou menos sobre as comunidades entre as quais é exercido; submete a produção cada vez mais ao valor de troca ao fazer as fruições e a subsistência dependerem mais da venda que da produção de consumo direto. Assim, desagrega as antigas relações sociais. Aumenta a circulação de dinheiro. Não se limita mais a lançar mão do excedente, mas passa pouco a pouco a apoderar-se da própria produção, e submete a seu domínio ramos inteiros da produção. Essa ação dissolvente, entretanto, depende muito da natureza da comunidade produtora.

Quando o capital mercantil agencia a troca de produtos de comunidades pouco desenvolvidas, o logro e a trapaça aparecem no lucro comercial, que deles deriva em grande parte. Há aí aspectos a considerar além da circunstância de o capital mercantil explorar a diferença entre os preços de produção dos diferentes países (e então atuar nivelando e determinando os valores das mercadorias). Aqueles modos de produção possibilitam ao capital mercantil apropriar-se de parte preponderante do produto excedente: seja porque esse capital se interpõe entre comunidades com produção essencialmente orientada para o valor de uso e com organização econômica para a qual é de importância secundária a venda da parte do produto destinada à circulação em geral, portanto, a venda dos produtos pelo respectivo valor; ou seja porque, naqueles antigos modos de produção, os possuidores principais do produto excedente com os quais lida o comerciante, o proprietário de escravos, o senhor feudal, o Estado (por exemplo, o déspota oriental) representam a riqueza a fruir, exposta às armadilhas do comerciante, conforme já percebia acertadamente A. Smith na passagem citada, relativa à época feudal. O capital mercantil, quando domina, estabelece por toda parte um sistema de pilhagem,[12] e seu desenvolvimento entre

---

12 "Os comerciantes se derramam agora em queixas contra os cavaleiros ou ladrões e apontam os graves perigos que têm de enfrentar no comércio, sendo presos, espancados, extorquidos, roubados. Seriam verdadeiros santos se sofressem tudo isso por amor à justiça... Se no mundo inteiro os comerciantes praticam tão grandes injustiças, logros e ladroeiras nada cristãos, mesmo entre si, por que nos admirarmos se Deus faz que esses grandes haveres injustamente ganhos se percam, sejam roubados, e que os próprios comerciantes sejam golpeados na cabeça ou presos?... E os príncipes devem com energia adequada punir e evitar que os súditos sejam tão vergonhosamente esfolados pelos comerciantes. Mas eles se omitem: Deus então faz dos cavaleiros e dos salteadores demônios para punir as injustiças dos comerciantes, do mesmo modo que, no Egito, atormentou com demônios ou arruinou com inimigos a terra e o povo. Castiga um patife com outro e não precisa dar a entender que salteadores são menos ladrões que os comerciantes, pois estes roubam o mundo inteiro todos os dias, enquanto aqueles uma ou duas vezes por ano despojam uma ou duas pessoas." – "Atentai para o que diz Isaías: Teus príncipes se associaram aos ladrões. É o que fazem quando mandam enforcar os que furtam um florim ou metade e traficam com os que roubam o mundo todo e com mais segurança que os demais ladrões, confirmando-se a verdade do provérbio: os grandes ladrões enforcam os pequenos ladrões. Ou, como dizia Catão, senador romano: os ladrões de pouco jazem acorrentados nas masmorras, mas

OBSERVAÇÕES HISTÓRICAS SOBRE O CAPITAL MERCANTIL

os povos comerciais, dos tempos antigos e dos modernos, está diretamente ligado à rapina, à pirataria, ao rapto de escravos, à subjugação de colônias; assim foi em Cartago, Roma e, mais tarde, com os venezianos, portugueses, holandeses etc.

O desenvolvimento do comércio e do capital mercantil leva a produção por toda a parte a orientar-se pelo valor de troca, aumenta o volume dela, diversifica-a e dá-lhe caráter internacional, e faz o dinheiro converter-se em dinheiro universal. O comércio por isso exerce sempre ação mais ou menos dissolvente sobre as organizações anteriores da produção, as quais em todas as suas diversas formas se guiam essencialmente pelo valor de uso. Até onde vai essa ação dissolvente depende, antes de mais nada, da solidez e da estrutura interna do antigo modo de produção. E o que resultará desse processo de dissolução, isto é, qual será o novo modo de produção que substituirá o antigo, depende não do comércio, mas do caráter do próprio modo antigo de produção. No mundo antigo, a atuação do comércio e o desenvolvimento do capital mercantil resultavam sempre em economia escravista, ou, de acordo com o ponto de partida, ocasionavam apenas a transformação de um sistema escravista patriarcal, baseado na produção de meios de subsistência imediatos, num sistema voltado para a produção de mais-valia. No mundo moderno, ao contrário, levam ao modo capitalista de produção. Infere-se daí que outras circunstâncias, além do desenvolvimento do capital mercantil, determinaram esses resultados.

Está na natureza das coisas que, ao separar-se da agrícola a indústria urbana, os produtos desta são de saída mercadorias, que, para serem vendidas, precisam da intervenção do comércio. É evidente que o comércio se apoia no desenvolvimento urbano e que este reciprocamente é condicionado pelo comércio. Entretanto, até que ponto surge aí um desenvolvimento industrial paralelo depende de outras circunstâncias bem diversas. Na Roma antiga, já nos fins do período republicano, o capital mercantil chegou a nível que nunca atingira antes no mundo antigo, sem que houvesse progresso industrial. Já em Corinto e noutras cidades gregas da Europa e da Ásia Menor, grande progresso em atividades industriais acompanha o desenvolvimento do comércio. Por outro lado, o espírito comercial e

---

os ladrões públicos ostentam ouro e seda. Mas qual será a palavra final de Deus? Ele **fará o que falou** pela boca de Ezequiel: fundirá, como chumbo e cobre, príncipes e ladrões, **ladrões com ladrões, num** incêndio capaz de consumir uma cidade inteira e que extinguirá **todos os príncipes e comerciantes**" (Martinho Lutero, *Bücher vom Kaufhandel und Wucher*, 1527).

o desenvolvimento do capital mercantil aparecem em povos nômades, contrariando o pressuposto do desenvolvimento urbano com as condições correspondentes.

As descobertas geográficas, por certo, provocaram grandes revoluções no comércio e maior velocidade no desenvolvimento do capital mercantil, e essas transformações constituíram fator fundamental de aceleração da passagem do modo feudal de produção para o capitalista. Mas justamente esse fato levou a concepções de todo errôneas. A expansão súbita do mercado mundial, a multiplicação das mercadorias em circulação, a luta entre as nações europeias para se apoderarem dos produtos asiáticos e dos tesouros americanos, o sistema colonial, contribuíram substancialmente para derrubar as barreiras feudais da produção. Entretanto, o moderno modo de produção, em seu primeiro período, o manufatureiro, só se desenvolveu onde se tinham gerado as condições apropriadas no curso da Idade Média. Comparemos, por exemplo, Holanda e Portugal.[13] E se no século XVI e em parte ainda no século XVII, a extensão súbita do comércio e a criação de novo mercado mundial exerceram influência preponderante na decadência do antigo modo de produção e na ascensão do modo capitalista, isto se deu, entretanto, na base do modo capitalista de produção já existente. Este, na verdade, se apoia sobre o próprio mercado mundial. Mas a necessidade imanente ao capitalismo de produzir em escala cada vez maior, leva à expansão contínua do mercado mundial, de modo que não é o comércio que revoluciona constantemente a indústria, mas o contrário. E o domínio comercial é agora função da predominância maior ou menor das condições da indústria moderna. Comparemos, por exemplo, Inglaterra e Holanda. A história do declínio da Holanda como nação comercial dominante é a história da subordinação do capital mercantil ao capital industrial. Os obstáculos que a solidez interna e a estrutura de modos de produção pré-capitalistas nacionais opõem à ação dissolvente do comércio se revelam de maneira contundente nas relações dos ingleses com a Índia e a China.

---

13 Escritores do século XVIII já expuseram a importância decisiva que teve no desenvolvimento holandês, além de outras circunstâncias, a base constituída pela pesca, pela manufatura e agricultura. Ver, por exemplo, Massie. – "A velha concepção que subestimava o volume e a importância do comércio asiático, antigo e medieval, foi substituída pela moda de superestimá-los. Para curar esse exagero, o melhor é comparar as exportações e importações inglesas do começo do século XVIII com as atuais. Elas eram, entretanto, incomparavelmente maiores que as de qualquer povo mercantil de épocas anteriores" (Ver Anderson, *History of Commerce*, [p. 261ss]).

OBSERVAÇÕES HISTÓRICAS SOBRE O CAPITAL MERCANTIL

Nesta, o modo de produção tem por base a unidade da pequena agricultura com a indústria doméstica, e a esse tipo de estrutura, na Índia, acresce a forma das comunidades rurais baseadas na propriedade comum do solo, forma que vigorava primitivamente na China. Na Índia, os ingleses como dominadores e proprietários de terras empregaram conjuntamente a força política direta e o poder econômico para desagregar essas pequenas comunidades econômicas.[14] O comércio inglês só atua aí revolucionariamente na medida em que destrói, com os preços baixos de suas mercadorias, a fiação e a tecelagem, elementos antiquíssimos dessa unidade da produção industrial e agrícola, e assim lacera as comunidades. Mas essa obra desagregadora só se efetiva muito lentamente, e mais lentamente ainda na China, onde os ingleses não dispõem do poder político direto. A grande economia e o ganho de tempo resultantes da conexão imediata entre agricultura e manufatura oferecem a mais tenaz resistência aos produtos da indústria moderna, com preços onde entram os custos necessários mas improdutivos do processo de circulação que a traspassa por todas as partes. Ao contrário do comércio inglês, o russo deixa intata a base econômica da produção asiática.[15]

A transição que se opera a partir do modo feudal de produção apresenta dois aspectos. O produtor se torna comerciante e capitalista, em oposição à economia natural agrícola e ao artesanato corporativo da indústria urbana medieval. Este é o caminho realmente revolucionário. Ou então o comerciante se apodera diretamente da produção. Este último caminho, embora constitua uma fase de transição histórica, de per si não consegue revolucionar o velho modo de produção, que conserva e mantém como condição fundamental. É o que sucedeu, por exemplo, com o comerciante inglês de panos do século XVII: colocou sob seu controle os tecelões, embora estes fossem independentes, vendendo-lhes lã e comprando-lhes pano. Até a metade deste século, os fabricantes da indústria francesa de seda, da inglesa de malhas e de rendas eram fabricantes apenas nominalmente, de fato meros comerciantes, que faziam os tecelões trabalharem dispersos, à maneira

---

14 Dificilmente a história de um povo apresentará experimentos econômicos tão desacertados e realmente estúpidos (na prática infames) como os da administração inglesa na Índia. Em Bengala criou ela uma caricatura da grande propriedade fundiária inglesa; no Sudoeste indiano, uma caricatura da pequena propriedade agrícola; no Noroeste fez tudo por transformar a comunidade econômica indiana apoiada sobre a propriedade comum do solo em caricatura dela mesma.

15 Com os imensos esforços feitos pela Rússia para desenvolver produção capitalista própria, destinada ao mercado interno e ao mercado asiático limítrofe, as coisas começaram a mudar. — F.E.

antiga, e só os controlavam como comerciantes para os quais eles realmente trabalhavam.[16] Esse sistema por toda parte estorva o verdadeiro modo capitalista de produção e perece ao desenvolver-se este. Sem revolucionar o modo de produção, apenas agrava a situação dos produtores imediatos, transforma-os em meros assalariados e proletários em piores condições que as experimentadas pelos diretamente submetidos ao capital, e apropria-se do trabalho excedente na base do antigo modo de produção. A mesma coisa, algo modificada, se encontra em parte da fabricação de móveis, em nível de artesanato, em Londres, amplamente explorada sobretudo nos bairros orientais. A produção é dividida em muitos ramos independentes entre si. Um ramo se especializa em cadeiras, o outro em mesas, o terceiro em armários etc. Mas esses ramos funcionam mais ou menos como artesanatos, tendo por base um mestre com poucos oficiais. Não obstante, o volume de produção é demasiado para servir diretamente a fregueses individuais. Os compradores são os donos das lojas de móveis. Aos sábados o mestre procura o lojista e vende-lhe o produto, quando se regateia o preço, como acontece na casa de penhor, com o montante a emprestar sobre cada objeto. Os mestres precisam dessa venda semanal, sem o que não poderão na semana seguinte comprar matérias-primas necessárias nem pagar os salários. Nessas circunstâncias, não passam de intermediários entre seus trabalhadores e o comerciante. Este é o verdadeiro capitalista, embolsando a maior parte da mais-valia.[17] Algo semelhante se passa na transição, para manufatura, de ramos antes explorados como artesanato ou ramos acessórios da indústria rural. De acordo com o desenvolvimento técnico revelado por essa pequena exploração autônoma – quando já emprega máquinas que permitem exploração em escala de artesanato – há também transição para a indústria moderna; a máquina não é mais impulsionada pela mão e sim pelo vapor, como acontece ultimamente nas empresas britânicas de meias.

A transição, portanto, triplica-se: *primeiro*, o comerciante se torna diretamente industrial; é o que se dá com atividades baseadas no comércio, sobretudo com as indústrias de luxo, que os comerciantes importam do exterior juntamente com as matérias-primas e os trabalhadores, como suce-

---

16 O mesmo se estende à fabricação de fitas e galões e à tecelagem de seda da Renânia. Em Krefeld construiu-se até uma ferrovia especial para os tecelões-à-mão do interior poderem manter contato com os "fabricantes" citadinos, mas depois a tecelagem mecânica paralisou esses tecelões e a ferrovia. — F.E.
17 Esse sistema desenvolveu-se com amplitude bem maior, a partir de 1865. Pormenores a respeito no *First Report of the Select Committee of the House of Lords on the Sweating System*, Londres, 1888. — F.E.

deu no século XV, na Itália, que foi buscá-las em Constantinopla. *Segundo*, o comerciante torna os mestres artesãos seus intermediários ou compra diretamente do produtor autônomo; deixa-o nominalmente independente e intato o modo de produção dele. *Terceiro*, o industrial se torna comerciante e produz em grosso diretamente para o comércio.

Conforme diz acertadamente Poppe, o comerciante na Idade Média se limita a "distribuir" as mercadorias conforme são produzidas pelos membros das corporações e pelos camponeses. O comerciante tornar-se-á industrial ou, pelo contrário, fará trabalhar para ele a indústria do artesanato ou a pequena indústria rural. O produtor, por sua vez, se torna comerciante. O mestre tecelão, por exemplo, em vez de receber a lã em pequenas porções do comerciante e trabalhar para ele com seus oficiais, passa a comprar diretamente a lã ou o fio e a vender o pano ao comerciante. Os elementos de produção entram no processo de produção como mercadorias compradas pelo próprio produtor. E em vez de produzir para o comerciante individual, ou para determinados fregueses, o tecelão produz agora para o mundo do comércio. O produtor é ao mesmo tempo comerciante. O capital mercantil fica limitado a efetuar o processo de circulação. Na origem, o comércio era condição primordial para se transformarem em empreendimentos capitalistas os ofícios corporativos, a indústria doméstica rural e a agricultura feudal. Transforma o produto em mercadoria, criando-lhe mercado, introduzindo novos equivalentes-mercadorias, novas matérias-primas e auxiliares para a produção. E assim instaura ramos de produção, de saída baseados no comércio, destinados a produzir para o mercado interno e o externo, ou dependentes de condições de produção oriundas do mercado mundial. Logo que a manufatura atinge certo nível de desenvolvimento – o que é mais válido ainda para a indústria moderna – cria ela para si o mercado, conquista-o com suas mercadorias. O comércio se torna então servidor da produção industrial, para a qual é condição de vida a expansão contínua do mercado. Produção em massa cada vez maior inunda o mercado existente e por isso se empenha sempre em expandi-lo, em romper seus limites. O que limita a produção em massa não é o comércio (enquanto exerce apenas a função de expressar procura existente), mas a magnitude do capital em funcionamento e a produtividade atingida pelo trabalho. O capitalista industrial tem de estar sempre atento ao mercado mundial, compara e tem continuamente de comparar os próprios preços de custo com os preços de mercado de seu país e do mercado mundial. Antes, essa comparação cabia quase exclusivamente aos comerciantes, o que assegurava ao capital mercantil o domínio sobre o industrial.

As primeiras análises do moderno modo de produção – feitas pelo mercantilismo – partiram necessariamente dos fenômenos superficiais do processo de circulação tais como se patenteiam de maneira autônoma no movimento do capital mercantil, e daí só terem apreendido a aparência. A razão disso está em que o capital mercantil, além de ser o primeiro modo livre de existência do capital em geral, exerceu influência preponderante na fase que iniciou a transformação da produção feudal e deu origem à produção moderna. A ciência real da economia moderna só começa quando a análise teórica se desloca do processo de circulação para o de produção. Por certo, o capital a juros é também forma arcaica do capital. Mais adiante veremos por que o mercantilismo não partiu dele, mas antes o encarou de maneira polêmica.

QUINTA SEÇÃO
DIVISÃO DO LUCRO
EM JURO E LUCRO
DE EMPRESÁRIO.
O CAPITAL PRODUTOR
DE JUROS

XXI.
O capital produtor de juros

XXI.
O capital produtor de juros

Na primeira análise da taxa de lucro geral ou média (Segunda Seção deste livro) não a configuramos de maneira completa e acabada, pois o nivelamento se restringia aos capitais industriais empregados nos diferentes ramos. Só concluímos esta análise na Quarta Seção, onde estudamos a participação do capital mercantil nesse nivelamento e também o lucro mercantil. Agora estão mais precisamente delimitados que antes a taxa geral de lucro e o lucro médio. Não se deve perder de vista que, ao falar daqui por diante da taxa geral de lucro ou do lucro médio, só os consideraremos no último sentido, tomando por referência apenas a taxa média em sua forma acabada. Uma vez que esta é a mesma para o capital industrial e para o mercantil, não é mais necessário, ao tratar-se doravante apenas do lucro médio, fazer distinção entre lucro industrial e lucro comercial. Seja o capital empregado sob forma industrial na esfera da produção ou sob forma mercantil na da circulação, conseguirá ele o mesmo lucro anual médio, na proporção do respectivo montante.

Dinheiro – considerado aqui expressão autônoma de certa soma de valor, exista ela em dinheiro ou em mercadorias – pode na produção capitalista transformar-se em capital, quando esse valor determinado se transforma em valor que acresce, que se expande. É dinheiro produzindo lucro, isto é, capacitando o capitalista a extrair dos trabalhadores determinada quantidade de trabalho não pago – produto excedente e mais-valia – e dela apropriar-se. Por isso, além do valor de uso que possui como dinheiro, passa a ter outro valor de uso, isto é, o de funcionar como capital. Seu valor de uso consiste agora justamente no lucro que produz, uma vez transformado em capital. Nessa qualidade de capital potencial, de meio de produzir lucro, torna-se mercadoria, mas mercadoria de gênero peculiar. Vale dizer – o capital como capital se torna mercadoria.[18]

Imaginemos que a taxa média anual de lucro seja de 20%. Então, máquina no valor de 100 libras esterlinas, nas condições médias e com aplicação média de inteligência e de atividade útil, aplicada como capital, proporcionaria lucro de 20 libras esterlinas. Assim, uma pessoa que dispõe de 100 libras esterlinas pode transformá-las em 120, ou produzir um lucro de 20 libras esterlinas. Tem nas mãos um capital potencial de 100 libras

---

18 Caberia citar aqui passagens onde ressalta que os economistas assim veem a coisa. – "Fazem vocês" (o banco da Inglaterra) "negócios muito grandes com a *mercadoria capital*?" Pergunta-se a um diretor do banco num inquérito parlamentar, conforme *Report on Bank Acts*, H. of C., [p. 104].

esterlinas. Se transfere por um ano as 100 libras esterlinas a outra pessoa que as aplica realmente como capital, dá a ela o poder de produzir 20 libras esterlinas de lucro, mais-valia que nada custa ao cessionário que por ela não pagará equivalente. Se no fim do ano pagar ao dono das 100 libras esterlinas 5, por exemplo, isto é, parte do lucro produzido, terá pago o valor de uso das 100 libras esterlinas, o valor de uso de sua função de capital, a função de produzir 20 libras esterlinas de lucro. A parte do lucro paga ao cedente chama-se de juro, que nada mais é que nome, designação especial da parte do lucro, a qual o capitalista em ação, em vez de embolsar, entrega ao dono do capital.

É claro que as 100 libras esterlinas conferem ao respectivo proprietário o poder de apropriar-se do juro, parte do lucro produzido pelo capital dele. Se não houvesse a cessão das 100 libras esterlinas, o outro não poderia produzir o lucro nem funcionar como capitalista com respeito a essa quantia.[19]

É mero disparate falar aí de equidade natural, como o faz Gilbart (*Report on Bank Acts*, H. of C., (p. 104). A equidade das transações efetuadas entre os agentes da produção repousa na circunstância de decorrerem elas naturalmente das relações de produção. As formas jurídicas em que essas transações econômicas aparecem – atos de vontades das partes, expressões de sua vontade comum, contratos com força de lei entre as partes – não podem, como puras formas, determinar o próprio conteúdo. Limitam-se a dar-lhe expressão. Esse conteúdo é justo quando corresponde, é adequado ao modo de produção. Injusto quando o contraria. No sistema capitalista, a escravatura é injusta, do mesmo modo que a fraude na qualidade da mercadoria.

As 100 libras esterlinas produzem lucro de 20 por funcionarem como capital, seja industrial ou mercantil. Mas para exercerem essa função de capital, é indispensável que sejam desembolsadas como capital, empregando-se o dinheiro na compra de meios de produção (no caso do capital industrial) ou na de mercadoria (no caso do capital mercantil). Mas para serem desembolsadas, é necessário que existam. Se A, o proprietário das 100 libras esterlinas, gastá-las em consumo pessoal ou guardá-las como tesouro, não poderão elas ser desembolsadas por D, o capitalista-empresário. D em-

---

19 "É um princípio da equidade natural que, quem toma dinheiro emprestado com a intenção de fazer lucro, deve dar ao mutuante parte do lucro" (Gilbart, *The History and Principles of Banking*, Londres, 1834, p. 163).

prega não o seu capital, e sim o de A; mas ele não pode aplicar o capital de A sem que este consinta. Na realidade, é A quem originalmente desembolsa as 100 libras esterlinas como capital, embora sua função toda de capitalista se reduza a esse desembolso das 100 libras como capital. No tocante a essas 100 libras esterlinas, D só exerce a função de capitalista, porque A lhas cede, desembolsando-as por isso como capital.

Observemos de início a circulação peculiar do capital produtor de juros. Em seguida examinaremos a maneira peculiar por que é vendido como mercadoria, isto é, emprestado em vez de cedido de uma vez por todas. O ponto de partida é o dinheiro que A adianta a B, o que pode ocorrer com penhor ou sem ele; a primeira forma, entretanto, é a mais antiga, excetuados os adiantamentos garantidos por mercadorias ou títulos como letras de câmbio, ações etc. Poremos de lado essas formas especiais, para tratar do capital produtor de juros em sua forma ordinária.

Nas mãos de B, o dinheiro converte-se realmente em capital, leva a cabo o movimento D – M – D' e volta a A sob a forma de D', isto é, como D + Δ D, representando Δ D o juro. Para simplificar, abstrairemos do caso em que o capital fica por longo tempo nas mãos de B, e os juros são pagos periodicamente. O movimento é, portanto:

$$D - D - M - D' - D'$$

O que aparece aqui duplicado é, primeiro, desembolso do dinheiro como capital e, segundo, seu retorno como capital realizado, como D' ou D + Δ D.

No movimento do capital mercantil D – M – D', a mesma mercadoria muda de mãos duas vezes ou, se há venda entre comerciantes, várias vezes; mas cada uma dessas mudanças da mesma mercadoria indica uma metamorfose, compra ou venda da mercadoria, por mais que se repita esse processo até que ela caia definitivamente no domínio do consumo.

Ao revés, em M – D – M o dinheiro muda de posição duas vezes, mas indica a metamorfose completa da mercadoria, que primeiro se converte em dinheiro que se reconverte depois noutra mercadoria.

Mas para o capital produtor de juros, a primeira mudança de posição de D não constitui elemento da metamorfose da mercadoria nem da reprodução do capital. Isto só se verifica no segundo desembolso, feito pelo capitalista empresário, que comercia com D ou converte-o em capital produtivo. A primeira mudança de D expressa apenas que A o transferiu ou cedeu a B; transferência que costuma ocorrer de conformidade com certas formas e condições jurídicas.

A esse duplo desembolso do dinheiro como capital – constituindo o primeiro mera transferência de A para B – corresponde duplo retorno. Em D' ou D + Δ D, esse dinheiro reflui da circulação para o capitalista empresário B. Este transfere-o então para A, mas acrescido de fração do lucro, como capital realizado, como D + Δ D, não sendo Δ D igual ao lucro todo, e sim a parte do lucro, o juro. Retorna a B por tê-lo desembolsado como capital em função, mas como propriedade de A. Para que o retorno se complete, tem B, por sua vez, de transferi-lo para A. Mas, além do capital, dispõe B do lucro obtido com esse capital e tem de fornecer a fração dele denominada juro a A, pois este só lhe cedeu o dinheiro como capital, isto é, como valor que se conserva no movimento e ainda gera mais-valia para seu proprietário. Só permanece nas mãos de B enquanto exerce a função de capital. E com sua volta no prazo previsto cessa de ser capital operante. Deixando de funcionar, tem de retornar ainda às mãos de A, que não cessou de ser o proprietário jurídico.

A forma empréstimo – peculiar dessa mercadoria, o capital na condição de mercadoria –, embora apareça noutras transações substituindo a forma venda, já resulta da particularidade de o capital patentear-se aí mercadoria ou de o dinheiro como capital tornar-se mercadoria.

É mister agora fazer distinções.

Vimos (Livro 2, Capítulo I) e convém de passagem relembrar que o capital funciona no processo de circulação como capital-mercadoria e capital-dinheiro. Mas, em ambas as formas, o capital na qualidade de capital não se converte em mercadoria.

Logo que o capital produtivo se transforma em capital-mercadoria, tem de ser lançado no mercado, de ser vendido como mercadoria. Então exerce simplesmente a função de mercadoria. O capitalista aí se revela apenas vendedor de mercadoria, e o comprador, comprador de mercadoria. Como mercadoria, o produto no processo de circulação tem de realizar o valor por meio da venda, de assumir a forma transmutada de dinheiro. Por isso, não importa que essa mercadoria seja meio de subsistência, comprado pelo consumidor, ou meio de produção, componente de capital, comprado pelo capitalista. Por isso, no ato de circulação, o capital-mercadoria só desempenha o papel de mercadoria e não o de capital. É *capital*-mercadoria, distinguindo-se da simples mercadoria, (1) porque já está prenhe de mais-valia, implicando a realização do valor a da mais-valia, o que, entretanto, em nada altera a mera existência que tem de mercadoria, de produto com preço definido; (2) porque sua função de mercadoria constitui fase do processo de reprodução como capital, e seu movimento nessa fase, sendo apenas movimento parcial do processo todo por que passa, é ao mesmo tempo movimento como capital; e isto se dá não em virtude da própria venda, e sim da conexão que existe entre ela e o movimento total dessa determinada soma de valor que desempenha o papel de capital.

Do mesmo modo, na condição de capital-dinheiro, o capital aí só exerce realmente a função de dinheiro, isto é, de meio de compra de mercadorias (os elementos de produção). A circunstância de o dinheiro ser aí ao mesmo tempo capital-dinheiro, forma do capital, não decorre do ato de compra, da verdadeira função de dinheiro que aí exerce, e sim da conexão desse ato com o movimento total do capital, pois esse ato que perfaz na qualidade de dinheiro inicia o processo capitalista de produção.

Mas quando estão realmente funcionando, desempenhando seu papel nesse processo, capital-mercadoria e capital-dinheiro exercem aí, respectivamente, o ofício de mercadoria e o de dinheiro. Em nenhuma fase isoladamente considerada da metamorfose vende o capitalista a mercadoria ao comprador como *capital*, embora ela configure para ele capital, ou cede dinheiro ao vendedor como capital. Nos dois casos, a mercadoria cedida não passa de mercadoria e o dinheiro não passa de dinheiro, de meio de compra de mercadoria.

Só no encadeamento do processo total, no momento em que o ponto de partida se revela o de retorno, em D – D' ou M' – M', surge o capital no processo de circulação como capital (enquanto no processo de produção surge como capital em virtude de o trabalhador subordinar-se ao capitalista, para este produzindo a mais-valia). No momento de retorno, porém, desaparece a mediação. O que existe então é D' ou D + Δ D (exista a soma de valor aumentada de Δ D, na forma de dinheiro ou de mercadoria ou de elementos de produção), montante de dinheiro igual à quantia originalmente adiantada acrescida de excedente, a mais-valia realizada. E o capital, justamente nesse ponto de retorno em que existe como capital realizado ou como valor que se acresceu – enquanto haja aí pausa imaginária ou real – nunca entra na circulação, mas patenteia-se retirado da circulação, resultado do processo em sua totalidade. Ao ser outra vez desembolsado, o que se cede a terceiro nunca é capital, e sim mera mercadoria que se vende ou mero dinheiro que se dá por mercadoria. Em seu processo de circulação, o capital nunca é *capital*, e sim mercadoria ou dinheiro, e apenas assim existe então para os *outros*. Mercadoria e dinheiro são aí capital, não quando a mercadoria se converte em dinheiro e o dinheiro em mercadoria, não em suas relações reais com o comprador ou vendedor, e sim em suas relações ideais com o próprio capitalista (aspecto subjetivo) ou como fases do processo de reprodução (aspecto objetivo). No movimento real, o capital é capital não no processo de circulação, mas no processo de produção, o da exploração da força de trabalho.

A coisa é diferente com o capital produtor de juros, que justamente marca seu caráter específico. O dono do dinheiro, para valorizar seu dinheiro como capital, cede-o a terceiro, lança-o na circulação, faz dele a mercadoria *capital*; capital não só para si, mas também para os outros; é capital para quem o cede e *a priori* para o cessionário, é valor que possui o valor de uso de obter mais-valia, lucro; valor que se conserva no processo e volta, concluído seu papel, para quem o desembolsou primeiro, no caso, o proprietário do dinheiro. O dinheiro, portanto, se afasta do dono por algum tempo, passando de suas mãos para as do capitalista ativo; não é dado em pagamento nem vendido, mas apenas emprestado; só cedido sob a condição de voltar, após determinado prazo, ao ponto de partida, e ainda de retornar como capital realizado, positivando seu valor de uso de produzir mais-valia.

Mercadoria, quando emprestada como capital, é cedida, segundo a natureza dela, como capital fixo ou circulante. O dinheiro pode ser emprestado nas duas formas; como capital fixo quando, por exemplo, é reembolsado na forma de anuidades, de modo que com o juro reflui sempre parcela do capital. Certas mercadorias pela natureza do valor de uso só podem ser emprestadas como capital fixo; é o caso, por exemplo, de imóveis, navios, máquinas etc. Mas todo capital emprestado, qualquer que seja a forma dele, como quer que a natureza do valor de uso modifique o modo de devolução, é sempre forma particular do capital-dinheiro, pois o que se empresta então é sempre determinada soma de dinheiro sobre a qual se calculam os juros. O que se empresta, se não for dinheiro nem capital circulante, será reembolsado da mesma maneira que capital fixo. O locador recebe periodicamente juros e ainda parte do valor consumido do próprio capital fixo, equivalente ao desgaste periódico. E ao final do prazo retorna fisicamente a parte não consumida do capital fixo emprestado. Se o capital emprestado é circulante, retorna ele ao locador da maneira própria ao capital circulante.

A *maneira* de retorno é determinada, portanto, em cada caso pelo ciclo real do capital que se reproduz e das suas variedades particulares. Mas para o capital adiantado, o retorno toma a *forma* de reembolso, pois o adiantamento, a cessão dele, tem a forma de empréstimo.

Neste capítulo tratamos do capital-dinheiro propriamente dito, donde derivam as outras formas de capital emprestado.

O capital emprestado efetua duplo retorno: no processo de reprodução volta ao capitalista ativo e em seguida transfere-se ao prestamista, o capitalista financeiro, e assim é devolvido ao verdadeiro proprietário, o ponto de partida jurídico.

No processo real de circulação, o capital se revela apenas mercadoria ou dinheiro, e uma série de compras e vendas constitui seu movimento. Em suma, o processo de circulação se reduz à metamorfose da mercadoria. A coisa é diferente quando consideramos a totalidade do processo de reprodução. Se o ponto de partida é o dinheiro (e nada se alteraria se fosse a mercadoria, pois partiríamos de seu valor, considerando-a, portanto, monetariamente), desembolsaremos uma soma de dinheiro que retornará com acréscimo após determinado período. Essa quantia adiantada é reposta e retorna acrescida de mais-valia. Conservou-se e aumentou depois de percorrer certo ciclo. Temos o dinheiro que se empresta como capital no empréstimo dessa quantia de dinheiro que se conserva e acresce e que depois de certo período retorna aumentada e pode sempre renovar o mesmo processo. Não é desembolsado como dinheiro nem como mercadoria, não havendo, portanto, troca de mercadoria, se é dinheiro que se adianta, nem venda por dinheiro, se é mercadoria que se adianta. Trata-se agora de adiantamento de capital. A relação do capital consigo mesmo, na qual se representa – quando consideramos o processo capitalista de produção em sua totalidade e unidade – e na qual é dinheiro que gera dinheiro, a ele passa a incorporar-se agora pura e simplesmente, sem o movimento mediador, como característica e vocação próprias. E é nessa qualidade que é alienado, quando emprestado como capital-dinheiro.

Proudhon tem uma concepção estranha acerca do papel do capital-dinheiro (*Gratuité du crédit. Discussion entre M. F. Bastiat et M. Proudhon*, Paris, 1850). Para Proudhon, emprestar é um mal porque não é vender. Emprestar a juros "é a faculdade de repetir sempre a venda do mesmo objeto, recebendo de cada vez o correspondente preço, sem jamais transferir a propriedade do que se vende" (p. 9).

O objeto, dinheiro, casa etc. não muda de dono, como na compra e venda. Mas Proudhon não vê que, ao transferir-se o dinheiro na forma de capital a juros, não se recebe de volta equivalente. Em todo ato de compra e venda, em qualquer processo de troca, há sem dúvida transferência de objeto. Cede-se sempre a propriedade da coisa vendida. Mas não se cede o valor. Na venda, cede-se a mercadoria, mas não o valor, que se recupera na forma de dinheiro ou, o que dá no mesmo, noutra forma, a de títulos de dívida ou a de ordens de pagamento. Na compra, transfere-se o dinheiro, mas não o valor, que é reposto na forma de mercadoria. Durante todo o processo de reprodução, o capitalista industrial conserva em suas mãos (excetuada a mais-valia), em formas diversas, o mesmo valor.

Tratando-se de troca, isto é, verificando-se troca de coisas, não há variação de valor. O valor que o mesmo capitalista tem em mãos não varia. Mas não é na troca que o capitalista produz mais-valia, e quando há troca, a mais-valia já está inserida nas mercadorias. Quando, em vez dos atos isolados de troca, consideramos a totalidade do ciclo do capital, D – M – D', verificamos sempre que determinada soma de dinheiro é adiantada e depois retirada da circulação, acrescida da mais-valia ou lucro. Por certo, a mediação desse processo não se revela nos puros atos de troca. E é justamente esse processo de D como capital que é a base e a origem do juro que o capitalista-financeiro recebe em seus empréstimos.

> "Com efeito", diz Proudhon, "o chapeleiro que vende chapéus… recebe o valor deles, nem mais nem menos. Mas o capitalista que empresta… não recupera apenas seu capital todo; recebe mais que o capital, mais do que põe na troca; além do capital, recebe um juro" (p. 69).

O chapeleiro recebe aí o capital produtivo em oposição ao de empréstimo. É claro que Proudhon não descobriu como pode o capitalista produtivo vender mercadoria pelo valor (neste exame de sua concepção não importa o nivelamento aos preços de produção) e justamente por isso obter lucro, além do capital que lança na troca. Imaginemos que o preço de produção de 100 chapéus = 115 libras esterlinas e que esse preço de pro-

O CAPITAL PRODUTOR DE JUROS

dução por acaso coincida com o valor dos chapéus, isto é, que o capital que produz os chapéus tenha a composição social média. Se o lucro é de 15%, realizará o chapeleiro lucro de 15 libras esterlinas por vender as mercadorias pelo valor, por 115. Só lhe custam 100 libras esterlinas. Se as produziu com capital próprio, embolsará o excedente de 15 libras esterlinas; se o tomou emprestado, terá de tirar daí, digamos, 5 libras esterlinas para pagar juros. Isto em nada altera o valor dos chapéus, e sim apenas a distribuição por diversas pessoas da mais-valia que já está inserida nesse valor. Uma vez que o pagamento de juros não influencia o valor dos chapéus, é disparate o que diz Proudhon:

> "Uma vez que no comércio o juro do capital é adicionado ao salário do trabalhador, para formar o preço da mercadoria, é impossível que o trabalhador possa obter a restituição do produto do próprio trabalho. Com o domínio do juro, viver do próprio trabalho é um princípio que encerra uma contradição" (p. 105).[20]

A limitada compreensão que Proudhon tinha da natureza do capital, identificando o movimento do capital em geral com o movimento peculiar do capital produtor de juros, revela-se na seguinte frase:

> "O capital-dinheiro, de troca em troca, volta sempre a sua fonte, acumulando juros, e daí resulta que a repetição dos empréstimos é sempre feita pela mesma mão e sempre proporciona lucro à mesma pessoa" [p. 154].

Que é que fica ininteligível no estudo de Proudhon sobre o movimento peculiar do capital produtor de juros? As categorias – compra, preço, transferência de objetos, e a forma em que aparece aí a mais-valia, sem mediação; em suma, o fenômeno de o capital ter virado mercadoria capital, de a venda, em consequência, se ter transmutado em empréstimo, e o preço, em participação no lucro.

---

20 Segundo Proudhon, "uma casa", "dinheiro" etc. não devem ser emprestados como "capital", mas vendidos como "mercadoria... ao preço de custo" (pp. 43, 44). Lutero ia mais longe que Proudhon. Já sabia que tanto se pode obter lucro emprestando quanto vendendo: "O comércio se torna também usurário. E numa extensão grande demais para se combater de uma só vez. Temos agora de tratar do usurário prestamista: depois de o ter prevenido do que o espera no juízo final, passaremos a repreender o usurário comerciante" (M. Lutero, *An die Pfarrherrn wider den Wucher zu predigen*, Wittenberg, 1540).

O retorno do capital ao ponto de partida é justamente o que caracteriza seu movimento no ciclo completo. Isto não distingue apenas o capital produtor de juros. O que o distingue é a forma externa do retorno, dissociada do ciclo mediador. O capitalista que empresta cede seu capital, transfere-o ao capitalista industrial, sem receber equivalente. Essa cessão não constitui ato do processo cíclico efetivo do capital, mas apenas introduz esse ciclo que o capitalista industrial efetuará. Essa primeira mudança de posição do dinheiro não exprime fase alguma da metamorfose, nem compra nem venda. Não se transfere a propriedade, pois não há troca, não se recebe equivalente. O retorno do dinheiro do capitalista industrial para o prestamista apenas completa o primeiro ato, a cessão do capital. Adiantado na forma de dinheiro, o capital retorna ao capitalista industrial novamente na forma de dinheiro, depois de percorrer o processo cíclico. Mas uma vez que o capital não lhe pertencia por ocasião do desembolso, não pode pertencer-lhe quando retorna. A passagem pelo processo de reprodução não pode converter esse capital em propriedade sua. Tem de restituí-lo ao prestamista. O primeiro desembolso que transfere o capital das mãos do prestamista para as do prestatário é uma transação jurídica que nada tem com o processo real de reprodução do capital, introduzindo-o apenas. O reembolso, com a transferência do capital refluído, das mãos do prestatário para as do prestamista é uma segunda transação jurídica que complementa a primeira; uma introduz o processo real, e a outra é posterior a esse processo. Ponto de partida e ponto de retorno, cessão e restituição do capital emprestado parecem ser movimentos arbitrários, propiciados por transações jurídicas, que sucedem antes e depois do movimento efetivo do capital, sem ter com ele relação. Para esse movimento não importa que o capital desde o início pertença ao capitalista industrial e por isso lhe retorne como propriedade exclusiva dele.

No primeiro ato introdutório o prestamista cede seu capital ao prestatário. No segundo ato, posterior e final, o prestatário devolve o capital ao prestamista. Quando só atentamos para a transação entre as duas partes – abstraindo provisoriamente do juro –, quando consideramos apenas o movimento do capital emprestado entre prestamista e prestatário, verificamos que esses dois atos (separados por período variável durante o qual se dá o movimento real de reprodução do capital) abrangem a totalidade daquele movimento. Ceder sob a condição de o cessionário restituir é, em suma,

O CAPITAL PRODUTOR DE JUROS

a operação de emprestar e tomar emprestado, essa forma específica da alienação condicional de dinheiro ou mercadoria.

O movimento característico do capital em geral, o retorno do dinheiro ao capitalista, a volta do capital ao ponto de partida, assume no capital produtor de juros uma configuração inteiramente exteriorizada, dissociada do movimento efetivo de que é a forma. Cede A seu dinheiro não como dinheiro, mas como capital. O capital não experimenta aí transmutação alguma. Muda apenas de mãos. Sua conversão real em capital só se efetua nas mãos de B. Mas para A tornou-se capital em virtude da simples cessão feita a B. Só para B se verifica o retorno efetivo do capital, do processo de produção e de circulação. Mas, para A, a devolução se efetua na mesma forma da cessão. O capital volta das mãos de B para as de A. Cessão, empréstimo de dinheiro por determinado prazo e devolução do dinheiro com juros (mais-valia) é a forma toda do movimento próprio do capital a juros como tal. O movimento efetivo como capital do dinheiro emprestado é uma operação que transcende as transações entre prestamistas e prestatários. Nestas, esse movimento mediador se desvanece, fica invisível, não está diretamente implícito. Sendo o capital-mercadoria de natureza peculiar, possui modo particular de alienação. Por isso, o retorno não expressa a consequência e o resultado de determinada série de ocorrências econômicas, mas provém de um pacto jurídico especial entre comprador e vendedor. O prazo do retorno depende de transcorrer o processo de reprodução; no caso do capital produtor de juros, parece que seu retorno como capital depende da simples convenção feita entre prestamista e prestatário. Desse modo, o retorno do capital nessa transação não parece mais resultar do processo de produção, e tudo se passa como se o capital emprestado nunca tivesse perdido a forma dinheiro. Sem dúvida, as transações dessa natureza são efetivamente determinadas pelos retornos reais. Mas isto não aparece na própria transação. O que nem sempre é o caso na prática. Se o retorno real não se dá no tempo oportuno, tem o prestatário de buscar recursos noutras fontes a fim de cumprir suas obrigações com o prestamista. A mera *forma* do capital – dinheiro, a quantia Q desembolsada e depois restituída com acréscimo $Q + \frac{1}{5} Q$, em determinado prazo, sem qualquer outra mediação além desse espaço de tempo – é apenas a forma conceitualmente vazia do movimento real do capital.

No movimento real do capital, o retorno é um componente do processo de circulação. O dinheiro, de início, se converte em meios de produção; o processo de produção transforma-o em mercadoria; com a **venda da mercadoria** reconverte-se em dinheiro e nessa forma retorna às mãos do capitalista que adiantara o capital na forma de dinheiro. Mas com o capital produtor de juros, a cessão e o retorno resultam exclusivamente de uma transação jurídica entre o proprietário do capital e outra pessoa. Apenas vemos cessão e restituição. Desaparece tudo o que se passa de permeio.

Mas uma vez que o dinheiro, adiantado como capital, tem a propriedade de retornar a quem o adianta, a quem o desembolsa como capital, uma vez que D – M – D' é a forma imanente do movimento do capital, justamente por isso pode o proprietário do dinheiro emprestá-lo como capital, como algo que possui a propriedade de retornar ao ponto de partida, conservando e aumentando o valor no decurso do próprio movimento. Cede-o como capital porque, depois de aplicado como capital, retorna ao ponto de partida: justamente por refluir para o prestatário, pode este devolvê-lo após determinado tempo.

O empréstimo de dinheiro como capital – a cessão condicionada à restituição após determinado prazo – supõe que o dinheiro seja realmente aplicado como capital, volte efetivamente ao ponto de partida. A circulação real do dinheiro como capital é, portanto, pressuposto da transação jurídica em virtude da qual o prestatário tem de devolver o dinheiro ao prestamista. Se o prestatário não desembolsa o dinheiro como capital, o problema é seu. O prestamista lho emprestou como capital e como tal tem o dinheiro de efetuar as funções de capital, que abrangem o ciclo do capital-dinheiro até o retorno, na forma de dinheiro, ao ponto de partida.

Os atos de circulação D – M e M – D', em que o valor total funciona como dinheiro ou como mercadoria, são apenas processos intermediários, fases isoladas do movimento total do valor. Como capital, o valor todo efetua o movimento total D – D'. É adiantado como dinheiro ou soma de valor em qualquer forma e retorna como soma de valor. O prestamista do dinheiro desembolsa-o não para comprar mercadoria, ou se a soma de valor existe em mercadoria, não a vende por dinheiro, mas adianta-a como capital, como D – D', como valor que em determinado prazo reflui ao ponto de partida. Empresta em vez de comprar ou vender. Emprestar dessa maneira é, portanto, a forma adequada de ceder valor como *capital* e não como dinheiro ou mercadoria. Não se infira daí que emprestar não seja também forma de transações que nada têm que ver com o processo capitalista de reprodução.

Até aqui examinamos apenas o movimento do *capital* emprestado entre o proprietário e o capitalista-industrial. Agora passaremos a investigar o juro.

O prestamista desembolsa o dinheiro como capital; a soma de valor que transfere a outro é capital, retornando-lhe por isso. O retorno puro e simples não seria para ele retorno da soma de valor emprestada como *capital*, e sim mera restituição de uma soma de valor emprestada. Para refluir como capital, a soma de valor adiantada deve, além de conservar-se, ter-se valorizado, acrescido no curso do movimento; retornar com mais-valia, como D + Δ D, e esse Δ D é aqui o juro ou do lucro médio a parte que não fica nas mãos do capitalista ativo, mas toca ao capitalista financeiro.

A circunstância de o dinheiro ser alienado como capital significa que deve ser restituído ao capitalista financeiro como D + Δ D. Mais tarde examinaremos em particular a forma em que os juros refluem em determinados prazos intermediários, mas sem o capital, cuja restituição só ocorre ao fim de um período mais longo.

Que é que o capitalista financeiro dá ao prestatário, ao capitalista industrial? Que é que lhe cede efetivamente? Só o ato de transferência converte o empréstimo do dinheiro em cessão do dinheiro como capital, isto é, em cessão do capital como mercadoria.

Só por meio dessa alienação, o prestamista cede a terceiro capital como mercadoria, ou mercadoria de que dispõe como capital.

Que geralmente se aliena na venda? Não o valor da mercadoria vendida, o qual muda apenas de forma. Existe idealmente como preço na mercadoria, antes de realmente transferir-se às mãos do vendedor na forma de dinheiro. O mesmo valor e a mesma magnitude de valor mudam aí apenas a forma. Ora existem na forma de mercadoria, ora na forma de dinheiro. O que o vendedor de fato aliena, transferindo-se por isso ao consumo individual ou produtivo do comprador, é o valor de uso da mercadoria, a mercadoria como valor de uso.

Qual então o valor de uso que o capitalista financeiro, durante o período do empréstimo, aliena e cede ao capitalista produtivo que toma emprestado? É o valor de uso que o dinheiro adquire por converter-se em capital, poder funcionar como capital e assim produzir em seu movimento determinada mais-valia, o lucro médio (o que está acima ou abaixo deste considera-se aqui fortuito), ao mesmo tempo conservando a magnitude primitiva do valor. Quanto às demais mercadorias, o valor de uso é consumido após a última aquisição, quando desaparece a substância da mercadoria simultaneamente com o valor. A mercadoria capital, ao contrário, tem a peculiaridade de, pelo consumo do valor de uso, não só conservar o valor e o valor de uso, mas também acrescê-los.

É esse valor de uso do dinheiro como capital – a propriedade de produzir o lucro médio – que o capitalista financeiro aliena ao capitalista industrial pelo prazo em que põe à disposição dele o capital emprestado.

Há certa analogia entre o capital assim emprestado e a força de trabalho em sua relação com o capitalista industrial. Mas enquanto o valor da força de trabalho é pago, o do capital emprestado é restituído por esse capitalista. Para ele, o valor de uso da força de trabalho consiste em produzir com seu emprego mais valor (lucro) do que possui e custa. Esse valor excedente é para o capitalista industrial o valor de uso. Do mesmo modo, o valor de uso do capital-dinheiro emprestado se revela na capacidade que possui de produzir e acrescer o valor.

O capitalista financeiro aliena efetivamente valor de uso, e por isso o que cede tem a natureza de mercadoria. E nesse ponto é completa a analogia com a mercadoria como tal. Primeiro, é um valor que se transfere de uma pessoa para outra. Na mercadoria pura e simples, na mercadoria como tal, o mesmo valor fica nas mãos do comprador e do vendedor, e o que muda é apenas a forma; ambos continuam a deter o mesmo valor que alienaram, um na forma de mercadoria, e o outro, na forma de dinheiro. No empréstimo há a considerar a diferença de o capitalista financeiro ser o único que cede valor na transação, mas ele o conserva por meio da restituição futura. No empréstimo tanto é unilateral o recebimento quanto a cessão de valor. – Segundo, um lado aliena valor de uso real e o outro recebe-o e consome-o. Mas, diferindo da mercadoria comum, esse valor de uso é em si mesmo valor, isto é, o valor excedente que resulta do emprego do dinheiro como capital, descontando-se a magnitude primitiva do valor. O lucro é esse valor de uso.

O valor de uso do dinheiro emprestado consiste na faculdade de servir de capital e de nessa qualidade produzir nas condições médias o lucro médio.[21]

---

[21] "O direito de exigir juros não decorre da circunstância de alguém obter ou não lucro, e sim da aptidão que tem o dinheiro de produzir lucro, quando adequadamente empregado" (*An Essay on the Governing Causes of the Natural Rate of Interest, wherein the Sentiments of Sir W. Petty and Mr. Locke, on that Head, are Considered*, Londres, 1750, p. 49. Autor desse trabalho anônimo: J. Massie).

Então, que é que o capitalista industrial paga, e que é portanto o preço do capital emprestado?

> "O juro que se paga pelo que se tomou emprestado" é, segundo Massie, "parte do lucro que o emprego desse empréstimo é capaz de produzir".[22]

O que o comprador de uma mercadoria qualquer compra é o valor de uso, e o que paga é o valor dela. O valor de uso do dinheiro como capital é o que o prestatário compra; mas que é que ele paga? Por certo, não o preço ou o valor, como se dá com as outras mercadorias. Entre prestamista e prestatário não ocorre, como entre comprador e vendedor, variação de forma do valor, existindo este ora na forma de dinheiro, ora na de mercadoria. A identidade entre o valor cedido e o recebido se revela no empréstimo de maneira inteiramente diversa. A soma de valor, o dinheiro, é cedida sem contraprestação equivalente e restituída após certo prazo. O prestamista continua sendo proprietário do mesmo valor, embora este passe de suas mãos para as do prestatário. No mero intercâmbio de mercadorias, o dinheiro está sempre do lado do comprador; mas, no empréstimo, do lado do vendedor. Este é quem cede o dinheiro por certo prazo, e o comprador do capital é quem o recebe como mercadoria. Mas isto só é possível quando o dinheiro serve de capital e nessa qualidade é adiantado. O prestatário toma o dinheiro como capital, o valor que se expande. Mas, como acontece com todo capital no ponto de partida, o dinheiro só é capital em si ao ser adiantado. Só com seu emprego valoriza-se, realiza-se como capital. Mas, *realizado* o capital, o prestatário é obrigado a devolvê-lo, a restituí-lo, portanto, como valor acrescido de mais-valia, isto é, de juro; e este só pode ser parte do lucro que realizou. Só parte e não a totalidade do lucro, pois, para o prestatário, o valor de uso consiste justamente no lucro que obtém com esse capital. Do contrário, o prestamista não teria valor de uso para ceder. Por outro lado, o lucro todo não pode caber ao prestatário. Se ficasse com o lucro todo, não pagaria pela cessão do valor de uso, e o dinheiro adiantado que devolvesse ao prestamista seria apenas dinheiro, não capital, capital realizado, pois só D + Δ D constitui capital realizado.

---

22 "Os ricos, em vez de empregarem diretamente o dinheiro, [...] emprestam-no a outras pessoas para a fazerem e reservarem parte do lucro obtido para os proprietários" (*loc. cit.*, p. 23s).

Ambos, o prestamista e o prestatário, desembolsam a mesma soma de dinheiro como capital. Mas ela só funciona como capital nas mãos do segundo. O lucro não se duplica com a existência dupla da mesma soma de dinheiro como capital para duas pessoas. Só pode ela funcionar para ambos como capital em virtude da repartição do lucro. A parte do lucro que cabe ao prestamista chama-se juro.

Supõe-se que a transação se passa por inteiro entre duas espécies de capitalista, o capitalista financeiro e o capitalista industrial ou mercantil.

Aí não se deve esquecer que o capital na qualidade de capital é mercadoria ou que a mercadoria de que se trata é capital. Todas as condições que aí aparecem seriam por isso irracionais para a mercadoria pura e simples, ou para o capital quando desempenha o papel de capital-mercadoria no processo de reprodução. Emprestar e tomar emprestado em vez de comprar e vender: essa diferença surge da natureza específica da mercadoria, o capital. O que se paga então é o juro e não o preço da mercadoria. Se chamarmos o juro de preço do capital-dinheiro, teremos forma irracional do preço, em contradição completa com o conceito de preço da mercadoria.[23] O preço se reduz à forma puramente abstrata e vazia de ser determinada soma de dinheiro paga por qualquer coisa que de qualquer modo constitui valor de uso; ora, o preço, de acordo com o conceito, é igual ao valor expresso em dinheiro desse valor de uso.

Dizer que o juro é o preço do capital é fazer afirmação a priori irracional. Aí mercadoria tem valor dúplice: ora um valor, ora um preço distinto desse valor, quando preço é a expressão monetária do valor. Antes de mais nada, o capital-dinheiro é apenas uma soma de dinheiro, ou o valor de determinada quantidade de mercadorias estimado em dinheiro. Mercadoria que se empresta como capital é apenas forma disfarçada de uma soma de dinheiro. O que se empresta como capital, por exemplo, não são tantos quilos de algodão, mas certa quantidade de dinheiro que corresponde ao valor existente na forma de algodão. O preço do capital a ele se refere como soma de dinheiro, embora não como dinheiro circulante (*currency*), conforme opina Torrens (ver adiante, nota 59). Como pode então uma soma

---

23 "A expressão valor aplicada a dinheiro circulante (*currency*) tem três significados [...] (2) numerário em caixa, comparado com o mesmo montante de numerário que entrará mais tarde. Neste caso, mede-se o valor pela taxa de juro, a qual é determinada pela relação entre a soma de capital que se pode emprestar e a procura dele" (Coronel R. Torrens, *On the Operation of the Bank Charter Act of 1844* etc., 2ª ed., 1847 [p. 5s]).

O CAPITAL PRODUTOR DE JUROS

de valor ter preço além do próprio preço, fora do preço que se expressa em sua própria forma de dinheiro? Preço é o valor da mercadoria (o que se estende ao preço de mercado, que não difere do valor qualitativamente, mas apenas quantitativamente, isto é, quanto à magnitude em valor), coisa diversa do valor de uso. Preço diferindo qualitativamente do valor é contradição absurda.[24]

O capital manifesta sua natureza específica por meio da valorização; a medida dessa valorização expressa quantitativamente o grau em que se realiza como capital. A mais-valia que produz ou lucro – a taxa ou nível dela – só é mensurável comparando-a com o valor do capital adiantado. Por isso, a maior ou menor valorização do capital a juros só é mensurável comparando a soma de juros – a parte que a ele cabe do lucro global – com o valor do capital adiantado. Por conseguinte, se o preço expressa o valor da mercadoria, o juro exprime a valorização do capital-dinheiro e aparece por isso como o preço que por esse capital se paga ao prestamista. A priori ressalta, portanto, absurdo querer aplicar aí, como o faz Proudhon, as condições simples da troca propiciada pelo dinheiro, as condições de compra e venda. No caso, é justamente pressuposto fundamental que o dinheiro funcione como capital e, portanto, como capital em si, capital potencial que pode ser transferido a outra pessoa.

Mas o próprio capital se revela mercadoria ao ser oferecido no mercado e ao ser de fato cedido o valor de uso do dinheiro como capital. E seu valor de uso é produzir lucro. O valor do dinheiro ou das mercadorias como capital não é determinado pelo respectivo valor como dinheiro ou como mercadorias, mas pela quantidade de mais-valia que produzem para seu proprietário. O produto do capital é o lucro. Na base da produção capitalista há apenas aplicação diversa do dinheiro, que ora é despendido como dinheiro, ora é adiantado como capital. Dinheiro ou mercadoria são em si capital potencial – como a força de trabalho – pelas seguintes razões: (1) o dinheiro pode transformar-se em elementos de produção e é, como dinheiro, mera expressão abstrata deles, a existência deles em valor; (2) os elementos materiais da riqueza possuem a propriedade de já serem capital

---

[24] "A ambiguidade da expressão valor do dinheiro ou da moeda corrente gera confusão sempre que empregada indistintamente para designar valor de troca das mercadorias e valor de uso do capital" (Tooke, *Inquiry into the Currency Principle*, p. 77). – Tooke não percebe que a confusão principal (inserida na própria coisa) decorre de o valor como tal (o juro) tornar-se o valor de uso do capital.

potencial, pois o contrário que os complementa, o que deles faz capital – o trabalho assalariado – existe no regime de produção capitalista.

A predestinação social antinômica da riqueza material – sua oposição ao trabalho na condição de trabalho assalariado – já se expressa, dissociada do processo de produção, no direito mesmo de propriedade do capital. Esse aspecto particular, isolado do próprio processo capitalista de produção, deste sendo resultado constante e, como tal, condição permanente, revela-se na circunstância de o dinheiro e a mercadoria serem em si mesmos capital latente, potencial, de poderem ser vendidos como capital e nessa forma comandarem trabalho alheio, darem direito ao ato de apropriar-se de trabalho alheio, sendo, portanto, valor que se expande. Está claro que esses elementos é que constituem o título e o meio de apropriar-se de trabalho alheio, e não trabalho algum efetuado em contrapartida pelo capitalista.

Além disso, o capital se apresenta como mercadoria na medida em que a repartição do lucro em juro e lucro propriamente dito é regulada pela oferta e procura, pela concorrência portanto, como os preços de mercado das mercadorias. Entretanto, a diferença aí é tão contundente quanto a analogia. Se a oferta e a procura coincidem, o preço de mercado da mercadoria corresponde ao preço de produção, isto é, o preço se patenteia então regulado pelas leis internas da produção capitalista, sem depender da concorrência, pois as oscilações da oferta e da procura apenas explicam os desvios que os preços de mercado têm dos preços de produção – desvios que se compensam reciprocamente, de modo que em períodos mais longos os preços médios de mercado se igualam aos preços de produção. Essas duas forças (oferta e procura), quando coincidem, cessam de atuar, anulam-se mutuamente, e a lei geral de determinação dos preços passa a impor-se também ao caso particular; então, o preço de mercado em sua existência imediata, e não como média do movimento dos preços de mercado, já corresponde ao preço de produção, o qual é regulado pelas leis imanentes do próprio modo de produção. Isto se estende ao salário. Se oferta e procura coincidem, anula-se o efeito de ambas, e o salário é igual ao valor da força de trabalho. Mas é diferente o que se passa com o juro do capital dinheiro. Aí, a concorrência não determina os desvios da lei, ou melhor, não existe para a repartição lei alguma além da ditada pela concorrência, pois, conforme veremos ainda, não existe nenhuma taxa "natural" de juro. Habitualmente entende-se por taxa natural de juro a fixada pela livre concorrência. Não há limites "naturais" para a taxa de juros. Se a concorrência não se limita a determinar desvios e flutuações, se, portanto, suas forças opostas se equilibram cessando toda determinação, o que se trata de determinar é em si mesmo algo arbitrário e sem lei. Retomaremos o assunto no capítulo seguinte.

No capital produtor de juros tudo aparece extrinsecamente: ao adiantar o capital, o prestamista apenas o transfere ao prestatário; o capital realizado retorna simplesmente quando o prestatário o restitui, o devolve com juros ao prestamista. O mesmo se estende à determinação imanente ao modo capitalista de produção: a taxa de lucro não é só determinada pela relação do lucro obtido numa rotação para com o valor-capital adiantado, mas também pela duração dessa rotação; é determinada, portanto, pelo lucro que o capital industrial proporciona segundo períodos determinados. Essa regulação extrínseca se apresenta no capital produtor de juros, pois estes são determinados e pagos ao prestamista em prazos estabelecidos.

Com sua maneira habitual de penetrar na conexão íntima das coisas, diz o romântico Adam Müller (*Elemente der Staatskunst*, Berlim, 1809, v. III, p. 138):

> "Para se determinar o preço das coisas não importa o tempo; quando se trata de determinar o juro, o tempo é o fator principal."

Não vê que o tempo de produção e o tempo de circulação concorrem para determinar o preço das mercadorias; que, por essa razão, a taxa de lucro é determinada para dado tempo de rotação do capital e que essa determinação do lucro segundo um tempo dado acarreta a determinação do juro. Aí sua sagacidade, como sempre, consiste em observar as nuvens de pó da superfície e presunçosamente proclamá-las algo misterioso e importante.

XXII.
Repartição do lucro.
Taxa de juro.
Taxa "natural" de juro

Não se pode investigar aqui em pormenor o tema deste capítulo, nem tampouco todos os fenômenos relativos ao crédito que deverão ser estudados mais tarde. Estão fora do domínio de nossa pesquisa a concorrência entre prestamistas e prestatários e as oscilações do mercado financeiro daí resultantes. A análise da curva que a taxa de juro percorre durante o ciclo industrial supõe a investigação desse ciclo, que também não pode ser feita aqui. O mesmo se estende ao nivelamento aproximado, maior ou menor, da taxa de juro no mercado mundial. Cingir-nos-emos aqui a estudar a figura autônoma do capital a juros e a posição independente do juro perante o lucro.

Sendo o juro apenas parte do lucro a qual, segundo a hipótese estabelecida, o capitalista industrial deve pagar ao financeiro, então o próprio lucro se patenteia o limite máximo do juro: atingido esse limite, a parte que caberia ao capitalista ativo seria igual a 0. Excetuados casos isolados em que o juro é efetivamente superior ao lucro, não sendo possível, portanto, pagá-lo com o lucro, poder-se-ia talvez considerar limite máximo do juro o lucro todo menos a parte que estudaremos adiante e que consiste em salários de direção. Não é de todo impossível determinar o limite mínimo do juro. Pode descer a qualquer nível. Mas, nesse caso, sobrevêm sempre circunstâncias contrárias que o elevam acima desse mínimo relativo.

> "A relação entre a quantia paga pelo uso de um capital e esse mesmo capital expressa a taxa de juro medida em dinheiro." – "A taxa de juros depende (1) da taxa de lucro; (2) da proporção em que o lucro total se reparte entre prestamista e prestatário" (*Economist*, 22 de janeiro de 1853). "Se o juro que se paga pelo uso do que se toma emprestado é parte do lucro que a soma emprestada é capaz de produzir, tem esse juro de ser sempre regulado pelo lucro" (Massie, *loc. cit.*, p. 49).

Imaginemos que exista uma proporção fixa entre o lucro global e a parte dele a ser paga como juro ao capitalista financeiro. Então, é claro que o juro subirá ou cairá com o lucro global, que é determinado pela taxa geral de lucro e por suas flutuações. Se, por exemplo, for a taxa média de lucro = 20% e o juro = $\frac{1}{4}$ do lucro, será a taxa de juro = 5%; se for aquela taxa = 16%, teremos o juro = 4%. Se a taxa de lucro fosse de 20% e o juro subisse a 8%, o capitalista industrial obteria o mesmo lucro que extrairia com uma taxa de 16% e juro de 4%, isto é, de 12%. Se o juro subisse a 6 ou 7%, ainda assim seria maior a parte que teria no lucro. Admitido que o juro seja fração constante do lucro médio, então, quanto maior a taxa geral de lucro, tanto maior a diferença absoluta entre o lucro global e o juro, e, por conseguinte, tanto maior a parte do lucro total embolsada pelo capitalista ativo e vice-versa. Vamos supor que o juro seja $\frac{1}{5}$ do lucro médio. Ora, $\frac{1}{5}$ de 10 é 2; a diferença entre o lucro total e o juro = 8. $\frac{1}{5}$ de 20 = 4; diferença = 20 − 4 = 16. $\frac{1}{5}$ de 25 = 5; diferença = 25 − 5 = 20. $\frac{1}{5}$ de 30 = 6; diferença = 30 − 6 = 24. $\frac{1}{5}$ de 35 = 7; diferença = 35 − 7 = 28. As diversas taxas de juros de 4, 5, 6 e 7% continuariam representando apenas $\frac{1}{5}$ ou 20% do lucro global. Assim, com taxas de lucro diferentes, taxas de juros diversas podem expressar as mesmas partes alíquotas do lucro global ou a mesma participação percentual nele. Com essa proporção constante do juro, o lucro industrial (a diferença entre o lucro total e o juro) será tanto maior quanto maior for a taxa geral de lucro e vice-versa.

Não se alterando as demais condições, desde que a relação entre juro e lucro global seja mais ou menos constante, o montante de juros que o capitalista ativo estará capacitado e se prontificará a pagar está na razão direta do nível da taxa de lucro.[25] Conforme vimos, a magnitude da taxa de lucro está na razão inversa do desenvolvimento da produção capitalista, e daí resulta que o nível da taxa de juro num país também está na razão inversa do grau de desenvolvimento industrial, na medida em que a variação das taxas de juro expressa de fato a variação das taxas de lucro. Mais tarde veremos que nem sempre é necessariamente assim. Com essa limitação, pode-se dizer que o juro é regulado pelo lucro, mais precisamente pela taxa geral de lucro. E o mesmo é válido para o juro médio.

Em todo caso, a taxa média de lucro deve ser considerada o limite máximo que, em instância final, determina o juro.

Examinaremos agora em pormenor a relação necessária entre o juro e o lucro médio. Quando se trata de um todo, como o lucro, a ser repartido entre dois, naturalmente o que importa em primeiro lugar é a magnitude do total a repartir. E a magnitude do lucro é determinada por sua taxa média. Dada a taxa geral de lucro, portanto, a magnitude do lucro para um capital de grandeza determinada, de 100, digamos, as variações do juro estarão evidentemente na razão inversa das variações da parte do lucro destinada ao capitalista ativo que opera com capital emprestado. E as circunstâncias

---

25 "A taxa natural de juro é governada pelos lucros das empresas particulares" (Massie, *loc. cit.*, p. 51).

que determinam a magnitude do lucro a repartir, isto é, a grandeza do valor produzido pelo trabalho não pago, são bem diversas daquelas que determinam sua repartição entre essas duas espécies de capitalistas, e muitas vezes atuam em direção diametralmente oposta.[26]

Se consideramos os ciclos em que se move a indústria moderna – estabilidade, animação crescente, prosperidade, superprodução, craque, estagnação, estabilidade etc., ciclos cuja análise detida ultrapassa o domínio de nossa investigação –, verificamos que, em regra, a baixa do juro corresponde aos períodos de prosperidade ou de lucros extraordinários; a alta do juro, à transição da prosperidade para o reverso dela, e o máximo do juro até ao extremo limite da usura, à crise.[27] A partir do verão de 1843 observa-se nítida prosperidade; a taxa de juro na primavera de 1842 ainda era de $4\frac{1}{2}$%, caiu na primavera e verão de 1843 a 2%[28] e, em setembro, mesmo a $1\frac{1}{2}$% (Gilbart, I, p. 166). Posteriormente, durante a crise de 1847, subiu a 8% e a mais.

Entretanto, juro baixo pode coincidir com estagnação, e juro em ascensão moderada, com animação crescente.

A taxa de juro atinge seu nível mais alto nas crises, quando, para pagar, se tem de tomar emprestado a qualquer preço. Acarretando a alta do juro queda no preço dos títulos, têm então as pessoas que dispõem de capital-dinheiro excelente oportunidade para se apropriarem, a preços vis, desses papéis rentáveis, que necessariamente recuperarão pelo menos o preço médio quando a situação se normalizar e o juro de novo cair.[29]

---

26 Neste ponto observa o manuscrito: "Do que se expõe neste capítulo se infere que releva esclarecer como a repartição quantitativa se converte em qualitativa, antes de investigar as leis da repartição do lucro. A fim de estabelecer a transição do capítulo anterior para esse tema, basta supor inicialmente que o juro é uma parte qualquer, sem determinação precisa, do lucro."
27 "No primeiro período, logo após a depressão, há dinheiro bastante sem especulação; no segundo, o dinheiro é abundante e a especulação floresce; no terceiro, a especulação diminui e procura-se dinheiro; no quarto, o dinheiro é raro e sobrevém a depressão" (Gilbart, [*A Practical Treatrise on Banking*, 5ª ed., Londres, 1849], I, p. 149).
28 Segundo Tooke, isto se explica "pela acumulação de capital excedente – a qual nos anos anteriores acompanhou a carência de emprego produtivo –, pela liberação de dinheiro entesourado e pela reanimação da confiança no desenvolvimento dos negócios" (*History of Prices from 1839 to 1847*, Londres, 1848, p. 54).
29 "Recusou-se a velho cliente de um banqueiro empréstimo sobre um título de 200 mil libras esterlinas; quando ia deixando o banco, para notificar que ia suspender seus pagamentos, disseram-lhe não ser necessário ir a tanto, pois o banqueiro naquelas condições se dispunha a comprar-lhe o título por 150 mil libras" ([H. Roy] *The Theory of the Exchanges. The Bank Charter Act of 1844* etc., Londres, 1864, p. 80).

A taxa de juro tem ainda tendência para cair que não depende das flutuações da taxa de lucro e está vinculada a duas causas principais:

Primeira:
"Imaginemos que só se tome capital emprestado para fins produtivos. Ainda assim, é possível que a taxa de juro varie sem qualquer variação na taxa de lucro bruto. É que, ao desenvolver-se a riqueza de um povo, surge e cada vez mais cresce uma classe de pessoas que, em virtude do trabalho de seus antepassados, possuem fundos que lhes permitem viver dos meros juros que proporcionam. Muitos, inclusive aqueles que se lançaram cedo nos negócios e neles continuaram mourejando enquanto dispunham de vigor, aposentam-se e na velhice vivem tranquilamente dos juros das somas que acumularam. Essas duas classes têm tendência a aumentar com a riqueza crescente do país, pois os que já começam com um capital regular obtêm fortuna com mais facilidade que os que começam com pouco. Do capital nacional, a parte que os próprios donos não querem aplicar constitui, em relação a todo o capital produtivo da sociedade, nos países velhos e ricos, proporção maior que a encontrada nos países novos e pobres. É bem numerosa a classe dos *rentiers* na Inglaterra. Na medida em que cresce a classe dos *rentiers*, aumenta a dos prestamistas de capital, pois ambas são a mesma coisa" (Ramsay, *Essay on the Distribution of Wealth*, p. 201s).

Segunda:
Também atuam necessariamente no sentido de comprimir a taxa de juros: o desenvolvimento do sistema de crédito, a circunstância daí decorrente de os industriais e os comerciantes disporem por intermédio dos banqueiros, e de maneira sempre crescente, de todas as poupanças em dinheiro de todas as classes da sociedade, e a concentração progressiva dessas poupanças em montantes em que podem operar como capital-dinheiro. Voltaremos ao assunto mais adiante.

Quanto à determinação da taxa de juros diz Ramsay que

"depende da taxa de lucro bruto e da proporção em que ela se divide em juro e lucro do empresário. Essa proporção depende da concorrência entre prestamistas e prestatários do capital; a taxa previsível do lucro bruto influencia essa concorrência, mas não a regula de maneira exclusiva.[30] Não a regula de maneira

---

[30] Uma vez que a taxa de juros é de modo geral determinada pela taxa média de lucro, pode fase febril de especulação estar muitas vezes ligada com baixa taxa de juros. Exemplo: as especulações com as ferrovias no verão de 1844. Só em 16 de outubro de 1844, a taxa de juro do Banco da Inglaterra elevou-se a 3%.

exclusiva porque, de um lado, muitos tomam emprestado sem qualquer intuito de investimento produtivo e, do outro, a magnitude de todo o capital disponível para empréstimo varia com a riqueza do país, sem depender de qualquer variação no lucro bruto" (Ramsay, *loc. cit.*, p. 206s).

Para se achar a taxa média do juro, é necessário calcular (1) a taxa média de juros correspondente às variações observadas nos grandes ciclos industriais e (2) a taxa de juros em investimentos em que o capital é emprestado por prazo longo.

A taxa média de juros dominante num país – distinta das taxas de mercado, sempre oscilantes – não é determinável por lei alguma. Não existe essa espécie de taxa natural de juro, no sentido em que os economistas falam de uma taxa natural de lucro e de uma taxa natural de salário. A propósito, já observava Massie com toda a razão (p. 49):

> "O único problema então é saber a proporção desses lucros que por direito cabe ao prestatário e a que cabe ao prestamista; e só há um método de resolvê-lo – por meio das opiniões dos prestatários e prestamistas em geral; o consenso geral estabelece nesse domínio o que é certo e o que é errado."

Aí, a coincidência da oferta com a procura – dada a taxa média de lucro – nada significa. Aliás, quando se recorre a essa fórmula (o que se justifica também na prática), serve ela para revelar a regra fundamental (os limites condicionantes ou as magnitudes delimitantes) **que não depende da concorrência, mas antes a determina; é particularmente útil aos que estão prisioneiros da prática da concorrência, de seus fenômenos e das concepções daí oriundas, pois lhes permite chegar a uma ideia, embora superficial, da conexão íntima das relações econômicas tal como aparece no mundo da concorrência.** É um método que parte das variações que acompanham a concorrência para chegar aos limites dessas variações. Mas isto não nos dá a taxa média de juro. Não há razão alguma para que as condições médias da concorrência, o equilíbrio entre prestamista e prestatário, fixem para o prestamista uma taxa de juro de 3, 4, 5% etc. sobre seu capital ou uma porcentagem determinada sobre o lucro bruto, digamos de 20% ou 50%. Nos casos em que a concorrência como tal decide, a determinação em si mesma é casual, meramente empírica, e só pedantes ou sonhadores podem querer transformar acontecimentos fortuitos em necessários.³¹ Nos relatórios parlamentares de 1857 e 1858, referentes à legislação bancária e à crise comercial, nada mais divertido que o palavrório dos diretores do Banco da Inglaterra, dos banqueiros de Londres ou das províncias e dos teóricos profissionais sobre "a taxa real produzida", sem conseguirem ir além de lugares-comuns tais como: "É de esperar que o preço do capital de empréstimo varie com a oferta desse capital" ou "Alta taxa de juro e baixa taxa de lucro não podem coincidir por muito tempo", e outras banalidades desse gênero.³² Usos e costumes, tradição jurídica etc. contribuem tanto quanto a própria concorrência para determinar a taxa média de juro, na medida em que esta existe não só como média calculada, mas também como grandeza efetiva. Já em muitos litígios, onde há juros a calcular, é mister considerar legal um juro médio. E por que não se pode inferir de leis gerais os limites da taxa média de juro? A resposta está simplesmente na natureza do juro: não passa de parte do lucro médio. O mesmo capital aparece sob duplo aspecto, como capital de empréstimo nas mãos do prestamista e como capital industrial ou comercial nas mãos do capitalista-empresário. Mas, uma vez só, funciona e produz lucro. No processo de produção, o capital na qualidade de capital de empréstimo não desempenha papel algum. A maneira das duas partes dividirem entre si esse lucro a que têm direito é um fato de per si puramente empírico, pertencente ao reino do acaso, como a repartição das frações percentuais do lucro comum de uma so-

---

31 Assim J. G. Opdyke, em *A Treatise on Pol. Econ.*, Nova Iorque, 1851, fracassa redondamente em sua tentativa de inferir de leis eternas a generalização da taxa de juros de 5%. Mais ingênuo ainda é Karl Arndt, em *Die naturgemässe Volkswirtschaft gegenüber dem Monopoliengeist und dem Kommunismus* etc., Hanau, 1845. Diz ele: "No curso natural da produção de bens só há um fenômeno que – nos países onde as terras estão inteiramente cultivadas – parece destinado a regular de algum modo a taxa de juro: é a proporção em que acresce anualmente a quantidade de madeira das florestas europeias. Esse crescimento, que absolutamente não depende do valor de troca delas, se dá na proporção de 3 a 4%" (engraçadas essas árvores que crescem sem ligar para o valor de troca). "Não é pois esperar" (uma vez que o crescimento das árvores absolutamente não depende do valor de troca delas, por mais que este dependa daquele) "uma queda abaixo do nível em que" (a taxa de juros) "está atualmente nos países mais ricos" (p. 124s). – Essa descoberta bem merece o nome de "origem silvestre da taxa de juro", e seu inventor presta mais outros serviços à "nossa ciência" como "filósofo do imposto sobre cães" [p. 420s].

32 O Banco da Inglaterra aumenta e diminui a taxa de desconto, embora leve em conta naturalmente a taxa dominante no mercado aberto, de acordo com o fluxo e o refluxo do ouro. "Por isso, a especulação com o desconto de letras, antecipando as variações da taxa bancária, tornou-se agora metade dos negócios das figuras mais importantes do centro financeiro" – isto é, do mercado londrino de dinheiro ([H. Roy,] *The Theory of the Exchanges* etc., p. 113).

ciedade mercantil pelos respectivos sócios. Na divisão entre mais-valia e salário – na qual repousa essencialmente a determinação da taxa de lucro – atuam de maneira determinante dois fatores totalmente diversos, força de trabalho e capital; temos aí funções de duas variáveis independentes que se limitam mutuamente; e dessa *diferença qualitativa* decorre a *repartição quantitativa* do valor produzido. Mais tarde veremos que o mesmo se dá com a divisão da mais-valia em renda e lucro. O contrário acontece com o juro: a *diferença qualitativa*, como logo veremos, deriva da *repartição meramente quantitativa* do mesmo montante de mais-valia.

Do exposto resulta que não existe taxa "natural" de juro. Mas, ao contrário da taxa geral de lucro, a taxa média de juro – diferindo das taxas de mercado, que estão sempre oscilando – não tem limites que possam ser fixados por lei geral, por tratar-se apenas da divisão do lucro bruto entre dois donos do capital, a títulos diferentes; ao revés, a taxa de juro, seja a média, seja a eventual do mercado, se apresenta como grandeza estável, definida e tangível, de maneira totalmente diversa do que sucede com a taxa geral de lucro.[33]

A relação que existe entre a taxa de juro e a taxa de lucro é análoga à que liga o preço de mercado da mercadoria ao valor dela. A taxa de juro, na medida em que é determinada pela taxa de lucro, é sempre determinada pela taxa geral de lucro, e não por taxas específicas predominantes em certos ramos particulares, e menos ainda por lucro extraordinário que o capitalista isolado obtenha numa atividade especial.[34] Por isso, a taxa geral de lucro,

---

[33] "O preço das mercadorias oscila constantemente; diferem uma da outra no uso a que são destinadas; o dinheiro serve a qualquer fim. As mercadorias, até as da mesma espécie, se distinguem pela qualidade; o dinheiro efetivo sempre tem ou deve ter o mesmo valor. Daí resulta que o preço do dinheiro, ou seja, o que chamamos de juro, possui estabilidade e regularidade maiores que qualquer outra coisa" (J. Stuart, *Principles of Pol. Econ.*, trad. francesa, 1789, IV, p. 27).

[34] "Essa regra da divisão do lucro não é aplicável ao prestamista e ao prestatário singulares, mas a prestamistas e prestatários em geral... lucros consideravelmente grandes ou pequenos decorrem seja da habilidade seja da falta de conhecimento dos negócios, com as quais os prestamistas nada têm que ver, pois, se a segunda não os prejudica, não lhes cabe tirar vantagem da primeira. O que se diz de diferentes pessoas no mesmo negócio é aplicável a diferentes espécies de negócios; quando comerciantes e industriais, num negócio qualquer, adquirem com o dinheiro emprestado lucro maior que o costumeiro obtido por outros comerciantes e industriais do mesmo país, a eles pertence esse lucro extra, embora só tenham sido necessários a habilidade e os conhecimentos normais nos negócios para consegui-lo; o lucro extra não pertence ao prestamista que lhes forneceu o dinheiro... pois prestamistas não emprestariam dinheiro para explorar qualquer negócio em condições que permitissem pagamento abaixo da taxa geral de juro; por isso, não lhes cabe receber mais que essa taxa, qualquer que seja a vantagem que se tire de seu dinheiro" (Massie, *loc. cit.*, p. 50s).

na realidade, reaparece como fato empírico, dado, na taxa média de juro, embora esta não seja expressão pura nem fiel daquela.

Na verdade, a própria taxa de juro varia constantemente segundo as classes das garantias dadas pelos prestatários e segundo a duração do empréstimo; mas, no momento dado, ela é uniforme para cada uma dessas classes. Essa diferença, portanto, não prejudica a figura fixa e uniforme da taxa de juro.[35]

A taxa média de juro se patenteia magnitude constante em cada país e em períodos longos, porque a taxa geral de lucro só varia em períodos longos – as taxas particulares de lucro se alteram constantemente, mas as variações num ramo são compensadas por variações opostas noutro. E essa constância relativa da taxa geral de lucro reaparece justamente nesse caráter mais ou menos constante da taxa média de lucro (*average rate or common rate of interest*).

Sempre flutuante, a taxa de mercado do juro é grandeza fixa dada a cada momento, como o preço de mercado das mercadorias, pois no mercado financeiro todo o capital de empréstimo se confronta constantemente em sua totalidade com o capital ativo, e a relação entre a oferta e a procura de capital de empréstimo estabelece na ocasião a taxa de mercado do juro. E assim tanto mais acontece quanto mais o desenvolvimento e a concomitante concentração do crédito derem ao capital de empréstimo caráter social generalizado e o lançarem no mercado financeiro de uma vez, em massa. A taxa geral de lucro, ao revés, limita-se a ser tendência, movimento que nivela as taxas particulares de lucro. A concorrência entre os capitalistas – que já é esse movimento – consiste em retirar gradualmente capital dos ramos onde o lucro está por algum tempo abaixo da média e em fornecer gradualmente capital para os ramos onde o lucro está acima dela; ou também em repartir progressivamente capital adicional entre esses ramos, em diferentes

---

35 Taxa de desconto do Banco da Inglaterra — 5%
Taxa corrente de desconto de letras a 60 dias — $3\frac{5}{3}\%$
Idem, de letras a 3 meses — $3\frac{1}{2}\%$
Idem, de letras a 6 meses — $3\frac{5}{16}\%$
Empréstimos por um dia, aos corretores de letras — 1–2%
Idem, por uma semana — 3%
Empréstimos a corretores de títulos, por uma quinzena, última taxa — $4\frac{2}{4}$–5%
Juros de depósitos, bancos — $3\frac{1}{2}\%$
Idem, bancos de descontos — 3–$3\frac{1}{4}\%$

proporções. Variam sem cessar a entrada de capital nesses diversos ramos e a saída deles, não havendo a ação simultânea, num só bloco, observada na determinação da taxa de juro.

A amplitude da diferença num mesmo dia evidencia-se na relação acima das taxas de juros do mercado financeiro londrino de 9 de dezembro de 1889, extraída da seção "City" do *Daily News*, de 10 de dezembro. O mínimo é 1% e o máximo, 5%. [F.E.]

Vimos que o capital de empréstimo, embora categoria absolutamente diversa da mercadoria, torna-se mercadoria *sui generis*, e seu preço é o juro, em cada ocasião fixado pela oferta e procura, como o preço de mercado da mercadoria comum. Por isso, a taxa de mercado do juro, embora oscile constantemente, patenteia-se em cada momento sempre tão fixada e uniforme como o preço eventual de mercado da mercadoria. Os capitalistas financeiros fornecem essa mercadoria, e os capitalistas empresários compram-na, constituem a procura dela. Isto não se dá com o nivelamento que leva à taxa geral de lucro. Se num ramo os preços das mercadorias são inferiores ou superiores ao preço de produção (estamos agora abstraindo das oscilações próprias de cada negócio, relacionadas com as diferentes fases do ciclo industrial), efetua-se o nivelamento ampliando-se ou reduzindo-se a produção, isto é, expandindo-se ou limitando-se a quantidade de mercadorias lançadas no mercado pelos capitais industriais, em virtude do movimento de entrada e saída de capital nos ramos de produção. Os desvios que as taxas particulares de lucro têm da taxa geral ou média são corrigidos por se nivelarem assim os preços médios das mercadorias aos preços de produção. Esse processo não se apresenta nem pode apresentar-se de maneira que o capital industrial ou mercantil *como tal* seja mercadoria que se confronte com um comprador, como o capital de empréstimo. Apresenta-se apenas ao transparecer nas oscilações e nas compensações dos preços de mercado das mercadorias em torno dos preços de produção, e não como fixação direta do lucro médio. Na realidade, a taxa geral de lucro é determinada (1) pela mais-valia produzida pela totalidade do capital, (2) pela relação entre essa mais-valia e o valor do capital todo e (3) pela concorrência, na medida em que é o movimento que possibilita os capitais empregados nos diferentes ramos de produção procurarem extrair dessa mais-valia, de acordo com as magnitudes relativas, dividendos iguais. Verificamos que a taxa geral de lucro é determinada por causas inteiramente diversas e muito mais complicadas – se a comparamos com a taxa de mercado do juro, determinada direta e imediatamente pela relação entre oferta e procura – e, por conseguinte, não é fato manifesto, dado, como a taxa de juros. As taxas particulares de lucro nos diferentes ramos de produção são mais ou menos incertas; mas, ao aparecerem, o que se revela não é a uniformidade, e sim a diversidade delas. A própria taxa geral de lucro aparece apenas como limite mínimo do lucro, e não como figura empírica, logo visível, da taxa efetiva de lucro.

Ao acentuar essa diferença entre taxa de juro e taxa de lucro, estamos abstraindo das duas circunstâncias seguintes que favorecem a consolidação da taxa de juro: (1) a existência histórica anterior do capital produtor de juros e a existência tradicional da taxa geral de juro; (2) a influência imediata muito maior, exercida pelo mercado mundial sobre a fixação da taxa de juro, sem depender das condições de produção de um país, comparada com a influência que tem sobre a taxa de lucro.

O lucro médio não se configura em fato imediato dado, mas em resultado final da compensação de oscilações opostas, a verificar mediante pesquisa. É diferente o que se passa com a taxa de juro. Em sua validade geral, pelo menos localmente, é um fato diariamente registrado, fato que serve ao capital industrial e mercantil de pressuposto e elemento contábil no cálculo das respectivas operações. Toda quantia de 100 libras esterlinas adquire o poder de produzir 2, 3, 4 ou 5%. Os boletins meteorológicos não registram a situação barométrica e termométrica com mais precisão que os boletins de bolsa, a situação da taxa de juros, não para este ou aquele capital, mas para o capital que está no mercado financeiro, isto é, o capital de empréstimo em geral.

No mercado financeiro confrontam-se apenas emprestadores e prestatários. A mercadoria aí tem forma invariável, a de dinheiro. Desvanecem-se todas as figuras particulares do capital, segundo os ramos particulares de produção ou circulação em que se aplica. Passa o capital a existir na figura que não se diferencia, do valor autônomo, sempre igual a si mesmo – o dinheiro. Anula-se a concorrência entre os diversos ramos, procurando todos conjuntamente tomar dinheiro emprestado, e o capital confronta-os todos na forma em que não lhe importa a maneira como vai ser empregado. O capital em si como fator comum da classe, qualidade que o capital industrial só revela no movimento e na concorrência entre os diferentes ramos, aparece então, com a força toda, na procura e oferta de capital. No mercado financeiro, o capital-dinheiro ostenta efetivamente a figura em que se reparte, como elemento comum, seja qual for seu emprego particular, pelos diferentes ramos, pela classe capitalista, de acordo com as necessidades de produção de cada ramo. Acresce que, com o desenvolvimento da indústria moderna, o capital-dinheiro, ao aparecer no mercado, é cada vez menos representado pelo capitalista isolado, pelo dono desta ou daquela fração do capital existente no mercado, e cada vez mais constitui massa concentrada, organizada, que, distinguindo-se totalmente da produção real, encontra-se sob controle dos banqueiros que representam o capital social. Assim, na procura, o empuxo de uma classe se confronta com o capital de empréstimo, que, na oferta, se apresenta em bloco. Eis algumas das razões por que a taxa geral de lucro se patenteia imagem nebulosa, evanescente, ao lado da taxa de juro determinada, que, embora oscile em sua magnitude, oscila de maneira uniforme para todos os prestatários, confrontando-os como taxa fixa, dada. As variações de valor do dinheiro não o impedem de ter valor igual perante todas as mercadorias, nem as variações diárias dos preços de mercado das mercadorias, de estas serem diariamente cotadas nos boletins de bolsa. O mesmo se dá com a taxa de juro, também regularmente cotada como "preço do dinheiro". É que o próprio capital é então oferecido na forma dinheiro, como mercadoria; em consequência, a fixação de seu preço é fixação do preço de mercado como se dá com todas as outras mercadorias, e a taxa de juros se apresenta sempre como taxa geral de juros, como tanto por tanto de dinheiro, quantitativamente definida. A taxa de lucro, ao contrário, pode diferir até dentro do mesmo ramo para mercadorias com preços iguais, segundo as condições diversas em que os vários capitais produzem a mesma mercadoria, pois a taxa de lucro de cada empresa capitalista não é determinada pelo preço de mercado da mercadoria, mas pela diferença entre preço de mercado e preço de custo. E só por meio de oscilações constantes as diferentes taxas de lucro podem nivelar-se dentro do mesmo ramo e entre os diversos ramos.

(Notas para desenvolvimento posterior.)

Forma particular de crédito: quando o dinheiro serve de meio de pagamento em vez de meio de compra, sabemos que se aliena mercadoria, mas só mais tarde se realiza o valor dela. Se o pagamento só se efetiva depois da revenda, parece não decorrer esta da compra, mas realizar-se a compra por intermédio da revenda. Revender torna-se meio de comprar. – Segundo: títulos de crédito, letras etc. transformam-se em meios de pagamento para o credor. – Terceiro: a compensação dos títulos de crédito substitui o dinheiro.

XXIII.
Juro e lucro do empresário

Conforme vimos nos dois capítulos precedentes, o juro continua sendo na realidade o que parece ser e é na origem: parte do lucro, da mais-valia, parte que o capitalista ativo, industrial ou comerciante – na medida em que, em vez de capital próprio, emprega capital emprestado – tem de pagar ao dono e prestamista desse capital. Se aplicar somente capital próprio, não terá de dividir esse lucro; este lhe pertence por inteiro. De fato, na medida em que os proprietários do capital o empregam diretamente no processo de reprodução, não concorrem para determinar a taxa de juro, e por aí se vê que a categoria do juro – impossível sem fixar-se a taxa de juro – é por natureza estranha ao movimento do capital industrial.

> "A taxa de juro, podemos defini-la, é a quantia percentual que o prestamista se satisfaz em receber, e o prestatário em pagar, pelo uso de certo montante de capital-dinheiro, durante um ano ou período mais ou menos longo... O dono do capital, quando o emprega ativamente na reprodução, não se classifica entre aqueles capitalistas cuja proporção, em relação ao número dos prestatários, determina a taxa de juro" (Th. Tooke, *Hist. of Prices*, Londres, 1838, II, p. 355s).

Na realidade, é apenas a separação dos capitalistas em financeiros e industriais que transforma parte do lucro em juro, cria, enfim, a categoria do juro; e somente a concorrência entre essas duas espécies de capitalistas gera a taxa de juro.

Enquanto o capital funciona no processo de reprodução, o capitalista industrial – mesmo admitindo-se que o capital lhe pertença, de modo que não tenha de devolvê-lo a prestamista algum – tem à sua disposição como particular não o próprio capital, mas somente o lucro, que pode gastar como renda. O capital, enquanto funciona como capital, pertence ao processo de reprodução, nele está comprometido. O industrial no caso é proprietário dele, mas essa propriedade, enquanto utilizada como capital para explorar trabalho, não o capacita a dispor do capital de outra maneira. O mesmo se dá com o capitalista financeiro. Seu capital, enquanto está emprestado, desempenhando o papel de capital-dinheiro, rende-lhe juro, parte do lucro, mas ele não pode dispor do principal. É o que se revela quando, por exemplo, emprestou por um ou mais anos, recebendo juros em determinados prazos sem recuperar o capital. Mas, aí, nem mesmo o reembolso faz diferença. Se reembolsa o capital, tem sempre de emprestá-lo de novo, se pretende utilizá-lo como capital, mais precisamente como capital-dinheiro. Enquanto está nas suas mãos, não rende juros e não exerce o papel de capital; e, enquanto rende juros e atua como capital, não está em suas mãos. Daí a possibilidade de emprestar capital por tempo ilimitado. São por completo falsas, portanto, as observações que Tooke faz contra Bosanquet. Começa ele citando Bosanquet (*Metallic, Paper, and Credit Currency*, p. 73):

> "Se a taxa de juro for rebaixada a 1%, o capital de empréstimo ficará quase igualado ao capital próprio."

E comenta:

> "Dizer que capital emprestado a essa taxa ou mesmo a taxa inferior seja quase igual a capital próprio é proposição tão estranha que não mereceria atenção séria, se não procedesse de um autor tão inteligente e tão bem-informado sobre certos pormenores da questão. Esqueceu ele ou considera insignificante a circunstância de sua hipótese implicar a condição de reembolso?" (Th. Tooke, *An Inquiry into the Currency Principle*, 2ª ed., Londres, 1844, p. 80).

Se o juro = 0, estará o capitalista, que tomou o capital emprestado, equiparado ao que opera com capital próprio. Ambos embolsariam o mesmo lucro médio, e o capital, emprestado ou próprio, só opera na qualidade de capital enquanto produz lucro. A condição de reembolso nada alteraria aí. Quanto mais o juro se aproximar de zero, caindo, digamos, a 1%, tanto mais o capital emprestado vai se igualando a capital próprio. O capital-dinheiro, para existir como tal, tem de ser sempre emprestado à taxa vigente de juro, digamos, de 1%, e sempre à mesma classe dos capitalistas industriais e mercantis. Enquanto os dessa classe funcionam como capitalistas, a diferença que existe entre o que opera com capital emprestado e o que opera com capital próprio é apenas a de o primeiro ter de pagar juros e o segundo, não; o primeiro embolsa o lucro todo l, e o segundo l – j, o lucro menos o juro; quanto mais j se aproxima de zero, tanto mais l – j tende para l, tanto mais irão se igualando os dois capitais. Um tem de devolver o capital para tomá-lo emprestado de novo; e o outro, se quer que seu capital funcione, tem sempre de adiantá-lo novamente para o processo de produção e dele não dispõe livre desse processo. Só persiste evidentemente uma única diferença: a de um capitalista ser proprietário do capital, e o outro, não. Surge então o problema: como é que se torna qualitativa essa divisão meramente quantitativa do lucro em lucro líquido e juro? Em outras palavras, como explicar que também o capitalista que não emprega capital emprestado, mas apenas o próprio, classifique parte de seu lucro bruto na categoria de juro, nessa qualidade calculando-a separadamente? E que, por consequência, todo capital, emprestado ou não, como produtor de juros se distinga de si mesmo como produtor de lucro líquido?

Reconhece-se que não é qualquer eventual divisão quantitativa do lucro que se transforma dessa maneira em qualitativa. Vários capitalistas industriais, por exemplo, se associam para explorar um negócio e repartir entre si o lucro dele oriundo de acordo com normas juridicamente estipuladas. Outros exploram seu negócio individualmente, sem associado. Os últimos não têm de considerar o lucro segundo duas categorias: uma parte correspondendo a lucro individual e outra, ao lucro da associação, destinada a sócios inexistentes. No caso, a divisão quantitativa não se converte em qualitativa. Essa divisão só se dá quando eventualmente a propriedade da empresa é de várias pessoas.

Para solucionar o problema, temos de nos deter no verdadeiro ponto de partida da formação do juro; isto é, começaremos admitindo que capitalista financeiro e capitalista produtivo se confrontam realmente como pessoas juridicamente diversas e ainda como pessoas que desempenham papéis bem diversos no processo de reprodução, ou em cujas mãos o mesmo capital efetua dois movimentos bem distintos. Um apenas o empresta, e outro apenas o aplica produtivamente.

Para o capitalista produtivo que trabalha com capital emprestado, o lucro bruto se divide em duas partes: o juro que tem de pagar ao prestamista e o que excede o juro, a parte que lhe cabe do lucro. Dada a taxa geral de lucro, essa segunda parte é determinada pela taxa de juro, e dada esta, pela taxa geral de lucro. Além disso, por mais que o lucro bruto – a grandeza efetiva do valor do lucro global – se desvie, em cada caso particular, do lucro médio, a parte que pertence ao capitalista produtivo é determinada pelo juro, uma vez que o fixa taxa geral de juro (excetuadas estipulações jurídicas especiais) e já se supõe que será percebido, antes de começar a produção, antes de se alcançar o lucro bruto. Vimos que o autêntico produto específico do capital é a mais-valia, ou mais precisamente o lucro. Mas para o capitalista que trabalha com capital emprestado, não é o lucro, e sim o lucro menos o juro, a parte que lhe resta do lucro, depois de pagar o juro. Essa parte do lucro aparece-lhe necessariamente como produto do capital que funciona; e assim é realmente para ele, pois só representa o capital ativo. Personifica o capital enquanto este funciona, é investido lucrativamente na indústria e no comércio, empregado para que se levem a cabo as operações exigidas pelo correspondente ramo particular de negócio. Contrastando com o juro, que tem de pagar ao prestamista, a expensas do lucro bruto, a parte que lhe cabe do lucro toma necessariamente a forma de lucro industrial ou comercial, ou, para usar expressão que abrange ambos, a forma de lucro de empresário. Se o lucro bruto é igual ao lucro médio, a grandeza do lucro de empresário é determinada exclusivamente pela taxa de juro. Se o lucro bruto se desvia do lucro médio, a diferença entre eles (excluídos os juros) é determinada por todos os fatores conjunturais que temporariamente fazem a taxa de lucro de um ramo particular de produção desviar-se da taxa geral de lucro, ou o lucro obtido por um capitalista isolado em determinado ramo, do lucro médio desse ramo. Já vimos que a taxa de lucro, dentro do próprio processo de produção, depende não só da mais-valia, mas também de muitos outros fatores: dos preços de compra dos meios de produção, de métodos com produtividade acima da média, da economia em capital constante etc. E fora do processo de produção, a circunstância de comprar ou vender acima ou abaixo do preço de produção, de apropriar-se, dentro do processo de circulação, de parte maior ou menor da mais-valia global, depende de conjunturas particulares e, em cada negócio que se faz, da maior ou menor astúcia e diligência do capitalista. De qualquer modo, porém, a repartição quantitativa do lucro se torna aí qualitativa, e tanto mais quanto a própria divisão quantitativa depende *do que* há para repartir, de *como* o capitalista ativo administra o capital, e do lucro bruto que retira desse capital operante, em sua função de capitalista ativo. Supõe-se então que o capitalista ativo não é proprietário do capital. Quem representa perante ele a propriedade sobre o capital é o emprestador, o capitalista financeiro. A este é pago o juro, que configura assim do lucro bruto a parte que cabe à nua propriedade do capital. Por outro lado, aparece a parte do lucro destinada ao capitalista ativo, o lucro de empresário, oriundo exclusivamente das operações ou funções que efetua com o capital no processo de reprodução, das funções específicas que exerce, de empresário industrial ou comercial. O juro é para ele mero fruto da propriedade do capital, do capital em si, fora do respectivo processo de reprodução, sem que "trabalhe" ou funcione; enquanto o lucro de empresário lhe parece fruto exclusivo das funções efetivadas com o capital, do movimento e da atuação do capital, o que considera sua própria atividade, em contraste com a inatividade e a não participação do capitalista financeiro no processo de produção. Essa separação qualitativa entre as duas partes do lucro bruto – o juro derivado do capital em si, da propriedade do capital, fora do processo de produção, e o lucro de empresário, decorrente do capital em movimento, operando no processo de produção, com o consequente papel ativo que o empregador do capital desempenha no processo de reprodução – não é de modo algum concepção puramente subjetiva de capitalistas financeiros e de capitalistas industriais. Repousa sobre fato objetivo, pois o juro flui para o capitalista financeiro, o prestamista, mero proprietário do capital, representando a nua propriedade do capital antes e fora do processo de produção; e o lucro de empresário flui para o capitalista que funciona sem ser o proprietário do capital.

Assim, tanto para o capitalista industrial que trabalha com capital emprestado quanto para o capitalista financeiro que não emprega diretamente o próprio capital, converte-se em separação qualitativa a divisão puramente quantitativa do lucro bruto entre duas pessoas diferentes, ambas com direitos de natureza diversa ao mesmo capital e, por conseguinte, ao lucro dele oriundo. Uma parte do lucro, o juro, se apresenta de per si como fruto do capital numa significação definida; e a outra, o lucro de empresário, se revela fruto específico do capital em significação oposta: uma deriva da nua propriedade do capital, e a outra, da simples aplicação desse capital, do capital em movimento, ou das funções exercidas pelo capital ativo. As duas partes se cristalizam e se tornam independentes uma da outra, como se a origem de uma fosse essencialmente diversa da origem da outra, e essa circunstância impõe-se então necessariamente à totalidade da classe capitalista e do capital. E não importa que seja ou não emprestado o capital aplicado pelo capitalista ativo ou que o próprio capitalista financeiro empregue ou não o capital que lhe pertence. O lucro de cada capital e, portanto, o lucro médio baseado no nivelamento dos capitais entre si, se decompõe em duas partes diversas em qualidade, autônomas e independentes entre si – juro e lucro de empresário, ambas regidas por leis específicas. O capitalista que trabalha com capital próprio, como o que trabalha com capital emprestado, reparte seu lucro bruto em juro que lhe cabe como proprietário, emprestador de capital a si mesmo, e em lucro de empresário, que lhe toca na condição de capitalista ativo, operante. Sob o aspecto qualitativo não importa a essa divisão que o capitalista tenha de efetivá-la ou não com outro. Embora trabalhando com capital próprio, quem o emprega representa duas pessoas, o simples proprietário do capital e quem o aplica; e o capital mesmo, no tocante às categorias de lucro que proporciona, se desdobra em *propriedade*-capital, capital *fora* do processo de produção, que de per si rende juro, e capital *dentro* do processo de produção, que operando fornece o lucro de empresário.

O juro se impõe, não se limitando a surgir eventualmente na produção, quando o industrial que trabalha com capital alheio reparte o lucro bruto. Mesmo quando trabalha com capital próprio, seu lucro se reparte em juro e lucro de empresário. Assim, a divisão meramente quantitativa se torna qualitativa; verifica-se sem depender da ocorrência fortuita de o industrial ser ou não o proprietário do capital. Trata-se não só de cotas de lucro repartidas por diversas pessoas, mas de categorias diversas dele, relacionadas de maneira diferente com o capital, ou seja, com destinações diferentes do capital.

Inferem-se facilmente as razões por que essa divisão do lucro bruto em juro e lucro de empresário, ao tornar-se qualitativa, estende à totalidade do capital esse caráter, impondo-o à classe capitalista toda.

Primeiro, isso já decorre da simples circunstância empírica de a maioria dos capitalistas industriais, embora em proporções numéricas diversas, trabalhar com capital próprio e emprestado, variando segundo os diversos períodos a relação entre ambos.

Segundo, ao converter-se parte do lucro bruto à forma de juro, transforma-se a outra em lucro de empresário. Esta é apenas a forma oposta, assumida pelo excedente do lucro bruto sobre o juro, desde que este existe como categoria autônoma. Analisar por completo a maneira como o lucro bruto se diferencia em juro e lucro de empresário reduz-se a investigar como parte do lucro bruto geralmente se solidifica em juro e se torna autônoma. Ora, historicamente, o capital produtor de juros, forma pronta e acabada, tradicional, e o juro (forma secundária conclusa da mais-valia produzida pelo capital) já existiam muito antes de haver o modo capitalista de produção e as correspondentes concepções acerca de capital e lucro. Por isso, capital-dinheiro, capital a juros, ainda continuam representando, na imaginação popular, capital autêntico, capital por excelência. Daí a concepção dominante até os tempos de Massie de ser o dinheiro como tal, o que se paga com o juro. A circunstância de o capital emprestado produzir juro, seja ou não efetivamente aplicado como capital – até quando emprestado para consumo –, robustece a ideia acerca da autonomia dessa forma de capital. A melhor prova da autonomia com que, nos primeiros períodos do modo capitalista de produção, o juro se apresentava perante o lucro, e o capital produtor de juros, perante o capital industrial, é o fato de só se descobrir – graças a Massie, seguido de Hume –, em meados do século XVIII, que o juro é apenas parte do lucro bruto, tendo sido necessária essa descoberta.

Terceiro, tanto faz que o capitalista industrial trabalhe com capital próprio ou com capital emprestado; tem diante de si, do mesmo modo, a classe dos capitalistas financeiros (espécie particular de capitalistas), o capital-dinheiro, espécie autônoma de capital, e o juro, a forma autônoma de mais-valia, correspondente a esse capital específico.

Sob o aspecto *qualitativo*, o juro é mais-valia, proporcionada pela nua propriedade do capital, pelo capital em si, embora o proprietário esteja fora do processo de reprodução; é mais-valia que o capital rende, dissociado de seu processo.

Sob o aspecto *quantitativo*, a parte do lucro constituída pelo juro não aparece referida ao capital industrial e comercial como tal, mas ao capital-dinheiro, e a taxa dessa parte da mais-valia, a taxa de juro, confirma essa relação. É que a taxa de juro – embora dependa da taxa geral de lucro – é determinada de maneira autônoma e, além disso, se revela – como o preço de mercado das mercadorias – relação fixa, uniforme e sempre dada, apesar de todas as oscilações, contrastando com a taxa fluida do lucro. Se o capital todo estivesse nas mãos dos capitalistas industriais, não existiria juro nem taxa de juro. A forma autônoma assumida pela divisão quantitativa do lucro gera a divisão qualitativa. O que, numa comparação, distingue o capitalista industrial do capitalista financeiro é apenas o lucro de empresário, o excedente do lucro bruto sobre o juro médio, que graças à taxa de juro se revela grandeza empírica dada. E o que o distingue do capitalista industrial que emprega capital próprio em vez de emprestado é somente a circunstância de este embolsar o juro, na qualidade de capitalista financeiro, em vez de desembolsá-lo. Nos dois casos, a parte do lucro bruto destacada do juro constitui para o capitalista industrial lucro de empresário, e o próprio juro, mais-valia que o capital por si mesmo rende e que renderá, portanto, sem aplicação produtiva.

Isso está praticamente certo para o capitalista isolado. Exista seu capital de início como capital-dinheiro ou deva converter-se ainda em capital-dinheiro, tem ele a opção de emprestá-lo como capital a juros ou valorizá-lo diretamente como capital produtivo. É naturalmente insensato generalizar essa possibilidade, estendê-la ao capital todo da sociedade, como o fazem alguns economistas vulgares, que chegam até a ver aí a base do lucro. É disparate evidente supor a transformação do capital todo em capital-dinheiro, sem haver pessoas que comprem os meios de produção e acrescentem valor a esses meios nos quais todo o capital se configura, excetuada a pequena parte existente em dinheiro. Está implícito aí o absurdo ainda maior de imaginar que o capital renderia juros no sistema capitalista de produção sem operar como capital produtivo, isto é, sem criar mais-valia da qual o juro é somente uma parte, e que o sistema capitalista de produção continuaria sua marcha sem a produção capitalista. Se número demasiado de capitalistas quisesse transformar o respectivo capital em capital-dinheiro, a consequência seria desvalorização enorme do capital-dinheiro e queda imensa da taxa de juro; muitos ficariam imediatamente impossibilitados de viver de juros, forçados, portanto, a retornar ao papel de capitalistas industriais. Mas continua valendo para o capitalista isolado o que é verdadeiro apenas para ele. Mesmo quando emprega capital próprio, necessariamente considera a parte de seu lucro médio – igual ao juro médio – como fruto de seu capital de per si, fora do processo de produção; e, contrastando com essa parte autônoma que é o juro, considera o restante do lucro bruto como puro lucro de empresário.

Quarto [Neste ponto, lacuna no manuscrito do autor].

Mostrou-se que a parte do lucro a ser paga pelo capitalista operante ao mero proprietário do capital emprestado converte-se na forma autônoma de uma parte do lucro, fornecida por todo capital de per si, seja ou não de empréstimo, e chamada de juro. Sua grandeza depende da magnitude da taxa de juro. Sua origem revela-se tão-só na circunstância de o capitalista empresário que é proprietário do capital empregado não competir – pelo menos ativamente – na determinação da taxa de juro. A divisão puramente quantitativa do lucro entre duas pessoas, a títulos jurídicos diversos, transformou-se em divisão qualitativa, que parece provir da natureza do capital e do próprio lucro. É que, segundo vimos, se uma parte do lucro assume geralmente a forma de juro, a diferença entre o lucro médio e o juro, ou o excedente do lucro sobre o juro, converte-se na forma oposta ao juro, o lucro de empresário. As duas formas, juro e lucro de empresário, só existem em sua antinomia. São da mais-valia partes designadas por categorias, classificações ou nomes diversos, sem se referirem a ela, mas uma se referindo à outra: em virtude de uma parte do lucro transformar-se em juro, aparece a outra como lucro de empresário.

Ao falar agora de lucro estaremos sempre aludindo ao lucro médio, pois omitiremos aqui os desvios do lucro individual e os do lucro nos diversos ramos, ou seja, as variações na repartição do lucro médio ou mais-valia oriundas da competição e de outras circunstâncias. Isto se estende a toda a investigação em curso.

O juro é então o lucro líquido – como o chama Ramsay – que a nua propriedade do capital proporciona, seja ao mero prestamista, que fica por fora do processo de reprodução, seja ao proprietário que aplica produtivamente o respectivo capital. Mas esse proprietário recebe esse lucro líquido não por ser capitalista ativo, e sim por ser capitalista financeiro, emprestador a si mesmo, na qualidade de capitalista ativo, do próprio capital produtor de juros. A conversão do dinheiro – e do valor em geral – em capital é o resultado constante, e a existência dele como capital, a condição permanente do processo capitalista de produção. Com sua capacidade de converter-se em meios de produção, o dinheiro comanda sempre trabalho não pago, e assim transforma o processo de produção e de circulação de mercadorias na produção de mais-valia para o seu dono. Assim, o juro expressa apenas que o valor em geral – o trabalho objetivado em sua forma social genérica –, o valor que no processo efetivo de produção se configura nos meios de produção, como potência autônoma se defronta com a força-de-trabalho viva, sendo meio de apropriar-se dela – potência que, como propriedade alheia, se opõe ao trabalhador. Sob outro aspecto, entretanto, essa oposição ao trabalho assalariado se desvanece na forma do juro, pois de per si o capital produtor de juros se opõe não ao trabalho assalariado, mas ao capital em função; no processo de reprodução, o capitalista emprestador como tal se confronta diretamente com o capitalista ativo e não com o trabalhador assalariado, o expropriado dos meios de produção no sistema capitalista. O capital produtor de juros é o capital-*propriedade* em face do capital-*função*. E, enquanto não funciona, o capital não explora os trabalhadores nem está se opondo ao trabalho.

Por outro lado, o lucro de empresário não se contrapõe ao trabalho assalariado, mas somente ao juro.

Primeiro, dado o lucro médio, a taxa do lucro de empresário é determinada não pelo salário, mas pela taxa de juro, variando na razão inversa desta.³⁶

Segundo, o capitalista ativo deriva o direito ao lucro de empresário e, portanto, o próprio lucro de empresário, não de sua propriedade sobre o capital, mas da função do capital oposta à destinação em que existe como propriedade inerte. Essa oposição logo se manifesta quando ele opera com capital emprestado, cabendo juro e lucro de empresário a duas pessoas distintas. O lucro de empresário decorre da função do capital no processo de reprodução, portanto, das operações, da atividade com que o capitalista ativo efetiva essas funções do capital industrial e mercantil. Representar o capital ativo não é a sinecura que é a representação do capital produtor de juros. No sistema de produção capitalista, dirige o capitalista o processo de produção e o de circulação. Custa esforço a exploração do trabalho produtivo, execute-a o próprio capitalista ou outros por delegação dele. Contrapondo-se ao juro, o lucro de empresário assume perante o capitalista ativo feição independente da propriedade do capital, ou melhor, parece-lhe resultado de sua função de não proprietário, de... *trabalhador*.

Forma-se então necessariamente em sua cachola a ideia de que o lucro de empresário – longe de constituir oposição ao trabalho assalariado e de ser apenas trabalho alheio não pago – é *salário* mesmo, salário de direção, de superintendência de trabalho, maior que o do assalariado comum (1) por tratar-se de trabalho mais complicado e (2) porque ele retribui a si mesmo. Sua função de capitalista consistente em produzir mais-valia, trabalho não pago, e nas condições mais econômicas, fica esquecida em virtude da antinomia: o juro que cabe ao capitalista, embora não exerça função de capitalista, sendo mero proprietário de capital, e o lucro de empresário, que cabe ao capitalista ativo, mesmo quando não seja proprietário do capital com que funciona. A forma antinômica das duas partes em que se divide o lucro e, portanto, a mais-valia faz esquecer que ambas são meras frações desta e que repartir a mais-valia nada pode alterar na natureza, na origem e nas condições de sua existência.

No processo de reprodução, o capitalista ativo representa perante os trabalhadores assalariados o capital, propriedade alheia, e o capitalista

---

36 "O lucro de empresário depende do lucro líquido do capital, e não este daquele" (Ramsay, *loc. cit.*, p. 214. Para Ramsay, lucro líquido = juro).

financeiro, por intermédio do capitalista ativo, participa da exploração do trabalho. A oposição entre função do capital no processo de reprodução e a nua propriedade do capital fora do processo de reprodução obscurece que só representando os meios de produção perante os trabalhadores pode o capitalista ativo fazê-los trabalhar para ele ou conseguir que os meios de produção funcionem como capital.

Na realidade, não expressa relação alguma para com o trabalho a forma que ambas as partes do lucro, o juro e o lucro de empresário, assumem, pois o que existe é a relação entre o trabalho e o lucro, ou seja, a mais-valia, a soma, o todo, a unidade dessas duas partes. A proporção em que o lucro se reparte e os diversos títulos jurídicos em que se baseia essa divisão supõem a existência prévia, pronta e acabada, do lucro. Por isso, se o capitalista é proprietário do capital com que opera, embolsa o lucro todo ou a mais-valia; não interessa ao trabalhador que ele assim proceda ou que tenha de entregar parte a outra pessoa, juridicamente proprietária do capital. As razões da divisão do lucro entre dois grupos de capitalistas são objeto de dissimulação que as transforma em razões de existência do lucro, da mais-valia a dividir que o capitalista como tal retira do processo de reprodução, sem depender de qualquer divisão posterior. Da circunstância de o juro se opor ao lucro de empresário, e este àquele, de os dois se oporem entre si, mas não ao trabalho, infere-se que lucro de empresário + juro, isto é, o lucro, ou ainda a mais-valia, se fundamenta sobre a forma antinômica de suas duas partes! O lucro, porém, é produzido antes de ser dividido e antes de se poder tratar dessa divisão.

O capital produtor de juros só se sustém como tal na medida em que o dinheiro emprestado se converte efetivamente em capital, produzindo um excedente de que o juro é fração. Mas isso não exclui que, fora do processo de produção, nele se insira a qualidade de render juros. A força de trabalho, por sua vez, só revela a propriedade de criar valor se atua e se realiza no processo de trabalho; mas isso não veda que seja, em si, potencialmente, como capacidade, a atividade geradora de valor, e nessa qualidade não provém do processo, sendo antes condição prévia dele. É adquirida pela capacidade de criar valor. Há quem possa comprá-la sem fazê-la trabalhar produtivamente, por exemplo, para fins puramente pessoais, serviços domésticos etc. O mesmo se dá com o capital. É problema do prestatário decidir se o emprega como capital, se põe efetivamente em ação a qualidade que lhe é inerente de produzir mais-valia. O que ele paga, nos dois casos, é a mais-valia em si, virtualmente contida na mercadoria capital.

Vejamos mais de perto o lucro de empresário.

Quando o fundamento da destinação social específica do capital está arraigado no modo capitalista de produção – a propriedade de capital com a virtude de comandar o trabalho alheio –, e o juro por isso aparece como a parte do valor excedente (mais-valia) produzida pelo capital considerado sob aquele aspecto, a outra parte do valor excedente – o lucro de empresário – se revela necessariamente oriunda não do capital como capital, mas do processo de produção, separado daquela destinação social específica que já logrou seu modo de existência particular na expressão juro do capital. Separado do capital, porém, o processo de produção é processo de trabalho em geral. O capitalista industrial, diferindo do proprietário do capital, não se apresenta assim como capital em ação, e sim como funcionário dissociado mesmo do capital, como simples agente do processo de trabalho, trabalhador e, mais precisamente, assalariado.

O juro em si expressa justamente que as condições de trabalho existem como capital, em oposição social ao trabalho, transformando-se em poder pessoal ante o trabalhador e acima dele. Representa a nua propriedade do capital como meio de apropriar-se de produtos do trabalho alheio. Mas representa esse caráter do capital como algo que lhe cabe fora do processo de produção e que não provém de maneira alguma da destinação especificamente capitalista do próprio processo de produção. Representa-o não em oposição direta ao trabalho, mas, ao contrário, sem relação com ele, como simples relação entre dois capitalistas. Por conseguinte, como determinação extrínseca, alheia à relação entre capital e trabalho. Assim, no juro, figura particular do lucro, encontra o caráter contraditório do capital expressão independente em que a antinomia se desvanece, sendo inteiramente posta de lado: o juro é uma relação entre dois capitalistas, e não entre capitalista e trabalhador.

Por outro lado, a forma de juro dá à outra parte do lucro a forma qualitativa de lucro de empresário, mais ainda, de salário de direção. As funções particulares que o capitalista como tal tem de desempenhar, e que lhe cabem diferenciando-o dos trabalhadores e opondo-o a eles, são representadas como puras funções de trabalho. Ele cria mais-valia não porque trabalha como *capitalista*, mas porque, omitindo-se a qualidade de capitalista, também trabalha. Essa parte da mais-valia deixa de ser mais-valia, para ser o oposto: equivalente de trabalho efetuado. Uma vez que o caráter alienado do capital, sua oposição ao trabalho, se desloca para fora do processo efetivo de exploração, radicando-se no capital produtor de juros, tal processo de exploração aparece como puro processo de trabalho em que o capitalista apenas efetua trabalho de espécie diversa daquele do trabalhador. Desse modo, o trabalho de explorar e o trabalho explorado são, como trabalho, idênticos. Tanto é trabalho o de explorar quanto o que é explorado. Ao juro corresponde a forma social do capital, expressa de maneira neutra, indiferente; ao lucro de empresário, a função econômica do capital, omitindo-se o caráter capitalista determinado dessa função.

O que se passa na consciência do capitalista é o mesmo fenômeno observado com os motivos de compensação que levam ao nivelamento do lucro médio, referidos na Segunda Seção deste livro.[I] Esses motivos que constituem fator determinante da repartição da mais-valia transmudam-se, no espírito do capitalista, em razões que explicam a origem do próprio lucro e (subjetivamente) o justificam.

A ideia de o lucro de empresário ser salário por direção do trabalho, ideia derivada de opor-se ao juro, mais se robustece porque parte do lucro pode separar-se como salário – o que efetivamente acontece –, ou, antes, parte do salário, no sistema capitalista, pode aparecer integrando o lucro. Conforme já percebera A. Smith, essa parte se apresenta pura, autônoma – de todo dissociada do lucro (soma de juro e lucro de empresário) e ainda da parte remanescente do lucro, o lucro de empresário, obtida após se deduzir o juro – na remuneração do dirigente em negócios cujas dimensões etc. permitem divisão de trabalho bastante para justificar o salário especial de um dirigente.

O trabalho de supervisão e direção surge necessariamente todas as vezes que o processo imediato de produção se apresenta em processo socialmente combinado e não no trabalho isolado de produtores independentes.[37] Possui dupla natureza.

De um lado, em todos os trabalhos em que muitos indivíduos cooperam, a conexão e a unidade do processo configuram-se necessariamente

---

[I] Neste livro, pp. 245-248.
[37] "A superintendência no caso (do agricultor independente) é inteiramente desnecessária" (J.E. Cairnes, *The Slave Power*, Londres, 1862, p. 48s).

numa vontade que comanda e nas funções que não concernem aos trabalhadores parciais, mas à atividade global da empresa, como é o caso do regente de uma orquestra. É um trabalho produtivo que tem de ser executado em todo sistema combinado de produção.

De outro lado, omitindo-se o setor mercantil, esse trabalho de direção é necessário em todos os modos de produção baseados sobre a oposição entre o trabalhador – o produtor imediato – e o proprietário dos meios de produção. Quanto maior essa oposição, tanto mais importante o papel que esse trabalho de supervisão desempenha. Atinge por isso o máximo na escravidão.[38] Mas é também indispensável no modo capitalista de produção, pois o processo de produção é nele ao mesmo tempo processo de consumo da força de trabalho pelo capitalista. Da mesma maneira, em estados despóticos, o trabalho de superintendência e a intromissão geral do governo abarca duas coisas: a execução das tarefas comuns que derivam da própria natureza de toda coletividade e as funções que decorrem especificamente da oposição entre governo e a massa do povo.

Nos escritores da Antiguidade, que tinham diante de si a escravidão, esses dois aspectos do trabalho de superintendência eram teoricamente inseparáveis conforme ocorria na prática e como os veem hoje os economistas modernos que consideram absolutamente válido o modo capitalista de produção. Além disso, os panegiristas da moderna escravidão, conforme ilustra exemplo adiante apresentado, sabem invocar o trabalho de superintendência para justificar a escravatura como o fazem os outros economistas para justificar o sistema de trabalho assalariado.

O feitor (*villicus*) ao tempo de Catão:

> "À frente dos escravos da propriedade rural (*familia rustica*) estava o feitor (*villicus de villa*),[1] com a incumbência de cobrar e pagar, comprar e vender, executar as instruções do senhor e, na ausência dele, ordenar e punir... O feitor dispunha naturalmente de mais liberdade que os outros escravos; os livros de Mago aconselham que se lhe permita casar, ter filhos e possuir dinheiro próprio, e Catão, a casá-lo com a governanta; só ele podia esperar, no caso de boa conduta, obter do senhor a liberdade. Todos, de resto, constituíam uma

---

38 "Se a natureza do trabalho exige que os trabalhadores" (isto é, os escravos) "se dispersem por grande extensão, o número de feitores e em consequência os custos do trabalho requerido por essa supervisão aumentam em proporção correspondente" (Cairnes, *loc. cit.*, p. 44).
1 Herdade.

comunidade doméstica... Todo escravo, inclusive o próprio feitor, recebia do senhor os meios de subsistência, em certas datas e segundo princípios estabelecidos, e tinha de os achar suficientes... A quantidade era dosada de acordo com o trabalho, e assim o feitor (*villicus*), cujo trabalho era mais leve que o dos outros escravos, recebia quantidade menor que a destes" (Mommsen, *Römische Geschichte*, 2ª ed., 1856, I, p. 809s).

Aristóteles:

"Pois o senhor" (digamos, o capitalista) "não atua como tal comprando escravos" (a propriedade de capital que dá o poder de comprar trabalho) "mas utilizando-os" (empregando os trabalhadores, hoje assalariados no processo de produção). "Mas nada há de grande ou de sublime nessa ciência; o que o escravo tem de saber executar, deve aquele saber mandar. Quando os senhores não têm necessidade de se sobrecarregar com essa tarefa, delegam essa honra ao feitor e se dedicam à política ou à filosofia" (Aristóteles, *Respubl.*, ed. Bekker, livro I, 7).

Aristóteles diz secamente que o domínio tanto no setor político quanto no econômico impõe aos detentores do poder a função de mandar, vale dizer que eles devem, no plano econômico, saber consumir a força de trabalho. Acrescenta que não se deve dar grande importância a esse trabalho de direção, e por isso o senhor, logo que dispõe de fortuna bastante, transfere a "honra" dessa sobrecarga a um feitor.

O trabalho de direção e supervisão, quando não é função particular decorrente da natureza de todo trabalho social combinado, tem sua origem na oposição entre o proprietário dos meios de produção e o proprietário da mera força de trabalho. Esta pode ser comprada com o trabalhador, como ocorre na escravidão, ou ser vendida pelo próprio trabalhador, e por conseguinte o processo de produção se patenteia, ao mesmo tempo, processo de consumo da força de trabalho pelo capital. Aquela função, quando oriunda da própria sujeição do produtor imediato, é muitas vezes apontada para justificar essa relação, e o fato de o proprietário do capital explorar trabalho alheio e apropriar-se dele é com frequência apresentado como o salário que lhe é devido. Mas ninguém melhor o fez que um defensor da escravidão nos Estados Unidos, o advogado O'Connor, numa reunião em Nova York, em 19 de dezembro de 1859, tendo por lema: "Justiça para o Sul".

"Então, meus senhores", dizia ele fortemente aplaudido, "foi a própria natureza que destinou o negro para escravo. Ele é forte e vigoroso para o trabalho; mas, a natureza que o dotou com essa força, negou-lhe a inteligência para governar e a vontade de trabalhar" (aplausos). "Ambas lhe estão vedadas! E a natureza que o privou da vontade de trabalhar deu-lhe um senhor para impor-lhe essa vontade e fazer dele, no clima a que foi destinado, um servidor útil a si mesmo e ao senhor que o governa. Afirmo que não constitui injustiça deixar o negro na situação em que o pôs a natureza, dar-lhe um senhor que o dirija; nenhum direito dele é violado, quando forçado a trabalhar, para compensar, para indenizar o senhor dos trabalhos e talentos que emprega para dirigi-lo e torná-lo um ser útil a si mesmo e à sociedade."[I]

Como o escravo, o assalariado precisa ter um senhor para fazê-lo trabalhar, para dirigi-lo. E estabelecida essa relação de domínio, de servidão, é normal que o assalariado seja compelido a produzir o próprio salário e por cima o salário de direção, uma compensação pelo trabalho de governá-lo e vigiá-lo "para indenizar o senhor dos trabalhos e talentos que emprega para dirigi-lo e torná-lo um ser útil a si mesmo e à sociedade".

O trabalho de supervisionar e dirigir, na medida em que decorre do caráter antinômico do domínio do capital sobre o trabalho, é comum a todos os modos de produção baseados na oposição entre as classes. Também no sistema capitalista está direta e inseparavelmente entrosado com as funções produtivas que todo trabalho social combinado impõe a certos indivíduos, como trabalho específico. O salário de um epitropos[II] ou *régisseur*, a designação dada na França feudal, dissocia-se totalmente do lucro e assume também a forma de salário por trabalho qualificado logo que o negócio é explorado em escala bastante ampla para pagar um gerente, embora nossos capitalistas industriais nem por isso "se dediquem à política ou à filosofia".

Ure já observava que "a alma de nosso sistema industrial" não são os capitalistas industriais, mas os gerentes industriais.[39] Quanto à parte mercantil das atividades, já dissemos o necessário na parte precedente.[III]

I *New York Daily Tribune*, 20 de dezembro de 1859.
II Administrador, itinerante, gerente, feitor.
39 A. Ure, o Píndaro dos fabricantes, em *Philos. of Manufactures*, tradução francesa 1836, I, p. 67s., atesta que a maioria deles não tem a menor ideia do mecanismo que emprega.
III Neste livro, pp. 315-339.

JURO E LUCRO DO EMPRESÁRIO

A produção capitalista chegou a um ponto em que frequentes vezes se vê o trabalho de direção por inteiro dissociado da propriedade do capital. Assim, não é mais necessário que o capitalista exerça esse trabalho de direção. Um regente de orquestra não precisa absolutamente ser dono dos instrumentos dela, nem pertence à sua função de dirigente qualquer obrigação com referência ao *salário* dos demais músicos. As fábricas cooperativas demonstram que o capitalista como funcionário da produção tornou-se tão supérfluo quanto o é, para o capitalista mais evoluído, o latifundiário. Na medida em que o trabalho do capitalista não resulta do processo de produção em seu aspecto puramente capitalista, isto é, não se extingue automaticamente com o capital, ultrapassa a função de explorar trabalho alheio e deriva, portanto, da forma social do trabalho, da combinação e da cooperação de muitos para atingir um resultado comum, é tão independente do capital quanto essa forma quando arrebenta o invólucro capitalista. A economia vulgar, em sua incapacidade de imaginar as formas desenvolvidas no seio do modo capitalista de produção, separadas e libertas de seu contraditório caráter capitalista, diz que esse trabalho é necessário como trabalho capitalista, como função do capitalista. Confrontado com o capitalista financeiro, o capitalista industrial é trabalhador, mas um trabalhador capitalista, ou seja, explorador do trabalho alheio. O salário que exige e embolsa por esse trabalho é exatamente igual à quantidade de trabalho alheio de que se apropria e depende diretamente – desde que faz o esforço exigido por essa exploração – do grau de exploração desse trabalho e não da intensidade do esforço que emprega nessa exploração e que pode transferir a um dirigente com remuneração moderada. Após cada crise podem ser vistos nas zonas industriais inglesas um bom número de ex-fabricantes que superintendem por salário modesto – como dirigentes contratados pelos novos proprietários, muitas vezes, seus credores[40] – as fábricas que antes lhes pertenciam.

O salário de direção, tanto para o gerente mercantil quanto para o industrial, aparece totalmente dissociado do lucro de empresário nas fábricas cooperativas e nas empresas capitalistas por ações. A separação entre o salário de direção e o lucro de empresário, fortuita nos demais casos, é

---

40 Após a crise de 1868 deparei com o caso de um fabricante falido que se tornou assalariado de seus antigos trabalhadores. Uma cooperativa de trabalhadores passou a administrar a fábrica e empregou o antigo dono como diretor. — F.E.

aí constante. O caráter antagônico do trabalho de direção desaparece na fábrica cooperativa, sendo o dirigente pago pelos trabalhadores, em vez de representar o capital perante eles. As sociedades por ações em geral – que se desenvolvem com o sistema de crédito – têm tendência a separar cada vez mais da propriedade do capital a função de administrar, seja o capital próprio ou emprestado, do mesmo modo que o desenvolvimento da sociedade burguesa levou as funções judiciárias e administrativas a se dissociarem da propriedade fundiária, de que eram atributos na era feudal. O capitalista ativo contrapõe-se ao mero proprietário do capital, o capitalista financeiro, e com o desenvolvimento do crédito o próprio capital-dinheiro assume caráter social, concentra-se em bancos que o emprestam, substituindo os proprietários imediatos dele; além disso, o simples dirigente que não possui o capital a título algum, nem por empréstimo nem por qualquer outro motivo, exerce todas as funções reais que cabem ao capitalista ativo como tal. Nessas condições, fica existindo apenas o funcionário, e o capitalista desaparece do processo de produção como figura supérflua.

Dos balanços publicados[41] pelas fábricas cooperativas da Inglaterra vê-se que – deduzida a remuneração do diretor, a qual constitui parte do capital variável desembolsado como o salário dos demais trabalhadores – obtiveram elas lucro maior que o lucro médio, embora em alguns casos pagassem juros muito mais elevados que os fabricantes particulares. Em todos esses casos, a causa do lucro mais alto era maior economia no emprego do capital constante. Mas o que nos interessa aí é a circunstância de o lucro médio (= juros + lucro de empresário) se configurar de maneira objetiva e tangível em magnitude de todo independente do salário de direção. Sendo o lucro aí maior que o lucro médio, o lucro de empresário ultrapassa também o nível comum.

O mesmo se observa em certas empresas capitalistas por ações, por exemplo, os bancos por ações (*joint-stock banks*). Em 1863, o London and Westminster Bank rendeu dividendos à taxa anual de 30%, e o Union Bank of London e outros, 15%. Do lucro bruto deduz-se, além do salário dos diretores, os juros pagos pelos depósitos. Aí o lucro elevado se explica pela proporção menor do capital realizado com os depósitos. Assim, em 1863, para o London and Westminster Bank, o capital realizado era de 1.000.000

---

41 Os balanços utilizados poderão ir no máximo até 1864, pois o trecho acima foi escrito em 1865. — F.E.

de libras, e os depósitos, de 14.540.275; para o Union Bank of London, o capital realizado era de 600.000 libras, e os depósitos, de 12.384.173.

A confusão entre o lucro de empresário e o salário de direção surgiu originariamente da forma antinômica que o excedente do lucro sobre o juro assume, opondo-se ao juro. Prosseguiu desenvolvendo-se graças ao propósito apologético de apresentar o lucro como salário do próprio capitalista por trabalho efetuado e não como mais-valia, isto é, trabalho não pago. Os socialistas contestaram exigindo que se reduzisse o lucro ao que teoricamente se pretendia que era – mero salário de direção. E essa exigência se opunha à dissimulação teórica de maneira tanto mais incômoda quanto mais esse salário encontrava nível e preço de mercado determinados, como qualquer outro salário, em virtude de se constituir numerosa classe de dirigentes industriais e comerciais,[42] e quanto mais diminuía – como todo salário por trabalho qualificado – com o desenvolvimento geral, que reduz os custos de produção da força de trabalho especializada.[43] Ao desenvolverem-se as cooperativas, do lado dos trabalhadores, e as sociedades por ações, do lado da burguesia, dissolveu-se o derradeiro subterfúgio empregado para confundir o lucro de empresário com o salário de direção, e o lucro se revelou, na prática, o que é inegavelmente, na teoria, mera mais-valia, valor por que não se paga equivalente algum, trabalho realizado não pago; desse modo, o capitalista ativo explora efetivamente o trabalho, e o lucro dessa exploração, quando opera com capital emprestado, se divide em juro e lucro de empresário, excedente do lucro sobre o juro.

Nas sociedades capitalistas por ações criou-se novo embuste com o salário de direção, surgindo ao lado e acima do verdadeiro dirigente, conselheiros de administração e supervisão aos quais o título serve de pretexto para espoliarem os acionistas e se enriquecerem. A respeito encontramos desfrutáveis pormenores em *The City or the Physiology of London Business; with Sketches on Change, and the Coffee Houses*, Londres, 1845.

---

[42] "Os patrões são trabalhadores como seus operários. Nessa qualidade, seus interesses coincidem com os de seus homens. Mas eles são capitalistas ou agentes de capitalistas, e sob esse aspecto seu interesse se opõe frontalmente ao interesse dos operários" (p. 27). "A educação amplamente difundida entre os operários industriais deste país diminui diariamente o valor do trabalho e da habilidade de quase todos os patrões e empregadores, aumentando o número de pessoas que possuem seu conhecimento especializado" (Hodgskin, *Labour Defended against the Claims of Capital* etc., Londres, 1825, p. 30.)

[43] "Barreiras convencionais abrandadas e maiores facilidades de educação tendem a rebaixar os salários dos trabalhadores qualificados, em vez de elevar os dos não qualificados" (J. St. Mill, *Princ. of Pol. Econ.*, 2ª ed., Londres, 1849, I, p. 479).

"O que banqueiros e comerciantes ganham por participar na direção de 8 ou 9 diferentes companhias pode ilustrar-se com o seguinte exemplo: o balanço particular que Mister Timothy Abraham Curtis, ao falir, apresentou à justiça registrava uma renda de 800-900 libras por ano, sob o título de cargos diretoriais. Uma vez que Mister Curtis era diretor do Banco da Inglaterra e da Companhia das Índias Orientais, toda sociedade por ações considerava uma felicidade poder tê-lo como diretor" (p. 81s).

A remuneração dos diretores dessas sociedades por reunião semanal é no mínimo de 1 guinéu (21 marcos). Nos processos da justiça falimentar vê-se que esse salário de direção está em regra na razão inversa da supervisão realmente exercida por esses diretores nominais.

XXIV.
A relação capitalista reificada na forma do capital produtor de juros

No capital produtor de juros, a relação capitalista atinge a forma mais reificada, mais fetichista. Temos nessa forma D – D', dinheiro que gera mais dinheiro, valor que se valoriza a si mesmo sem o processo intermediário que liga os dois extremos. No capital mercantil, D – M – D', temos pelo menos a forma geral do movimento capitalista, embora se mantenha apenas na esfera da circulação e o lucro pareça por isso ser mera decorrência da venda; todavia, configura-se em produto de uma *relação* social e não em produto de uma simples *coisa*. A forma do capital mercantil representa de qualquer modo um processo – unidade de duas fases opostas, movimento que se decompõe em duas ocorrências contrárias, a compra e a venda de mercadorias. Isto desaparece em D – D', a forma do capital produtor de juros. Se um capitalista, por exemplo, empresta 1.000 libras esterlinas, e o juro é de 5%, o valor das 1.000 libras, na qualidade de capital, é no fim do ano de C + Cj', em que C representa o capital e j', a taxa de juro, e assim temos 5% = $\frac{5}{100}$ = $\frac{1}{20}$, 1.000 + 1.000 × $\frac{1}{20}$ = 1.050 libras. O valor das 1.000 libras, na qualidade de capital, passa a ser de 1.050, vale dizer, o capital não é magnitude simples. É *relação* quantitativa, relação da soma principal, valor dado, para consigo mesma como valor que se valoriza, como soma principal que gerou mais-valia. Conforme vimos, o capital por sua natureza se apresenta como esse valor que se expande diretamente para todos os capitalistas ativos, operem eles com capital próprio ou emprestado.

Em D – D' temos o ponto de partida primitivo do capital, o dinheiro da fórmula D – M – D', reduzida aos dois extremos D – D', sendo D' = D + Δ D, dinheiro que gera mais dinheiro. É a fórmula primitiva e geral do capital, concentrada numa síntese vazia de sentido. O capital em sua marcha completa é unidade do processo de produção e do de circulação, proporcionando por isso determinada mais-valia em período dado. Na forma do capital produtor de juros, esse resultado aparece diretamente, sem a intervenção dos processos de produção e de circulação. O capital aparece como fonte misteriosa, autogeradora do juro, aumentando a si mesmo. A *coisa* (dinheiro, mercadoria, valor) já é capital como simples coisa e o capital se revela coisa e nada mais; o resultado do processo de reprodução todo manifesta-se como propriedade inerente a uma coisa; depende do dono do dinheiro – a mercadoria em forma sempre permutável – gastá-lo como dinheiro ou emprestá-lo como capital. O capital produtor de juros é o fetiche autômato perfeito – o valor que se valoriza a si mesmo, dinheiro que gera dinheiro, e nessa forma desaparecem todas as marcas da origem.

A relação social reduz-se a relação de uma coisa, o dinheiro, consigo mesma. Em vez da verdadeira transformação do dinheiro em capital, o que se mostra aí é uma forma vazia. Equiparado à força de trabalho, o valor de uso do dinheiro passa a ser o de criar valor, valor maior que o que nele mesmo se contém. O dinheiro como tal já é potencialmente valor que se valoriza, e como tal é emprestado – o que constitui a forma de venda dessa mercadoria peculiar. Torna-se assim propriedade do dinheiro gerar valor, proporcionar juros, do mesmo modo que dar peras é propriedade de uma pereira. E como tal coisa que dá juros, o prestamista vende seu dinheiro. E mais. Conforme vimos, o capital que efetivamente funciona apresenta-se rendendo juros não como capital operante, mas como capital em si, capital-dinheiro.

E a confusão prossegue. Embora o juro seja apenas parte do lucro, da mais-valia que o capitalista ativo extorque do trabalhador, o juro se revela agora, ao contrário, o fruto genuíno do capital, o elemento original, e o lucro, reduzido à forma de lucro de empresário, mero acessório, aditivo que se acrescenta ao processo de reprodução. Consumam-se então a figura de fetiche e a concepção fetichista do capital. Em D – D' temos a forma vazia do capital, a perversão, no mais alto grau, das relações de produção, reduzidas a coisa: a figura que rende juros, a figura simples do capital, na qual ele se constitui condição prévia de seu próprio processo de reprodução; capacidade do dinheiro, ou da mercadoria, de aumentar o próprio valor, sem depender da produção – a mistificação do capital na forma mais contundente.

Para a economia vulgar, que pretende apresentar o capital como fonte autônoma do valor, geradora de valor, essa forma é sem dúvida suculento achado: nela, não se pode mais reconhecer a fonte do lucro, e o resultado do processo capitalista de produção adquire existência independente, separada do próprio processo.

Na condição de capital-dinheiro tornou-se o capital a mercadoria cuja qualidade de valorizar-se tem um preço fixo, expresso pela taxa corrente de juro.

Como capital produtor de juros, e na forma direta de capital-dinheiro que rende juros (derivam dela e a supõem as outras formas de capital produtor de juros, que não nos interessam aqui), adquire o capital a forma fetichista pura, D – D', como sujeito e coisa vendável. *Primeiro*, por existir constantemente como dinheiro, forma em que se desvanecem todas as particularidades e são imperceptíveis os elementos reais. Dinheiro é exatamente a forma em que se dissolvem as diferenças das mercadorias como valor de uso, e, por conseguinte, as diferenças entre os capitais industriais consistentes nessas mercadorias e nas condições de produção delas; é a forma em que o valor — e aqui o capital — existe como valor de troca autônomo. No processo de reprodução do capital, a forma dinheiro é efêmera, simples elemento transitório. Ao revés, no mercado de dinheiro, o capital existe sempre nessa forma. — *Segundo*, a mais-valia por ele produzida e que também se apresenta na forma de dinheiro parece inerente à natureza dele. Gerar dinheiro[1] parece tão próprio do capital nessa forma de capital-dinheiro, quanto crescer é natural às árvores.

No capital produtor de juros, abrevia-se o movimento do capital; omite-se o processo intermediário, e assim um capital de 1.000, considerado coisa em si igual a 1.000, transforma-se em 1.100 em determinado período, como o vinho na adega melhora o valor de uso após certo tempo. O capital agora é coisa, mas como coisa, capital. O dinheiro é agora um corpo vivo que quer multiplicar-se. Desde que emprestado, ou mesmo aplicado no processo de reprodução (rendendo ao dono, o capitalista ativo, juros que se distinguem do lucro de empresário), cresce para ele o juro, esteja dormindo ou acordado, em casa ou em viagem, de dia ou de noite. Assim, o desejo quimérico do entesourador materializa-se no capital-dinheiro produtor de juros (e todo capital expresso em valor é capital-dinheiro ou passa por capital-dinheiro).

O juro incrustado no capital-dinheiro acresce-o como coisa (modo como aparece aqui a produção da mais-valia pelo capital), e esse fato muito preocupa Lutero em seu combate ingênuo à usura. Sustenta que o juro pode ser exigido quando, por não se efetivar o reembolso no prazo determinado, resultam despesas para o emprestador, que, por sua vez, tem pagamentos a fazer, ou quando, por aquele motivo, não realiza ele lucro que poderia ter obtido, comprando, por exemplo, uma horta. E prossegue:

> "Por ter-te emprestado 100 florins, tenho duplo dano, pois não posso pagar aqui, nem comprar ali, e assim sou necessariamente prejudicado de dois lados, vale dizer *duplex interesse, damni emergentis et lucri cessantis*... Depois de saberem que João prejudicou-se duplamente por ter emprestado 100 florins e exige a justa reparação, tratam logo de acrescentar a qualquer soma de 100 florins

---

[1] O autor menciona aí a palavra grega τ'οκος, que significa juro e, ao mesmo tempo, criança, fruto, o que é gerado.

esses dois prejuízos ligados à impossibilidade de efetuar pagamentos e à de comprar a horta, *como se estivessem naturalmente inseridos* na quantia de 100 florins; e basta disporem de 100 florins para emprestá-los onerados desses dois prejuízos que não tiveram... És um usurário porque com o dinheiro de teu próximo te indenizas de prejuízo apenas imaginado, que ninguém te causou e não podes demonstrar nem calcular. Esse prejuízo é, na palavra dos juristas, *non verum sed phantasticum interesse.* Sonhar com prejuízo... imaginar danos que ocorreriam por não poder pagar ou comprar; com esse procedimento *ex contingente necessarium,* torna-se o inexistente necessário, falsamente se faz de coisa incerta certa. A usura dessa maneira ameaça devorar o mundo em poucos anos... É fortuita e não depende da vontade a desgraça a que se expõe o emprestador, e ele precisa repor-se. Mas o que sucede na prática é bem o inverso, o contrário: procura e imagina danos para lançar nas costas do próximo necessitado, quer comer e enriquecer-se assim, levando e ostentando vida folgada e ociosa, por conta do trabalho alheio, sem cuidados, perigos ou prejuízos. Repousar junto à lareira e deixar por aí trabalhando para mim 100 florins que terei na minha bolsa sem perigos e cuidados, pois é dinheiro emprestado: meu caro, quem não gostaria disso?" (M. Lutero, *An die Pfarrherrn wider den Wucher zu predigen* etc., Wittenberg, 1540).

A concepção de o capital ser valor que se reproduz a si mesmo e aumenta na reprodução, graças à propriedade inata de durar e acrescer por toda a eternidade – a virtude infusa dos escolásticos –, levou Dr. Price a fabulosas ideias que deixam muito para trás as fantasias dos alquimistas; ideias em que Pitt acreditava piamente, fazendo delas, em suas leis sobre o fundo de amortização da dívida pública, os pilares da política financeira.

"O dinheiro que rende juros compostos cresce, de início, lentamente, mas o ritmo de crescimento acelera-se cada vez mais e, após algum tempo, é tão rápido que desafia a imaginação. Um pêni emprestado no dia do nascimento de Jesus Cristo, a juros compostos de 5%, já se teria tornado hoje uma soma maior que a que se pode conter em 150 milhões de planetas do tamanho da Terra, todos de ouro fino. Mas se fosse emprestado a juros simples, só teria atingido, no mesmo espaço de tempo, a quantia de 7 xelins e $4\frac{1}{2}$ pence. Até agora, nosso governo preferiu melhorar as finanças seguindo este caminho, em vez daquele."[44]

---

[44] Richard Price, *An Appeal to the Public on the Subject of the National Debt,* Londres, 1772, [p. 19]. Faz uma descoberta ingênua: "Deve-se tomar dinheiro a juros simples, para aumentá-lo a juros com-

A RELAÇÃO CAPITALISTA REIFICADA NA FORMA DO CAPITAL...

Voa mais alto ainda em seu trabalho *Observations on Reversionary Payments* etc., Londres, 1772:

> "Um xelim desembolsado no dia do nascimento de Jesus Cristo" (provavelmente no templo de Jerusalém) "a juros compostos de 6% teria se tornado massa de ouro maior que a que se poderia conter em todo o sistema solar, se transformado numa esfera de diâmetro igual ao da órbita de Saturno." – "Por isso, não há razão para um Estado ficar em dificuldades, pois com as menores poupanças pode resgatar a maior dívida em tempo tão curto quanto o exijam seus interesses" (pp. XIII, XIV).

Que belo preâmbulo teórico para apresentar a dívida pública britânica! Price ficou simplesmente deslumbrado com a monstruosidade do número resultante da progressão geométrica. Pondo de lado as condições da reprodução e do trabalho, considerava o capital um autômato, mero número que acresce (como Malthus via o homem em sua progressão geométrica), e assim podia pensar que descobrira a lei de seu crescimento, com a fórmula $s = c(1 + j)^n$, onde s = capital + juros compostos, c = capital adiantado, j = taxa de juro (expressa em partes alíquotas de 100) e n = número de anos que dura o processo.

Pitt leva a sério a mistificação de Dr. Price. Em 1786, a Câmara dos Comuns resolveu levantar 1 milhão de libras esterlinas para a receita pública. Segundo Price, em quem Pitt acreditava, nada naturalmente melhor que tributar o povo, "acumular" a soma que se arrecadasse e assim exorcizar a dívida pública com o mistério do juro composto. Àquela resolução da Câmara dos Comuns logo se seguiu uma lei, de iniciativa de Pitt, dispondo sobre a acumulação de 250.000 libras esterlinas,

---

postos" (R. Hamilton, *An Inquiry into the Rise and Progress of the National Debt of Great Britain*, 2ª ed., Edimburgo, 1814; [p. 133]). Assim, tomar emprestado seria, também para os particulares, o meio mais seguro de enriquecer. Mas se tomo, por exemplo, 100 libras esterlinas, a juros de 5% ao ano, tenho de pagar 5 libras no fim do ano. Se esse empréstimo perdura 100 milhões de anos, nesse espaço de tempo só terei para emprestar, todo ano, 100 libras e, ao mesmo tempo, devo pagar, todo ano, 5 libras. Assim, nunca posso chegar a emprestar 105 libras, tomando 100 libras emprestadas. E com que devo pagar os 5%? Com novos empréstimos ou, tratando-se do Estado, por meio de impostos. E se o capitalista industrial toma dinheiro emprestado, terá ele, digamos, para um lucro de 15%, 5% de juros a pagar, 5% para consumir (embora o apetite cresça com a renda) e 5% para capitalizar. Está previsto lucro de 15% para pagar constantemente juros para 10%. Mas Price esquece inteiramente que o juro de 5% supõe uma taxa de lucro de 15%, ou melhor, acha que essa taxa prossegue eternamente com a acumulação do capital. Desliga-se por completo do processo real de acumulação, para ver apenas empréstimo de dinheiro que reflui com juros compostos. Não lhe importa saber como as coisas realmente se desenrolam, pois tudo decorre da qualidade inata do capital produtor de juros.

"até que, com as anuidades vencidas, o fundo tenha atingido 4 milhões de libras esterlinas por ano" (lei 31, do ano 26 do reinado de Jorge III).

Em seu discurso de 1792, em que Pitt propõe que se aumentasse a soma destinada ao fundo de amortização, apontou entre as causas da supremacia da Inglaterra máquinas, crédito etc., mas

> "a acumulação, como a causa mais importante e mais duradoura. Esse princípio", disse, "está perfeitamente exposto e bastante explicado na obra de Smith, esse gênio... Essa acumulação dos capitais se efetiva pondo-se de lado pelo menos parte do lucro anual para aumentar a soma principal, que é da mesma maneira aplicada no ano seguinte, obtendo-se assim lucro contínuo."

Graças a Dr. Price, Pitt transforma a teoria da acumulação de Smith na do enriquecimento de um povo por meio da acumulação de dívidas e num doce crescendo atinge o infinito dos empréstimos, empréstimos para pagar empréstimos.

Josiah Child, o pai do sistema bancário moderno, já dizia que

> "100 libras esterlinas, a juros compostos de 10%, em 70 anos, produzem 102.400 libras" (*Traité sur le commerce* etc. *par J. Child, traduit* etc., Amsterdã e Berlim, 1754, p. 115. Escrito em 1669).

A economia moderna está inconscientemente impregnada da concepção de Dr. Price, e essa influência aparece na seguinte passagem do *Economist*:

> "Capital, com juros compostos sobre toda porção de capital poupada, absorve tudo com tal ímpeto que toda a riqueza do mundo da qual deriva renda já se tornou, há muito tempo, juro de capital... Toda renda fundiária hoje é pagamento de juro sobre capital antes empregado na terra" (*Economist*, 19 de julho de 1851).

Na qualidade de capital a juros pertence ao capital toda riqueza que pode ser produzida, e tudo o que recebeu até agora não é mais que pagamento por conta de seu apetite insaciável. Segundo suas leis inatas, pertence-lhe todo o trabalho excedente que a humanidade pode fornecer. Moloch.

Por fim, o palanfrório confuso do "romântico" Müller:

"O crescimento portentoso do juro composto de que fala Dr. Price, ou das forças humanas que se aceleram a si mesmas, pressupõe, para provocar esses efeitos incomensuráveis, uma ordem indivisa ou ininterrupta, uniforme, através de vários séculos. Logo que o capital se reparte em diversos rebentos que crescem por si mesmos, começa novamente o processo todo de acumulação de forças. A natureza distribuiu a progressão das forças em ciclos de cerca de 20 a 25 anos que cabem aproximadamente a cada trabalhador. Depois de decorrer esse período, deixa o trabalhador sua carreira, e deve então transferir o capital ganho pelos juros compostos do trabalho a novo trabalhador, na maioria dos casos, a vários trabalhadores ou aos filhos. Estes têm de aprender a dar ao capital que lhes toca o sopro da vida e a empregá-lo, para depois poderem extrair dele verdadeiros juros de juros. E mais. De capital montante gigantesco obtido pela sociedade burguesa amontoa-se progressivamente por longos anos, mesmo nas comunidades mais dinâmicas, não se empregando para a expansão imediata do trabalho; ou antes, quando se junta uma soma apreciável, transfere-se ela a outro indivíduo, a um trabalhador, a um banco, ao Estado, sob a designação de empréstimo. E o destinatário então, fazendo movimentar-se o capital, dele retira juros compostos e pode facilmente empenhar-se em pagar juros simples ao emprestador. Finalmente, contra essas progressões imensas em que as forças humanas e o produto delas poderiam multiplicar-se, se vigorasse apenas a lei da produção ou da poupança, reage a lei do consumo, da concupiscência, da dissipação" (A. Müller, *loc. cit.*, III, pp. 147-49).

É impossível tresvariar tanto em tão poucas linhas. Além da divertida confusão entre trabalhador e capitalista, entre valor da força de trabalho e juro do capital etc., o autor, entre outras coisas, quer explicar a recepção de juros compostos com a circunstância de o capital ser "emprestado", produzindo "então juros compostos". O estilo de nosso Müller pertence à escola romântica, sob todos os aspectos. O conteúdo consiste em preconceitos correntes, oriundos da aparência mais superficial das coisas. Uma linguagem mistificante procura sublimar e poetizar esse conteúdo falso e trivial.

O processo de acumulação do capital pode ser considerado acumulação de juros compostos, no sentido de poder chamar-se de juro a parte do lucro (mais-valia) que é reconvertida em capital e serve para absorver novo trabalho excedente. Mas:

1) Omitidas todas as perturbações fortuitas, deprecia-se mais ou menos, no curso do processo de reprodução, grande parte do capital existente, pois o valor das mercadorias se determina não pelo tempo de trabalho que origi-

nalmente custa produzi-las, mas pelo que custa reproduzi-las, e esse tempo diminui constantemente em virtude do desenvolvimento da produtividade social do trabalho. Por isso, em nível superior da produtividade social, todo capital existente aparece como resultado de um tempo de reprodução relativamente bem curto, e não de um longo processo em que se poupa capital.[45]

2) Conforme se demonstrou na Terceira Seção deste livro, a taxa de lucro diminui na proporção em que aumenta a acumulação de capital e acresce a correspondente produtividade do trabalho social, a qual se expressa no decréscimo relativo cada vez mais acentuado da parte variável do capital, comparada com a constante. Para produzir a mesma taxa de lucro, se o trabalhador passa a movimentar um capital constante dez vezes maior, é mister que decuplique também o tempo de trabalho excedente, e logo nem o tempo todo de trabalho daria para isso, mesmo que o capital se apoderasse das 24 horas do dia. Entretanto, é na ideia de que não diminui a taxa de lucro que se baseia a progressão de Price e em geral o "capital a juros compostos que absorve tudo".[46]

Em virtude da identidade entre mais-valia e trabalho excedente estabelece-se limite qualitativo à acumulação de capital: a *jornada total de trabalho*, as forças produtivas e a população que, de acordo com seu nível, limitam o número das jornadas de trabalho simultaneamente exploráveis. Ao revés, se a mais-valia for considerada na forma irracional do juro, o limite é apenas quantitativo e desafia qualquer imaginação.

No capital produtor de juros está perfeita e acabada a representação fetichista do capital, a ideia que atribui ao produto acumulado do trabalho e por cima configurado em dinheiro, a força de produzir automaticamente mais-valia em progressão geométrica em virtude de qualidade inata e oculta. Desse modo, esse produto acumulado do trabalho, conforme opina o *Economist*, há muito já fez o desconto com que adquiriu para sempre a riqueza toda do mundo, a qual então lhe pertenceria e caberia de direito.

---

[45] Ver Mill, Carey e o comentário ambíguo de Roscher.[I]

[I] J. S. Mill, *Principles of Political Economy* etc., v. 1, 2ª ed., Londres, 1849, p. 91s.; Carey, *Principles of Social Science*, v. 3, Filadélfia, Londres, Paris, 1859, pp. 71-73; Roscher, *Die Grundlagen der Nationalökonomie*, 3ª ed., Stuttgart, Augsburgo, 1858, § 45.

[46] "É claro que nenhum trabalho, nenhuma produtividade, nenhum engenho e nenhuma arte podem corresponder às exigências avassaladoras dos juros compostos. Mas toda poupança provém da renda do capitalista, e por isso essas exigências são sem cessar feitas e a força produtiva do trabalho se recusa sem cessar a satisfazê-las. Assim, estabelece-se constantemente uma espécie de equilíbrio" (*Hodgskin Labour Defended against the Claims of Capital*, p. 23).

Aí, o produto de trabalho passado, o próprio trabalho passado, de per si está fecundado por uma porção de trabalho excedente, presente ou futuro. Todavia, sabemos que, na realidade, a conservação – e, nesse caso, a reprodução – do valor dos produtos de trabalho passado resulta *apenas* de seu contato com o trabalho vivo; e que o comando dos produtos do trabalho passado sobre trabalho excedente vivo durará somente o tempo que durar a relação capitalista, a relação social determinada que põe o trabalho passado em posição autônoma e preponderante para com o trabalho vivo.

XXV.
Crédito e capital fictício

A análise pormenorizada do sistema de crédito e dos instrumentos que gera para si mesmo (dinheiro de crédito etc.) está fora de nosso plano. Aqui destacaremos apenas alguns pontos, necessários para caracterizar o modo de produção capitalista em geral. Só trataremos agora do crédito comercial e do crédito bancário. Não será considerada a conexão que existe entre seu desenvolvimento e o crédito público.

Mostramos anteriormente (Livro 1, Capítulo III, 3, b) como surge, da circulação simples das mercadorias, o dinheiro na função de meio de pagamento, estabelecendo-se entre produtores e comerciantes de mercadorias relação de credor e devedor. Com o desenvolvimento do comércio e do modo capitalista de produção que só produz tendo em mira a circulação, amplia-se, generaliza-se e aperfeiçoa-se esse fundamento natural do sistema de crédito. Em regra, o dinheiro aí serve apenas de meio de pagamento, isto é, vende-se a mercadoria trocando-a não por dinheiro, mas por promessa escrita de pagamento em determinado prazo. Para maior brevidade, classificaremos todas as promessas de pagamento na categoria geral de letras. Até o dia de vencimento e pagamento circulam, por sua vez, como meio de pagamento e constituem o dinheiro genuíno do comércio. Quando por fim se eliminam pela compensação entre débitos e créditos, desempenham absolutamente o papel de dinheiro, pois não há conversão final em dinheiro. Esses adiantamentos recíprocos entre produtores e comerciantes constituem a verdadeira base do crédito, do mesmo modo que o instrumento de circulação, a letra, constitui o fundamento do dinheiro de crédito propriamente dito, os bilhetes de banco etc. Estes baseiam-se não na circulação monetária, de metal ou de papel emitido pelo Estado, mas na circulação das letras.

W. Leatham, banqueiro de Yorkshire, em *Letters on the Currency*, 2ª ed., Londres, 1840:

> "Calculo em 528.493.842 libras esterlinas o montante das letras para o ano todo de 1839" (admite que as letras de câmbio estrangeiras representam $\frac{1}{7}$ do total), "e em 132.123.460 libras esterlinas o montante das letras em circulação simultânea no mesmo ano" (p. 55s). "As letras são da circulação componente maior que o conjunto de todas as partes restantes" (p. 3s). – "Essa enorme superestrutura de letras apoia-se na base constituída pelo montante dos bilhetes de banco e do ouro; e se, no curso dos acontecimentos, essa base se estreita demais, perigam a solidez e mesmo a existência dessa superestrutura" (p. 8). – "Estimando a circulação toda" [refere-se a bilhetes de banco] "e o montante

das obrigações de todos os bancos das quais se pode exigir pagamento à vista, encontramos uma soma de 153 milhões cuja conversão em ouro é legalmente exigível, e, em contraposição, 14 milhões em ouro para satisfazer essas exigibilidades" (p. 11). – "As letras não podem ser controladas, se não se impedir a pletora de dinheiro e a baixa taxa de juro ou de desconto que em parte a produz, estimulando grande e perigosa expansão. É impossível determinar quantas delas provêm de negócios reais, por exemplo, de compras e vendas efetivas, e quantas são postiças, simples papagaios emitidos para recolher letras que estão para vencer, com o que se constitui capital simulado, emitindo-se valores circulantes imaginários. Sei que nas quadras de dinheiro abundante e barato esse recurso é empregado em grande escala" (p. 43s).

J.W. Bosanquet, *Metallic, Paper, and Credit Currency*, Londres, 1842:

"Ultrapassa 3 milhões de libras esterlinas o montante médio dos pagamentos efetuados cada dia útil bancário por meio da Câmara de Compensação [onde os banqueiros trocam entre si os cheques recebidos e as letras vencidas], e a reserva de dinheiro necessária a essa operação é pouco mais que 200.000 libras esterlinas" (p. 86). [No ano de 1889, o movimento global da Câmara de Compensação atingiu $7.618 \frac{3}{4}$ milhões de libras, o que corresponde à média de $25 \frac{1}{2}$ milhões por dia, se admitimos um ano bancário de 300 dias. — F.E.]. "Letras são inegavelmente valores circulantes (*currency*), sem depender do dinheiro, quando, por meio de endosso, têm a propriedade transferida de uma pessoa para outra" (p. 92s). "É de admitir-se que toda letra em circulação seja endossada em média duas vezes, efetuando assim dois pagamentos antes de vencer-se. Por isso, parece que as letras no decurso de 1839 transferiram, mediante simples endosso, propriedade no valor de 2 vezes 528 milhões de libras, ou seja, 1.056 milhões, mais do que 3 milhões por dia. É, portanto, certo que letras e depósitos bancários reunidos desempenham funções monetárias até montante diário de, pelo menos, 18 milhões de libras esterlinas, mediante transferência de propriedade e sem haver a ajuda de dinheiro" (p. 93).

A respeito do crédito em geral, Tooke diz o seguinte:

"O crédito, em sua expressão mais simples, é a confiança, com ou sem base, que leva alguém a entregar a outrem certo montante de capital, em dinheiro ou em mercadorias, com valor monetariamente fixado, montante que deve sempre ser pago após o decurso de determinado prazo. Quando o capital é emprestado em dinheiro, seja em bilhetes de banco, em crédito aberto ou em ordem a ser paga por um correspondente, acrescenta-se tantos por cento sobre a soma a devolver, pelo uso do capital. No caso de mercadorias – o valor monetário delas é fixado pelas partes interessadas e a transferência constitui uma venda –, a soma fixada a pagar inclui uma compensação pelo uso do capital e pelo risco assumido até o dia do vencimento. Em troca de créditos dessa espécie emitem-se em regra compromissos de pagamento com datas de vencimento determinadas. E essas obrigações ou promessas transferíveis constituem meio que geralmente capacitam os emprestadores – que têm a oportunidade de utilizar seu capital na forma de dinheiro ou de mercadoria – a tomar emprestado ou a comprar mais barato antes do vencimento das letras, pois o próprio crédito se reforça com o da outra assinatura que já está na letra" (*Inquiry into the Currency Principle*, p. 87).

Ch. Coquelin, "Du crédit et des banques dans l'industrie", em *Revue des deux mondes*, 1842, tomo 31, [p. 797]:

"Em todo país, a maioria dos negócios de crédito efetua-se na própria esfera das relações industriais... O produtor da matéria-prima adianta-a ao fabricante que a transforma e dele recebe promessa de pagamento que se vence em data fixada. O fabricante, após executar o trabalho que lhe cabe, por sua vez e nas mesmas condições, adianta seu produto a outro fabricante que deve submetê-lo a nova transformação, e assim o crédito vai se estendendo de um para outro até chegar ao consumidor. O atacadista adianta mercadorias ao retalhista, depois de tê-las recebido do fabricante ou do comissário. Cada um toma emprestado com uma das mãos e empresta com a outra, às vezes dinheiro e com frequência bem maior produtos. Assim ocorre nas relações industriais troca infindável de adiantamentos que se combinam e se cruzam em todos os sentidos. O desenvolvimento do crédito consiste justamente em se multiplicarem e crescerem esses adiantamentos recíprocos, e aí está a verdadeira fonte de sua força."

O outro aspecto do sistema de crédito liga-se à ampliação do comércio de dinheiro, a qual, na produção capitalista, segue naturalmente o ritmo de desenvolvimento do comércio de mercadorias. Na parte precedente (Capítulo XIX) vimos que se concentraram nas mãos dos banqueiros a guarda dos fundos de reserva dos homens de negócios, as operações técnicas de receber dinheiro e pagar, as de efetuar pagamentos internacionais e, em consequência, o comércio de barras de ouro ou prata. Ligado a esse comércio de dinheiro desenvolve-se o outro aspecto do sistema de crédito, a administração do capital produtor de juros ou do capital-dinheiro como função particular dos banqueiros. Tomar dinheiro emprestado e emprestá-lo torna-se negócio especial deles. São os intermediários entre o verdadeiro emprestador e o prestatário de capital-dinheiro. De modo geral, o negócio bancário, sob esse aspecto, consiste em concentrar grandes massas de capital-dinheiro emprestável, e assim, em vez do prestamista isolado, os banqueiros, representando todos os prestamistas, se confrontam com os capitalistas industriais e comerciais. Tornam-se os administradores gerais do capital-dinheiro. Além disso, concentram todos os prestatários perante todos os prestamistas, ao tomarem emprestado para todo o mundo comercial. Um banco representa, de um lado, a centralização do capital-dinheiro, dos emprestadores, e, do outro, a dos prestatários. Em geral, seu lucro consiste em tomar emprestado a juro mais baixo que aquele a que empresta.

Flui de vários modos para os bancos o capital de que dispõem. Primeiro, concentra-se neles, que são os caixas dos capitalistas industriais, o capital-dinheiro que todo produtor ou comerciante detém como fundo de reserva ou recebe em pagamento. Os fundos de reserva se convertem assim em capital-dinheiro a emprestar. Por isso, limita-se ao mínimo necessário o fundo de reserva do mundo comercial, concentrado num fundo comum, e do capital-dinheiro, a parte que de outro modo ficaria dormindo como fundo de reserva é emprestada, exerce a função de capital produtor de juros. Segundo, o capital de empréstimo dos bancos constitui-se dos depósitos dos capitalistas financeiros que lhes transferem a tarefa de emprestá-los. Com o desenvolvimento do sistema bancário e notadamente desde que os bancos pagam juro por depósitos, põem-se neles ainda as poupanças de dinheiro e o dinheiro momentaneamente vadio, de todas as classes. Pequenas somas, cada uma de per si incapaz de operar como capital-dinheiro, se fundem em grandes massas e assim formam poder financeiro. A ação do sistema bancário destinada a aglomerar quantias pequenas deve ser distinguida de sua mediação entre os capitalistas financeiros propriamente ditos e os prestatários. Por fim, depositam-se nos bancos as rendas que se consomem gradualmente.

Empresta-se (aqui só temos que ver com o crédito comercial em sentido estrito) por meio do desconto de letras – convertendo-as em dinheiro antes do vencimento – e por meio de adiantamentos em diversas formas: diretos na base de crédito pessoal, garantidos por papéis rentáveis, títulos públicos, ações de todos os tipos, e notadamente adiantamentos sobre conhecimentos de embarque, *warrants* e outros certificados de propriedade sobre mercadorias, além de empréstimos a descoberto etc.

O crédito que o banqueiro dá pode ter diversas formas, por exemplo, letras e cheques contra outro banco ou aberturas de crédito a outro banco, e por fim bilhetes de banco, no caso de bancos emissores. O bilhete de banco nada mais é que uma letra contra o banqueiro, pagável ao portador a qualquer momento, e que para o banqueiro faz as vezes de letra de câmbio particular. Tal forma de crédito impressiona ao leigo e lhe parece de grande importância, primeiro, porque essa espécie de dinheiro de crédito sai da mera circulação comercial e entra na circulação geral, funcionando aí como dinheiro; depois, porque, na maioria dos países, os bancos principais, emissores de bilhetes – estranha mistura de banco nacional e banco particular – na realidade têm atrás de si o crédito nacional, e seus bilhetes têm curso mais ou menos legal. Assim, fica evidente que a função do banqueiro é negociar com o crédito mesmo, pois o bilhete de banco somente simboliza crédito em circulação. Mas o banqueiro comercia com o crédito em todas as outras formas, mesmo quando adianta dinheiro efetivamente depositado em seu estabelecimento. De fato, o bilhete de banco apenas constitui a moeda do comércio atacadista, e o principal para os bancos é sempre o depósito. A melhor prova disso fornecem os bancos escoceses.

Para nosso objetivo não é mister analisar as organizações especializadas de crédito, nem as próprias formas especiais de bancos.

"O negócio dos banqueiros é duplo... (1) Recolher capital daqueles que não têm em que o empregar diretamente e reparti-lo, transferindo-o a outros que podem utilizá-lo. (2) Receber depósitos de rendas de seus fregueses e entregar-lhes a importância de que precisem para as despesas de consumo. No primeiro caso, temos circulação de *capital*, e, no segundo, circulação de *dinheiro* (*currency*)." "Num caso, temos concentração de capital, seguida de distribuição; no outro, administração da circulação para as necessidades locais da circunvizinhança." (Tooke, *Inquiry into the Currency Principle*, p. 36s.)

Retomaremos essa passagem no Capítulo XXVIII.

Reports of Committees,[I] v. VIII, *Commercial Distress*,[II] tomo II, parte I, 1847-1848, atas de depoimentos (documentação doravante citada sob o nome de *Commercial Distress*, 1847-48). Na década de 1840, quando se tratava de descontar letras, em inúmeros casos recebiam-se, em vez de bilhetes de banco, letras de câmbio de um banco contra outro, a 21 dias de

---

I Relatórios das Comissões Parlamentares.
II Crise comercial.

prazo (depoimento de S. Pease, banqueiro provincial, n°s 4.636 e 4.645). Segundo o mesmo relatório, quando o dinheiro rareava, costumavam os banqueiros dar tais letras em pagamento a seus clientes. Se quem as recebia quisesse bilhetes de banco, teria de fazer com elas outro desconto. Para os bancos, isso equivalia ao privilégio de fabricar dinheiro. Assim pagavam, "desde tempos imemoriais", os senhores Jones Loyd and Co., quando faltava dinheiro e a taxa de juro ultrapassava 5%. Para o cliente era uma felicidade receber essas cambiais bancárias, pois eram mais facilmente descontáveis que as suas as letras de Jones Loyd & Co., que frequentes vezes passavam por 20 a 30 mãos (*ibidem*, n°s 901-05, 992).

Todas essas formas servem para tornar transferível o direito de exigir pagamento.

> "É difícil assumir o crédito forma em que não exerça ocasionalmente função de dinheiro; seja essa forma um bilhete de banco, uma letra ou um cheque, o processo e o resultado são substancialmente os mesmos." – Fullarton, *On the Regulation of Currencies*, 2ª ed., Londres, 1845, p. 38. – "Bilhetes de banco são a moeda divisionária do crédito" (p. 51).

J.W. Gilbart, *The History and Principles of Banking*, Londres, 1834, diz o seguinte:

> "O capital de um banco consiste em duas partes, o capital investido e o capital bancário (*banking capital*), recebido de empréstimo" (p. 117). "O capital bancário ou tomado de empréstimo obtém-se por três meios: (1) recebimento de depósito, (2) emissão de bilhetes de banco próprios e (3) emissão de letras. Se alguém me emprestar grátis 100 libras, e se as empresto a outrem a juros de 4%, ganharei, decorrido um ano, 4 libras. Do mesmo modo, se alguém aceitar minha promessa de pagar" (*I promise to pay* é a fórmula usual dos bilhetes de banco ingleses) "e devolver-me a quantia no fim do ano, pagando-me juros de 4%, como se lhe tivesse emprestado 100 libras esterlinas, ganharei, com o negócio, 4 libras; e ainda, se alguém numa cidade do interior me entregar 100 libras com a condição de pagar essa importância 21 dias mais tarde a terceiro em Londres, será meu lucro o juro que obtiver com esse dinheiro nesse lapso de tempo. Aí está um resumo objetivo das operações de um banco e da maneira como se cria capital bancário por meio de depósitos, bilhetes de banco e letras" (p. 117). "Em geral, o lucro de um banqueiro é proporcional ao montante do capital recebido de empréstimo, o capital bancário. Para averiguar-se o lucro efetivo de um banco, é mister deduzir do lucro bruto o juro sobre o capital

investido. O resto é lucro do banco" (p. 118). "O banqueiro adianta aos clientes o dinheiro dos outros" (p. 146). "Os banqueiros que não emitem bilhetes de banco são justamente os que criam capital bancário descontando letras. Aumentam os depósitos por meio de operações de desconto. Os banqueiros londrinos só descontam para as firmas que neles mantêm conta de depósito" (p. 119). "Uma firma que desconta letras em seu banco e paga juros sobre a importância total dessas letras tem de deixar nas mãos do banco parte dessa importância, sem por isso receber juros. Desse modo o banqueiro recebe, sobre o dinheiro adiantado, taxa de juro maior que a corrente e cria um capital bancário por meio do saldo remanescente em suas mãos" (p. 120).

Economia resultante dos fundos de reserva, depósitos, cheques:

"Transferindo saldos, os bancos de depósito economizam o emprego dos instrumentos monetários, e com soma reduzida de dinheiro efetivo consumam negócios de elevado montante. O dinheiro assim liberado emprega-o o banqueiro em adiantamentos aos clientes por meio de descontos etc. Assim, a transferência dos saldos aumenta a eficácia do sistema de depósitos" (p. 123). "Tanto faz que duas firmas que transacionam entre si operem com o mesmo banco ou com bancos diferentes, pois na Câmara de Compensação os banqueiros trocam entre si os cheques que elas emitem. Com a transferência, o sistema de depósitos poder-se-ia ampliar a ponto de suprimir a utilização do dinheiro metálico. Se todo mundo mantivesse uma conta de depósito no banco e fizesse os pagamentos por meio de cheques, estes constituiriam o meio circulante todo. Nesse caso, seria mister supor que os bancos teriam o dinheiro em seu poder, pois do contrário os cheques não teriam valor" (p. 124).

A centralização dos movimentos locais nas mãos dos bancos é assegurada (1) por filiais; os bancos provinciais têm filiais nas cidades menores de sua área, e os bancos de Londres, nos diversos bairros da Cidade; e (2) por representantes ou agentes.

"Todo banco provincial tem agente em Londres, para aí pagar seus bilhetes de banco ou letras e receber dinheiro depositado por habitantes de Londres em favor de pessoas que moram na província" (p. 127). "Todo banqueiro recebe os bilhetes do outro, mas não os passa adiante. Em toda grande cidade reúnem-se uma ou duas vezes por semana e trocam os bilhetes. O saldo é pago mediante ordem a Londres" (p. 134). "O objetivo dos bancos é facilitar os negócios. Tudo o que facilita os negócios facilita a especulação. Em muitos casos, negócio e especulação se entrelaçam tanto que é difícil dizer onde acaba o negócio e onde começa a especulação... Por toda parte onde há bancos é mais fácil e mais barato obter capital. O capital barato incentiva tanto a especulação quanto carne e cerveja baratas incitam a glutonaria e a bebedeira" (p. 137s).

Uma vez que os bancos que emitem bilhetes próprios pagam sempre com eles, pode parecer que seu negócio todo de desconto se faz exclusivamente com o capital assim obtido, mas tal não acontece. Um banqueiro pode muito bem pagar com seus bilhetes todas as letras que desconta, e não obstante podem $\frac{9}{10}$ das letras em seu poder representar capital verdadeiro. É que, embora tenha dado por essas letras apenas o próprio dinheiro-papel, não fica este necessariamente na circulação até que se vençam as letras. Estas podem ter um curso de três meses, e os bilhetes estar de volta em três dias" (p. 172). "Está regulada a prática comercial de os fregueses deixarem a conta a descoberto. É com essa finalidade que se garante o crédito imediato... Esse crédito baseia-se não só em garantia pessoal, mas também na caução de papéis" (p. 174s). "Capital adiantado com o penhor de mercadorias tem o mesmo efeito que o adiantado no desconto de letras. Tomar emprestado 100 libras com a garantia de suas mercadorias é o mesmo que as ter vendido por letra de 100 libras, descontando-a no banqueiro. Mas essa antecipação capacita-o a reservar as mercadorias para vendê-las em melhor oportunidade e a evitar prejuízo a que de outro modo teria de sujeitar-se a fim de obter dinheiro para pagamentos prementes" (p. 180s).

The Currency Theory Reviewed etc., p. 62s:

"Não há a menor dúvida que as 1.000 libras que hoje deposito na conta de A serão novamente despendidas amanhã e constituirão depósito para B. Depois de amanhã podem ser despendidas por D e constituir depósito para C, e assim até ao infinito. As mesmas 1.000 libras em dinheiro podem, portanto, por meio de uma série de transferências, multiplicar-se formando montante de depósitos absolutamente indeterminável. É, por conseguinte, possível que $\frac{9}{10}$ *de todos os depósitos na Inglaterra só existam nos lançamentos da contabilidade bancária*, e cada banqueiro é responsável pelo que lhe corresponde... Assim, na Escócia, onde o dinheiro circulante" [e, por cima, quase tudo papel-moeda] "nunca ultrapassou 3 milhões de libras, os depósitos atingem 27 milhões. Desde que não haja corrida aos bancos, as mesmas 1.000 libras podem em seu curso solver soma igualmente indeterminável de obrigações. Essas 1.000 libras solvem hoje minha dívida a um comerciante, amanhã, a dívida deste a outro, depois de amanhã, a deste outro ao banco, e assim por diante; desse modo, as mesmas 1.000 libras podem ir de mão em mão, de banco em banco, e cobrir qualquer soma imaginável de depósitos.

CRÉDITO E CAPITAL FICTÍCIO

[Vimos que já em 1834 Gilbart sabia que:

"Tudo o que facilita os negócios facilita a especulação; em muitos casos, ambos se entrelaçam tanto que é difícil dizer onde acaba o negócio e onde começa a especulação."

Quanto maior a facilidade com que se obtêm adiantamentos sobre mercadorias não vendidas, tanto mais se tomam esses adiantamentos e maior a tentação de fabricar mercadorias ou lançar mercadorias já fabricadas em mercados distantes, com o objetivo único de conseguir adiantamentos de dinheiro. A história comercial da Inglaterra de 1845 a 1847 ilustra de maneira contundente como todo o mundo de negócios de um país pode envolver-se nesse gênero de especulação, e a que leva esse embuste. Vemos então o que pode fazer o crédito. Antes, algumas breves observações para elucidar os exemplos que se seguirão.

No fim de 1842 começou a abrandar a depressão que desde 1837 pesava quase ininterrupta sobre a indústria inglesa. A procura externa de produtos industriais ingleses aumentou ainda mais nos dois anos seguintes. O período 1845-1846 marcou a fase de maior prosperidade. Em 1843, a Guerra do Ópio[I] abrira a China ao comércio inglês. O novo mercado constituiu novo pretexto para a expansão – que já chegara ao auge – da indústria, particularmente da têxtil algodoeira. "Jamais poderíamos produzir em excesso: temos 300 milhões de seres humanos para vestir" – dizia-me então um fabricante em Manchester. Mas todos os edifícios de fábrica recém-construídos, todas as máquinas a vapor, de fiação e tecelagem não bastavam para absorver a gigantesca torrente de mais-valia de Lancashire. Com a mesma paixão com que se aumentava a produção, empreendia-se a construção de ferrovias; começa a satisfazer-se aí, e já desde o verão de 1844, a sede de especulação dos fabricantes e dos comerciantes. Subscreviam-se tantas ações quantas se podiam, ou seja, até onde o dinheiro chegava para os primeiros pagamentos; quanto ao resto, depois se acharia a solução. Quando se venciam os demais débitos a pagar – segundo a questão 1.059, *Commercial Distress* 1848-1857, importava em 75 milhões de libras esterlinas o capital aplicado em ferrovias em 1846 e 1847 – era mister recorrer ao crédito, e o verdadeiro negócio da firma ficava, na maioria dos casos, prejudicado.

[I] A guerra iniciou-se depois que o governo da China se opôs à entrada no país do ópio que os comerciantes ingleses traziam da Índia.

E o negócio propriamente dito já estava, de ordinário, sobrecarregado. Os atraentes lucros elevados tinham incentivado operações bem mais amplas que as possibilitadas pelos recursos líquidos disponíveis. Mas o crédito estava aí mesmo, fácil de obter e, ainda por cima, barato. Era baixa a taxa de desconto: $1\frac{3}{4}$ a $2\frac{3}{4}$ % em 1844, inferior à taxa de 3% em 1845 até outubro, elevando-se depois por pouco tempo até 5% (fevereiro de 1846), caindo em seguida até $3\frac{1}{4}$ % em dezembro de 1846. O Banco da Inglaterra tinha em suas casas-fortes estoques de ouro em quantidade inacreditável. Os valores de Bolsa internos subiam a níveis jamais atingidos. E por que perder tão bela oportunidade, por que não se lançar de corpo e alma nos negócios que se ofereciam? Por que não mandar para os mercados estrangeiros, ávidos de produtos britânicos, todas as mercadorias que se pudessem fabricar? E por que o fabricante não embolsaria o duplo lucro, derivado da venda do fio e do tecido no Extremo Oriente e da venda, na Inglaterra, da carga de retorno obtida em troca?

Assim surgiu o sistema de consignações em massa contra adiantamentos, destinadas à Índia e à China, e logo se transformou em sistema de consignações apenas por causa do adiantamento, conforme se pormenoriza a seguir, tendo fatalmente de acabar abarrotando os mercados e provocando o craque.

O desmoronamento começou com a má colheita de 1846. A Inglaterra e a Irlanda especialmente precisavam importar enormes quantidades de víveres, principalmente trigo e batatas. Mas era ínfima a proporção em que os países fornecedores poderiam ser pagos em produtos ingleses; era mister pagar com metais preciosos, e pelo menos 9 milhões em ouro foram remetidos para o exterior. Desse ouro nada menos que $7\frac{1}{2}$ milhões saíram das reservas do Banco da Inglaterra, e por isso a liberdade de movimento dessa instituição ficou sensivelmente tolhida no mercado financeiro; os demais bancos, com suas reservas no Banco da Inglaterra confundidas de fato com as desse Banco, tinham igualmente de reduzir os empréstimos em dinheiro; a corrente rápida e abundante dos pagamentos começou a estancar aqui e ali e depois de maneira geral. O desconto bancário, ainda no nível de 3 a $3\frac{1}{2}$ % em janeiro de 1847, subiu em abril para 7%, quando irrompeu o primeiro pânico; no verão sobreveio ligeira melhoria transitória (6,5 e 6%), mas, com o malogro da nova colheita, o pânico desencadeou-se de novo e com mais violência. A taxa mínima oficial de desconto do Banco da Inglaterra ascendeu a 7% em outubro, e a 10% em novembro: as letras, em sua grande maioria, só eram descontáveis mediante enormes juros usurários, quando não o eram de todo; a paralisação geral dos pagamentos levou à falência certo número de firmas de primeira grandeza e inúmeras empresas médias e pequenas. E o próprio Banco esteve a pique de falir em virtude das limitações a que foi submetido pela cerebrina lei bancária de 1844. O governo então, levado pela pressão geral, suspendeu em 25 de outubro a lei bancária, afastando assim as restrições legais absurdas impostas ao Banco. Assim, podia este, sem peias, lançar bilhetes na circulação. Sendo o crédito desses bilhetes garantido realmente pelo crédito da nação, e portanto sólido, abrandou-se logo de maneira decisiva a crise financeira. Naturalmente, faliram ainda certo número de firmas grandes e pequenas que se encontravam em situação irremediável, mas ultrapassara-se a fase aguda da crise; o desconto bancário caiu a 5% em dezembro, e já no decorrer de 1848 voltou a surgir nos negócios nova animação que enfraqueceu o ímpeto dos movimentos revolucionários do continente em 1849 e levou, na década de 1850, a uma prosperidade industrial até então desconhecida, mas que findou também em novo craque – o de 1857. — F.E.]

I. Documento publicado pela Câmara dos Lordes em 1848 informa a respeito da depreciação descomunal dos títulos públicos e das ações durante a crise de 1847. Assim, tomando-se por base o nível de fevereiro do mesmo ano, foi a seguinte a queda de valor em libras esterlinas, em 23 de outubro:

dos títulos públicos	93.824.217
das ações de docas e canais	1.358.288
das ações ferroviárias	19.579.820
Soma	114.762.325

II. Sobre a especulação nos negócios das Índias Orientais, quando, em vez de se emitirem letras por se terem comprado mercadorias, compravam-se mercadorias para se emitirem letras descontáveis, conversíveis em dinheiro, diz o *Manchester Guardian*, de 24-11-1847:

Em Londres, A ordena a B comprar mercadorias a C em Manchester, a serem remetidas a D nas Índias Orientais. B paga a C com letras de seis meses, emitidas por C contra B. Mas B se cobre, emitindo por sua vez letras de seis meses contra A. Logo que a mercadoria é embarcada, emite A, na base do conhecimento de embarque, letra de seis meses contra D.

"Comprador e expedidor estão ambos de posse de fundos, muitos meses antes de pagarem realmente as mercadorias; e era hábito generalizado renovar essas letras no vencimento sob o pretexto de dar tempo ao retorno num negócio tão demorado. Infelizmente, num negócio desse gênero, as perdas levavam não à contenção, mas justamente à expansão. Quanto mais perdiam os interessados, tanto mais precisavam comprar, para assim repor, com novos adiantamentos, o capital perdido nas especulações precedentes. As compras não eram mais reguladas pela oferta e procura, convertendo-se na parte mais importante das operações financeiras de uma firma em apuros. Mas há o reverso. O que se dava aqui com a exportação de manufaturas, passava-se no além-mar com a compra e embarque de produtos. Firmas na Índia com crédito bastante para descontar suas letras compravam açúcar, anil, seda ou algodão – não porque os preços de compra, comparados com as últimas cotações de Londres, indicassem lucro, mas porque letras anteriores contra a firma londrina logo se venceriam e teriam de ser cobertas. Nada mais simples que comprar uma partida de açúcar, pagá-la com letras de dez meses emitidas contra a firma de Londres e remeter para Londres, pelo correio ultramarino, o conhecimento de embarque. Menos de dois meses depois, o conhecimento dessa mercadoria que mal acabava de ser embarcada – e por conseguinte a própria mercadoria – era objeto de penhor em Lombard Street,[I] e a firma de Londres obtinha dinheiro oito meses antes do vencimento das letras sacadas sobre ela. E tudo corria suave, sem interrupções ou obstáculos, enquanto os bancos de desconto dispunham de dinheiro em abundância para adiantar sobre conhecimentos de embarque e certificados de depósito nos armazéns portuários, e para descontar, até montantes ilimitados, as letras das firmas da Índia contra as boas firmas de *Mincing Lance*.[II]"

[Tal sistema de burla continuou em voga enquanto os veleiros tinham de contornar o Cabo da Boa Esperança para ir à Índia ou dela voltar. E desde que o tráfego marítimo se passou a fazer pelo canal de Suez e com navios a vapor, aquele método perdeu sua base: a grande demora no transporte das mercadorias. E o método tornou-se absolutamente inaplicável depois que se estabeleceu o telégrafo, informando no mesmo dia o comerciante inglês a respeito do mercado indiano, e o comerciante indiano a respeito do mercado inglês. — F.E.]

III. Do relatório *Commercial Distress*, 1847-1848, extraímos o seguinte:

I Rua dos banqueiros em Londres.
II Em Londres, centro do comércio atacadista das mercadorias das colônias.

"Na última semana de abril de 1847, o Banco da Inglaterra avisou ao Banco Real de Liverpool que daí em diante reduziria à metade o montante dos descontos a conceder. Essa comunicação causou prejuízos porque ultimamente os pagamentos em Liverpool se faziam muito mais com letras que com numerário e porque os comerciantes que costumavam levar ao banco muito numerário para pagar seus aceites, nos últimos tempos só podiam trazer as letras que eles mesmos tinham recebido por seu algodão e por outros produtos. Essa prática se desenvolvera muito, acarretando dificuldades aos negócios. Os aceites que o banco tinha de pagar pelos comerciantes eram em regra de letras emitidas no exterior e até então eram de ordinário compensados com os pagamentos recebidos pelos produtos. As letras que os comerciantes estavam trazendo, em vez de numerário, eram de prazos e tipos diferentes, constituindo as cambiais bancárias a três meses da data quantidade apreciável, e as letras sobre algodão, a grande massa. Essas letras, quando cambiais bancárias, eram aceitas por banqueiros de Londres e, quando não o eram, por todas as espécies de comerciantes interessados em negócios com o Brasil, Estados Unidos, Canadá, Índias Ocidentais etc... Os comerciantes não emitiam uns contra os outros, mas os clientes do interior que compravam mercadorias em Liverpool cobriam-nos com letras contra bancos ou firmas de Londres ou contra alguém. O aviso do Banco da Inglaterra motivou que se abreviasse o prazo das letras relativas a produtos estrangeiros vendidos, o qual ultrapassava três meses com frequência" (p. 26s).

Conforme exposto acima, o período de prosperidade de 1844 a 1847 na Inglaterra entrosou-se com a primeira grande especulação ferroviária. Sobre o efeito dela nos negócios em geral, o citado relatório diz:

"Em abril de 1847, quase todas as firmas comerciais tinham começado a exaurir mais ou menos seus negócios, aplicando parte do capital em ferrovias" (p. 41s). – "A juros altos, de 8%, por exemplo, tomaram-se, sobre ações ferroviárias, empréstimos a particulares, banqueiros e companhias de seguros" (p. 66s). "Esses adiantamentos tão grandes às ferrovias feitos pelas firmas levavam estas a tomar capital demais aos bancos, descontando letras, a fim de prosseguir nos próprios negócios" (p. 67). – (Pergunta:) "Acha que os pagamentos relativos às subscrições de ações ferroviárias concorreram muito para a depressão que dominou" [o mercado financeiro] "em abril e outubro" [de 1847]? (Resposta:) "Dificilmente poderão ter contribuído para a depressão de abril. Na minha opinião, até abril e talvez mesmo até o verão, fortaleceram mais do que enfraqueceram aos banqueiros, pois o verdadeiro emprego do dinheiro não se efetuava tão rápido quanto os pagamentos das subscrições; por isso, a maioria dos bancos no começo do ano tinham montante bastante grande de fundos ferroviários" [o que confirmam numerosos depoimentos dos banqueiros, no relatório *C.D.*, 1848-1857]. "Esse montante foi decrescendo progressivamente no verão, e em 31 de dezembro era substancialmente menor. Uma causa da depressão em outubro era a redução progressiva dos fundos ferroviários nas mãos dos bancos; de 22 de abril a 31 de dezembro, os saldos ferroviários em nosso poder diminuíram de um terço. Foi geral na Grã-Bretanha esse efeito dos pagamentos relativos às subscrições ferroviárias; pouco a pouco absorveram os depósitos dos bancos" (p. 43s).

É coincidente o depoimento de Samuel Gurney (chefe de Overend, Gurney & Co., organização tristemente célebre):

"Em 1846 era apreciavelmente maior a procura de capital para as ferrovias, mas não se elevou a taxa de juros. Somas pequenas se aglomeraram em grandes massas, que foram utilizadas em nosso mercado, de modo que, em substância, o efeito foi mais o de lançar dinheiro no mercado financeiro da City e não tanto o de retirá-lo desse mercado" [p. 159].

A. Hodgson, diretor do Joint Stock Bank de Liverpool, mostra até que ponto as letras podem constituir a reserva do banqueiro:

"Era nosso costume manter em carteira letras que se venciam dia a dia, e pelo menos $\frac{9}{10}$ de todos os nossos depósitos e de todo o dinheiro que recebíamos de outras pessoas eram convertidos nessas letras... de modo que no período da crise o montante das letras diariamente vencidas quase se equiparava ao montante das exigências cotidianas de pagamento que nos eram feitas" (p. 53).

Especulação com letras

"Nº 5.092: Quem principalmente aceita as letras" (relativas a algodão vendido)? [R. Gardner, industrial têxtil, citado várias vezes neste livro:] "Os corretores de mercadorias; um comerciante compra algodão, transfere-o ao corretor, saca letra sobre ele e desconta-a." – Nº 5.049: E essas letras são levadas aos bancos de Liverpool e lá descontadas? – Sim, e também de outros lugares... Se não houvesse essa facilidade de crédito, concedido sobretudo pelos bancos de Liverpool, o algodão, no ano anterior, teria sido, a meu ver, $1\frac{1}{2}$ ou 2 pence mais barato por libra-peso. – Nº 600: O senhor disse que circulou enorme quantidade de letras sacadas por especuladores sobre corretores de algodão em Liverpool; isto se estende a seus adiantamentos sobre letras relativas a outros produtos coloniais além do algodão?" – [A. Hodgson, banqueiro em Liverpool:] "Aplica-se a todas as espécies de produtos coloniais, mas muito especialmente ao algodão. – Nº 601: Como banqueiro não procura o senhor evitar negócios com essa espécie de letras? – De modo algum: consideramo-las letras perfeitamente legítimas, se se mantêm em quantidades adequadas... Essas letras são prorrogadas com frequência."

Especulação no mercado das Índias Orientais e da China em 1847. – Charles Turner (chefe de uma das mais importantes firmas das Índias Orientais em Liverpool):

"Todos sabemos o que tem acontecido nos negócios com a Ilha Maurício e em negócios similares. Os corretores estavam acostumados a fazer adiantamentos sobre mercadorias, após a chegada, para cobrir as letras correspondentes a essas mercadorias – o que era perfeitamente normal –, e adiantamentos sobre conhecimentos de embarque... mas, além disso, faziam adiantamentos sobre o produto antes de ser embarcado e, em alguns casos, antes de ser fabricado. Eu mesmo tive oportunidade de comprar letras em Calcutá por 6 a 7 mil libras; o produto dessas letras devia ser enviado à Ilha Maurício para aplicar-se na plantação de açúcar; as letras vieram para a Inglaterra e mais da metade delas foram protestadas; e finalmente quando chegaram as partidas de açúcar, com as quais se pagariam as letras, verificou-se que o açúcar fora penhorado a terceiro antes do embarque, ou melhor, quase antes de ser fabricado (p. 78). As mercadorias destinadas ao mercado das Índias Orientais têm agora de ser pagas em dinheiro ao fabricante; mas isso não quer dizer nada, pois quando o comprador tem algum crédito em Londres, ele saca sobre Londres e desconta a letra em Londres, onde o desconto atualmente está baixo, e paga ao fabricante com o dinheiro assim recebido... Correm pelo menos doze meses até que um expedidor de mercadorias para a Índia possa obter lá cargas de retorno... Uma pessoa com 10 ou 15 mil libras esterlinas que entrasse em negócios com a Índia conseguiria montante considerável de crédito numa firma de Londres; daria à firma 1% e sacaria sobre ela, sob a condição de remeter para ela o produto da venda das mercadorias enviadas para a Índia, e as duas partes entenderiam tacitamente que a firma de Londres não teria de fazer adiantamento algum em numerário, isto é, as letras seriam prorrogadas até que chegassem as cargas do retorno. As letras eram descontadas em Liverpool, Manchester e Londres, e algumas delas ficavam em poder dos bancos escoceses" (p. 79). – "Nº 786: Trata-se de uma firma que faliu recentemente em Londres; a perícia contábil descobriu o seguinte: uma firma em Manchester e outra em Calcutá abriram um crédito de 200.000 libras nessa firma de Londres; os agentes da firma de Manchester, que de Glasgow e Manchester remetiam em consignação mercadorias para a firma de Calcutá, sacam letras sobre a firma de Londres até o montante de 200.000 libras esterlinas; ajustara-se ao mesmo tempo que a firma de Calcutá emitiria também letras no montante de 200.000 libras contra a firma de Londres; essas letras eram vendidas em Calcutá, e, com o produto, compradas outras letras que eram remetidas à firma de Londres, a fim de capacitá-la a pagar as letras emitidas no início por Glasgow e Manchester. Assim, só esse negócio lançava no mundo 600.000 libras esterlinas em letras." – "Nº 971: Atualmente, quando uma firma em Calcutá compra" [para remeter à Inglaterra] "a carga de um navio com as próprias letras sacadas sobre os correspondentes em Londres, e os conhecimentos de embarque são mandados para cá, pode ela utilizá-los imediatamente para obter adiantamentos em Lombard Street; assim, as firmas têm oito meses para utilizar o dinheiro, antes de os correspondentes terem de pagar as letras."

IV. Em 1848, a Câmara dos Lordes organizou uma comissão secreta para investigar as causas da crise de 1847. Mas os depoimentos prestados perante a Comissão só foram publicados em 1857 (*Minutes of Evidence, Taken before the ˜ecret Committee of the H. of L. Appointed to Inquire into the Causes of Distress* etc., 1857; documento aqui citado pela sigla C.D., 1848-1857). Nele, Mister Lister, diretor do Union Bank de Liverpool, diz entre outras coisas:

"2.444: Na primavera de 1847, houve espantosa expansão do crédito... pois homens de negócios transferiram capital da própria empresa para as ferrovias, mas queriam manter seu negócio na mesma escala. No início, todos pensavam provavelmente que pudessem vender com lucro as ações ferroviárias e assim repor o dinheiro do negócio. Ao verificar que, talvez, isso não fosse possível, recorreram ao crédito para substituir os pagamentos que antes eram feitos à vista. Surgiu daí expansão do crédito."

"2.500: Essas letras que acarretaram prejuízos aos bancos que as tomaram eram garantidas principalmente por trigo ou por algodão?... Eram letras sobre produtos de toda espécie, trigo, algodão, açúcar e mercadorias de todos os tipos. Nada houve então, excetuado talvez óleo, que não baixasse de preço. – 2.506: Um corretor que aceita uma letra não a aceita sem estar bastante coberto, inclusive contra queda de preço da mercadoria que serve de garantia."

"2.512: Emitem-se duas espécies de letras relativas a mercadorias vendidas. À primeira espécie pertence a letra original sacada de além-mar sobre o importador... As letras assim emitidas com frequência se vencem antes de os produtos chegarem. Por isso, o comerciante, sem ter dinheiro bastante ao chegar a mercadoria, empenha-a ao corretor até que possa vendê-la. Uma segunda espécie de letra é sacada então pelo comerciante de Liverpool sobre o corretor, garantida por aquela mercadoria... Daí em diante é problema do banqueiro verificar se o corretor tem a mercadoria e até quanto adiantou sobre ela. É mister que ele se convença de que o corretor tem cobertura para reembolsar-se em caso de perda."

"2.516: Recebemos também letras do exterior... Alguém compra no estrangeiro uma letra sacada sobre a Inglaterra e remete-a a uma firma inglesa; a letra não nos diz se ela foi emitida de maneira sensata ou não, se representa produtos vendidos ou é simples papagaio."

"2.533: O senhor disse que os produtos estrangeiros de quase todas as espécies eram vendidos com grande prejuízo. Acha que isso decorria de especulação injustificável com esses produtos? – A origem estava nas importações excessivas, sem haver o consumo correspondente para absorvê-las. Tudo indica que o consumo baixou consideravelmente. – 2.534: Em outubro... os produtos eram quase invendáveis."

No mesmo relatório, um experto de alto nível, finório respeitável, o quacre Samuel Gurney, de Overend, Gurney & Co., fala sobre o "salve-se quem puder" que se apodera de todos, na fase culminante do craque:

"1.262: Quando reina o pânico, o que preocupa o homem de negócios não é a taxa a que pode empregar seus bilhetes de banco, nem a perda de 1 ou 2% que terá com a venda de seus títulos do tesouro ou de seus papéis de três por cento. Se está sob a influência do pânico, não lhe importa ganhar ou perder. Procura pôr-se a salvo, e o resto do mundo que se arranje."

v. Perante a Comissão da Câmara dos Comuns para as leis bancárias (citada pela sigla B.C.), Mister Alexander, comerciante ligado a negócios com as Índias Orientais, fala sobre a saturação recíproca dos dois mercados:

"4.330: Neste momento, se adianto 6 xelins em Manchester, só reembolso 5 xelins na Índia, e se desembolso 6 xelins na Índia, recobro 5 xelins em Londres."

Assim, o mercado indiano estava abarrotado pela Inglaterra e igualmente o mercado inglês pelas Índias. Era o que sucedia no verão de 1857, dez anos apenas após a amarga experiência de 1847...

XXVI. Acumulação de capital-dinheiro: sua influência na taxa de juros

XXVI.

"Na Inglaterra há contínua acumulação de riqueza adicional, tendendo a assumir finalmente a forma monetária. Depois do anseio de ganhar dinheiro, o mais imperioso é o de desembaraçar-se dele mediante qualquer aplicação que proporcione juro ou lucro, pois o dinheiro de per si nada rende. Se, juntamente com esse constante afluxo de capital que sobra, não se dá expansão progressiva e suficiente das atividades, estamos expostos a acumulações periódicas de dinheiro procurando aplicação, as quais são mais ou menos importantes conforme as circunstâncias. Durante muitos anos, a dívida pública absorvia grandemente a riqueza que sobrava na Inglaterra. Depois de ter atingido o máximo em 1816, deixou de absorvê-la, e assim todo ano havia uma soma de 27 milhões, pelo menos, que procurava outra oportunidade de investimento. Além disso, ocorriam diversos reembolsos de capital... Empreendimentos que precisam de muito capital para se efetivar e de tempos em tempos captam o excedente do capital desocupado... são absolutamente necessários, pelo menos em nosso país, para aproveitar as riquezas excedentes da sociedade juntadas periodicamente e que não podem colocar-se nos ramos habituais de investimento" (*The Currency Theory Reviewed*, Londres, 1845 pp. 32-34).

A respeito do ano de 1845 lê-se aí:

"Num período muito curto, os preços subiram rapidamente a partir do ponto mais baixo da depressão... A dívida pública a 3% está quase ao par... O ouro nas casas-fortes do Banco da Inglaterra ultrapassa qualquer montante antes lá armazenado. Ações de todo tipo atingem preços em regra nunca atingidos, e a taxa de juro caiu tanto que é quase nominal... Tudo demonstra que existe agora de novo na Inglaterra imensa acumulação de riqueza desocupada e que estamos outra vez nas vésperas de um período de febre especulativa" (*ibid.*, p. 36).

"Embora a importação de ouro não seja sinal seguro de ganho no comércio externo, uma parte dessa importação de ouro indica à primeira vista que houve esse ganho, na falta de outro elemento de explicação" (J.G. Hubbard, *The Currency and the Country*, Londres, 1843, p. 40s). "Imaginemos que, num período de negócios sempre correndo bem, de preços remuneradores e dinheiro abundante em circulação, má colheita ocasionasse exportação de 5 milhões de ouro e importação de trigo no mesmo montante. A circulação [trata-se aí, conforme veremos, não de meios de circulação, mas de capital-dinheiro desocupado. F.E.] diminui da mesma importância. Os particulares poderão continuar possuindo a mesma quantidade de meios de circulação, mas os depósitos dos comerciantes nos bancos, os saldos dos bancos com os corretores de câmbio e suas reservas em caixa reduzem-se todos, e a consequência imediata dessa redução no montante do capital desocupado é elevar-se a taxa de juro, digamos, de 4% para 6%. Estando prósperos os negócios, não se abala a confiança, mas o crédito fica mais caro" (*ibid.*, p. 42). "Se caem os preços das mercadorias, o dinheiro excedente retorna aos bancos na forma de maiores depósitos, o excesso de capital desocupado reduz a taxa de juro a um mínimo, e esse estado de coisas dura até que preços mais altos ou maior animação nos negócios façam movimentar-se o dinheiro estagnado, ou até que este seja aplicado em papéis ou mercadorias estrangeiros" (p. 68).

Seguem extratos do relatório parlamentar *Commercial Distress*, 1847-1848. – Com a má colheita e a falta geral de víveres de 1846-47 tornou-se necessário importar grande quantidade de alimentos.

> "Daí a importação exceder muito a exportação... Daí considerável retirada do dinheiro dos bancos e pressão acrescida sobre os corretores de desconto, de pessoas que tinham letras a descontar; os corretores começaram então a examinar cuidadosamente as letras. Limitou-se muito a prorrogação dos títulos e quebraram as firmas de pouca solidez. Faliram os que se escoraram apenas no crédito. Aumentou assim a inquietação que antes já se fazia sentir. Banqueiros e outros interessados viram que não podiam mais, com aquela segurança antiga, esperar que as letras e outros títulos se transformassem em bilhetes de banco, para poderem dar conta de suas obrigações; reduziram ainda mais as prorrogações e com frequência as recusavam de plano; em muitos casos guardavam a sete chaves os bilhetes de banco para cobrir as próprias obrigações futuras; preferiam não se desfazer deles. Cada dia eram maiores a intranquilidade e a confusão, e, não fora a carta de lorde John Russell, a bancarrota seria geral" (p. 74s).

A carta de Russell suspendia os efeitos da lei bancária. – Charles Turner, já citado, declara:

> "Havia firmas que dispunham de grandes recursos, mas que não possuíam liquidez. O capital todo estava imobilizado em terras na Ilha Maurício ou em fábricas de anil ou de açúcar. Depois de terem assumido compromissos de 500 a 600 mil libras esterlinas, não dispunham de meios líquidos para pagar as letras correspondentes, e por fim verificou-se que só poderiam pagar as letras mediante crédito e até onde este chegasse" (p. 81).

O mencionado S. Gurney:

ACUMULAÇÃO DE CAPITAL-DINHEIRO: SUA INFLUÊNCIA NA TAXA DE JUROS

[1.664:] "Atualmente" (1848) "restringem-se os negócios e há grande sobra de dinheiro. – Nº 1.763: Não acredito que tenha sido a escassez de capital que fez subir tanto a taxa de juro; foi o alarme, a dificuldade de obter bilhetes de banco."

Em 1847, a Inglaterra pagou pelo menos 9 milhões de libras esterlinas em ouro ao estrangeiro por alimentos importados. Delas, $7\frac{1}{2}$ milhões saíram do Banco da Inglaterra e $1\frac{1}{2}$ de outras fontes (p. 301). – Morris, governador do Banco da Inglaterra:

"Em 23 de outubro de 1847, os fundos públicos e as ações dos canais e das ferrovias já estavam depreciados de 114.752.225 libras esterlinas" (p. 312).

O mesmo Morris interrogado por lorde G. Bentinck:

[3.846:] "Não sabia que todo capital empregado em papéis e produtos de toda espécie se depreciou da mesma maneira, que matérias-primas, algodão, seda, lã foram remetidos para o Continente a preços vis, e que açúcar, café e chá foram vendidos em hasta pública? – Era inevitável que a Nação fizesse grande sacrifício para contrabalançar a saída de ouro, causada pela enorme importação de alimentos. – Não lhe parece que teria sido melhor deixar que se exaurissem os 8 milhões de libras guardadas nas casas-fortes do Banco, em vez de procurar recuperar o ouro com tanto sacrifício? – *Não acredito.*"

O reverso desse heroísmo: Disraeli interroga W. Cotton, diretor e ex--governador do Banco da Inglaterra.

"Em 1844 qual foi o dividendo recebido pelos acionistas do Banco? – 7%. – E o dividendo de 1847? – 9%. – No ano em curso paga o Banco o imposto de renda dos acionistas? – Sem dúvida. – Fez isso em 1844? – Não.[47] – Então, a lei bancária" (de 1844) "favoreceu muito os acionistas... Por conseguinte, a partir da introdução da nova lei, os dividendos dos acionistas subiram de 7% para 9%, e, além disso, o Banco paga o imposto de renda que antes os acionistas tinham de pagar? – Exatamente" (Nᵒˢ 4.356 a 4.361).

---

47 Antes fixava-se primeiro o dividendo de que se deduzia, ao ser pago ao acionista, o imposto de renda; depois de 1844, o imposto era pago a débito do lucro global do Banco, e os dividendos livres de imposto de renda eram repartidos. Neste caso, a mesma porcentagem nominal é maior pelo que lhe acresce o imposto. — F.E.

Sobre o entesouramento nos bancos durante a crise de 1847, diz Mister Pease, banqueiro de província:

"4.605: Sendo o Banco obrigado a aumentar cada vez mais a taxa de juro, generalizaram-se os temores; os bancos provinciais aumentaram os montantes de numerário e de bilhetes em seu poder, e muitos de nós, que costumávamos manter apenas uma provisão de algumas centenas de libras esterlinas em ouro ou bilhetes de banco, passamos logo a armazenar milhares em cofres e escrivaninhas, pois reinava grande incerteza no que se refere a descontos e à capacidade de circulação das letras no mercado, daí resultando entesouramento geral."

Um membro da Comissão observa:

"4.691: Por conseguinte, qualquer que tenha sido a causa no decurso dos últimos 12 anos, o resultado foi de qualquer modo mais favorável ao judeu e ao comerciante de dinheiro que à classe produtiva em geral."

Quanto o banqueiro explora em época de crise, diz-nos Tooke:

"Em 1847, as empresas metalúrgicas de Warwickshire e Staffordshire recusaram muitas encomendas, porque o juro que o fabricante tinha de pagar para descontar suas letras bastava para devorar o lucro inteiro e mais" (N°s 5.451).

Tomemos agora outro relatório parlamentar já citado, *Report of Select Committee on Bank Acts, Communicated from the Commons to the Lords, 1857* (adiante referido pela sigla B.C., 1857). Nele, Mister Norman, diretor do Banco da Inglaterra e um dos luminares entre os adeptos do *currency principle*, aparece interrogado como segue:

"3.635: Segundo seu parecer, a taxa de juro depende não da quantidade de bilhete de banco, mas da oferta e procura de capital. Quer dizer-nos o que entende por capital, abstraindo de bilhetes de banco e moeda metálica? – Creio que a definição costumeira de capital é: mercadorias ou serviços utilizados na produção. – 3.636: Quando fala de taxa de juro, o termo capital abrange todas as mercadorias? – Todas as mercadorias empregadas na produção. – 3.637: Inclui tudo isso no termo capital, quando fala da taxa de juro? – Sem dúvida. Admitamos que um fabricante precise de algodão para seu estabelecimento:

para arranjá-lo, provavelmente obtém adiantamento do banqueiro, e com os bilhetes de banco recebidos vai a Liverpool e faz sua compra. Algodão é o que realmente precisa; não precisa de bilhetes de banco nem de ouro, exceto na função de meios de adquirir algodão. Precisa também de meios para pagar os empregados; novamente toma de empréstimo bilhetes com que paga os empregados; e estes, por sua vez, precisam de alimentação e moradia, e o dinheiro é o meio de pagá-las. – 3.638: Mas é pelo dinheiro que se paga juro? – Por certo, em primeira instância; mas figuremos outro caso. Imaginemos que o fabricante compre o algodão fiado, sem valer-se do adiantamento do Banco; o juro então se mede pela diferença entre o preço à vista e o preço a crédito, a ser pago no vencimento. Juro haveria, mesmo se não existisse dinheiro."

Esses presunçosos disparates assentam muito bem nesse baluarte do *currency principle*. De início, a descoberta genial: bilhetes de banco e ouro são meios de comprar coisas, e ninguém os toma de empréstimo por eles mesmos. E que se deve inferir daí quanto ao juro? Que é regulado pela oferta e procura de mercadorias, quando até agora se sabia apenas que elas regulavam os preços de mercado das mercadorias. Mas taxas de juro bem diversas são compatíveis com preços de mercado invariáveis das mercadorias. – Mas a sapiência prossegue. É-lhe apresentada a judiciosa observação – "mas é pelo dinheiro que se paga juro" –, a qual implica naturalmente a pergunta: Que tem o juro, que o banqueiro recebe sem comerciar com mercadoria alguma, que ver com as mercadorias? E não obtêm dinheiro à mesma taxa de juro os fabricantes que o aplicam em mercados totalmente diversos, onde reinam, portanto, condições por completo diferentes da oferta e da procura das mercadorias utilizadas na produção? – Àquela observação responde o majestoso gênio que, se o fabricante compra algodão a crédito, "o juro então se mede pela diferença entre o preço à vista e o preço a crédito, a ser pago no vencimento". Ao contrário. A taxa vigente de juro, cuja fixação o genial Norman pretende explicar, é que dá a medida da diferença entre o preço à vista e o preço a crédito, na data do vencimento. Primeiro, o algodão está para ser vendido pelo preço à vista, determinado pelo preço de mercado, por sua vez regulado pela situação da oferta e da procura. Imaginemos seja o preço = 1.000 libras esterlinas. Com isso o negócio se ajusta entre fabricante e corretor de algodão no que diz respeito à compra e venda. Sobrevém então um segundo negócio, entre prestamista e prestatário. O valor de 1.000 libras é adiantado em algodão ao fabricante, e ele tem de devolvê-lo em dinheiro, em três meses. E o juro de 1.000 libras por três meses, determinado pela taxa de mercado do juro, constitui então o acréscimo a ser juntado ao preço à vista. O preço do algodão é determinado pela oferta e procura. Mas o preço do adiantamento do valor do algodão, das 1.000 libras por três meses, é determinado pela taxa de juro. E a circunstância de o próprio algodão transformar-se em capital-dinheiro prova a Mister Norman que existiria juro, mesmo que não houvesse dinheiro. Se dinheiro não existisse mesmo, não haveria taxa geral de juro.

Temos aí antes de mais nada a representação vulgar do capital – "mercadorias utilizadas na produção". Quando essas mercadorias desempenham o papel de capital, o valor delas como *capital* – diferindo do valor delas como mercadorias – expressa-se no lucro oriundo do emprego produtivo ou mercantil. E a taxa de lucro decididamente está sempre relacionada com o preço de mercado das mercadorias compradas e com a oferta e a procura delas, mas é determinada ainda por circunstâncias de todo diversas. E sem dúvida a taxa de juro encontra em geral seu limite na taxa de lucro. Mas cabe a Mister Norman dizer-nos como se determina esse limite. E esse limite é determinado pela oferta e procura do capital-dinheiro *no que tem de diferente* das outras formas de capital. Poder-se-ia então perguntar: como são determinadas a oferta e a procura de capital-dinheiro? Não há dúvida que existe ligação implícita entre a oferta de capital material e a de capital-dinheiro, e que a procura de capital dinheiro pelos capitalistas industriais é determinada pelas circunstâncias da produção real. Em vez de nos esclarecer a esse respeito, Norman faz-nos devedores de uma lição – a procura de capital-dinheiro não é idêntica à procura de dinheiro como tal. E dá-nos a lição porque ele, como Overstone e os outros profetas do *currency principle*, procura dissimular um propósito: está empenhado em converter em capital o meio de circulação de per si e em aumentar a taxa de juro, por meio de artificiosa intervenção legal.

Vejamos agora como lorde Overstone, aliás Samuel Jones Loyd, é levado a explicar por que toma 10% por seu "dinheiro", considerando que o "capital" é tão raro no país.

"3.653: As flutuações da taxa de juros decorrem de uma de duas causas: ou da variação do valor do capital"

(formidável! valor do capital, de modo genérico, é justamente a taxa de juro. A variação da taxa de juro se origina aí da variação da taxa de juro.

ACUMULAÇÃO DE CAPITAL-DINHEIRO: SUA INFLUÊNCIA NA TAXA DE JUROS

Teoricamente, conforme já expusemos antes, jamais se concebeu de outra maneira o "valor do capital". Ou se Mister Overstone entende por valor do capital a taxa de lucro, então nosso profundo pensador volta à ideia de ser a taxa de juro regulada pela taxa de lucro!)

> "ou de variação na quantidade de dinheiro existente no país. Todas as grandes flutuações da taxa de juros, medidas pela duração ou pela magnitude, relacionam-se claramente com variações no valor do capital. Não há melhor ilustração prática desse fato que a alta da taxa de juro em 1847 e de novo nos dois últimos anos (1855-56); as flutuações menores da taxa de juros, oriundas de variação no montante do dinheiro existente, são fracas em magnitude e em duração. São frequentes, e quanto mais frequentes, tanto mais eficazmente atingem o objetivo."

O de enriquecer os banqueiros do estilo de Overstone. Admira a candidez de nosso amigo Samuel Gurney falando a respeito do assunto perante a Comissão da Câmara dos Lordes (C.D., 1848 [-1857]):

> "1.324: Segundo seu parecer, as grandes flutuações da taxa de juros, ocorridas no ano passado, foram ou não vantajosas para os banqueiros e corretores de dinheiro? – Acho que foram vantajosas. Todas as flutuações são vantajosas para quem sabe oportunamente. – 1.325: Com a alta da taxa de juro não acabaria o banqueiro perdendo em virtude do empobrecimento de seus melhores clientes? – Não, não creio que se produza esse efeito em grau apreciável."

Isto é que é falar.

Voltaremos a tratar da influência que o montante de dinheiro existente exerce sobre a taxa de juros. Mas aqui já cabe observar que Overstone lança nova confusão. Em 1847, a procura de capital-dinheiro (antes de outubro não havia preocupação com a escassez de dinheiro, ou com "a quantidade de dinheiro existente", para usarmos a expressão dele) aumentou por diversas razões. Trigo mais caro, preços ascendentes do algodão, açúcar invendável com a superprodução, especulação ferroviária e craque, saturação dos mercados estrangeiros com artigos de algodão, as exportações e importações forçadas para a Índia e da Índia, constituindo mero pretexto para emitir papagaios. Todos esses fatores, o excesso da produção industrial e o decréscimo da agrícola, causas bem diversas, portanto, provocaram aumento da procura de capital-dinheiro, ou seja, de crédito e dinheiro. O acréscimo da procura de capital-dinheiro tinha origem na marcha do próprio processo de produção. Mas, qualquer que fosse a causa, era a procura de capital-*dinheiro* que fazia subir a taxa de juros, o valor do capital-dinheiro. Se Overstone quer dizer que o valor do capital-dinheiro subiu, *porque* subiu, temos simples tautologia. Se entende por "valor do capital" a taxa de lucro que ascende como causa da elevação da taxa de juro, esse modo de ver também se patenteia falso. A procura de capital-dinheiro e, por conseguinte, o "valor do capital", pode aumentar, embora o lucro caia; ao diminuir a oferta relativa de capital-dinheiro, sobe seu "valor". Overstone pretende demonstrar que a crise de 1847 e a concomitante alta taxa de juro nada tinham que ver com a "quantidade de dinheiro existente", isto é, com as disposições da lei bancária de 1844, por ele inspiradas; quando, na realidade, tinham relação com ela, na medida em que o temor de esgotamento da reserva bancária – obra de Overstone – ajuntava à crise de 1847-48 o pânico financeiro. Mas esta não é a questão em debate. Havia carência de capital-dinheiro causada pela magnitude desmesurada das operações, comparadas com os meios disponíveis; ela se manifestou por se ter perturbado o processo de reprodução com a má colheita, com investimento excessivo em ferrovias, com superprodução particularmente em artigos da indústria algodoeira têxtil, com os negócios fictícios indianos e chineses, com a especulação, as importações excessivas de açúcar etc. Quando o trigo caiu a 60 xelins por *quarter,* o que faltava às pessoas que o compraram a 120 por *quarter* eram os 60 xelins que pagaram a mais e o correspondente crédito em adiantamento sobre o trigo. Não era, portanto, escassez de bilhetes de banco que as impedia de converter o trigo em dinheiro, ao antigo preço de 120 xelins. O mesmo se aplica aos que importaram em excesso açúcar que quase ficou invendável; estende-se também aos que imobilizaram o capital de giro em ações das ferrovias, esperando repô-lo em seu negócio "legítimo" com o crédito. Tudo isso, para Overstone, se reduz à "percepção moral do valor acrescido do dinheiro que se tem (*a moral sense of enhanced value of his money*)". Mas esse valor acrescido do capital-dinheiro, por outro lado, correspondia diretamente à queda do valor monetário do capita real (capital-mercadoria e capital produtivo). O valor do capital aumentava numa forma porque diminuía na outra. Mas Overstone procura identificar esses dois valores de espécies diversas de capital com um valor único do capital em geral, contrapondo a ambos a carência dos meios de circulação, de dinheiro existente. Entretanto, o mesmo montante de capital-dinheiro pode ser emprestado com quantidades diferentes de meios de circulação.

Tomemos seu exemplo de 1847. Taxa oficial de juro bancário em janeiro, 3-3 $\frac{1}{2}$ %; em fevereiro, 4-4 $\frac{1}{2}$ %; em março, 4% com maior frequência; abril (pânico), 4-7 $\frac{1}{2}$ %; maio, 5-5 $\frac{1}{5}$ %; junho, 5% no conjunto; julho, 5%; agosto, 5-5 $\frac{1}{2}$ %; setembro, 5% com pequenas variações de 5 $\frac{1}{4}$, 5 $\frac{1}{2}$ e 6%; outubro, 5-5 $\frac{1}{2}$ e 7%; novembro, 7-10%; dezembro, 7-5%. – Nesse caso, o juro subia porque os lucros diminuíam e os valores monetários das mercadorias caíam enormemente. Assim, se Overstone diz que o juro subiu em 1847 porque o valor do capital aumentou, só pode ele entender aí por valor do capital apenas o valor do capital-dinheiro, e o valor do capital-dinheiro é justamente a taxa de juros e nada mais. Mais tarde, porém, prevalece a espertaza, e o valor do capital se identifica com a taxa de lucro.

Quanto à alta taxa do juro que era paga em 1856, Overstone ignorava realmente que era em parte sintoma do aparecimento da fauna dos cavaleiros do crédito que pagavam o juro não com o lucro, mas com o capital alheio; afirmara alguns meses antes da crise de 1857 que "os negócios iam muito bem".

Prossegue ele:

> "3.722: É erro grave supor que a elevação da taxa de juro destrói o lucro do negócio. Primeiro, a alta da taxa de juro raramente dura muito; segundo, se persiste e é importante, é que objetivamente acresceu o valor do capital, e por que acresce o valor do capital? Porque aumentou a taxa de lucro."

Afinal ficamos sabendo o sentido de "valor do capital". Demais, a taxa de lucro pode ficar em alta por muito tempo, enquanto o lucro de empresário cai e a taxa de juro sobe, de modo que o juro absorve a maior parte do lucro.

> "3.724: A alta da taxa de juro tem sido consequência da enorme expansão dos negócios em nosso país e da grande elevação da taxa de lucro; queixar-se de que a elevada taxa de juro destrói esses dois elementos que são a própria causa dela é um absurdo lógico, não merecendo a menor consideração."

Isso é tão lógico quanto dizer: a taxa elevada de lucro foi consequência da alta dos preços das mercadorias causada pela especulação, e queixar-se de que a alta dos preços destrói a própria causa, a saber, a especulação, é um absurdo lógico etc. Que uma coisa destrua finalmente a própria causa só é absurdo lógico para o usurário apegado à alta taxa de juro. A grandeza dos romanos foi a causa de suas conquistas, e estas destruíram sua grandeza. A riqueza gera o luxo, que atua no sentido de destruir a riqueza. Que espertalhão! A cretinice do mundo burguês atual não pode ser mais bem caracterizada que pelo respeito que infunde a toda a Inglaterra a "lógica" desse ricaço, guindado a barão. Demais, se a alta taxa de lucro e a expansão dos negócios podem ser causas da alta taxa de juro, a taxa de juro elevada não é de modo algum causa de lucro alto. E o problema em foco é justamente o de saber se a alta taxa de juro (como se verificou de fato na crise) não prossegue ou mesmo só atinge o ponto culminante depois de a alta taxa de lucro já ter, há muito tempo, desaparecido.

"3.718: A considerável elevação da taxa de desconto decorre por completo do valor acrescido do capital, e a causa desse valor acrescido do capital, creio, pode ser percebida por qualquer um, com clareza meridiana. Já mencionei este fato: nos 13 anos em que esteve em vigor a lei bancária, o comércio da Inglaterra aumentou de 45 para 120 milhões de libras esterlinas. Reflitamos sobre todas as ocorrências que esses simples números implicam; consideremos a enorme procura de capital, que tão gigantesco aumento do comércio acarreta, e consideremos também que a fonte natural que abastece essa grande procura, a saber, a poupança anual do país, desviou-se, nos últimos três ou quatro anos, para as improdutivas despesas de guerra. Confesso admirar-me de não ser ainda mais alta a taxa de juro; em outras palavras; surpreende-me que a carência de capital em virtude dessas operações gigantescas não seja ainda mais violenta que aquela que os senhores verificaram."

Que maravilhosa confusão verbal, a desse lógico da usura! Aí está ele novamente com seu valor acrescido do capital! Parece imaginar que, de um lado, ocorria essa expansão enorme do processo de reprodução, acumulação, portanto, de capital real, e, do outro, estava um "capital" de que surgiu "enorme procura", com o objetivo de levar a cabo esse aumento tão gigantesco do comércio! Esse descomunal acréscimo da produção não era ele mesmo acréscimo do capital e, se gerava procura, não criava ao mesmo tempo a oferta e até oferta aumentada de capital-dinheiro? Se a taxa de juro subiu tanto é apenas porque a procura de capital-dinheiro cresceu mais rapidamente que a oferta, o que em outras palavras significa que a produção

ACUMULAÇÃO DE CAPITAL-DINHEIRO: SUA INFLUÊNCIA NA TAXA DE JUROS

industrial, ao expandir-se, operava cada vez mais na base do crédito. Vale dizer, a expansão industrial efetiva causava procura acrescida de "prorrogação de letras", o que os banqueiros entendem por "enorme procura de capital". Por certo não foi a expansão da mera *procura* de capital que aumentou o comércio de exportação de 45 para 120 milhões. E que quer expressar Overstone quando sustenta que a fonte natural abastecedora dessa grande procura são as poupanças anuais do país devoradas pela Guerra da Crimeia? Primeiro, como a Inglaterra acumulou de 1792 a 1815, quando a dimensão da guerra diferiu bastante da pequena Guerra da Crimeia? Segundo, se a fonte natural secou, de que fonte fluiu então o capital? É sabido que a Inglaterra não tomou empréstimos a nações estrangeiras. Mas se ao lado da fonte natural existe uma artificial, seria para uma nação um método dileto empregar a fonte natural na guerra e a artificial nos negócios. Mas se só existe o antigo capital, poderia ele duplicar a eficiência com a elevação da taxa de juro? Mister Overstone, é evidente, acredita que as poupanças anuais do país (consumidas, conforme supõe o presente caso) se transformam simplesmente em capital-dinheiro. Mas se não ocorresse acumulação efetiva, isto é, se não acrescesse a produção e não aumentassem os meios de produção, de que adiantaria a acumulação de títulos a receber na forma de dinheiro por conta dessa produção?

Overstone mistura a elevação do "valor do capital", oriunda da taxa de lucro mais alta, com a elevação decorrente da procura acrescida de capital-dinheiro. Essa procura pode aumentar em virtude de causas por completo independentes da taxa de lucro. Ele mesmo exemplifica que, em 1857, tal procura subiu por força da depreciação do capital real. Conforme lhe convém, atribui o valor do capital ao capital real ou ao capital-dinheiro.

A improbidade desse lorde banqueiro, juntamente com sua estreita visão bancária, agravada pelo tom professoral, patenteia-se mais uma vez:

> "3.728 (pergunta): O senhor disse que, na sua opinião, a taxa de desconto não tem importância fundamental para o comerciante; poderia ter a bondade de dizer-nos o que considera a taxa usual de lucro?"

Mister Overstone esclareceu que era "impossível" responder à pergunta.

> "3.729: Imaginemos que a taxa média de lucro seja de 7 a 10%; desse modo, uma variação na taxa de desconto de 2% para 7 ou 8% deve alterar essencialmente a taxa de lucro, não é verdade?"

(A própria pergunta mistura a taxa de lucro de empresário com a taxa de lucro e não considera que esta é a fonte comum do juro e do lucro de empresário. A taxa de juro pode deixar intata a taxa de lucro, mas não o lucro de empresário. Resposta de Overstone:)

> "Antes de mais nada, os comerciantes não pagam taxa de desconto que lhes reduza o lucro de maneira substancial; preferirão encerrar o negócio."

(Sem dúvida, quando podem fazê-lo sem se arruinarem. Pagam o desconto porque querem, quando o lucro é alto, e porque a isso são constrangidos, quando o lucro é baixo.)

> "Que significa desconto? Por que uma empresa desconta uma letra?... Porque deseja obter capital maior;"

(alto lá! porque deseja o retorno em dinheiro do capital investido e evitar que se paralise o negócio; porque tem de pagar compromissos que se vencem. Só exige acréscimo de capital quando o negócio vai bem ou quando especula com capital alheio, embora vá mal. O desconto não é de modo algum meio adequado de expandir o negócio.)

> "E por que pretende comandar capital maior? Porque quer aplicar esse capital. E por que quer aplicá-lo? Porque é lucrativo; mas não o seria, se o desconto absorvesse o lucro."

Esse lógico presunçoso supõe que letras só são descontadas para ampliar o negócio e que o negócio é ampliado porque é lucrativo. A primeira proposição é falsa. Normalmente, o homem de negócios desconta para antecipar a forma dinheiro de seu capital e assim manter em curso o processo de reprodução; não para ampliar o negócio ou conseguir capital adicional, mas para equilibrar o crédito que concede com o crédito que recebe. E se quer expandir seu negócio com crédito, pouco lhe aproveitaria o desconto de letras, quando apenas passa de uma forma para outra o capital-dinheiro que já lhe pertence; preferirá tomar de empréstimo a longo prazo uma quantia definida. O que obtém crédito com embustes descontará seus papagaios para expandir o negócio cobrindo um negócio torto com outro; não para produzir lucro, mas para se apoderar de capital alheio.

ACUMULAÇÃO DE CAPITAL-DINHEIRO: SUA INFLUÊNCIA NA TAXA DE JUROS

Depois de identificar o desconto com empréstimo de capital adicional (e não com transformação de letras – que representam capital – em dinheiro de contado), Overstone bate em retirada logo que lhe apertam as cravelhas.

> "3.730 (pergunta): Os comerciantes, uma vez metidos no negócio, não têm de prosseguir por certo tempo, embora sobrevenha elevação temporária da taxa de juro?" – (Overstone:) "Numa transação isolada qualquer, é sem dúvida mais agradável a possibilidade de dispor de capital a juro baixo em vez de alto, se consideramos o problema sob esse aspecto restrito."

Overstone põe então à mostra seu ponto de vista extremado, ao revelar bruscamente que apenas seu capital bancário é "capital" e por isso quem o procura com letras para descontar está, segundo ele, desprovido de capital, por estar o capital do pleiteante na forma de mercadoria, ou por ser a forma-dinheiro de seu capital uma letra, que ele transfere para outra forma-dinheiro.

> "3.732: No tocante à lei bancária de 1844, poderá informar-nos a relação aproximada entre a taxa de juro e as reservas em ouro do Banco da Inglaterra; é verdade que a taxa de juro era de 6 ou 7% quando o ouro do Banco atingia 9 ou 10 milhões, e de 3 a 4% mais ou menos quando o ouro chegava a 16 milhões?"

(O indagador quer levá-lo a explicar a taxa de juro, influenciada pela quantidade de ouro existente no Banco, partindo da taxa de juro, segundo ele influenciada pelo valor do capital.)

> "Não digo que seja este o caso... mas se é, temos, pelo que me parece, de adotar providências ainda mais austeras que as empregadas em 1844; pois, se fosse verdade que quanto maior o encaixe em ouro tanto mais baixa a taxa de juro, então deveríamos nos esforçar, de acordo com esse modo de ver, para aumentar sem limites o encaixe metálico, e assim reduziríamos o juro a zero."

Cayley, que indagava, sem ligar à graçola, prossegue:

> "3.733: Se assim fosse, supondo-se ocorresse a devolução de 5 milhões em ouro ao Banco, o encaixe metálico atingiria, no curso dos próximos seis meses, cerca de 16 milhões, e, admitindo-se caísse a taxa de juro a 3 ou 4%, como se poderia

afirmar então que a queda na taxa de juro decorre de grande decréscimo nos negócios? – Eu disse que a acentuada elevação recente da taxa de juro e não a queda da taxa de juro está estritamente ligada à grande expansão dos negócios."

Mas Cayley diz que, se o aumento da taxa de juro, concomitante à contração do encaixe metálico, indica expansão dos negócios, então, a queda da taxa de juro, concomitante à expansão do encaixe metálico, tem de indicar decréscimo dos negócios. A esse respeito silencia Overstone.

"3.736 [Pergunta:] Observo que o senhor (no texto usa-se sempre o tratamento de *Your Lordship*) sustenta que o dinheiro é o instrumento para conseguir capital."

(Considerá-lo instrumento é justamente o que está errado; o dinheiro é *forma* do capital.)

"Ao decrescer o encaixe em ouro" [do Banco da Inglaterra], "a dificuldade não está, ao contrário, na impossibilidade de *capitalistas* conseguirem dinheiro?" – [Overstone:] "Não são os capitalistas e sim os não capitalistas que procuram obter dinheiro; e por que procuram arranjar dinheiro?... Porque, por meio do dinheiro, consegue dispor do capital do capitalista para conduzir os negócios de pessoas que não são capitalistas."

Esclarece aí francamente que fabricantes e comerciantes não são capitalistas, e que só capital-dinheiro é o capital do capitalista.

"3.737: Então, as pessoas que emitem letras não são capitalistas? – Os que emitem letras podem ser ou não capitalistas."

Encalha aí.

Perguntam-lhe então se as letras dos comerciantes não representam as mercadorias que venderam ou embarcaram. Nega, dizendo que essas letras representam tanto o valor das mercadorias quanto o bilhete de banco, o ouro (3.740, 3.741). Resposta impudente.

"O objetivo do comerciante não é conseguir dinheiro? – Não; quando emite a letra, o objetivo não é obter dinheiro; tem esse objetivo quando desconta a letra."

Emitir letra é transformar mercadoria numa forma de dinheiro de crédito, do mesmo modo que descontar letra é converter esse dinheiro de crédito em outro, o bilhete de banco. Em todo caso, Overstone admite que o objetivo do desconto é conseguir dinheiro. Antes, para ele, descontar não se destinava a fazer o capital passar de uma forma para outra, mas a obter capital adicional.

> "3.743: Sob a pressão de pânico, tal como o de 1825, 1837 e 1839, mencionados em seu depoimento, qual o grande desejo dos homens de negócios: apoderar-se de capital ou de moeda legal para pagamento? – Procuram conseguir comando sobre capital, para prosseguir nos negócios."

O objetivo deles é obter meios de pagar as letras sacadas sobre eles e vencidas, tendo em conta a carência de crédito e a fim de não ter de liquidar suas mercadorias abaixo do preço. Se não possuem capital próprio, conseguem-no sem dúvida ao receber os meios de pagamento, pois recebem valor sem dar contraprestação equivalente. Mas a procura de dinheiro como tal sempre consiste apenas no desejo de fazer o valor passar da forma de mercadoria ou de dívida ativa (crédito) para a de dinheiro. Daí, se abstraímos das crises, a grande diferença entre empréstimo de capital e desconto; neste, a dívida ativa (o crédito) passa de uma forma para outra, isto é, se converte em dinheiro efetivo.

[Como editor, permito-me intercalar uma observação.

Para Norman e para Loyd-Overstone é sempre o banqueiro quem "adianta capital", e o cliente, quem lhe solicita "capital". Assim, diz Overstone, quem desconta letra em banco é "porque deseja obter *capital*" (3.729), e é agradável se tem "a possibilidade de *dispor de capital* a juro baixo" (3.730). "O dinheiro é o instrumento para conseguir capital" (3.736), e em situação de pânico o grande desejo dos homens de negócios é "conseguir comando sobre capital" (3.743). Apesar da confusão toda de Loyd-Overstone a respeito do que é capital, ressalta claro o que ele conceitua como capital: o que o banqueiro dá ao cliente, um capital que o cliente não possuía antes, que lhe é adiantado e que se junta ao que o cliente até então empregava.

O banqueiro habituou-se tanto a exercer a função de distribuidor – configurada em empréstimos – do capital social disponível em forma de dinheiro que qualquer operação em que ceda dinheiro lhe parece empréstimo. Todo dinheiro que entrega afigura-se-lhe adiantamento. Se o dinheiro é desembolsado diretamente em empréstimo, isso é literalmente exato. Se é empregado para descontar uma letra, para ele a operação constitui de fato um adiantamento até vencer-se a letra. Daí cristalizar-se na mente dele a ideia de que todo pagamento que faz é adiantamento. Deixa de lado o desembolso de dinheiro para obter juro ou lucro, quando o dono do dinheiro, como particular, o faz a si mesmo na qualidade de empresário, o que é adiantamento, sob o aspecto econômico. Só considera adiantamento de dinheiro no sentido definido de o banqueiro ceder por empréstimo ao cliente uma soma que do mesmo tanto aumenta o capital de que o segundo dispõe.

Essa ideia que da atividade bancária se transferiu para a economia política gerou problema que é fonte de litígio e confusão: o de saber se é capital ou apenas dinheiro, meio de circulação, *currency*, o que o banqueiro põe à disposição de seu cliente empresário, em dinheiro efetivo. Para resolver essa questão litigiosa, simples no fundo, é mister considerá-lo do ponto de vista do cliente do banco. Trata-se de determinar o que pleiteia e obtém.

Se o Banco ao cliente empresário concede empréstimo baseado simplesmente no crédito pessoal, sem que o devedor apresente garantias, a coisa está clara. O que o cliente recebe é por princípio adiantamento com magnitude de valor determinada, que acresce o capital que aplica. Recebe-o em forma de dinheiro; portanto, não só dinheiro, mas também *capital*-dinheiro.

Se o adiantamento lhe é feito contra caução de títulos etc., há adiantamento no sentido de lhe ter sido entregue dinheiro sob reserva de devolução. Mas não há adiantamento de capital, pois os títulos também representam capital, e do montante maior que o adiantamento. O cliente recebe valor capital menor que o dado por ele em penhor; não há para ele aquisição alguma de capital adicional. Não faz o negócio por precisar de capital – que possui configurado nos títulos –, mas por precisar de dinheiro. Aí há adiantamento de *dinheiro* e não de capital.

Se o adiantamento se faz mediante desconto de letras, desaparece ainda a *forma* de adiantamento. Ocorre mera operação de compra e venda. A letra por endosso torna-se propriedade do banco, e o dinheiro, propriedade do cliente; não se fala em devolução do dinheiro. Se o cliente compra numerário com uma letra de câmbio ou com instrumento similar de crédito, não haverá adiantamento: é como se tivesse comprado numerário com uma de suas mercadorias disponíveis, algodão, ferro, trigo etc. E muito menos se pode falar aqui de adiantamento de *capital*. Toda compra e venda entre comerciantes é transferência de capital. Só existe adiantamento quando a transferência de capital não é recíproca, mas unilateral e por prazo determinado. Adiantamento de capital mediante desconto de letras só pode, portanto, ocorrer quando a letra é de favor, não representando mercadorias vendidas, e nenhum banqueiro a quer, se sabe que ela possui esse vício de origem. Nas operações regulares de desconto, o cliente do banco não recebe adiantamento algum em capital nem em dinheiro, mas obtém dinheiro por mercadoria vendida.

Os casos em que o cliente pleiteia e consegue capital do banco distinguem-se com clareza meridiana daqueles em que apenas obtém do banco dinheiro adiantado ou lho compra. E uma vez que Loyd-Overstone só chegava a adiantar fundos sem cobertura em casos de extrema raridade (ele era o banqueiro de minha firma em Manchester), é claro que ficam por conta de sua gabolice as descrições que faz acerca dos volumosos capitais que os magnânimos banqueiros adiantam aos fabricantes carentes de capital.

Aliás, no Capítulo XXXII,[I] Marx diz substancialmente a mesma coisa: "A procura de meios de pagamento é simples procura de *conversibilidade em dinheiro*, quando os comerciantes e produtores podem oferecer boas garantias; é procura de *capital-dinheiro*, quando, por inexistência dessa possibilidade, adiantamento de meios de pagamento lhes proporciona, além da *forma dinheiro*, o *equivalente* de que precisam para pagar, seja qual for a forma." – Mais adiante, no Capítulo XXXIII:[II] "Em sistema desenvolvido de crédito, em que o dinheiro se concentra nas mãos dos bancos, são estes que o adiantam, *pelo menos nominalmente*. Esse adiantamento se refere somente ao dinheiro que está em circulação. Trata-se de adiantamento de *circulação* e não de capitais, que circulam por meio desse dinheiro." – Confirma a concepção exposta acerca das operações de desconto, Mister Chapman, que tem condições para conhecer o assunto (B.C., 1857):

> "O banqueiro tem a letra; *comprou-a*" (Nº 5.139). Voltaremos ao tema no Capítulo XXVIII.[III] — F.E.]

I Ver p. 589.
II Ver p. 691.
III Ver p. 533s.

"3.744: Poderia dizer-nos o que entende realmente por capital? – [Resposta de Overstone:] "Capital consiste em diferentes mercadorias por meio das quais se movimenta o negócio (*capital consists of various commodities, by the means of which trade is carried on*); há capital fixo e capital circulante. Navios, armazéns, estaleiros são capital fixo; víveres, roupas etc., capital circulante."

"3.745: O escoamento de ouro para o exterior trouxe prejuízos para a Inglaterra? – Não, se damos à palavra um sentido racional."

(Aparece então a velha teoria monetária de Ricardo.)

..."No estado natural das coisas, o dinheiro mundial se distribui pelos diversos países em certas proporções; estas são tais que, nessa distribuição" [do dinheiro] "o movimento é simples movimento de troca; mas há influências perturbadoras que de vez em quando prejudicam essa distribuição, e, ao surgirem elas, parte do ouro de um país se escoa para outros países. – 3.746: Acaba o senhor de empregar a palavra dinheiro. Se bem entendi o que declarou antes, o senhor chamava isso de perda de capital? – Que é que chamei de perda de capital? – 3.747: O escoamento do ouro. – Não, não disse isso. Se o senhor considera o ouro capital, há sem dúvida perda de capital; trata-se de cessão de certa proporção do metal nobre em que consiste o dinheiro mundial. – 3.748: O senhor não disse antes que variação na taxa de desconto indica apenas variação no valor do capital? – Por certo. – 3.749: E que em geral a taxa de desconto varia com o encaixe metálico do Banco da Inglaterra? – Sem dúvida; mas já disse que são insignificantes... as flutuações da taxa de juros que decorrem num país de variação na quantidade de dinheiro" (nesta inclui ele, portanto, a quantidade de ouro real).

"3.750: Quer dizer então que terá ocorrido decréscimo de capital, se a taxa de desconto se eleva acima da usual de modo prolongado embora temporário? – Decréscimo em certo sentido da palavra. Alterou-se a relação entre capital e a procura dele; possivelmente por expandir-se a procura e não por reduzir-se a quantidade de capital."

(Mas há pouco falava ele em capital = dinheiro ou ouro, e pouco antes atribuía a elevação da taxa de juro à alta taxa do lucro, oriunda do acréscimo e não do decréscimo dos negócios ou do capital.)

"3.751: A que capital está se referindo especificamente? – Isso depende inteiramente do capital que cada um precise. É o capital de que a nação dispõe para movimentar os negócios, e, se estes se duplicam, é mister grande aumento na procura de capital, para prosseguir neles."

ACUMULAÇÃO DE CAPITAL-DINHEIRO: SUA INFLUÊNCIA NA TAXA DE JUROS

(Nosso banqueiro manhosamente duplica primeiro os negócios, para aumentar depois a procura de capital, destinada a duplicá-los. Vê o cliente procurando-o sempre para pleitear mais capital, a fim de aumentar os negócios.)

> "O capital é como qualquer outra mercadoria" (mas o capital, segundo o próprio Overstone, nada mais é que a totalidade das mercadorias); "varia de preço" (as mercadorias variam de preço sob dois aspectos – como mercadorias e ainda como capital) "de acordo com a procura e a oferta."
> "3.752: As variações na taxa de desconto estão geralmente ligadas às variações do encaixe em ouro do Banco. É a esse capital que o senhor se refere? – Não. – 3.753: Poderia dar exemplo de caso em que se amontoasse no Banco da Inglaterra grande reserva de capital, coincidindo com taxa elevada de desconto? – No Banco da Inglaterra não se amontoa capital e sim dinheiro." – 3.754: O senhor disse que a taxa de juro depende da quantidade de capital; que capital é esse a que se refere? Pode mencionar caso em que grande encaixe em ouro no Banco coincidisse com taxa alta de juro? – É bem provável" (afinal!) "que a acumulação de ouro no Banco coincida com baixa taxa de juro, por tratar-se de período com menor procura de capital" (isto é, capital-dinheiro; era de prosperidade a época que se considerava, relativa aos anos de 1844 e 1845), "quando naturalmente se pode acumular o meio ou instrumento que possibilita comando sobre capital. – 3.755: Acredita, portanto, que não exista conexão alguma entre a taxa de desconto e a quantidade do encaixe em ouro? – Pode existir conexão, que, entretanto, não é essencial" (a lei bancária dele, de 1824, tem por fundamento o princípio de o Banco da Inglaterra regular a taxa de juro pela quantidade de ouro em seu poder); "pode haver coincidência no tempo. – 3.758: Pretende dizer que para os comerciantes deste país – em tempos de dinheiro escasso, em virtude da alta taxa de desconto – a dificuldade está em obter capital e não em obter dinheiro? – O senhor mistura duas coisas que não relaciono dessa forma; a dificuldade tanto consiste em obter capital quanto em obter dinheiro... As duas dificuldades constituem uma única dificuldade, considerada em dois estádios diferentes do seu curso."

Aí está ele de novo engasgado. A primeira dificuldade é descontar letra ou obter adiantamento com penhor de mercadoria. É dificuldade para converter em dinheiro-capital ou um valor comercial que representa capital. E essa dificuldade expressa-se, entre outras coisas, pela alta taxa de juro.

Mas, recebido o dinheiro, em que consiste a segunda dificuldade? Se se trata de pagar, encontra alguém dificuldade em desfazer-se do próprio dinheiro? Se se trata de comprar, quando já encontrou alguém, em tempos de crise, dificuldades para achar mercadorias? E até supondo que estejamos lidando com o caso particular do trigo, algodão etc. encarecidos, essa dificuldade poderia manifestar-se não no valor do capital-dinheiro, na taxa de juro, mas tão só no preço das mercadorias; e está superada pela simples circunstância de haver então dinheiro disponível para comprá-las.

> "3.760: Mas, taxa mais elevada de desconto significa dificuldade maior para obter dinheiro? – É dificuldade maior para obter dinheiro, mas o que importa não é a propriedade do dinheiro, e sim a forma" (que é lucrativa para o banqueiro) "apenas em que se apresenta, nas relações complicadas de nível civilizado, a dificuldade acrescida de obter capital."
>
> "3.763 [Resposta de Overstone:] O banqueiro é o intermediário que, de um lado, recebe depósitos e, do outro, emprega-os confiando-os, *na forma de capital*, a pessoas que etc."

Ficamos, por fim, sabendo o que por capital entende ele. Transforma o dinheiro em capital confiando-o, ou numa linguagem menos doce, emprestando-o a juros.

Tendo dito antes que a variação na taxa de desconto não tem conexão essencial com variação no montante do encaixe em ouro do Banco ou na quantidade do dinheiro existente, havendo no máximo entre ambas coincidência no tempo, Overstone repete:

> "3.805: Se o dinheiro do país diminui escoando-se, aumenta o valor dele, e o Banco da Inglaterra tem de adaptar-se a essa variação no valor do dinheiro."

(Logo, no valor do dinheiro *como capital*, em outras palavras, na taxa de juro, pois o valor do dinheiro *como dinheiro* permanece o mesmo, comparado com as mercadorias.)

> "Tecnicamente dir-se-á que o Banco eleva a taxa de juro."
> "3.819: Nunca misturei as duas coisas."

A saber, dinheiro e capital, pela simples razão que nunca os distingue.

"3.834: A enorme soma que teve de ser despendida" (para comprar trigo em 1847) "para abastecer o país de meios de subsistência necessários e que, *na realidade, era capital*.

"3.841: As flutuações na taxa do desconto têm fora de dúvida relação íntima com o nível do encaixe em ouro" [do Banco da Inglaterra], "pois o nível das reservas é o indicador do acréscimo ou decréscimo da quantidade de dinheiro existente no país; e na proporção em que o dinheiro do país aumenta ou diminui, baixa ou sobe o valor do dinheiro, e a taxa bancária adaptar-se-á a essa variação."

Admite agora o que negava categoricamente no Nº 3.755.

"3.842: Há estreita conexão entre os dois fatores."

Isto é, a quantidade de ouro no departamento de emissão e a reserva de bilhetes no departamento bancário, do Banco da Inglaterra. Explica a variação na taxa de juro pela variação na quantidade de dinheiro. Mas aí incide em erro. A reserva de bilhetes pode diminuir, porque aumenta o dinheiro circulante no país. É o que se dá quando o público retira mais bilhetes, e o encaixe metálico não diminui. Mas, então, sobe a taxa de juro, porque, de acordo com a lei de 1844, é limitado o capital bancário do Banco da Inglaterra. Entretanto, evita falar sobre isso, pois, em virtude dessa lei, os dois departamentos do Banco nada têm que ver um com o outro.

"3.859: Alta taxa de lucro produzirá sempre grande procura de capital; e grande procura de capital aumentará seu valor."

Eis aí por fim a conexão entre alta taxa de lucro e procura de capital, tal como se afigura a Overstone. Em 1844-45, por exemplo, reinava alta taxa de lucro na indústria têxtil algodoeira porque, apesar da forte procura de manufaturas dessa indústria, o algodão estava e se mantinha barato. O valor do capital (em passagem anterior, Overstone chama de capital o que todo empresário precisa para seu negócio), o valor do algodão, portanto, não aumentou para o fabricante. Nessas condições, a alta taxa de lucro pode ter levado vários fabricantes de manufaturas de algodão a tomarem dinheiro para ampliar o negócio. Nesse caso, aumentaria a procura de capital-*dinheiro* exclusivamente.

> "3.889: Ouro pode ser ou não dinheiro, como papel pode ser ou não bilhete de banco."
>
> "3.896: Se bem o entendi, o senhor abandona o princípio que sustentava em 1840, a saber, que as flutuações nos bilhetes em circulação do Banco da Inglaterra devem se ajustar às flutuações no montante do encaixe em ouro? – Rejeito-o no sentido de... que, no estado atual de nossos conhecimentos, aos bilhetes em circulação temos de acrescentar ainda os que integram a reserva bancária do Banco da Inglaterra."

Não exageremos. A disposição arbitrária que autoriza o Banco a emitir tanto bilhetes quanto de ouro tem seu encaixe e mais 14 milhões determina naturalmente que a emissão de bilhetes varie com as flutuações do encaixe-ouro. Mas "o estado atual de nossos conhecimentos" revelou claramente que o montante de bilhetes que o Banco pode então fabricar (os quais o departamento de emissão transfere ao departamento bancário) circula entre os dois departamentos do Banco da Inglaterra, variando com as flutuações do encaixe-ouro, sem determinar as flutuações da circulação dos bilhetes de banco fora dos muros do Banco. Assim, esta, a verdadeira circulação, não importa à administração do Banco, e o que decide é apenas a circulação entre os dois departamentos do Banco, a qual se diferencia da verdadeira pela reserva. A reserva só importa ao mundo exterior por indicar o que falta para o Banco atingir a emissão legal máxima de bilhetes e quanto os clientes do Banco ainda podem obter do departamento bancário.

Segue exemplo que bem ilustra a má-fé de Overstone:

> "4.243: No seu modo de ver, a quantidade de capital varia de um mês para outro em tal grau que o valor, em consequência, se altera da maneira que vimos nas flutuações da taxa de desconto ocorridas nos últimos anos? – A relação entre procura e oferta de capital pode sem dúvida oscilar mesmo em curtos lapsos de tempo... Se a França comunicar amanhã a decisão de tomar empréstimo de grande vulto, daí resultará sem dúvida alteração imediata *no valor do dinheiro*, ou seja, *no valor do capital* na Inglaterra."
>
> "4.245: Se a França anunciar que por uma razão qualquer precisa comprar, no momento, 30 milhões em mercadorias, surgirá grande procura de *capital*, para usarmos a expressão mais científica e mais simples."

"4.246: O *capital* que a França desejaria comprar com o empréstimo é *uma* coisa; o *dinheiro* com que a França o compra é *outra*; é ou não o dinheiro o que muda de valor? – Voltamos de novo à velha questão, e acredito que é mais apropriada para um gabinete de estudos do que para a sala dessa Comissão."

E, nesse ponto, Overstone se retira, mas não para recolher-se ao gabinete de estudos.[48]

---

48 Outros aspectos da confusão de ideias de Overstone acerca do capital no final do Capítulo XXXII [F.E.].

XXVII.
Papel do crédito na produção capitalista

XXVII.
Papel do crédito na produção capitalista

O sistema de crédito motivou até agora as seguintes observações gerais:

I. Necessidade de seu desenvolvimento para produzir-se o nivelamento da taxa de lucro ou a tendência a esse nivelamento sobre a qual repousa toda a produção capitalista.

II. Decréscimo dos custos de circulação.

1) Um dos custos principais da circulação é o próprio dinheiro enquanto valor de per si. O crédito poupa-o de três maneiras:

    a) suprimindo-o em grande parte das transações;
    b) acelerando o movimento dos meios de circulação;[49]

Isto em parte coincide com o que se diz em (2). De um lado, a aceleração é de ordem técnica, isto é, invariáveis o montante e o número das operações reais em mercadorias destinadas ao consumo, quantidade menor de dinheiro ou de símbolos de dinheiro efetua o mesmo serviço. Isto faz parte da técnica bancária. Por outro lado, o crédito acelera a velocidade da metamorfose das mercadorias e, em consequência, a velocidade da circulação monetária;

    c) substituindo o dinheiro-ouro por papel.

2) O crédito acelera as diversas fases da circulação ou da metamorfose das mercadorias e ainda da metamorfose do capital; em consequência, acelera o processo de reprodução em geral (além disso, o crédito possibi-

---

[49] "A circulação média dos bilhetes do Banco da França em 1812 era de 106.538.000 francos, e em 1818, de 101.205.000 francos, enquanto a circulação monetária, a massa global de todos os recebimentos e pagamentos, era, em 1812, de 2.837.712.000 francos, e em 1818, de 9.665.030.000. A eficácia da circulação monetária na França de 1812 a 1818 aumentou na proporção de 3 : 1. O grande regulador da velocidade da circulação é o crédito... Daí explicar-se por que uma pressão violenta sobre o mercado monetário usualmente se combina com uma circulação abundante" (*The Currency Theory Reviewed* etc., p. 65). – "Entre setembro de 1833 e setembro de 1843 fundaram-se na Grã-Bretanha cerca de 300 bancos que emitiam bilhetes próprios; a consequência foi restringir-se a circulação de bilhetes, de $2\frac{1}{3}$ milhões de libras; no fim de setembro de 1833, era de 36.035.244 e, no fim de setembro de 1843, de 33.518.544" (*loc. cit.*, p. 53). – "A maravilhosa eficácia da circulação escocesa possibilita com 100 libras esterlinas efetuar o mesmo montante de operações monetárias que, na Inglaterra, exige 400 libras" (*loc. cit.*, p. 55. Neste caso trata-se apenas da técnica empregada).

lita prolongar os intervalos entre dois atos, o de comprar e o de vender, servindo por isso de base para a especulação). Há contração dos fundos de reserva, o que se pode considerar sob dois aspectos: decréscimo do meio circulante e diminuição da parte do capital que tem sempre de existir na forma de dinheiro.[50]

III. Desenvolvimento das sociedades por ações. Daí:

1) Expansão imensa da escala de produção e das empresas, impossível de ser atingida por capitais isolados. Ao mesmo tempo, as empresas desse gênero, que antes eram governamentais, se constituem por sociedades.

2) O capital que, por natureza, assenta sobre modo social de produção e supõe concentração social de meios de produção e de forças de trabalho, assume então diretamente a forma de capital social (capital de indivíduos diretamente associados) em oposição ao capital privado, e as empresas passam a ser sociais em contraste com as empresas privadas. É a abolição do capital como propriedade privada dentro dos limites do próprio modo capitalista de produção.

3) Transformação do capitalista realmente ativo em mero dirigente, administrador do capital alheio, e dos proprietários de capital em puros proprietários, simples capitalistas financeiros. Mesmo quando os dividendos que recebem englobam o juro e o lucro de empresário, isto é, o lucro total (pois a remuneração do dirigente é ou deveria ser mero salário para certa espécie de trabalho qualificado, com preço regulado pelo mercado como qualquer outro trabalho), esse lucro total é percebido tão só na forma de juro, isto é, como recompensa à propriedade do capital, a qual por completo se separa da função no processo real de produção do mesmo modo que essa função, na pessoa do dirigente, se dissocia da propriedade do capital. O lucro se revela (e não mais apenas parte dele, o juro, que procura sua legitimidade no lucro do prestatário) puro assenhoreamento de trabalho excedente alheio, originando-se da circunstância de os meios de produção se converterem em capital, isto é, se tornarem estranhos aos produtores reais, de se oporem, como propriedade alheia, a todos os indiví-

---

50 "Antes de se estabelecerem os bancos, o montante de capital necessário para a função de meio circulante era sempre maior que o exigido pela circulação real das mercadorias" (*Economist*, 1845, p. 238).

duos efetivamente ocupados na produção, do dirigente até o último dos assalariados. Nas sociedades por ações dissociam-se a função e a propriedade do capital, e, em consequência, o trabalho aparece por completo separado da propriedade quer dos meios de produção quer do trabalho excedente. Este resultado do desenvolvimento máximo da produção capitalista é uma fase transitória que levará o capital necessariamente a reverter à propriedade dos produtores não mais, porém, como propriedade privada de produtores individuais, e sim como propriedade dos produtores na qualidade de associados, propriedade diretamente social. Nesta fase transitória todas as funções do processo de reprodução ainda ligadas até agora à propriedade do capital se transformarão em simples funções dos produtores associados, em funções sociais.

Antes de prosseguirmos, importa sob o aspecto econômico observar o seguinte: uma vez que o lucro aí assume a pura forma de juro, tais empresas ainda são possíveis quando rendem juros apenas, e esta é uma das causas que freiam a queda da taxa geral de lucro, pois essas empresas, onde é enorme o capital constante em relação ao variável, não entram necessariamente no nivelamento da taxa geral do lucro.

[Depois de Marx ter escrito as linhas acima, desenvolveram-se, como é notório, novas formas de empresas industriais em que a sociedade por ações se eleva à segunda ou à terceira potência. A rapidez cada dia maior com que se pode atualmente aumentar a produção em todos os grandes domínios industriais se depara com a lentidão sempre acrescida com que se expande o mercado para essa produção ampliada. O que aquela fornece em meses, leva este anos para absorver. E acresce que cada país industrial, com a política de proteção aduaneira, se isola dos demais e notadamente da Inglaterra, ainda aumentando de modo artificial a capacidade interna de produção. As consequências são superprodução crônica geral, preços deprimidos, lucros em baixa ou mesmo desaparecendo por completo; em suma, a liberdade de concorrência, essa veneranda celebridade, já esgotou seus recursos, cabendo a ela mesma anunciar sua manifesta e escandalosa falência. É o que evidencia o fato de se associarem, em cada país, os grandes industriais de determinado ramo para constituir cartel, destinado a regular a produção. Uma junta estabelece a quantidade a produzir por estabelecimento e, em última instância, reparte as encomendas ou pedidos apresentados. Em certos casos formaram-se temporariamente cartéis internacionais, como o anglo-teuto de produção siderúrgica. Mas essa forma de associação entre empresas produtoras ainda não era adequada. O choque de interesses das diversas empresas violava-a com demasiada frequência e acabava restabelecendo a concorrência. Assim se chegou, em certos ramos em que o nível da produção o permitia, a concentrar a produção toda do ramo industrial em *uma* grande sociedade por ações com direção única. É o que já aconteceu, várias vezes, na América, e na Europa o maior exemplo até agora é a United Alkali Trust, que pôs nas mãos de uma única firma toda a produção britânica de álcali. Os antigos proprietários das diversas empresas – mais de trinta – receberam em ações o valor estimado dos seus investimentos, ao todo cerca de 5 milhões de libras que constituem o capital fixo do truste. A direção técnica continua nas mesmas mãos, mas o comando comercial está nas mãos da direção geral. O capital de giro (*floating capital*), no montante aproximado de um milhão de libras esterlinas, foi oferecido à subscrição pública. O capital todo atinge, portanto, 6 milhões de libras. Assim, nesse ramo que constitui a base de toda a indústria química, o monopólio na Inglaterra substitui a concorrência e prepara de maneira alentadora a futura expropriação pela sociedade toda, pela nação. — F.E.]

É a negação do modo capitalista de produção dentro dele mesmo, por conseguinte uma contradição que se elimina a si mesma, e logo se evidencia que é fase de transição para nova forma de produção. Esta fase assume assim aspecto contraditório. Estabelece o monopólio em certos ramos, provocando a intervenção do Estado. Reproduz nova aristocracia financeira, nova espécie de parasitas, na figura de projetadores, fundadores e diretores puramente nominais; um sistema completo de especulação e embuste no tocante à incorporação de sociedades, lançamento e comércio de ações. Há produção privada, sem o controle da propriedade privada.

IV. Além do sistema de ações – que suprime a indústria capitalista privada na base do próprio sistema capitalista, destruindo a indústria privada na medida em que se expande e se apodera de novos ramos de produção –, o crédito oferece ao capitalista particular, ou ao que passa por tal, disposição livre, dentro de certos limites, de capital alheio e de propriedade alheia e, em consequência, de trabalho alheio.[51] Comando sobre capital social, de

---

51 Ver, por exemplo, no *Times*,[I] as listas dos falidos num ano de crise como 1857, e compare-se o patrimônio próprio dos falidos com o montante das respectivas dívidas. – "Na verdade, o poder de compra de pessoas que possuem capital e crédito ultrapassa de longe tudo que se pode imaginar

que não é proprietário, permite-lhe dispor de trabalho social. O capital mesmo que realmente ou na opinião do público possui passa a ser apenas a base para a superestrutura do crédito. Isto vale sobretudo para o comércio atacadista, por onde flui a maior parte do produto social. Desaparecem então todas as normas, todas as justificações ainda mais ou menos válidas no modo capitalista de produção. Ao especular, o que arrisca o comerciante em grande escala é a propriedade social e não a *sua*. A tese que estabelece a origem do capital na poupança perde também qualquer sentido, pois o especulador exige justamente que *outros* poupem para ele [desse modo, a França toda poupou recentemente um bilhão e meio para os escroques envolvidos no negócio do canal de Panamá. Todo o embuste do canal de Panamá se acha aí bem delineado, vinte anos antes de ter ocorrido — F.E.]. O próprio luxo converte-se também em meio de crédito, desmentindo de maneira contundente a proposição da abstinência. Concepções que ainda tinham sentido em fase menos desenvolvida da produção capitalista tornam-se por completo caducas. O sucesso e o fracasso levam igualmente à centralização dos capitais e, em consequência, à expropriação na mais alta escala. A expropriação agora vai além dos produtores diretos, estendendo-se aos próprios capitalistas pequenos e médios. Ela é o ponto de partida do modo capitalista de produção, que tem por objetivo efetuá-la e, em última instância, expropriar todos os indivíduos dos meios de produção. Estes meios, com o desenvolvimento da produção social, cessam de ser meios e produtos da produção privada, só podendo ser meios de produção em poder dos produtores associados, por conseguinte, propriedade social deles, como deles já são produto social. Mas no interior do próprio sistema capitalista essa expropriação se apresenta de maneira antinômica, a saber, poucos se apropriando da propriedade social; e o crédito dá cada vez mais a esses poucos o caráter de meros cavalheiros de indústria. Uma vez que a propriedade aí existe na forma de ações, seu movimento e transferência

---

quando não se tem conhecimento prático dos mercados onde reina a especulação" (Tooke, *Inquiry into the Currency Principle*, p. 79). "Um homem que tem a reputação de possuir capital suficiente para os negócios regulares e que no ramo usufrui de bom crédito pode efetuar compras em montante assombroso em relação ao capital próprio, se está vivamente convencido de que suas mercadorias estão numa conjuntura de alta e se as circunstâncias o favorecem no início e no curso de sua especulação" (*ibidem*, p. 136). – "Os fabricantes, comerciantes etc. fazem todos eles negócios bem acima do respectivo capital... Hoje em dia, o capital é muito mais a base sobre que se constrói o crédito que o limite das transações de um negócio comercial qualquer" (*Economist*, 1847, p. 1333).
1 N^{os} de 3, 5 e 7 de dezembro de 1857.

tornam-se simples resultados do jogo de bolsa em que os peixes pequenos são devorados pelos tubarões e as ovelhas, pelos lobos de Bolsa. No sistema de ações existe já oposição à antiga forma em que o meio social de produção se apresenta como propriedade individual; mas a mudança para a forma de ações ainda não se liberta das barreiras capitalistas, e em vez de superar a contradição entre o caráter social e o caráter privado da riqueza, limita-se a desenvolvê-la em nova configuração.

As fábricas das cooperativas de trabalhadores, no interior do regime capitalista, são a primeira ruptura da velha forma, embora naturalmente, em sua organização efetiva, por toda parte reproduzam e tenham de reproduzir todos os defeitos do sistema capitalista. Mas dentro delas suprimiu-se a oposição entre capital e trabalho, embora ainda na forma apenas em que são os trabalhadores como associação os capitalistas deles mesmos, isto é, aplicam os meios de produção para explorar o próprio trabalho. Elas mostram como, em certo nível de desenvolvimento das forças produtivas materiais e das formas sociais de produção correspondentes, novo modo de produção naturalmente desponta e se desenvolve partindo do antigo. Sem o sistema fabril oriundo do modo capitalista de produção, não poderia desenvolver-se a cooperativa industrial dos trabalhadores, e tampouco o poderia sem o sistema de crédito derivado desse modo de produção. Esse sistema, que constitui a base principal para a transformação progressiva das empresas capitalistas privadas em sociedades capitalistas por ações, também proporciona os meios para a expansão progressiva das empresas cooperativas em escala mais ou menos nacional. Tanto as empresas capitalistas por ações quanto as cooperativas industriais dos trabalhadores devem ser consideradas formas de transição entre o modo capitalista de produção e o modo associado, com a diferença que, num caso, a contradição é superada negativamente e, no outro, de maneira positiva.

Até agora observamos o desenvolvimento do sistema de crédito – e a negação latente que nele se encerra da propriedade do capital – no tocante sobretudo ao capital industrial. Examinaremos nos capítulos seguintes o crédito no concernente ao capital produtor de juros como tal, os efeitos que tem sobre esse capital e a forma que nele assume; e então faremos ainda, de modo geral, algumas observações de caráter especificamente econômico.

Antes, porém, alguns reparos:

Se o sistema de crédito é o propulsor principal da superprodução e da especulação excessiva no comércio, é só porque o processo de reprodução, elástico por natureza, se distende até o limite extremo, o que sucede em virtude de grande parte do capital social ser aplicada por não proprietários dele, que empreendem de maneira bem diversa do proprietário que opera considerando receoso os limites de seu capital. Isto apenas ressalta que a valorização do capital fundada no caráter antinômico da produção capitalista só até certo ponto permite o desenvolvimento efetivo, livre, e na realidade constitui entrave à produção, limite imanente que o sistema de crédito rompe de maneira incessante.[52] Assim, este acelera o desenvolvimento material das forças produtivas e a formação do mercado mundial, e levar até certo nível esses fatores, bases materiais da nova forma de produção, é a tarefa histórica do modo capitalista de produção. Ao mesmo tempo, o crédito acelera as erupções violentas dessa contradição, as crises, e, em consequência, os elementos dissolventes do antigo modo de produção.

O sistema de crédito, pela natureza dúplice que lhe é inerente, de um lado, desenvolve a força motriz da produção capitalista, o enriquecimento pela exploração do trabalho alheio, levando a um sistema puro e gigantesco de especulação e jogo, e limita cada vez mais o número dos poucos que exploram a riqueza social; de outro, constitui a forma de passagem para novo modo de produção. É essa ambivalência que dá aos mais eminentes arautos do crédito, de Law a Isaac Péreire, o caráter híbrido e atraente de escroques e profetas.

---

52 Th. Chalmers.

XXVIII.
Meios de circulação e capital.
As ideias de Tooke e Fullarton

A diferença entre circulação e capital, feita por Tooke,[53] Wilson e outros – e onde reina confusão completa acerca da diferença entre meios de circulação como dinheiro, como capital-dinheiro em geral e como capital produtor de juros (*moneyed capital*, como dizem os ingleses) –, leva-nos a duas ordens de observações.

O meio de circulação exerce a função de *moeda* (dinheiro) quando é meio para *dispêndio de renda*, para o comércio, portanto, entre os consumidores individuais e os retalhistas, categoria em que se incluem todos os comerciantes que vendem aos consumidores – aos consumidores individuais que se distinguem dos consumidores produtivos ou produtores. O dinheiro circula aí exercendo a função de moeda, embora continuamente *reponha capital*. Parte do dinheiro de um país se consagra sempre a essa função, constituindo-se embora de peças monetárias que mudam sem cessar. Ao revés, o dinheiro é capital quando é meio de *transferência de capital*, seja como meio de compra (meio de circulação), seja como meio de pagamento. O que o distingue da moeda, portanto, não é a função de meio de compra nem a de meio de pagamento, pois pode funcionar entre comerciantes como meio de compra, quando um compra ao outro à vista, e pode configurar-se em meio de pagamento entre comerciante e consumidor, quando este obtém crédito e consome a renda para pagar depois.

---

53 Segue a passagem correspondente, na íntegra e na língua original,[1] já citada no extrato à p. 465: "O negócio dos banqueiros, pondo-se de lado a emissão de bilhetes de banco pagáveis ao portador, pode ser dividido em dois ramos, de acordo com a distinção feita por Dr. (Adam) Smith a respeito das transações entre comerciante e comerciante, e entre comerciante e consumidor. Um ramo de atividade dos banqueiros é recolher capital daqueles que não têm em que o empregar diretamente e reparti-lo ou transferi-lo a outros que podem utilizá-lo. O outro ramo consiste em receber depósitos de rendas de seus fregueses e entregar-lhes a importância de que precisem para as despesas de consumo. No primeiro caso, temos circulação de capital, e, no segundo, circulação de *dinheiro* (*currency*) (Tooke, *Inquiry into the Currency Principle*, p. 36). No primeiro caso temos "concentração de capital, seguida de distribuição"; no segundo, "administração da circulação para as necessidades locais do distrito" (*ibid.*, p. 37). – Kinnear aproxima-se mais da concepção exata na seguinte passagem: "Usa-se dinheiro para levar a cabo duas operações essencialmente diversas. Como meio de troca entre dois comerciantes é o instrumento com que se efetuam transferências de capital, isto é, a troca de quantidade determinada de capital em dinheiro por montante igual de capital em mercadorias. Mas dinheiro empregado para pagar salário e na compra e venda entre comerciante e consumidor não é capital, e sim renda; é a parte, aplicada em despesas diárias, das rendas da coletividade. Esse dinheiro circula no incessante uso cotidiano e só nessas condições podemos chamá-lo em sentido estrito de meio de circulação (*currency*). Adiantamentos de capital dependem exclusivamente da vontade do banco ou de outro detentor de capital – pois não faltam tomadores; mas o montante dos meios de circulação depende das necessidades da coletividade na qual circula o dinheiro destinado a satisfazer as despesas cotidianas (J.G. Kinnear, *The Crisis and the Currency*, Londres, 1847, [pp. 3, 4]).

I De acordo com a norma estabelecida para a tradução, o texto é apresentado em português.

A diferença, portanto, é que entre comerciantes esse dinheiro não só repõe capital do lado do vendedor, mas também é desembolsado, adiantado como capital do lado do comprador. O que há, portanto, na realidade é a diferença entre a *forma dinheiro da renda* e a *forma dinheiro do capital*, mas não a diferença entre circulação (moeda) e capital, pois quer mediando entre comerciantes, quer mediando entre consumidores e comerciantes, *circula* porção determinada de dinheiro, e em consequência a *circulação* é comum a *ambas* as funções. A concepção de Tooke gera várias confusões:

1) ao errar quanto às destinações funcionais do dinheiro;

2) ao suscitar a questão da quantidade de dinheiro circulante nas duas funções reunidas;

3) ao suscitar o problema da proporção entre as quantidades em curso de meios de circulação nas duas funções e, por conseguinte, nas duas esferas do processo de reprodução.

Quanto ao item 1, temos o equívoco das destinações funcionais: o dinheiro numa forma é circulação (*currency*) e na outra é capital. Exerça uma ou outra função, realize renda ou transfira capital, o dinheiro serve para compra e venda ou para pagamento, de meio de compra ou de meio de pagamento, e, no sentido mais amplo da palavra, de meio de circulação. A determinação por quem o entrega ou recebe, classificando-o de capital ou de renda, não traz absolutamente alteração alguma, o que se evidencia de dois modos. Embora difiram os tipos de dinheiro que circulam nas duas esferas, a mesma peça de dinheiro, digamos, uma nota de 5 libras esterlinas, passa de uma esfera para a outra e efetua alternadamente as duas funções, o que já é inevitável porque o retalhista só pode dar a seu capital a forma de dinheiro com a forma da moeda que recebe de seus compradores. Podemos admitir que a moeda divisionária propriamente dita tem seu centro de gravidade na área do comércio a retalho; o comerciante retalhista precisa dela constantemente para troco e recebe-a sem cessar nos pagamentos efetuados pelos fregueses. Também recebe dinheiro, isto é, moeda cunhada no metal que mede o valor, na Inglaterra, peças de 1 libra e mesmo bilhetes de banco, sobretudo bilhetes de importância menor, digamos, de 5 e 10 libras. Todo dia e toda semana deposita no banco as peças de ouro e os bilhetes, além dos miúdos por acaso disponíveis, e assim paga as compras mediante saques contra seu depósito bancário. Mas todo o público, na condição de consumidor, de maneira também constante, retira dos bancos direta ou indiretamente (quando, por exemplo, o dinheiro miúdo é retirado pelos fabricantes para pagar salários) as mesmas peças e os mesmos bilhetes – a forma dinheiro de sua renda –, os quais fluem sem cessar para os comerciantes a retalho, assim de novo realizando para eles parte do capital e ao mesmo tempo da renda. É importante esta última circunstância, inteiramente ignorada por Tooke. O valor-capital só existe puro, como tal, quando o dinheiro se desembolsa como capital-dinheiro, no início do processo de reprodução (Livro 2, Primeira Seção). É que na mercadoria produzida se insere não só capital, mas também mais-valia; ela é não só capital em si, mas capital que já se desenvolveu, capital com a renda que lhe é incorporada. O que o retalhista cede pelo dinheiro que lhe reflui, sua mercadoria, é para ele, portanto, capital + lucro, capital + renda. Mas, além disso, ao retornar para o retalhista, o dinheiro circulante restabelece a forma de dinheiro do capital dele.

É por completo errôneo converter a diferença existente na circulação entre a circulação de renda e a de capital numa diferença entre circulação e capital. Em Tooke, essa maneira de falar decorre da circunstância de colocar-se ele simplesmente na posição do banqueiro que emite os próprios bilhetes de banco. O montante desses bilhetes que está constantemente nas mãos do público (embora mudem sempre os bilhetes que o constituem) e que funciona como meio de circulação nada lhe custa além de papel e impressão. São títulos de dívida (letras) emitidos contra ele mesmo, mas que lhe rendem dinheiro, servindo assim de meio para valorizar seu capital. Mas distinguem-se desse capital, seja ele próprio ou emprestado. Daí surge para ele diferença especial entre circulação e capital, que, entretanto, nada tem que ver com as definições como tais, e muito menos com as apresentadas por Tooke.

A destinação diversa – forma dinheiro da renda ou do capital – em nada altera o caráter do dinheiro como meio de circulação; o dinheiro conserva-o, desempenhe uma ou a outra função. Sem dúvida, o dinheiro, quando é a forma dinheiro da renda, funciona mais como meio de circulação propriamente dito (moeda, meio de compra), em virtude de serem dispersas as compras e as vendas, e porque a maioria dos que despendem renda, os trabalhadores, relativamente pouco podem comprar a crédito; enquanto no intercâmbio comercial onde o meio de circulação é a forma dinheiro do capital, o dinheiro serve principalmente de meio de pagamento, tanto por causa da concentração quanto por causa do sistema reinante de crédito. Mas a diferença entre o dinheiro que é meio de pagamento e o dinheiro meio de compra (meio de circulação) é uma distinção inerente ao próprio dinheiro, e não uma diferença entre dinheiro e capital. No comércio a retalho circula mais cobre e prata e no por atacado mais ouro; nem por isso, a diferença entre os metais – prata e cobre de um lado e ouro do outro – é diferença entre circulação e capital.

Quanto ao item 2, introduz-se nas duas funções o problema da quantidade de dinheiro circulante: quando o dinheiro circula no papel de meio de compra ou de meio de pagamento – numa ou noutra das duas esferas e independentemente da função de realizar renda ou capital –, valem para a quantidade circulante as leis anteriormente expostas, quando estudamos a circulação simples de mercadorias, no Livro 1, Capítulo III, 2b. A velocidade da circulação, portanto o número de vezes que em dado período as mesmas peças de dinheiro repetem a mesma função de meio de compra e de meio de pagamento, a massa das compras e vendas simultâneas, ou seja, dos pagamentos, a soma dos preços das mercadorias circulantes, enfim os balanços de pagamentos a saldar no mesmo tempo determinam nos dois casos a quantidade de dinheiro circulante, de *currency*. Que o dinheiro operante represente capital ou renda para quem o paga ou quem o recebe é fato que não importa e em nada absolutamente altera o problema. Sua quantidade é simplesmente determinada por sua função de meio de compra e meio de pagamento.

No item 3 introduz-se a questão das proporções relativas das quantidades de meios de circulação em curso nas duas funções e, portanto, em ambas as esferas do processo de reprodução. Ambas as esferas de circulação estão em conexão íntima, uma vez que a massa das rendas a despender expressa o montante do consumo, e a magnitude das massas de capital circulantes na produção e comércio exprime o montante e a velocidade do processo de reprodução. Apesar disso, as mesmas circunstâncias atuam de maneira diversa e até em direções opostas sobre as quantidades das massas circulantes de dinheiro nas duas funções ou esferas, ou sobre o montante da circulação,[I] para usarmos a linguagem bancária dos ingleses. E isso motiva a distinção absurda que faz Tooke entre circulação e capital. Mas a circunstância de os adeptos da teoria da *currency* misturarem duas coisas diversas não deve constituir motivo bastante para apresentá-las em conceitos diferentes.

I *Amount of currency.*

MEIOS DE CIRCULAÇÃO E CAPITAL...

Em tempos de prosperidade, grande expansão, aceleração e energia do processo de reprodução, os trabalhadores estão plenamente ocupados. Na maioria dos casos surge alta dos salários compensando até certo ponto a baixa deles abaixo do nível médio nos demais períodos do ciclo comercial. Ao mesmo tempo aumentam de maneira apreciável as rendas dos capitalistas. O consumo de modo geral cresce. Os preços das mercadorias sobem de maneira regular, pelo menos nos diferentes ramos de atividade decisivos. Em consequência, acresce a quantidade do dinheiro em circulação pelo menos dentro de certos limites, enquanto a velocidade maior da circulação limita o crescimento da massa do meio circulante. Uma vez que da renda social a parte consistente em salários é originalmente adiantada pelo capitalista industrial na forma de capital variável e sempre na forma de dinheiro, em tempos de prosperidade precisará ele de mais dinheiro para a circulação dela. Mas não devemos contá-la duas vezes, como dinheiro necessário à circulação do capital variável e ainda como dinheiro necessário à circulação da renda dos trabalhadores. O dinheiro pago aos trabalhadores como salário é gasto no comércio a retalho e assim volta mais ou menos toda semana aos bancos como depósito do retalhista, depois de ter servido de veículo, em circuitos limitados, a toda espécie de operações intermediárias. Em tempos de prosperidade, o dinheiro reflui facilmente para os capitalistas industriais e por isso não aumenta sua necessidade de empréstimos de dinheiro por ter de pagar mais salários, por precisar de mais dinheiro para circulação do capital variável.

O resultado final é que nos períodos de prosperidade acresce a massa dos meios de circulação que serve para dispêndio de renda.

Quanto à circulação necessária à transferência de capital, apenas entre os próprios capitalistas portanto, esse período próspero é simultaneamente o tempo do crédito mais elástico e mais fácil. A velocidade da circulação entre capitalistas é regulada diretamente pelo crédito, e a quantidade de meios de circulação exigida para saldar os pagamentos e mesmo para as compras à vista decresce em termos relativos. Pode expandir-se em termos absolutos, mas de qualquer modo diminui relativamente, comparada com a expansão do processo de reprodução. Massas maiores de pagamentos são liquidadas sem interferência de dinheiro; com a grande animação do processo, predomina movimento mais rápido das mesmas quantidades de dinheiro, tanto na função de meio de compra quanto na de meio de pagamento. A mesma massa de dinheiro possibilita o retorno de número maior de capitais individuais.

Ao todo, a circulação de dinheiro nesses períodos de prosperidade está em sua plenitude, embora a parte II (transferência de capital) se contraia pelo menos relativamente, enquanto a parte I (dispêndio de renda) se expande em termos absolutos.

Conforme vimos no Livro 2, Primeira Seção, os refluxos expressam a reversão do capital-mercadoria a dinheiro, D – M – D'. O crédito torna a reversão à forma dinheiro independente do momento da reversão real tanto para o capitalista industrial quanto para o comerciante. Ambos vendem a crédito e, portanto, alienam a respectiva mercadoria antes de ela converter-se em dinheiro, antes de ter refluído na forma dinheiro. Por outro lado, compram a crédito e assim o valor das suas mercadorias se reconverte em capital produtivo ou em capital-mercadoria já antes de esse valor se ter transformado realmente em dinheiro, antes de chegar a data de pagar o preço das mercadorias e de este ser pago. Nesses tempos de prosperidade, o retorno se dá fácil e suave. O comerciante a retalho paga certo ao atacadista, este ao fabricante, este ao importador das matérias-primas etc. A aparência de retornos rápidos e seguros mantém-se por algum tempo após deixarem eles de ser reais em virtude do crédito que está em funcionamento, uma vez que os retornos em crédito representam os verdadeiros. Os bancos começam a desconfiar quando os clientes depositam mais letras que dinheiro. Ver o depoimento acima do diretor do Banco de Liverpool, pp. 480-481.

Cabe aqui intercalar o que observei anteriormente: "Em épocas em que predominam o crédito, a velocidade da circulação de dinheiro aumenta mais rapidamente que os preços das mercadorias, mas, se o crédito é decrescente, os preços das mercadorias diminuem mais lentamente que a velocidade da circulação" (*Zur Kritik d. Pol. Oekon.*, 1859, pp. 83-84).

No período de crise temos o inverso. A circulação I contrai-se, os preços caem e também os salários; restringe-se o número dos trabalhadores ocupados, reduz-se a quantidade das transações. Na circulação II, ao contrário, com a diminuição do crédito, aumenta a necessidade de empréstimos, assunto que passaremos a examinar de perto.

Sem a menor sombra de dúvida, com o decréscimo do crédito que coincide com a paralisação do processo de reprodução, reduz-se a quantidade dos meios de circulação, exigida por I, o dispêndio das rendas, enquanto aumenta a exigida por II, transferência de capital. Mas releva investigar até onde esta proposição se identifica com a proposta por Fullarton e outros:

MEIOS DE CIRCULAÇÃO E CAPITAL...

"Procura de empréstimo de capital e procura de meios de circulação adicionais são coisas por completo distintas e raramente se encontram associadas."[54]

De início é claro que no primeiro dos dois casos acima, isto é, na época de prosperidade, quando é necessário aumentar a massa do meio circu-

---

[54] "A demand for capital on loan and a demand for additional circulation are quite distinct things, and not often found associated" (Fullarton, *loc. cit.*, p. 82, epígrafe do Capítulo v). – "Na verdade, é um grande erro imaginar que a procura da outorga de crédito, isto é, de empréstimo de capital, seja idêntica à procura de meios adicionais de circulação, ou mesmo que ambas se associem com frequência. Cada uma dessas procuras surge determinada por circunstâncias peculiares, bem diversas umas das outras. Quando tudo parece florescer, quando os salários estão altos, os preços em ascensão e as fábricas plenamente ocupadas, usualmente precisa-se de oferta adicional de *meios de circulação*, para se efetuarem as funções adicionais, inseparáveis da necessidade de fazer pagamentos mais importantes e mais numerosos; todavia, é num estágio mais avançado do ciclo comercial, quando as dificuldades começam a se manifestar, os mercados estão abarrotados e os retornos tardam, que o juro sobe e surge pressão sobre o banco para adiantar *capital*. É verdade que o banco só costuma adiantar capital por meio de seus bilhetes e por isso a recusa de emitir bilhetes significa recusa a conceder o empréstimo. Mas se o empréstimo é concedido, então tudo se ajusta de acordo com as necessidades do mercado; o empréstimo permanece, e o meio de circulação, se não se precisa dele, volta ao emitente. Assim, um simples exame superficial das estatísticas parlamentares basta para convencer qualquer um de que a quantidade dos valores em poder do Banco da Inglaterra se move em direção oposta à quantidade dos bilhetes em circulação com mais frequência do que em concordância com ela. Em consequência, o exemplo desse grande estabelecimento não constitui exceção à doutrina sobre que tanto insistem os banqueiros provinciais, a saber, que um banco não pode aumentar a quantidade de seus bilhetes em circulação, se ela já corresponde aos objetivos usuais da circulação de bilhetes, mas que, ultrapassado esse limite, todo acréscimo em seus adiantamentos tem de ser feito com seu capital e obtido por meio da venda de alguns de seus valores em reserva ou mediante renúncia a novos investimentos nesses valores. A tabela organizada de acordo com as estatísticas parlamentares relativas ao período de 1833 a 1840, à qual me referi em página anterior, apresenta reiterados exemplos dessa verdade; e dois deles são tão marcantes que acho de todo necessário ir além deles. Quando, em 3 de janeiro de 1837, houve o emprego máximo das reservas do Banco para manter o crédito e para remediar as dificuldades do mercado financeiro, verificamos que seus adiantamentos em empréstimo e desconto elevaram-se à enorme soma 17.022.000 libras esterlinas, montante que quase nunca mais se vira desde a guerra e quase igual à totalidade dos bilhetes emitidos, que, entrementes, permanecia inalterada no baixo nível de 17.076.000 libras. Por outro lado, em 4 de junho de 1833, para uma circulação de bilhetes de 18.892.000 libras esterlinas, tem o Banco uma disponibilidade de valores particulares inferior a 972.000 libras esterlinas, o nível mais baixo, ou quase, dos últimos 50 anos" (Fullarton, *loc. cit.*, p. 97s). Procura de empréstimo em dinheiro não é necessariamente idêntica à procura de ouro (o que Wilson, Tooke e outros chamam de capital). É o que se depreende das seguintes declarações de Mr. Weguelin, Governador do Banco da Inglaterra: "O desconto de letras até esse montante" (1 milhão diariamente, 3 dias seguidos) "não diminuiria as reservas" (de bilhetes de banco), "a não ser que o público exigisse montante maior de circulação ativa. Os bilhetes emitidos com o desconto das letras refluiriam por intermédio dos bancos e dos depósitos. No caso de essas transações não terem por objetivo a exportação de ouro, ou de não reinar no país medo que leve o público a guardar os bilhetes em vez de depositá-los nos bancos, a reserva não se alteraria com essas operações gigantescas." – "O Banco pode descontar diariamente $1\frac{1}{2}$ milhão, e isto acontece continuamente, sem que nem o leve atinja sua reserva. Os bilhetes retornam como depósitos, e a única alteração que se observa é a mera transferência de uma conta para outra" (*Report on Bank Acts*, 1857, depoimentos N°s 241, 500). Os bilhetes servem aí apenas de meio de transferência de créditos.

lante, acresce a correspondente procura. Mas também é claro que, quando um fabricante retira de sua conta bancária quantidade maior de ouro ou de bilhetes de banco porque tem de desembolsar mais capital na forma de dinheiro, nem por isso aumenta sua procura de capital, e sim apenas sua procura dessa forma particular em que adianta seu capital. A procura somente se refere à forma técnica em que ele põe o próprio capital em circulação. Se difere o desenvolvimento do sistema de crédito, o mesmo capital variável, a mesma quantidade de salários, exige quantidade maior de meios de circulação num país que em outro; na Inglaterra, por exemplo, mais que na Escócia, e na Alemanha mais que na Inglaterra. Analogamente, na agricultura, o mesmo capital empregado no processo de reprodução exige nas diferentes estações quantidades diversas de dinheiro, a fim de efetuar sua função.

Não é verdadeira a oposição estabelecida por Fullarton. O que distingue o período de estagnação do de prosperidade não é, como ele diz, a forte procura de empréstimos, e sim a satisfação fácil dessa procura na época de prosperidade, e difícil, quando sobrevém a estagnação. O que suscita a abertura de crédito no período de estagnação é justamente o enorme desenvolvimento do sistema de crédito na fase de prosperidade, portanto o acréscimo imenso da procura de capital de empréstimo e a solicitude com que a oferta se põe à disposição dela nessa fase. O que caracteriza os dois períodos não é a diferença na magnitude da procura de empréstimos.

Conforme já observamos antes, ambos os períodos se distinguem de início porque no tempo de prosperidade predomina a procura de meios de circulação entre consumidores e comerciantes, e no de paralisação, a procura de meios de circulação entre capitalistas. No período de estagnação decresce a primeira e acresce a segunda.

A Fullarton e a outros autores parece de importância decisiva este fenômeno: nos períodos em que os títulos – as cauções e as letras – em poder do Banco da Inglaterra aumentam, reduz-se a circulação de seus bilhetes e vice-versa. O montante dos títulos expressa porém a magnitude dos adiantamentos em dinheiro, das letras descontadas e dos adiantamentos sobre valores negociáveis. Assim, Fullarton na passagem citada, à nota 90, p. 518s, diz que os títulos em poder do Banco da Inglaterra variam em regra na direção oposta da circulação dos bilhetes, confirmando o velho princípio resultante da experiência dos bancos particulares: um banco não pode aumentar a emissão de bilhetes além de certo montante determinado pelas necessidades de seu público, e se quer fazer adiantamentos acima desse montante, tem de fazê-lo de seu capital, portanto convertendo títulos em dinheiro ou empregando para aquele fim entradas de dinheiro que antes teria investido em títulos.

Revela-se aí o que Fullarton entende por capital. O que significa aí capital? Que o banco não pode continuar fazendo adiantamentos com os próprios bilhetes, promessas de pagamento que naturalmente nada lhe custam. Mas o que utilizará então para fazer adiantamentos? O produto da venda de títulos em reserva, isto é, apólices da dívida pública, ações e outros papéis que rendem juros. Mas vende esses papéis em troca de quê? Em troca de dinheiro, ouro ou de bilhetes de banco quando têm curso legal, como os do Banco da Inglaterra. O que adianta, portanto, é de qualquer modo dinheiro. Mas esse dinheiro constitui agora parte de seu capital. É o que se patenteia palpavelmente quando adianta ouro. Se adianta bilhetes, representam eles agora capital, pois trocou por eles valor real, os papéis que rendem juros. Os bilhetes que afluem aos bancos particulares com a venda dos papéis só podem ser em regra os do Banco da Inglaterra ou os próprios, pois outros bilhetes dificilmente seriam aceitos em pagamento de títulos vendidos. Tratando-se porém do Banco da Inglaterra, os próprios bilhetes que recupera custam-lhe capital, isto é, papel que dá juros. Além disso, por esse processo retira da circulação os próprios bilhetes. Se lança de novo esses bilhetes ou, em vez deles, novos bilhetes no mesmo montante, esse lançamento representará, portanto, capital. E esses bilhetes representam capital tanto utilizados em adiantamentos a capitalistas quanto empregados mais tarde, ao decrescer a procura desses adiantamentos em dinheiro, em novos investimentos em papéis. Seja como for, usa-se aí a palavra capital no sentido apenas bancário, significando que o banqueiro é constrangido a emprestar mais que o simples crédito.

Sabe-se que o Banco da Inglaterra faz todos os adiantamentos em bilhetes. Se, apesar disso, em regra a circulação de bilhetes do Banco diminui na proporção em que aumentam as letras descontadas e as cauções em seu poder, portanto os adiantamentos que faz – que acontece com os bilhetes postos em circulação, como refluem eles ao Banco?

A coisa é muito simples quando a procura de adiantamento de dinheiro decorre de um balanço nacional de pagamentos desfavorável, provocando saída de ouro. Descontam-se então as letras em bilhetes que o próprio Banco troca, em seu departamento de emissão, por ouro, que é exportado.

É como se o Banco, ao descontar as letras, pagasse diretamente em ouro, sem interferência de bilhetes. Procura ascendente dessa espécie – atingindo 7 a 10 milhões de libras em certos casos – nada acrescenta naturalmente à circulação interna do país, nem mesmo um bilhete apenas de 5 libras. Dizer que o Banco adianta aí capital e não meios de circulação significa duas coisas. Primeiro, que não adianta crédito, mas valor real, parte do capital próprio ou nele depositado. Segundo, que adianta dinheiro não para a circulação interna, e sim para a circulação internacional, dinheiro universal, portanto. Para esse fim é mister que o dinheiro exista sempre na forma de tesouro, em sua corporeidade metálica, na forma em que, além de ser a forma do valor, é igual ao valor de que é a forma dinheiro. Embora esse ouro represente capital tanto para o Banco quanto para o exportador de ouro, capital, bancário ou capital mercantil, a procura que se faz dele não é a de capital mas a da forma absoluta de capital-dinheiro. Surge no momento exato em que os mercados externos estão abarrotados de capital--mercadoria inglês invendável. O que se exige é capital não como *capital*, e sim como *dinheiro*, na forma em que o dinheiro é mercadoria universal, a forma primitiva dele como metal precioso. As saídas de ouro não constituem mera questão de capital, como dizem Fullarton, Tooke e outros, e sim de dinheiro, embora em função específica. A circunstância de não ser questão de circulação interna como sustentam os adeptos da teoria da *currency* absolutamente não demonstra, como opinam Fullarton e outros, tratar-se de mera questão de capital. É questão de dinheiro na forma em que dinheiro é meio internacional de pagamento.

> "Seja o capital" (o preço dos milhões de quarters de trigo, comprados no exterior após má colheita interna) "transferido em mercadoria ou em espécie é um ponto que em nada influencia a natureza da transação" (Fullarton, *loc. cit.*, p. 131).

Mas influencia, e muito, haver ou não saída de ouro. O capital se transfere na forma de metal precioso, porque sua transferência não é possível na forma de mercadoria ou só é possível com enormes perdas. O medo que o moderno sistema bancário tem da saída de ouro ultrapassa tudo o que imaginara o metalismo (sistema monetário) que via no metal precioso a única riqueza autêntica. Ouçamos, por exemplo, o depoimento do Governador do Banco da Inglaterra, Morris, perante a comissão parlamentar de inquérito sobre a crise de 1847/48:

MEIOS DE CIRCULAÇÃO E CAPITAL...

"3.846 (pergunta): Quanto à depreciação de estoques e de capital fixo, não sabeis que todo capital empregado em estoques e produtos de todo gênero estava desvalorizado da mesma maneira, que as matérias-primas, algodão, seda, lã, foram enviadas para o continente aos mesmos preços vis, e que açúcar, café e chá se venderam com grande perda como ocorre em liquidações forçadas? – Era inevitável que o país fizesse *considerável sacrifício* para contrapor-se à *saída de ouro*, que sucedera em virtude da importação em massa de gêneros alimentícios. – 3.848: Não acha que teria sido melhor usar os 8 milhões de libras que estavam armazenados na casa-forte do Banco do que empenhar-se em recuperar o ouro com esses sacrifícios? – Não, *não sou dessa opinião*."

O ouro é aí considerado a única riqueza autêntica.
Segundo a descoberta de Tooke, citada por Fullarton,

"com apenas uma ou duas exceções, que encontram explicação satisfatória, toda queda importante da taxa de câmbio, seguida de saída de ouro, e que ocorreu nos últimos 50 anos, coincidiu sempre com nível relativamente baixo do meio circulante e vice-versa" (Fullarton, p. 121).

Essa descoberta demonstra que essas saídas de ouro ocorrem em regra após período de animação e especulação, constituindo

"sinal de colapso já iniciado... indicação de mercados abarrotados, de que cessa a procura estrangeira de nossos produtos, de que se atrasam os pagamentos, sendo consequência necessária de tudo isso o descrédito comercial, o fechamento de fábricas, a fome entre os operários e a paralisação geral da indústria e dos negócios" (p. 129).

Aí está naturalmente a melhor refutação da tese sustentada pelos adeptos da teoria da *currency*:

"circulação abundante expele ouro, e fraca o atrai."

Ao contrário, embora na época de prosperidade exista forte reserva em ouro no Banco da Inglaterra, esse encaixe se forma sempre na fase de apatia e estagnação que segue à tempestade.

O saber todo relativo às saídas de ouro se reduz, portanto, ao seguinte: a procura de meios *internacionais* de circulação e de pagamento difere da procura de meios *internos* de circulação e de pagamento (donde naturalmente se infere que "a saída de ouro não implica necessariamente decréscimo da procura interna de meios de circulação", conforme diz Fullarton, p. 112), e a remessa para fora do país dos metais preciosos, o lançamento deles na circulação internacional, não é a mesma coisa que o lançamento de bilhetes ou moeda na circulação interna. Aliás, já mostrei antes[I] que o movimento do tesouro concentrado como fundo de reserva de pagamentos internacionais nada tem que ver de per si com o movimento do dinheiro no papel de meio de circulação. É verdade que surge uma complicação porque as diferentes funções do tesouro ou encaixe, as quais examinei a partir da natureza do dinheiro – a função de fundo de reserva de meios de pagamento, para pagamentos vencidos no mercado interno; a de fundo de reserva de meios de circulação, e finalmente a de fundo de reserva de dinheiro mundial –, recaem sobre um único fundo de reserva. Segue-se daí que, em certas circunstâncias, saída de ouro do Banco para o mercado interno pode combinar-se com saída para o exterior. Outra complicação emerge com a função complementar que arbitrariamente se impõe a esse tesouro, a de servir de fundo de garantia para a conversibilidade de bilhetes de banco em países onde o sistema e o dinheiro de crédito estão desenvolvidos. A tudo isso acresce finalmente: (1) a concentração do fundo nacional de reserva num só banco principal e (2) a redução desse fundo ao mínimo possível. Daí a queixa de Fullarton (p. 143):

> "Ressalta de maneira contundente a grande vantagem da circulação metálica, quando vemos a calma perfeita e a facilidade com que soem acontecer as variações da taxa de câmbio nos países do continente, divergindo da inquietação febril e do alarma que se produzem na Inglaterra sempre que o encaixe do Banco parece aproximar-se de completa exaustão."

Mas se abstraímos da exportação de ouro, como pode um banco emissor de bilhetes, o Banco da Inglaterra, por exemplo, aumentar a outorga de adiantamentos de dinheiro sem aumentar a emissão de bilhetes?

Todos os bilhetes fora do recinto do Banco, circulem eles ou entesourem nos particulares, estão, do ponto de vista do Banco, em circulação, isto é, escapam a seu domínio. Se o Banco, portanto, expande os descontos e

---

I Livro 1, p. 159ss.

o crédito caucionado, os adiantamentos sobre títulos, tem de retornar-lhe os bilhetes emitidos para esse fim, pois do contrário aumentarão eles o montante da circulação, justamente o que não deve ocorrer. Esse retorno pode dar-se de dois modos.

Primeiro: O Banco paga a A com bilhetes, recebendo em troca títulos; com esses bilhetes A paga a B letras que se venceram, e B deposita os bilhetes no Banco. Encerra-se então a circulação desses bilhetes, mas o empréstimo persiste.

("O empréstimo persiste, e o meio de circulação, se não se precisa dele, volta ao emitente." Fullarton, p. 97.)

Os bilhetes que o Banco adiantou a A retornam-lhe agora; mas o Banco é credor de A ou do sacado na letra descontada por A e devedor de B pela soma de valor expressa nesses bilhetes, e B dispõe assim de fração correspondente do capital do Banco.

Segundo: A paga a B; B mesmo, ou C, a quem transfere os bilhetes em pagamento, utiliza-os para pagar letras vencidas ao Banco, direta ou indiretamente. Nesse caso, o Banco é pago com os próprios bilhetes. Assim, para completar a transação, só falta que A reembolse o Banco.

Quando o adiantamento do Banco a A pode ser considerado adiantamento de capital, e quando, simples adiantamento de meios de pagamento?[55]

[Depende da natureza do adiantamento. Aí cabe examinar três casos.

Primeiro caso: Na base do crédito pessoal, A recebe do Banco adiantamentos sem dar garantia alguma. Nesse caso, além de lhe terem sido adiantados meios de pagamento, recebeu A sem sombra de dúvida novo capital, que pode, até à devolução, empregar no negócio como capital adicional e valorizar.

Segundo caso: Entregou A ao Banco títulos, apólices da dívida pública ou ações, em garantia de adiantamento em dinheiro representando, digamos, $\frac{2}{3}$ do valor deles. Nesse caso recebeu meios de pagamento de que precisava, mas nenhum capital adicional, pois entregou ao Banco valor-capital maior que dele recebeu. Mas esse valor-capital maior era inútil para as

---

[55] A passagem seguinte no original está no conjunto incompreensível e foi de novo elaborada pelo editor, conforme o trecho entre colchetes. O assunto já foi tratado a outro respeito no Capítulo XXVI.[I] — F.E.

I Ver pp. 499-502.

necessidades momentâneas de meios de pagamento, aplicado que estava em determinada forma, rendendo juros; demais, A tinha suas razões para não transformá-lo diretamente em meio de pagamento, vendendo-o. Os títulos se destinavam, entre outras coisas, a servir de capital de reserva, e nessa qualidade utilizou-os. O que houve, portanto, entre A e o Banco foi transferência temporária, recíproca de capital, não tendo A recebido capital adicional algum (ao contrário!), e sim os meios de pagamento de que necessitava. Para o Banco, houve imobilização temporária de capital-dinheiro na forma de empréstimo, conversão de capital-dinheiro que passa de uma forma para outra, e essa transformação é justamente a função essencial do setor bancário.

Terceiro caso: Descontando uma letra no Banco, recebe A em dinheiro o montante dela, reduzido do desconto. Nesse caso vendeu ao Banco capital-dinheiro em forma não líquida, recebendo em troca importância equivalente em forma líquida; permutou a letra a vencer-se por numerário. Agora pertence a letra ao Banco. Nada se altera aí por ser A, no caso de falta de pagamento, responsável, perante o Banco, pela importância da letra; é corresponsável com os outros endossantes e com o emitente, contra os quais tem, por sua vez, o direito de ressarcir-se. Não existe aí adiantamento algum, e sim compra e venda com as características habituais. Por isso, A não tem de reembolsar o Banco, que se ressarce cobrando a letra no vencimento. Houve também aí transferência recíproca de capital entre A e o Banco, tal como sucede na compra e venda de qualquer outra mercadoria, e justamente por isso A não recebeu capital adicional algum. O que precisava e obteve foram meios de pagamento, e recebeu-os porque uma forma de seu capital-dinheiro – a letra – foi transformada pelo Banco em outra – o dinheiro.

Só no primeiro caso se pode falar de adiantamento efetivo de capital. No segundo e terceiro casos, apenas no sentido de que "se adianta capital" em todo investimento. Nesse sentido, o Banco adianta *capital*-dinheiro a A; mas para A é *capital*-dinheiro quando muito no sentido de que é parte de seu capital. Exige-o e utiliza-o não na qualidade específica de capital, e sim na específica de meio de pagamento. Se não fora assim, dever-se-ia considerar como obtenção de adiantamento de capital qualquer venda comum de mercadoria com que se conseguem meios de pagamento. — F.E.]

Para o Banco particular emissor de bilhetes há esta diferença: caso seus bilhetes não permaneçam na circulação local, nem lhe voltem na forma de depósito ou de pagamento de letras vencidas, caem eles nas mãos de pessoas às quais tem de pagar, para resgatá-los, ouro ou bilhetes do Banco da Inglaterra. Então, o adiantamento dos próprios bilhetes constitui, na realidade, adiantamento de bilhetes do Banco da Inglaterra ou, o que dá no mesmo, de ouro, de parte, portanto, do respectivo capital bancário. O mesmo se estende ao caso em que o próprio Banco da Inglaterra ou qualquer outro banco subordinado a limite máximo legal de emissão de bilhetes tenha de vender títulos a fim de retirar da circulação os respectivos bilhetes e depois nela lançá-los de novo em adiantamentos; nesse caso, seus bilhetes representam parte do próprio capital bancário mobilizado.

Ainda quando a circulação fosse apenas metálica, seriam simultaneamente possíveis as seguintes ocorrências: (1) saída de ouro esvaziaria o tesouro [vê-se que a saída de ouro aí se destina, pelo menos em parte, ao exterior — F.E.] e (2) uma vez que o Banco só precisa do ouro para saldar pagamentos (liquidar transações anteriores), os adiantamentos sobre papéis aumentariam muito, mas lhe voltariam na forma de depósitos ou de reembolso de letras vencidas, e, desse modo, acresceriam os papéis em carteira, à custa do decréscimo do tesouro global; entretanto, a mesma soma de que era antes proprietário passará a constituir dívida do Banco para com os depositantes, o que reduzirá finalmente a massa global do meio circulante.

Até agora admitiu-se que os adiantamentos se fazem em bilhetes, acarretando acréscimo momentâneo, embora logo evanescente, da emissão de bilhetes. Mas não é necessário que assim seja. Em vez de emitir bilhetes, o Banco pode abrir crédito contábil a A, o devedor, transformando-o em depositante imaginário do Banco. Com cheques contra o Banco, A paga aos credores, e estes entregam-nos ao respectivo banqueiro que os troca na Câmara de Compensação por cheques contra ele emitidos. Não existe aí interferência alguma de bilhetes, e toda a transação se limita a isto: um crédito exigível pelo Banco se salda com um cheque emitido contra ele mesmo, e sua verdadeira compensação consiste no crédito que possui contra A. Adiantou-lhe o Banco parte do respectivo capital, constituída de créditos próprios.

Quando essa procura de adiantamento de dinheiro é procura de capital, tem ela por objetivo capital-dinheiro; capital do ponto de vista do banqueiro, isto é, ouro – que sai para o exterior – ou bilhete do Banco Nacional, os quais os bancos particulares só podem adquirir comprando-os com um equivalente que para eles é capital. Aliás, trata-se afinal de papéis que rendem juros, de títulos públicos, ações etc., que é mister vender para obter-se ouro ou bilhetes. Mas os títulos públicos são capital apenas para quem os comprou e representam o preço de compra, o capital neles empregado; de per si não são capital, mas dívidas ativas puras. Quando se trata de hipotecas, temos meros papéis que capacitam a obtenção futura de renda fundiária, e, no caso de ações, meros títulos de propriedade que dão direito à percepção futura de mais-valia. Todas essas coisas não são capital efetivo, não constituem componentes do capital e em si não são valores. Com transações desse gênero pode o banco transformar dinheiro que lhe pertence em depósito, de modo a passar de proprietário a devedor do dinheiro, guardando-o como propriedade alheia. Isto, por mais importante que seja para ele, não traz alteração alguma à quantidade do capital existente no país e mesmo do capital-dinheiro. Capital figura aí apenas como capital-dinheiro e, se não está em forma de numerário, como simples direito sobre capital. Isto é muito importante, uma vez que raridade e procura premente de capital *bancário* se confundem com decréscimo de capital *efetivo* que, nesses casos, existe ao revés em abundância na forma de meios de produção e de produtos, que pressionam os mercados.

Fica, portanto, fácil de compreender que aumente a quantidade dos papéis detidos como garantia pelo Banco, que este satisfaça a procura crescente de adiantamento de dinheiro, permanecendo a mesma ou decrescendo a massa global dos meios de circulação. E na verdade essa massa, em tempos de escassez de dinheiro, é refreada de dois modos: (1) pela saída de ouro e (2) pela procura de dinheiro na qualidade de simples meio de pagamento; então, os bilhetes emitidos refluem logo ou, mediante crédito bancário, a transação se desenrola sem qualquer emissão de bilhetes. Assim, simples transação de crédito possibilita os pagamentos, e liquidá-los é o único objetivo do negócio. Quando o dinheiro serve apenas de meio de pagamento liquidando contas (e em épocas de crise toma-se adiantamento para pagar e não para comprar; para concluir negócios anteriores e não para iniciar novos), é-lhe peculiar circulação que só tende a decrescer, mesmo quando não se faz essa liquidação mediante operação de crédito que exclua toda interferência de dinheiro. Assim, havendo grande procura de adiantamentos de dinheiro, pode ocorrer massa enorme dessas transações, sem acrescer a circulação. Mas a simples circunstância de a circulação do Banco da Inglaterra ficar estável ou até diminuir, ao mesmo tempo que ele expande os adiantamentos em dinheiro, visivelmente não demonstra, como supõem Fullarton, Tooke e outros (em virtude de pensarem que adiantamento de dinheiro é o mesmo que obtenção de capital emprestado, de capital adicional), que a circulação do dinheiro (dos bilhetes de banco) não aumenta nem se difunde na função de meio de pagamento. Uma vez que em épocas de paralisação dos negócios diminui a circulação dos bilhetes na função de meios de compra, embora sejam necessários importantes adiantamentos de dinheiro, pode aumentar a circulação deles como meio de pagamento, e o total da circulação, a soma dos que servem de meio de compra e dos que servem de meio de pagamento, não obstante, permanecer estável ou até diminuir. A circulação, como meio de pagamento, dos bilhetes de banco que logo retornam ao Banco emissor, nem mesmo é considerada circulação por aqueles economistas.

Se a circulação de meios de pagamento tivesse acréscimo maior que o decréscimo da circulação de meios de compra, aumentaria a circulação global, mesmo que se reduzisse consideravelmente a massa de dinheiro que serve de meio de compra. É o que sobrevém de fato em certos momentos da crise, notadamente quando há colapso total do crédito, tornando-se as mercadorias e valores invendáveis e ficando impossível descontar as letras, quando nada mais vale que o pagamento de contado ou, como diz o comerciante: a caixa. Uma vez que Fullarton e outros não compreendem que a circulação dos bilhetes como meio de pagamento caracteriza esses tempos de escassez de dinheiro, consideram eles o fenômeno como fortuito.

> "Com referência àqueles exemplos de competição voraz pela posse de bilhetes de banco – que caracterizam fases de pânico e às vezes podem, como no fim de 1825, provocar aumento súbito, embora temporário, das emissões, mesmo quando prossiga a saída de ouro – penso que não devem ser colocados entre os elementos concomitantes, naturais ou necessários, de baixo curso do câmbio; a procura nesses casos não é de circulação" (ou melhor, de dinheiro como meio de compra), "mas de entesouramento, procura de parte dos banqueiros e capitalistas alarmados, a qual geralmente surge no último ato da crise" (procura de bilhetes como reserva de meio de pagamento), "após ter durado longamente o êxodo de ouro, e prenuncia o fim dela" (Fullarton, p. 130).

Ao estudar o dinheiro como meio de pagamento (Livro 1, Capítulo III, 3, b) já expusemos como o dinheiro, ao haver interrupção violenta da cadeia dos pagamentos, passa de forma ideal à forma material e ao mesmo tempo absoluta do valor, perante as mercadorias. Demos então alguns exemplos, nas notas 100 e 101. Essa interrupção é ao mesmo tempo causa e efeito do abalo do crédito e das circunstâncias que o acompanham: mercados abarrotados, depreciação das mercadorias, parada da produção etc.

Mas está claro que Fullarton transforma a diferença entre dinheiro que é meio de compra e dinheiro que é meio de pagamento na falsa diferença entre meio de circulação (*currency*) e capital. Está subjacente aí a concepção estreita que o banqueiro tem da circulação.

Poder-se-ia ainda perguntar: Que falta então nessas épocas de apertura financeira, capital ou dinheiro na qualidade de meio de pagamento? E esta é, como se sabe, questão controvertida.

De início, quando a crise se manifesta na saída de ouro, é claro que o que se exige é o meio de pagamento internacional. Mas dinheiro na qualidade de meio de pagamento internacional é ouro em sua realidade metálica, substância que tem ela mesma valor, massa de valor. É ao mesmo tempo capital, mas não capital-mercadoria e sim capital-dinheiro, capital não na forma de mercadoria e sim na forma de dinheiro (dinheiro no sentido eminente da palavra, a mercadoria universal do mercado mundial). Não existe aí contradição entre procura de dinheiro como meio de pagamento e procura de capital. A contradição está entre o capital na forma de dinheiro e na forma de mercadoria; e a forma em que é exigido, a única em que pode funcionar, é a forma dinheiro.

Excetuada essa procura de ouro (ou prata), não se pode dizer que nessas épocas de crise haja escassez, qualquer que seja, de capital. Isso pode ocorrer em circunstâncias extraordinárias, quando os preços do trigo ficam em alta, há escassez de algodão etc.; mas não são fenômenos necessários e normais dessas épocas; e a existência dessa espécie de escassez de capital não pode por isso ser *a priori* inferida da circunstância de haver procura premente de adiantamentos de dinheiro. Pelo contrário. Os mercados estão abarrotados, inundados de capital-mercadoria. Seja como for, não é a escassez de capital-*mercadoria* que causa a apertura financeira. Mais adiante voltaremos a tratar desse problema.

XXIX.
Componentes do capital bancário

É mister agora observar de perto a composição do capital bancário. Acabamos de ver que Fullarton e outros transformam a diferença entre dinheiro – meio de circulação – e dinheiro – meio de pagamento (e dinheiro mundial, quando se trata de exportação de ouro) – em diferença entre meio de circulação (*currency*) e capital.

O papel peculiar desempenhado aí pelo capital leva essa economia política de banqueiros a inculcar a ideia de que o dinheiro, na realidade, é o capital por excelência, com o mesmo empenho com que os economistas liberais procuravam demonstrar que dinheiro não é capital.

No decurso de nossas investigações mostraremos que aí se confunde capital-dinheiro com *moneyed capital* no sentido de capital produtor de juros, quando, no sentido primacial, o capital-dinheiro é sempre forma transitória do capital, distinta das outras formas, o capital-mercadoria e o capital-produtivo.

O capital bancário abrange (1) dinheiro de contado – ouro ou bilhetes e (2) títulos. Estes podem ser classificados em dois grupos: papéis comerciais, letras que se vencem a prazos diversos, constituindo o desconto delas o negócio propriamente dito dos banqueiros; e papéis lançados ao público, como apólices, obrigações do tesouro, ações de toda espécie, enfim, papéis que rendem juros e se distinguem essencialmente das letras comerciais. As hipotecas podem ser incluídas no segundo grupo. O capital constituído por esses elementos objetivos, por sua vez, se biparte em capital próprio empregado pelo banqueiro e em depósitos que constituem o *banking* capital, isto é, o capital emprestado. Nos bancos emissores há a considerar ainda os bilhetes. Por ora, deixaremos de lado os depósitos e os bilhetes. É claro que a composição real do capital bancário em dinheiro, letras, títulos, em nada se altera com a circunstância de esses diversos elementos representarem capital próprio ou depósitos, capital alheio. A classificação continua válida, opere o banco com capital próprio ou com capital nele depositado.

A forma do capital produtor de juros faz que toda renda monetária determinada e regular apareça como juro de um capital, derive ela ou não de um capital. Primeiro se converte a renda monetária em juro, e como juro se acha então o capital donde provém. Analogamente, no capital produtor de juros aparece como capital a soma de valor que não é despendida como renda; aparece como principal em oposição ao juro possível ou real que deve render.

A coisa é simples. Seja de 5% o juro médio anual. Nessas condições, a soma de 500 libras renderia anualmente, se transformada em capital produtor de juros, 25 libras esterlinas. Assim, considera-se toda receita fixa anual de 25 libras esterlinas juro de um capital de 500 libras. Todavia, essa ideia é puramente ilusória, excetuado o caso em que a fonte das 25 libras – trate-se de mero título de propriedade, ou de crédito ou ainda de elemento real de produção, como um terreno – seja diretamente transferível ou assuma forma em que se torne transferível. Consideremos dois exemplos: a dívida pública e os salários.

O Estado tem de pagar anualmente aos credores certo montante de juros pelo capital emprestado. O credor não pode exigir que o devedor lhe restitua o empréstimo, mas pode vender o crédito, o título que lhe assegura a propriedade dele. O capital mesmo é devorado, despendido pelo Estado. Não existe mais. O que o credor possui é (1) um título de dívida contra o Estado, digamos, de 100 libras esterlinas; (2) esse título lhe dá direito a participar das receitas anuais do Estado, isto é, do produto anual dos impostos, em determinada importância, digamos, de 5 libras esterlinas ou 5%; (3) pode vender esse título de 100 libras a quem quiser. Se a taxa de juros é de 5%, supondo-se a garantia do Estado, pode A, o proprietário do título, vendê-lo em regra por 100 libras esterlinas a B, pois para este tanto faz emprestar anualmente 100 libras esterlinas a 5% quanto assegurar-se mediante o pagamento de 100 libras esterlinas um tributo anual pago pelo Estado, no montante de 5 libras esterlinas. Mas, em todos esses casos, o capital – considera-se rebento (juro) dele o pagamento feito pelo Estado – permanece ilusório, fictício. A soma emprestada ao Estado não existe mais. Demais, ela não se destinava a ser despendida, empregada como capital, e só investida como tal teria podido transformar-se em valor que se mantém. Para A, o credor original, a parte que lhe cabe dos impostos anuais representa juros de seu capital, e o mesmo se pode dizer da parte do patrimônio do pródigo que cabe ao usurário, embora nos dois casos a soma emprestada não tenha sido empregada como capital. A possibilidade de vender o crédito que tem contra o Estado representa para A o poder de reembolsar o principal. Quanto a B, do ponto de vista particular dele, empregou capital como capital produtor de juros. Objetivamente, apenas substituiu A, ao comprar-lhe o crédito contra o Estado. Por mais numerosas que sejam essas transações, o capital da dívida pública permanece meramente fictício, e a partir do momento em que os títulos de crédito se tornam invendáveis, desfaz-se essa aparência de capital. Não obstante, conforme logo veremos, esse capital fictício possui movimento próprio.

COMPONENTES DO CAPITAL BANCÁRIO

Observemos agora a força de trabalho em oposição ao capital da dívida pública, magnitude negativa que aparece como capital (é o que se dá com o capital produtor de juros geral, a fonte de todas as formas irracionais, quando o banqueiro, por exemplo, considera as dívidas como mercadorias). Chega-se a considerar o salário como juro e, em consequência, a força de trabalho como capital que rende esse juro. Se o salário de um ano é, por exemplo, de 50 libras esterlinas e o juro de 5%, a força de trabalho anual é igualada a um capital de 1.000 libras esterlinas. O absurdo da concepção capitalista atinge aí o apogeu: em vez de explicar a valorização do capital pela exploração do trabalho, ao contrário, explica a produtividade da força de trabalho com a circunstância de possuir essa força o dom místico de ser capital que produz juros. Essa ideia esteve em moda na segunda metade do século XVII (Petty, por exemplo), mas hoje em dia é utilizada ainda com seriedade imperturbável pelos economistas vulgares e principalmente pelos estatísticos alemães.[56] Duas circunstâncias desagradáveis (que pena!) lançam por terra essa concepção insensata: primeiro, o trabalhador tem de trabalhar para receber esse juro e, segundo, não pode, mediante transferência, converter em dinheiro o valor-capital da força de trabalho. Ao revés, o valor anual da força de trabalho é igual ao salário médio anual que recebe, e o que com seu trabalho tem de repor para o comprador dela é esse valor e mais o acréscimo da mais-valia. Na escravidão, o trabalhador tem um valor-capital – o respectivo preço de compra. E, quando alugado, tem o locatário de pagar o juro do preço de compra e, por cima, de repor o desgaste anual do capital.

Constituir capital fictício chama-se capitalizar. Capitaliza-se toda receita periódica, considerando-a, na base da taxa média de juro, rendimento que proporcionaria um capital emprestado a essa taxa. Por exemplo, para a receita anual de 100 libras e para a taxa de juro de 5%, as 100 libras seriam o juro anual de 2.000 libras, consideradas então o valor-capital do título de propriedade sobre as 100 libras anuais. Para quem comprou esse título, a receita anual de 100 libras representa, na realidade, o juro do capital que colocou a 5%. Assim desaparece o último vestígio de conexão com o pro-

---

56 "O operário tem valor-capital, encontrado considerando-se como juro o valor monetário da remuneração anual... Se... capitalizamos a 4% os salários médios, obtemos o valor médio de um trabalhador agrícola do sexo masculino: na Áustria alemã, 1.500 táleres; na Prússia, 1.500; na Inglaterra, 3.750; na França, 2.000, e na Rússia Central, 750 táleres" (Von Reden, *Vergleichende Kulturstatistik*, Berlim, 1848, p. 434).

cesso efetivo de valorização do capital e reforça-se a ideia de ser o capital autômato que se valoriza por si mesmo.

Mesmo quando a obrigação, o título, não seja como as apólices que representam capital imaginário, ainda assim o valor-capital desse título é puramente ilusório. Já vimos que o sistema de crédito gera capital associado. Os papéis constituem títulos de propriedade que representam esse capital. As ações das companhias ferroviárias, de mineração, de navegação etc. representam capital efetivo, isto é, capital empregado e operante nessas empresas ou a soma de dinheiro adiantada pelos acionistas para nelas ser desembolsada como capital. Aliás, não estamos excluindo a possibilidade de essas ações constituírem mera fraude. Mas esse capital não existe duas vezes, uma como valor-capital dos títulos, das ações, e outra como o capital efetivamente empregado ou a empregar naquelas empresas. Só existe na última forma, e a ação nada mais é que título de propriedade sobre proporção da mais-valia a ser realizada por intermédio desse capital. Pode A vender esse título a B, e B a C. Essas transações em nada alteram a natureza da coisa. A ou B converteu o título em capital, e C transformou seu capital em mero título que lhe dá direito a participar da mais-valia esperada do capital por ações.

O movimento autônomo do valor desses títulos de propriedade, sejam títulos da dívida pública ou ações, reforça a aparência de constituírem capital efetivo ao lado do capital ou do direito que possam configurar. Convertem-se em mercadorias, com preço que varia e se fixa segundo leis peculiares. O valor de mercado se determina diversamente do valor nominal, sem que se altere o valor (embora se modifique a valorização) do capital efetivo. O valor de mercado flutua com o nível e a segurança dos rendimentos a que os títulos dão direito. Se o valor nominal de uma ação, isto é, a soma desembolsada que ela originalmente representa, é de 100 libras esterlinas, e o negócio rende 10% em vez de 5%, o valor de mercado, não se alterando as demais condições e para uma taxa de juro de 5%, elevar-se-á a 200 libras, pois capitalizada a 5%, a ação representa agora um capital fictício de 200 libras. Quem a compra por 200 libras receberá 5% de renda por esse investimento. Temos o inverso, se diminui o rendimento da empresa. O valor de mercado desses títulos é em parte especulativo, pois não é determinado apenas pelo rendimento efetivo, mas pelo esperado, pelo que previamente se calcula. Admitido que seja constante a mais-valia produzida pelo capital efetivo ou, não existindo capital, como no caso da dívida pública, que o rendimento anual seja legalmente fixado, e que além disso haja segurança bastante, o preço desses títulos varia na razão inversa da taxa de juro. Se a taxa de juro sobe de 5 para 10, um papel que assegura um rendimento de 5 libras representará um capital de apenas 50 libras. Se o juro cair para $2\frac{1}{2}$, o mesmo papel representará um capital de 200 libras. Seu valor é sempre o rendimento capitalizado, isto é, o rendimento calculado sobre um capital ilusório de acordo com a taxa de juro vigente. Em tempos de crise no mercado de dinheiro, esses títulos experimentam dupla baixa: primeiro, porque o juro sobe e, segundo, porque se lançam em massa no mercado, para serem convertidos em dinheiro. Essa queda de preço se verifica tanto no caso de ser constante o rendimento que esses títulos asseguram ao proprietário, como acontece com os títulos da dívida pública, quanto no caso de a produção da mais-valia do capital efetivo que representam ser atingida eventualmente pelas perturbações do processo de reprodução, ocorridas em empresas industriais. Neste caso, nova depreciação se acrescenta à já mencionada. Passada a tempestade, os títulos retornam ao nível anterior, desde que não representem negócios malogrados ou fraudulentos. A depreciação deles na crise atua poderosamente no sentido de centralizar a riqueza financeira.[57]

Quando a baixa ou a alta desses títulos não depende do movimento do valor do capital efetivo que representam, a riqueza de uma nação é tão grande antes quanto depois da baixa ou da alta.

> "Em 23 de outubro de 1847, os Fundos Públicos e as ações dos canais e das ferrovias tiveram depredação de 114.752.225 libras esterlinas" (Morris, Governador do Banco da Inglaterra, depoimento no relatório sobre a *Commercial Distress*, 1847-48, [Nº 3.800]).

Na medida em que essa depreciação não significava parada efetiva da produção e do tráfego das ferrovias e canais, desistência de empreendimentos iniciados ou desperdício de capital em cometimentos destituídos de valor, não se empobreceu a nação de um ceitil sequer ao se arrebentarem as bolhas de sabão do capital-dinheiro nominal.

---

57 [Logo após a revolução de fevereiro, quando em Paris as mercadorias e os valores se depreciaram ao máximo e se tornaram totalmente invendáveis, um comerciante suíço em Liverpool, R. Zwilchenbart (que contou o caso a meu pai) converteu em dinheiro tudo o que pôde, com o numerário viajou para Paris, onde procurou Rothschild, para propor-lhe um negócio. Rothschild crava os olhos nele, atira-se sobre ele, segurando-o nos ombros: "Traz o dinheiro com você?" – "Sim, Sr. barão." – "Então você é o meu homem!" – E ambos fizeram um magnífico negócio. — F.E.]

Na realidade, todos esses papéis constituem apenas direitos acumulados, títulos jurídicos sobre produção futura, e o valor-dinheiro ou o valor-capital ora não representa capital algum, como é o caso das apólices da dívida pública, ora é regulado de maneira independente do valor do capital efetivo que esses papéis configuram.

Em todos os países de produção capitalista existe, nessa forma, massa enorme do chamado capital produtor de juros ou *moneyed capital*. E deve entender-se por acumulação do capital-dinheiro notadamente a acumulação desses direitos sobre a produção, acumulação segundo o preço de mercado, o valor-capital ilusório deles.

Parte do capital bancário é empregada nesses papéis que rendem juros. Faz parte do capital de reserva que não tem função na atividade genuína do banco. Consiste notadamente em letras, isto é, em promessas de pagamento de capitalistas industriais ou comerciantes. Para o emprestador de dinheiro, essas letras são papéis que rendem juros: ao comprá-las, desconta o juro pelo tempo que falta para o vencimento. É o que se chama descontar. Depende da taxa de juro vigente o montante a descontar da soma que a letra representa.

A outra fração do capital bancário se constitui de sua reserva monetária em ouro ou bilhetes. Os depósitos, quando não são a prazo fixo, estão sempre ao dispor dos depositantes. Flutuam constantemente. Mas o que uns retiram, outros repõem, de modo que, em média, o montante global pouco oscila nos tempos em que os negócios correm normalmente.

Os fundos de reserva dos bancos, em países de produção capitalista desenvolvida, expressam sempre em média a magnitude do dinheiro entesourado, e parte desse tesouro consiste, por sua vez, em papéis, meros bilhetes representativos de ouro, mas que não possuem valor próprio. A maior parte do capital bancário, portanto, é puramente fictícia e consiste em créditos (letras), títulos governamentais (que representam capital despendido) e ações (que dão direito a rendimento futuro). Não devemos esquecer que é puramente fictício o valor monetário do capital que esses títulos guardados nos cofres dos banqueiros representam – mesmo quando conferem direito a rendimentos seguros, como as apólices da dívida pública, ou constituem títulos de propriedade sobre capital real, como as ações –, e que é regulado por leis que diferem das relativas ao valor do capital efetivo representado pelo menos em parte por tais títulos. E quando esses títulos representam, em vez de capital, mero direito a rendimento uniforme, esse direito se expressa em capital-dinheiro fictício que varia sem cessar. Acresce ainda que esse capital fictício do banqueiro em grande parte não é próprio, mas do público, que o deposita no banco, com ou sem juros.

Os depósitos são sempre feitos em dinheiro, em ouro ou bilhetes, ou em cheques. Excetuado o fundo de reserva que se contrai ou se expande segundo as necessidades da circulação real, esses depósitos se encontram, de fato, parte nas mãos dos industriais e comerciantes, em virtude dos descontos das letras e dos adiantamentos que obtêm, e parte nas mãos dos negociantes de títulos (corretores de bolsa) ou de particulares que venderam seus títulos, ou do governo, no caso de letras do Tesouro e de novos empréstimos. Os depósitos desempenham duplo papel. De um lado são, segundo vimos, emprestados como capital produtor de juros e, em vez de ficar nas caixas dos bancos, figuram apenas nos livros de contabilidade como saldo dos depositantes. De outro, movimentam-se apenas contabilmente, quando os saldos dos depositantes se compensam de maneira recíproca com os cheques sobre os respectivos depósitos e se fazem os correspondentes lançamentos nas contas. Então, tanto faz que os depósitos estejam no mesmo banco, cabendo a este efetuar a compensação entre as diversas contas, ou que estejam em diversos bancos, que entre si trocam os cheques, só tendo de pagar as diferenças remanescentes.

Com o desenvolvimento do capital produtor de juros e do sistema de crédito, todo capital parece duplicar-se e às vezes triplicar-se em virtude das diferentes formas em que o mesmo capital ou o mesmo título de crédito se apresenta em diferentes mãos.[58] A maior parte deste "capital-dinheiro" é puramente fictícia. Excetuado o fundo de reserva, todos os depósitos, em-

---

58 [Essa multiplicação por dois ou três do capital desenvolveu-se consideravelmente nos últimos anos, em virtude, por exemplo, das sociedades financeiras – *financial trusts* – que têm seção especial no boletim da Bolsa de Londres. Constitui-se sociedade para comprar certa classe de papéis rentáveis, digamos, títulos governamentais estrangeiros, apólices municipais inglesas ou títulos da dívida pública americana, ações ferroviárias etc. O capital, digamos, de dois milhões de libras esterlinas é levantado mediante subscrição de ações; a direção compra os referidos valores, especula mais ou menos intensamente com eles e reparte entre os acionistas os juros anuais obtidos, após deduzir os custos. – Além disso, certas sociedades anônimas adotaram o costume de tornar corrente a divisão das ações em duas classes, preferenciais e postergadas. As preferenciais recebem um juro fixo, digamos de 5%, desde que o lucro global o permita; o que restar depois disso cabe às postergadas. Desse modo, o investimento "sólido" nas preferenciais se separa mais ou menos da especulação propriamente dita, nas postergadas. Houve grandes empresas que não adotaram a nova moda, e por isso um ou vários milhões de libras se empregaram nas ações delas por sociedades então constituídas, que, em seguida, pelo valor nominal dessas ações, emitiam novas, sendo metade preferenciais e metade postergadas. Nesses casos, as ações primitivas duplicavam-se, pois serviam de base para se emitirem novas ações. — F.E.]

bora sejam créditos contra o banqueiro, não têm existência efetiva. Quando utilizados nas operações de compensação, funcionam como capital para os banqueiros, desde que estes os tenham emprestado. Os banqueiros entre si pagam os cheques recíprocos sobre depósitos que na realidade não existem, fazendo as deduções correspondentes nos saldos contábeis.

A respeito do papel que o capital desempenha nos empréstimos de dinheiro, diz A. Smith:

> "Mesmo no comércio financeiro, o dinheiro é, por assim dizer, apenas a ordem que transfere para outra mão os capitais que não têm emprego para o próprio dono. Esses capitais podem ultrapassar de maneira quase ilimitada a soma de dinheiro que serve de instrumento para a transferência; as mesmas peças de dinheiro servem sucessivamente tanto para muitos empréstimos diferentes quanto para muitas compras diferentes. Por exemplo, A empresta a W 1.000 libras esterlinas, e logo W compra essa quantia em mercadorias a B. Não tendo D emprego para o dinheiro, empresta as mesmas peças de dinheiro a X, que imediatamente compra de C 1.000 libras esterlinas de mercadorias. Da mesma maneira e pelo mesmo motivo, C empresta o dinheiro a Y, que, por sua vez, o utiliza para comprar mercadorias a B. Assim, as mesmas peças de ouro ou os mesmos bilhetes de banco podem em poucos dias permitir três diferentes empréstimos e três diferentes compras, cada operação valendo o montante dessas peças. O que os três prestamistas A, B e C concederam aos três prestatários W, X e Y foi o poder de fazer essas compras. Nesse poder estão o valor e a utilidade desses empréstimos. O capital emprestado pelos três capitalistas é igual ao valor das mercadorias que ele pode comprar e é três vezes maior que o valor do dinheiro com que se fazem as compras. Não obstante, todos esses empréstimos podem estar perfeitamente seguros, pois as mercadorias que com eles compram os diferentes vendedores são empregadas de tal modo que proporcionam em tempo valor igual em ouro ou papel-moeda, acrescido de lucro. As mesmas peças de dinheiro podem permitir empréstimos que atinjam três ou trinta vezes o valor delas, e do mesmo modo podem sucessivamente servir de meio para reembolsar dívidas" (Livro 2, Capítulo IV).[1]

A mesma peça de dinheiro, podendo efetuar diferentes compras de acordo com a velocidade da circulação, pode também possibilitar diferentes empréstimos, pois as compras fazem-na mudar de mãos, e o empréstimo é apenas transferência de uma mão para outra, sem mediação de compra.

---

[1] *An Inquiry into the Nature and Causes of the Wealth of Nations.*

COMPONENTES DO CAPITAL BANCÁRIO

Para todo vendedor o dinheiro representa a forma transmutada de sua mercadoria; hoje em dia, quando se expressa todo valor como valor-capital, representa o dinheiro nos diferentes empréstimos, sucessivamente, diferentes capitais, o que constitui outra maneira de exprimir a proposição anterior de que o dinheiro pode realizar sucessivamente diferentes valores-mercadorias. Ao mesmo tempo serve de meio de circulação, possibilitando aos capitais materiais se trasladarem a outras mãos. Nos empréstimos não é como meio de circulação que o dinheiro muda de mãos. Enquanto permanece nas mãos do prestamista não é meio de circulação, e sim modo de existência do valor do capital. E é nessa forma que o emprestador o transfere, cedendo-o a terceiro. Se A o empresta a B, e B a C, sem haver a mediação de compras, esse dinheiro não representa três capitais, mas um só, um valor capital *único*. O número de capitais que efetivamente representa depende do número de vezes que funciona como a forma valor de diferentes capitais-mercadorias.

O mesmo que A. Smith diz dos empréstimos em geral estende-se aos depósitos, a designação particular que se dá aos empréstimos feitos pelo público aos banqueiros. As mesmas peças de dinheiro podem servir de meio para um número qualquer de depósitos.

"Sem dúvida, as 1.000 libras esterlinas que alguém hoje deposita em favor de A são desembolsadas amanhã e constituem depósito em favor de B. No dia seguinte, B utiliza-as para pagar, podendo elas constituir depósito em favor de C, e assim por diante, indefinidamente. As mesmas 1.000 libras esterlinas em dinheiro podem multiplicar-se por tantas transferências que é absolutamente indeterminável a soma de depósitos que delas pode resultar. É por isso possível que $\frac{9}{10}$ de todos os depósitos do Reino Unido não tenham outra existência além da registrada nos lançamentos dos livros dos banqueiros, que, por sua vez, contabilizam o ativo e o passivo das contas... Assim, por exemplo, na Escócia, a circulação monetária nunca ultrapassou 3 milhões de libras esterlinas, enquanto os depósitos atingiam 27 milhões. Se não houver corrida aos bancos para retirar os depósitos, as mesmas 1.000 libras esterlinas poderão, fazendo o caminho de volta, liquidar com a mesma facilidade soma igualmente indeterminável. As mesmas 1.000 libras esterlinas que hoje servem para pagar dívida a um merceeiro podem amanhã pagar a dívida deste ao comerciante e no dia seguinte a do comerciante ao banco, e assim por diante, sem limites; do mesmo modo, as mesmas 1.000 libras podem passar de mão em mão, de um banco a outro, e satisfazer qualquer soma de depósitos que se possa imaginar" (*The Currency Theory Reviewed*, p. 62s).

O CAPITAL

No sistema de crédito, tudo se duplica e triplica e se converte em pura fantasmagoria, e o mesmo se aplica ao "fundo de reserva", onde se esperava finalmente encontrar algo sólido.

Ouçamos de novo Mr. Morris, o Governador do Banco da Inglaterra:

> "As reservas dos bancos particulares estão em poder do Banco da Inglaterra, na forma de depósitos. Exportação de ouro parece de imediato atingir apenas o Banco da Inglaterra, mas deve repercutir também sobre as reservas dos outros bancos, pois exporta-se então parte da reserva que eles mantêm em nosso banco. É de esperar a mesma repercussão sobre as reservas de todos os bancos provinciais" (*Commercial Distress*, 1847-48, [N°s 3.639, 3.642]).

Os fundos de reserva, portanto, finalmente se reduzem, na realidade, ao fundo de reserva do Banco da Inglaterra.[59] Mas também este fundo tem, por sua vez, dupla existência. O fundo de reserva do departamento bancário é igual ao excesso dos bilhetes que o Banco pode legalmente emitir sobre os bilhetes que estão circulando. O máximo legal para a emissão de bilhetes é de 14 milhões (que dispensam reserva metálica; é quase o que o Estado deve ao Banco) mais o montante do estoque de metais preciosos do Banco. Se esse estoque é de 14 milhões de libras esterlinas, poderá o Banco emitir em bilhetes 28 milhões, e se destes circulam 20 milhões, o fundo de reserva do Banco é de 8 milhões. Esses 8 milhões de bilhetes são, portanto, legalmente o capital do banqueiro à disposição do Banco e, ao mesmo tempo, o fundo de reserva para os próprios depósitos. Se houver exportação de ouro, diminuindo o estoque metálico de 6 milhões – o que acarreta destruição de bilhetes por igual montante –, a reserva do departamento bancário cairá de 8 para 2 milhões. O Banco elevará então consideravelmente a taxa de juros; os bancos que nele depositam e os outros depositantes verão o fundo de reserva diminuir em relação aos saldos que nele possuem. Em 1857, os quatro maiores bancos por ações de Londres ameaçaram retirar seus depósitos do Banco da Inglaterra, caso este não obtivesse resolução do

---

59 [Posteriormente, o fenômeno continuou acentuado. É o que se verifica no quadro oficial seguir, extraído do *Daily News* de 15 de dezembro do 1892 e relativo às reservas bancárias dos 15 maiores bancos de Londres em novembro de 1892:
Desses quase 28 milhões de encaixe pelo menos 25 milhões estão depositados no Banco da Inglaterra e no máximo 3 milhões nos cofres dos próprios bancos. Entretanto, o encaixe do departamento bancário do Banco da Inglaterra no mesmo mês de novembro de 1892 nunca chegou a perfazer 16 milhões. — F.E.]

COMPONENTES DO CAPITAL BANCÁRIO

governo suspendendo a lei bancária de 1844;[60] essa retirada teria levado à falência o departamento bancário. Assim, o departamento bancário pode falir, como em 1847, enquanto se amontoam milhões no departamento de emissão (em 1847, 8 milhões), garantindo a conversibilidade dos bilhetes em circulação. Mas temos aí outra ilusão.

Nome do banco	Passivo	Encaixe	Encaixe/Passivo (%)
City	9.317.629	746.551	8,01
Capital and Counties	11.392.744	1.307.483	11,47
Imperial	3.987.400	447.157	11,22
Lloyds	23.800.937	2.966.806	12,46
London and Westminster	24.671.559	3.818.885	15,50
London and S. Western	5.570.268	812.353	14,58
London Joint Stock	12.127.993	1.288.977	10,62
London and Midland	8.814.499	1.127.280	12,79
London and County	37.111.035	3.600.374	9,70
National	11.163.829	1.426.225	12,77
National Provincial	41.907.384	4.614.780	11,01
Parrs and the Alliance	12.794.489	1.532.707	11,98
Prescott and Co.	4.041.058	538.517	13,07
Union of London	15.502.618	2.300.084	14,84
Williams, Deacon, and Manchester & Co.	10.452.381	1.317.628	12,60
TOTAL	232.655.823	27.845.807	11,97

"Grande parte dos depósitos para os quais os próprios banqueiros não acham procura imediata vai para as mãos dos *bill-brokers*" (literalmente, corretores ou agentes de câmbio, na prática, meio banqueiros), "que em caução entregam ao banqueiro pelo adiantamento que recebem letras comerciais que descontaram para pessoas de Londres e das províncias. O *bill-broker* é responsável perante o banqueiro pelo reembolso desse *money at call*" [dinheiro

---

60 [A suspensão da lei bancária de 1844 permite ao Banco emitir qualquer quantidade de bilhetes de banco, sem cobertura garantida pelo ouro entesourado em seu poder; criar, portanto, o montante que queira de capital-dinheiro fictício, para fazer adiantamentos aos bancos e aos *bill-brokers*, e, por meio deles, ao comércio. — F.E.]

imediatamente reembolsável quando exigido]; "e é tão grande a amplitude desses negócios que Mr. Neave, o atual governador do Banco da Inglaterra, diz em seu depoimento: – Sabemos que um *broker* tinha 5 milhões, e temos razões para crer que outro tinha entre 8 e 10 milhões, havia um com 4, outro com $3\frac{1}{2}$ e ainda outro com mais de 8. Falo dos depósitos em mãos dos *brokers* (*Report of Committee on Bank Acts*, 1857/58, p. v, § 8).

"Os *bill-brokers* de Londres... efetuaram enormes operações sem qualquer reserva em numerário; fiavam-se nos pagamentos das letras que se venciam progressivamente ou, caso necessário, no poder de obterem adiantamentos do Banco da Inglaterra, com caução das letras que descontavam" (*ibidem*, p. VIII, § 17). – "Duas firmas de *bill-brokers* em Londres suspenderam os pagamentos em 1847; ambas retomaram o negócio, mais tarde. Em 1857 suspenderam novamente os pagamentos. Em 1847, o passivo de uma era, em números redondos, de 2.683.000 libras esterlinas para um capital de 180.000, e, em 1857, o passivo era de 5.300.000 libras, enquanto o capital provavelmente não atingia a mais de um quarto do que fora em 1847. O passivo da outra firma, nas duas ocasiões, oscilava entre 3 e 4 milhões, para um capital de não mais que 45.000 libras esterlinas" (*ibidem*, p. XXI, § 52).

XXX.
Capital-dinheiro e capital real – I

Os únicos problemas difíceis de que nos acercamos agora, referentes ao sistema de crédito, são os seguintes:

Primeiro: A acumulação do capital-dinheiro propriamente dito. Até onde é indicadora de verdadeira acumulação de capital, isto é, de reprodução em escala ampliada? A chamada pletora de capital, designação que se aplica sempre ao capital produtor de juros, ao capital-dinheiro, portanto, é apenas maneira especial de expressar a superprodução industrial ou constitui fenômeno particular, ao lado dela? Coincide essa pletora, essa oferta demasiada de capital-dinheiro, com a existência de massas de dinheiro estagnadas (barras, moedas de ouro e bilhetes de banco), de modo que esse excesso de dinheiro efetivo expressa e patenteia aquela pletora de capital de empréstimo?

Segundo: Até onde a carência de dinheiro, isto é, a escassez de capital de empréstimo, expressa carência de capital real (capital-mercadoria e capital produtivo)? Até onde aquela carência coincide com a escassez de dinheiro em si, escassez de meios de circulação?

Pelo que observamos até agora a respeito da forma peculiar da acumulação do capital-dinheiro e da riqueza monetária em geral, reduz-se ela à acumulação de direitos de propriedade sobre o trabalho. A acumulação do capital da dívida pública nada mais significa, conforme se viu, que aumento de uma classe de credores do Estado, a qual tem direito a tomar para si certas quantias tiradas do montante dos tributos.[61] Até acumulação de dívidas chega a passar por acumulação de capital, e fatos como esse revelam a que extremos vai a deformação das coisas no sistema de crédito. Esses títulos de dívida, emitidos em troca do capital originalmente emprestado e há muito tempo despendido, essas duplicatas em papel do capital destruído, servem de capital para os respectivos possuidores, na medida em que são mercadorias vendáveis e por isso podem ser reconvertidos em capital.

---

61 "Os fundos públicos não são mais do que capital imaginário que representa, da receita anual, a parte destinada a pagar a dívida. Despendeu-se capital equivalente, que serve de denominador para o empréstimo, mas não é o que a apólice representa, pois esse capital não existe mais. Novas riquezas, entretanto, devem surgir do trabalho da indústria; parte anual dessas riquezas destina-se por antecipação àqueles que emprestaram as riquezas que foram destruídas; essa parte mediante impostos é retirada daqueles que produzem as riquezas, a fim de ser entregue aos credores do Estado, e, de acordo com a proporção usual no país entre capital e juro, supõe-se um capital imaginário, tão grande quanto o capital donde poderia surgir a renda anual que os credores devem receber" (Sismondi, *Nouveaux Principes*, II, p. 229s).

Os títulos de propriedade sobre sociedades mercantis, ferrovias, minas etc. são por certo, conforme vimos, direitos sobre capital real. Entretanto, não permitem que se disponha desse capital, que não pode ser extraído donde está. Apenas dão direito à parte da mais-valia a ser obtida. Mas esses títulos constituem também duplicação em papel do capital real, como se o conhecimento de carga pudesse ter um valor além do da carga e ao mesmo tempo que ela. Tornam-se representantes nominais de capitais inexistentes. Assim é que o capital real existe ao lado deles e não muda de mãos com a circunstância de essas duplicações serem vendidas. Tornam-se formas do capital produtor de juros, não só porque asseguram certos rendimentos, mas também porque mediante venda são reembolsáveis como valor-capital. A acumulação desses papéis, na medida em que representa a acumulação de ferrovias, minas, navios etc., expressa ampliação do processo real de reprodução, do mesmo modo que o aumento de um cadastro tributário relativo, por exemplo, a bens móveis indica expansão desses bens. Mas como duplicatas negociáveis por si mesmas como se fossem mercadorias, e circulando por isso como valor-capital, são ilusórios, e o valor pode variar sem depender por nada do movimento do valor do capital real que representam como títulos jurídicos. Seu valor, isto é, a cotação em bolsa, tem necessariamente tendência a subir ao baixar a taxa de juro, na medida em que essa baixa não depende dos movimentos peculiares do capital-dinheiro e é mera consequência da tendência a cair da taxa de lucro. Já por essa razão, essa riqueza imaginária – tem valor nominal originalmente determinado para cada uma de suas partes alíquotas – expande-se com o desenvolvimento da produção capitalista.[62]

Ganhar e perder por meio das oscilações desses títulos, a centralização deles nas mãos dos reis das ferrovias etc. são cada vez mais o resultado da especulação, do jogo. Este, e não o trabalho, aparece na condição de modo original de adquirir capital, substituindo também a violência direta. Essa riqueza financeira imaginária constitui parte considerável da fortuna monetária dos particulares e também do capital dos banqueiros, conforme já vimos.

---

62 Parte do capital-dinheiro de empréstimo acumulado é, na realidade, mera expressão do capital industrial. Quando, em 1857, por exemplo, a Inglaterra empregou 80 milhões de libras esterlinas em ferrovia e outros empreendimentos na América, foi esse investimento proporcionado quase totalmente pela exportação de mercadorias inglesas, pelas quais os americanos nada tinham que pagar. Em relação a essas mercadorias, o exportador inglês emitiu letras contra a América, as quais foram compradas por subscritores ingleses de ações e enviadas para América a fim de pagar as ações subscritas.

CAPITAL-DINHEIRO E CAPITAL REAL – I

Poderíamos também entender por acumulação de capital-dinheiro – interpretação que logo se esclarece – a acumulação da riqueza nas mãos dos banqueiros (por profissão, emprestadores de dinheiro), como intermediários entre capitalistas financeiros particulares, de um lado, e, do outro, o Estado, as comunidades e os prestatários reprodutivos. E os banqueiros exploram, como se fora seu capital particular, a enorme expansão do sistema de crédito, todo o sistema de crédito em geral. Possuem o capital e a receita sempre na forma de dinheiro ou em exigências diretas de dinheiro. A acumulação da fortuna dessa classe pode tomar direção bem diversa da seguida pela acumulação real, mas boa parte desta é embolsada pelos banqueiros, conforme demonstra de qualquer modo aquela acumulação.

Situemos a questão dentro de limites mais estreitos: fundos públicos, ações e quaisquer outros títulos são campos de investimento de capital que se pode emprestar, de capital que se destina a ser capital produtor de juros. São formas de emprestá-lo. Mas, elas mesmas, não são o capital de empréstimo que nelas se aplica. Demais, quando o crédito desempenha função direta no processo de reprodução, o que o industrial ou o comerciante necessita, quando quer descontar letras ou levantar empréstimo, não são ações nem papéis governamentais. Precisa apenas de dinheiro. Cauciona ou vende portanto esses títulos, se não pode conseguir o dinheiro de outro modo. Temos de tratar aqui da acumulação *desse* capital de empréstimo, e particularmente da do capital-dinheiro a emprestar. Não se trata agora de empréstimos de casas, máquinas ou qualquer outro capital fixo, não se trata também dos adiantamentos em mercadorias que os industriais e comerciantes se fazem entre si e dentro do circuito do processo de reprodução, embora devamos antes entrar em pormenores sobre esse assunto. Agora trata-se apenas dos empréstimos em dinheiro que os banqueiros, como intermediários, fazem aos industriais e comerciantes.

Analisemos antes de mais nada o crédito comercial, o crédito que se concedem reciprocamente os capitalistas ocupados na reprodução. Constitui a base do sistema de crédito. Representa-o a letra de câmbio,[I] título de dívida com prazo fixo de vencimento e que é a forma jurídica do pagamento protelado (*document of deferred payment*). Cada um dá crédito com

---

I No Brasil, a letra utilizada no crédito comercial é a duplicata, que é emitida para ser aceita pelo devedor, no caso, o comprador da mercadoria. Está sujeita às normas do direito cambiário.

uma das mãos e recebe-o com a outra. Abstraiamos por ora do crédito bancário que constitui outro campo, domínio essencialmente diverso. Quando essas letras circulam entre os próprios comerciantes como meio de pagamento, mediante endosso de um para outro, sem interferência de desconto, nada mais há que transferência de título de crédito de A para B, e nada se altera absolutamente no contexto dos negócios. Há apenas substituição de uma pessoa por outra. E mesmo nesse caso pode-se dar a liquidação sem interferência de dinheiro. A fiação de A, por exemplo, tem de pagar uma letra ao corretor de câmbio B, e este ao importador C. Se C também exporta fio, o que frequentemente acontece, poderá ele comprar fio a A mediante letra de câmbio, e A cobrir o corretor B utilizando a própria letra deste, recebida por C em pagamento, e então haverá no máximo um saldo em dinheiro a pagar. Toda a transação é apenas veículo da troca de algodão por fio. O exportador representa apenas o fabricante de fios, e o corretor, o plantador de algodão.

Duas observações a respeito do ciclo desse crédito puramente comercial.

Primeira: A liquidação desses débitos recíprocos depende de refluir o capital, isto é, M – D, apenas protelado. Se o fabricante de fios recebe letra do fabricante de chita, só poderá este pagar-lhe se a chita que pôs no mercado é vendida nesse entretempo. Se o especulador de trigo dá uma letra a seu agente, só lhe poderá pagar o dinheiro se, no tempo intermédio, o trigo for vendido ao preço esperado. Esses pagamentos dependem, portanto, da fluidez da reprodução, isto é, do processo de produção e de consumo. Uma vez que os créditos são recíprocos, a solvência de um depende da solvência do outro, pois quem emite letra de câmbio pode estar contando ou com o retorno do capital ao próprio negócio ou com o retorno dele ao negócio de terceiro, que nesse tempo intermédio tem de lhe pagar uma letra. Eliminada a probabilidade desses retornos, o pagamento só pode efetuar-se por meio do capital de reserva de que disponha o devedor da letra, a fim de solver seus compromissos no caso de se retardarem os retornos.

Segunda: Tal sistema de crédito não abole a necessidade de pagamentos de contado. Deve ser paga em dinheiro grande parte das despesas: salários, impostos etc. Demais, pode ocorrer que B, antes de vencer-se letra que recebeu de C em vez de pagamento, tenha de pagar a D letra que já se venceu, e para isso precisa de numerário. Um circuito tão perfeito de reprodução, como o suposto acima, indo do plantador do algodão até a indústria de fiação e vice-versa, só pode ocorrer excepcionalmente e tem sempre de ser interrompido em muitos pontos. Quando estudamos o processo de reprodução (Livro 2, Terceira Seção),[1] vimos que os produtores do capital constante trocam entre si parte dele. Nessas trocas, as letras podem mais ou menos compensar-se. E o mesmo pode-se dar na linha ascendente da produção, quando o corretor de algodão deve sacar sobre o fabricante de fio, este sobre o de chitas, o fabricante de chitas sobre o exportador, e este sobre o importador (que, por seu turno, talvez importe algodão). Mas, as transações não constituem automaticamente um circuito, de modo que os débitos se eliminassem dentro dele. O crédito, por exemplo, do fabricante de fio contra o de tecidos não se liquida pelo crédito do fornecedor de carvão contra o construtor de máquinas; o fabricante de fio em seu negócio nunca tem oportunidade de emitir um título de dívida contra o construtor de máquinas, pois o fio não constitui elemento que entre no processo de reprodução deste. Tais créditos têm, portanto, de ser pagos em dinheiro.

Os limites desse crédito comercial, considerado isoladamente, são (1) a riqueza dos industriais e comerciantes, isto é, suas disponibilidades em capital de reserva no caso de se retardarem os retornos de capital; (2) esses próprios retornos. Os retornos podem atrasar-se, ou os preços das mercadorias podem cair no tempo intermédio, ou a mercadoria pode momentaneamente ficar invendável com a estagnação dos mercados. Quanto maior o prazo de vencimento das letras, tanto maior tem de ser o capital de reserva e tanto maior é a possibilidade de que se restrinja ou se atrase o retorno do dinheiro em virtude de queda dos preços ou de abarrotamento dos mercados. Além disso, os retornos serão tanto mais incertos quanto mais a transação original for condicionada pela especulação de alta ou de baixa dos preços da mercadoria. Mas está claro que, com o desenvolvimento da produtividade do trabalho e, portanto, da produção em grande escala, (1) os mercados se expandem e se distanciam do local de produção, (2) por isso, os créditos devem prolongar-se e, portanto, (3) o fator especulação deve dominar cada vez mais as transações. A produção em grande escala e para mercados distantes lança o produto global nas mãos do comércio; mas é impossível que o capital da nação dobre, de modo que o comércio de

---

[1] Ver Livro 2, pp. 468-471.

per si esteja capacitado para comprar com capital próprio todo o produto nacional e em seguida revendê-lo. O crédito aí é, portanto, indispensável; crédito que tem o montante aumentado, com o aumento crescente da magnitude do valor da produção, e a duração distendida com o afastamento cada vez maior dos mercados. Há aí efeitos recíprocos. O desenvolvimento do processo de produção amplia o crédito, e o crédito leva à expansão das operações industriais e mercantis.

Se esse crédito se considera separado do crédito do banqueiro, é claro que ele cresce quando aumenta o montante do próprio capital industrial. Aqui são idênticos capital de empréstimo e capital industrial; os capitais emprestados são capitais-mercadorias, destinados ao consumo individual e final ou a repor os elementos constantes do capital produtivo. O que aparece aqui como capital emprestado é sempre capital que se encontra em fase determinada do processo de reprodução, mudando porém de mãos mediante compra e venda, enquanto o comprador só paga o equivalente mais tarde, ao prazo estipulado. Por exemplo, o algodão mediante letra cambiária vai para o fabricante de fio, o fio contra letra para o fabricante de chita, a chita contra letra para o comerciante, deste contra letra para o exportador, e do exportador contra letra para comerciante na Índia; este a vende e em troca adquire anil etc. Durante esse trajeto, o algodão se transforma em chita, e a chita é finalmente transportada para a Índia, onde é trocada por anil, que é remetido para a Europa, onde, por sua vez, entra na reprodução. O crédito possibilita aí as diferentes fases do processo de reprodução, sem que o fabricante de fio tenha pago o algodão, o de chita, o fio, e o comerciante, a chita etc. Nos primeiros atos do processo passa a mercadoria (algodão) pelas diferentes fases do processo de produção, e o crédito proporciona essa passagem. Mas logo que o algodão recebe na produção a última forma, esse mesmo capital-mercadoria transita pelas mãos de diversos comerciantes, que providenciam o transporte para mercados distantes, e o último deles vende finalmente a mercadoria ao consumidor e em troca compra outra mercadoria, que entra no consumo ou no processo de reprodução. Há dois aspectos distintos a considerar: primeiro, o crédito serve de veículo às fases sucessivas reais da produção de determinado artigo; segundo, permite que este se transfira de um comerciante para outro, sendo inclusive transportado, que se efetue portanto o ato M – D. Mas a mercadoria aí está sempre no ato de circulação; portanto, em fase do processo de reprodução.

CAPITAL-DINHEIRO E CAPITAL REAL - I

Por conseguinte, o que se empresta aí nunca é capital desocupado, mas capital que tem de mudar de forma nas mãos de seu possuidor, que existe em forma em que para ele é apenas capital-mercadoria, isto é, capital que antes de mais nada tem de ser reconvertido em dinheiro. Assim, o que o crédito possibilita aí é a metamorfose da mercadoria; não só M – D, mas também D – M e o processo real de produção. Abundância de crédito no ciclo reprodutivo – pondo-se de lado o crédito bancário – não significa abundância de capital desocupado, oferecido para empréstimo e que procura emprego lucrativo, e sim grande ocupação de capital no processo de reprodução. O crédito aí permite, portanto, (1) quanto aos capitalistas industriais, que o capital industrial passe de uma fase para outra, que se conjuguem as esferas de produção que reciprocamente se pertencem e que interferem umas nas outras; (2) quanto aos comerciantes, que as mercadorias se transportem e mudem de mãos até a venda definitiva por dinheiro ou a troca por outra mercadoria.

O máximo de crédito significa aí o pleno emprego, levado ao máximo, do capital industrial, isto é, a tensão extrema da capacidade de reprodução desse capital, sem levar em conta os limites do consumo. Esses limites do consumo são dilatados pela intensificação do próprio processo de reprodução, a qual aumenta o consumo da renda pelos trabalhadores e capitalistas e, além disso, se identifica com o aumento do consumo produtivo.

Enquanto o processo de reprodução mantém a fluidez e assim assegura o retorno do capital, esse crédito perdura e se expande, e essa expansão é baseada sobre a do próprio processo de reprodução. Quando os negócios estancam, por se retardarem os retornos de capital, por se abarrotarem os mercados, por caírem os preços, há tal pletora de capital industrial que ele não pode desempenhar sua função. Amontoam-se massas invendáveis de capital-mercadoria. O capital fixo está em grande parte desocupado em virtude de estagnar-se a reprodução. O crédito contrai-se (1) porque o capital está desocupado, isto é, parado numa das fases da reprodução, não podendo completar sua metamorfose; (2) porque se quebrou a confiança na fluidez do processo de reprodução e (3) porque diminui a procura desse crédito comercial. O fabricante de fios que reduz a produção e tem estoque invendável não precisa comprar algodão a crédito; o comerciante não necessita comprar mercadorias a crédito, pois delas já tem mais do que carece.

Perturbada a expansão dos negócios ou mesmo a intensidade normal do processo de reprodução, sobrevém escassez de crédito; fica mais difícil obter mercadorias a crédito. Mas a exigência de pagamento de contado e a precaução na venda a crédito caracterizam particularmente a fase do ciclo industrial que sucede ao craque. Na própria crise, uma vez que cada um tem de vender e não pode comprar, precisando vender para pagar, é justamente quando é maior a massa não do capital desocupado a investir, mas do capital paralisado no processo de reprodução, embora a escassez de crédito chegue ao extremo (e por isso a taxa de desconto, no crédito bancário, está no nível mais alto). Na realidade, o capital já desembolsado está desocupado em massa, porque parou o processo de reprodução. Fecham-se as fábricas, as matérias-primas se amontoam, os produtos acabados são mercadorias que abarrotam o mercado. Nada mais falso que atribuir essa situação à carência de capital produtivo. Então, o que há precisamente é pletora de capital produtivo, seja com referência ao tamanho normal, momentaneamente contraído, da reprodução, seja com referência ao consumo paralisado.

Imaginemos toda a sociedade constituída apenas de capitalistas industriais e trabalhadores assalariados. Abstraiamos das oscilações de preços que impedem grandes porções da totalidade do capital de se reporem nas condições médias e que, dada a interdependência geral do processo de reprodução, desenvolvida sobretudo pelo crédito, necessariamente provocam sempre estagnações transitórias gerais. Abstraiamos também dos negócios fictícios e das especulações, favorecidos pelo sistema de crédito. Então, as crises só seriam explicáveis pela desproporção entre os diferentes ramos de produção e pela desproporção entre o consumo e a acumulação dos próprios capitalistas. Mas no estado de coisas reinante, a reposição dos capitais aplicados na produção depende, em grande parte, da capacidade de consumo das classes não produtivas, enquanto a capacidade de consumo dos trabalhadores está limitada pelas leis do salário e ainda pela circunstância de só serem empregados quando o puderem ser com lucro para a classe capitalista. A razão última de todas as crises reais continua sendo sempre a pobreza e a limitação do consumo das massas em face do impulso da produção capitalista: o de desenvolver as forças produtivas como se tivessem apenas por limite o poder absoluto de consumo da sociedade.

Só se pode falar de escassez real de capital produtivo, pelo menos nos países capitalistas desenvolvidos, nos casos de más colheitas generalizadas, seja dos principais produtos alimentares, seja das matérias-primas industriais mais importantes.

CAPITAL-DINHEIRO E CAPITAL REAL - I

Mas a esse crédito comercial vem juntar-se o crédito financeiro ou crédito monetário propriamente dito. Os adiantamentos recíprocos dos industriais e comerciantes amalgamam-se com os adiantamentos em dinheiro que lhes fazem os banqueiros e os prestamistas. No desconto das letras, o adiantamento é apenas nominal. Um fabricante vende seu produto contra letra e desconta-a num *bill-broker*. Na realidade, este nada mais adianta que o crédito de seu banqueiro, que, por sua vez, lhe adianta o capital-dinheiro dos depositantes, os próprios industriais e comerciantes, além de trabalhadores (por intermédio das caixas econômicas), dos que fluem renda fundiária e das outras classes improdutivas. Assim, o fabricante ou o comerciante pode individualmente contornar a necessidade de ter grande capital de reserva e a dependência dos retornos efetivos de capital. Entretanto, o processo inteiro se complica tanto – com a emissão de meros papagaios, ou com negócios de mercadorias destinados apenas a fabricar letras – que pode subsistir a aparência tranquila de negócio sólido e de retornos fáceis de dinheiro, quando há muito tempo esses retornos na realidade só se fazem mediante fraude contra prestamistas ou contra produtores. Por isso, sempre às vésperas do craque, os negócios aparentam quase solidez extrema. Para comprová-lo, o melhor exemplo são os *Reports on Bank Acts* de 1857 e 1858: aí, todos os diretores de bancos, comerciantes, em suma, todos os expertos chamados a depor, lorde Overstone à frente deles, se felicitavam pela prosperidade e solidez dos negócios – justamente um mês antes de rebentar a crise de agosto de 1857. E admira que Tooke em sua *History of Prices* ainda seja vítima dessa ilusão, sendo o historiador das crises. Os negócios vão muito bem, reina a maior prosperidade, e de repente surge a catástrofe.

Voltamos agora a acumulação de capital-dinheiro.

Nem todo acréscimo de capital-dinheiro que se pode emprestar representa acumulação real de capital ou ampliação do processo de reprodução. Isto se revela com a maior clareza na fase do ciclo industrial que vem logo depois de passada a crise, quando capitais de empréstimo se amontoam ociosos. Nesses momentos, quando o processo de produção se restringe (a produção nos distritos industriais ingleses, após a crise de 1847, diminuiu de um terço), quando os preços das mercadorias descem ao nível mais baixo, quando o espírito de empresa cai em marasmo, é baixa a taxa de juros reinante, o que apenas constitui índice de ter acrescido o capital para empréstimo em virtude de contrair-se e paralisar-se o capital industrial. Se os preços das mercadorias caem, se diminuem as transações, se o capital desembolsado em salários se contrai, fica sendo menor a quantidade necessária de meios de circulação; se foram liquidadas as dívidas ao estrangeiro, seja pela exportação de ouro, seja por meio de falências, não é necessário dinheiro adicional algum para exercer a função de dinheiro mundial; se decresce o número e os montantes das próprias letras, reduzir-se-á a magnitude do negócio de descontos – tudo isto salta logo à vista. A procura de capital-dinheiro de empréstimo, na condição de meio de circulação ou de pagamento (não se fala ainda de novo investimento de capital), diminui, portanto, e esse se torna relativamente abundante. Nessas circunstâncias, a oferta de capital-dinheiro de empréstimo aumenta positivamente, como se verá adiante.

Assim, após a crise de 1847, reinava "redução das transações e grande abundância de dinheiro" (*Comm. Distress*, 1847-48, depoimento Nº 1.664). A taxa de juro estava muito baixa em virtude da "quase total destruição do comércio e quase impossibilidade de aplicar dinheiro" (*loc. cit.*, p. 45. Depoimento de Hodgson, diretor do *Royal Bank of Liverpool*). Como esses senhores (e Hodgson ainda é um dos melhores), para explicar esses fatos, inventam disparates, pode-se verificar na seguinte passagem:

> "A crise" (1847) "originou-se de redução real do capital-dinheiro no país, causada em parte pela necessidade de pagar em ouro as importações de todas as regiões do mundo e em parte pela transformação de capital de circulação (*floating capital*) em fixo" [*loc. cit.*, p. 63].

Não se pode compreender como a transformação do capital de circulação em fixo diminuiria o capital-dinheiro do país, pois, no caso das ferrovias, por exemplo – onde sobretudo se investia antes –, ouro ou papel não são material de construção de viadutos e vias, e o dinheiro para as ações ferroviárias, depositado para pagá-las, funcionava como qualquer outro depositado no banco, e mesmo, conforme se mostrou acima, aumentava momentaneamente o capital-dinheiro possível de ser emprestado; mas quando realmente empregado nas construções, rolava pelo país na condição de meio de compra e de meio de pagamento. O capital-dinheiro só poderia ser prejudicado na medida em que capital fixo não é artigo exportável, em que deixa de existir, em virtude da impossibilidade de venda ao exterior,

CAPITAL-DINHEIRO E CAPITAL REAL – I

o capital disponível obtido com retornos correspondentes a mercadorias exportadas, neles incluídos os retornos em numerário ou barras. Naquela época, quantidades enormes de artigos ingleses de exportação se amontoavam invendáveis nos mercados externos. Para os comerciantes e fabricantes de Manchester etc. – que amarraram parte do capital normal da empresa em ações ferroviárias e que para conduzir o negócio dependiam por isso de capital de empréstimo –, o capital de circulação petrificara-se de fato em capital fixo, e tinham de arcar com as consequências. O mesmo teria ocorrido se tivessem empregado o capital pertencente ao negócio e deste retirado, não em ferrovias, mas, por exemplo, em minas, cujo produto, por sua vez, é capital de circulação, ferro, carvão, cobre etc. A redução real do capital-dinheiro disponível em virtude de más colheitas, da importação de trigo e da exportação de ouro ocorreu naturalmente sem ter qualquer ligação com a especulação ferroviária.

> "Quase todas as casas comerciais começaram a reduzir mais ou menos os próprios recursos financeiros para empregar o dinheiro em ferrovias" [*loc. cit.*, p. 42]. – "Os adiantamentos, tão avantajados, que as casas comerciais fizeram ao setor ferroviário induziram-nas a apoiar-se demais nos bancos, recorrendo ao desconto de letras, e por esse meio prosseguir as operações comerciais" (Hodgson, *loc. cit.*, p. 67). "Em Manchester ocorreram perdas imensas em virtude da especulação ferroviária" (R. Gardner, citado no Livro 1, Capítulo XIII, 3, c, e em outras partes desta obra; depoimento Nº 4.884, *loc. cit.*).

Entre as causas principais da crise de 1847 figuram o abarrotamento colossal dos mercados e a especulação sem peias nos negócios com as Índias Orientais. Mas houve também outras circunstâncias que levaram à falência casas muito ricas que operavam nesses negócios:

> "Dispunham de recursos abundantes, mas estes não eram realizáveis. Todo o capital delas estava imobilizado em terras em Maurício ou em fábricas de anil e açúcar. Se contraíram então obrigações que atingiam 500.000 a 600.000 libras esterlinas, não dispunham de meios financeiros líquidos para pagar as letras, e por fim evidenciou-se que, para pagá-las, precisavam recorrer totalmente ao crédito" (Ch. Turner, grande comerciante de Liverpool, com negócios nas Índias Orientais, Nº 730, *loc. cit.*).

Ouçamos Gardner (Nº 4.872, *loc. cit.*).

"Logo após o tratado com a China abriram-se para os negócios com esse país perspectivas tão amplas que muitas grandes fábricas foram construídas expressamente para esse comércio, a fim de fabricar sobretudo artigos de fácil saída no mercado chinês, e essas fábricas se juntaram às já existentes. – 4.874: Como transcorreram esses negócios? – De maneira tão ruinosa que desafia qualquer descrição; acredito que de todos os embarques feitos para a China em 1844 e 1845 não foram recuperados mais de $\frac{2}{3}$ do montante; por ser o chá o principal artigo de exportação chinês e por nos encherem de grandes esperanças, nós, fabricantes, contávamos seguramente com grande redução nos direitos aduaneiros sobre o chá."

Ressoa então ingênuo o credo característico do fabricante inglês:

"Nosso comércio com os mercados estrangeiros não está limitado pela capacidade deles de comprar as mercadorias, mas pela nossa capacidade de consumir os artigos que recebemos em troca de nossos produtos industriais."

(Os países relativamente pobres com que comercia a Inglaterra podem naturalmente pagar e consumir qualquer quantidade possível de produtos ingleses, mas infelizmente a rica Inglaterra não pode digerir os produtos recebidos em troca.)

"4.876: No início remeti algumas mercadorias que foram vendidas com prejuízo de cerca de 15%, e tinha a firme convicção de que o preço a que meus agentes comprariam chá me proporcionaria na revenda aqui lucro tão grande que cobriria essa perda; mas, em vez de lucro, perdi frequentes vezes 25 e até 50%. – 4.877: Exportavam os fabricantes por conta própria? – Na maioria dos casos: os comerciantes, parece, logo perceberam que o negócio não rendia, e procuravam não participar diretamente dele, preferindo incentivar os fabricantes a lhes confiar as mercadorias em consignação."

Em 1857, ao contrário, as perdas e falências recaíram de preferência sobre os comerciantes, pois dessa vez os fabricantes lhes transferiram a tarefa de abarrotar "por conta própria" os mercados externos.

Expansão do capital-dinheiro decorrente de se transformarem por determinado tempo em capital de empréstimo, entesouramentos particulares ou reservas em moeda, ao dilatar-se o sistema bancário (ver mais adiante exemplo de Ipswich, onde no decurso de poucos anos anteriores a 1857

CAPITAL-DINHEIRO E CAPITAL REAL – I

quadruplicaram os depósitos dos arrendatários), não significa aumento do capital produtivo, e tampouco o expressam os depósitos crescentes nos bancos londrinos por ações, desde que começaram a pagar juros sobre os depósitos. Na medida em que não varia a escala de produção, essa expansão apenas faz que haja abundância de capital-dinheiro de empréstimo em relação ao capital produtivo. Daí baixa taxa de juro.

Quando o processo de reprodução de novo atinge a fase de prosperidade que precede à de tensão extrema, alcança o crédito comercial extensão muito grande, que volta realmente a repousar na base "sólida" de retornos fáceis de dinheiro e de produção expandida. Nessa fase, o juro ainda continua baixo, embora se eleve acima do mínimo. Na realidade, esta é a *única* fase em que se pode dizer que baixa taxa de juro e, por conseguinte, abundância relativa de capital de empréstimo coincidem com expansão efetiva do capital industrial. A facilidade e a regularidade dos retornos, conjugadas com crédito comercial expandido, asseguram a oferta de capital de empréstimo, apesar da procura acrescida, e impedem que se eleve a taxa de juro. Surge então em cena número considerável de embusteiros que trabalham sem capital de reserva, sem qualquer capital, operando totalmente na base do crédito monetário. Acresce aí a grande expansão do capital fixo em todas as formas e a fundação em massa de novas e vastas empresas. O juro chega então a seu nível médio. Volta a atingir o nível máximo, quando irrompe a nova crise, quando o crédito cessa de súbito, estancam os pagamentos, paralisa-se o processo de reprodução e, com as exceções antes mencionadas, surge, ao lado da escassez quase absoluta de capital de empréstimo, pletora de capital industrial desocupado.

Assim, no conjunto, o movimento do capital de empréstimo, expresso na taxa de juro, se efetua em sentido inverso ao do capital industrial. Só em duas ocasiões há coincidência entre capital de empréstimo abundante e expansão do capital industrial: na fase em que a baixa taxa de juro, acima do nível mínimo embora, coincide com a "melhoria" e a confiança em ascensão subsequentes à crise, e sobretudo na fase em que essa taxa atinge o nível médio, equidistante do mínimo e do máximo. Mas no começo do ciclo industrial a taxa de juro baixa coincide com a contração do capital industrial, e, no fim dele, a alta, com a abundância desse capital. A taxa de juro baixa, concomitante à "melhoria", expressa que o crédito comercial, ainda andando com os próprios pés, só moderadamente precisa do crédito bancário.

Caracteriza esse ciclo industrial a circunstância de, após o primeiro impulso, reproduzir-se necessária e periodicamente o mesmo circuito.⁶³ No período de depressão, a produção cai abaixo do nível alcançado no ciclo anterior e para o qual existe base técnica. Na prosperidade – o período médio – prossegue desenvolvendo-se nessa base. No período de superprodução e de especulação, as forças produtivas se expandem ao máximo, ultrapassando os limites capitalistas do processo de produção.

É por si mesmo evidente que no período de crise faltem meios de pagamento. A conversibilidade das letras substitui a própria metamorfose das mercadorias e tanto mais quanto mais, nessa época, aumenta o número de casas comerciais que operam unicamente a crédito. Legislação bancária inepta e absurda, como a de 1844-45, pode agravar essa crise monetária. Mas nenhuma legislação bancária poderia eliminá-la.

Num sistema de produção em que o mecanismo do processo de reprodução repousa sobre o crédito, se este cessa bruscamente admitindo-se apenas pagamento de contado, deve evidentemente sobrevir crise, corrida violenta aos meios de pagamento. Por isso, à primeira vista, toda a crise se configura como simples crise de crédito e crise de dinheiro. E, na realidade trata-se apenas da conversibilidade das letras em dinheiro. Mas essas letras representam, na maioria dos casos, compras e vendas reais, cuja expansão

---

63 [Conforme já observei,¹ houve alteração no ciclo, depois da última grande crise geral. A forma aguda do processo periódico com seu ciclo decenal parece ter cedido à intermitência – mais crônica, mais extensa, repartindo-se pelos diversos países em tempos diferentes – de melhoria nos negócios relativamente curta e débil e de depressão relativamente longa, onde não se entrevê uma decisão. Mas talvez o ciclo tenha somente se alongado. Na infantil do mercado internacional, de 1815 a 1847, evidenciam-se os ciclos de cerca de 5 anos; de 1847 a 1867, o ciclo é decididamente de dez anos; estaríamos no período preparatório de novo craque mundial, de violência inédita? Os indícios são fortes. Depois da crise geral de 1867 sobrevieram grandes modificações. Na realidade, foi a expansão colossal dos meios de transporte e comunicações – navios a vapor, ferrovias, telégrafo elétrico, canal de Suez – que estruturou o mercado mundial. Vários países industriais surgiram ao lado da Inglaterra, que antes monopolizava a indústria; em todas as partes do mundo, abriram-se mais vastos e mais diversificados territórios à aplicação do capital europeu excedente, que desse modo se reparte mais amplamente, superando com mais facilidade os excessos de especulação locais. Todos esses fatores suprimiram ou enfraqueceram bastante, na maior parte, os antigos focos e as conjunturas responsáveis pelas crises. Ademais, a concorrência retrocede no mercado interno diante dos cartéis e trustes, enquanto se restringe no mercado externo pela proteção aduaneira com que se cercam todos os grandes países industriais exceto a Inglaterra. Mas, as muralhas de proteção aduaneira são apenas armaduras para a última batalha internacional da indústria que decidirá do domínio do mercado mundial. Assim, todo fator que se opõe à repetição das velhas crises traz consigo o germe da crise futura muito mais violenta. — F.E.]

I Livro 1, pp. 39-40.

ultrapassa de longas exigências da sociedade, o que constitui, em última análise, a razão de toda a crise. Ademais, massa enorme dessas letras representa especulações puras que desmoronam à luz do dia; ou especulações conduzidas com capital alheio, porém malsucedidas; finalmente, capitais-mercadorias que se depreciaram ou ficaram mesmo invendáveis, os retornos irrealizáveis de capital. Não pode remediar a todo o sistema artificial de expansão forçada do processo de reprodução a circunstância de um banco, o Banco da Inglaterra, por exemplo, fornecer em bilhetes o capital que falta a todos os especuladores e comprar todos os valores depreciados aos antigos valores nominais. Tudo aqui está às avessas, pois, nesse mundo de papel, nenhures aparecem o preço real e seus elementos efetivos, vendo-se apenas barras, dinheiro sonante, bilhetes, letras, valores mobiliários. Essa deformação aparece principalmente nos centros como Londres, onde se concentram todos os negócios financeiros de um país; todo o processo se torna incompreensível; já menos, nos centros de produção.

Quanto à pletora de capital industrial que se manifesta nas crises, observemos ainda: o capital-mercadoria em si é ao mesmo tempo capital-dinheiro, isto é, determinada soma de valor, expressa no preço da mercadoria. Como valor de uso, é quantidade determinada de certos objetos úteis, existente em demasia no momento da crise. Mas como capital-dinheiro em si, como capital dinheiro potencial, está sujeito a processo constante de expansão e contração. Na véspera da crise e dentro dela, o capital-mercadoria na condição de capital-dinheiro potencial se contrai. Representa para o possuidor e para o credor deste (e como garantia de letras e empréstimos) menos capital-dinheiro que ao tempo em que foi adquirido e em que, por ele garantidos, se efetuaram descontos e empréstimos. Se tem esse sentido a afirmação de que se reduz o capital-dinheiro de um país em épocas de crise, significa ela que os preços das mercadorias caíram. Aliás, esse desmoronamento dos preços apenas compensa a inflação anterior.

As receitas das classes improdutivas e dos que vivem de renda fixa permanecem em grande parte estacionárias durante a inflação dos preços, que corre junto com a superprodução e a especulação excessiva. Por isso, sua capacidade de consumo diminui relativamente e, em consequência, o poder de repor a parte que, integrando a reprodução global, normalmente teria de entrar nesse consumo. Sua procura, mesmo quando não varia nominalmente, diminui em termos reais.

Quanto à importação e à exportação releva observar que, um após outro, todos os países se envolvem na crise, verificando-se que todos, com poucas exceções, exportaram e importaram demais, ficando o *balanço de pagamentos desfavorável a todos*: é que a crise de fato não provém do balanço de pagamentos. A Inglaterra, por exemplo, importou em excesso, e o ouro dela está-se escoando. Ao mesmo tempo, porém, todos os outros países estão abarrotados de mercadorias inglesas. Importaram, portanto, demais ou fizeram-nos importar demais (por certo, há diferença entre o país que exporta a crédito e os que não exportam ou pouco exportam a crédito. Estes importam então a crédito, a não ser quando a mercadoria lhes seja remetida em consignação). A crise pode rebentar primeiro na Inglaterra, o país que mais dá crédito e menos o recebe, porque o balanço de pagamentos, o balanço dos pagamentos vencidos que devem ser imediatamente liquidados, é *contra ela*, embora lhe *seja favorável* o balanço comercial geral. Isto se explica pelo crédito que concede e pela massa de capitais que empresta ao exterior, de modo que lhe refluem massas de mercadorias, fora dos retornos comerciais propriamente ditos (mas, às vezes, a crise irrompe de início na América, o país que mais recebe o crédito comercial e o crédito de capital da Inglaterra). O craque na Inglaterra, iniciado e acompanhado pela saída de ouro, equilibra o balanço de pagamentos em virtude da falência dos importadores (mais adiante voltaremos ao assunto), da remessa ao exterior de uma porção do capital-mercadoria a preços baixos, da venda de títulos estrangeiros, da compra de títulos ingleses etc. Chega então a vez de outro país: o balanço de pagamentos estava momentaneamente favorável, mas agora a crise suprimiu ou encurtou o intervalo que vigora em tempos normais entre os compromissos do balanço de pagamentos e os do balanço comercial; todos os pagamentos devem agora ser efetuados de uma vez. A mesma coisa se repete aí. Então, o ouro, saindo desse país, reflui para a Inglaterra. O que num país é excesso de importação aparece no outro como excesso de exportação e vice-versa. Mas em todos os países ocorreu tanto excesso de importação quanto de exportação (não estamos falando de más colheitas etc., e sim de crise geral), isto é, superprodução, fomentada pelo crédito e pela concomitante inflação geral dos preços.

Em 1857 irrompeu a crise nos Estados Unidos. O ouro fluiu da Inglaterra para a América. Mas logo que a inflação rebentou na América, surgiu crise na Inglaterra e ouro saiu da América para a Inglaterra. A mesma coisa se passou entre a Inglaterra e o continente. Em tempos de crise geral, o balanço de pagamentos é desfavorável a toda nação, pelo menos a toda nação comercialmente desenvolvida, mas sempre uma após a outra, como num fogo por filas, de acordo com a vez de pagar; e a crise, uma vez irrompida na Inglaterra, por exemplo, concentra a série desses pagamentos que se vencem em período extremamente curto. Patenteia-se então que todas essas nações se excederam ao mesmo tempo nas exportações (vale dizer na produção) e nas importações (no comércio, portanto), que em todas os preços foram impelidos para cima e exagerou-se no crédito. E em todas sucede o mesmo descalabro. O fenômeno da saída de ouro então ocorre a todas, uma após outra, e em virtude da generalidade revela (1) que a hemorragia de ouro é mero sintoma da crise e não causa dela, e (2) que a sucessão em que sobrevem às diversas nações apenas mostra a ordem em que estas ajustam as contas com os céus, a ocasião em que surge a fase decisiva da crise e se desencadeiam os elementos latentes dela.

Os economistas ingleses – e a literatura econômica inglesa, digna de menção, aparecida a partir de 1830, se cinge principalmente à circulação monetária, a crédito, crises – caracterizam-se por considerar a exportação de metais preciosos em épocas de crise apenas do ponto de vista da Inglaterra, como fenômeno nacional, apesar da variação das taxas de câmbio. E obstinam-se em não ver que, ao elevar o Banco da Inglaterra a taxa de juro em tempos de crise, todos os outros bancos europeus fazem o mesmo, e que o clamor a que hoje se associam contra a saída de ouro ressoa amanhã na América e depois de amanhã na Alemanha e na França.

> Em 1847 "devia a Inglaterra liquidar compromissos correntes" (relativos em grande parte ao trigo). "Infelizmente liquidou-os em grande parte por meio de falências" (a rica Inglaterra recuperava o fôlego por meio de falências perante credores do continente e da América). "Mas quando não os liquidava por meio de falência, pagava-os mediante exportação de metais preciosos" (*Report of Committee on Bank Acts*, 1857).

Assim, a legislação bancária, na medida em que agrava a crise na Inglaterra, é, em épocas de escassez de alimentos, meio de lesar as nações exportadoras de trigo, tanto no trigo quanto no dinheiro que por ele têm a receber. Para países, por sua vez, mais ou menos sujeitos a situações de carestia, proibir exportação de trigo, nessas épocas, é meio racional de se oporem a esse plano do Banco da Inglaterra de "liquidar compromissos" referentes à compra de trigo "por meio de falências". Nessas condições, é muito melhor que os produtores de trigo e especuladores percam parte do lucro em benefício do país que o capital em benefício da Inglaterra.

Do exposto infere-se que o capital-mercadoria, na crise e nas estagnações dos negócios em geral, perde em grande parte a capacidade de representar capital-dinheiro potencial. O mesmo se aplica ao capital fictício, aos papéis que rendem juros, na medida em que circulam na bolsa como capital-dinheiro. Com o juro ascendente cai o preço deles. O que também provoca essa queda é a escassez geral de crédito, que força os detentores a lançarem-nos em massa no mercado para obter dinheiro. Finalmente, quanto às ações, há baixa em virtude da redução dos rendimentos a que dão direito ou em virtude do caráter fraudulento das empresas que com tanta frequência representam. Esse capital fictício reduz-se enormemente nas crises, e em consequência o poder dos respectivos proprietários de obter com ele dinheiro no mercado. A baixa nominal desses valores mobiliários no boletim de bolsa não tem relação com o capital real que representam, mas tem muito que ver com a solvência do proprietário desse capital.

XXXI.
Capital-dinheiro e capital real – II (continuação)

XXXI.
Capital-dinheiro e capital
real — II (continuação)

Ainda não concluímos o estudo do problema de saber até onde a acumulação do capital na forma de capital-dinheiro de empréstimo coincide com a acumulação real, a ampliação do processo de reprodução.

Bem mais simples que a transformação de dinheiro em capital produtivo é a transformação de dinheiro em capital-dinheiro de empréstimo. Mas é mister distinguir aí duas coisas:

1) a mera conversão de dinheiro em capital de empréstimo;
2) a conversão de capital ou renda em dinheiro, que se transforma em capital de empréstimo.

Só a segunda hipótese pode abranger acumulação positiva do capital de empréstimo, conexa com a acumulação real do capital industrial.

1. CONVERSÃO DE DINHEIRO EM CAPITAL DE EMPRÉSTIMO

Já vimos que pode haver amontoamento, pletora de capital de empréstimo, que se relaciona com a acumulação produtiva somente no sentido de lhe ser inversamente proporcional. Essa relação se positiva em duas fases do ciclo industrial: primeiro na ocasião em que o capital industrial se contrai nas duas formas de capital produtivo e de capital-mercadoria portanto, no início do ciclo após a crise; e segundo quando começa a melhoria, mas o crédito comercial ainda recorre pouco ao crédito bancário. No primeiro caso, o capital-dinheiro que era antes empregado em produção e comércio, aparece agora como capital de empréstimo desocupado; no segundo, aparece empregado em escala crescente, mas a juro muito baixo, porque agora os capitalistas industriais e comerciais ditam as condições aos capitalistas financeiros. A pletora de capital de empréstimo significa no primeiro caso estagnação do capital industrial e no segundo independência relativa do crédito comercial quanto ao crédito bancário, baseada na fluidez dos retornos, nos prazos curtos de crédito e no predomínio das operações com capital próprio. Os especuladores que contam com o alheio capital de crédito ainda não entraram em cena; as pessoas que operam com capital próprio ainda estão bem longe de efetuar operações que se pareçam com operações puras de crédito. Na primeira fase, a pletora de capital de empréstimo significa justamente o oposto de acumulação real. Na segunda fase, coincide com expansão renovada do processo de reprodução, acompanhando-a, sem ser causa dela. O excesso de capital passa a declinar, existindo apenas em termos relativos, comparado com a procura. Em ambos os casos, a ampliação do processo real de acumulação é incentivada porque a taxa de lucro baixa, que no primeiro caso coincide com preços baixos e no segundo com preços em ascensão lenta, aumenta a parte do lucro que se converte em lucro de empresário. Esse aumento é maior ainda quando o juro se eleva ao nível médio no auge da prosperidade, embora não suba na proporção do lucro.

Além disso, vimos que pode ocorrer acumulação de capital de empréstimo sem qualquer acumulação real, por processos puramente técnicos, como ampliação e concentração dos bancos, economia das reservas de circulação ou ainda dos fundos de reserva de meios de pagamentos de particulares; daí resultam sempre conversões em capital de empréstimo por prazos curtos. Esse capital de empréstimo, embora assuma essa forma sempre por períodos curtos (daí ser chamado de capital flutuante, *floating capital*, e deverem os descontos ser feitos por períodos curtos), flui e reflui sem cessar. O que um tira da circulação, outro nela repõe. A massa de capital-dinheiro de empréstimo (não falamos aqui de empréstimos a longo prazo, mas de empréstimos a prazo curto baseados em letras e depósitos) aumenta desse modo sem qualquer dependência efetiva da acumulação real.

> B.C.[1] 1857. Pergunta 501: "Que entende por capital flutuante (*floating capital*)?" – (Weguelin, Governador do Banco da Inglaterra): "É o capital aplicável em empréstimos a dinheiro por prazo curto... (502): Bilhetes do Banco da Inglaterra... dos bancos das províncias, e o montante do dinheiro existente no país." – [Pergunta:] "De acordo com a documentação recolhida pela Comissão, não parece que – se o capital flutuante é a circulação ativa, conforme entende o senhor – ocorrem variações consideráveis nessa circulação ativa?" (Mas importa muito saber quem adianta a circulação ativa, se o emprestador de dinheiro ou o próprio capitalista reprodutivo. – Resposta de Weguelin: "Incluo no capital flutuante as reservas dos banqueiros, submetidas a flutuações importantes."

Em outras palavras, há importantes flutuações na porção de depósitos que os banqueiros não voltam a emprestar, figurando como encaixe deles

---

[1] *Bank Committee* = Comissão Bancária.

CAPITAL-DINHEIRO E CAPITAL REAL – II (CONTINUAÇÃO)

e, em grande parte, como reserva do Banco da Inglaterra onde fazem depósitos. Por fim, diz Weguelin: capital circulante é *bullion*, isto é, barras e dinheiro metálico (503). Nessa algaravia do mercado financeiro admira como todas as categorias da economia política assumem outro sentido e outra forma. Capital flutuante (*floating capital*) serve para designar capital em circulação (*circulating capital*), coisa totalmente diversa; dinheiro (*money*) é capital e barras de ouro (*bullion*) é capital; bilhetes de banco constituem circulação (*circulation*); capital é mercadoria (*a commodity*), e dívidas são mercadorias; capital fixo (*fixed capital*) é dinheiro empregado em papéis difíceis de vender.

> "Os bancos por ações de Londres... aumentaram os depósitos de 8.850.774 libras esterlinas em 1847 para 43.100.724 em 1857... Da documentação e dos depoimentos trazidos à Comissão, infere-se que, desse enorme montante, grande parte deriva de fontes que antes não eram utilizáveis para esse fim; e que o hábito de abrir conta em banco e nele depositar dinheiro estendeu-se a numerosas fontes que antes não se podiam utilizar com esse objetivo; e que esse hábito espalhou-se por numerosas classes que antes não empregavam seu capital dessa maneira. Mr. Rodwell, presidente da Associação dos bancos provinciais particulares" [diferem dos bancos por ações] "e delegado dessa Associação para depor perante a Comissão, admite que na área de Ipswich quadruplicou o número dos arrendatários e pequenos comerciantes que recentemente adotaram esse costume; quase todos os arrendatários, mesmo os que só pagam 50 libras esterlinas de arrendamento por ano, têm agora depósitos nos bancos. A massa desses depósitos encontra emprego naturalmente nos negócios e é atraída sobretudo por Londres, o centro da atividade comercial, onde se aplica antes de mais nada em desconto de letras e em outros adiantamentos aos clientes dos banqueiros londrinos. Todavia, grande parte desses depósitos para a qual os banqueiros não têm procura imediata vai para as mãos dos *bill-brokers*, que em troca dão aos banqueiros letras comerciais que já descontaram para firmas de Londres e das províncias" (B.C., 1858, p. [v, §] 8).

O banqueiro, ao fazer adiantamentos ao *bill-broker* sobre as letras que este já descontou, de fato redesconta-a outra vez; na realidade, porém, muitas dessas letras já foram redescontadas pelo *bill-broker* e, com o mesmo dinheiro com que o banqueiro redesconta as letras do *bill-broker*, este redesconta novas letras. Daí resulta o seguinte:

"Letras de favor e créditos abertos criaram amplos créditos fictícios, o que foi grandemente facilitado pela maneira de proceder dos bancos por ações das províncias, os quais descontavam essas letras e faziam-nas descontar depois pelos *bill-brokers* no mercado de Londres, e apenas na base do crédito do banco, sem levar em conta a verdadeira qualidade da letra" (*loc. cit.*, [p. XXI, § 54]).

A respeito dos redescontos e da ajuda que esse aumento puramente técnico do capital-dinheiro de empréstimo proporciona em especulações creditícias, temos as seguintes observações do *Economist*:

"Durante muitos anos acumulou-se o capital" (isto é, o capital-dinheiro de empréstimo) "em certas circunscrições do país mais rapidamente do que podia ser aplicado, enquanto noutras os meios de investi-lo cresceram com mais rapidez que o próprio capital. Assim, enquanto os banqueiros das circunscrições agrícolas não tinham oportunidade de empregar os depósitos de maneira lucrativa e segura na própria região, os das circunscrições industriais e das cidades mercantis se defrontavam com procura de capital maior que a que podiam atender. Em consequência dessas diferenças de situação nas diferentes circunscrições surgiu e se desenvolveu impetuosamente nos últimos anos novo gênero de firmas operando na repartição do capital; chamadas geralmente de *bill-brokers*, são, na realidade, banqueiros na mais ampla das escalas. O negócio dessas firmas é tomarem a si, de acordo com períodos e juros estipulados, o capital excedente dos bancos das circunscrições onde não pode ser empregado, e também os recursos provisoriamente ociosos de sociedades anônimas e de grandes casas comerciais, tendo em mira adiantar esse dinheiro a juro mais alto aos bancos das circunscrições onde há mais procura de capital; é o que em regra fazem redescontando as letras de seus clientes... Assim, Lombardstreet tornou-se o grande centro onde o capital ocioso da parte do país na qual não se pode empregar utilmente se transfere para outra parte onde existe procura; e isto se aplica tanto às diferentes circunscrições do país quanto aos indivíduos colocados na mesma situação. De início, esses negócios se limitavam quase estritamente a empréstimos com garantia bancária. Mas, ao crescer rapidamente o capital do país e ao ser mais poupado com a criação de bancos, tomaram-se tão grandes os fundos à disposição dos estabelecimentos de descontos, que estes passaram a fazer adiantamentos, primeiro sobre certificados de depósito de mercadorias em armazéns portuários e depois sobre conhecimentos de embarque, que representavam produtos ainda não chegados ao destino, embora, frequentes vezes, sem constituir regra porém, já se emitissem as correspondentes letras contra o corretor de merca-

CAPITAL-DINHEIRO E CAPITAL REAL – II (CONTINUAÇÃO)

dorias. Essa prática logo modificou por inteiro o caráter do comércio inglês. As facilidades assim oferecidas por Lombardstreet robusteiam a posição dos corretores de Mincing Lane,[I] os quais, por sua vez, transferiam todas essas vantagens aos importadores; estes utilizaram-nas tanto que nos últimos anos tal prática se generalizou a ponto de se poder considerá-la a regra e não mais exceção rara como acontecia 25 anos antes: então, tomar emprestado na base de conhecimentos de embarque ou mesmo de certificados de depósito de mercadoria (*dock warrants*) arruinava o crédito do comerciante. Esse sistema ampliou-se tanto que em Lombardstreet se tomavam emprestadas grandes somas com letras que tinham por garantia futuras safras a colher nas colônias distantes. Em virtude dessas facilidades, os importadores ampliaram os negócios no exterior e o capital flutuante (*floating*) com que geriam o próprio negócio imobilizaram nas aplicações mais condenáveis, em plantações coloniais, sobre as quais pouco ou nenhum controle podiam exercer. Eis como se apresenta o encadeamento direto dos créditos. O capital que em nosso país se junta nas áreas rurais deposita-se em pequenas quantidades nos bancos das províncias e centraliza-se para ser empregado em Lombardstreet. Mas é utilizado primeiro para expandir os negócios nas áreas mineiras e industriais por meio do redesconto de letras nos bancos locais; em seguida, para proporcionar facilidades maiores aos importadores de produtos estrangeiros, por meio de adiantamentos garantidos por certificados de mercadoria armazenada (*dock warrants*) e conhecimentos de embarque, o que possibilitou ao capital mercantil legítimo (sic) de firmas que operam em negócios externos e coloniais liberar-se e ser aplicado nos investimentos mais condenáveis em plantações nos países de ultramar" (*Economist*, 1847, p. 1334).

Este é o "maravilhoso" encadeamento dos créditos. O depositante rural imagina que seu depósito está efetivamente nas mãos de seu banqueiro e que este, ao emprestá-lo, o faz a pessoa dele conhecida. Não desconfia que o banqueiro põe seu depósito à disposição dos *bill-brokers* londrinos, sobre cujas operações nem ele nem o banqueiro têm o menor controle.

Já vimos como as grandes empresas públicas, as ferrovias por exemplo, contribuem momentaneamente para aumentar o capital de empréstimo, porque as somas pagas pelos subscritores permanecem durante certo tempo disponíveis nas mãos dos bancos até encontrarem emprego efetivo.

I Rua em Londres onde se concentra o comércio por atacado de mercadorias coloniais.

A massa do capital de empréstimo difere totalmente da quantidade do meio circulante. Por quantidade do meio circulante entendemos a soma de todos os bilhetes de banco existentes e circulantes num país e todo o dinheiro metálico, inclusive as barras de metais preciosos. Parte dessa quantidade constitui encaixe dos bancos de magnitude sempre variável.

> "Em 12 de novembro de 1857" (quando foi suspensa a lei bancária de 1844), "o encaixe total do Banco da Inglaterra, todas as filiais incluídas, importava apenas em 580.751 libras esterlinas; na mesma ocasião, a soma dos depósitos atingia $22\frac{1}{2}$ milhões de libras esterlinas, das quais cerca de $6\frac{1}{2}$ milhões pertenciam aos banqueiros londrinos" (*Bank Acts*, 1858, p. LVII).

As variações da taxa de juro (excetuadas as que ocorrem durante períodos longos e as oriundas da diferença dessa taxa segundo os diferentes países: aquelas condicionadas pelas variações da taxa geral de lucro e estas, por diferenças nas taxas de lucro e no desenvolvimento do crédito) dependem da oferta do capital de empréstimo, isto é, do capital que se empresta na forma de dinheiro, espécies metálicas ou bilhetes, desde que invariáveis as demais condições, grau de confiança etc. Esse capital difere do capital industrial que os agentes reprodutivos, por meio do crédito comercial, se emprestam reciprocamente na forma de mercadoria.

Apesar disso, a massa desse capital-dinheiro de empréstimo diverge e não depende da massa de dinheiro em circulação.

Se 20 libras esterlinas, por exemplo, fossem emprestadas 5 vezes por dia, emprestar-se-ia um capital-dinheiro de 100 libras; isto suporia que as 20 libras teriam ainda exercido, pelo menos 4 vezes, a função de meio de compra ou de pagamento, pois esse dinheiro, sem mediação de compra e pagamento, de modo que representasse pelo menos 4 vezes a forma transmutada de capital (mercadoria, inclusive força de trabalho), não constituiria capital de 100 libras, e sim 5 créditos de 20 libras cada um.

Nos países de crédito desenvolvido podemos admitir que todo capital-dinheiro disponível para empréstimo existe na forma de depósitos nos bancos e nas mãos dos prestamistas. Isto se aplica pelo menos aos negócios em geral. Além disso, nas épocas prósperas, antes de desencadear-se a especulação propriamente dita, quando o crédito é fácil e a confiança crescente, a maior parte das funções da circulação se efetua por meio de mera transferência de créditos, sem intervenção de moeda metálica ou de papel.

CAPITAL-DINHEIRO E CAPITAL REAL - II (CONTINUAÇÃO)

A simples possibilidade de grandes depósitos, com quantidade relativamente reduzida de meios de circulação, depende unicamente:

1) do número das compras e pagamentos efetuados pela mesma peça de dinheiro e
2) do número de vezes em que essa peça retorna aos bancos como depósito, de modo que a função repetida de meio de compra e de pagamento é possibilitada pela conversão renovada em depósitos. Por exemplo, um retalhista toda semana deposita no banco 100 libras em moedas, que servem ao banqueiro para devolver parte do depósito do fabricante; este utiliza as mesmas moedas para pagar os trabalhadores, que com elas compram ao retalhista, que novamente as deposita no banco. As 100 libras esterlinas depositadas pelo retalhista serviram, primeiro, para converter em numerário depósito do fabricante; segundo, para pagar os trabalhadores; terceiro, para pagar o próprio retalhista, e quarto, para depositar quantidade adicional do capital-dinheiro do mesmo retalhista. Assim, ao fim de 20 semanas, se não sacar contra esse dinheiro, terá depositado no banco, com as mesmas 100 libras, 2.000.

Apenas os acréscimos e decréscimos do encaixe dos bancos dão a medida do emprego desse capital-dinheiro. Daí concluir Mr. Weguelin, em 1857 Governador do Banco da Inglaterra, que o ouro é no Banco da Inglaterra o "único" capital de reserva:

> "1.258: No meu modo de ver, a taxa de desconto é determinada efetivamente pela soma de capital desocupado existente no país. O montante do capital desocupado se configura no encaixe do Banco da Inglaterra, na realidade, reserva ouro. Assim, a saída de ouro reduz o montante do capital desocupado no país e por isso aumenta o valor da parte remanescente. – 1.364 [Newmarch]: O encaixe ouro do Banco da Inglaterra é, na verdade, reserva central ou o tesouro efetivo na base do qual se efetua todo o comércio do país... é sobre esse tesouro ou esse reservatório que repercutem sempre as flutuações das taxas de câmbio dos outros países" (*Report on Bank Acts*, 1857).

A estatística das exportações e importações serve para medir a acumulação do capital real – o capital produtivo e o capital-mercadoria. E revela sempre que no período de desenvolvimento da indústria inglesa (1815-1870) marcado por ciclos decenais, o máximo da última fase de prosperidade antes da crise reaparece sempre como mínimo da subsequente fase de prosperidade, para em seguida atingir novo máximo mais elevado.

O valor real ou declarado dos produtos exportados pela Grã-Bretanha e Irlanda em 1824, ano de prosperidade, foi de 40.396.300 libras esterlinas. Em seguida, o montante das exportações com a crise de 1825 cai abaixo dessa soma e fica oscilando por ano entre 35 e 39 milhões. Com a volta da prosperidade em 1834, ultrapassa o nível mais alto antes atingido e chega a 41.649.191 libras, e em 1836 alcança o novo máximo de 53.368.571 libras. Em 1837 retrocede para 42 milhões – situando-se esse novo mínimo acima do antigo máximo – e em seguida passa a oscilar entre 50 e 53 milhões. A volta da prosperidade eleva o montante das exportações, em 1844, a $58\frac{1}{2}$ milhões, quando o máximo de 1836 é de longe ultrapassado. Em 1845, as exportações atingem 60.111.082 libras esterlinas; em 1846 caem a montante superior a 57 milhões; em 1847 chegam a quase 59 milhões; em 1848, a cerca de 53 milhões; em 1849 sobem a $63\frac{1}{2}$ milhões; em 1853, a perto de 99 milhões; em 1854, a 97 milhões; em 1855 chegam a $94\frac{1}{2}$ milhões; em 1856 elevam-se a quase 116 milhões e alcançam, em 1857, novo máximo de 122 milhões. Em 1858 descem para 116 milhões, mas, em 1859, já sobem a 130 milhões; em 1860, a quase 136 milhões; em 1861 atingem apenas 125 milhões (mais uma vez, o novo mínimo é maior do que o máximo anterior), e em 1863 alcançam $146\frac{1}{2}$ milhões.

Poder-se-ia comprovar o mesmo no tocante às importações, que indicam a expansão do mercado; aqui temos que ver apenas com a escala da produção. [É evidente que isto só se aplica à Inglaterra no período de monopólio industrial efetivo; mas se aplica de modo geral ao conjunto dos países que possuem grande indústria moderna, enquanto o mercado mundial continue em expansão. — F.E.]

2. TRANSFORMAÇÃO DE CAPITAL OU RENDA EM DINHEIRO, E CONVERSÃO DESTE EM CAPITAL DE EMPRÉSTIMO

Estudaremos agora a acumulação do capital-dinheiro, na medida em que não corresponde a uma estagnação no fluxo do crédito comercial ou a poupanças nos meios de circulação ou no capital de reserva dos agentes ocupados na reprodução.

Excetuados esses dois casos, pode haver acumulação de capital-dinheiro por ocorrer afluxo de ouro fora do comum, como em 1852 e 1853,

CAPITAL-DINHEIRO E CAPITAL REAL – II (CONTINUAÇÃO)

em consequência da exploração das novas minas de ouro da Austrália e da Califórnia. Esse ouro foi depositado no Banco da Inglaterra. Os depositantes receberam em troca bilhetes que não voltaram a depositar diretamente nos bancos. Assim aumentou extraordinariamente o meio circulante (depoimento de Weguelin, B.C., 1857, Nº 1.329). O Banco procurou explorar esses depósitos, rebaixando o desconto para 2%. A massa de ouro amontoada no Banco durante seis meses de 1853 elevou-se a 22-23 milhões.

A acumulação de todos os capitalistas que emprestam dinheiro se dá sempre, é claro, na forma imediata de dinheiro, mas vimos que a acumulação real dos capitalistas industriais em regra se efetua por meio do acréscimo dos elementos do próprio capital reprodutivo. O desenvolvimento do sistema de crédito e a concentração enorme do negócio de emprestar dinheiro nas mãos dos grandes bancos necessariamente já aceleram de per si a acumulação do capital de empréstimo como forma diversa da acumulação real. Esse desenvolvimento rápido do capital de empréstimo resulta da acumulação real, pois é consequência do desenvolvimento do processo de reprodução, e o lucro que constitui a fonte de acumulação desses capitalistas financeiros é dedução da mais-valia que os capitalistas reprodutivos obtêm (aqueles ao mesmo tempo se apropriam de parte do juro proveniente de poupanças *alheias*). O capital de empréstimo acumula-se à custa dos industriais e comerciantes ao mesmo tempo. Vimos que nas fases adversas do ciclo industrial a taxa de juro pode subir tanto que por algum tempo absorve por completo o lucro em certos ramos de atividade, especialmente desfavorecidos. Então caem os preços dos títulos públicos e dos outros papéis. Esta é a ocasião em que os capitalistas financeiros compram em massa esses títulos depreciados, que nas fases posteriores logo atingem e ultrapassam o nível normal. Desfazem-se então dos papéis, com o que se apropriam de parte do capital-dinheiro do público. A parte que guardam rende juros mais altos, pois foi comprada abaixo do preço. Mas todo lucro que os capitalistas financeiros fazem e convertem em capital é convertido antes de mais nada em capital de empréstimo. A acumulação deste, diversa da acumulação real, embora fruto dela, já se patenteia, se consideramos apenas os capitalistas financeiros, banqueiros etc., como acumulação dessa classe particular de capitalistas. E cresce necessariamente à medida que se expande o sistema de crédito, que acompanha a ampliação real do processo de reprodução.

Se a taxa de juro está baixa, essa depreciação do capital-dinheiro atinge principalmente os depositantes e não os banqueiros. Antes de se desenvolverem os bancos por ações, $\frac{3}{4}$ de todos os depósitos dos bancos na Inglaterra não rendiam juros. Hoje, o juro que se paga por depósito é inferior à taxa corrente em 1% pelo menos.

Quanto à acumulação de dinheiro das demais classes de capitalistas, abstraímos da parte que se emprega em papéis que rendem juros e nessa forma se acumula. Só se considera a parte que se lança no mercado como capital-dinheiro de empréstimo.

De início há a parte de lucro que não se despende como renda, destinando-se à acumulação, e para a qual os capitalistas industriais não encontram por ora emprego no próprio negócio. Esse lucro existe diretamente no capital-mercadoria e constitui parte do valor que é realizado em dinheiro. Se não se reconverte nos elementos de produção do capital-mercadoria (estamos por ora abstraindo do comerciante que será objeto de consideração à parte), terá de permanecer por certo tempo na forma de dinheiro. Essa massa aumenta com a massa do próprio capital, mesmo que decresça a taxa de lucro. A parte a ser despendida como renda consome-se pouco a pouco, constituindo no intervalo, como depósito, capital de empréstimo nas mãos do banqueiro. Por conseguinte, também o crescimento da parte do lucro despendida como renda expressa acumulação progressiva, que se repete sem cessar. O mesmo se estende à outra parte destinada à acumulação. Com o desenvolvimento e a organização do sistema de crédito, portanto, o aumento da renda, isto é, do consumo dos capitalistas industriais e comerciais, redunda em acumulação de capital de empréstimo. E isto se aplica a todas as rendas, desde que se consumam pouco a pouco: renda fundiária, salário nas formas superiores, receita das classes improdutivas etc. Todas assumem por certo tempo a forma de renda em dinheiro, sendo por isso transformáveis em depósitos e, por conseguinte, em capital de empréstimo. Desde que exista numa forma monetária qualquer, toda renda, destine-se ao consumo ou à acumulação, é parte do valor do capital-mercadoria convertida em dinheiro e, por isso, expressão e resultado da acumulação real, embora não seja o próprio capital produtivo. Se uma fiação troca parte do fio por algodão, e a parte que constitui renda por dinheiro, a existência de seu capital industrial se configura realmente no fio, que se transferiu para as mãos do fabricante de tecidos ou de consumidores particulares. O fio é

CAPITAL-DINHEIRO E CAPITAL REAL – II (CONTINUAÇÃO)

o modo de existência – trate-se de reprodução ou de consumo – do valor capital e da mais-valia que nele se insere. A magnitude da mais-valia convertida em dinheiro depende da magnitude da mais-valia contida no fio. E o dinheiro em que se converteu passa a ser apenas o modo de existência em valor dessa mais-valia. E como tal se torna elemento do capital de empréstimo. Basta para isso que se transforme em depósito, se o próprio possuidor já não o tiver emprestado. Ao revés, para voltar a ser capital produtivo, é necessário que atinja antes certo limite mínimo.

XXXII.
Capital-dinheiro e capital real – III (conclusão)

XXXII.
Capital-dinheiro e
capital real — III (conclusão)

A massa do dinheiro a reconverter-se em capital resulta do vasto processo de reprodução, mas, considerada de per si, como capital-dinheiro de empréstimo, não constitui ela mesma capital reprodutivo.

O mais importante do exposto é que, da renda, a expansão da parte destinada ao consumo se revela de início acumulação de capital-dinheiro (estamos abstraindo do trabalhador, porque sua renda = capital variável). Na acumulação de capital-dinheiro surge assim aspecto que a diferencia essencialmente da acumulação real do capital industrial: a parte do produto anual destinada ao consumo não se torna de maneira alguma capital. Fração dela *repõe* capital, isto é, o capital constante dos produtores de meios de consumo, mas, ao converter-se realmente em capital, existe na forma natural da renda dos produtores desse capital constante. O mesmo dinheiro que representa a renda e serve de mero intermediário do consumo transforma-se regularmente, por algum tempo, em capital-dinheiro de empréstimo. Esse dinheiro, quando configura salário, é também a forma dinheiro do capital variável e, quando repõe o capital constante dos produtores de meio de consumo, é a forma dinheiro que seu capital constante momentaneamente assume, servindo para comprar os elementos naturais do capital constante a repor. Nem numa nem na outra forma expressa de per si acumulação, embora sua massa acresça com o tamanho do processo de reprodução. Mas exerce provisoriamente a função de dinheiro a emprestar, de capital-dinheiro, portanto. Sob esse aspecto, a acumulação de capital-dinheiro reflete sempre acumulação de capital maior que a existente na realidade: é que a expansão do consumo individual, sendo propiciada pelo dinheiro, aparece como acumulação de capital-dinheiro, pois fornece a forma dinheiro para a acumulação real, dinheiro para novos investimentos de capital.

Por conseguinte, a acumulação do capital-dinheiro de empréstimo expressa em parte o simples fato de todo o dinheiro – em que se converte o capital industrial no seu processo cíclico – assumir não a forma de dinheiro que os capitalistas reprodutivos *adiantam*, mas a de dinheiro que *tomam emprestado*, configurando-se em adiantamento de dinheiro emprestado o adiantamento de dinheiro que necessariamente ocorre no processo de reprodução. Na realidade, no sistema de crédito comercial, um empresta ao outro o dinheiro de que precisa no processo de reprodução. Mas a coisa agora assume outra forma: o banqueiro, nas suas relações com os capitalistas produtivos, recebe o dinheiro emprestado de uns e empresta-o a outros, como se desempenhasse a função de uma fada benfazeja; ao mesmo tempo, o poder de dispor sobre esse capital cai por completo nas mãos dos banqueiros, os mediadores.

Ainda resta mencionar certas formas especiais de acumulação de capital-dinheiro. Libera-se capital, por exemplo, em virtude de cair o preço dos elementos de produção, das matérias-primas etc. Se o industrial não pode expandir imediatamente o processo de reprodução, retira do processo, por supérflua, parte do capital-dinheiro e converte-a em capital-dinheiro de empréstimo. Segundo caso: libera-se capital na forma dinheiro, sobretudo no comércio, quando há interrupções nos negócios. Se o comerciante concluiu uma série de negócios e se essas interrupções só mais tarde lhe permitem iniciar nova série, o dinheiro realizado não passa para ele de tesouro, de capital supérfluo. Mas, ao mesmo tempo, representa diretamente acumulação de capital-dinheiro de empréstimo. No primeiro caso, a acumulação do capital-dinheiro significa que o processo de reprodução se renova em condições mais favoráveis, liberação real de parte do capital anteriormente comprometido, capacidade, portanto, de ampliar o processo de reprodução com os mesmos recursos em dinheiro. No segundo caso, ao contrário, mera interrupção da corrente das transações. Mas em ambos os casos o dinheiro se transforma em capital-dinheiro a emprestar, representa acumulação deste, atua igualmente no mercado financeiro e na taxa de juro, embora no primeiro caso signifique fomento e, no segundo, estorvo do processo real de acumulação. Finalmente, a acumulação de capital-dinheiro se efetua pelos que se retiram da reprodução, depois de terem feito fortuna. Quanto maiores tiverem sido os lucros no curso do ciclo industrial, tanto maior é o número dessas pessoas. Nesse caso, a acumulação de capital-dinheiro expressa, de um lado, acumulação real (segundo o volume relativo), e, do outro, a proporção em que os capitalistas industriais se transformam em meros capitalistas financeiros.

A parte do lucro não destinada a ser consumida como renda só se transforma em capital-dinheiro se não puder ser imediatamente aplicada para ampliar o negócio no ramo de produção onde se obtém esse lucro. Essa impossibilidade decorre de duas causas: ou esse ramo já está saturado de capital, ou a acumulação, para funcionar como capital, precisa primeiro atingir certo montante, de acordo com as proporções exigidas para investir novo capital nesse negócio particular. Em consequência, de início se transforma em capital-dinheiro de empréstimo e serve para ampliar a produção em outros ramos. Supostas invariáveis todas as demais condições, a massa

CAPITAL-DINHEIRO E CAPITAL REAL - III (CONCLUSÃO)

de lucro destinada a reconverter-se em capital dependerá da massa do lucro obtido e, portanto, da expansão do próprio processo de reprodução. Mas se o emprego dessa nova acumulação encontra dificuldades, falta de campos onde investir, se há saturação dos ramos de produção e oferta demasiada de capital de empréstimo, temos nessa pletora de capital-dinheiro disponível para emprestar a evidência das barreiras da produção *capitalista*. A subsequente especulação de crédito demonstra que não existe obstáculo positivo à aplicação desse capital excedente, mas que há obstáculos em virtude das leis de valorização do capital, em virtude dos limites dentro dos quais o capital pode valorizar-se na sua condição de capital. Em si, pletora de capital-dinheiro não significa necessariamente superprodução e tampouco mera inexistência de campos de aplicação para o capital.

A acumulação de capital de empréstimo consiste simplesmente nisto: dinheiro que se amontoa como dinheiro que se pode emprestar. Esse processo difere muito da conversão real em capital; há apenas acumulação de dinheiro em forma em que se pode transformar em capital. Mas essa acumulação, conforme demonstramos, pode apresentar aspectos muito diferentes dos da acumulação real. Quando a acumulação real se expande de maneira contínua, essa acumulação ampliada de capital-dinheiro pode resultar dela ou de fatores que a acompanham, mas dela divergem por completo; finalmente pode resultar mesmo de interrupções da acumulação real. Uma vez que esses fatores independentes da acumulação real, mas que a acompanham, entumecem a acumulação de capital de empréstimo, necessariamente ocorre em determinadas fases do ciclo pletora constante de capital-dinheiro, e essa pletora se desenvolve à medida que se estende o crédito. Essa pletora acarreta o desenvolvimento concomitante da necessidade de impelir o processo de produção além das barreiras capitalistas: comércio em excesso, superprodução, crédito em demasia. E sempre ocorre necessariamente em formas que provocam regressão.

Não é mister tratar aqui da acumulação de capital-dinheiro oriunda da renda fundiária, do salário etc. Basta ressaltar este ponto: a divisão do trabalho originária da produção capitalista faz que o encargo da poupança efetiva e da abstinência (praticadas pelos entesouradores), que proporcionam elementos à acumulação, fique para aqueles que percebem o mínimo desses elementos e frequentes vezes perdem suas economias, como os trabalhadores quando quebram os bancos. O capital do capitalista industrial não resulta de "economias" feitas por ele mesmo, mas ele dispõe de economias alheias na proporção da magnitude do capital próprio; já o capitalista financeiro transforma em fonte privada de enriquecimento o crédito que os capitalistas reprodutivos se concedem entre si e o que lhes dá o público. Assim, pulveriza-se a última ilusão do sistema capitalista, a de ser o capital o fruto do trabalho e da poupança pessoais. O lucro consiste no ato de apropriar-se de trabalho alheio, e o capital com que se mobiliza e se explora esse trabalho alheio consiste em propriedade alheia, que o capitalista financeiro põe à disposição do capitalista industrial a fim de explorá-lo por sua vez.

Mais algumas observações sobre o capital de crédito.

A frequência com que a mesma peça de dinheiro pode figurar como capital de empréstimo, conforme já vimos, depende:

1) do número de vezes que, em venda ou pagamento, realiza valores-mercadorias – transferindo capital, portanto – e, ainda, que realiza renda. A frequência com que muda de mãos como valor realizado, trate-se de capital ou renda, regula-se evidentemente pelo número e pelo montante das operações reais;

2) da economia dos pagamentos, e do desenvolvimento e organização do sistema de crédito;

3) enfim, do encadeamento e da rapidez de ação dos créditos, de modo que o dinheiro que num ponto se imobiliza como depósito, noutro logo se mobiliza como empréstimo.

Mesmo supondo-se que o capital de empréstimo só exista na forma de dinheiro real, de ouro ou prata, a mercadoria cuja substância serve de medida dos valores, ainda assim é mister que grande parte desse capital-dinheiro seja meramente fictício, constitua direitos sobre valor, títulos análogos aos símbolos do valor. O dinheiro, ao funcionar no ciclo do capital, constitui em certo momento capital-dinheiro; mas sem converter-se em capital-dinheiro de empréstimo é trocado pelos elementos do capital produtivo ou é desembolsado como meio de circulação para realizar a renda e não pode, portanto, transformar-se em capital de empréstimo para o possuidor. Quando se converte em capital de empréstimo – o mesmo dinheiro repetidas vezes representa capital de empréstimo –, é claro que *só num* ponto existe como dinheiro metálico; em todos os demais existe apenas na forma de direito de exigir capital. A acumulação desses direitos, segundo a hipótese estabelecida, provém da acumulação real, isto é, da transformação do valor do capital-mercadoria etc. em dinheiro; não obstante, de per si a acumulação desses direitos ou títulos difere tanto da acumulação real da

CAPITAL-DINHEIRO E CAPITAL REAL – III (CONCLUSÃO)

qual deriva quanto da acumulação futura (o novo processo de produção), propiciada pelos empréstimos de dinheiro.

À primeira vista, o capital de empréstimo existe sempre na forma de dinheiro,[64] depois como direito a dinheiro, enquanto o dinheiro, o modo original de sua existência, passa a existir nas mãos do prestatário na forma de dinheiro real. Para o emprestador converteu-se em direito a dinheiro, em título de propriedade. Por isso, a mesma quantidade de dinheiro real pode representar quantidades bem diversas de capital-dinheiro. Mero dinheiro, representando capital realizado ou renda realizada, torna-se capital de empréstimo mediante o simples ato de emprestar, mediante conversão em depósito, se consideramos a forma geral em sistema desenvolvido de crédito. Mas nas mãos do banqueiro pode ser apenas capital-dinheiro potencial, parado em sua caixa, em vez de ficar no bolso do proprietário.[65]

---

[64] B.A., 1857, depoimento de Twells, banqueiro. "4.516: Como banqueiro, faz negócios em capital ou em dinheiro? – Operamos com dinheiro. – 4.517: Como se fazem os depósitos no seu banco? – Em dinheiro. – 4.518: Como se fazem retiradas desses depósito? – Em dinheiro. – [4.519:] Podem ser considerados outra coisa além de dinheiro? – Não."
Overstone (ver Capítulo XXVI) confunde continuamente capital e dinheiro. Valor do dinheiro também significa para ele juro, mas quando este determinado pela massa do dinheiro; valor do capital será juro, quando determinado pela procura de capital produtivo e pelo lucro que este rende. Diz ele (4.140): "É muito perigoso o uso da palavra capital". – 4.148: A saída procura acrescida no mercado de dinheiro" (e não no mercado de capitais, segundo ele). – "4.112: Na medida em que o dinheiro sai do país, diminui sua quantidade dentro do país. Essa redução da quantidade que fica no país aumenta o valor desse dinheiro" (em sua teoria, isto significa primordialmente aumento do valor do dinheiro como dinheiro, em relação aos valores das mercadorias, em virtude de contrair-se circulação; assim, essa elevação do valor dinheiro = queda dos preços das mercadorias. Mas, ficando irrefutavelmente demonstrado, mesmo para ele, que a massa do dinheiro circulante *não* determina os preços, acha então que o decréscimo do dinheiro como meio de circulação fará subir seu valor como capital produtor de juros, elevando assim a taxa do juro). "E esse valor aumentado do dinheiro remanescente faz parar as saídas e persiste até que reflua tanto dinheiro quanto necessário para restabelecer o equilíbrio." – Mais adiante veremos como continuam as contradições de Overstone.

[65] Aparece aí a confusão que torna o dinheiro duas coisas: o depósito como direito de exigir pagamento do banqueiro e o dinheiro depositado nas mãos do banqueiro. O banqueiro Twells, perante a comissão bancária de 1857, apresenta o seguinte exemplo: "Inicio meu negócio com 10.000 libras esterlinas. Com 5.000 compro mercadorias que armazeno. As outras 5.000 deposito no banco, para ir sacando sobre elas de acordo com as necessidades. Mas continuo a considerar a soma todo meu capital, embora 5.000 libras esterlinas estejam na forma do depósito ou dinheiro" (4.528). Surge daí o seguinte amável debate: "4.531: O senhor, portanto, entregou a outra pessoa 5.000 libras em bilhetes de banco? – Sim. – 4.532: Essa pessoa então possui 5.000 libras em depósito? – Sim. – 4.533: E o senhor tem um depósito de 5.000 libras? – Exatamente. – 4.534: Ela tem 5.000 libras em dinheiro, e o senhor 5.000 libras em dinheiro? – Sem dúvida. – 4.535: Mas, no final de contas, só existe dinheiro? – Não." – A confusão decorre em parte do seguinte: Tendo A depositado as 5.000 libras esterlinas, pode sacar contra elas, dispor delas, como se as tivesse consigo. Até aí são para ele dinheiro potencial. Mas destrói seu depósito em quantia correspondente aos saques que faz. Se retira

O CAPITAL

Ao crescer a riqueza material, aumenta a classe dos capitalistas financeiros; prolifera o número e a riqueza dos capitalistas que se retiram, os *rentiers*, e o impulso dado ao desenvolvimento do sistema de crédito faz subir o número dos banqueiros, dos emprestadores de dinheiro, dos operadores financeiros etc. – Com o desenvolvimento do capital-dinheiro disponível cresce a massa dos papéis rentáveis, dos títulos da dívida pública, das ações etc., conforme expusemos antes. Mas ao mesmo tempo cresce também a procura de capital-dinheiro disponível, desempenhando os corretores (*jobbers*) que especulam com esses papéis função basilar e no mercado financeiro. Se todas as compras e vendas desses papéis correspondessem a investimentos reais de capital, seria correto dizer que não poderiam influir na procura de capital de empréstimo, pois A quando vende seu papel, dele retira tanto dinheiro quanto B nele põe. Todavia, mesmo nessa hipótese, pois o papel existe mas não o capital (pelo menos como capital-dinheiro) por ele originalmente representado, gera sempre o papel nova procura em montante igual ao do correspondente capital-dinheiro. Mas, em todo caso, trata-se do capital-dinheiro antes nas mãos de B e agora nas de A.

> B.A., 1857, Nº 4.886: "No seu modo de ver, indicarei corretamente as causas que determinam a taxa de desconto se disser que é regulada pela quantidade do capital existente no mercado, aplicável no desconto de letras comerciais, separando-as das outras espécies de papéis? – [Chapman:] Não; acho que a taxa de juro é influenciada por todos os papéis de negociação corrente; seria errado cingir a questão apenas ao desconto de letras, pois, se existe grande procura de dinheiro contra a caução de títulos da dívida consolidada ou de bônus do tesouro, como acontecia há pouco tempo, e a juro mais alto que o comercial, é absurdo dizer que esses elementos não influem em nosso mundo comercial, quando têm sobre ele influência decisiva. – 4.890: Se bons papéis negociáveis, reconhecidos como tais pelos banqueiros, estão no mercado, e os possuidores querem levantar dinheiro caucionando-os, terá isso sem a menor

---

dinheiro real, quando o dinheiro que depositou já foi emprestado, não volta esse mais a seu bolso, e sem dinheiro depositado por outrem. Se com um cheque contra seu banqueiro paga dívida a B, que deposita o cheque no seu banco, e se o banqueiro de A tem também um cheque contra o banqueiro de B, bastando que ambos os banqueiros os troquem para liquidá-los, o dinheiro depositado por A efetua duas vezes a função de dinheiro; primeiro, nas mãos de quem recebeu o dinheiro depositado por A; segundo, nas mãos do própria A. Na segunda função, os créditos se liquidam (o crédito de A contra seu banqueiro, e o deste contra o banqueiro de B) sem interferência de dinheiro. O depósito aí serve de dinheiro duas vezes, isto é, como dinheiro real e depois como direito de exigir dinheiro. Meros direitos de exigir dinheiro só podem fazer as vezes de dinheiro mediante compensação de créditos.

CAPITAL-DINHEIRO E CAPITAL REAL – III (CONCLUSÃO)

> sombra de dúvida repercussão nas letras comerciais; não posso por exemplo esperar que alguém me ceda dinheiro a 5% sobre letras comerciais, quando pode emprestar esse dinheiro a 6% sobre títulos da dívida consolidada; nosso comportamento é influenciado da mesma maneira; ninguém pode exigir de mim que desconte sua letra a $5\frac{1}{2}$ %, se tenho a possibilidade de emprestar meu dinheiro a 6%. – 4.892: Não diremos que tenham influência essencial no mercado financeiro pessoas que compram papéis no montante de 2.000 ou 5.000 ou 10.000 libras esterlinas, como investimento fixo de capital. Mas se o senhor me interroga a respeito da taxa de juro relativa a títulos da dívida consolidada (dados em caução), apontarei aqueles que fazem negócios na base de centenas de milhares de libras, os chamados especuladores de bolsa (*jobbers*), que subscrevem ou compram no mercado grandes quantidades de empréstimos públicos e precisam guardar esses papéis até que possam se desfazer deles com lucro; para essas operações têm de levantar dinheiro."

Com o desenvolvimento do sistema de crédito criam-se grandes mercados financeiros concentrados, como Londres, que são ao mesmo tempo centros desse comércio de papéis. Os banqueiros põem o capital-dinheiro do público, em grandes quantidades, à disposição dessa casta de negociantes, e assim prolifera essa raça de jogadores.

> "Dinheiro é geralmente mais barato de obter na bolsa de valores que em qualquer outra parte", diz, em 1848, o então Governador do Banco da Inglaterra, perante a Comissão secreta da Câmara dos Lordes (C.D., 1848, impresso em 1857, Nº 219).

Ao estudar o capital a juros, vimos que o juro médio, durante longa série de anos, desde que não se alterem as demais condições, é determinado pela taxa média do lucro, não do lucro de empresário, que nada mais é que o lucro menos o juro.[1]

No tocante às variações do juro comercial – o juro que os emprestadores de dinheiro computam para descontar e emprestar dentro do mundo do comércio –, já mencionamos que no decurso do ciclo industrial surge uma fase em que o juro supera o mínimo e atinge o nível médio (que depois ultrapassa), e em que esse movimento é consequência da elevação do lucro. Ainda investigaremos esse assunto mais adiante.

---

1 Ver p. 417s.

Aqui, porém, cabe fazer duas observações:

Primeiro: A taxa de juro, quando se mantém alta por período longo (estamos falando da taxa de juro num país como a Inglaterra, onde a taxa média de juro é dada para período longo, configurando-se no juro pago por empréstimos a prazo longo: é o que se pode chamar de juro privado), é demonstração imediata de que nesse período era alta a taxa de lucro, mas não prova necessariamente que também era alta a taxa do lucro do empresário. Esta última distinção não é relevante para capitalistas que operam predominantemente com o próprio capital; realizam a alta taxa de lucro, uma vez que pagam o juro a si mesmos. Alta taxa de lucro proporciona a possibilidade de taxa de juro alta por longo tempo – não estamos considerando aqui a fase da crise propriamente dita. Mas é possível que essa alta taxa de lucro, após deduzida a alta taxa de juro, só deixe remanescendo baixa taxa de lucro de empresário. Esta pode contrair-se, enquanto perdura a alta taxa de lucro. Isto é possível, porque as empresas, uma vez iniciadas, têm de continuar. Nesta fase opera-se muito com mero capital de crédito (capital alheio); e a taxa de lucro pode por vezes não passar de especulação, de simples expectativa. Alta taxa de juro pode ser paga com alta taxa de lucro, embora decresça o lucro de empresário. Pode ser paga – e isto acontece às vezes em épocas de especulação – não com o lucro, mas com o próprio capital alheio emprestado, o que pode persistir por algum tempo.

Segundo: Dizer que a procura de capital-dinheiro sobe e em consequência a taxa de juro, por ser alta a taxa de lucro, não é o mesmo que afirmar que a procura de capital industrial sobe e em consequência a taxa de juro.

Em tempos de crise, a procura de capital de empréstimo e com ela a taxa de juro atingem o máximo; a taxa de lucro e com ela a procura de capital industrial praticamente desaparecem. Nesses tempos toma-se emprestado para pagar, para liquidar obrigações já contraídas. Ao contrário, em épocas de reanimação após a crise, procura-se capital de empréstimo para comprar e para transformar o capital-dinheiro em capital produtivo ou comercial. Então pedem-no tanto o capitalista industrial quanto o comerciante. O capitalista industrial emprega-o em meios de produção e em força de trabalho.

A procura ascendente de força de trabalho nunca pode ser de per si causa de elevação da taxa de juro, na medida em que esta é determinada pela taxa de lucro. Aumento de salário nunca é causa de elevação do lucro, embora, considerando-se fases especiais do ciclo industrial, possa ser uma de suas consequências.

A procura de força de trabalho pode aumentar, por efetuar-se a exploração da força de trabalho em condições particularmente favoráveis, mas a procura ascendente de força de trabalho, portanto de capital variável, de per si não aumenta o lucro, mas o reduz de quantidade correspondente. Todavia, aumentando a procura de capital variável, cresce a de capital-dinheiro, provocando alta da taxa de juro. O preço de mercado da força de trabalho sobe então acima da média, emprega-se número de trabalhadores superior à média, e ao mesmo tempo eleva-se a taxa de juro, pois nessas circunstâncias aumenta a procura de capital-dinheiro. A procura crescente de força de trabalho encarece essa mercadoria como acontece a qualquer outra, eleva o preço dela, mas não o lucro, que se baseia sobretudo no preço relativo baixo justamente dessa mercadoria. Mas, ao mesmo tempo – nas condições estabelecidas – ela faz subir a taxa de juro, por aumentar a procura de capital-dinheiro. Se o capitalista financeiro, em vez de emprestar dinheiro, se transformasse em capitalista industrial, a circunstância de ter de pagar o trabalho mais caro, de per si, não elevaria seu lucro, mas o diminuiria em proporção correspondente. Entretanto, a conjuntura pode ser tal que seu lucro aumente, mas não porque paga mais caro pelo trabalho. Essa circunstância, na medida em que aumenta a procura de capital-dinheiro, basta para fazer subir a taxa de juro. Quaisquer que sejam as causas pelas quais sobe o salário, em conjunturas desfavoráveis, essa elevação fará cair a taxa de lucro e, além disso, elevar-se a taxa de juro na medida em que aumentar a procura de capital-dinheiro.

Se abstraímos do trabalho, o que Overstone chama de "procura de capital" é apenas procura de mercadorias. Essa procura aumenta o preço das mercadorias, seja porque sobe acima da média, seja porque a oferta cai abaixo da média. Se o capitalista industrial ou o comerciante tem de pagar agora, por exemplo, 150 libras esterlinas por quantidade de mercadorias pela qual pagava antes 100 libras, precisará tomar emprestado 150 libras para cada 100 de que precisava antes, e a juro de 5% terá de pagar $7\frac{1}{2}$ libras esterlinas para cada 5 que pagava antes. Subiria o montante de juros a pagar, por se ter elevado o montante do capital emprestado.

Todo o intento de Mr. Overstone se cifrava em apresentar como idênticos os interesses do capital de empréstimo e os do capital industrial, enquanto sua lei bancária abrigava o propósito de explorar a diferença entre esses interesses em benefício do capital financeiro.

É possível que a procura de mercadorias, no caso de a oferta cair abaixo da média, não absorva mais capital-dinheiro que antes. Pelo valor global deve-se pagar a mesma soma, talvez menor, mas pela mesma soma recebe-se quantidade menor de valor de uso. Nesse caso permanecerá a mesma a procura de capital-dinheiro de empréstimo, o juro, portanto, não subirá, embora tenha subido a procura da mercadoria em relação à oferta e, por isso, o preço da mercadoria. A taxa de juro só pode ser influenciada quando cresce a procura global de capital de empréstimo, o que não ocorre na hipótese acima.

A oferta de um artigo pode cair abaixo da média, como no caso de má colheita de trigo, algodão etc., e aumentar a procura de capital de empréstimo, pois especula-se com elevação ainda maior dos preços, e o meio mais direto de fazê-los subir consiste em retirar provisoriamente do mercado parte da oferta. Para pagar as mercadorias compradas sem vendê-las, faz-se dinheiro por meio da "alternância das letras comerciais". Neste caso, aumenta a procura de capital de empréstimo, e a taxa de juro pode subir em virtude dessa tentativa de impedir artificialmente que o mercado se abasteça. A taxa mais elevada de juro expressa então decréscimo artificial da oferta de capital-mercadoria.

Além disso, a procura de um artigo pode aumentar porque a oferta cresceu e o artigo se vende abaixo do preço médio.

Neste caso, pode a procura de capital de empréstimo permanecer a mesma ou até cair, porque a mesma soma de dinheiro dá para adquirir mais mercadorias. Mas poder-se-ia estocar por especulação, visando tirar partido da situação favorável aos objetivos da produção ou esperar futura elevação de preços. Nesse caso, a procura de capital de empréstimo poderia crescer, e a taxa de juro elevada indicaria emprego de capital na estocagem supérflua de elementos do capital produtivo. Só estamos considerando agora a procura de capital de empréstimo que é influenciada pela procura e oferta de capital-mercadoria. Já analisamos antes como as variações do processo de reprodução nas fases do ciclo industrial atuam sobre a oferta de capital de empréstimo. Astuciosamente, Overstone mistura a ideia trivial de ser a taxa de mercado do juro determinada pela oferta e procura de capital (de empréstimo) – com o seu postulado, que

CAPITAL-DINHEIRO E CAPITAL REAL - III (CONCLUSÃO)

identifica capital de empréstimo com capital em geral, procurando fazer do usurário o único capitalista e de seu capital o único capital.

Em época de crise, a procura de capital de empréstimo é procura de meios de pagamento e nada mais; de modo nenhum é procura de dinheiro como meio de compra. A taxa de juro pode então subir muito, não importando que haja excesso ou escassez de capital real – capital-mercadoria e capital produtivo. A procura de meios de pagamento é simples procura de *conversibilidade em dinheiro*, quando os comerciantes e produtores podem oferecer boas garantias; é procura de *capital-dinheiro*, quando por inexistência dessa possibilidade, adiantamento de meios de pagamento lhes proporciona, além da *forma dinheiro*, o *equivalente* de que precisam para pagar, seja qual for a forma. Aí está o ponto em que as duas facções da teoria consagrada acertam e erram ao apreciar as crises. Os que dizem que existe simples escassez de meios de pagamento, ou estão pensando apenas nos possuidores de garantias em letras comerciais genuínas, ou são loucos que acham que os bancos, apoiados em pedaços de papel, devem e podem converter todos os especuladores falidos em capitalistas solvíveis e sólidos. Os que dizem existir apenas escassez de capital, ou fazem mero jogo de palavras, pois nessas épocas há capital *inconversível* em massa por causa do excesso de importação e de produção, ou estão defendendo a posição daqueles cavalheiros do crédito, que, impossibilitados de receber mais capital alheio para operar, exigem que o banco lhes ajude a pagar o capital perdido e ainda os capacite a prosseguir nas trapaças.

Princípio em que se baseia a produção capitalista: o dinheiro é a forma autônoma do valor em face da mercadoria, ou o valor de troca tem de assumir forma autônoma no dinheiro. Isto só é possível enquanto determinada mercadoria se torna a matéria que serve para medir o valor de todas as outras mercadorias, vindo a ser por isso a mercadoria geral, a mercadoria por excelência em oposição a todas as demais. E isto necessariamente se revela de dois modos – sobretudo nas nações capitalistas desenvolvidas, que em grande escala substituem o dinheiro –, por meio de operações de crédito e por meio de dinheiro de crédito (moeda escritural). Em épocas de crise, quando o crédito se reduz ou cessa por inteiro, o dinheiro se patenteia de chofre e de maneira absoluta o único meio de pagamento e a existência verdadeira do valor em face das mercadorias. Daí a depreciação geral das mercadorias, a dificuldade e mesmo a impossibilidade de convertê-las em dinheiro, a forma quimérica pura que lhes é própria. Mas o próprio dinheiro de crédito só é dinheiro na medida em que representa absolutamente o dinheiro real no montante de seu valor nominal. Ao esvair-se o ouro, torna-se problemática sua conversibilidade em dinheiro, sua identidade com ouro real. Daí medidas coativas, fixação de alta taxa de juro etc., para assegurar as condições dessa conversibilidade. Isto pode, em maior ou menor grau, ser levado ao extremo por legislação errônea, baseada em falsas teorias do dinheiro e imposta à nação pelo interesse dos comerciantes do dinheiro, os Overstones e quejandos. Mas o fundamento disto está na própria base do modo de produção. Depreciar o dinheiro de crédito (para não falarmos em destituí-lo imaginariamente das propriedades monetárias) abalaria todas as condições existentes. Por isso, sacrifica-se o valor das mercadorias, para assegurar que exista no dinheiro esse valor mítico e autônomo. Tratando-se de valor monetário, assegurá-lo supõe que se assegure o dinheiro. Assim, para salvar alguns milhões em dinheiro, sacrificam-se muitos milhões em mercadorias. Isto é inevitável na produção capitalista e constitui uma de suas maravilhas. Essa ocorrência não se verifica em modos de produção anteriores porque, na estreita base em que se movimentam, nem o crédito nem o dinheiro de crédito se desenvolvem. Enquanto o caráter *social* do trabalho aparecer como a *existência monetária* da mercadoria e, portanto, como *coisa* fora da produção real, são inevitáveis as crises de dinheiro, quer sejam independentes das crises reais quer as agravem. É claro que, se não tem o crédito abalado, um banco, nesses casos, atenua ou intensifica o pânico segundo expande ou reduza o dinheiro de crédito. Toda história da indústria moderna demonstra que, se a produção interna estiver organizada, só haveria realmente necessidade de metal para o balanço do comércio internacional, desde que seu equilíbrio momentaneamente se desfizesse. A suspensão dos pagamentos em dinheiro metálico pelos chamados bancos nacionais, adotada como única medida salvadora em casos extremos, demonstra que já hoje dele não precisa o mercado interno.

Seria ridículo dizer que dois indivíduos que comerciam entre si tenham reciprocamente balanço desfavorável de pagamentos. Se são mutuamente devedores e credores, é claro que se os respectivos créditos não se anulam, um deve ao outro o que resta. Isto não se dá com as nações. E todos os economistas o reconhecem ao afirmarem que o balanço de pagamentos pode ser favorável ou desfavorável a uma nação, embora o balanço comercial tenha finalmente de equilibrar-se. O balanço de pagamentos se

CAPITAL-DINHEIRO E CAPITAL REAL – III (CONCLUSÃO)

distingue do balanço comercial por ser um balanço comercial que se vence em determinado prazo. O que fazem as crises é situar num prazo reduzido a diferença entre balanço de pagamentos e balanço comercial; e as circunstâncias particulares que se revelam na nação onde há crise e onde se venceram os pagamentos – essas circunstâncias já acarretam que se contraia o prazo de liquidação. Primeiro, a exportação de metais preciosos; depois, a venda a qualquer preço de mercadorias consignadas; a exportação de mercadorias para se desfazer delas ou para obter dentro do país adiantamentos de dinheiro; alta da taxa de juro, revogação dos créditos, queda dos títulos, liquidação de valores estrangeiros, atração de capital estrangeiro para investir nesses valores depreciados; por fim, a bancarrota que anula quantidade enorme de créditos. Além disso, com frequência se remete metal para o país onde irrompeu a crise, porque a letra de câmbio contra ele não oferece segurança, e o mais seguro, portanto, é pagar em metal. Com relação à Ásia acresce ainda a circunstância de as nações capitalistas dela serem, em regra, simultaneamente devedoras, direta ou indiretamente. Logo que essas diversas circunstâncias atuam plenamente sobre a outra nação interessada, passa ela a exportar também ouro ou prata, em suma, os pagamentos se vencem e se repetem os mesmos fenômenos.

No crédito comercial, o juro, a diferença entre o preço a crédito e o preço à vista, só entra no preço da mercadoria quando as letras têm prazo superior ao costumeiro. Se não têm, isso não acontece. E a explicação está em que cada um toma esse crédito com uma das mãos e o dá com a outra [isto não se ajusta à minha experiência. — F.E.]. Entretanto, quando o desconto surge aí nessa forma, regula-o não o crédito comercial, e sim o mercado financeiro.

Se a oferta e a procura de capital-dinheiro, que determinam a taxa de juro, fossem idênticas à oferta e procura de capital real, conforme sustenta Overstone, o juro deveria ser ao mesmo tempo alto e baixo segundo se considerassem mercadorias diversas ou a mesma mercadoria em diferentes fases (matéria-prima, produto semiacabado, produto acabado). Em 1844, a taxa de juro do Banco da Inglaterra oscilou entre 4% (de janeiro a setembro) e $2\frac{1}{2}$ e 3% de novembro até fim do ano. Em 1845, foi de $2\frac{1}{2}$, 2 $\frac{3}{4}$ e 3%, de janeiro a outubro, e ficou entre 3 e 5% nos últimos meses do ano. O preço médio do algodão de Orleans – *fair* – era, em 1844, de $6\frac{1}{4}$ pence e, em 1845, de $4\frac{7}{8}$ pence. Em 3 de março de 1844, o estoque de algodão em Liverpool era de 627.042 fardos e, em 3 de março de 1845, de

773.800. De acordo com o preço baixo do algodão, a taxa de juro em 1845 devia ser baixa como realmente foi durante a maior parte do ano. Mas, de acordo com o fio, a taxa de juro deveria ter sido alta, pois os preços foram altos relativamente e os lucros elevados em extremo. Com algodão de 4 pence a libra-peso podia-se, despendendo-se mais 4 pence, fabricar fio (Nº 40 *good secunda mule twist*), que custava à fiação, portanto, 8 pence e que ela podia vender em setembro e outubro de 1845 por $10\frac{1}{2}$ ou $11\frac{1}{2}$ pence a libra-peso (ver depoimento de Wylie mais adiante).

Pode-se chegar à solução de todo o problema da maneira seguinte: Procura e oferta de capital de empréstimo seriam idênticos à procura e oferta de capital em geral (embora esta expressão aí seja absurda; para o industrial ou comerciante a mercadoria é forma de seu capital, mas ele nunca exige capital em geral, e sim especificamente essa mercadoria, comprando-a e vendendo-a como mercadoria, trigo ou algodão, qualquer que seja o papel que ela tenha a desempenhar no circuito de seu capital) se, em vez de emprestadores de dinheiro, houvesse capitalistas que, na posse de máquinas, matérias-primas etc., as emprestassem ou alugassem (como se dá com as casas) aos capitalistas industriais, por sua vez proprietários de parte desses objetos. Nessas circunstâncias, a oferta de capital de empréstimo seria idêntica à oferta de elementos de produção ao capitalista industrial e à de mercadorias ao comerciante. Mas é claro que, nessas condições, a repartição do lucro entre emprestador e prestatário antes de mais nada dependeria inteiramente da proporção em que esse capital é emprestado e da proporção em que é propriedade de quem o emprega.

Segundo Mr. Weguelin (B.A., 1857), a taxa de juro é determinada pela "massa de capital desocupado" (252); é "apenas índice da massa do capital desocupado que procura emprego" (271); mais tarde chama esse capital desocupado de "*floating capital*" (485), e como tal compreende "bilhetes do Banco da Inglaterra e outros meios de circulação no país; por exemplo, os bilhetes dos bancos das províncias e a moeda existente no país... Considero também *floating capital* os encaixes dos bancos" (502, 503), e ainda barras de ouro (503). O mesmo Weguelin diz que o Banco da Inglaterra tem grande influência sobre a taxa de juro em épocas "em que nós" (o Banco da Inglaterra) "temos de fato em nossas mãos a maior parte do capital desocupado" (1.198), quando, segundo os depoimentos acima de Mr. Overstone, o Banco da Inglaterra "não é lugar de capital". Diz mais Weguelin:

CAPITAL-DINHEIRO E CAPITAL REAL - III (CONCLUSÃO)

"No meu modo de ver, a taxa de desconto é regulada pela quantidade do capital desocupado no país. A quantidade do capital desocupado está representada pelo encaixe do Banco da Inglaterra, e esse encaixe é, na realidade, reserva metálica. Se, portanto diminui a reserva metálica, reduz-se a quantidade do capital desocupado no país e eleva-se portanto o valor da parte remanescente" (1.258).

J. Stuart Mill afirma (2.102):

"Para garantir a solvibilidade do departamento bancário, o Banco é forçado a fazer o máximo possível para manter em sua plenitude o encaixe desse departamento; logo, portanto, que o encaixe começa a esvair-se, tem o Banco de assegurar-se um encaixe limitando seus descontos ou vendendo títulos."

Considerando-se apenas o departamento bancário, o encaixe só serve para os depósitos. Segundo os Overstones, o departamento bancário deve operar somente como banqueiro, sem levar em conta a emissão "automática" dos bilhetes. Mas em épocas de verdadeira crise, a instituição, independentemente do encaixe do departamento bancário, constituído apenas de bilhetes, está com a atenção concentrada na reserva metálica, e tem de estar, para não falir. É que na medida em que desaparece a reserva metálica, desaparece também o encaixe de bilhetes de banco, e ninguém entende melhor desse mecanismo que Mr. Overstone, que tão sabiamente o organizou com sua lei bancária de 1844.

XXXIII.
O meio de circulação no sistema de crédito

XXXIII.

"O grande regulador da velocidade da circulação é o crédito. É por isso que crises agudas no mercado de dinheiro costumam coincidir com numerário abundante em circulação" (*The Currency Theory Reviewed*, p. 65).

A afirmação tem dois sentidos. Primeiro, todos os métodos que economizam meios de circulação baseiam-se no crédito. Segundo: tomemos, por exemplo, um bilhete de banco de 500 libras esterlinas. A entrega-o a B para lhe pagar uma letra; B deposita-o, no mesmo dia, no banco; este, na mesma ocasião, utiliza-o para descontar uma letra de C; C deposita-o em seu banco, que, por sua vez, o adianta ao *bill-broker* etc. A velocidade com que a nota aí circula, servindo para comprar ou pagar, decorre da velocidade com que sempre retorna a alguém na forma de depósito e com que se transfere a outras mãos na forma de empréstimo. A economia pura e simples do meio de circulação atinge o máximo na câmara de compensação, quando há mera troca de letras vencidas, e o dinheiro, na função predominante de meio de pagamento, liquida as diferenças. Mas a existência dessas letras funda-se, por sua vez no crédito que os industriais e comerciantes se concedem reciprocamente. Se diminui esse crédito, reduz-se o número das letras, sobretudo as de prazo mais dilatado, e decresce, portanto, a eficácia desse método de liquidação. E essa economia consistente em eliminar o dinheiro das transações, por inteiro baseada na função de meio de pagamento exercida pelo dinheiro e fundada por sua vez no crédito, só pode existir (se abstraímos da técnica mais ou menos desenvolvida de concentrar esses pagamentos) de duas maneiras: ou os créditos recíprocos, representados por letras ou cheques, se compensam no mesmo banco, que se limita a fazer nas contas as correspondentes transferências de crédito, ou os diversos banqueiros fazem essa compensação.[66] A concentração de 8 a 10 milhões em letras

66 Número médio de dias que um bilhete de banco fica em circulação:

Ano	5 libras esterlinas	10 libras esterlinas	20 a 100 libras esterlinas	200 a 500 libras esterlinas	1.000 libras esterlinas
1872	?	236	209	31	22
1818	148	137	121	18	13
1846	79	71	34	12	8
1856	10	58	27	9	7

(Dados apresentados pelo caixa do Banco da Inglaterra, Marshall, em *Report on Bank Acts*, 1857, II, Apêndice, p. 300s).

nas mãos de um *bill-broker*, como, por exemplo, a firma Overend, Gurney & Co., era um dos principais meios para ampliar num determinado ponto a escala dessa compensação. Essa economia aumenta a eficácia do meio de circulação, pois se exige quantidade bem menor de numerário e apenas para liquidar o saldo final. Demais, a velocidade do dinheiro que se movimenta no papel de meio de circulação (velocidade que é também meio de economizá-lo) depende por completo do fluir das compras e vendas, ou também da maneira como se encadeiam os pagamentos que ocorrem sucessivamente em dinheiro. Mas o crédito intervém aí e aumenta a velocidade da circulação. No papel de simples meio de circulação, sem interferência do crédito, a mesma peça de dinheiro só pode efetuar cinco movimentos, e demorando nas mãos de cada um, se A, o possuidor original, compra mercadorias a B, B a C, C a D, D a E, E a F, compras e vendas reais, possibilitando a transferência dela de um para outro. Mas se B deposita no banco o dinheiro que recebeu de A em pagamento, e o banco desembolsa-o descontando letra para C, que compra mercadorias a D, e D deposita o dinheiro no banco, que o empresta a E, que compra mercadorias de F, a velocidade do dinheiro no papel de simples meio de circulação (meio de compra) resultou de várias operações de crédito: o depósito de B no banco, o desconto feito por este em favor de C, o depósito de D no banco, e o desconto que este fez em favor de E; quatro operações de crédito, portanto. Sem essas operações, a mesma peça de dinheiro não teria efetuado cinco compras seguidas em dado espaço de tempo. A circunstância de mudar de mãos sem haver compra e venda real, em virtude de depósito e de desconto, acelerou a passagem dela de um para outro na série das transações reais.

Já vimos antes como o mesmo bilhete de banco pode constituir depósitos em diversos bancos. Pode constituir também depósitos diferentes no mesmo banco. Este, com o bilhete que A nele deposita, desconta letra de B, B paga a C, que deposita o mesmo bilhete no mesmo banco que o desembolsou.

Ao estudar a circulação simples de dinheiro (Livro 1, Capítulo III, 2), já mostramos que a quantidade de dinheiro que circula efetivamente é determinada pelos preços das mercadorias e pelo número das transações, supondo-se dadas a velocidade da circulação e a economia dos pagamentos. A mesma lei se aplica à circulação dos bilhetes de banco.

A tabela seguinte apresenta os montantes médios anuais dos bilhetes do Banco da Inglaterra em poder do público, classificados de 5 a 10 libras esterlinas, de 20 a 100, de 200 a 1.000; indica também a porcentagem que

O MEIO DE CIRCULAÇÃO NO SISTEMA DE CRÉDITO

cada categoria de bilhete ocupa na circulação global. As importâncias são dadas em milhares de libras esterlinas.

Assim, a soma global dos bilhetes de banco em circulação diminuiu certamente de 1844 a 1857, embora o comércio tenha mais que duplicado, conforme demonstram os números relativos às exportações e importações. Os bilhetes de banco da classe de 5 a 10 libras esterlinas aumentaram, segundo a tabela, de 9.263.000 libras esterlinas, em 1844, para 10.659.000, em

Ano	Bilhetes de 5 a 10	%	Bilhetes de 20 a 100	%	Bilhetes de 200 a 1.000	%	Total
1844	9.263	45,7	5.735	28,3	5.253	26,0	20.241
1845	9.698	46,9	6.082	29,3	4.942	23,8	20.722
1846	9.918	48,9	5.778	28,5	4.590	22,6	20.286
1847	9.591	50,1	5.498	28,7	4.066	21,2	19.155
1848	8.732	48,3	5.046	27,9	4.307	23,8	18.085
1849	8.692	47,2	5.234	28,5	4.477	24,3	18.403
1850	9.164	47,2	5.587	28,8	4.646	24,0	19.398
1851	9.362	48,1	5.554	28,5	4.557	23,4	19.473
1852	9.839	45,0	6.161	28,2	5.856	26,8	21.856
1853	10.699	47,3	6.393	28,2	5.541	24,5	22.653
1854	10.565	51,0	5.910	28,5	4.234	20,5	20.709
1855	10.628	53,6	5.706	28,9	3.459	17,5	19.793
1856	10.680	54,4	5.645	28,7	3.323	16,9	19.648
1857	10.659	54,7	5.567	28,6	3.241	16,7	19.467

(B.A., 1858, p. xxvi.)

1857. E isto é concomitante a grande aumento da circulação de ouro ocorrido na época. Os bilhetes de maior importância (de 200 a 1.000 libras esterlinas), ao contrário, decrescem de 5.856.000 libras esterlinas, em 1852, para 3.241.000, em 1857. Redução, portanto, superior a $2\frac{1}{2}$ milhões de libras esterlinas, explicada como segue:

> "Em 8 de junho de 1854, os bancos particulares de Londres permitiram aos bancos por ações participarem do mecanismo da Câmara de Compensação, e pouco depois organizou-se a Câmara de Compensação definitiva no Banco da Inglaterra. Os saldos de cada dia se liquidam por meio de transferências lançadas nas contas que os diversos bancos mantêm no Banco da Inglaterra. Com a

introdução desse sistema, tornaram-se supérfluos os bilhetes de importância elevada que os bancos antes utilizavam para liquidar as contas recíprocas" (B.A., 1858, p. v).

É ínfima a quantidade de dinheiro usada no comércio atacadista. É o que mostra a tabela que reproduzimos no Livro 1, Capítulo III, nota 103, e que foi fornecida à Comissão Bancária por Morrison, Dillon & Co., uma das maiores daquelas casas de Londres, onde o retalhista pode abastecer-se plenamente de todas as espécies de mercadorias.

Segundo o depoimento de W. Newmarch perante a Comissão Parlamentar (B.A., 1857, Nº 1.741), outras circunstâncias concorreram para economizar os meios de circulação: o porte de um pêni para as cartas, as ferrovias, o telégrafo, em suma, aperfeiçoamento dos transportes e comunicações; desse modo, a Inglaterra agora pode fazer um montante de negócios cinco a seis vezes maior com a mesma circulação de bilhetes de banco aproximadamente. Mas isto se deveria essencialmente à circunstância de se eliminarem da circulação as notas de mais de 10 libras esterlinas. Isto parece-lhe que explica naturalmente a circunstância de a circulação de bilhetes de banco se ter elevado de cerca de 31% na Escócia e na Irlanda, onde circulam também bilhetes de 1 libra (1747). A circulação global de bilhetes de banco no Reino Unido, incluídos os bilhetes de 1 libra, seria de 39 milhões de libras esterlinas (1749). A circulação de ouro = 70 milhões de libras esterlinas (1750). Na Escócia, a circulação de bilhetes em 1834 era de 3.120.000 libras esterlinas; em 1844, de 3.020.000; em 1854, de 4.050.000 (1752).

Já daí se infere que não está nas mãos dos bancos emissores aumentar o número dos bilhetes que circulam, enquanto esses bilhetes se possam a qualquer momento trocar por dinheiro [não se trata aí de papel-moeda inconversível; bilhetes de banco inconversíveis só se podem tornar meio de circulação geral onde são efetivamente apoiados pelo crédito do Estado, como se dá hoje na Rússia, por exemplo. Regulam-se pelas leis do papel--moeda inconversível emitido pelo Estado, as quais já foram estudadas. Ver Livro 1, Capítulo III, 2, c: A moeda. Os símbolos de valor. — F.E.].

A quantidade dos bilhetes que circulam rege-se pelas necessidades do comércio, e todo bilhete supérfluo logo retorna a seu emissor. Na Inglaterra, só os bilhetes do Banco da Inglaterra circulam em todo o país como meio legal de pagamento, e por isso podemos aqui pôr de lado a circulação de bilhetes puramente local e pouco significativa dos bancos provinciais.

O MEIO DE CIRCULAÇÃO NO SISTEMA DE CRÉDITO

Em 1858, diz Mr. Neave, Governador do Banco da Inglaterra (B.A.):

"Nº 947 (pergunta): Quaisquer que sejam as medidas que tome, diz o senhor, o montante de bilhetes nas mãos do público permanece o mesmo, isto é, cerca de 20 milhões de libras esterlinas? – Em tempos normais, as necessidades do público parecem se situar por volta de 20 milhões; em fases intermitentes do ano, aumentam de 1 ou 1 $\frac{1}{2}$ milhão. Se o público precisar mais, poderá sempre obtê-los, conforme já disse, no Banco da Inglaterra. – 948: O senhor disse que, durante o pânico, o público desejava impedir que o senhor reduzisse o montante dos bilhetes; quer justificar isso? – Em tempos de pânico, o público, segundo me parece, tem plenos poderes para se prover de bilhetes; e naturalmente, enquanto há obrigação do Banco, o público dele pode retirar os bilhetes na base dessa obrigação. – 949: Parece, portanto, que são sempre necessários cerca de 20 milhões de bilhetes do Banco da Inglaterra? – 20 milhões de bilhetes nas mãos do público; o montante varia. São 18 $\frac{1}{2}$, 19, 20 milhões etc., mas em média podemos falar de 19 a 20 milhões."

Depoimento de Thomas Tooke perante a comissão da Câmara dos Lordes sobre a crise comercial (*Commercial Distress*, 1848-1857, Nº 3.094):

"O Banco não tem força para aumentar, à sua vontade, o montante dos bilhetes nas mãos do público; tem força para diminuir o montante dos bilhetes nas mãos do público, mas terá de operar brutalmente."

J.C. Wright, há 30 anos banqueiro em Nottingham, depois de analisar em pormenor a impossibilidade de os bancos provinciais manterem em circulação maior quantidade de bilhetes que a que o público precisa e quer, diz a respeito dos bilhetes do Banco da Inglaterra (C.D., 18481857, Nº 2.844):

"Não conheço limites" (à emissão de bilhetes) "para o Banco da Inglaterra, mas todo excesso da circulação converte-se em depósito, assumindo assim outra forma."

O mesmo se aplica à Escócia, onde quase só circula papel, pois lá, como na Irlanda, se permitem bilhetes de uma libra esterlina, e "os escoceses odeiam ouro". Kennedy, diretor de um banco escocês, assevera que os bancos nem sequer podem diminuir os respectivos bilhetes em circulação, e é "de parecer que, se os negócios ajustados no país exigem, para se concretizar, bilhetes ou ouro, têm os banqueiros de fornecer meios de circulação na quantidade exigida por esses negócios – seja porque o requeiram os depositantes ou por outro motivo... Os bancos escoceses podem limitar seus negócios, mas não podem exercer controle sobre sua emissão de bilhetes" (*ibid.*, N°s 3.446, 3.448).

É a mesma a opinião de Anderson, diretor do Union Bank of Scotland (*ibid.*, N° 3.578):

"O sistema de troca recíproca de bilhetes" [entre os bancos escoceses] "impede que um banco isolado emita bilhetes demais? – Sem dúvida; mas temos meio mais eficaz que a troca de bilhetes" (que nada tem a ver com o problema em pauta, embora assegure o curso dos bilhetes de cada banco em toda a Escócia) "e que é o costume escocês generalizado de manter conta bancária; quem quer que tenha algum dinheiro tem conta num banco e nele diariamente deposita todo o dinheiro que não precisa para uso pessoal imediato, e, desse modo, ao fim de cada dia útil, está no banco o dinheiro todo, com exceção do que se tem no bolso."

O mesmo se dá na Irlanda. Ver os depoimentos, perante a mesma Comissão, de MacDonnell, Governador do Banco da Irlanda, e de Murray, diretor do Banco Provincial da Irlanda.

A circulação de bilhetes é independente não só da vontade do Banco da Inglaterra, mas também do nível do encaixe em ouro guardado nas casas-fortes do Banco e que garante a conversibilidade desses bilhetes.

"Em 18 de setembro de 1846, a circulação dos bilhetes do Banco da Inglaterra era de 20.900.000 libras esterlinas e o encaixe metálico, de 16.273.000 libras esterlinas; em 5 de abril de 1847, essa circulação era de 20.815.000 libras esterlinas e o encaixe metálico, de 10.246.000. Assim, apesar da exportação de 6 milhões de libras esterlinas de metal precioso, não houve decréscimo da circulação" (J.G. Kinnear, *The Crisis and the Currency*, Londres, 1847, p. 5).

É claro que isto só se aplica nas condições hoje reinantes na Inglaterra, e somente se a legislação não dispuser de maneira diferente sobre a proporção entre emissão de bilhetes e encaixe metálico.

O MEIO DE CIRCULAÇÃO NO SISTEMA DE CRÉDITO

São, portanto, as necessidades dos próprios negócios e só elas que influem sobre a quantidade do dinheiro que circula – bilhetes e ouro. Antes de mais nada importa considerar aí as flutuações periódicas que se repetem todos os anos, qualquer que seja a situação geral dos negócios. Há 20 anos,

> "a circulação em determinado mês aumenta, noutro diminui, e num terceiro mês atinge nível médio" (Newmarch, B.A., 1857, Nº 1.650).

Assim, todo ano, no mês de agosto, alguns milhões, na maior parte em ouro, saem do Banco da Inglaterra para a circulação interna, a fim de pagar os custos das colheitas; como se trata principalmente de salários a pagar, é reduzido o emprego, no caso da Inglaterra, de bilhetes de banco. Até o fim do ano, esse dinheiro retorna ao Banco. Na Escócia, em vez de soberanos, só existem quase bilhetes de 1 libra; por isso, de maneira correspondente, a circulação de bilhetes se expande aí de 3 para 4 milhões, e por duas vezes no ano, em maio e novembro; 15 dias depois já começa o retorno, que se conclui dentro de um mês (Anderson, *loc. cit.*, [C.D. 1848-1857] Nºˢ 3.595 a 3.600).

A circulação dos bilhetes do Banco da Inglaterra todo trimestre flutua momentaneamente em virtude do pagamento trimestral dos cupões, isto é, os juros da dívida pública; então, retiram-se primeiro bilhetes da circulação, depois lançados de novo ao público; mas logo retornam ao Banco. Weguelin (B.A., 1857, Nº 38) avalia em $2\frac{1}{2}$ milhões essa flutuação da circulação dos bilhetes. Mr. Chapman, da conhecida firma Overend, Gurney & Co., avalia em muito mais a perturbação causada no mercado financeiro.

> "Se o governo retira da circulação 6 ou 7 milhões em impostos, para pagar os cupões, tem de existir alguém nesse intervalo para repor essa importância" (B.A., 1857, Nº 5.196).

Muito mais importante e duráveis são as flutuações na magnitude do meio circulante, correspondentes às diversas fases do ciclo industrial. Vejamos o que diz a respeito outro sócio daquela firma, o digno quacre Samuel Gurney (C.D., 1848-1857, Nº 2.645):

> "No fim de outubro (1847) estavam nas mãos do público 20.800.000 libras esterlinas. Na ocasião, havia grande dificuldade em conseguir bilhetes de banco no mercado do dinheiro. A causa disso era recearem todos a impossibilidade de

obtê-los, em virtude da limitação da lei bancária de 1844. Atualmente (março de 1848), o montante dos bilhetes em mãos do público é de... 17.700.000 libras esterlinas, mas, não havendo agora alarme comercial, é muito mais do que se precisa. Não há banqueiro ou comerciante de dinheiro em Londres que não tenha bilhetes de banco além do que pode precisar. – 2.650: O montante dos bilhetes de banco... que não constituem encaixe do Banco da Inglaterra é índice inexpressivo das condições em que opera a circulação, se não se leva em conta ao mesmo tempo... a situação do mundo comercial e do crédito. – 2.651: A impressão de que o montante atual da circulação em mãos do público é maior que o necessário provém de nossa situação atual de grande marasmo. Com preços altos e negócios animados, essas 17.700.000 libras esterlinas nos causariam um sentimento de carência."

[Quando a situação dos negócios é tal que os adiantamentos feitos se reembolsam regularmente e o crédito, portanto, está firme, a expansão e a contração da circulação se regulam apenas pelas necessidades dos industriais e comerciantes. Na Inglaterra, pelo menos, o ouro não é importante para o comércio atacadista, e a circulação de ouro, excetuadas oscilações sazonais, pode ser considerada magnitude relativamente constante em período longo; por isso, a circulação de bilhetes do Banco da Inglaterra constitui indicador adequado para medir as mudanças focalizadas. Na calmaria que segue à crise, a circulação é mínima; com a reanimação da procura, surge necessidade maior de meio circulante, a qual cresce com a prosperidade ascendente; a quantidade de meio circulante atinge o ponto culminante no período de tensão excessiva e especulação em demasia; então irrompe a crise e, da noite para o dia, os bilhetes de banco que ontem eram tão abundantes desaparecem do mercado, e com eles os descontadores de letras, os emprestadores sobre títulos, os compradores de mercadorias. Caberia ao Banco da Inglaterra ajudar, mas suas forças logo se esgotam, a lei bancária de 1844 obriga-o a limitar a circulação de bilhetes justamente na ocasião em que todo mundo clama por bilhetes de banco, quando todos os possuidores de mercadorias sem poder vender devem pagar e se submetem a qualquer sacrifício para obter bilhetes de banco.

"Durante o pânico", diz Wright, o banqueiro acima citado, *loc. cit.*, Nº 2.930, "o país precisa duas vezes mais bilhetes em circulação que em tempos normais, pois os banqueiros e outros os entesouram."

O MEIO DE CIRCULAÇÃO NO SISTEMA DE CRÉDITO

Quando a crise irrompe, a questão se limita ainda a meios de pagamento. Mas, uma vez que cada um depende do outro para receber esses meios de pagamento e ninguém sabe se o outro é capaz de pagar no dia do vencimento, surge terrível luta para conquistar os meios de pagamento existentes no mercado, os bilhetes de banco. Todos entesouram a quantidade deles que podem obter, e assim os bilhetes desaparecem da circulação no dia em que mais se precisa deles. Samuel Gurney (C.D. 1848-1857, N° 1.116) avalia em 4 a 5 milhões de libras esterlinas os bilhetes de banco guardados a sete chaves no pânico ocorrido em outubro de 1847. — F.E.]

É particularmente interessante a esse respeito o interrogatório do sócio de Gurney, o já mencionado Chapman, perante a Comissão Bancária de 1857. Reproduzimos os aspectos principais do contexto em exame, embora neles figurem alguns pontos que só mais tarde investigaremos.

Depõe Mr. Chapman:

> "4.963: Não vacilo em dizer que não acho correto que o mercado de dinheiro fique sob domínio de um capitalista individual (da espécie que existe em Londres), seja qual for, capaz de produzir terrível escassez e crise de dinheiro justamente quando a circulação está no nível mais baixo... E isto é possível... há mais de um capitalista que pode retirar do meio circulante 1 ou 2 milhões de libras esterlinas em bilhetes para atingir determinado objetivo."
>
> 4.965: Um grande especulador pode vender 1 ou 2 milhões de títulos da dívida consolidada e assim tirar o dinheiro do mercado. Algo semelhante sucedeu recentemente: "produz crise de extrema violência".

4967: Por certo, os bilhetes então ficam improdutivos.

> "Mas isso nada é se atinge um grande objetivo, e que é arruinar os preços dos fundos públicos, gerar crise de dinheiro, e fazer isto está por completo no poder dele."

Exemplo: Um belo dia, era grande a procura de dinheiro na bolsa de valores e ninguém sabia a causa. Alguém pediu a Chapman um empréstimo de 50.000 libras esterlinas a 7%. Chapman surpreendeu-se, pois sua taxa de juro estava muito mais baixa; topou o negócio. Logo depois voltou o prestatário e pediu mais 50.000 libras esterlinas a $7\frac{1}{2}$ % em seguida, 100.000 a 8% e ainda queria mais a $8\frac{1}{2}$ %. Então o próprio Chapman ficou com medo. Verificou-se depois que subitamente fora retirada importante soma de dinheiro do mercado. Mas, diz Chapman,

> "emprestei importante soma a 8%, receei ir mais longe; não sabia o que viria depois".

Nunca devemos esquecer que, embora estejam, como se diz, em poder do público 19 a 20 milhões de bilhetes, com relativa estabilidade, a parte desses bilhetes que circula de fato e a outra que está vadia como encaixe nos bancos variam uma em relação à outra de maneira considerável e importante. Se esse encaixe é grande, se, portanto, é baixa a circulação efetiva, diz-se do ponto de vista do mercado de dinheiro que a circulação é plena (*the circulation is full, money is plentiful*); se o encaixe é pequeno, se, portanto, é plena a circulação efetiva, o mercado de dinheiro considera-a baixa (*the circulation is low, money is scarce*), isto é, reduziu-se o montante que representa o capital de empréstimo desocupado. Expansão ou contração reais da circulação, independentes das fases do ciclo industrial – mas de modo que fique o mesmo o montante de que precisa o público –, só ocorrem em virtude de causas técnicas, por exemplo, nas épocas de pagamento dos impostos ou dos juros da dívida pública. Ao se pagarem impostos, fluem bilhetes e ouro para o Banco da Inglaterra além da proporção normal, contraindo de fato a circulação sem considerar a necessidade dela. Ao revés, quando se pagam os cupões da dívida pública. Na primeira ocorrência tomam-se ao Banco empréstimos, com o fim de se obterem meios de circulação. Na segunda, cai a taxa de juro nos bancos privados, em virtude do aumento momentâneo do encaixe. Isto nada tem que ver com a massa absoluta dos meios de circulação, concernindo apenas ao estabelecimento bancário que põe esses meios em circulação, para quem esse processo constitui alienação de capital de empréstimo, e que por isso embolsa o lucro daí resultante.

Num caso, o meio circulante apenas se desloca temporariamente, e o Banco da Inglaterra compensa esse deslocamento, fazendo adiantamentos a curto prazo a juros baixos pouco antes do vencimento dos impostos trimestrais e dos cupões também trimestrais; esses bilhetes suplementares emitidos de início preenchem a lacuna causada pelo pagamento dos impostos, enquanto o retorno deles ao Banco traz de volta o excedente de bilhetes, lançado ao público em virtude do pagamento dos cupões.

O MEIO DE CIRCULAÇÃO NO SISTEMA DE CRÉDITO

No outro caso, seja baixa ou plena a circulação, o que se verifica é tão somente repartição da mesma massa de meio circulante em circulação ativa e em depósitos, isto é, em instrumentos de empréstimos.

Além disso, quando, por exemplo, o Banco da Inglaterra aumenta o número de bilhetes emitidos em troca do ouro que lhe aflui, servem esses bilhetes para descontos fora do Banco e retornam para saldar empréstimos, de modo que a massa absoluta dos bilhetes circulantes só cresce momentaneamente.

Se a circulação é plena em virtude da expansão dos negócios (o que pode ocorrer com preços relativamente baixos), pode a taxa de juro ser relativamente alta em virtude da procura de capital de empréstimo oriunda de lucros ascendentes e do acréscimo de novos investimentos. Se é baixa, em virtude da contração dos negócios ou em virtude de maiores facilidades de crédito, a taxa de juro pode ser baixa mesmo se forem altos os preços (ver Hubbard).[1]

A quantidade absoluta da circulação (meio circulante) só atua de maneira determinante sobre a taxa de juro em épocas de crise monetária. Temos então a alternativa: ou a procura de abundantes meios de circulação expressa a procura de meios de entesouramento em virtude da falta de crédito (estamos abstraindo da velocidade reduzida com que circula o dinheiro e com que as mesmas peças de dinheiro se convertem constantemente em capital de empréstimo), como sucedeu em 1847, quando a suspensão da lei bancária não trouxe expansão alguma da circulação, mas bastou para retirar do esconderijo os bilhetes entesourados e lançá-los de novo na circulação; ou, nas circunstâncias, podem ser realmente necessários mais meios de circulação, como se deu em 1857, quando, após suspensa a lei bancária, a circulação aumentou por algum tempo.

Fora disso, a massa absoluta da circulação não influi na taxa de juro, uma vez que – supostas invariáveis a economia e a velocidade do curso do dinheiro – é determinada primeiro pelos preços das mercadorias e pela massa das transações (contrabalançando muitas vezes um fator o efeito do outro), finalmente pelo estado do crédito, que, reciprocamente, não a determina; e uma vez que, segundo, não existe relação necessária entre os preços das mercadorias e o juro.

Durante a vigência do *Bank Restriction Act* (1797 a 1820) houve excesso de *currency* (meios de circulação), e a taxa de juro esteve então sempre mais alta que após se reinstituir a conversão em dinheiro metálico. Caiu mais

---

[1] Ver p. 764.

tarde, ao limitar-se a emissão de bilhetes e subir o curso do câmbio. Em 1822, 1823 e 1832, a circulação geral era baixa, e baixa também a taxa de juro. Em 1824, 1825 e 1836, a circulação era abundante, e a taxa de juro se elevou. No verão de 1830, a circulação subiu, e a taxa de juro baixou. A partir das descobertas das minas de ouro, expandiu-se o curso do dinheiro em toda a Europa, e a taxa de juro elevou-se. A taxa de juro, portanto, não depende da quantidade do dinheiro circulante.

A diferença entre emissão de meios de circulação e empréstimo de capital revela-se melhor no processo real de reprodução. Vimos (Livro 2, Terceira Seção) como aí se trocam os diversos componentes da produção. O capital variável, por exemplo, consiste materialmente em parte do próprio produto dos trabalhadores, seus meios de subsistência. É-lhes porém pago fracionariamente em dinheiro. É o que o capitalista tem de adiantar e depende muito da organização do sistema de crédito, a possibilidade de na próxima semana pagar o novo capital variável com o antigo dinheiro utilizado para esse fim na semana precedente. O mesmo se verifica nas operações de troca entre os diversos componentes da totalidade do capital social, por exemplo, entre meios de consumo e meios de produção de meios de consumo. O dinheiro para a circulação deles tem de ser adiantado, conforme vimos, por um ou por ambos os permutantes. Permanece então na circulação, mas, concluída a troca, volta a quem o adiantou, por se tratar de adiantamento feito acima do capital industrial efetivamente empregado (ver Livro 2, Capítulo XX).[1] Em sistema desenvolvido de crédito, em que o dinheiro se concentra nas mãos dos bancos, são estes que o adiantam, *pelo menos nominalmente*. Esse adiantamento se refere somente ao dinheiro que está em circulação. Trata-se de adiantamento de *circulação* e não de capitais, que circulam por meio desse dinheiro.

Chapman:

> "5.062: Pode haver épocas em que é muito grande o montante dos bilhetes de banco nas mãos do público, ser possível, entretanto, conseguir um só deles."

Mesmo durante o pânico há dinheiro; mas todo mundo se abstém de convertê-lo em capital de empréstimo, em dinheiro de empréstimo; cada um guarda-o para as necessidades efetivas de pagamento.

---

1 Ver Livro 2, pp. 458-468.

> "5.099: Os bancos nas circunscrições rurais enviam para o senhor e para outros estabelecimentos de Londres os excedentes que não utilizam? – Sim. – 5.100: Por outro lado, as circunscrições rurais de Lancashire e Yorkshire, para suas necessidades comerciais, descontam letras no senhor? – Sim. – 5.101: Desse modo, o dinheiro supérfluo numa parte do país torna-se útil às necessidades de outra parte? – Absolutamente certo."

Chapman diz que o costume dos bancos de empregar o capital-dinheiro que sobra a prazo curto na compra de títulos consolidados e bônus do Tesouro reduziu-se muito nos últimos tempos, desde que se instituiu o hábito de emprestar esse dinheiro *at call* (de um dia para outro, exigível a qualquer momento). Ele mesmo considera inadequada a compra desses papéis para o próprio negócio. Por isso, aplica o dinheiro em boas letras, parte das quais se vence diariamente, de modo que sempre sabe a quantidade de dinheiro líquido com que pode contar cada dia (5.101 a 5.105).

Mais ou menos para todo o país, sobretudo para o país que dá crédito, o aumento das exportações representa também exigência crescente feita ao mercado interno de dinheiro, e só se toma consciência disso em épocas de crise monetária. Nas épocas em que se expandem as exportações, os fabricantes emitem em regra contra os exportadores letras de prazo dilatado, garantidas por consignações (5.126).

> "5.127: Não é frequente existir acordo no sentido de renovar essas letras em certos prazos? – [Chapman]: É coisa que escondem de nós; de nossa parte, não admitiríamos letra dessa espécie... Tal coisa pode por certo ocorrer, mas sobre esse assunto nada posso dizer." (Chapman é a própria candidez.) – 5.129: "Se ocorre grande acréscimo de exportação, e só no ano passado foi de 20 milhões de libras esterlinas, não decorre daí automaticamente grande procura de capital para descontar letras que representam essas exportações? – Sem dúvida. – 5.130: Uma vez que a Inglaterra em regra dá crédito ao exterior para todas as exportações, não determinaria esse fato absorção de correspondente capital adicional durante os prazos dos créditos concedidos? – A Inglaterra concede créditos imensos, mas em compensação adquire matérias-primas a crédito. Da América sacam contra nós a 60 dias e de outras regiões, a 90 dias. Por outro lado, concedemos crédito; damos 2 ou 3 meses quando mandamos mercadorias para a Alemanha."

Wilson pergunta a Chapman (5.131) se não se sacam letras sobre a Inglaterra por essas matérias-primas e mercadorias coloniais importadas na ocasião de embarcá-las, e se as letras não chegam ao mesmo tempo que os conhecimentos de embarque. Chapman crê que sim, mas nada sabe desses negócios "comerciais", recomendando que se ouvissem pessoas mais bem-informadas. – "Na exportação para a América", diz Chapman, "estariam as mercadorias simbolizadas no trânsito" [5.133]; esse jargão significa que o exportador inglês emite na base das mercadorias letra de 4 meses contra um dos grandes estabelecimentos bancários americanos em Londres, o qual, por sua vez, tem cobertura na América.

"5.136: Não é em regra o comerciante quem faz os negócios com as regiões distantes, esperando vender as mercadorias para recuperar o capital? – Pode haver casas muitos ricas, capazes de desembolsar o próprio capital sem exigir adiantamentos pelas mercadorias; mas essas mercadorias em regra se convertem em adiantamentos por meio dos aceites de firmas conceituadas. – 5.137: Essas firmas estão estabelecidas... em Londres, Liverpool e alhures. – 5.138: Tanto faz que o fabricante tenha de fornecer o próprio dinheiro ou que consiga que um comerciante de Londres ou Liverpool o adiante; de qualquer modo, o adiantamento sempre se efetua na Inglaterra, não é verdade? – Exatamente. É raro o caso em que o fabricante interfere aí" (em 1847, ao contrário, em quase todos os casos). "Um comerciante em produtos acabados, por exemplo, em Manchester, compra mercadorias e as embarca por meio de casa respeitável em Londres; logo que a casa de Londres esteja convencida de que tudo está embalado de acordo com o contrato, o comerciante saca sobre ela letras de 6 meses pelas mercadorias em viagem para a Índia, China ou qualquer outra parte; recorre então ao mundo bancário que lhe desconta essas letras, e, desse modo, na ocasião em que tiver de pagar as mercadorias, terá à disposição o dinheiro em virtude do desconto das letras. – 5.139: Mas se o comerciante tem o dinheiro, o banqueiro teve de adiantá-lo? – *O banqueiro possui a letra; o banqueiro comprou a letra*; emprega dessa forma o capital bancário, isto é, para descontar letras comerciais."

[Assim, Chapman também considera o desconto de letras não adiantamento, mas compra de mercadoria. — F.E.]

"5.140: Mas isso constitui parte das exigências a serem atendidas pelo mercado financeiro de Londres? – Sem dúvida, e é a ocupação essencial do mercado financeiro e do Banco da Inglaterra. O Banco da Inglaterra, tanto quanto nós, aprecia receber essas letras, pois sabe que são um bom investimento. – 5.141:

O MEIO DE CIRCULAÇÃO NO SISTEMA DE CRÉDITO

Ao crescerem as exportações, cresce também a procura no mercado financeiro, não é verdade? – À medida que aumenta a prosperidade no país, dela participamos" (os Chapman). – 5.142: "Se todos esses campos de aplicação do capital se expandem de maneira brusca, a consequência natural será a elevação da taxa de juros? – Sem a menor sombra de dúvida."

Chapman "não pode compreender bem que tenhamos empregado tanto ouro, se há exportações tão grandes" (5.143).

O digno Wilson pergunta (5.144):

"A causa não será que damos mais créditos para exportar do que recebemos para importar? – Tenho minhas dúvidas. Se alguém emite letras por ter remetido mercadorias para a Índia, o sacado não pode aceitá-las para prazo inferior a 10 meses. Temos por certo de pagar à América pelo algodão algum tempo antes de a Índia nos ter pago; mas o que resulta daí é questão bastante delicada a examinar. – 5.145: Se as exportações de manufaturas aumentam de 20 milhões de libras esterlinas como no ano passado, terá havido antes necessariamente acréscimo considerável da importação de matérias-primas" (e, dessa maneira, excesso de exportação se identifica com o de importação, e o de produção com o de comércio) "para produzir essa quantidade maior de manufaturas? – Sem dúvida. [5.146:] Tivemos com certeza considerável saldo a pagar; isto é, o balanço durante esse tempo foi naturalmente contra nós, mas, a longo prazo, o curso do câmbio com a América nos é favorável e há muito tempo que estamos recebendo importantes remessas de metais preciosos da América."

Wilson pergunta ao arquiusurário Chapman (5.148) se não vê nos juros elevados que recebe sinal de grande prosperidade e de lucros altos. Chapman, embora surpreendido pela candura desse sicofanta, responde naturalmente que sim, mas é bastante sincero para acrescentar:

"Há alguns que não podem encontrar outra saída; têm obrigações a cumprir e cumprem-nas, sejam lucrativas ou não; mas quando persiste", [a alta taxa de juro] "será índice de prosperidade."

Ambos esquecem que a alta taxa de juro pode indicar também, como sucedeu em 1857, que os cavaleiros andantes do crédito semeiam a insegurança no país, podendo pagar juros altos porque os retiram do bolso alheio (contribuindo assim para determinar a taxa de juros para todos) e entrementes vivem à larga sacando sobre lucros futuros. Aliás, justamente por isso, fabricantes etc. podem obter negócio de fato muito lucrativos. O sistema de adiantamentos torna falazes os retornos. O que segue encontra aí explicação, dispensável para o Banco da Inglaterra, que desconta por taxa mais baixa que a dos outros estabelecimentos, quando o juro está alto.

> "5.156: Creio poder afirmar que as somas que descontamos atualmente, e há muito tempo perdura alta taxa de juro, atingiram o máximo", diz Chapman.

(É o que dizia Chapman em 21 de julho de 1857, poucos meses antes do craque.)

> "5.157: Nem de longe chegavam a esse nível em 1852" (quando o juro era baixo).

É que na época os negócios tinham realmente solidez bem maior.

> "5.159: Se o dinheiro inundasse o mercado... e fosse baixa a taxa de desconto bancário, teríamos decréscimo de letras... Em 1852 estávamos em fase por completo diversa da atual. As exportações e importações do país eram ínfimas, comparadas com o que são hoje. – 5.161: Com essa alta taxa, o montante de nossos descontos é o mesmo de 1854" (quando o juro era de 5 a $5\frac{1}{2}$ %).

Como é delicioso o depoimento de Chapman: essa gente considera o dinheiro do público propriedade sua e acredita possuir direito à conversibilidade permanente das letras que descontam. As perguntas e respostas destilam candura. É obrigação do legislador tornar sempre conversíveis as letras aceitas pelos grandes estabelecimentos e prover que o Banco da Inglaterra de novo redesconte de qualquer modo as apresentadas pelos *bill-brokers*. E não se considera que em 1857 faliram três desses *bill-brokers* com dívidas de quase 8 milhões e capital próprio ínfimo em relação a elas.

> "5.177: Quer o senhor com isso dizer que na sua opinião" (aceites da firma Baring ou da Loyd) "devem ter por lei direito ao desconto do mesmo modo que legalmente é obrigatória a conversibilidade em ouro de um bilhete do Banco da Inglaterra? – Sou de parecer que seria profundamente lamentável se não se pudesse descontá-los; seria estranho que alguém tivesse de suspender os pagamentos, possuindo aceites de Smith, Payne & Co. ou Jones Loyd & Co., sem poder descontá-los. – 5.178: O aceite da Baring não constitui obrigação

de pagar determinada quantia quando a letra se vence? – Claro que sim; mas os Baring, ao assumirem essa obrigação, como qualquer outro comerciante que a assuma, nem em sonho pensam que terão de pagá-la com soberanos; contam pagá-la na Câmara de Compensação. – 5.180: Acha então que se deve inventar um mecanismo por meio do qual o público tivesse direito de receber dinheiro antes de vencer-se a letra, sendo alguém obrigado a descontá-la? – Não, não quanto ao aceitante; mas, se seu parecer é de que não devemos ter a possibilidade de descontar letras comerciais, então temos de mudar toda a estrutura das coisas. – 5.182: O senhor, portanto, acha que" [a letra comercial] "deveria ser conversível em dinheiro obrigatoriamente, como um bilhete do Banco da Inglaterra é conversível em ouro? – Sem dúvida, em certas circunstâncias. – 5.184: O senhor acredita, portanto, que os mecanismos da *currency* (monetários) deveriam ser organizados de tal modo que uma letra comercial de solidez incontestável seria a qualquer tempo conversível em dinheiro, com a mesma facilidade que um bilhete de banco? – Assim penso. – 5.185: O senhor não vai ao ponto de dizer que o Banco da Inglaterra, ou qualquer outro banco, deva ser legalmente obrigado a converter a letra em dinheiro? – Certamente, vou ao ponto de dizer que, se fazemos uma lei para regular a *currency* (circulação monetária), deverá ela conter dispositivos que impeçam a possibilidade de não haver conversibilidade das letras comerciais do mercado interno, desde que sejam incontestavelmente sólidas e legítimas."

É a conversibilidade da letra comercial contra a conversibilidade do bilhete de banco.

"5.190: Os comerciantes de dinheiro no país só representam realmente o público" – como Mr. Chapman mais tarde, perante o tribunal, no caso Davidson. Ver *Great City Frauds*.
"5.196: Quando se vencem os pagamentos trimestrais" (se pagam os cupões) "é... absolutamente necessário que recorramos ao Banco da Inglaterra. Se retirais da circulação 6 ou 7 milhões de receita pública para pagar os cupões, tem de haver alguém que entrementes forneça essa importância."

(Nesse caso trata-se de fornecimento de dinheiro, e não de capital ou capital de empréstimo.)

"5.169: Quem conhece nossa vida comercial sabe que – ao chegarmos ao ponto de ficarem invendáveis os bônus do Tesouro, de se depreciarem por completo as obrigações da Companhia das Índias Orientais, de não se poder descontar as melhores letras comerciais – deve ser grande a preocupação daqueles que têm por negócio efetuar, a simples ordem, pagamentos imediatos em meios de circulação correntes, conforme acontece com todos os banqueiros. Daí resulta que todos duplicam o encaixe. Basta considerar o que ocorrerá em todo o país, se todo banqueiro de província – e deles há quase 500 – tiver de encarregar o correspondente londrino de lhe remeter 5.000 libras esterlinas em bilhetes de banco. Mesmo tomando por média quantia tão pequena, o que é de todo absurdo, chegamos a $2\frac{1}{2}$ milhões de libras esterlinas retiradas da circulação. Como repô-las?"

Demais, os capitalistas privados etc., que dispõem de dinheiro, não querem cedê-lo a juro algum, dizendo de acordo com Chapman:

"5.195: Preferimos não receber juros a ficar em dúvida se poderemos ou não obter dinheiro quando precisarmos dele."

"5.173: Nosso sistema é este: temos 300 milhões de libras esterlinas em obrigações cujo pagamento em moeda corrente nacional pode ser exigido num mesmo momento; e toda a moeda nacional que podemos empregar para esse fim atinge 23 milhões de libras esterlinas ou quanto possa ser; não é esta uma situação que a todo instante pode nos lançar em convulsões?"

Daí a súbita passagem nas crises do sistema de crédito para o sistema monetário.

Pondo-se de lado o pânico interno das crises, só se pode falar de quantidade de dinheiro no tocante a metal, a dinheiro mundial. E é justamente o que Chapman exclui, falando apenas de 23 milhões em bilhetes de banco.

O mesmo Chapman:

"5.218: A causa original da perturbação do mercado financeiro" [em abril e mais tarde em outubro de 1847] "era sem dúvida a quantidade de dinheiro necessária para regular o curso das divisas, em virtude das importações extraordinárias do ano."

Primeiro, a reserva em dinheiro do mercado mundial estava então extremamente reduzida e, segundo, servia também de garantia à conversibilidade do dinheiro de crédito, os bilhetes de banco. Conjugava assim duas funções diferentes por completo, mas ambas oriundas da natureza do dinheiro, uma vez que o dinheiro real é sempre dinheiro do mercado mundial, e o dinheiro de crédito se funda sempre sobre o dinheiro do mercado mundial.

O MEIO DE CIRCULAÇÃO NO SISTEMA DE CRÉDITO

Em 1847, se não fosse suspensa a lei bancária de 1844, "as Câmaras de Compensação não teriam podido liquidar as operações" (5.221).
Chapman pressentia a crise iminente:

> "5.236: Há certas situações do mercado de dinheiro (e a atual não está muito longe disso) em que o dinheiro é muito difícil e temos de recorrer aos bancos."
> "5.239: Quanto às somas que levantamos no Banco na sexta, sábado e segunda, em 19, 20 e 22 de outubro de 1847, teríamos sido extremamente felizes se pudéssemos na quarta-feira seguinte recuperar as letras; logo que o pânico passou, o dinheiro refluiu instantaneamente à nossa caixa."

É que na terça-feira, 23 de outubro, suspendeu-se a lei bancária, o que pôs fim à crise.

Chapman acha (5.274) que as letras sobre Londres simultaneamente em curso atingem o montante de 100 a 120 milhões de libras esterlinas. Esse montante não abrange as letras locais sobre praças provinciais.

> "5.287: Quando, em outubro de 1856, o montante de bilhetes nas mãos do público elevou-se a 21.155.000 libras esterlinas, era extremamente difícil arranjar dinheiro; apesar de o público ter em mãos tanto dinheiro, não podíamos tocá-lo."

Era a consequência dos temores resultantes do aperto em que estivera por algum tempo (março de 1856) o Eastern Bank.

Cessado o pânico,

> "começam logo os banqueiros, que tiram seu lucro do juro, a empregar o dinheiro" (5.290).

5.302: Chapman explica a inquietação, ao decrescer encaixe dos bancos, não pelo receio no tocante aos depósitos, e sim porque todos aqueles que possivelmente têm de pagar bruscamente grandes somas sabem muito bem que podem ser levados a recorrer ao banco como última fonte, se o mercado financeiro aperta; e

> "o banco, se tem encaixe muito reduzido, não se regozija em nos receber; muito pelo contrário."

Aliás, é belo ver sumir-se o encaixe como grandeza real. Para os negócios correntes, os banqueiros retêm um mínimo, parte com eles e parte com o Banco da Inglaterra. Os *bill-brokers* dispõem do "dinheiro bancário solto do país", sem possuir encaixe. E o Banco da Inglaterra, em contrapartida aos depósitos que deve, só possui o encaixe dos banqueiros e de outros clientes, além dos depósitos governamentais etc., que deixa cair ao nível mais baixo, por exemplo, até a 2 milhões. Por isso, fora esses 2 milhões em papel, toda essa especulação em épocas de aperto financeiro (que reduz o encaixe, pois se anulam os bilhetes que entram em troca de metal que sai) não tem absolutamente outra reserva que o encaixe metálico, e daí todo decréscimo dele com a saída de ouro agravar a crise.

"5.306: Se não existisse dinheiro para liquidar os saldos na Câmara de Compensação, penso que nada mais restaria que nos reunir e fazer nossos pagamentos em letras de primeira categoria, como as emitidas sobre o Tesouro, sobre Smith, Payne & Co. etc. – 5.307: Então, se o governo deixasse de prover os senhores com meios de circulação, os senhores os criariam para si mesmos? – Que podemos fazer? O público chega e nos toma das mãos os meios de circulação; não há tal coisa. – 5.308: Assim, os senhores apenas fariam em Londres o que se faz todos os dias em Manchester? – Sem dúvida."

É muito boa a resposta de Chapman à pergunta feita por Cayley, originário de Birmigham e da escola de Attwood, com referência à concepção de Overstone sobre capital:

"5.315: Foi dito perante a Comissão que em crise, como a de 1847, não se procura dinheiro, e sim capital; que pensa sobre isso? – Não entendi; só lidamos com dinheiro; não sei o que o senhor quer dizer. – 5.316: Se entende por isso" (por capital comercial) "a quantidade de dinheiro que o próprio dono possui no negócio, se a chama de capital, essa soma constitui em regra parte ínfima do dinheiro com que dirige o negócio, em virtude do crédito que o público lhe dá", por intermédio dos Chapman.
"5.339: É por falta de riqueza que suspendemos os pagamentos em dinheiro metálico? – De maneira nenhuma;... não nos faltam riquezas, mas nos movemos dentro de um sistema muito artificial e, se temos enorme e alarmante procura de meios de circulação, podem sobrevir circunstâncias que nos impedem de nos apoderar desses meios. Deve por isso parar toda a atividade comercial do país? Devemos bloquear todos os caminhos que levam à ocupação? – 5.338:

O MEIO DE CIRCULAÇÃO NO SISTEMA DE CRÉDITO

Se somos colocados diante do dilema de manter os pagamentos em dinheiro metálico ou a indústria do país, sei muito bem qual o partido a tomar."

Quanto ao entesouramento de bilhetes de banco "com o propósito de agravar a crise e tirar proveito das consequências dela" (5.358) diz ele, é ocorrência que se pode dar muito facilmente. Bastariam para isso três grandes bancos.

> "5.383: Como homem familiarizado com os grandes negócios de nossa metrópole, sabe necessariamente que há capitalistas que utilizam essas crises para conseguir lucros enormes com a ruína dos que perderam? – Isso está acima de qualquer dúvida."

E podemos acreditar em Mr. Chapman, embora acabasse aniquilando-se comercialmente, na tentativa de "conseguir lucros enormes com a ruína dos que perderam". É que, se o sócio Gurney diz – toda mudança nos negócios é vantajosa para quem está bem informado, diz Chapman:

> "Uma parte da sociedade nada sabe da outra; é o caso, por exemplo, do fabricante que exporta para o continente ou importa matéria-prima; ele nada sabe do outro que lida com barras de ouro" (5.046).

E assim, um belo dia, Gurney e Chapman não "estavam bem informados" e afundaram numa rumorosa falência.

Já vimos acima que emissão de bilhetes não significa em todos os casos adiantamento de capital. O depoimento a seguir de Tooke perante a Comissão (*Commercial Distress*) da Câmara dos Lordes em 1848 demonstra que adiantamento de capital, mesmo quando efetuado pelo Banco mediante emissão de novos bilhetes, não redunda necessariamente em acréscimo da quantidade dos bilhetes em circulação:

> "3.099: Acha que o Banco da Inglaterra possa aumentar consideravelmente os adiantamentos, sem provocar emissão acrescida de bilhetes? – Fatos abundantes o demonstram. Um dos mais contundentes exemplos ocorreu em 1835, quando o Banco utilizou os depósitos das Índias Ocidentais e o empréstimo obtido pela Companhia das Índias Orientais para aumentar os adiantamentos ao público; na mesma ocasião reduziu-se realmente um pouco o montante dos bilhetes em poder do público... Algo semelhante observa-se em 1846

quando se fazem no Banco os depósitos das companhias ferroviárias. Os títulos (em desconto e em depósito) subiram a quase 30 milhões, sem que houvesse repercussão perceptível sobre o montante de bilhetes em poder do público."

Mas, além dos bilhetes de banco, o comércio atacadista dispõe de outro meio de circulação para ele bem mais importante: as letras de câmbio. Chapman mostrou-nos ser essencial para a marcha regular dos negócios que boas letras se aceitem em pagamento por toda parte, sejam quais forem as circunstâncias: "Se o Tausves Jontof não vale mais, que é que vale? Estamos perdidos."[1] Como se comportam reciprocamente esses dois meios circulantes?

A respeito, diz Gilbart:

"Ao decrescer o montante dos bilhetes em circulação, aumenta ordinariamente o das letras em circulação. As letras são de duas espécies – comerciais e bancárias... Se o dinheiro escasseia, dizem os emprestadores de dinheiro: 'Saque sobre nós, que aceitaremos.' E um banco de província, se desconta letra de um cliente, não lhe dá dinheiro de contado, mas letra própria a 21 dias sobre o agente em Londres. Essas letras servem de meio de circulação" (J.W. Gilbart, *An Inquiry into the Causes of the Pressure* etc., p. 31).

Newmarch confirma isso de forma um tanto modificada (*Bank Acts*, 1857, Nº 1.426):

"Não existe nexo entre as flutuações no montante das letras circulantes e as no montante dos bilhetes de banco circulantes... O único resultado bastante regular é... que, ao suceder a menor apertura no mercado financeiro, revelada por alta na taxa de desconto, acresce consideravelmente o montante das letras em circulação e vice-versa."

Mas, as letras então emitidas não são apenas as letras bancárias a curto prazo, mencionadas por Gilbart. Ao contrário, são em grande parte papagaios que não representam negócio efetivo ou apenas representam negócios iniciados somente para se poder emitir letras sobre eles; de ambos os casos demos exemplos suficientes. Daí dizer o *Economist* (Wilson), comparando a segurança dessas letras com a dos bilhetes de banco:

---

1 Heine, *Disputation*.

O MEIO DE CIRCULAÇÃO NO SISTEMA DE CRÉDITO

"Nunca pode haver em mãos do público excesso de bilhetes de banco pagáveis ao serem apresentados, pois esse excesso refluirá sempre ao banco para substituição, enquanto letras a 2 meses podem ser emitidas em demasia, pois não há meio de controlar a emissão até que se vençam, quando são repostas por outras. Não podemos absolutamente compreender que uma nação aceite a garantia da circulação de letras, pagáveis em data por vir, ao mesmo tempo que levantaria dúvidas contra a circulação de moeda-papel, pagável na apresentação" (*Economist*, 1847, p. 575).

A quantidade das letras em circulação, como a dos bilhetes de banco, só é, portanto, determinada pelas necessidades do comércio; em épocas normais, na década de 1850, circulavam no Reino Unido, além de 39 milhões de bilhetes de banco, perto de 300 milhões de letras, das quais 100 a 120 milhões sobre Londres apenas. O montante das letras em circulação não influi no montante dos bilhetes em circulação, e é influenciado por este somente em épocas de carência de dinheiro, quando aumenta a quantidade e piora a qualidade das letras. Finalmente, no momento da crise, para por completo a circulação das letras; ninguém pode utilizar promessa de pagamento, pois todo mundo só quer pagamento de contado; só o bilhete de banco, pelo menos até agora na Inglaterra, mantém a capacidade de circular, pois a nação com toda a sua riqueza está atrás do Banco da Inglaterra.

Vimos, em 1857, como o próprio Chapman, embora fosse então magnata do mercado financeiro, se queixou amargamente de haver em Londres vários grandes capitalistas financeiros, bastante fortes, para em determinado momento lançar na desordem todo o mercado de dinheiro, arruinando ignominiosamente os pequenos competidores. Há vários desses grandes tubarões que poderiam agravar consideravelmente uma apertura financeira, vendendo 1 a 2 milhões de títulos da dívida consolidada e por esse meio retirando do mercado montante igual de bilhetes de banco (e ao mesmo tempo de capital de empréstimo disponível). A ação conjunta de três grandes bancos bastaria para essa manobra que transforma apertura financeira em pânico.

Em Londres, a maior potência em capital é naturalmente o Banco da Inglaterra, que, em virtude de sua posição de instituto semiestatal, fica na impossibilidade de manifestar seu poderio de maneira tão arbitrária. Não obstante, também sabe os meios e modos – sobretudo após a lei bancária de 1844 – de levar a água a seu moinho.

O CAPITAL

O Banco da Inglaterra tem capital de 14.553.000 libras esterlinas e dispõe de "saldo", constituído de lucros não distribuídos, de cerca de 3 milhões de libras esterlinas, e ainda de todas as quantias recebidas pelo governo como impostos, nele obrigatoriamente depositadas até serem empregadas. Se adicionarmos aí o total dos outros depósitos em dinheiro (em épocas normais, por volta de 30 milhões de libras esterlinas) e o dos bilhetes de banco emitidos a descoberto, acharemos bastante modesta a estimativa de Newmarch, ao dizer (*Bank Acts*, 1857, Nº 1.889):

> "Estou convencido de que a soma global dos títulos de bolsa sem cessar negociados no mercado financeiro" [de Londres] "possa estimar-se em perto de 120 milhões; e o Banco da Inglaterra dispõe de parte considerável desses 120 milhões; 15 a 20%."

Na medida em que emite bilhetes sem cobertura do encaixe metálico guardado nos subterrâneos, o Banco cria símbolos de valor, que para ele constituem meio de circulação e, além disso, capital adicional, embora fictício, no valor nominal desses bilhetes sem cobertura. E esse capital adicional lhe rende lucro adicional. – Em *Bank Acts*, de 1857, Wilson pergunta a Newmarch:

> "1.563: A circulação dos bilhetes próprios de um banco, isto é, o montante que em média fica nas mãos do público constitui acréscimo do capital efetivo desse banco, não é verdade? – Perfeitamente. – 1.564: Todo o lucro, portanto, que o banco extrai dessa circulação é lucro derivado do crédito e não de um capital que de fato possua? – Exatamente."

O mesmo se estende aos bancos privados emissores de bilhetes. Newmarch, nas respostas 1866 a 1868, considera $\frac{2}{3}$ de todos os bilhetes que eles emitem (para o outro terço, os bancos são obrigados a manter encaixe metálico) "criação do mesmo tanto em capital", pois se poupa dinheiro metálico nesse montante. Por isso, o lucro do banqueiro pode não ser tão grande quanto o lucro de outros capitalistas. Permanece o fato de ele extrair o lucro dessa economia nacional de dinheiro metálico. Uma economia nacional aparece como lucro privado, e essa circunstância em nada abala o economista burguês, pois o lucro, em suma, é o apropriar-se do trabalho nacional. Há absurdo maior, por exemplo, que o Banco da Inglaterra

O MEIO DE CIRCULAÇÃO NO SISTEMA DE CRÉDITO

(1797 a 1817): seus bilhetes só têm crédito graças ao Estado, e o Banco, na forma de juros por empréstimos ao governo, faz que o Estado, o público, portanto, pague o poder que o Estado lhe confere – o de transmutar esses bilhetes que são papel em dinheiro e em seguida emprestá-los ao Estado?

Aliás, os bancos dispõem ainda de outros meios de criar capital. Segundo o mesmo Newmarch, os bancos de província, conforme já mencionamos, têm o hábito de remeter os fundos que sobram (bilhetes do Banco da Inglaterra) aos *bill-brokers* londrinos, que em troca lhes enviam letras descontadas. Os bancos de província servem os clientes com essas letras, pois para eles é regra não pôr novamente em circulação as letras dos clientes locais, a fim de que as operações destes não cheguem ao conhecimento da vizinhança. As letras vindas de Londres podem passar às mãos de clientes que tenham de fazer pagamentos diretos a Londres, caso não prefiram mandar pelo Banco ordem de pagamento própria sobre Londres; elas também servem para liquidar pagamentos na província, pois o endosso do banqueiro lhes assegura o crédito local. Assim, expulsaram da circulação em Lancashire, por exemplo, todos os bilhetes dos bancos locais e grande parte dos bilhetes do Banco da Inglaterra (*ibidem*, N°s 1.568 a 1.574).

Estamos vendo como os bancos criam crédito e capital: (1) emitindo os próprios bilhetes; (2) expedindo ordens de pagamento sobre Londres com prazo de até 21 dias, mas que lhes são pagas de contado na emissão; (3) pagando por meio de letras descontadas, endossadas pelo banqueiro; o endosso, antes de mais nada e essencialmente, firma o crédito das letras, pelo menos na circunscrição local.

O poder do Banco da Inglaterra revela-se na função de regular a taxa de mercado do juro. Quando os negócios correm normais, pode suceder que o Banco da Inglaterra fique impossibilitado de conter evasão moderada de ouro de seu encaixe metálico, elevando a taxa de desconto,[67] porque a necessidade de meios de pagamento é satisfeita pelos bancos privados, pelos

---

67 Na assembleia geral dos acionistas do Union Bank de Londres, em 17 de janeiro de 1894, o presidente Mr. Ritchie relata que o Banco da Inglaterra em 1893 elevou o desconto de $2\frac{1}{2}$ % (em julho) para 3 e 4% em agosto; mas, tendo perdido, apesar da medida, $4\frac{1}{2}$ milhões de libras esterlinas, alteou o desconto para 5%. O ouro, então, refluiu e a taxa do Banco em setembro baixou para 4 e em outubro para 3%. Mas essa taxa não foi aceita no mercado. "Quando a taxa do Banco era de 5%, a do mercado era de $3\frac{1}{2}$ %, e a taxa de dinheiro, de $2\frac{1}{2}$ %; quando a taxa do Banco declinou para 4%, a taxa de desconto era de $2\frac{3}{8}$ e a de dinheiro, de $1\frac{3}{4}$ %; quando a do Banco baixou para 3%, a de desconto caiu para $1\frac{1}{2}$ % e a taxa de dinheiro ficou um pouco menor" (*Daily News*, 18 de janeiro de 1894. — F.E.).

bancos por ações e pelos *bill-brokers*, com o poderio em capital consideravelmente acrescido nos últimos trinta anos. Tem de recorrer então a outros meios. Mas, nos momentos críticos, é válido o que disse o banqueiro Glyn (Glyn, Mula, Currie & Co.) perante a Comissão relativa a *Commercial Distress*, 1848-1857:

> "1.709: Em épocas de grande aperto financeiro no país, o Banco da Inglaterra comanda a taxa de juro. – 1.710: Em épocas de apertura financeira extraordinária [...] os descontos, ao serem relativamente reduzidos pelos bancos particulares ou pelos corretores, recaem sobre o Banco da Inglaterra, que então tem o poder de fixar a taxa de mercado do juro."

Por certo, como instituição oficial, com garantias e privilégios do Estado, não pode permitir-se a utilização brutal de seu poder como se observa com relação aos estabelecimentos privados. Por isso declara Hubbard perante a comissão bancária (*Bank Acts*, 1857):

> 2.844 (pergunta): "Quando a taxa de desconto atinge o máximo, a do Banco da Inglaterra está em nível inferior, e quando atinge o mínimo, a taxa de nível inferior é a dos corretores, não é verdade? – (Hubbard): E será sempre assim, pois o Banco da Inglaterra nunca baixa tanto a taxa quanto os concorrentes, nem a eleva tanto, quando ela sobe ao máximo."

Entretanto, é ocorrência grave na vida econômica quando o Banco em épocas de carência financeira aperta os parafusos, segundo a expressão corrente, isto é, eleva ainda mais a taxa de juro que já está acima da média.

> "Logo que o Banco da Inglaterra aperta os parafusos, cessam todas as compras para exportação... Os exportadores esperam que a depressão dos preços atinja o ponto mais baixo, e só então e não antes passam a comprar. Mas, atingido esse ponto, o curso do câmbio já está de novo regulado – o ouro cessa de exportar-se, antes de ser atingido esse ponto mais baixo da depressão. É possível que as compras de mercadorias para exportação tragam de volta parte do ouro mandado para o exterior, mas sucedem tarde demais para impedir a evasão (J.W. Gilbart, *An Inquiry into the Causes of the Pressure on the Money Market*, Londres, 1840, p. 35). "A regularização do meio circulante por intermédio do curso do câmbio tem ainda outra consequência, a de provocar em épocas de carência elevação enorme na taxa de juro" (*loc. cit.*, p. 40). "Os custos para

restabelecer o curso do câmbio recaem sobre a indústria nacional, enquanto no decurso desse processo o Banco da Inglaterra tem o lucro realmente aumentado, por prosseguirem suas operações, com quantidade menor de metais preciosos" (*loc. cit.*, p. 52).

Mas disse nosso amigo Samuel Gurney,

"essas grandes oscilações da taxa de juro são vantajosas para os banqueiros e agentes financeiros – todas as oscilações nos negócios são lucrativas para quem está bem-informado."

Os Gurney colhem o melhor da exploração implacável das fases de carência financeira, coisa que o Banco da Inglaterra não se pode permitir com a mesma liberdade. Este, entretanto, tem lucros portentosos – para não falarmos dos lucros particulares, caídos do céu, que seus diretores embolsam, em virtude da excepcional oportunidade que fruem de conhecer a situação geral dos negócios. Segundo dados apresentados perante a Comissão da Câmara dos Lordes em 1817, ao reinstituir-se o resgate em dinheiro metálico, os lucros do Banco da Inglaterra para todo o período de 1797 a 1817 eram os seguintes:

Bonificações e acréscimos de dividendos	7.451.136
Novas ações distribuídas pelos acionistas	7.276.500
Acréscimo do capital	14.553.000
Soma	29.280.636

para um capital de 11.642.400 libras esterlinas em 19 anos (O. Hardcastle, *Banks and Bankers*, 2ª ed., Londres, 1843, p. 120). Se estimamos de acordo com o mesmo critério o lucro global do Banco da Irlanda, que também suspendeu os pagamentos em moeda metálica em 1797, obteremos o seguinte resultado:

Dividendo exigíveis em 1821	4.736.085
Bonificações declaradas	1.225.000
Acréscimo do ativo	1.214.800
Acréscimo do capital	4.185.000
Soma	11.360.885

para um capital de 3 milhões de libras esterlinas (*ibidem*, p. 363s).

E ainda se recorre ao argumento da centralização! O sistema de crédito, que tem seu fulcro nos bancos ditos nacionais em torno dos quais giram grandes prestamistas e usurários, constitui centralização enorme e dá a essa classe de parasitas imenso poder para dizimar periodicamente os capitalistas industriais e ainda para intervir da maneira mais perigosa na produção real – e essa horda nada entende de produção e nada tem que ver com ela. As leis de 1844 e 1845 demonstram o poder crescente desses ladrões, aos quais se juntam os grandes operadores financeiros e os especuladores de bolsa.

Quem quer que ainda duvide que esses honrados salteadores só têm em vista o interesse da produção e dos próprios explorados quando interferem na produção nacional e internacional, acabará por certo aceitando a doutrina, exposta a seguir, sobre a alta dignidade moral do banqueiro:

> "Os estabelecimentos bancários são instituições religiosas e morais. Quantas vezes o medo da vigilância e da reprovação do banqueiro não faz o jovem comerciante afastar-se da companhia de amigos turbulentos e dissolutos? E como se preocupa em manter a estima do banqueiro e em parecer sempre respeitável. O franzir da testa do banqueiro tem mais influência sobre ele que as prédicas dos amigos; treme ante a possibilidade de ser considerado culpado de um engano ou da menor declaração inexata, receoso de que surjam daí suspeitas que restrinjam ou eliminem seu crédito. O conselho do banqueiro é para ele mais importante que o do sacerdote" (G.M. Bell, banqueiro escocês, *The Philosophy of Joint Stock Banking*, Londres, 1840, pp. 46-47).

XXXIV.
O "currency principle"[I] e a legislação bancária inglesa de 1844

[I] Teoria sobre o meio circulante.

[Em obra anterior[68] analisou-se a teoria de Ricardo sobre o valor do dinheiro em relação aos preços das mercadorias; por isso podemos agora nos restringir ao indispensável. Segundo Ricardo, o valor do dinheiro – metálico – é determinado pelo tempo de trabalho nele materializado, mas só enquanto a quantidade de dinheiro mantém proporção adequada com quantidade e preço das mercadorias a vender. Se a quantidade de dinheiro for tal que (1) ultrapasse essa proporção, o valor dele baixa e os preços das mercadorias sobem; mas se essa quantidade for tal que (2) fique abaixo da proporção adequada, sobe o valor do dinheiro e caem os preços das mercadorias, desde que não se alterem as demais condições. No primeiro caso, o país onde há esse excesso de ouro exportará o ouro depreciado e importará mercadorias; no segundo caso, o ouro fluirá para os países onde está cotado acima do valor, enquanto as mercadorias neles depreciadas se escoarão para outros mercados onde possam alcançar preços normais. Nessas condições, uma vez que "o ouro mesmo, em moeda ou em barras, pode representar valor metálico maior ou menor que o próprio, compreende-se que os bilhetes de banco conversíveis em circulação tenham idêntica possibilidade. Embora os bilhetes de banco sejam conversíveis, correspondendo o valor real ao nominal, a massa toda de dinheiro circulante, ouro e bilhetes (a circulação agregada consistente em metal e bilhetes conversíveis), pode encarecer-se ou depreciar-se, conforme a quantidade global – pelos motivos antes expostos – suba acima ou caia abaixo do nível determinado pelo valor de troca das mercadorias circulantes e pelo valor metálico do ouro... Essa depreciação, não do papel perante o ouro, mas do ouro e do papel em conjunto, ou seja, da massa global dos meios de circulação de um país, é uma das principais ideias de Ricardo, explorada por lorde Overstone & Cia. e transformada em princípio fundamental pela legislação bancária de Sir Robert Peel, promulgada em 1844 e 1845" (*loc. cit.*, p. 155).

Não é mister repetir aqui a explanação feita, nessa obra, sobre o equívoco da teoria ricardiana. Interessa-nos apenas a maneira como foram reelaboradas as teses pela escola dos teóricos bancários, a qual ditou as referidas leis bancárias de Peel.

"As crises comerciais do século XIX, notadamente as grandes crises de 1825 e 1836, motivaram nova utilização da teoria monetária de Ricardo,

---

68 Ver Marx, *Zur Kritik der politischen Oekonomice*, Berlim, 1859, p. 150s.

mas não seu desenvolvimento. Não se tratava mais de fenômenos econômicos isolados, como a depreciação dos metais preciosos nos séculos XVI e XVII, estudada por Hume, ou como a depreciação do papel-moeda no século XVIII e começo do XIX, observada por Ricardo, e sim do conflito desencadeado entre todos os elementos do processo burguês de produção. Procurou-se então determinar a origem deles e formular os remédios na órbita mais superficial e mais abstrata desse processo, a da circulação monetária. O postulado propriamente teórico donde parte essa escola de artistas da meteorologia econômica é apenas o dogma de que Ricardo descobriu as leis da circulação puramente metálica. Só lhes restava submeter a essas leis a circulação do crédito ou dos bilhetes de banco.

O fenômeno mais geral e mais patente das crises comerciais é queda súbita, geral dos preços das mercadorias, que sucede à longa e geral ascensão deles. Queda geral dos preços das mercadorias pode exprimir-se como ascensão no valor relativo do dinheiro, confrontado com todas as mercadorias, e ascensão geral dos preços, ao revés, como queda do valor relativo do dinheiro. Nos dois casos enuncia-se, mas não se explica o fenômeno... A mudança de fraseologia em nada altera o problema, como não o modificaria a circunstância de ser expresso em outra língua. Por isso, a teoria de Ricardo se tornou singularmente oportuna, pois dá a uma tautologia a aparência de uma relação causal. Donde vem a periódica baixa geral dos preços das mercadorias? Da alta periódica do valor relativo do dinheiro. E, ao contrário, donde vem a periódica ascensão geral dos preços das mercadorias? Da baixa periódica no valor relativo do dinheiro. Com a mesma razão poder-se-ia dizer que a alta e a baixa periódicas dos preços vêm de sua alta e baixa periódicas... Admitida a conversão da tautologia em relação causal, tudo o mais se infere com facilidade. A elevação dos preços das mercadorias decorre da queda do valor do dinheiro, e a baixa do valor do dinheiro, conforme ensina Ricardo, da circulação pletórica, da circunstância de a massa do dinheiro circulante ultrapassar o nível determinado pelo próprio valor imanente e pelos valores imanentes das mercadorias. E reciprocamente a baixa geral dos preços das mercadorias provém da elevação do valor do dinheiro acima do valor que lhe é imanente, em virtude de circulação escassa. Assim, os preços sobem e descem periodicamente, porque periodicamente circula dinheiro de mais ou de menos. Se, entretanto, ficar

O "CURRENCY PRINCIPLE" E A LEGISLAÇÃO BANCÁRIA INGLESA DE 1844

demonstrado que a alta dos preços coincidiu com circulação reduzida de dinheiro, e a baixa, com circulação aumentada, pode-se não obstante afirmar que a quantidade de dinheiro circulante aumentou ou reduziu-se, não em termos absolutos, mas relativos, em virtude de qualquer redução ou aumento da massa circulante de mercadorias, impossível de demonstrar-se estatisticamente. Ora, vimos que, segundo Ricardo, essas flutuações gerais dos preços também ocorrem necessariamente em circulação metálica pura, mas se compensam alternando-se: circulação insuficiente, por exemplo, provoca baixa dos preços das mercadorias; a baixa desses preços, exportação das mercadorias para o exterior; essa exportação, importação de ouro pelo país, e essa entrada de dinheiro, novamente elevação dos preços das mercadorias. Ao contrário, com circulação pletórica, quando se importam mercadorias e se exporta ouro. As flutuações gerais de preços derivam aí da natureza da própria circulação metálica ricardiana, mas sua forma violenta e brutal, a forma de crise, pertence às épocas de sistema de crédito desenvolvido; por isso, ressalta com meridiana clareza que a emissão de bilhetes de banco não se regula exatamente pelas leis da circulação metálica. A circulação metálica tem seu remédio na importação e exportação dos metais preciosos, que, ao terem curso de moeda, entrando ou saindo, fazem subir ou baixar os preços das mercadorias. O mesmo efeito sobre os preços das mercadorias tem de ser então artificialmente produzido pelos bancos, imitando as leis da circulação metálica. Se o dinheiro aflui do exterior para o país, é sinal de que a circulação é escassa, o valor do dinheiro é alto demais e os preços das mercadorias, demasiadamente baixos, e, em consequência, bilhetes de banco devem ser lançados na circulação na proporção do novo ouro importado. Ao contrário, é mister retirá-los da circulação na proporção em que o ouro sai do país. Em outras palavras, a emissão de bilhetes de banco tem de ser regulada de acordo com a importação e a exportação dos metais preciosos, ou seja, de acordo com o curso do câmbio. Segundo Ricardo, ouro é apenas moeda; assim, todo ouro importado aumenta o dinheiro em circulação e, em consequência, faz subir os preços, e todo ouro exportado reduz a moeda e, por conseguinte, faz cair os preços. Esse errôneo postulado teórico converte-se no *experimento prático de fazer circular tanta moeda quanto de ouro existe no momento*. Lorde Overstone (o banqueiro Jones Lloyd), coronel Torrens, Norman,

Clay, Arbuthnot e uma série de outros autores, conhecidos na Inglaterra como integrantes da Escola do *Currency Principle*, pregaram essa doutrina e ainda fizeram dela a base da legislação bancária inglesa e escocesa por meio das leis de 1844 e 1845 de Sir Robert Peel. Só poderemos expor seu ignominioso fracasso, teórico e prático, depois de experimentada na mais vasta escala nacional, quando tratarmos da teoria do crédito" (*loc. cit.*, pp. 165-168).

Criticam essa Escola, Thomas Tooke, James Wilson (no *Economist*, de 1844 a 1847) e John Fullarton. Vimos em várias oportunidades, notadamente no Capítulo XXVIII deste livro, como esses autores também compreendiam mal a natureza do ouro e como eram obscuros a respeito da relação entre dinheiro e capital. Examinemos ainda alguns assuntos ligados aos debates da Comissão da Câmara dos Comuns de 1857 sobre as leis bancárias de Peel – *Bank Committee*, 1857. — F.E.]

J.G. Hubbard, ex-governador do Banco da Inglaterra, afirma:

> "2.400: O efeito da exportação de ouro não se faz sentir absolutamente sobre os preços das mercadorias, mas, de maneira decisiva, sobre os preços dos títulos, pois, na medida em que a taxa de juro varia, altera-se necessariamente em proporção considerável o valor de mercadorias que encarnam esse juro."

Apresenta dois quadros relativos aos anos de 1834 a 1843 e de 1844 a 1853, que demonstram ter sido o movimento de preços dos quinze mais importantes artigos comerciais por completo independente da migração do ouro e da taxa de juro. Ao revés, provam existir conexão íntima entre migração do ouro, a qual "representa nosso capital em busca de aplicação", e taxa de juro.

> [2.402] "Em 1847, títulos americanos em quantidade enorme se transferiram de volta para a América, papéis negociáveis russos, para a Rússia, e do continente, para os países onde conseguimos abastecer-nos de cereais."

Os quinze artigos principais em que se baseou o quadro seguinte de Hubbard são: algodão, fio de algodão, tecido de algodão, lã, tecido de lã, fibra de linho, tecido de linho, anil, ferro fundido, folha de flandres, cobre, sebo, açúcar, café, seda.

O "CURRENCY PRINCIPLE" E A LEGISLAÇÃO BANCÁRIA INGLESA DE 1844

I. De 1834 a 1843

Data	Encaixe metálico do Banco em libras esterlinas	Desconto; taxa de mercado	Dos 15 artigos principais tiveram os preços em		
			alta	baixa	invariáveis
1/3/1834	9.104.000	2 3/4%	-	-	-
1/3/1835	6.274.000	3 3/4%	7	7	1
1/3/1836	7.918.000	3 1/4%	11	3	1
1/3/1837	4.077.000	5 %	5	9	1
1/3/1838	10.471.000	2 3/4%	4	11	-
1/9/1839	2.684.000	6 %	8	5	2
1/6/1840	4.571.000	4 3/4%	5	9	1
1/12/1840	3.642.000	5 3/4%	7	6	2
1/12/1841	4.873.000	5 %	3	12	-
1/12/1842	10.603.000	2 1/2%	2	13	-
1/6/1843	11.566.000	2 1/4%	1	14	-

II. De 1834 a 1843

Data	Encaixe metálico do Banco em libras esterlinas	Desconto; taxa de mercado	Dos 15 artigos principais tiveram os preços em		
			alta	baixa	invariáveis
1/3/1844	16.162.000	2 1/4%	-	-	-
1/12/1845	13.237.000	4 1/2%	11	4	-
1/9/1846	16.366.000	3 %	7	8	-
1/9/1847	9.140.000	6 %	6	6	3
1/3/1850	17.126.000	2 2/2%	5	19	1
1/6/1851	13.705.000	3 %	2	11	2
1/9/1852	21.853.000	1 3/4%	9	5	1
1/12/1853	15.093.000	5 %	14	-	1

Comenta Hubbard:

"Tanto nos anos de 1834 a 1843 quanto no período de 1844 a 1853, acréscimo ou decréscimo do valor de empréstimo do dinheiro adiantado mediante desconto acompanha sempre as flutuações do ouro do Banco; por outro lado, as modificações nos preços internos das mercadorias revelam possuírem elas independência completa da massa da circulação, como aparece nas flutuações do ouro do Banco da Inglaterra" (*Bank Acts Report*, 1857, II, p. 290s).

Uma vez que a oferta e a procura das mercadorias regulam os preços de mercado, evidencia-se o erro de Overstone ao identificar a procura de capital-dinheiro de empréstimo (ou antes os desvios que dela tem a oferta), expressa na taxa de desconto, com a procura de "capital" real. A afirmativa de que os preços das mercadorias são regulados pelas flutuações na magnitude do meio circulante (*currency*) oculta-se por trás da asserção de que as flutuações na taxa de desconto expressam flutuações na procura do capital físico real, diverso do capital-dinheiro. É o que afirmaram, conforme vimos, tanto Norman quanto Overstone perante a mesma Comissão, tendo o segundo de recorrer a frases evasivas até que ficou por fim encurralado (Capítulo XXVI). É o velho embuste: as modificações na quantidade de ouro existente, aumentando ou diminuindo a magnitude do meio circulante do país, acarretariam necessariamente alta ou baixa dos preços das mercadorias. Segundo a teoria da *currency*, se se exporta ouro, têm de subir os preços das mercadorias no país para onde vai o ouro, e, por esse motivo, o valor das exportações do país exportador de ouro no mercado do país que o importa; o valor da exportação deste cairia no mercado daquele, mas subiria o valor das mercadorias originárias do país para onde vai o ouro. Mas, na realidade, o decréscimo da quantidade de ouro apenas aumenta a taxa de juro, enquanto o acréscimo a faz baixar; essas flutuações da taxa de juro, se não fossem levadas em conta ao se estabelecerem os preços de custo ou ao se determinarem a oferta e a procura, deixariam intangíveis os preços das mercadorias.

No mesmo relatório N. Alexander, diretor de grande firma com negócios na Índia, opina sobre a forte saída de prata para a Índia e a China – em meados da década de 1850, em consequência tanto da Guerra Civil Chinesa, que impedia a venda de tecidos ingleses na China, quanto da praga que atingiu a sericicultura europeia, e muito prejudicou a criação do bicho-da-seda na Itália e na França – da seguinte maneira:

> "4.337: A prata vai para a China ou para a Índia? – Remete-se a prata para a Índia e com boa parte dela compra-se ópio, que é totalmente mandado para a China, a fim de constituir fundo para aquisição de seda; e a situação dos mercados da Índia" (apesar da prata lá acumulada) "torna mais lucrativo para o comerciante expedir para aí prata em vez de tecidos ou de outros produtos industriais ingleses. – 4.338: A França, donde obtemos a prata, não a exportou muito? – Sim, quantidade bem grande. – 4.344: Em vez de importar seda da França e da Itália, mandamos para esses países, em grandes quantidades, a de Bengala e a chinesa."

O "CURRENCY PRINCIPLE" E A LEGISLAÇÃO BANCÁRIA INGLESA DE 1844

Assim, para a Ásia remetia-se prata – o metal monetário dessa parte do mundo – em vez de mercadorias, não por terem os preços delas subido no país produtor (Inglaterra), e sim por terem caído (em virtude de importação excessiva) no país que as recebia, embora a Inglaterra tivesse de obter essa prata da França e de pagá-la parcialmente com ouro. De acordo com a teoria da *currency*, essas operações necessariamente fariam os preços cair na Inglaterra e subir na Índia e na China.

Outro exemplo. Perante a Comissão da Câmara dos Lordes (C.D., 1848-1857), Wylie, um dos primeiros comerciantes de Liverpool, declara o seguinte:

> "1.994: No fim de 1845 não havia negócio que fosse tão remunerador e desse tão grandes lucros" [como a fiação de algodão]. "Os estoques de algodão eram grandes e podia-se obter algodão ao preço de 4 pence a libra-peso, em condições para se fazer à máquina um bom fio de segunda qualidade (*secunda mule twist*) Nº 40, bastando despesa adicional de 4 pence, de modo que o desembolso global do fabricante era de 8 pence. Venderam-se grandes quantidades desse fio em setembro e outubro de 1845, e fecharam-se grandes contratos de fornecimento, a $10\frac{1}{2}$ e $11\frac{1}{2}$ pence a libra-peso, e em alguns casos o fabricante realizou lucro igual ao preço de compra do algodão. – 1.996: O negócio prosseguiu remunerador até início de 1846. – 2.000: Em 3 de março de 1844, o estoque de algodão" [627.042 fardos] "ultrapassava o dobro do atual" [7 de março de 1848, com 301.070 fardos]; "o preço por libra-peso acresceu, entretanto, de $\frac{1}{2}$ pence" [$6\frac{1}{2}$ pence contra 5]. "Ao mesmo tempo, o fio – *secunda mule twist* Nº 40 de boa qualidade – caiu de $11\frac{1}{2}$ 12 pence para $9\frac{1}{2}$ em outubro, e para $7\frac{3}{4}$ no fim de dezembro de 1847; vendeu-se fio ao preço do algodão que serviu de matéria-prima" (*ib.*, Nºˢ 2.021 e 2.023).

Isto serve para desmascarar a sabedoria interessada de Overstone de que o dinheiro é "caro" por ser "raro" o capital. Em 3 de março de 1844, a taxa bancária de juro era de 3%; em outubro e novembro de 1847, subia para 8 e 9%; e em 7 de março de 1848 ainda se fixava em 4%. Os preços do algodão, em virtude da total paralisação das vendas e do pânico com a alta consequente da taxa de juro, caíram muito abaixo do nível correspondente à situação da oferta. Daí resultou enorme decréscimo da importação de 1848 e ainda queda da produção na América; por isso, nova elevação dos preços do algodão em 1849. Segundo Overstone, as mercadorias estavam caras demais por haver no país dinheiro demais.

"2.202: A recente piora na situação da indústria têxtil algodoeira não decorre da escassez de matéria-prima, pois o preço dela caiu, embora os estoques do algodão tenham diminuído consideravelmente."

Deliciosa a confusão de Overstone entre o preço ou valor da mercadoria e o valor do dinheiro, a taxa de juro. Cardwell e Sir Charles Wood, em maio de 1847, "defendiam a necessidade de pôr em prática em todas as suas disposições a lei bancária de 1844", de acordo com a teoria da *currency*; na resposta à pergunta 2.026, Wylie julga de maneira geral essa teoria:

"Parece-me que tais princípios são de molde a elevar artificialmente o valor do dinheiro e a baixar artificial e ruinosamente o de todas as mercadorias."

No tocante aos efeitos dessa lei bancária sobre a situação geral dos negócios, diz ele:

"Uma vez que as letras de câmbio a 4 meses – as letras regulares das cidades industriais sobre comerciantes e banqueiro, garantidas por mercadorias compradas e destinadas aos Estados Unidos – só podem ser descontadas com grandes sacrifícios, manietou-se em escala considerável a execução de encomendas até à resolução governamental de 25 de outubro" [suspensão da lei bancária], "quando se possibilitou novamente o desconto dessas letras de 4 meses" (2.097).

Também nas províncias, a suspensão da lei bancária teve o efeito de medida salvadora.

"2.102: Em outubro passado" [1847] "todos os compradores americanos que adquiriam mercadorias aqui, logo reduziram tanto quanto possível suas encomendas; e, quando chegou na América a notícia do dinheiro encarecido, cessaram todas as encomendas novas. – 2.134: Trigo e açúcar eram casos especiais. Prejudicaram o mercado de trigo as perspectivas da colheita, e o do açúcar, os enormes estoques e as importações. – 2.163: Muitas de nossas obrigações de pagamento para com os Estados Unidos... foram liquidadas por meio de vendas forçadas de mercadorias consignadas, e muitas, receio, se anularam em virtude de falência aqui. – 2.196: Se bem me lembro, em nossa bolsa de valores chegou-se a *pagar em outubro de 1847 até 70% de juros*."

[A crise de 1837, com suas longas consequências, que chegam a se ligar em 1842 com toda uma crise adicional, e a cegueira interessada dos

O "CURRENCY PRINCIPLE" E A LEGISLAÇÃO BANCÁRIA INGLESA DE 1844

industriais e comerciantes, que simplesmente não queriam ver superprodução alguma – absurdo impossível de ocorrer, segundo a economia vulgar –, geraram nas mentes aquela confusão que permitiu à teoria da *currency* transferir seu dogma para a prática em escala nacional. Estabeleceu-se então a legislação bancária de 1844-45.

A lei bancária de 1844 divide o Banco da Inglaterra em departamento emissor e departamento bancário. O primeiro recebe garantias – constituídas na maior parte pela dívida pública – de 14 milhões, e todo o encaixe metálico, do qual $\frac{1}{4}$ no máximo pode ser de prata, e emite montante de bilhetes igual à soma de ambos, dívida pública e encaixe. Os bilhetes, quando não estão em poder do público, jazem no departamento bancário e constituem a respectiva reserva sempre disponível, juntamente com o pequeno montante de moedas, necessário para uso cotidiano (cerca de um milhão). O departamento emissor troca para o público ouro por bilhetes, e bilhetes por ouro; o departamento bancário cuida das demais operações com o público. Os bancos privados que em 1844, na Inglaterra e em Gales, tinham o privilégio de emitir bilhetes próprios conservam esse privilégio, mas essa emissão fica sujeita a sistema de cotas; se um desses bancos para de emitir bilhetes próprios, pode o Banco da Inglaterra aumentar o montante de bilhetes descobertos, de $\frac{2}{3}$ da cota extinta; por esse processo, esse montante até 1892 elevou-se de 14 para $16\frac{1}{2}$ milhões de libras esterlinas ou exatamente 16.450.000.

Para cada 5 libras esterlinas em ouro que saem do encaixe bancário, retorna um bilhete de 5 libras ao departamento emissor, onde é destruído; para cada 5 soberanos que afluem ao encaixe, põe-se em circulação novo bilhete de 5 libras. Assim, efetua-se praticamente a circulação ideal de papel de Overstone, exatamente governada pelas leis da circulação metálica, e ficam para sempre eliminadas as crises, se acreditarmos nos partidários da teoria da *currency*.

Na realidade, porém, a divisão do Banco em dois departamentos independentes retirava à direção a possibilidade de dispor, em momentos decisivos, de todos os seus recursos, e desse modo podia ocorrer o caso de o departamento bancário estar à beira da falência e, ao mesmo tempo, o departamento emissor possuir vários milhões em ouro e, além disso, intata a garantia de 14 milhões. E isto era fácil de acontecer, tanto mais que em quase toda crise há uma fase de grande saída de ouro para o exterior, coberta substancialmente pelo encaixe metálico do Banco. Para cada

5 libras que fluem para o estrangeiro, retira-se da circulação interna um bilhete de 5 libras, reduz-se a quantidade de meio circulante justamente na ocasião em que mais se precisa dele e com maior premência. A lei bancária de 1844 incita, portanto, diretamente todo o mundo comercial a entesourar às pressas, ao irromper a crise, uma reserva de bilhetes, o que acelera e agrava a crise. Em virtude dessa intensificação artificial, no momento decisivo, da procura de disponibilidades monetárias, de meios de pagamento, ao mesmo tempo que se reduz a correspondente oferta, a lei bancária impele a taxa de juro a alturas jamais atingidas. Assim, em vez de eliminar as crises, antes as agrava até o ponto em que surge o dilema: ou acaba o mundo industrial todo ou a lei bancária. A crise atingiu esse ponto em duas ocasiões, em 25 de outubro de 1847 e em 12 de novembro de 1857; então, o governo liberou o Banco do limite de emissão de bilhetes, suspendendo a lei de 1844, o que bastou, nos dois casos, para vencer a crise. Em 1847, a certeza de que retornara a possibilidade de obter bilhetes de banco com garantias de primeira ordem foi suficiente para que saíssem do esconderijo e se lançassem na circulação 4 a 5 milhões em bilhetes entesourados; em 1857, não se chegou a emitir em bilhetes um milhão inteiro acima do montante legal, e mesmo assim por muito pouco tempo.

Importa mencionar também que a legislação de 1844 revela indícios de que não foram esquecidas as duas primeiras décadas do século, quando estiveram suspensos os pagamentos do Banco em dinheiro metálico e se depreciaram os bilhetes. Ainda é bem perceptível o receio de os bilhetes de banco perderem o crédito; receio infundado, pois já em 1825 o lançamento em circulação de um velho estoque de bilhetes de uma libra fora de curso venceu a crise, ficando provado que, já naquela época, o crédito dos bilhetes, mesmo nas ocasiões da mais generalizada e mais intensa desconfiança, permanecia inabalável. Compreende-se perfeitamente que assim seja; na realidade, a nação inteira com seu crédito está por trás desses símbolos de valor — F.E.]

Ouçamos alguns depoimentos sobre os efeitos da lei bancária. J. St. Mill acredita que a lei bancária de 1844 conteve os excessos da especulação. Esse sábio falou exultante em 12 de junho de 1857. Quatro meses depois, irrompe a crise. Felicitou expressamente os "diretores de banco e o público comercial em geral" por

O "CURRENCY PRINCIPLE" E A LEGISLAÇÃO BANCÁRIA INGLESA DE 1844

"compreenderem hoje melhor que no passado a natureza de uma crise comercial e os enormes prejuízos que causariam a si mesmos e ao público, apoiando os excessos da especulação" (*Bank Committee*, 1857, Nº 2.031).

O sábio Mill opina que, ao se emitirem bilhetes de uma libra,

"para adiantamentos a fabricantes ou a quem quer que pague salários..., os bilhetes podem cair em outras mãos, que os despenderão para fins de consumo, e nesse caso as letras de per si constituem procura de mercadorias, podendo provisoriamente manifestar a tendência de elevar os preços" [Nº 2.066].

Suporá então Mill que os fabricantes pagarão salário mais alto porque para esse fim utilizam papel em vez de ouro? Ou pensará que, se o fabricante recebe o adiantamento em bilhetes de 100 libras e os troca depois por moedas de ouro, a procura resultante do salário seria menor do que se fosse logo pago em bilhetes de uma libra? Não sabe que em certos distritos mineiros, por exemplo, os salários eram pagos com bilhetes dos bancos locais recebendo vários trabalhadores em conjunto um bilhete de 5 libras? A procura aumentará por isso? Ou os banqueiros têm mais facilidade em adiantar mais dinheiro aos fabricantes em bilhetes de valor pequeno em vez de grande?

[Esse medo singular de Mill pelos bilhetes de 1 libra seria inexplicável, se toda a sua obra de economia política não revelasse ecletismo que não vacila diante de contradição alguma. Embora dê razão a Tooke contra Overstone em muitas coisas, acredita que a quantidade de dinheiro existente determina os preços das mercadorias. De modo nenhum está convencido de que, para cada bilhete de 1 libra emitido – não se alterando as demais circunstâncias – 1 soberano ingressa no tesouro do banco; receia que a massa dos meios de circulação possa acrescer e, assim, depreciar-se. Nada mais que isto se esconde atrás de seus escrúpulos. — F.E.]

Quanto à divisão do Banco em dois departamentos e à precaução excessiva com a garantia do resgate dos bilhetes, opina Tooke (C.D., 1848-1857):

Comparadas com as de 1837 e 1839, as maiores flutuações da taxa de juro de 1847 foram devidas à divisão do Banco em dois departamentos (3.010). – A segurança dos bilhetes de banco não foi prejudicada em 1825, nem em 1837 e 1839 (3.015). – A procura de ouro em 1825 objetivou apenas preencher o espaço vazio, surgido em virtude do descrédito total dos bilhetes de 1 libra dos bancos das províncias; essa lacuna só podia ser preenchida por ouro, até que o Banco da Inglaterra também emitisse bilhetes de 1 libra (3.022). – Em novembro e dezembro de 1825 não existia a menor procura de ouro para exportação (3.023).

> "O crédito do Banco no interior e no exterior sofreria prejuízos muito mais graves se fossem interrompidos os pagamentos dos dividendos e o reembolso dos depósitos do que se fosse suspenso o resgate dos bilhetes" (3.028).
> "3.035: Não é de opinião que qualquer circunstância que no final de contas ameace a conversibilidade dos bilhetes de banco, no momento de aperto para o comércio, geraria novas e sérias dificuldades? – De maneira nenhuma."

No decorrer de 1847, "uma emissão ampliada de bilhetes teria talvez contribuído para refazer o encaixe ouro do Banco, como ocorreu em 1825" (3.058).

Newmarch depõe perante a Comissão Parlamentar (*Bank Acts*, 1857):

> "1.357: O primeiro prejuízo decorrente... dessa divisão do Banco em dois departamentos e da consequente bipartição da reserva ouro foi o de o negócio bancário do Banco da Inglaterra, isto é, todo o campo de atividades que o põe em contato mais direto com o comércio do país, ter prosseguido apenas com a metade do montante do encaixe anterior. Em consequência dessa divisão do encaixe, basta que diminua um pouco o encaixe do departamento bancário para o Banco ser forçado a elevar a taxa de desconto. Essa redução do encaixe tem causado uma série de modificações bruscas na taxa de desconto. – 1.358: A partir de 1844" (até junho de 1857) "houve umas 60, quando, em período equivalente anterior àquele ano, mal chegaram a uma dúzia."

De especial interesse é também o depoimento de Palmer, desde 1811 diretor e por certo tempo governador do Banco da Inglaterra, perante a comissão da Câmara dos Lordes (*Commercial Distress*, 1848-1857)

> "828: Em dezembro de 1825 só restavam ao Banco perto de 1.100.000 libras esterlinas ouro. Se existisse então essa lei" (a de 1844), "a quebra total dele teria sido necessária, inevitável. Creio que em dezembro emitiu 5 ou 6 milhões de bilhetes numa semana, o que atenuou consideravelmente o pânico na ocasião."
> "825: A primeira ocasião" (depois de 1 de julho de 1825) "em que a legislação bancária atual teria acarretado a falência, se o Banco tentasse levar a cabo

O "CURRENCY PRINCIPLE" E A LEGISLAÇÃO BANCÁRIA INGLESA DE 1844

transações iniciadas, foi em 28 de fevereiro de 1837; havia então em poder do Banco 3.900.000 a 4 milhões de libras esterlinas, e ele só teria conservado em encaixe 650.000. A segunda ocasião foi em 1839, e durou de 9 de julho a 5 de dezembro. – 826: Qual era o encaixe então? O encaixe consistia num *deficit* de 200.000 libras ao todo (*the reserve was minus altogether £ 200.000*), em 5 de setembro. Em 5 de novembro subiu a perto de 1 a $1\frac{1}{2}$ milhão. – 830: A lei de 1844 teria impedido o Banco de ajudar o comércio com a América em 1837. – 831: Três das principais firmas americanas faliram... Quase toda firma em negócios com a América estava sem crédito, e, se o Banco na época não desse ajuda, acredito que não mais que 1 ou 2 firmas estivessem em condições de aguentar-se. – 836: As dificuldades de 1837 não se comparam com as de 1847. As de 1837 se limitavam principalmente aos negócios com a América. – 838: Sobre o assunto" (no começo de junho de 1837, a direção do Banco debateu o problema de remediar a crise) "alguns sustentavam que... o princípio correto era elevar a taxa de juro, o que faria cair os preços das mercadorias; enfim, encarecer o dinheiro e baratear as mercadorias, o que possibilitaria se efetuassem os pagamentos ao exterior (*by which the foreign payment would be acoomplished*)". A lei de 1844, ao introduzir um limite artificial aos poderes do Banco, em lugar dos limites antigos e naturais estabelecidos pelo montante real do encaixe metálico, gera dificuldades artificiais nos negócios, exercendo por isso sobre os preços das mercadorias efeitos que não existiriam sem essa lei. – 968: Sob a lei de 1844, não se pode praticamente reduzir o encaixe metálico do Banco em condições normais a menos de $9\frac{1}{2}$ milhões. Tal redução causaria sobre preços e crédito pressão que acarretaria necessariamente mudança no curso do câmbio das moedas estrangeiras, de modo que aumentaria a importação de ouro e, por consequência, o montante de ouro no Departamento de emissão. – 996: Com a limitação atual não tem" [o Banco] "comando sobre a prata, requerido nas épocas em que dela se precisa para atuar no curso do câmbio. – Qual era o objetivo da prescrição que limita a provisão de prata do Banco a $\frac{1}{5}$ do encaixe metálico? – Não me sinto capaz de responder à pergunta."

O objetivo era encarecer o dinheiro; e tendiam para o mesmo fim, se abstraímos da teoria da *currency*, a separação entre os dois departamentos bancários e a obrigatoriedade para os bancos da Escócia e da Irlanda de manter ouro em reserva para emissão de bilhetes acima de certo limite. Surgiu assim a descentralização do tesouro metálico nacional, a qual o tornava menos capaz de corrigir taxas de câmbio desfavoráveis. Redundam em elevação da taxa de juro todas essas disposições: o Banco da Inglaterra não pode emitir bilhetes acima de 14 milhões sem a contrapartida da reserva ouro; o departamento bancário deve ser administrado como banco comum, reduzindo a taxa de juro em épocas de pletora de dinheiro, elevando-a em épocas de carência financeira; limita-se a provisão de prata, o meio principal de retificar o curso do câmbio com o continente e a Ásia; as prescrições referentes aos bancos da Escócia e da Irlanda, que nunca precisam de ouro para exportar, mas são agora obrigados a guardá-lo sob o pretexto da conversibilidade dos próprios bilhetes, de fato imaginária. A realidade é que a lei de 1844 pela primeira vez em 1857 provocou uma corrida ao ouro dos bancos escoceses. A nova legislação bancária tampouco faz distinção alguma entre as saídas de ouro para o estrangeiro e as destinadas ao mercado interno, embora os efeitos sejam naturalmente muito diversos, conforme se trate de um ou de outro caso. Daí as constantes flutuações violentas na taxa de mercado do juro. No tocante à prata, diz Palmer, nos N°s 992 e 994, que o Banco só pode comprar prata ou bilhetes se o curso do câmbio é favorável à Inglaterra, quando a prata é, portanto, supérflua, pois:

> "1.003: O único objetivo que justifica manter-se em prata parte apreciável do encaixe metálico é o de facilitar pagamentos ao estrangeiro em épocas em que o câmbio é desfavorável à Inglaterra. 1.004: Prata é mercadoria que, por ser dinheiro em todas as demais partes do mundo, é a mais adequada... a esse fim" [pagamentos ao exterior]. "Nos últimos tempos, apenas os Estados Unidos só aceitam ouro."

Na opinião dele, o Banco não precisava em épocas de carência financeira elevar a taxa de juro acima do nível antigo de 5%, desde que taxas de câmbio desfavoráveis não atraiam o ouro para o exterior. Não fosse a lei de 1844, e poderia descontar então sem dificuldade todas as letras de primeira classe (*first class bills*) que lhe apresentassem (1.018 a 1.020). Mas, com a lei de 1844 e na situação em que estava o Banco em outubro de 1847,

> "não havia taxa de juro que o Banco pudesse exigir de firmas solventes que elas prontamente não aceitassem, a fim de prosseguir seus pagamentos" [1.022].

E o objetivo da lei era justamente essa alta taxa de juro.

> "1.029: Releva e é necessário distinguir entre efeito da taxa de juro sobre procura estrangeira" [de metal precioso] "e elevação da taxa de juro para refrear a afluência ao Banco durante período de carência de crédito. – 1.023: Antes da

lei de 1844, quando o câmbio era favorável à Inglaterra e no país reinava inquietação, verdadeiro pânico, não se estabeleciam limites à emissão de bilhetes, o único fator que podia atenuar as dificuldades."

Assim se expressa um homem que durante 39 anos era um dos dirigentes do Banco. Ouçamos agora um banqueiro particular, Twell, desde 1801 sócio de Spooner, Attwoods & Co. Entre todas as testemunhas perante a Comissão Bancária (B.C.) de 1857 é a única que penetra na situação real do país e vê a crise aproximar-se. Ademais, é um dos *little shilling men* de Birmingham. Os sócios, os irmãos Attwood, são os fundadores dessa escola (ver *Zur Kritik der pol. Oek.*, p. 59). Declara ele:

"4.488: Quais foram, a seu ver, os resultados da lei de 1844? – Se lhe respondesse como banqueiro, diria que foram magníficos, pois proporcionaram colheitas abundantes aos banqueiros e aos capitalistas [financeiros] de toda espécie. Mas foram muito ruins para o homem de negócios honrado e ativo, que precisa de taxa estável de desconto para transacionar com segurança... A lei tornou o empréstimo de dinheiro negócio altamente lucrativo. – 4.489: Ela capacita os bancos por ações londrinos a pagar 20 a 22% aos acionistas? – Recentemente, um pagava 18% e outro, creio, 20%; têm todos os motivos para defender decididamente a lei. – 4.490: Pequenos negociantes e comerciantes respeitáveis que não têm grande capital... muito os aperta a lei... O único meio que tenho para saber disso é a massa surpreendente de aceites que vejo não serem pagos. Esses aceites correspondem a quantias pequenas, digamos entre 20 a 100 libras esterlinas, e muitos deles não são pagos, retornando sem resgate em todas as circunscrições do país, o que sempre constitui sintoma de que é difícil a situação... dos pequenos comerciantes."

4.494: Explica então que os negócios deixaram agora de ser lucrativos. As observações seguintes são importantes, porque vê a crise latente que os demais não pressentiam.

"Os preços no centro comercial atacadista de produtos coloniais (Mincing Lane) ainda se mantêm bastante estáveis, mas nada se vende, nada se pode vender a preço algum; sustenta-se o preço nominal."

4.495: Conta que um francês manda para um corretor em Mincing Lane 3.000 libras esterlinas em mercadorias para vendê-las a certo preço.

O CAPITAL

O corretor não obtém o preço, e o francês não pode vender abaixo dele. A mercadoria fica armazenada, mas o francês precisa de dinheiro. O corretor adianta-lhe 1.000 libras esterlinas e desse modo o francês, dando a garantia das mercadorias, saca sobre o corretor letra de 1.000 libras esterlinas por 3 meses. Decorrido o prazo vence-se a letra mas as mercadorias continuam invendáveis. O corretor tem então de pagar a letra e, embora disponha de cobertura para 3.000 libras esterlinas, não pode convertê-la em dinheiro, e fica em dificuldades. Assim um vai arrastando o outro na queda.

"4.496: Quanto às grandes exportações... a circunstância de andar mal o mercado interno provoca necessariamente aumento das exportações. – 4.497: Acredita que o consumo interno diminuiu? – *Em proporções consideráveis... enormes...* os comerciantes são a melhor autoridade na matéria. – 4498: Entretanto, são imensas as importações; isto não indica grande consumo? – Sem dúvida, havendo a possibilidade de venda; mas muitos armazéns estão cheios dessas mercadorias importadas; no exemplo que acabei de apresentar, importaram-se 3.000 libras de mercadorias invendáveis."

"4.514: Se o dinheiro está caro, diria que o capital está barato? – Por certo."

O homem não participa de maneira alguma da opinião de Overstone, de que taxa alta de juro signifique capital caro.

Como se fazem os negócios atualmente:

"4.516... Outros mobilizam a fundo esforços e recursos, fazem um negócio gigantesco em exportações e importações, bem acima do que permite o próprio capital; sobre isso não há a menor dúvida. Podem ser bem-sucedidos; podem com golpe de sorte fazer grande fortuna e pagar tudo. É grosso modo a maneira como se faz hoje parte considerável dos negócios. Essa gente prefere perder 20, 30 e 40% num embarque, para se compensar num negócio seguinte. Se um negócio falha após outro, ficam arruinados, e é justamente o que temos visto muitas vezes nos últimos tempos; casas comerciais falirem sem deixar um xelim no ativo."

"4.791: A taxa de juro baixa" (nos últimos 10 anos) "tem por certo influência contrária aos interesses dos banqueiros, mas sem lhe apresentar os livros de contabilidade, ser-me-ia muito difícil explicar-lhe de quanto mais alto é o lucro" [dele mesmo] "atual em relação ao anterior. Se cai a taxa de juro, em virtude de emissão excessiva de bilhetes, temos depósitos consideráveis; a circunstância de subir a taxa traz-nos ganhos diretos. – 4.794: Se é possível obter dinheiro à taxa moderada, aumenta a procura dele; emprestamos mais; é o que acontece" [a nós, banqueiros]. "Se a taxa de juro sobe, lucramos mais do que é justo, mais do que deveríamos."

Vimos como todos os peritos consideram inabalável o crédito dos bilhetes do Banco da Inglaterra. Apesar disso, a lei bancária imobiliza 9 a 10 milhões em ouro, para resgatá-los. O caráter sacrossanto e intangível do encaixe se configura em prática que difere por completo da dos antigos entesouradores. W. Brown, de Liverpool, declara (C.D., 1847-1857, Nº 2.311):

> "Esse dinheiro" (o encaixe metálico do Departamento de Emissão), "quanto ao lucro que então proporcionava, era como se estivesse no fundo do mar; não se podia empregar a menor porção dele sem violar a lei do Parlamento."

Já mencionamos antes o construtor E. Capps, quando retiramos de seu depoimento a descrição do moderno sistema de construção de Londres (Livro 2, Capítulo XII). Resume seu ponto de vista sobre a lei bancária de 1844 da maneira seguinte (B.A., 1857):

> "5.508: O senhor, portanto, sustenta de modo geral que o sistema atual" (da legislação bancária) "é um mecanismo hábil destinado a levar periodicamente para a bolsa do usurário os lucros da indústria? – É o que penso. Sei que assim tem acontecido na indústria de construção."

Conforme já dissemos, a lei bancária de 1845 subordinou os bancos escoceses a um sistema semelhante ao inglês. Impôs-lhes a obrigatoriedade de manter ouro em reserva, para emitir bilhetes acima de montante fixado para cada banco. Sobre as consequências daí advindas, ouçamos alguns depoimentos prestados perante a Comissão Bancária (B.C.) de 1857.

Kennedy, diretor de um banco escocês:

> "3.375: Antes de introduzir-se a lei de 1845, havia na Escócia alguma coisa que se pudesse chamar de circulação de ouro? – Absolutamente nada. – 3.376: Surgiu depois alguma circulação adicional de ouro? – De maneira nenhuma; ninguém quer saber de ouro (*the people dislike gold*)." – 3.450: Segundo seu modo de ver, as 900.000 libras esterlinas aproximadamente em ouro que os bancos escoceses têm de guardar desde 1845 são apenas prejudiciais e "absorvem sem lucro parte equivalente do capital da Escócia".

Diz Anderson, diretor do Union Bank da Escócia:

"3.558: A única forte procura de ouro no Banco da Inglaterra por parte dos bancos escoceses ocorreu em virtude das taxas externas de câmbio? – Realmente, e a circunstância de mantermos ouro em Edimburgo não diminui essa procura. – 3.590: Enquanto conservarmos o mesmo montante de títulos no Banco da Inglaterra" (ou nos bancos privados da Inglaterra), "temos o mesmo poder antigo de provocar evasão do ouro do Banco da Inglaterra."

Por fim, um artigo do *Economist* (Wilson):

"Os bancos escoceses mantêm montantes ociosos de dinheiro metálico com seus agentes londrinos; estes guardam-no no Banco da Inglaterra. Isso dá aos bancos escoceses, dentro dos limites desses montantes, comando sobre o encaixe metálico do Banco, e assim esse encaixe está sempre no lugar onde é utilizado para pagamentos ao exterior."

A lei de 1845 destruiu esse sistema:

"Em virtude de estender-se à Escócia a lei de 1845, houve nos últimos tempos grande saída de moedas-ouro do Banco da Inglaterra, para enfrentar na Escócia procura meramente possível, a qual talvez jamais ocorra... Desde então, imobiliza-se regularmente na Escócia importante soma, e outra soma considerável está sempre em viagem de ida e volta entre Londres e Escócia. Se chega a ocasião em que um banqueiro escocês espera procura acrescida dos respectivos bilhetes, Londres lhe envia uma caixa com ouro; passada essa fase, a mesma caixa volta a Londres, em regra sem mesmo ter sido aberta" (*Economist*, 23 de outubro de 1847).

[E o que diz de tudo isso o pai da lei bancária, o banqueiro Samuel Jones Loyd, aliás lorde Overstone?

Já em 1848 repete, perante a Comissão sobre *Commercial Distress* (C.D.) da Câmara dos Lordes, que

"carência de dinheiro e alta taxa de juro, causadas por falta de capital suficiente, não podem ser atenuadas por emissão acrescida de bilhetes" (1.514), embora a simples *permissão* de aumentar a emissão de bilhetes, dada pela resolução governamental de 25 de outubro de 1847, bastasse para provocar o recuo da crise.

O "CURRENCY PRINCIPLE" E A LEGISLAÇÃO BANCÁRIA INGLESA DE 1844

Insiste em que

> "a alta taxa de juro e a depressão industrial são a consequência necessária do decréscimo do capital *material*, aplicável em fins comerciais e industriais" (1.604).

Entretanto, a depressão industrial de vários meses consistia em que o capital-mercadoria material abarrotava os depósitos, sem possibilidade visível de venda, e por isso o capital produtivo material estava total ou parcialmente ocioso, para não produzir ainda mais capital-mercadoria invendável.
E perante a Comissão Bancária de 1857, diz ele:

> "Com a aplicação pronta e severa dos princípios da lei de 1844, tudo corre de maneira regular e fácil, o sistema monetário está seguro e inabalável, a prosperidade do país é incontroversa, a confiança pública na lei de 1844 aumenta dia a dia. Se a Comissão ainda deseja mais provas práticas da sanidade dos princípios em que repousa esta lei e dos efeitos benéficos que ela assegura, a resposta verdadeira e bastante é esta: olhai em torno; observai a situação atual dos negócios em nosso país, considerai a satisfação do povo; detende-vos ante a riqueza e a prosperidade de todas as classes sociais, e, após esse exame, a Comissão poderá decidir se quer ou não vedar que prossiga uma lei sob a qual se atingiram tanto êxitos" (B.C., 1857, Nº 4.189).

A resposta a esse ditirambo que Overstone entoou perante a Comissão em 14 de julho foi a antístrofe de 12 de novembro do mesmo ano, a carta à direção do Banco pela qual o governo suspendia a miraculosa lei de 1844, para salvar o que ainda restava. — F.E.]

XXXV.
Metais preciosos e taxa de câmbio

XXXV.
Metais preciosos e
taxa de câmbio

1. O MOVIMENTO DO ENCAIXE METÁLICO

Na acumulação de bilhetes em épocas de dificuldades monetárias se repete o entesouramento de metais preciosos tal como acontece em tempos intranquilos nas fases mais primitivas da sociedade. A lei de 1844 é digna de nota quanto aos efeitos, porque quer transformar todo o metal precioso do país em meio de circulação; procura assimilar a saída de ouro à contração do meio circulante, e o ingresso à expansão dele. Por seu intermédio estabeleceu-se experimentalmente a prova do contrário. Com uma única exceção que logo mencionaremos, a massa dos bilhetes circulantes do Banco da Inglaterra, de 1844 para cá, nunca atingiu o máximo que o Banco estava autorizado a emitir. Por outro lado, a crise de 1857 demonstrou que em certas circunstâncias esse máximo não chega. De 13 a 30 de novembro de 1857 circularam em média por dia, acima do máximo, 488.830 libras esterlinas (B.A., 1858, p. xi). O máximo legal era então 14.455.000 libras esterlinas e mais o montante do encaixe metálico nos cofres do Banco.

A respeito das saídas e ingressos de metais preciosos cabe observar:

Primeiro. As saídas e ingressos de metal nas áreas que não produzem ouro nem prata devem ser distinguidos da correntes de ouro e prata que vão das fontes de produção para os demais países entre os quais se reparte o suprimento.

Após o início do século XIX, antes de haver a influência da exploração das minas de ouro da Rússia, Califórnia e Austrália, a oferta apenas bastava para repor as moedas desgastadas, para as necessidades costumeiras em artigos de luxo e para a exportação de prata destinada à Ásia.

A partir daquela época passou a crescer extraordinariamente a exportação de prata para a Ásia, com o comércio da América e da Europa para aquela parte do mundo. A prata exportada da Europa era em grande parte substituída pelo ouro adicionalmente obtido. Além disso, fração do novo ouro fornecido era absorvida pela circulação monetária interna. Avalia-se que até 1857 perto de 30 milhões em ouro entraram adicionalmente na circulação interna da Inglaterra.[69] Em seguida aumentou, a partir de 1844,

---

[69] Como esse afluxo repercute no mercado de dinheiro, mostram as seguintes declarações de W. Newmarch [B.A., 1857]: "1.509: Em fins de 1853, o público estava com fortes temores; em setembro, o Banco da Inglaterra aumentou o desconto seguidamente três vezes...; nos primeiros dias de outubro... as apreensões e o alarme do público revelaram intensidade considerável. Esses receios e essa inquietação foram em grande parte removidos antes do fim de novembro e quase totalmente

O CAPITAL

o nível médio dos encaixes metálicos de todos os bancos centrais da Europa e da América do Norte. O crescimento da circulação monetária interna acarretou que, após o pânico, no período subsequente de estagnação, o encaixe bancário já aumentasse mais rapidamente em virtude da massa maior das moedas de ouro retiradas da circulação interna e imobilizadas. Finalmente, após as novas descobertas de ouro, subiu o consumo de metal precioso para artigos de luxo, em virtude do acréscimo da riqueza.

Segundo. O metal precioso flui e reflui entre os países que não produzem ouro nem prata; o mesmo país, sem cessar, importa-o e exporta-o. Os movimentos oscilatórios e muitas vezes paralelos se neutralizam em grande parte, e, por isso, só a predominância de movimento num ou noutro sentido decide se há por fim saída ou ingresso de metal. Mas por causa da atenção voltada para esse resultado, deixam-se de lado a permanência e o curso em geral paralelo de ambos os movimentos. Interpreta-se sempre a coisa como se o excedente da importação ou da exportação de metal precioso fosse apenas consequência e expressão da relação entre importação e exportação de mercadoria quando ao mesmo tempo expressa a relação entre importação e exportação de metal precioso, independentes do comércio de mercadorias.

Terceiro. A variação do encaixe metálico nos bancos centrais serve de modo geral para medir a predominância da importação sobre a exportação de metais e vice-versa. A exatidão desse barômetro naturalmente depende, antes de mais nada, do grau em que está centralizado o sistema bancário, pois dessa centralização depende a extensão em que o metal precioso armazenado no chamado Banco Nacional representa a reserva metálica do país. Mesmo admitindo-se preenchidas essas condições, o barômetro não é exato, porque em certas circunstâncias a circulação interna e o crescente emprego suntuário do ouro e da prata absorvem importação adicional, e, além disso, porque, sem importação adicional, moedas de ouro se deslocam para a circulação interna, podendo assim diminuir o encaixe de metal precioso, sem haver acréscimo simultâneo da exportação dele.

---

eliminados com a chegada de 5 milhões de metal precioso da Austrália. O mesmo se deu no outono de 1854, com a chegada, em outubro e novembro, de quase 6 milhões de metal precioso. O mesmo voltou a ocorrer no outono de 1855, notoriamente época de agitação e inquietação, ao chegarem quase 8 milhões de metal precioso, nos meses de setembro, outubro e novembro. Em fins de 1856 observa-se a mesma coisa. Em suma, poderia perfeitamente apelar para a experiência de quase todo membro da Comissão, para que digam se já não estamos habituados, em qualquer aperto financeiro, a ver a ajuda completa, natural, na chegada de um navio carregado de ouro."

METAIS PRECIOSOS E TAXA DE CÂMBIO

Quarto. Exportação de metal configura-se em evasão, quando o movimento decrescente se prolonga por muito tempo, de modo que o decréscimo se patenteia tendência do movimento e faz o encaixe metálico do Banco situar-se bem abaixo do nível médio, levando-o para o mínimo médio. Este é fixado de maneira mais ou menos arbitrária, pois sua determinação difere de um caso para outro, conforme a legislação de cada país, relativa à garantia para o resgate de bilhetes etc. Quanto ao limite que essa evasão pode atingir na Inglaterra, diz Newmarch perante a Comissão Bancária (*Bank Acts*, 1857, depoimento Nº 1.494):

> "A julgar pela experiência, não é provável que a evasão de metal, causada por qualquer flutuação no comércio exterior, ultrapasse 3 ou 4 milhões de libras esterlinas."

Em 1847, o encaixe ouro do Banco da Inglaterra atingiu, em 23 de outubro, o nível mais baixo que, comparado com o de 26 de dezembro de 1846, revela decréscimo de 5.198.154 libras esterlinas e, comparado com o mais alto de 1846 (29 de agosto), decréscimo de 6.453.748.

Quinto. O encaixe metálico do chamado Banco Nacional por si só não regula a magnitude do tesouro metálico, pois este pode crescer pela mera paralisia do comércio interno e externo. Sua função é tríplice: (1) fundo de reserva para pagamentos internacionais, em suma, fundo de reserva de dinheiro mundial; (2) fundo de reserva para a circulação interna que ora se expande ora se contrai; (3) fundo de reserva para pagar depósitos e resgatar bilhetes, o que se liga à função bancária e nada tem que ver com as funções do dinheiro como dinheiro puro e simples. Por isso, o encaixe metálico pode ser influenciado por condições que atuam sobre cada uma das três funções isoladamente; como fundo internacional, pelo balanço de pagamentos, quaisquer que sejam as causas que determinam esse balanço, e qualquer que seja a relação deste com o balanço comercial; como fundo de reserva de circulação metálica interna, pela expansão ou contração dessa circulação. A terceira função, a de fundo de garantia, não determina o movimento autônomo do encaixe metálico, mas tem duplo efeito. Se se emitem bilhetes que substituem o dinheiro metálico (moeda de prata nos países onde a prata é medida de valor) na circulação interna, cessa a função do fundo de reserva, enunciada em 2). E emigra para o exterior em caráter duradouro parte do metal precioso que a exercia. Neste caso não sai moeda metálica para a circulação interna, e, em consequência, cessa ao mesmo tempo o fortalecimento temporário do encaixe metálico por meio da imobilização de parte do metal amoedado circulante. E mais: se é mister, quaisquer que sejam as circunstâncias, manter um mínimo de encaixe metálico para pagar depósitos e converter bilhetes, essa condição terá influência peculiar sobre os efeitos de uma saída ou de um ingresso de ouro; atuará sobre a parte do encaixe a qual o Banco é de qualquer modo obrigado a manter, ou sobre a parte de que procura se desfazer, noutras ocasiões, por considerá-la inútil. Com circulação puramente metálica e sistema bancário concentrado, teria o Banco igualmente de considerar o encaixe metálico garantia para pagar os depósitos, e, se houver evasão de metal, poderá sobrevir um pânico semelhante ao ocorrido em Hamburgo em 1857.

Sexto. Com exceção talvez de 1837, as crises reais sempre irromperam após mudança do curso do câmbio, isto é, logo que a importação de metal precioso de novo predomina sobre a exportação.

Em 1825 sobreveio o verdadeiro craque, depois de ter cessado a evasão de ouro. Em 1839 ocorreu evasão de ouro, sem que se chegasse ao craque. Em 1847, a evasão de ouro cessou em abril, e o craque surgiu em outubro. Em 1857, a evasão de ouro para o exterior cessara no princípio de novembro, e só depois no decorrer do mês veio o craque.

Isto se evidencia sobretudo na crise de 1847, quando a evasão de ouro cessa em abril, depois de ter provocado prelúdio relativamente benigno de crise, e só em outubro rebenta a verdadeira crise comercial.

Os depoimentos seguintes foram prestados em 1848 perante a comissão secreta da Câmara dos Lordes sobre a crise comercial (*Secret Committee of the House of Lords on Commercial Distress*); os depoimentos só foram impressos em 1857, e os citamos também pela referência C.D., 1848-1857.

Declarações de Tooke:

> "Em abril de 1847 surgiram dificuldades, a rigor equivalentes a um pânico, mas de duração relativamente reduzida, não tendo sido acompanhadas por falências comerciais de alguma importância. Em outubro, a crise foi bem mais intensa do que em qualquer ocasião de abril, ocorrendo número fora do comum de falências comerciais (2.996). – Em abril, a taxa de câmbio, sobretudo com a América, forçou-nos a exportar quantidade considerável de ouro para pagar volume descomunal de importações; só com medidas extremas, violentas, conseguiu o Banco parar a evasão de ouro e fez subir a taxa de câmbio (2.997).

– Em outubro, o câmbio era favorável à Inglaterra (2.998). – A mudança nas taxas de câmbio começou na terceira semana de abril (3.000). – Flutuaram em julho e agosto; desde o início de agosto eram sempre favoráveis à Inglaterra" (3.001). – A evasão de ouro em agosto "decorreu da procura para a circulação interna" [3.003].

J. Morris, governador do Banco da Inglaterra: Embora o câmbio desde agosto de 1847 fosse favorável à Inglaterra, tendo havido por isso importação de ouro, decresceu o encaixe metálico do Banco.

"Em virtude de procura interna escoaram-se pelo país 2.200.000 libras esterlinas em ouro" (137). – Isto se explica por duas razões: acréscimo do número de trabalhadores empregados, em virtude de construções ferroviárias, e "desejo dos banqueiros de possuir, em épocas de crise, reserva de ouro própria" (147).

Palmer, ex-governador e desde 1811 diretor do Banco da Inglaterra:

"684: Durante todo o período que vai de meados de abril de 1847 até o dia da suspensão da lei bancária de 1844, as taxas de câmbio foram favoráveis à Inglaterra."

A evasão de metal, que em abril de 1847 provocou pânico exclusivamente financeiro, neste caso como em todos, apenas precede à crise, e já se inverte antes que esta rebente. Em 1839, com forte depressão comercial, houve evasão muito grande de metal para compra de trigo etc., mas sem haver crise e pânico financeiro.

Sétimo. Logo que se extinguem as crises gerais, o ouro e a prata – se abstraímos do novo abastecimento dos países produtores – voltam a repartir-se nas proporções correspondentes ao estado de equilíbrio em que se encontravam, como tesouros particulares dos diferentes países. Não se alterando as demais condições, a magnitude relativa deles em cada país é determinada pelo papel que este desempenha no mercado mundial. O metal precioso flui do país que dele tem mais que a porção normal para os outros países; esses movimentos de ingresso e saída apenas restabelecem a repartição primitiva entre os diferentes tesouros nacionais. Essa redistribuição resulta da atuação de circunstâncias diversas que mencionaremos ao tratar das taxas de câmbio. Depois que se restabelece repartição normal – ultrapassado esse ponto –, acresce o tesouro metálico e em seguida se dá nova evasão [esta afirmação evidentemente se aplica apenas à Inglaterra, centro do mercado financeiro mundial. — F.E.].

Oitavo. O êxodo de metal é em regra sintoma de mudança na situação do comércio exterior, e essa mudança, por sua vez, prenuncia que estão amadurecendo as condições de nova crise.[70]

Nono. O balanço de pagamentos pode ser favorável à Ásia e desfavorável à Europa e à América.[71]

A importação de metal precioso ocorre sobretudo em duas fases. Na fase de juro baixo, a primeira que segue à crise e expressa produção restringida, e na segunda fase em que o juro sobe, mas sem ter atingido ainda o nível médio. É nesta fase em que os retornos se operam facilmente, o crédito comercial é grande, e por isso a procura de capital de empréstimo cresce na medida em que se expande a produção. Em ambas as fases, com capital de empréstimo relativamente abundante, a afluência suplementar de capital na forma de ouro e prata – forma que só lhe permite a função de capital de empréstimo – deve influir consideravelmente na taxa de juro e, por conseguinte, na marcha geral dos negócios.

Demais, êxodo, grande exportação contínua de metal precioso, dá-se quando as receitas não mais se convertem em dinheiro, os mercados estão abarrotados e a prosperidade aparente só se mantém ainda por meio do crédito; isto é, quando já existe procura de capital de empréstimo muito acrescida e por isso a taxa de juro já alcançou pelo menos o nível médio. Nessas condições, que se refletem justamente na evasão de metal precioso, fortalece-se consideravelmente o efeito da retirada contínua de capital em forma direta de capital de empréstimo, o que deve repercutir imediatamente sobre a taxa de juro. Mas a alta da taxa de juro, em vez de limitar

---

70 Segundo Newmarch, a evasão de ouro para o exterior pode decorrer de três causas: (1) causas puramente comerciais, ou seja, quando a importação ultrapassa a exportação, como ocorreu em 1836 e 1844, e de novo em 1847, em virtude principalmente de grande importação de trigo; (2) obtenção de meios para investir capitais ingleses no exterior, caso das ferrovias na Índia em 1857, e (3) dispêndio definitivo no exterior, conforme aconteceu em 1853 e 1854 com as despesas militares no Oriente.

71 1.918. Newmarch: "Se consideramos em conjunto Índia e China, e se levamos em conta as operações comerciais entre Índia e Austrália, e ainda as operações mais importantes entre China e Estados Unidos, e nesses casos o negócio é triangular, sendo liquidados por nosso intermédio... então é correto dizer que o balanço comercial era desfavorável à Inglaterra e ainda à França e aos Estados Unidos" (B.A., 1857).

as operações de crédito, amplia-as e leva à exploração extrema de todos os recursos utilizáveis nessas operações. Eis por que esse período precede o craque. Pergunta feita a Newmarch (B.A., 1857):

> "1.520: O montante das letras em circulação aumenta com a taxa de juro? – Assim parece. – 1.522: Em épocas tranquilas, normais, o livro-razão comprova realmente os negócios; mas, quando surgem dificuldades, quando, por exemplo, nas circunstâncias a que me referi, o Banco eleva a taxa de desconto... então, os negócios por si mesmos se reduzem a emissão de letras; estas, além de serem mais adequadas para provar legalmente o negócio concluído, servem melhor ao objetivo de fazer novas compras e acima de tudo podem desempenhar o papel de meio de crédito para a obtenção de capital."

Acresce que, ao elevar o Banco a taxa de desconto, em circunstâncias algo ameaçadoras – surgindo concomitante a probabilidade de o Banco reduzir o prazo das letras a descontar –, generaliza-se o receio de que as coisas prossigam num crescendo. Todo mundo, e em primeiro lugar os que especulam e jogam com o crédito, procura descontar o futuro e ter à disposição, no momento adequado, tanto quanto possível de meios de crédito. As razões que acabamos de mencionar levam ao seguinte: a mera quantidade do metal precioso importado ou exportado não atua por si mesma, mas por ter o metal precioso o caráter específico de capital na forma dinheiro e, além disso, agindo como a pena que, posta num dos pratos oscilantes da balança, inclina-a a seu favor, o que se explica em circunstâncias em que qualquer excesso numa ou noutra direção é decisivo. Sem esses motivos seria totalmente incompreensível que uma evasão de ouro de 5 a 8 milhões de libras esterlinas, e esse é o máximo até hoje verificado pela experiência, pudesse ter qualquer efeito importante; essa ínfima quantidade de capital, acrescentada ou subtraída, que se patenteia insignificante mesmo em face dos 70 milhões de libras esterlinas em ouro que em média circulam na Inglaterra, é grandeza evanescente numa produção com o volume da inglesa.[72] Mas é o próprio desenvolvimento do sistema de crédito e bancário

---

[72] Ver, por exemplo, a resposta ridícula de Weguelin, dizendo que 5 milhões em ouro exportados significam redução do capital no mesmo montante, e pretende por esse meio explicar fenômenos que *não* sucedem mesmo com altas de preços ou depreciações, expansões e contrações, de importância infinitamente maior, do capital industrial real. Demais, não é menos ridícula a tentativa de explicar esses fenômenos diretamente como sintomas de expansão ou contração na massa do capital real (considerando-se seus elementos materiais).

O CAPITAL

que leva todo capital-dinheiro a pôr-se a serviço da produção (ou, o que dá no mesmo, todo rendimento monetário a converter-se em capital) e que em certa fase do ciclo reduz o encaixe metálico a um mínimo que não lhe permite mais preencher as funções que lhe cabem; é esse sistema de crédito e bancário desenvolvido que gera essa sensibilidade exagerada de todo o organismo. Em estádios menos desenvolvidos de produção, relativamente não importa que acresçam ou decresçam as reservas metálicas, comparadas com a média. Por outro lado, mesmo evasão considerável de ouro não tem repercussão relativa, se não sucede no período crítico do ciclo industrial.

Na explicação que acabamos de dar, abstraímos dos casos em que o êxodo de metal ocorre em virtude de más colheitas etc. Aí o grande e súbito transtorno do equilíbrio da produção, expresso pela evasão de ouro, torna desnecessária explicação adicional sobre o efeito desse êxodo. Esse efeito é tanto maior quanto mais esse transtorno se situa em período no qual a produção funciona sob alta pressão.

Abstraímos ainda da função do encaixe metálico, de garantir a conversibilidade dos bilhetes de banco, e a de ser o eixo de todo o sistema de crédito. O Banco Central é o eixo do sistema de crédito. E o encaixe metálico é o eixo do Banco.[73] No Livro 1, Capítulo III, ao estudar o meio de pagamento, mostramos que o sistema de crédito inevitavelmente vira sistema monetário. Tanto Tooke quanto Loyd-Overstone admitem que são necessários os maiores sacrifícios de riqueza real para manter nos momentos críticos a base metálica. A divergência se reduz à dosagem, maior ou menor, e ao tratamento mais ou menos racional, do inevitável.[74] Reconhece-se que o eixo do sistema é certa quantidade de metal, insignificante se comparada com a totalidade da produção. Se tiramos a ilustração terrificante que a crise nos dá desse eixo em funcionamento, temos o delicioso dualismo teórico. Quando trata propriamente "do capital", a economia racionalista olha o

---

73 Newmarch (B.A., 1857, Nº 1.364): "Na verdade, a reserva metálica do Banco da Inglaterra é... a reserva central ou o encaixe metálico central que serve de base a todos os negócios do país. É, por assim dizer, o eixo em torno do qual têm de girar todos os negócios do país; todos os outros bancos do país consideram o Banco da Inglaterra como o encaixe central ou o reservatório donde podem retirar seus depósitos em dinheiro metálico; e os efeitos das taxas de câmbio recaem justamente sobre esse encaixe e sobre esse reservatório."

74 "Na prática, portanto, ambos, Tooke e Loyd, enfrentariam procura excessiva de ouro com restrição antecipada dos créditos, aumentando a taxa de juro e reduzindo os adiantamentos de capital. Só que Loyd, com a ilusão que o domina, procura estabelecer limitações e proscrições [legais] que oneram e são mesmo perigosas" (*Economist*, 1847, p. 1418).

ouro e a prata com o maior desprezo, considerando-os a forma na realidade menos importante e mais inútil do capital. Quando trata do sistema bancário, tudo se inverte, e ouro e prata se tornam o capital por excelência, e para conservá-los todas as outras formas de capital e de trabalho devem ser sacrificadas. Mas que distingue ouro e prata das outras figuras da riqueza? Não a magnitude do valor, pois esta se determina pela quantidade de trabalho que nelas se corporifica, e sim a circunstância de esses metais serem encarnações autônomas, expressões do caráter *social* da riqueza [a riqueza da sociedade existe apenas como riqueza de indivíduos, proprietários privados dela. Só evidencia seu caráter social pela troca de valor de uso qualitativamente diversos, a qual esses indivíduos fazem entre si, para satisfazer as respectivas necessidades. É o que na produção capitalista só podem conseguir por intermédio do dinheiro. Assim, exclusivamente com a intervenção do dinheiro se realiza como social a riqueza do indivíduo; é no dinheiro, em coisa, que se corporifica a natureza social da riqueza. — F.E.]. A existência social da riqueza aparece em ser de outro mundo, em coisa, objeto, mercadoria, ao lado e por fora dos elementos reais da riqueza social. É fato que se esquece enquanto a produção flui. O crédito, forma social também da riqueza, expulsa o dinheiro, usurpando-lhe a posição. A confiança no caráter social da produção dá à forma dinheiro dos produtos o aspecto de algo evanescente e ideal, de mera representação. Mas, abalado o crédito – e essa fase sobrevém sempre no ciclo da indústria moderna –, impõe-se então efetiva e bruscamente converter em dinheiro, em ouro e prata, a riqueza real toda, exigência absurda, mas que decorre inevitável do próprio sistema. E o total de ouro e prata para satisfazer essas necessidades imensas atinge apenas a cifra de alguns milhões guardados nas casas-fortes do Banco.[75] Nos efeitos da evasão de ouro ressalta, portanto, contundente a circunstância de a produção como produção social não se submeter efetivamente ao controle da sociedade: a forma social da riqueza existe como *coisa* separada da riqueza. Esse aspecto do sistema capitalista é comum aos sistemas anteriores de produção na medida em que se baseiam no comércio de mercadorias e na troca entre particulares. Mas só nele toma a forma mais

---

75 "Concorda plenamente em que, para modificar a procura de ouro, só há um meio – elevar a taxa de juro?" – Chapman [sócio da grande firma Overend, Gurney & Co., *bill-brokers*]: "É o que penso. Quando nosso ouro cai a certo nível, o melhor que podemos fazer é dar o sinal de alarma e dizer: estamos em dificuldades, e quem mandar ouro para o exterior tem de fazê-lo por sua conta e risco." – B.A., 1857, depoimento Nº 5.057.

terminante e mais grotesca da contradição absurda e do contra-senso, pois (1) no sistema capitalista aboliu-se por completo a produção que gera valor de uso diretos, destinados ao consumo imediato dos produtores, existindo a riqueza como processo social expresso no entrosamento entre produção e circulação; (2) com o desenvolvimento do sistema de crédito, a produção capitalista sem cessar empenha-se em suprimir essa barreira metálica, esse limite, sincronicamente material e fantástico, à riqueza e ao movimento dela, mas acaba sempre quebrando a cabeça contra esse obstáculo.

Na crise, pretende-se que todas as letras, todos os títulos e mercadorias sejam conversíveis em dinheiro bancário, e todo esse dinheiro bancário, por sua vez, em ouro.

2. A TAXA DE CÂMBIO

[O barômetro do movimento internacional dos metais com função monetária é, como se sabe, a taxa de câmbio. Se a Inglaterra tem mais pagamentos a fazer na Alemanha do que esta na Inglaterra, o preço do marco, expresso em libras esterlinas, sobe em Londres, e o da libra, expresso em marco, baixa em Hamburgo e Berlim. Se esse excesso das obrigações de pagamentos, devido pela Inglaterra à Alemanha, não se elimina, por exemplo, em virtude de compras suplementares da Alemanha na Inglaterra, o preço em libras esterlinas das letras em marcos enviadas para a Alemanha subirá até o ponto em que é melhor negócio remeter em pagamento da Inglaterra para a Alemanha, em vez de letras de câmbio, moedas de ouro ou barras. Este é o curso típico dessas operações.

Se essa exportação de metal precioso se expande e se prolonga, o encaixe bancário inglês será atingido, e o mercado financeiro britânico, à frente o Banco da Inglaterra, terá de adotar medidas protetoras. Como já vimos, estas consistem essencialmente em elevar a taxa de juro. Havendo considerável evasão de ouro, o mercado financeiro é em regra difícil, isto é, a procura de capital de empréstimo na forma de dinheiro supera grandemente a oferta, e daí resulta taxa de juro mais alta como consequência natural; e a taxa de desconto decretada pelo Banco da Inglaterra corresponde à situação real e se impõe ao mercado. Mas também ocorrem casos em que a evasão de metal decorre de operações que não fazem parte dos negócios comuns (por exemplo, empréstimos feitos por estados estrangeiros, investimento de capital no exterior etc.), e a situação propriamente do mercado financeiro de Londres não justifica elevação eficaz da taxa de juro; então, o Banco da Inglaterra tem primeiro, como se diz, de "rarear o dinheiro", levantando grandes somas emprestadas "no mercado aberto", e assim criar artificialmente a situação que justifica ou torna necessária a alta da taxa de juro; manobra cada ano mais difícil para ele. — F.E.]

Os efeitos dessa elevação da taxa de juro sobre a taxa de câmbio se evidenciam nos seguintes depoimentos feitos perante a comissão de legislação bancária da Câmara dos Comuns em 1857 (citada pelas iniciais B.A. ou B.C., 1857).

John Stuart Mill:

> "2.176: Quando os negócios estão difíceis... há baixa considerável nos preços dos títulos... Estrangeiros mandam comprar aqui na Inglaterra ações de ferrovias, ou donos ingleses de ações de ferrovias estrangeiras vendem-nas no exterior... o que elimina de montante correspondente a transferência de ouro – 2.182: Classe importante e rica de banqueiros e comerciantes em títulos, por meio dos quais de ordinário se efetua o nivelamento da taxa de juro e o nivelamento da pressão comercial entre os diversos países... está sempre procurando comprar títulos que prometem elevação de preço... Para eles, o lugar adequado para compra é o país que está remetendo ouro para o exterior. – 2.183: Esses investimentos de capital ocorreram em escala considerável em 1847, bastando para reduzir a evasão de ouro."

J.G. Hubbard, ex-governador e depois de 1838 membro da direção do Banco da Inglaterra:

> "2.545: Há grandes quantidades de títulos europeus... que têm circulação europeia, em todos os diversos mercados financeiros, e esses títulos, quando caem no mercado de 1 ou 2%, são logo comprados em grandes quantidades e remetidos para os mercados onde o valor ainda se mantém. – 2.565: Países estrangeiros não devem somas consideráveis a comerciantes na Inglaterra? – ... Bem consideráveis. – 2.566: O recebimento dessas dívidas não bastaria de per si para explicar acumulação bem grande de capital na Inglaterra? – Em 1847 restabelecemos finalmente o equilíbrio, cancelando muitos milhões que a América e a Rússia deviam à Inglaterra."

[A Inglaterra devia ao mesmo tempo a essas mesmas nações "muitos milhões" por compra de trigo, e em grande parte não deixou de "cancelá-los" também por intermédio de falências dos devedores ingleses. Ver relatório sobre as leis bancárias de 1857, no capítulo acima, p. 547. — F.E.]

> "2.572: Em 1847, a taxa de câmbio entre Inglaterra e São Petersburgo era muito alta. Quando foi promulgada a resolução governamental que autorizou o Banco a emitir bilhetes além do limite prescrito de 14 milhões" [acima do encaixe-ouro], havia a condição de o desconto manter-se a 8%. Naquela ocasião e com aquela taxa de desconto, era negócio lucrativo transportar ouro de São Petersburgo para Londres e, quando chegasse, emprestá-lo a 8% até o vencimento das letras de 3 meses, emitidas contra o ouro vendido. – 2.573: Em todas as operações com ouro é mister ponderar muitos aspectos; importam a taxa de câmbio e a taxa de juro à qual se pode empregar o dinheiro até vencer-se a letra [emitida contra o ouro].

A taxa de câmbio com a Ásia

Os pontos seguintes são importantes, primeiro porque mostram como a Inglaterra, quando o câmbio com a Ásia lhe é desfavorável, é forçada a refazer-se com outros países que têm as importações da Ásia pagas por intermediários ingleses. Segundo, porque Mr. Wilson renova aí a tentativa absurda de identificar os efeitos da exportação de metal precioso sobre a taxa de câmbio com os efeitos de uma exportação de capital sobre essa taxa, desde que a exportação, em ambos os casos, se refira a investimento de capital, e não a meio de pagamento ou meio de compra. Antes de mais nada é compreensível que se remetam para a Índia tantos milhões em metal precioso ou em carris para aí empregar em ferrovias, ambas as coisas constituem apenas formas diferentes de transferir de um país para outro o mesmo montante de capital, e uma transferência que não entra no domínio dos negócios mercantis habituais e pela qual o país exportador nada espera além da futura renda anual derivada das receitas dessas ferrovias. Se essa exportação se dá sob a forma de metal precioso – que é capital-dinheiro de empréstimo imediatamente disponível e base de todo o sistema monetário – terá ela, por se tratar de metal precioso, influência direta sobre o mercado financeiro e, portanto, sobre a taxa de juro do país exportador, não em todas as circunstâncias necessariamente, mas naquelas que já expusemos. Do mesmo modo influi também diretamente sobre a taxa de câmbio. Com efeito, só se expede metal precioso porque e enquanto as letras, por

METAIS PRECIOSOS E TAXA DE CÂMBIO

exemplo, sobre a Índia, oferecidas no mercado financeiro de Londres não bastam para fazer essas remessas extras de dinheiro. Há, portanto, procura de letras para a Índia ultrapassando a oferta, e o câmbio fica momentaneamente desfavorável à Inglaterra, não por dever ela à Índia, mas por ter de mandar para a Índia somas extraordinárias. Com o tempo, essas remessas de metal precioso para a Índia devem influir no sentido de aumentar a procura indiana de mercadorias inglesas, pois indiretamente acrescem a capacidade de consumo indiana de mercadorias europeias. O capital, se é remetido sob a forma de carris etc., pode não ter influência alguma sobre a taxa de câmbio, pois a Índia não tem de pagar essas mercadorias. Justamente por isso essa remessa deixa de repercutir no mercado financeiro. Wilson procura demonstrar que existe essa repercussão, alegando que esse investimento extra gera procura extra de empréstimo de dinheiro e assim influi na taxa de juro. Isso pode acontecer; mas é de todo errado afirmar que acontece necessariamente em todas as circunstâncias. Qualquer que seja o lugar para o qual se remetam os carris ou onde sejam fixados, no solo inglês ou no indiano, nada mais representam que determinada expressão da produção inglesa em determinado ramo. É tolice afirmar ser impossível expandir a produção, inclusive com grande amplitude, sem provocar alta da taxa de juro. Os adiantamentos em dinheiro podem aumentar, isto é, a soma dos negócios em que entram operações de crédito; mas essas operações podem acrescer com dada taxa invariável de juro. Foi o que aconteceu durante o surto ferroviário da década de 1840. A taxa de juro não subiu. E é claro que, tratando-se de capital real, no caso, de mercadorias, o efeito sobre o mercado financeiro será o mesmo, destinem-se as mercadorias ao exterior ou ao consumo interno. Só haveria diferença se as aplicações de capital efetuadas pela Inglaterra no exterior atuassem no sentido de restringir sua exportação comercial – a exportação que tem de ser paga, implicando, portanto, reembolso – ou se já constituíssem sintoma de hipertensão do crédito e início de manobras especulativas.

Perguntas feitas por Wilson e respostas de Newmarch:

> "1.786: No tocante à procura de prata destinada à Ásia Oriental, seu parecer já expresso é de que as taxas de câmbio com a Índia são favoráveis à Inglaterra, apesar dos importantes tesouros metálicos de contínuo remetidos para a Ásia Oriental; tem essa tese fundamentos? – Por certo... Calculo que o valor real das exportações do Reino Unido para a Índia, em 1851, importava em 7.420.000

O CAPITAL

libras esterlinas; há a acrescentar aí o montante das letras da India House, isto é, dos fundos que a Companhia das Índias Orientais saca para pagar as próprias despesas. Essas letras naquele ano montavam a 3.200.000 libras esterlinas, de modo que a exportação global do Reino Unido para a Índia chegava a 10.620.000 libras esterlinas. Em 1855... o valor real da exportação de mercadorias subira a 10.350.000 libras esterlinas; as letras da India House atingiam 3.700.004 libras esterlinas; portanto, exportação total de 14.050.000 libras esterlinas. Parece-me que, para o ano de 1851, não há meios de estabelecer o valor real da importação pela Inglaterra de mercadorias oriundas da Índia; mas há dados para 1854 e 1855. Em 1855, o valor global efetivo das importações pela Inglaterra das mercadorias indianas, era de 12.670.000 libras esterlinas, e essa soma, comparada com o montante de 14.050.000 libras esterlinas, deixa um saldo a favor da Inglaterra, no comércio direto entre ambos os países, de 1.380.000 libras esterlinas."

Neste ponto, observa Wilson que o comércio indireto influencia também as taxas de câmbio. Assim, por exemplo, as exportações da Índia para Austrália e América do Norte são cobertas por letras sacadas sobre Londres e por isso influem sobre a taxa de câmbio justamente como se fossem expedidas da Índia diretamente para a Inglaterra. Além disso, consideradas Índia e China em conjunto, o balanço será desfavorável à Inglaterra, uma vez que a China tem pagamentos importantes e contínuos a fazer à Índia pela compra de ópio, e a Inglaterra, pagamentos à China, e por esse meio as importâncias vão para a Índia (1.787, 1.788).

Wilson pergunta (Nº 1.791) se o efeito sobre a taxa de câmbio não será o mesmo, "esteja o capital na forma de carris e locomotivas, esteja na de dinheiro metálico". Newmarch responde com pleno acerto: os 12 milhões de libras esterlinas, remetidos nos últimos anos à Índia para construção de ferrovias, serviram para adquirir uma renda anual que a Índia tem de pagar à Inglaterra em épocas fixas.

"No tocante ao efeito imediato sobre o mercado de metais preciosos, só pode exercê-lo esse investimento de 12 milhões de libras esterlinas, na medida em que se tenha de expedir metal para a inversão efetiva em dinheiro."

"1.797 (Weguelin pergunta): Se a esse ferro (os carris) não corresponde reembolso, como se pode dizer que influi na taxa de câmbio? – Não acredito que a parte do desembolso, remetida para fora do país na forma de mercadorias, atue no nível da taxa de câmbio... O que influencia o nível da taxa de

METAIS PRECIOSOS E TAXA DE CÂMBIO

câmbio entre dois países, podemos dizer, com exclusividade, é a quantidade das obrigações ou letras oferecidas por um país, comparadas com a quantidade ofertada em troca por outro país; eis aí a teoria racional da taxa de câmbio. Quanto à remessa dos 12 milhões, antes de mais nada, esses 12 milhões foram subscritos aqui; se o negócio fosse de natureza que todos esses 12 milhões se depositassem em dinheiro metálico em Calcutá, Bombaim e Madras... essa súbita procura atuaria violenta sobre o preço da prata e sobre a taxa de câmbio, como aconteceria se a Companhia das Índias Orientais anunciasse amanhã o aumento do montante de suas letras de 3 para 12 milhões. Mas a metade desses 12 milhões se desembolsa... na compra de mercadorias na Inglaterra... carris, madeiras e outros materiais... é desembolso de capital inglês na própria Inglaterra, para adquirir certas espécies de mercadorias, expedidas para a Índia, e tudo acaba aí. – 1.798 (Weguelin): Mas a produção dessas mercadorias de ferro e madeira, necessárias às ferrovias, provoca forte consumo de mercadorias estrangeiras, o que poderia influenciar a taxa de câmbio? – Sem dúvida."

Wilson quer agora dizer que o ferro em grande parte representa trabalho, e o salário pago por esse trabalho representa notadamente mercadorias importadas (Nº 1.799). E pergunta:

"1.801: Mas, falando de modo bem geral: na hipótese de as mercadorias produzidas por intermédio do consumo dessas importações se exportarem sem que se obtenha reembolso em produtos ou de qualquer outro modo, não adviria daí como consequência câmbio desfavorável para nós? – Essa hipótese ocorreu exatamente na Inglaterra na época das grandes obras ferroviárias" [em 1845]. "Três, quatro ou cinco anos seguidos aplicam-se 30 milhões de libras esterlinas em ferrovias e quase tudo em salário. Empregou-se durante três anos, na construção de ferrovias, locomotivas, vagões e estações, mais gente que em todos os distritos industriais juntos. Essa gente.... gastava o salário na compra de chá, açúcar, bebidas alcoólicas e de outras mercadorias estrangeiras; essas mercadorias tinham de ser importadas; mas é indiscutível que, nesse período em que se efetuou esse grande dispêndio, não houve perturbação essencial nas taxas de câmbio entre a Inglaterra e os outros países. Em vez de evasão, ocorreu ingresso de metal precioso."

Wilson (Nº 1.802) obstina-se em que, se entre a Índia e a Inglaterra o balanço comercial é equilibrado e o câmbio ao par, a remessa extra de carris e locomotivas "necessariamente influi no câmbio com a Índia". Newmarch acha que tal não acontece, desde que os carris são expedidos como investimento de capital, não estando a Índia de maneira alguma obrigada a pagá-los; e acrescenta:

> "Concordo com o princípio de que nenhum país possa ter a longo prazo taxa de câmbio desfavorável com todos os países com que transaciona; taxa de câmbio desfavorável com um país produz necessariamente taxa favorável com outro."

Wilson retruca-lhe com a trivialidade:

> "1.803: Transferência de capital deixaria de ter a mesma natureza por mudar a forma de remessa do capital? – Quanto à dívida contraída, não. – 1.804: Seja a remessa feita em metal precioso ou em mercadorias, o efeito da construção ferroviária na Índia sobre o mercado de capital na Inglaterra seria o mesmo e aumentaria tanto o valor do capital como se toda a remessa fosse feita em metal precioso?"

Em todo caso, a estabilidade dos preços do ferro, se verificada, provaria que não teria aumentado "o valor do capital encerrado nos carris. Mas a questão que está em jogo é valor do capital-dinheiro, a taxa de juro. Wilson quer identificar o capital-dinheiro com o capital em geral. Antes de mais nada, o fato puro e simples: subscreveram-se na Inglaterra 12 milhões para ferrovias indianas. Isto nada tem que ver diretamente com as taxas de câmbio, e não tem importância para o mercado financeiro a destinação dos 12 milhões. Se o mercado financeiro está em situação favorável, essa subscrição não repercute necessariamente nele; assim, as subscrições das ferrovias inglesas em 1844 e 1845 não modificaram o mercado financeiro. Se o mercado financeiro já apresenta algumas dificuldades, a taxa de juro poderia ser influenciada pela operação, mas no sentido de alta, o que, de acordo com a teoria de Wilson, deveria favorecer a taxa de câmbio para a Inglaterra, isto é, refrear a tendência à exportação de metal precioso, se não para a Índia, pelo menos para outros países. Wilson mistura alhos com bugalhos. Na pergunta 1.802, o efeito é sobre as taxas de câmbio, e no Nº 1.804, sobre o "valor do capital", duas coisas bem diversas. A taxa de juro pode atuar sobre as taxas de câmbio, e essas taxas sobre a taxa de juro, mas esta pode ser constante com taxas de câmbio variáveis, e estas, constantes, com taxa de juro variável. Não entra

METAIS PRECIOSOS E TAXA DE CÂMBIO

na cabeça de Wilson que, na remessa de capital para o exterior, a mera forma em que é remetido faça tal diferença no efeito que produz, isto é, que a diferença de forma de capital tenha essa importância, sobretudo quando se trata de sua forma monetária; tudo isto contradiz e muito o racionalismo econômico. Newmarch responde a Wilson de maneira incompleta, pois não o faz reparar que pulou brusca e injustificadamente da taxa de câmbio para a taxa de juro. Newmarch responde à pergunta 1.804, inseguro e hesitante:

> "Sem dúvida, se é mister levantar 12 milhões, é secundário no tocante à taxa geral de juro que esses 12 milhões sejam expedidos em metal precioso ou em materiais. Acho todavia" (bela transição esse todavia, para afirmar o contrário), "que não é secundário de todo" (é secundário, todavia não é secundário), "porque num caso os 6 milhões refluiriam logo e, no outro, não com essa rapidez. Por isso, faria alguma" (ficamos no impreciso) "diferença que os 6 milhões fossem desembolsados aqui no país ou totalmente remetidos para o exterior."

Que significa esse retorno imediato dos 6 milhões? Os 6 milhões, depois de desembolsados na Inglaterra, existem em carris, locomotivas etc., enviados para a Índia, donde não voltam, só muito lentamente refluindo seu valor por meio de amortização, enquanto os 6 milhões em metal precioso podem retornar na mesma espécie muito rapidamente. Os 6 milhões, na medida em que se empregaram em salários, foram consumidos; mas o dinheiro em que foram adiantados continua a circular no país ou constitui encaixe. O mesmo se estende aos lucros dos produtores de carris e à parte dos 6 milhões a qual repõe o capital constante.

Ao empregar o verbo refluir de maneira ambígua, o objetivo de Newmarch era não dizer diretamente: o dinheiro ficou no país e, na medida em que funciona como capital-dinheiro de empréstimo, a diferença para o mercado financeiro é apenas a de que se desembolsa por conta de A e não de B, se abstraímos da possibilidade de a circulação ter absorvido mais dinheiro metálico. Investimento dessa natureza, em que o capital se transfere para países estrangeiros em mercadorias e não em dinheiro metálico, só pode atuar sobre as taxas de câmbio (e não sobre o câmbio do país onde se emprega) na medida em que a produção dessas mercadorias exportadas exige importação extra de outras mercadorias estrangeiras. Essa produção não se destina a liquidar essa importação extra. O mesmo se dá em toda exportação a crédito, trate-se de investimento de capital ou de operação comercial normal. Além disso, essa importação extra pode provocar, por efeito indireto, procura extra de mercadorias inglesas de parte, por exemplo, das colônias ou dos Estados Unidos.

Antes [Nº 1.786] Newmarch dissera que, em virtude das letras da Companhia das Índias Orientais, as exportações da Inglaterra para a Índia eram maiores que as importações. Sir Charles Wood submete-o a sério interrogatório acerca desse ponto. Esse excedente das exportações inglesas para a Índia sobre as importações dela oriundas só se efetiva por receber a Inglaterra da Índia importação pela qual não dá equivalente em troca: as letras da Companhia das Índias Orientais, hoje governo das Índias Orientais, significam tributo incidente sobre a Índia. Em 1855, por exemplo, as importações inglesas procedentes da Índia eram de 12.670.000 libras esterlinas, e as exportações inglesas para a Índia, de 10.350.000 libras esterlinas. Saldo a favor da Índia, 2.250.000.

> "Se a coisa ficasse aí, seria mister remeter para a Índia, de alguma forma, a soma de 2.250.000 libras esterlinas. Mas, então, surgem as exigências da India House. A India House anuncia que está em condições de emitir letras contra as diversas presidências indianas no montante de 3.250.000 libras esterlinas" (a ser coletado para as despesas em Londres da Companhia das Índias Orientais e para os dividendos a pagar aos acionistas). "E isto não só liquida o *deficit* de 2.250.000 libras esterlinas, surgido no comércio, mas proporciona *superavit* de 1 milhão" (Nº 1.917).
>
> Wood (Nº 1.922): "Então, o efeito dessas letras da India House não é o de aumentar as exportações para a Índia, mas de reduzi-lo em montante correspondente?"

(Isto é, de reduzir a necessidade de cobrir as importações da Índia com exportações para lá até esse montante.) Newmarch explica tal ocorrência, dizendo que, em compensação por essa soma de 3.700.000 libras esterlinas, a Índia importa da Inglaterra "bom governo" (Nº 1.925). Wood que, como ministro para a Índia, conhecia muito bem a espécie de "bom governo" que os ingleses exportam, diz com acerto e ironia (Nº 1.926):

> "Então, a exportação que, conforme seu parecer, as letras da India House promovem é uma exportação de bom governo e não de mercadorias."

METAIS PRECIOSOS E TAXA DE CÂMBIO

A Inglaterra usa muito "esse modo" de exportar, dispondo do item "bom governo" e dos investimentos nos países estrangeiros – o que lhe permite obter importações de todo independentes da marcha normal do comércio, colher tributos seja pelo "bom governo" exportado, seja como rendimento do capital empregado nas colônias ou alhures, sem ter de pagar o equivalente a esses tributos. Por isso, é claro que as taxas de câmbio não podem ser influenciadas, se a Inglaterra simplesmente consumir esses tributos, sem fazer a exportação equivalente ao montante deles; é também claro que o câmbio não se alteraria, se ela os aplicasse em novos investimentos não dentro das fronteiras nacionais, mas no estrangeiro, produtiva ou improdutivamente, utilizando-as, por exemplo, para fornecer munições à Crimeia. Além disso, na medida em que as importações do exterior ingressam na renda da Inglaterra, pode consumi-las ou empregá-las em novos investimentos. Naturalmente é mister que tenham sido pagas ou como tributo – sem necessidade de um equivalente – ou mediante troca por esses tributos gratuitamente recebidos ou de acordo com o mecanismo normal do comércio. Nem esse consumo, nem esses investimentos novos alteram as taxas de câmbio, coisas que o sábio Wilson deixou de ver. Parte da renda constituía-se de produto indígena ou estrangeiro – supondo apenas o segundo caso troca de produtos nacionais por estrangeiros – o consumo dessa renda, produtivo ou improdutivo, em nada altera as taxas de câmbio, embora influencie o nível de produção. À luz disso devemos avaliar o que segue.

Nº 1.934: Wood pergunta-lhe como a remessa de munições para a Crimeia influiria no câmbio com a Turquia. Newmarch responde:

> "Não vejo como a simples remessa de material de guerra necessariamente alteraria a taxa de câmbio, mas a expedição de metal precioso repercutiria sem dúvida sobre o câmbio."

Aí distingue capital na forma dinheiro de capital de outra espécie. Pergunta então Wilson:

> "1.935: Se efetuardes exportação em grande escala de um artigo, sem haver troca por importação correspondente",

(Wilson esquece que, no tocante à Inglaterra, ocorrem importações muito importantes, sem ter havido a contrapartida de exportação correspondente, a não ser na forma de "bom governo" ou de investimentos de capital anteriormente exportados; importações que, em todo caso, não entram no movimento normal do comércio. Mas essas importações são, por exemplo, trocadas por produtos americanos, e esses são exportados sem a contrapartida de importação correspondente. Essa circunstância em nada altera o fato de se poder consumir o valor dessas importações sem saída equivalente para o exterior; é ingresso sem contrapartida de exportação e pode ser consumido sem entrar no balanço comercial.)

> "não pagareis a dívida externa que contraístes com vossa importação."

(Mas se já pagastes previamente essa importação, mediante, por exemplo, crédito dado no exterior, não se contraí, débito por ela, e a questão nada tem que ver com a balança internacional, reduzindo-se a desembolso produtivo ou improdutivo, sem importar que seja nacional ou estrangeira a origem dos produtos consumidos.)

> "E por isso vossa transação fatalmente influenciará as taxas de câmbio enquanto a dívida externa não for paga, pois vossa exportação não tem importação correspondente. – Isto se aplica aos países em geral."

Wilson sustenta em suma que toda exportação sem importação correspondente é ao mesmo tempo importação sem exportação correspondente, pois na produção do artigo exportado entram mercadorias estrangeiras, importadas, portanto. Está supondo que toda exportação desse gênero se baseia numa importação não paga ou a gera, criando assim dívida externa. A suposição é falsa, mesmo pondo-se de lado as duas circunstâncias seguintes: (1) a Inglaterra faz importações gratuitas, sem pagar o equivalente a elas; é o caso de parte de suas importações indianas. Pode trocá-las por importações americanas, e exportar estas sem importação em contrapartida; em todo caso, quanto ao valor, apenas terá exportado o que nada lhe custou. E (2) pode ter pago importações, americanas, por exemplo, que constituem capital suplementar; ao consumi-las improdutivamente, por exemplo, em material de guerra, não decorre daí dívida para com a América nem efeito sobre a taxa de câmbio com a América. Nas respostas aos N°s 1.934 e 1.935, Newmarch contradiz-se, e Wood fisga a contradição (N° 1.938):

METAIS PRECIOSOS E TAXA DE CÂMBIO

> "Se nenhuma parte das mercadorias empregadas na fabricação dos artigos que exportamos, sem nada receber em troca" (dispêndio de guerra), "provém do país para onde esses artigos são enviados, como influenciaria essa exportação a taxa de câmbio com esse país? Admitindo-se que o comércio com a Turquia se encontre em estado normal de equilíbrio, como a remessa de munições para a Crimeia atuaria na taxa do câmbio entre a Inglaterra e a Turquia?"

Newmarch perde aí equanimidade; esquece que já respondera com acerto essa pergunta simples no Nº 1.934, e diz:

> "Parece-me que esgotamos a questão prática e atingimos agora a região sublimada do debate metafísico."

[Wilson apresenta sua tese sob outro aspecto: toda transferência de capital de um país para outro atua sobre a taxa de câmbio, ocorra ela na forma de metal precioso ou de mercadorias. Wilson sabe naturalmente que a taxa de juro influencia a taxa de câmbio, especialmente por meio da relação entre as taxas de juro vigentes nos dois países cuja taxa de câmbio recíproca se está considerando. Se ele puder demonstrar que, em geral, excedente de capital, antes de mais nada em mercadorias de toda espécie, inclusive metal precioso, influi decisivamente sobre a taxa de juro, ficará mais próximo de seu objetivo; transferência de parte importante desse capital a outro país deve alterar então a taxa de juro em ambos os países e em direção oposta; por conseguinte, em segunda instância, também a taxa de câmbio entre ambos os países. — F.E.]

Em 1847, Wilson, então diretor do *Economist*, diz à p. 574 desse periódico:

> "É claro que essa pletora de capital, configurada em estoques imensos de toda espécie, inclusive de metais preciosos, tem de levar necessariamente à baixa dos preços das mercadorias em geral e ainda à redução da taxa de juro pelo uso do capital (1). Se há estoque de mercadorias disponível para abastecer o país nos próximos dois anos, obter-se-á domínio sobre essas mercadorias a taxa muito mais baixa por período dado do que se esse estoque mal desse para dois meses (2). Todos os empréstimos de dinheiro, qualquer que seja a forma, transferem de uma pessoa para outra o poder de dispor das mercadorias. Se há excesso de mercadorias, o preço do dinheiro tem de ser baixo, e se há escassez, alto (3). Se cresce a abundância das mercadorias, aumentará o número dos vendedores em relação ao dos compradores, e na medida em que a quantidade delas ultrapassa

as necessidades do consumo imediato, porção cada vez maior deve ser guardada para utilização posterior. Nessas circunstâncias, o dono de mercadorias vende, para pagamento futuro, ou seja, a crédito, a preços mais baratos, do que o faria se tivesse a certeza de vender o estoque todo em poucas semanas" (4).

Quanto à tese (1) cabe observar que pode ocorrer grande *afluência* de metal precioso com produção ao mesmo tempo *contraída*, como acontece na época posterior à crise. Na fase seguinte, os metais preciosos podem provir de países que predominantemente produzem esses metais; as importações das outras mercadorias em regra se equilibram nesse período com as exportações. Em ambas as fases, o juro é baixo e só lentamente sobe; sabemos por quê. Essa taxa de juro baixa aplica-se em todos os casos sem intervenção alguma de quaisquer "estoques imensos de toda espécie". E como se daria essa intervenção? O preço baixo do algodão, por exemplo, possibilita grandes lucros à fiação etc. E por que o juro então é baixo? Por certo, não por ser alto o lucro que se pode obter com o capital emprestado, e sim exclusivamente porque, nas circunstâncias, a procura de capital de empréstimo não cresce em proporção a esse lucro; isto é, o movimento do capital de empréstimo difere daquele do capital industrial. O *Economist* quer provar justamente o oposto – são idênticos os movimentos dos dois capitais.

A tese (2) supõe mercado de mercadorias saturado, se reduzimos a hipótese dos estoques de dois anos a dimensões que lhe deem sentido. Daí resultaria queda de preços. Pagar-se-ia menos por um fardo de algodão. Mas daí não se segue que se poderia tomar dinheiro mais barato para comprar um fardo de algodão. Isto depende da situação do mercado de dinheiro. Se se pode consegui-lo mais barato, é apenas porque o crédito comercial está em condições tais que recorre ao crédito bancário menos que o normalmente necessário. As mercadorias que abarrotam o mercado são meios de subsistência ou meios de produção. O baixo preço de ambas as espécies aumenta o lucro do capitalista industrial. Por que esse preço baixaria o juro, a não ser em virtude da oposição – em vez da identidade – entre abundância de capital industrial e a procura de empréstimo? Então, o comerciante e o industrial se podem reciprocamente proporcionar crédito; por causa dessa facilidade do crédito comercial, o industrial e o comerciante precisam de menos crédito bancário; por isso, a taxa de juro pode ser baixa. Essa taxa reduzida nada tem que ver com a afluência de metais preciosos, embora ambas possam andar juntas, e as causas que produzem os baixos preços dos artigos de importação podem produzir também o excedente de metal precioso importado. Se o mercado de importação estivesse realmente abarrotado, isto provaria decréscimo da procura de mercadorias importadas, inexplicável com os preços baixos, a não ser que se contraísse a produção industrial indígena; mas essa contração seria por sua vez inexplicável com importações abundantes a preços baixos. Meros absurdos para demonstrar que queda dos preços = queda do juro. Ambas podem coexistir uma ao lado da outra. Mas, nesse caso, exprimem os sentidos opostos em que se movem o capital industrial e o capital de empréstimo, e não a identidade desses movimentos.

Quanto à tese (3), pela argumentação que segue, não se vê por que a taxa de juro deva ser baixa quando as mercadorias têm preços baixos. Se as mercadorias barateiam, preciso, para comprar determinada quantidade, digamos, de 1.000 libras esterlinas, em vez das 2.000 anteriores. Mas é possível também que inverta agora 2.000 libras esterlinas, comprando por essa quantia o dobro da quantidade anterior de mercadorias, e amplie meu negócio, adiantando o mesmo capital, que talvez tenha de tomar emprestado. Compro agora, como dantes, mercadorias no montante de 2.000 libras esterlinas. Minha procura no mercado financeiro não varia, embora suba minha procura no mercado de mercadorias, com a queda do preço das mercadorias. Mas se esta procura cair, isto é, se a produção não se amplia com a queda dos preços das mercadorias, o que iria contrariar todas as leis do *Economist*, decrescerá a procura de capital-dinheiro de empréstimo, embora aumente o lucro; esse lucro crescente geraria procura de capital de empréstimo. Aliás, a baixa dos preços das mercadorias pode provir de três causas. Primeiro, procura insuficiente. Então, a taxa de juro é baixa, por estar paralisada a produção, e não por baratearem as mercadorias, pois os preços baixos apenas expressam aquela paralisação. Segundo, a oferta excede à procura, o que pode decorrer de abarrotamento dos mercados etc., o qual leva à crise, e possivelmente coincide na crise com taxa de juro elevada. Terceiro, reduz-se o valor das mercadorias, e por isso a mesma procura pode satisfazer-se a menor preço. Por que deve a taxa de juro baixar neste caso? Será por que aumenta o lucro? E se aumenta por ser necessário menos capital-dinheiro para se obter o mesmo capital produtivo ou capital-mercadoria, isto apenas prova que lucro e juro estão entre si em razão inversa. Em todo caso, a tese geral do *Economist* é falsa. Preços baixos em dinheiro das mercadorias e baixa taxa de juro não coincidem necessariamente. Do contrário, os países mais pobres, onde os produtos têm os mais baixos preços em dinheiro, disporiam da mais baixa taxa de juro, e os países mais ricos, onde os produtos agrícolas apresentam os preços mais altos, teriam a mais alta taxa de juro. De modo geral, o *Economist* admite que a baixa do valor do dinheiro não exerce influência alguma sobre a taxa de juro. Cem libras esterlinas se transformam, agora como dantes, em 105, e se as 100 libras valem menos, o mesmo acontece com as 5 de juro. A relação não se altera pelo aumento do valor ou pela depreciação da soma original. Quanto ao valor, determinada quantidade de mercadoria é igual a certo montante de dinheiro. O valor dela, se sobe, é igual a montante maior de dinheiro; ao revés, se cai. Se é igual a 2.000, então 5% = 100; se é igual a 1.000, então 5% = 50. Mas isto em nada altera a taxa de juro. O que há de racional aí é apenas que são necessários mais empréstimos quando se precisa de 2.000 libras esterlinas do que quando se precisa de 1.000 libras esterlinas para vender a mesma quantidade de mercadorias. Mas isto só revela existir relação inversa entre lucro e juro, pois, ao baratearem os elementos do capital constante e variável, o lucro acresce e o juro cai. Mas pode ocorrer também o oposto, e com frequência sucede. O algodão, por exemplo, pode baratear por não haver procura de fio e tecidos. Pode encarecer relativamente, por grande lucro na indústria têxtil algodoeira gerar grande procura dessa fibra. Por outro lado, o lucro do industrial pode ser alto, justamente por ser baixo o preço do algodão. O quadro de Hubbard demonstra que o movimento da taxa de juro e o dos preços das mercadorias são de todo independentes um do outro, enquanto o da taxa de juro se ajusta exatamente ao do encaixe metálico e ao do câmbio.

"Havendo mercadorias em excesso, a taxa de juro, em consequência, é baixa",

diz o *Economist*. Nas crises, ocorre justamente o contrário; há sobra de mercadorias, inconversíveis em dinheiro, e, por isso, o juro sobe; na outra fase do ciclo reina grande procura de mercadorias, por conseguinte, retornos fáceis, mas, ao mesmo tempo, ascensão dos preços das mercadorias e, em virtude dos retornos fáceis, taxa de juro baixa. "Se escasseiam (as mercadorias), (a taxa de juro) tem de ser alta." Sucede o oposto em épocas de inação após a crise. As mercadorias são escassas em termos absolutos, não relativamente à procura; a taxa de juro é baixa.

METAIS PRECIOSOS E TAXA DE CÂMBIO

Quanto à tese (4), está bem claro que, em mercado saturado, o dono de mercadorias – desde que possa vendê-las – se desfará delas mais barato do que o faria se a perspectiva fosse a de se esgotarem rápido os estoques existentes. Está menos claro, porém, o motivo por que a taxa de juro deva então cair.

Se o mercado está abarrotado de mercadorias importadas, a taxa de juro pode subir, em virtude de os proprietários delas aumentarem a procura de capital de empréstimo, para não serem constrangidos a lançá-las no mercado; ou pode cair, em virtude de a facilidade do crédito comercial manter relativamente baixa a procura de crédito bancário.

O *Economist* menciona a rápida repercussão que tiveram sobre as taxas de câmbio a elevação da taxa de juro e outras pressões sobre o mercado de dinheiro. Mas não se deve esquecer que, apesar da alteração do câmbio, o ouro continuou saindo até fins de abril e só muda esse rumo no começo de maio.

Em 1º de janeiro de 1847, o encaixe metálico do Banco era de 15.066.691 libras esterlinas; taxa de juro, $3\frac{1}{2}$ %; câmbio a três meses sobre Paris, 25,75; sobre Hamburgo, 13,10; sobre Amsterdã, $12,3\frac{1}{4}$. Em 5 de março, o encaixe metálico caiu para 11.595.535 libras esterlinas; o desconto elevou-se para 4%; a taxa de câmbio sobre Paris caiu a $25,67\frac{1}{2}$; sobre Hamburgo, a $13,9\frac{1}{4}$; e sobre Amsterdã, a $12,2\frac{1}{2}$. A saída de ouro prossegue; ver quadro na página seguinte.

Em 1847, o total das exportações de metais preciosos da Inglaterra atingiu 8.602.597 libras esterlinas, cabendo

aos Estados Unidos	3.226.411
à França	2.479.892
às Cidades Hanseáticas	958.781
à Holanda	247.743

Apesar da mudança das taxas de câmbio no fim de março, a evasão de ouro prossegue por um mês inteiro, provavelmente para os Estados Unidos.

O CAPITAL

1847	Encaixe metálico do Banco da Inglaterra em libras esterlinas	Mercado monetário	Taxa máxima de câmbio a três meses		
			Paris	Hamburgo	Amsterdã
20.3	11.231.630	Desconto bancário a 4%	25,67 $\frac{1}{2}$	13,09 $\frac{3}{2}$	12,2 $\frac{1}{2}$
3.4	10.246.410	Desconto bancário a 5%	25,80	13,10	12,3 $\frac{1}{2}$
10.4	9.867.053	Grande escassez de dinheiro	25,90	13,10 $\frac{1}{3}$	12,4 $\frac{1}{2}$
17.4	9.329.841[1]	Desconto bancário a 5 $\frac{1}{2}$ %	26,02 $\frac{1}{2}$	13,10 $\frac{3}{4}$	12,5 $\frac{1}{2}$
24.4	9.213.890	Aperto	26,05	13,12	12,6
1.5	9.337.716	Aperto crescente	26,15	13,12 $\frac{8}{4}$	12,6 $\frac{1}{4}$
8.5	9.588.759	Aperto máximo	26,27 $\frac{1}{2}$	13,15 $\frac{1}{2}$	12,7 $\frac{3}{4}$

[1] Para corresponder aos mesmos níveis das taxas cambiais sobre Paris e Amsterdã, registradas em 20 de março, no quadro, a taxa sobre Hamburgo deveria ser de 13,09 $\frac{3}{4}$

METAIS PRECIOSOS E TAXA DE CÂMBIO

"Vemos aí" (diz o *Economist*[I] de 1847, p. 954) "o efeito rápido e decisivo da alta da taxa de juro e do consequente aperto financeiro na correção do câmbio desfavorável e na reversão do fluxo do ouro, fazendo-o refluir à Inglaterra. O efeito obtido não dependeu absolutamente do balanço de pagamentos. Taxa de juro mais alta fez baixar o preço dos títulos, ingleses e estrangeiros, e motivou grandes compras desses papéis por conta de clientes estrangeiros. Isto aumentou a soma das letras emitidas pela Inglaterra, enquanto, com a taxa de juro elevada, era tão grande a dificuldade de obter dinheiro que decrescia a procura dessas letras, à medida que aumentava a soma delas. Pela mesma razão anularam-se pedidos de mercadorias estrangeiras, e capitais ingleses aplicados em papéis estrangeiros converteram-se em dinheiro trazido para a Inglaterra e aqui empregado. Assim lemos no *Rio de Janeiro Price Current*, de 10 de maio: "A taxa de câmbio" [sobre a Inglaterra] "experimentou nova baixa causada principalmente por pressão sobre o mercado de remessas correspondentes a grandes vendas de títulos públicos" [brasileiros], "feitas por conta de clientes ingleses. Capital inglês, empregado em diversos papéis no exterior, quando a taxa de juro aqui era muito baixa, refluiu para cá logo após a elevação da taxa de juros."

Balança comercial da Inglaterra

Só a Índia tem de pagar 5 milhões em tributos, por "bom governo", juros e dividendos de capital britânico etc., não se incluindo aí as somas anualmente enviadas para a metrópole pelos funcionários, poupadas dos respectivos ordenados, ou pelos comerciantes ingleses, tiradas do lucro, a fim de serem empregadas na Inglaterra. Pelas mesmas razões saem continuamente de toda colônia britânica grandes remessas. A maioria dos bancos na Austrália, Índias Ocidentais e Canadá foram fundados com capital britânico, e os dividendos são pagáveis na Inglaterra. Possui a Inglaterra também muitos títulos públicos estrangeiros, europeus, norte-americanos e sul-americanos, dos quais tem juros a receber. Acresce ainda sua participação nas ferrovias, canais, minas etc. estrangeiros, com os correspondentes dividendos. Os pagamentos de todos esses itens se efetuam quase exclusivamente em produtos e se situam acima da faixa coberta pelas exportações inglesas. São insignificantes, em cotejo, as remessas que a Inglaterra faz para o exterior, destinadas a detentores de títulos ingleses e à manutenção de nacionais britânicos.

I De 21 de agosto.

O CAPITAL

No tocante à balança comercial e às taxas de câmbio, o que está em jogo

"em cada momento dado é uma questão de tempo. Em regra... a Inglaterra dá créditos a longo prazo para suas exportações, enquanto as importações são pagas à vista. Em certas ocasiões, essa diferença, fundada no que é usual, tem efeito importante no câmbio. Em período, como o ano de 1850, em que nossas exportações crescem em grande proporção, há necessariamente expansão contínua dos investimentos de capital britânico... Assim, podem ser feitos em 1850 pagamentos de mercadorias exportadas em 1849. Mas se as exportações de 1850 ultrapassam em 6 milhões as de 1849, o efeito prático inevitável, naquele ano, será o dinheiro saído exceder, por aquela quantia, e que refluiu. Há desse modo influência nas taxas de câmbio e na taxa de juro. Ao revés, quando a crise deprime nossos negócios e se reduzem muito nossas exportações, as obrigações vencidas de pagamentos, relativas às exportações maiores efetuadas em anos anteriores, sobrepujam consideravelmente o valor de nossas exportações; por isso, as taxas de câmbio revertem a nosso favor, o capital acumula-se rápido no país, e a taxa de juro cai" (*Economist*, 11 de janeiro de 1851).

A taxa de câmbio pode alterar-se por força de diversos fatores: (1) em virtude do balanço de pagamentos do momento considerado, quaisquer que sejam as causas que o determinem: puramente mercantis, investimentos no estrangeiro ou dispêndios governamentais em guerras etc., os quais impliquem pagamento em dinheiro metálico no exterior.

(2) Em virtude de depreciação do dinheiro de um país, seja moeda metálica ou papel-moeda. Trata-se de valor nominal apenas. Se 1 libra esterlina passasse a representar só metade do dinheiro que representava antes seria cotada a $12\frac{1}{2}$ francos, em vez de 25.

(3) Quando está em jogo o câmbio entre duas nações, tendo uma por dinheiro a prata, e a outra, o ouro, a taxa de câmbio depende das flutuações relativas de valor de ambos os metais, uma vez que estas sem dúvida alteram a paridade entre os dois países. Exemplo desse caso são as taxas de câmbio de 1850; eram desfavoráveis à Inglaterra, embora fosse enorme o aumento de sua exportação; mas, apesar disso, não se deu evasão de ouro. Era consequência da alta momentânea do valor da prata em relação ao do ouro (ver *Economist*, 30 de novembro de 1850).

Para 1 libra esterlina, a paridade do câmbio com Paris é 25 francos e 20 cêntimos; com Hamburgo, 13 marcos e $10\frac{1}{2}$ xelins, e com Amsterdã, 11 florins e 97 cents. O câmbio com Paris, ao ultrapassar 25 francos e 20 cêntimos, torna-se mais favorável ao inglês que deve à França ou que compra mercadorias francesas. Em ambos os casos pode atingir seu objetivo com menos libras esterlinas. – Em países mais afastados, onde não é fácil obter metais preciosos, quando rareiam e são insuficientes as letras para as remessas com destino à Inglaterra, a consequência natural é aumentarem os preços daqueles produtos que usualmente se expedem para a Inglaterra, por acrescer a procura deles, a fim de mandá-los para a Inglaterra, em vez de letras. É o que se dá frequentes vezes com a Índia.

Pode haver câmbio desfavorável e até evasão de ouro quando na Inglaterra reina grande pletora de dinheiro, taxa de juro baixa e alta dos preços dos títulos.

No decurso de 1848, a Inglaterra recebeu grandes quantidades de prata da Índia, uma vez que as boas letras eram raras e as de qualidade mediana eram aceitas de má vontade, em virtude da crise de 1847 e da grande falta de crédito no comércio com a Índia. Toda essa prata, mal chegava, tomava o caminho do continente, onde a revolução provocou entesouramento por toda parte. A mesma prata em 1850 refluiu na maior parte para a Índia, pois a taxa de câmbio tornava essa operação vantajosa.

O sistema monetário[1] é essencialmente católico; o sistema de crédito, essencialmente protestante. "Os escoceses odeiam o ouro." A existência monetária das mercadorias em papel é de natureza apenas social. É a fé que salva. A fé no valor monetário – o espírito imanente das mercadorias –, a fé no modo de produção e na sua ordem predestinada, a fé nos agentes privados da produção, meras personificações do capital que se valoriza. Mas o protestantismo não se emancipa do catolicismo, nem o sistema de crédito da base do sistema monetário.

---

1 O metalismo.

XXXVI.
Aspectos pré-capitalistas

XXXVI.
Aspectos pré-capitalistas

O capital produtor de juros ou, como podemos chamá-lo em sua forma antiga, o capital usurário, pertence, como o irmão gêmeo, o capital mercantil, às formas antediluvianas de capital que por longo tempo precedem o modo capitalista de produção e se encontram nas mais diversas formações econômicas da sociedade.

Para existir o capital usurário basta que pelo menos parte dos produtos se converta em mercadorias e que o dinheiro, com o comércio de mercadorias, tenha desenvolvido suas diversas funções.

O desenvolvimento do capital usurário liga-se ao do capital mercantil e particularmente ao do capital financeiro. Em Roma, a partir dos fins da República, enquanto a manufatura estava em nível bem inferior ao do desenvolvimento médio da Antiguidade, o capital mercantil, o capital financeiro e o capital usurário – dentro da velha estrutura – atingiram o apogeu de seu desenvolvimento.

Já vimos que ao dinheiro se junta necessariamente o afã de entesourar. Mas o entesourador profissional só se torna importante quando se torna usurário.

O comerciante toma dinheiro emprestado para obter lucro com o dinheiro, para empregá-lo como capital, para investi-lo. Nas formas primitivas, o emprestador do dinheiro confrontava-o como o faz hoje com o capitalista moderno. As universidades católicas perceberam essa relação específica.

> "As universidades de Alcalá, Salamanca, Ingolstadt, de Friburgo em Brisgóvia, de Mogúncia, Colônia e Tréveris reconheceram sucessivamente a legitimidade dos juros para os empréstimos ao comércio. As cinco primeiras aprovações estão depositadas nos arquivos do Consulado da cidade de Lyon e impressas no apêndice ao *Traité de l'usure et des intérêts*, Lyon, Bruyset-Ponthus" (M. Augier, *Le Crédit Public* etc., Paris, 1842, p. 206).

Em todas as estruturas sociais em que a escravatura serve de meio de enriquecimento (não a patriarcal, mas como a do outono das eras helênica e romana), o dinheiro, sendo então meio de apropriar-se de trabalho alheio, com a compra de escravos, terras etc., pode, justamente por ter essa possibilidade de emprego, ser investido como capital, para render juros.

Todavia, são duas as formas características em que o capital usurário existe nas épocas que precedem o modo capitalista de produção. Formas características, repito. Essas formas reaparecem no sistema de produção capitalista, mas como formas puramente secundárias. Deixam de ser então as formas que determinam o caráter do capital que rende juros. Essas duas formas são: primeiro, a usura, em empréstimos aos fidalgos pródigos, sobretudo os proprietários de terras; segundo, usura em empréstimos de dinheiro aos pequenos produtores, proprietários dos meios de trabalho. Além dos artesãos, essa categoria compreende particularmente o camponês, pois nas condições pré-capitalistas, na medida em que admitem a existência de pequenos produtores autônomos, a maioria deles é constituída necessariamente pela classe camponesa.

A usura, que arruína os ricos proprietários das terras e esgota os pequenos produtores, faz que se formem e se concentrem grandes capitais em dinheiro. Depende por inteiro do nível de desenvolvimento histórico e das circunstâncias dele decorrentes, a extensão em que esse processo extingue o antigo modo de produção, como aconteceu na Europa moderna, e a possibilidade que ele tem de substituir o modo de produção antigo pelo capitalista.

O capital usurário como forma característica do capital produtor de juros corresponde ao predomínio da pequena produção dos camponeses que trabalham para si mesmos e dos pequenos mestres artesãos. Se, como se dá no capitalismo desenvolvido, as condições de trabalho e o produto do trabalho como capital se confrontam com o trabalhador, não tem este de tomar dinheiro emprestado, na condição de produtor. Se toma emprestado, é para suas necessidades pessoais, como, por exemplo, na casa de penhor. Ao revés, quando o trabalhador é o proprietário, verdadeiro ou nominal, de suas condições de trabalho e de seu produto, relaciona-se como produtor com o capital do emprestador de dinheiro, o capital usurário com que se confronta. Newman expressa esse fato com uma trivialidade, dizendo que o banqueiro é respeitado e o usurário é odiado e desprezado porque aquele empresta aos ricos, e este, aos pobres (F.W. Newman, *Lectures on Pol. Econ.*, Londres, 1851, p. 44). Não repara que se interpõe aí a diferença entre dois modos sociais de produção com as correspondentes estruturas sociais, e que o contraste entre ricos e pobres não constitui meio de esclarecer a questão. Ao contrário, a usura que suga os pequenos produtores pobres anda de mãos dadas com a usura que suga os latifundiários ricos. Quando a usura dos patrícios romanos arruinou os plebeus, os pequenos agricultores, findou essa forma de exploração, surgindo no lugar da economia desses pequenos produtores a economia escravista pura.

Sob a forma de juro, pode aí o usurário devorar dos produtores tudo o que excede os mais estritos meios de subsistência (que mais tarde constituirão o salário, reaparecendo o excedente como lucro e renda fundiária), e por isso é puro disparate comparar a magnitude desse juro que abrange a mais-valia toda, excetuado o que vai para o Estado, com a magnitude da taxa de juro moderna, em que o juro, pelo menos o normal, só representa parte dessa mais-valia. Quem assim procede esquece que o assalariado produz e cede ao capitalista que o emprega lucro, juro e renda fundiária. Carey faz aquela comparação absurda para mostrar as vantagens que advêm para os trabalhadores do desenvolvimento do capital e da concomitante queda da taxa de juro. Admitamos que o usurário não se contente apenas em extorquir o trabalho excedente da vítima, e progressivamente consiga os títulos de propriedade das condições de trabalho dela, terra, casa etc., estando sempre ocupado em expropriá-la. Quando há essas condições, esquece-se que essa expropriação que despoja o trabalhador totalmente de suas condições de trabalho não é resultado a que tenda o modo capitalista de produção, mas condição prévia donde parte. O escravo do salário, do mesmo modo que o verdadeiro escravo, está, pela posição, livre de ser escravo por dívida, pelo menos na condição de produtor; só pode sê-lo eventualmente na qualidade de consumidor. Consideremos o capital usurário na forma em que efetivamente se apodera de todo o trabalho excedente dos produtores imediatos, sem modificar o modo de produção; em que tem por pressuposto essencial a propriedade ou a posse das condições de trabalho pelos produtores e a pequena produção dispersa que lhe corresponde; em que o capital não subordina diretamente a si o trabalho e por isso não o confronta como capital industrial. Esse capital usurário arruína esse modo de produção, paralisa as forças produtivas em vez de desenvolvê-las, e ao mesmo tempo perpetua essas deploráveis condições nas quais a produtividade social do trabalho – à custa, do próprio trabalho – não se desenvolve como na produção capitalista.

    A usura, na Antiguidade e na era feudal, solapa e destrói a riqueza e a propriedade. Além disso, corrói e arruína a pequena produção camponesa e pequeno-burguesa, em suma, todas as formas em que o produtor aparece como proprietário dos meios de produção. Na produção capitalista evoluída, o trabalhador não é proprietário das condições de produção, do campo que cultiva, da matéria-prima com que trabalha etc. A circunstância de o trabalhador alienar-se dos meios de produção corresponde aí a uma transformação real no próprio modo de produção. Os trabalhadores desvinculados são reunidos em grandes oficinas, onde as atividades se repartem e se entrosam; a ferramenta se converte em máquina. O modo de produção não permite mais aquela dispersão dos instrumentos de produção ligada à pequena propriedade, nem o isolamento entre os trabalhadores. Na produção capitalista, a usura não pode mais dissociar do produtor as condições de produção, porque essa dissociação já existe.

A usura centraliza as fortunas em dinheiro onde estão dispersos os meios de produção. Não altera o modo de produção, mas explora-o firme como uma sanguessuga, tornando-o miserável. Esgota-o, debilita-o, e força a reprodução a efetuar-se em condições cada vez mais lastimáveis. Daí o ódio popular contra a usura, atingindo a maior intensidade no mundo antigo, onde a propriedade dos meios de produção pelo produtor é ao mesmo tempo a base das instituições políticas e da autonomia do cidadão.

Enquanto rege a escravidão, ou enquanto o produto excedente é consumido pelo senhor feudal e seu séquito, e o dono de escravos ou o senhor feudal ficam sob o domínio da usura, não se altera o modo de produção; este apenas se torna mais duro para o trabalhador. O dono de escravos ou o senhor feudal endividados sugam mais, porque são fortemente sugados pela usura. Ou são por fim substituídos pelo usurário que se converte em proprietário de terras ou dono de escravos, como os cavalheiros da velha Roma. Novo protagonista, duro, ávido de dinheiro, substitui os antigos exploradores, de sistema mais ou menos patriarcal, em grande parte meio de poder político. Mas o próprio modo de produção não se altera.

A usura atua revolucionária em todos os modos pré-capitalistas de produção somente quando destrói e dissolve as formas de propriedade que, pela solidez e pela constante reprodução uniforme, servem de base à organização política. Em formas asiáticas, a usura pode perdurar ao longo do tempo sem nada causar além da decadência econômica e da corrupção política. Só onde e quando existem as demais condições do modo capitalista de produção, a usura se revela um dos meios de constituir o novo modo de produção, arruinando o senhor feudal e os pequenos produtores e centralizando as condições de trabalho convertidas em capital.

Na Idade Média, em nenhum país existia taxa geral de juro. A Igreja, por princípio, proibia o juro. Leis e tribunais davam precária garantia aos empréstimos. Isto fazia que nos casos particulares a taxa de juro se apresentasse bem alta. A circulação monetária escassa, a necessidade de efetuar a maior parte dos pagamentos de contado forçavam a que se tomasse de empréstimo dinheiro tanto mais quanto menos desenvolvido estava o negócio de letras cambiais. Reinavam grandes divergências nas taxas de juros e acerca dos conceitos de usura. No tempo de Carlos Magno, considerava-se usura emprestar a 100%. Em 1344, em Lindau, no lago de Constança, burgueses da localidade cobravam $216\frac{2}{3}$ %. Em Zurique, o Conselho fixou o juro legal em $43\frac{1}{3}$ %. Na Itália, às vezes era obrigatório pagar 40%, embora, do século XII ao XIV, a taxa costumeira não ultrapassasse 20%. Verona estabeleceu $12\frac{1}{2}$ % como juro legal. O imperador Frederico II fixou em 10%, mas apenas para os judeus. Pelos cristãos não podia falar. No século XIII, 10% já era o habitual na Alemanha Renana (Hüllmann, *Geschichte des Städtewesens*, II, pp. 55-57).

O capital usurário possui o método de explorar do capital sem o correspondente modo de produção. Na economia burguesa, essa situação reaparece nas indústrias atrasadas ou naquelas que resistem à passagem para o novo modo de produção. Se queremos, por exemplo, comparar a taxa inglesa de juro com a indiana, não devemos tomar a taxa do Banco da Inglaterra, mas, digamos, a dos que emprestam pequenas máquinas aos pequenos produtores da indústria doméstica.

A usura, em relação à riqueza subordinada ao consumo, é historicamente importante por ser ela mesma um processo de aparecimento do capital. O capital usurário e a fortuna mercantil propiciam a formação de uma riqueza monetária, independente da propriedade da terra. Quanto menos o produto assume o caráter de mercadoria, quanto menos o valor de troca se apodera da produção, em toda a amplitude e profundidade, tanto mais o dinheiro se revela a riqueza propriamente dita, a riqueza absoluta, em relação à manifestação limitada dela em valor de uso. Nisto baseia-se o entesouramento. Se abstraímos das funções de dinheiro universal e de tesouro, é sobretudo na forma de meio de pagamento que o dinheiro encarna a forma absoluta da mercadoria. E é principalmente em virtude de sua função de meio de pagamento que o juro evolui e, por conseguinte, o capital-dinheiro. O que a riqueza pródiga e corruptora quer é dinheiro como dinheiro, como meio de comprar tudo (e para pagar as dívidas). O pequeno produtor precisa de dinheiro sobretudo para pagar (desempenha aí importante papel a circunstância de os pagamentos em produtos ou serviços aos senhores da terra e ao Estado se transformarem em renda e tributos em dinheiro). Em ambos os casos, o dinheiro serve de dinheiro. Por outro lado, o entesouramento só se torna real na usura, e nela o entesourador efetiva seu sonho. O que se exige do entesourador não é capital, e sim dinheiro como dinheiro; mas, por meio do juro, converte ele para si o dinheiro entesourado em capital – em meio que lhe permite apropriar-se total ou parcialmente do trabalho excedente e também de parte dos próprios meios de produção, embora estes continuem como se fossem para ele propriedade alheia. A usura parece viver nos poros da produção como os deuses nos intermúndios de Epicuro. Dinheiro é tanto mais difícil de obter quanto menos a forma mercadoria é a forma geral do produto. Por isso, o usurário não conhece outra barreira além da capacidade de produção ou de resistência dos que precisam de dinheiro. Na produção pequeno-camponesa e pequeno-burguesa, utiliza-se o dinheiro principalmente como meio de compra, quando, em virtude de circunstâncias fortuitas ou de transtornos extraordinários, o trabalhador se vê privado de seus meios de produção (nesse sistema de produção, é proprietário deles, na maioria dos casos), ou quando pelo menos não os repõe no curso normal da reprodução. Víveres e matérias-primas constituem parte essencial desses meios de produção. Seu encarecimento pode impossibilitar a reposição com o recebido pela venda do produto, do mesmo modo que simples más colheitas podem impedir o camponês de repor diretamente as sementes. Os patrícios romanos, com as guerras, arruinaram os plebeus, constrangendo-os ao serviço militar, o que os impedia de reproduzirem os próprios meios de trabalho e os empobrecia, portanto (e a forma predominante aí é empobrecimento, atrofia ou perda das condições de reprodução). Com essas mesmas guerras, os patrícios encheram as ucharias e adegas com o cobre, o dinheiro de então, tomado ao inimigo. Em vez de darem diretamente aos plebeus as mercadorias de que estes necessitavam, trigo, cavalos, gado, emprestavam-lhes o que para eles, patrícios, era inútil, aproveitando a situação para extorquir enormes juros usurários, convertendo assim os plebeus em escravos por dívida. No reinado de Carlos Magno, os camponeses da Francônia foram também arruinados pela guerra, não lhes restando outra saída que a de passarem da condição de devedores para a de servos. Sabe-se que no Império Romano era frequente a fome levar homens livres a venderem aos ricos os filhos e a si mesmos como escravos. Temos aí mudanças gerais decisivas. Individualmente, o pequeno produtor pode conservar ou perder os meios de produção, dependendo de mil contingências. Cada acidente ou perda eventual significa empobrecimento e oferece oportunidade para que se plantem as ventosas da usura. Basta que morra uma vaca para o pequeno camponês ficar incapacitado

ASPECTOS PRÉ-CAPITALISTAS

de recomeçar a produção na escala antiga. Cai sob o guante da usura, e a partir daí nunca mais se libertará dela.

Mas o terreno adequado, amplo e peculiar da usura é a função que tem o dinheiro de meio de pagamento. Toda prestação de dinheiro que vence em determinado prazo – foro, tributo, imposto etc. – acarreta a necessidade de um pagamento em dinheiro. Por isso, desde Roma antiga à Idade Moderna, a usura em grande escala se tem ligado aos coletores e cobradores de tributos, os *fermiers généraux, receveurs généraux*. Ademais, ao desenvolver-se o comércio e ao generalizar-se a produção de mercadorias, a compra e o pagamento se dissociam no tempo. O dinheiro tem de ser entregue em determinado prazo. As modernas crises de dinheiro demonstram que isso pode levar ainda hoje a condições em que as figuras do capitalista financeiro e do usurário se confundem. Mas a própria usura torna-se principal meio de intensificar mais a necessidade de dinheiro como meio de pagamento: endivida cada vez mais o produtor, destrói os meios de pagamento de que ele habitualmente dispõe, ao tornar-lhe impossível a reprodução regular, em virtude da própria sobrecarga dos juros. A usura brota aí do dinheiro como meio de pagamento e amplia essa função do dinheiro, o terreno em que se expande.

O crédito se desenvolve como reação contra a usura. Mas é mister evitar aí uma interpretação errada, sobretudo a dada pelos antigos, pelos patriarcas da Igreja, por Lutero e pelos primeiros socialistas. Essa reação significa nem mais nem menos que a subordinação do capital que rende juros às condições e necessidades do modo capitalista de produção.

Em substância, o capital produtor de juros no moderno sistema de crédito adapta-se às condições da produção capitalista. A usura como tal subsiste e ainda é liberada pelos povos de produção capitalista desenvolvida, das peias que nela punha toda a legislação anterior. O capital produtor de juros mantém a forma de capital usurário em face de pessoas e classes para as quais – ou em condições nas quais – os empréstimos não se efetuam nem se podem efetuar de acordo com a diretiva do modo capitalista de produção. É o que se dá quando um indivíduo premido pela necessidade toma emprestado na casa de penhor, quando a riqueza boêmia contrai empréstimos para dissipar, ou quando o caráter capitalista falta ao produtor, como o pequeno-camponês, o artesão etc. que ainda são donos, como produtores diretos, dos meios de produção que utilizam, e enfim quando o próprio produtor capitalista opera em tão pequena escala que se aproxima daqueles produtores que trabalham para si mesmos.

O que distingue o capital produtor de juros, como elemento essencial do modo capitalista de produção, do capital usurário não é de modo algum a natureza ou o caráter desse capital. É o fato de serem outras as condições em que opera e, por conseguinte, de mudar por inteiro a figura do prestatário que se confronta com o emprestador do dinheiro. Se um homem sem fortuna obtém crédito como industrial ou comerciante, é por haver a confiança de que atuará como capitalista, se apropriará de trabalho não pago com o capital emprestado. O crédito lhe é dado como capitalista potencial. Um homem sem fortuna, mas com energia, firmeza, capacidade e conhecimento dos negócios, pode assim transformar-se em capitalista (aliás, no modo capitalista de produção, avalia-se de maneira mais ou menos exata o valor comercial de cada um), e essa circunstância – tão louvada pela economia apologética, por mais que sem cessar traga à cena, para se confrontarem com os capitalistas individuais já existentes, novos e importunos aventureiros – robustece o domínio do capital, amplia-lhe a base e permite-lhe recrutar sempre novas forças das camadas inferiores da sociedade. O mesmo ocorria na Idade Média: a Igreja Católica formava sua hierarquia com as melhores cabeças do povo, pondo de lado posição, nascimento e fortuna, o que era um dos principais meios de fortalecer o domínio do clero e de subjugar os leigos. Quanto mais uma classe dominante é capaz de acolher em seus quadros os homens mais valiosos das classes dominadas, tanto mais sólido e perigoso é seu domínio.

Em vez de anatematizar o capital produtor de juros em geral, os iniciadores do moderno sistema de crédito começam, ao contrário, aprovando-o expressamente.

Não falamos aqui das reações contra a usura destinadas a proteger os pobres, como os montepios (em 1350, em Sarlins no Franco-Condado, mais tarde em Perúsia e Savona na Itália, respectivamente em 1400 e 1479). São dignos de nota, porque evidenciam a ironia da história, que transforma justamente no oposto piedosos desejos em busca de efetivação. A classe trabalhadora inglesa, segundo razoável estimativa, paga 100% às casas de penhor, que descendem dos montepios.[76] Tampouco falaremos das

---

[76] "Os juros das casas de penhor se tornam tão exagerados em virtude dos frequentes empenhos e resgates feitos no mesmo mês, e por substituir-se o penhor de um artigo por outro, a fim de obter-se

fantasias sobre crédito de um Dr. Hugh Chamberlayne ou John Briscoe, por exemplo, que na última década do século XVII procuravam emancipar a aristocracia inglesa da usura por meio de um banco rural com papel-moeda baseado na propriedade fundiária.[77]

As associações de crédito, que se formaram em Veneza e Gênova nos séculos XII e XIV, provieram da necessidade que tinham o comércio marítimo e o comércio em grosso nele baseado de se libertar do domínio da usura anacrônica e dos monopolizadores do comércio do dinheiro. Se os bancos propriamente ditos, fundados nessas cidades-repúblicas, constituem ao mesmo tempo instituições de crédito público das quais o Estado recebia adiantamentos por conta de impostos a arrecadar, não se deve esquecer que os comerciantes que formavam aquelas associações eram as pessoas mais importantes dessas repúblicas, tendo interesse de libertar da usura tanto o governo quanto a si mesmos,[78] e ao mesmo tempo de reforçar, por esse meio, mais seguro domínio sobre o Estado. Por isso, quando se tratou de fundar o Banco da Inglaterra, objetaram os tóries:

> "Os bancos são instituições republicanas. Houve bancos florescentes em Veneza, Gênova, Amsterdã e Hamburgo. Mas quem já ouviu falar de um banco da França ou da Espanha?"

---

pequena diferença em dinheiro. Há em Londres 240 casas de penhor autorizadas, e 1.450, nas províncias. Estima-se em cerca de 1 milhão o capital empregado. Por ano efetua pelo menos três rotações, em cada uma produzindo em média $33\frac{1}{2}$%, e desse modo as classes inferiores da Inglaterra pagam anualmente 100% pelo adiantamento temporário de 1 milhão, não se contando as perdas decorrentes de não se resgatarem no prazo os artigos penhorados" (J.D. Tuckett, *A History of the Past and Present State of the Labouring Population*, Londres, 1846, I, p. 114).

77 Já nos títulos das obras davam por principal objetivo "a prosperidade geral dos proprietários das terras, o grande acréscimo do valor da propriedade fundiária, a supressão dos impostos para a nobreza e para a *gentry*, o aumento de sua renda anual etc.". Só sairiam perdendo os usurários, os piores inimigos da nação, que à nobreza e aos camponeses livres causaram mais prejuízos do que poderia fazê-lo um exército invasor francês.

78 "Carlos II da Inglaterra, por exemplo, devia ainda pagar aos ourives" (os precursores dos banqueiros) "enormes juros usuários e ágios, de 20 a 30%. Negócio tão lucrativo levava os ourives a fazerem cada vez mais adiantamentos ao rei, a anteciparem todas as receitas de impostos, a aceitarem em caução toda soma autorizada pelo Parlamento, logo que fosse votada, e a competirem entre si para comprar letras, ordens de pagamento, talhas, ou a emprestarem sob garantia desses direitos. Desse modo, todas as receitas públicas passavam pelas mãos deles" (John Francis, *History of the Bank of England*, Londres, 1848, I, p. 30s). "A fundação de um banco já fora proposta antes várias vezes. Por fim, tornara-se uma necessidade" (*loc. cit.*, p. 38). "O banco já era necessário pelo menos para o governo, sugado pelos usurários, obter dinheiro a juros suportáveis, com a garantia de autorizações votadas pelo Parlamento" (*loc. cit.*, p. 59s).

Nem o banco de Amsterdã (1609) nem o de Hamburgo (1619) marcaram época no desenvolvimento do moderno sistema de crédito. Eram meros bancos de depósitos. Os bilhetes que o banco emitia eram, na realidade, meros recibos pelos metais preciosos depositados, amoedados ou não, e só circulavam com o endosso do receptor. Mas, na Holanda, com o comércio e a manufatura desenvolveram-se o crédito comercial e o comércio de dinheiro, e o capital produtor de juros, em virtude do próprio desenvolvimento, subordinara-se ao capital industrial e comercial. É o que evidenciava a redução da taxa de juro. No século XVII considerava-se a Holanda o modelo do desenvolvimento econômico, como é hoje a Inglaterra. Lá, o monopólio da velha usura, baseada na pobreza, desvaneceu-se por si mesmo.

No decurso de todo o século XVIII ressoa, apoiado no exemplo da Holanda, o grito pela baixa abrupta da taxa de juro – e esse era o sentido da legislação –, a fim de subordinar o capital produtor de juros ao capital comercial e industrial, e não o contrário. O principal arauto dessa mudança era Sir Josiah Child, o pai dos bancos particulares ingleses de tipo usual. Clamava contra o monopólio dos usurários como os alfaiates de confecção em massa Moses & Son apregoam contra o monopólio dos "alfaiates privados" que combatem. Josiah Child é ao mesmo tempo o pai da especulação inglesa de bolsa. Autocrata da Companhia das Índias Orientais, defende o monopólio dessa Companhia em nome da liberdade de comércio. Polemiza com Thomas Manley (*Interest of Money Mistaken*):

> "Campeão da quadrilha receosa e trêmula dos usurários, monta sua bateria principal no ponto que achei mais frágil... Nega justamente que a taxa reduzida de juro seja a causa da riqueza e afirma que é apenas consequência dela" (*Traités sur le commerce* etc., 1669, trad., Amsterdã e Berlim, 1754, [p. 120]). "Se o que enriquece um país é o comércio, e se a redução da taxa de juro aumenta o comércio, baixa do juro ou restrição da usura é causa principal e fecunda das riquezas de uma nação. Não é absolutamente insensato dizer que ao mesmo tempo a mesma coisa pode em certas circunstâncias ser causa, e noutras, efeito" (*loc. cit.*, p. 155). "A galinha vem do ovo, e o ovo vem da galinha. O aumento da riqueza pode vir da redução do juro, e redução ainda maior do juro pode vir do aumento da riqueza" (*loc. cit.*, p. 156). "Luto a favor da indústria, e meu adversário defende a preguiça, a ociosidade" (p. 179).

ASPECTOS PRÉ-CAPITALISTAS

Essa peleja violenta contra a usura, essa exigência de subordinar ao capital industrial o capital produtor de juros é o prenúncio das criações orgânicas que implantam no sistema bancário as condições da produção capitalista: os bancos despojam o capital usurário do monopólio, concentrando todas as reservas monetárias ociosas e lançando-as no mercado financeiro, e além disso restringem o monopólio dos metais preciosos, criando o dinheiro de crédito.

Como Child, todas as obras sobre sistema bancário na Inglaterra, no último terço do século XVII e no começo do XVIII, combatem a usura, exigem que o comércio, a indústria e o Estado se emancipem dela. Ao mesmo tempo alimentam colossais ilusões sobre os efeitos miraculosos do crédito, da abolição do monopólio dos metais preciosos, da substituição deles por papel etc. O escocês William Paterson, fundador do Banco da Inglaterra e do Banco da Escócia, é sem dúvida o primeiro Law.

"Todos os ourives e prestamistas que exigiam penhor tramaram furiosamente" contra o Banco da Inglaterra (Macaulay, *History of England*, IV, p. 499).

> "Nos primeiros dez anos teve o Banco de lutar com grandes dificuldades; grande hostilidade externa; seus bilhetes só eram aceitos muito abaixo do valor nominal... Os "ourives" (nas suas mãos o comércio dos metais preciosos servia de base a negócio bancário primitivo) "teciam fortes intrigas contra o Banco, pois este reduzia os negócios e o desconto deles, e era o adversário que passou a efetuar as transações que costumavam ter com o Governo" (J. Francis, *loc. cit.*, p. 73).

Em 1683, antes de fundar-se o Banco da Inglaterra, surgiu o plano de um banco nacional de crédito, tendo, entre outros, o objetivo de

> "possibilitar aos comerciantes, quando possuam quantidade considerável de mercadorias, depositarem-nas com a assistência do Banco, receberem crédito sobre essas mercadorias imobilizadas, ocuparem os empregados e aumentarem os negócios até que encontrem bom mercado, em vez de venderem com prejuízo."

Depois de muitos esforços, esse *Bank of Credit* instalou-se em Devonshire House, Bishopsgate Street. Emprestava, com a garantia de mercadorias, $\frac{3}{4}$ do valor delas, a industriais e comerciantes, contra letras cambiais. Para fazer essas letras circularem, em cada ramo de negócio agrupou-se certo número de pessoas numa sociedade, e todo sócio que possuísse tais letras obteria em troca delas mercadorias, como se oferecesse dinheiro de contado. Os negócios do Banco não floresceram. O mecanismo era complicado demais, e grande demais o risco de depreciação das mercadorias.

Se nos atemos ao conteúdo real daquelas obras que acompanham e promovem, no plano teórico, a formação do moderno sistema de crédito na Inglaterra, o que nelas encontramos mesmo é a exigência de o capital produtor de juros e em geral os meios de produção suscetíveis de empréstimo se subordinarem ao modo capitalista de produção, como uma das condições deste. Se nos detivermos na fraseologia de tais obras, muitas vezes seremos surpreendidos em ver que concordam, até nas expressões, com as quimeras dos saint-simonistas acerca dos bancos e do crédito.

Se, para os fisiocratas, o cultivador não é o agricultor efetivo, e sim o grande arrendatário, para Saint-Simon, o trabalhador (*travailleur*) não é o trabalhador mesmo, mas os capitalistas industriais e comerciais, o que seus discípulos ainda continuam a repetir.

> "Um trabalhador precisa de ajudantes, de auxiliares, de operários; ele os quer inteligentes, hábeis, devotados; põe-nos em atividade, e os trabalhos que realizam são produtivos" ([Enfantin], *Religion saint-simonienne, économie politique et politique*, Paris, 1831, p. 104).

Não se deve esquecer que, só na última obra, o *Nouveau christianisme*, Saint-Simon surge diretamente como porta-voz da classe trabalhadora e declara que a emancipação dela é o objetivo final de seus esforços. Todas as suas obras anteriores na realidade glorificam a moderna sociedade burguesa contra a feudal, ou os industriais e banqueiros contra os marechais e juristas maquinadores de leis da era napoleônica. Como diferem das obras de Owen, da mesma época?[79] E também para os sucessores de Saint-Simon, como

---

79 [Marx teria sem dúvida modificado essa passagem, se fizesse revisão do manuscrito. Está ela inspirada no papel desempenhado pelos ex-saint-simonistas no segundo império, na França. Quando Marx a escreveu, a ironia da história materializava naquele país em especulações de amplitude até então desconhecida as fantasias de crédito da escola, salvadoras do mundo. Mais tarde, só teve Marx palavras de admiração pelo gênio e pela mente enciclopédica de Saint-Simon. Se este, em seus primeiros trabalhos, ignorava a oposição entre a burguesia e o proletariado que desponta na França, se

prova a passagem citada, o capitalista industrial continua sendo o trabalhador por excelência. Se nos detivermos no exame do que escreveram, não nos surpreenderá que seus sonhos de crédito e de bancos se tenham efetivado no *Crédit mobilier*, fundado pelo ex-saint-simonista Émile Péreire, forma de empreendimento que só podia alcançar predominância num país como a França, onde nem o sistema de crédito nem a grande indústria atingiram o nível de desenvolvimento moderno. Tal coisa não teria sido possível na Inglaterra e na América. – Nas passagens seguintes da *Doctrine de St. Simon* (*Exposition première année.* 1828-29, 3ª ed., Paris, 1831), já se encontra em germe o *Crédit mobilier*. É claro que o banqueiro pode emprestar mais barato que os capitalistas e usurários privados. Para esses banqueiros, portanto, é

> "possível arranjar para os industriais instrumentos bem mais baratos, isto é, *a juros mais baixos*, do que o poderiam os proprietários das terras e os capitalistas, mais sujeitos a se enganar na escolha dos prestatários" (p. 202).

Mas em nota acrescentam os próprios autores:

> "A vantagem que deveria resultar da mediação dos banqueiros entre ociosos e trabalhadores é muitas vezes contrabalançada e mesmo destruída pelas oportunidades que nossa sociedade desorganizada oferece ao egoísmo de se manifestar nas diversas formas de fraude e de charlatanismo; os banqueiros se metem muitas vezes entre os trabalhadores e os ociosos, a fim de explorá-los em prejuízo da sociedade toda."

Trabalhador significa aí capitalista industrial. Aliás, é errôneo considerar pertencentes apenas aos ociosos os meios de que dispõe o moderno sistema bancário. Primeiro, há a parte do capital, mantida momentaneamente na forma dinheiro por industriais e comerciantes, constituindo reserva financeira ou capital a investir; capital ocioso, portanto, mas não capital dos ociosos. Segundo, há a parte das rendas e poupanças de todos, destinada a acumular-se permanente ou transitoriamente. E ambas são essenciais ao caráter do sistema bancário.

---

contava como trabalhadores parte da burguesia ocupada na produção, correspondia isso à concepção de Fourier, que desejava congraçar capital e trabalho, e se explica pela situação econômica e política da França de então. Se Owen via mais longe, é que vivia noutro meio, no centro da revolução industrial e da oposição de classes que se agravava — F.E.]

Mas não se deve esquecer que o dinheiro – na forma dos metais preciosos – constitui o fulcro de que nunca se pode desprender, pela própria natureza, o sistema de crédito. Demais, o sistema de crédito supõe o monopólio dos meios de produção sociais (na forma de capital e propriedade fundiária) nas mãos de particulares, e é forma imanente do modo capitalista de produção, além de ser a força-motriz de seu desenvolvimento para a forma superior, a forma última possível.

O sistema bancário é, pela forma de organização e pela centralização, o resultado mais engenhoso e mais refinado a que leva o modo capitalista de produção, conforme já expressava o autor de *Some Thoughts of the Interests of England*. Daí o poder imenso que uma instituição como o Banco da Inglaterra tem sobre o comércio e a indústria, que, entretanto, se movimentam efetiva e totalmente fora do domínio do Banco, que em relação a esse movimento se comporta de maneira passiva. Sem dúvida estabelece-se por esse meio a forma de contabilidade geral e repartição dos meios de produção em escala social, mas a forma e nada mais. Vimos que o lucro médio do capitalista individual, ou de todo capital particular, é determinado não pelo trabalho excedente de que esse capital se apropria em primeira mão, mas pela quantidade global de trabalho excedente de que se apropria o capital total, e da qual cada capital particular extrai seus dividendos, na qualidade apenas de fração proporcional do capital em sua totalidade. Só o desenvolvimento completo do sistema de crédito e do sistema bancário promove e efetiva por inteiro esse caráter social do capital. E esses sistemas vão mais longe. Põem à disposição dos capitalistas industriais e comerciais todo o capital da sociedade, o disponível e mesmo o potencial – o que não está ainda comprometido numa atividade. Desse modo, nem o prestamista nem o empregador desse capital são proprietários ou produtores dele. Em consequência, eliminam o caráter privado do capital e encerram em potência, mas só em potência, a abolição do capital. O sistema bancário retira das mãos dos capitalistas privados e dos usurários a repartição do capital, o negócio específico e a função social do sistema. Mas, por isso, os bancos e o crédito ao mesmo tempo se tornam o mais poderoso meio de impelir a produção capitalista além dos próprios limites e um dos veículos mais eficazes das crises e da especulação.

O sistema bancário, ao substituir o dinheiro pelas diversas formas circulantes do crédito, mostra que o dinheiro na realidade nada mais é que expressão particular do caráter social do trabalho e dos produtos do trabalho, mas esse caráter, opondo-se à base da produção privada, em última instância configura-se sempre e necessariamente em coisa, em mercadoria específica ao lado de outras mercadorias.

Finalmente, não há dúvida de que o sistema de crédito servirá de poderosa alavanca durante a transição do modo capitalista de produção para o modo de produção do trabalho associado; todavia, será apenas um elemento relacionado com outras grandes mudanças orgânicas do próprio modo de produção. Por outro lado, as quimeras acerca do poder miraculoso que teriam o crédito e os bancos de marchar no sentido do socialismo supõem que se desconheçam por completo o modo capitalista de produção e a circunstância de o sistema de crédito ser uma de suas formas. Quando os meios de produção tiverem cessado de se converter em capital (o que inclui a abolição da propriedade fundiária privada), o crédito como tal não terá mais sentido algum, o que os saint-simonistas, aliás, já tinham notado. Enquanto perdurar o modo capitalista de produção, haverá como uma de suas formas o capital produtor de juros, que constitui de fato a base de seu sistema de crédito. Só Proudhon, esse escritor sensacionalista, que pretendia combinar a produção de mercadorias com a abolição do dinheiro,[80] era capaz de imaginar essa monstruosidade – crédito gratuito, construção fictícia de irrealizáveis desejos pequeno-burgueses.

Na *Religion saint-simonienne, économie et politique*, lê-se à página 45:

> "Numa sociedade em que uns possuem os instrumentos industriais sem ter capacidade ou vontade de empregá-los e outros, industriosos, não possuem instrumentos de trabalho, o crédito tem por objetivo transferir esses instrumentos, o mais facilmente possível, das mãos daqueles, os proprietários, para as destes, que sabem aplicá-las. Observemos que, de acordo com essa definição, o crédito é uma consequência da maneira em que está constituída a propriedade."

O crédito, portanto, desaparecerá junto com essa constituição da propriedade. Lê-se ainda à página 98: Os bancos atuais

> "consideram-se destinados a seguir o movimento que as transações operadas fora deles lhes imprimem, mas não a impulsionarem a si mesmos; em outras palavras, os bancos desempenham junto aos trabalhadores, aos quais emprestam capitais, o papel de capitalistas."

---

80 Karl Marx, *Misère de la philosophie*, Bruxelas e Paris, 1847. – Karl Marx, *Kritik der Pólit. Oekonomie*, p. 64.

O *Crédit mobilier* está latente na ideia de os bancos deverem assumir a direção e distinguir-se

> "pelo número e pela utilidade dos estabelecimentos que comanditam e dos trabalhos que estimulam" (p. 101).

Também Constantin Pecqueur pede que os bancos (o que os saint-simonistas chamam de "sistema geral dos bancos") "rejam a produção". No essencial, Pecqueur é saint-simonista, embora muito mais radical. Quer que

> "a instituição do crédito... governe todo o movimento da produção nacional. – Tentai organizar instituição nacional de crédito que comandite a capacidade e o mérito não proprietários, sem obrigar os comanditados a se solidarizarem intimamente na produção e no consumo, mas, ao contrário, deixando-os governar as respectivas trocas e produções. Desse modo conseguireis apenas o que até agora obtêm os bancos privados: a anarquia, a desproporção entre a produção e o consumo, a ruína súbita de uns e o súbito enriquecimento de outros; por esse caminho, vossa instituição se limitará a produzir soma de prosperidade para uns, igual à soma de prejuízos sofridos por outros... Tereis somente dado aos assalariados, vossos comanditados, os meios de estabelecerem entre si concorrência análoga à que se fazem os patrões burgueses" (C. Pecqueur, *Théorie nouvelle d'économie soc. et pol.*, Paris, 1842, p. 433s).

Vimos que o capital mercantil e o capital produtor de juros são as formas mais antigas do capital. Mas está na natureza das coisas que o capital produtor de juros represente na imaginação popular a forma do capital por excelência. O capital mercantil exerce função intermediária, considere-se ela especulação, trabalho ou qualquer outra coisa. No capital produtor de juros, ao contrário, apresenta-se como qualidade oculta, em estado puro, o caráter autorreprodutor do capital, o valor que se valoriza, a produção da mais-valia. Esta é a razão por que certos economistas, sobretudo nos países onde o capital industrial ainda não se desenvolveu de todo, como na França, se aferram a essa forma como fundamental e concebem, por exemplo, a renda fundiária como outra feição dela, pois aí prevalece a forma de empréstimo. Por conseguinte, desconhecem por completo a estrutura interna do modo capitalista de produção e deixam de ver que a terra, como o capital, só se empresta a capitalistas. Em vez de dinheiro podem ser naturalmente emprestados meios de produção tais como máquinas, edifícios para indústria etc. Mas representam determinada soma em dinheiro, e a circunstância de pagar-se, além do juro, a parte relativa a desgaste decorre do valor de uso, da forma natural específica desses elementos do capital. Mas ainda aqui o decisivo é a classe do prestatário: se os empréstimos são para o produtor direto, o que supõe a inexistência do modo capitalista de produção, pelo menos na atividade que toma esses empréstimos; ou se são para os capitalistas industriais, o que é condição do sistema capitalista de produção. Impertinente e absurdo é incluir aí o aluguel (empréstimo) de casa etc. para consumo individual. É claro que esta é uma das formas de fraudar a classe trabalhadora e de maneira revoltante; mas o mesmo se pode dizer dos retalhistas que lhe fornecem os meios de subsistência. Há aí uma exploração secundária que corre paralela com a original, efetivada diretamente no próprio processo de produção. A diferença aí entre vender e alugar (emprestar) em absoluto não importa e é formal, e só o completo desconhecimento do verdadeiro contexto lhe dá, conforme já vimos, o aspecto de essencial.

A usura e o comércio exploram dado meio de produção; não o criam; atuam como fatores que estão fora dele. A usura procura diretamente mantê-lo, a fim de poder renovar sempre a exploração; é conservadora, apenas o torna mais miserável. Quanto menos os elementos de produção, como mercadorias, entram no processo de produção e dele saem, tanto mais sua existência parece derivar do dinheiro, que seria a causa específica dessa criação. Quanto mais insignificante o papel que a circulação desempenha na reprodução social, tanto mais floresce a usura.

Se a fortuna monetária se desenvolve com patrimônio específico, isto significa que o capital usurário possui todos os seus créditos na forma de créditos pecuniários. Esse capital se desenvolve tanto mais num país quanto mais a massa da produção se restringe a pagamentos em produtos, isto é, ao valor de uso.

A usura contribui poderosamente para criar as condições prévias do capital industrial quando efetua duas coisas: constitui riqueza pecuniária autônoma, ao lado do setor comercial, e se apropria dos meios de trabalho, isto é, arruína os que eram proprietários desses meios.

JUROS NA IDADE MÉDIA

"Na idade Média, a população era puramente agrícola. Nessas condições, e sob o regime feudal, o comércio e, por conseguinte, o lucro só podiam ser pequenos. Daí se justificarem as leis contra a usura na Idade Média. Além disso, num país agrícola, é raro alguém chegar à situação de tomar dinheiro emprestado, a não ser quando fica na pobreza e na miséria... Henrique VIII reduz o juro a 10%, Jacob I, a 8, Carlos II, a 6, e Ana a 5%... Naquela época, os emprestadores de dinheiro dispunham de monopólio, se não juridicamente, pelo menos de fato, sendo mister fixar-lhes restrições como a outros detentores de monopólio... Em nossa época, a taxa de lucro regula a taxa de juro; naquela, a taxa de juro regula a taxa de lucro. Quando o emprestador sobrecarregava o comerciante com elevada taxa de juro, tinha o comerciante de acrescentar às mercadorias taxa de lucro mais alta. Assim grande soma de dinheiro saía da bolsa dos compradores para entrar na dos emprestadores" (Gilbart, *History and Princ. of Banking*, p. 164s).

"Ouço dizer que em cada uma das feiras anualmente realizadas em Leipzig se tomam 10 florins, ou sejam, por ano 30 para cada 100; alguns acrescentam a feira de Neuenburg, e assim chegamos a 40 para cada 100: se é tanto, não sei. Com os diabos, onde iremos parar seguindo esse caminho?... Quem possui agora em Leipzig 100 florins extrai por ano 40, o que significa devorar num ano um camponês ou um burguês. Se possui 1.000, extrai por ano 400, o que equivale a devorar num ano um cavaleiro ou um nobre rico. Quem dispõe de 10.000 extrai por ano 4.000, o que é devorar num ano um conde rico. Se tem 100.000, o que deve ser o caso dos grandes comerciantes de dinheiro, extrai por ano 40.000, o que significa devorar num ano um príncipe rico. Se tiver 1 milhão, extrairá por ano 400.000, o que é devorar num ano um grande rei. Não se expõe por isso a perigo algum, nem para o corpo nem para o patrimônio, não trabalha, senta-se junto à lareira e assa maçãs: assim um ladrão comodamente instalado em casa poderia devorar o mundo inteiro em 10 anos" (*An die Pfarrherrn wider den Wucher zu predigen*, de 1540, Obras de Lutero, Wittenberg, 1589, sexta parte [p. 312]).

"Há 15 anos tenho escrito contra a usura, que já se propagara tão poderosamente que me falecia a esperança de melhora. Desde então, tornou-se tão importante que não quer mais ser vício, pecado, opróbrio, mas pavoneia-se de virtude e honra autênticas, como se praticasse caridade e prestasse serviços cristãos. Quem nos ajudará e nos aconselhará, se o opróbrio se converteu em honra e o vício, em virtude" (*An die Pfarrherrn wider den Wucher zu predigen*, Wittenberg, 1540).

"Judeus, lombardos, usurários e sanguessugas é o que eram nossos primeiros banqueiros, nossos primitivos traficantes financeiros, de caráter que podemos quase classificar de infame... A eles juntaram-se os ourives de Londres. Em conjunto... nossos primitivos banqueiros eram... gente perversa, usurários vorazes, vampiros de coração de pedra" (D. Hardcastle, *Banks and Bankers*, 2ª ed., Londres, 1843, p. 19s).

"O exemplo de Veneza" (a organização de um banco) "foi assim rapidamente imitado; todas as cidades marítimas e todas as cidades que adquiriram renome pela independência e pelo comércio fundaram os primeiros bancos. A volta dos navios, por que se tinha de esperar, tornou inevitável o costume de se conceder crédito, o que em seguida se acentuou ainda mais com a descoberta da América e o comércio com o Novo Mundo" (este é um ponto fundamental). "Os carregamentos exigiam grandes empréstimos, o que já se verificava na Antiguidade, em Atenas e na Grécia. Em 1308, a cidade hanseática de Bruges possuía uma câmara de seguros" (M. Augier, *loc. cit.*, p. 202s).

No último terço do século XVII, na Inglaterra, ainda predominavam muito, antes de desenvolver-se o moderno sistema de crédito, os empréstimos aos proprietários das terras e, portanto, à riqueza voltada para a fruição. É o que se pode ver nas obras, entre outras, de Sir Dudley North, um dos mais notáveis comerciantes ingleses e um dos mais importantes economistas teóricos de sua época:

> "Nem um décimo sequer do dinheiro empregado a juros, em nosso país, o foi a homens de negócios, para impulsionarem suas atividades; a maior parte das quantias emprestadas se destinava a ser aplicada em artigos de luxo e a ser despendida por pessoas que, embora grandes proprietários de terras, gastam o dinheiro mais rapidamente do que o recebem dos rendimentos de suas propriedades. E, tendo aversão a vender os bens, preferem hipotecá-los" (*Discourses upon Trade*, Londres, 1691, p. 6s).

No século XVIII, na Polônia:

> "Varsóvia organizara grande comércio de letras, mas que tinha por base e por objetivo a usura dos banqueiros. A fim de obter dinheiro que podiam emprestar aos grandes senhores perdulários a 8% e mais, buscaram e encontraram fora do país crédito com letras de favor, isto é, que não tinham por base comércio algum de mercadorias, e que o sacado estrangeiro aceitava indulgente enquanto não falhavam as remessas obtidas por meio dessa especulação. Com a falência de Tepper e de outros banqueiros de Varsóvia, de alta reputação, pagaram caro por esse negócio" (J.G. Büsch, *Theoretisch-praktische Darstellung der Handlung* etc., 3ª ed., Hamburgo, 1808, v. II, p. 232s).

O CAPITAL

VANTAGENS QUE A IGREJA AUFERIA DA PROIBIÇÃO DE JUROS

"A Igreja proibira se exigissem juros, mas não que o dono vendesse a propriedade para sair de dificuldades; nem mesmo que a cedesse por determinado tempo, e até o reembolso da dívida, ao emprestador do dinheiro, a fim de que este a tivesse como garantia e, enquanto a possuísse, pudesse, utilizando-a, obter a reposição do que emprestara... A própria Igreja ou as comunidades e corporações pias a ela pertencentes tiravam grandes vantagens disso, sobretudo no tempo das cruzadas. Isso converteu grande parte da riqueza nacional nos chamados bens de mão morta, principalmente porque não se permitia aos judeus usurar dessa maneira, sendo impossível ocultar a posse de uma garantia tão maciça... Sem a proibição dos juros, as Igrejas e os conventos nunca poderiam ter ficado tão ricos" (*loc. cit.*, p. 55).

SEXTA SEÇÃO
CONVERSÃO DO LUCRO SUPLEMENTAR EM RENDA FUNDIÁRIA

XXXVII.
Introdução

A análise da propriedade fundiária em suas diversas formas históricas ultrapassa os limites desta obra. Só trataremos dela enquanto parte da mais-valia produzida pelo capital cabe ao proprietário da terra. Supomos assim que o modo capitalista de produção domina, além da atividade fabril, a agricultura, isto é, que esta é explorada por capitalistas que de saída só se distinguem dos demais capitalistas pelo setor em que aplicam o capital e o trabalho assalariado mobilizado por esse capital. Para nós, o arrendatário produz trigo etc. como o fabricante produz fios ou máquinas. A suposição de o modo capitalista de produção se ter apoderado da agricultura implica que ele domina todas as esferas da produção e da sociedade burguesa, e que portanto existem em toda a plenitude as condições do sistema, tais como livre concorrência dos capitais, possibilidade de transferi-los de um ramo de produção para outro, taxa igual de lucro médio etc. Estudamos aqui uma forma histórica específica de propriedade fundiária, em que se transformou por influência do capital e do modo capitalista de produção a propriedade fundiária feudal ou a pequena economia camponesa de subsistência. Nesta, para o produtor imediato, a *posse* da terra se patenteia uma das condições de produção, a *propriedade* da terra, a condição mais vantajosa, condição para que seu modo de produção floresça. O modo capitalista de produção desapropria o trabalhador das condições de produção, e do mesmo modo na agricultura subtrai a propriedade ao trabalhador agrícola e subordina-o a um capitalista que explora a agricultura para conseguir lucro. Não nos atinge a objeção de que existiram ou existem ainda outras formas de propriedade fundiária e de agricultura. É uma carapuça que cabe aos economistas que tratam o modo capitalista de produção na agricultura e a correspondente forma de propriedade fundiária não como categorias históricas e sim eternas.

Para nós é mister estudar a moderna forma da propriedade fundiária, por ser nosso propósito sobretudo examinar as relações específicas de produção e de circulação, oriundas da aplicação do capital na agricultura. Sem isso seria incompleta a análise do capital. Assim, limitamo-nos apenas ao emprego de capital na agricultura propriamente dita, isto é, na lavoura do produto vegetal básico de que vive uma população. Podemos dizer trigo, pois este é o alimento principal dos povos modernos, desenvolvidos no sistema capitalista. (Em vez de trigo poderíamos ter escolhido mineração, submetida às mesmas leis.)

Um dos grandes méritos de A. Smith é o de ter mostrado que a renda fundiária do capital empregado para produzir outros produtos agrícolas, por exemplo, linho, plantas tintoriais, pecuária autônoma etc., é determinada pela renda fundiária proporcionada pelo capital investido para produzir o principal meio de alimentação. Depois dele, de fato não se foi mais além nesse domínio. As restrições ou adições que lhe poderíamos fazer não cabem aqui, pertencendo ao estudo particular da propriedade fundiária. Não trataremos *ex professo* da propriedade fundiária que não se destine à produção de trigo, embora façamos a ela referências ocasionais a título de ilustração.

Para sermos precisos, observaremos que nosso conceito de terra abrange também águas etc. que, como acessório dela, tenham proprietário.

A propriedade fundiária supõe que certas pessoas têm o monopólio de dispor de determinadas porções do globo terrestre como esferas privativas de sua vontade particular, com exclusão de todas as demais vontades.[1] Isto posto, trata-se de esclarecer o valor econômico, isto é, a valorização desse monopólio na base da produção capitalista. Para isso, em nada contribui o

---

[1] Nada mais cômico que a argumentação de Hegel sobre a propriedade privada. O homem como pessoa deve transformar em realidade sua vontade, a alma da natureza externa, e por isso deve se apossar dessa natureza como sua propriedade privada. Se esta é a destinação "*da* pessoa", do homem como pessoa, concluir-se-ia daí que todo ser humano tem de ser proprietário de terra para se realizar como pessoa. A livre propriedade privada da terra, produto dos tempos modernos, não é, segundo Hegel, determinada relação social, mas relação entre homem como pessoa e a "natureza", "direito absoluto que tem o ser humano do apropriar-se de todas as coisas" (Hegel, *Philosophie des rechts*, Berlim, 1840, p. 79). Antes de mais nada, está claro que o indivíduo não se pode proclamar proprietário por sua "vontade", contra a vontade alheia que também queira se corporificar no mesmo pedaço do planeta. É mister haver aí outras coisas além de boa vontade. Demais, não se vê onde "a pessoa" estabeleceria o limite para a realização da própria vontade, se a existência dessa vontade se corporificaria num país inteiro ou se precisaria de todo um conjunto de países, a fim de, apropriando-se deles, "manifestar a supremacia de minha vontade em relação às coisas" [p. 80]. É até que Hegel se perde. "A tomada de posse é puramente individual; só tomo posse do que toco com meu corpo, mas o fato que logo vem depois é que as coisas externas têm extensão maior que a que possa agarrar. A essa tomada de posse liga-se outra coisa. Tomo posse com a mão, mas o domínio dela pode ser ampliado" (p. 90s.). Mas, com essa outra coisa, ainda se ligam outras, e assim desaparece o limite até onde minha vontade como alma se pode espalhar da terra. "Se possuo alguma coisa, a razão leva-me a considerar meu não só o que possuo diretamente mas também o que com isso se relaciona. O direito positivo tem de estabelecer aí disposições, pois nada mais se pode deduzir do conceito" (p. 91). É confissão por demais ingênua acerca do "conceito", e mostra que este – errado desde o início por considerar absoluta determinada concepção jurídica da propriedade fundiária, vinculada à sociedade burguesa – "nada" apreende do desenvolvimento real dessa propriedade. Está aí implícita a confissão de que, ao mudarem as necessidades do desenvolvimento social, econômico, "o direito positivo" pode e deve mudar suas disposições.

mero poder jurídico desses proprietários de usar e abusar de porções deste planeta. O emprego delas depende por inteiro de condições econômicas que não se subordinam à vontade deles. A própria concepção jurídica significa apenas que o proprietário lida com a terra do mesmo modo que o faz com as mercadorias o respectivo dono; e essa concepção – a ideia jurídica da propriedade privada livre – só aparece no mundo antigo na época da dissolução do organismo social, e, no mundo moderno, com o desenvolvimento da produção capitalista. Só em alguns pontos da Ásia foi tal forma de propriedade introduzida pelos europeus. Na parte sobre acumulação primitiva (Livro I, Capítulo XXIV), vimos que esse modo de produção supõe que o produtor direto se liberte da condição de mero acessório da terra (na forma de vassalo, servo, escravo etc.) e ainda que a massa do povo fique despojada da propriedade do solo. Nessas condições, o monopólio da propriedade da terra é pressuposto histórico e fica sendo base constante do modo capitalista de produção, como de todos os modos anteriores de produção que se fundamentam de uma forma ou de outra na exploração das massas. Mas a forma de propriedade fundiária que o sistema capitalista no início encontra não lhe corresponde. Só ele mesmo cria essa forma, subordinando a agricultura ao capital, e assim a propriedade fundiária feudal, a propriedade de clãs ou a pequena propriedade camponesa combinada com as terras de uso comum se convertem na forma econômica adequada a esse modo de produção, não importando quão diversas sejam suas formas jurídicas. O modo capitalista de produção gera, entre outros, os seguintes resultados importantes: transforma a agricultura, que deixa os processos da fração menos evoluída da sociedade puramente empíricos e prisioneiros da tradição, e passa a aplicar, de maneira consciente e científica, a agronomia, desde que essa transformação seja possível nas condições da propriedade privada;[2] dissocia por completo a propriedade fundiária das

---

[2] Químicos agrícolas bem conservadores, como por exemplo Johnston, admitem que uma agricultura de fato racional encontra sempre barreiras intransponíveis na propriedade privada. O mesmo pensam autores, paladinos exímios do monopólio da propriedade privada da terra. Assim, por exemplo, Charles Comte, numa obra em dois volumes, que tem por objetivo especial defender a propriedade privada, diz: "Um povo não pode alcançar o nível de bem-estar e de poder que permite sua natureza, a não ser que cada fração do solo que o alimenta tenha a destinação que melhor se harmoniza com o interesse geral. Para bem desenvolver suas riquezas, uma vontade única e sobretudo esclarecida deveria, se possível, dispor de toda fração de seu território e fazer cada fração contribuir para a prosperidade de todas as outras. Mas a existência de tal vontade... seria incompatível com a repartição da terra em propriedades privadas... e com a faculdade garantida a cada proprietário de dispor de seus bens de

relações senhoriais e de sujeição, e ainda separa de todo a terra, como condição de trabalho, da propriedade fundiária e do proprietário, para quem a terra nada mais representa que um tributo em dinheiro que o monopólio lhe permite arrecadar do capitalista industrial, o arrendatário. E os vínculos se desfazem tanto que donos de terras na Escócia podem passar toda a vida em Constantinopla. A propriedade fundiária adquire assim sua forma puramente econômica, despindo-se de todos os anteriores ornamentos e vínculos políticos e sociais, em suma, de todos aqueles tradicionais ingredientes, denunciados pelos próprios capitalistas industriais e por seus porta-vozes teóricos, na ardorosa luta que travaram contra a propriedade fundiária, como excrescência inútil e absurda. É o que veremos adiante. São grandes méritos do modo capitalista de produção o ter racionalizado a agricultura, capacitando-a pela primeira vez para ser explorada em escala social, e o ter posto em evidência o absurdo da propriedade fundiária. Comprou esse progresso histórico ao preço de todos os demais: de início reduzindo ao empobrecimento completo os produtores imediatos.

Antes de entrarmos no assunto particular de nosso estudo, são necessárias algumas observações preliminares para evitar mal-entendidos.

A condição prévia do modo capitalista de produção, portanto, é esta: os agricultores efetivos são trabalhadores agrícolas, empregados por um capitalista, o arrendatário, que explora a agricultura como campo particular de aplicação de capital, como investimento de seu capital numa esfera particular de produção. Esse capitalista arrendatário paga ao proprietário das terras, ao dono do solo que explora, em prazos fixados, digamos, por ano, quantia contratualmente estipulada (como o prestatário de capital-dinheiro paga determinado juro) pelo consentimento de empregar seu capital nesse campo especial de produção. Chama-se essa quantia de renda fundiária, e tanto faz que seja paga por terra lavradia, ou por terreno de construção, mina, pesca, florestas etc. Esse pagamento se efetua durante todo o período

---

maneira quase absoluta". Johnston, Comte etc., ao considerar a contradição entre a propriedade e uma agronomia racional, tinham em vista apenas a necessidade de explorar como um todo o solo de um país. Mas a circunstância de a cultura dos diversos produtos da terra depender das flutuações dos preços de mercado, e a de essa cultura variar de maneira contínua com essas flutuações, em suma, o próprio espírito da produção capitalista voltado para o lucro direto, imediato, contrapõe-se à agricultura que tem de ser dirigida de acordo com o conjunto das condições vitais permanentes das gerações humanas que se sucedem. As florestas constituem disso contundente exemplo, pois só são de algum modo exploradas eventualmente de acordo com o interesse geral quando não estão subordinadas à propriedade privada, mas à administração do Estado.

INTRODUÇÃO

em que o proprietário contratualmente emprestou, alugou o solo ao arrendatário. Assim, a renda fundiária é a forma em que se realiza economicamente, se valoriza a propriedade fundiária. Demais, temos aí reunidas e em confronto as três classes que constituem o quadro da sociedade moderna – o trabalhador assalariado, o capitalista industrial e o proprietário da terra.

O capital pode ser fixado à terra, a ela incorporado, em caráter mais ou menos transitório – o que se dá com as melhorias de natureza química, adubação etc. – e em caráter mais ou menos permanente, como acontece com os canais de drenagem, as obras de irrigação, de terraplanagem, as construções para a exploração rural etc. Noutra obra já chamei o capital incorporado à terra de capital-terra.[3] Situa-se na categoria de capital fixo. O juro pelo capital empregado na terra e pelas melhorias que ela assim adquire como instrumento de produção pode integrar a renda que o arrendatário paga ao proprietário,[4] mas que não faz parte da renda fundiária propriamente dita, paga por utilizar-se a terra como tal, seja ela virgem ou cultivada. Num estudo sistemático da propriedade fundiária, o que está fora de nossos planos, essa parte da receita do proprietário deveria ser objeto de tratamento pormenorizado. Aqui bastam algumas palavras sobre o assunto. O arrendatário faz todos os investimentos de caráter mais transitório, exigidos na agricultura pelos processos normais de produção. Esses investimentos – como o próprio cultivo da terra, se efetuado de maneira algo racional, não se reduzindo portanto ao esgotamento brutal do solo, como o faziam os antigos senhores americanos de escravos, e contra isso os proprietários das terras estipulam cláusulas no contrato – melhoram o solo,[5] aumentam a produção e transformam a terra de simples matéria em capital-terra. Sendo a mesma a qualidade natural, a terra cultivada vale mais que a inculta. O arrendatário também fornece em parte e em certos ramos, muitas vezes, totalmente, os capitais fixos de caráter mais durável, que levam mais tempo para se desgastar e são incorporados à terra. Mas, logo que

---

3 *Misère de la philosophie*, p. 165. Aí estabeleço a diferença entre matéria-terra e capital-terra. "Basta aplicar às áreas de terra já transformadas em meios de produção investimentos adicionais de capital, para aumentar o capital-terra, sem nada acrescentar à matéria-terra, isto é, à extensão do solo... O capital-terra, como qualquer outro capital, não é eterno... O capital-terra é um capital fixo, mas o capital fixo também se consome como os capitais circulantes."

4 Digo "pode" porque em certas circunstâncias esse juro é regulado pela lei da renda fundiária e por isso pode desaparecer, por exemplo, com a concorrência de novas terras de grande fecundidade natural.

5 Ver James Anderson e Carey.

se vence o prazo do arrendamento – e esta é uma das razões por que com o desenvolvimento da produção capitalista o proprietário da terra procura encurtar o mais possível o prazo do arrendamento –, as melhorias incorporadas ao solo passam a pertencer ao proprietário dele, como acidente inseparável da substância, o solo. Ao fazer novo contrato de arrendamento, o proprietário acrescenta à renda fundiária propriamente dita o juro pelo capital incorporado à terra, alugue-a ao arrendatário que fez as melhorias ou a outro. Assim cresce sua renda, ou o valor da terra fica aumentado no caso de querer vendê-la, e logo veremos como se determina seu preço. Vende, além da terra, o solo melhorado, o capital incorporado à terra e que nada lhe custou. Aí está um dos segredos – se abstraímos do movimento da renda fundiária propriamente dita – do enriquecimento ascendente dos proprietários das terras, do aumento contínuo de suas rendas e do valor monetário crescente de suas propriedades com o progresso do desenvolvimento econômico. Assim, embolsam o resultado produzido pelo progresso social sem qualquer interferência de sua parte, pois nasceram para consumir os frutos. Este é um dos maiores obstáculos à racionalização da agricultura, pois o arrendatário evita todas as melhorias e dispêndios de que não pode esperar completo reembolso durante o prazo do arrendamento. Esse obstáculo encontramos denunciado, tanto no século passado por James Anderson, o verdadeiro descobridor da moderna teoria da renda, arrendatário prático e ao mesmo tempo agrônomo de valor em sua época, quanto nos dias atuais, pelos adversários do regime de propriedade fundiária vigente na Inglaterra. A.A. Walton, em *History of the Landed Tenures of Great Britain and Ireland*, Londres, 1865, pp. 69, 97, diz a respeito:

> "Todos os esforços dos numerosos estabelecimentos agrícolas de nosso país não podem chegar a resultados muito importantes ou realmente apreciáveis para o progresso efetivo destinado a melhorar a agricultura, enquanto tais melhorias sirvam mais para aumentar o valor da propriedade e o montante da renda do proprietário do que para melhorar a situação do arrendatário ou do trabalhador agrícola. Os arrendatários em geral sabem tão bem quanto os proprietários das terras e seus administradores ou mesmo o presidente de uma sociedade agrícola que drenar bem, adubar com abundância e amanhar bem a terra, empregando-se ao mesmo tempo mais trabalho para limpar rigorosamente o terreno e revolvê-lo, produzem maravilhosos resultados, melhorando o solo e acrescendo a produção. Mas tudo isso exige despesas consideráveis, e os arrendatários também sabem, e muito bem, que por mais que melhorem a

INTRODUÇÃO

terra ou aumentem o valor dela, quem a longo prazo tira a vantagem principal em rendas aumentadas e valor acrescido do solo é o proprietário... São bastante sagazes para perceber o que aqueles oradores" (proprietários das terras e seus administradores nas festas rurais) "têm o hábito peculiar de esquecer – o fato de a parte de leão de todas as melhorias feitas pelo arrendatário acabarem sempre indo parar no bolso do proprietário das terras... Por mais que sejam feitas pelo arrendatário anterior as melhorias da área arrendada, seu sucessor verá sempre o proprietário aumentar a renda na proporção do valor acrescido do solo em virtude dessas melhorias."

Na agricultura propriamente dita esse processo ainda não se patenteia tão claro como na utilização de terrenos para construção. Na Inglaterra, a maior parte dos terrenos para construção não é vendida como propriedade alodial e sim alugada pelos proprietários por 99 anos, ou se possível por tempo mais curto. Vencido esse prazo, as construções revertem com o solo ao proprietário deste.

"Vencido o contrato de locação do terreno, [os arrendatários] são obrigados a entregar a casa ao grande proprietário, depois de lhe terem pago até então renda fundiária excessiva. Mal finda o contrato de locação, aparece o agente ou inspetor do proprietário do terreno, visita vossa casa e, depois de vos fazer pô-la em boas condições, toma posse dela e a anexa ao domínio do patrão. A verdade é que, se for permitido que esse sistema ainda fique em pleno vigor por longo tempo, toda a propriedade das casas no Reino Unido, como a propriedade das terras agrícolas, ficará nas mãos dos grandes senhores de terras. Todo o extremo oriental de Londres, ao norte e ao sul de Temple Bar, pertence de maneira quase exclusiva a cerca de meia dúzia de grandes proprietários, proporcionando-lhes enormes rendas fundiárias, e os contratos de locação, quando não se extinguiram ainda totalmente, vencem-se rapidamente uns após outros. O mesmo se estende em maior ou menor grau a toda cidade do Reino. Mas esse sistema voraz de exclusividade e monopólio ainda não se detém aí. Em virtude desse processo de usurpação, quase todas as docas de nossas cidades portuárias estão nas mãos dos grandes leviatãs de terras" (*loc. cit.*, p. 92 s.).

Nessas circunstâncias, é claro que, se o censo da Inglaterra e do País de Gales de 1861 dá 36.032 proprietários de casas para uma população de 20.066.224, a relação entre os proprietários e o número de casas e de habitantes assumiria aspecto totalmente diverso se os grandes proprietários fossem colocados de um lado e os pequenos, do outro.

Esse exemplo da propriedade das construções é importante, primeiro, porque esclarece a diferença entre a renda fundiária propriamente dita e o juro do capital fixo incorporado ao solo, juro que pode acrescer a renda fundiária. O juro das construções, como o do capital incorporado ao solo na agricultura pelo arrendatário, cabe ao capitalista industrial, ao especulador da indústria de construção ou ao arrendatário enquanto dura o contrato de arrendamento, e de *per se* nada tem que ver com a renda fundiária a ser paga todo ano, em datas fixas, pela utilização do solo. Segundo, porque mostra como o capital alheio incorporado ao solo passa com este às mãos do proprietário e assim o juro acresce a renda dele.

Alguns autores, para defender a propriedade fundiária contra os ataques dos economistas burgueses, ou no afã de transformar o sistema capitalista de produção num sistema de "harmonias" que tomariam o lugar das contradições, como Carey por exemplo, procuraram identificar o juro com a renda fundiária, a expressão econômica específica da propriedade fundiária. Assim dissolver-se-ia a oposição entre os proprietários das terras e os capitalistas. No começo da produção capitalista empregou-se o método oposto. Outrora, a imaginação popular considerava a propriedade da terra como forma primitiva e respeitável da propriedade privada, enquanto o juro do capital era denegrido como usura. Dudley North, Locke etc. viam, por isso, no juro do capital forma análoga à renda fundiária, do mesmo modo que Turgot derivava da existência da renda fundiária a legitimação do juro. Aqueles autores mais novos esquecem que o proprietário da terra, daquela maneira, recebe juro relativo a capital alheio que nada lhe custa e ainda por cima obtém grátis o capital alheio; estamos abstraindo aí de que a renda fundiária pode existir e existe pura, sem qualquer acréscimo de juro pelo capital incorporado ao solo. A justificação da propriedade fundiária, como de todas as outras formas de propriedade de determinado modo de produção, é o fato de o próprio modo de produção ser necessidade histórica transitória, como também o são as relações de produção e de troca que dele decorrem. Todavia, conforme veremos mais tarde, a propriedade fundiária se distingue das espécies restantes de propriedade pela circunstância de, em certo nível de desenvolvimento, mesmo do ponto de vista do modo capitalista de produção, patentear-se supérflua e prejudicial.

Há outra forma em que a renda fundiária pode confundir-se com o juro e assim não se chegar a conhecer o caráter específico dela. A renda fundiária se configura em determinada quantia que o proprietário do solo recebe

INTRODUÇÃO

anualmente pelo arrendamento de um pedaço do globo terrestre. Vimos como toda receita em dinheiro pode ser capitalizada, isto é, considerada juro de um capital imaginário. Se a taxa média de juro é de 5%, por exemplo, uma renda fundiária anual de 200 libras esterlinas pode, portanto, ser considerada também juro de um capital de 4.000 libras esterlinas. A renda fundiária assim capitalizada, constituindo o preço de compra ou o valor do solo, é uma categoria que à primeira vista se revela irracional, como o preço do trabalho, pois a terra não é produto do trabalho, não tendo portanto valor algum. Mas atrás dessa forma irracional oculta-se uma relação real de produção. Se um capitalista compra terra que lhe rende anualmente 200 libras esterlinas, por 4.000 libras, receberá por ano o juro médio de 5% sobre 4.000 libras, como se tivesse empregado esse capital em papéis rentáveis ou o tivesse emprestado diretamente a juros de 5%. É um capital de 4.000 libras que se valoriza a 5%. Nessa hipótese terá reposto em 20 anos o preço de compra da propriedade por meio das receitas que ela proporciona. Por isso, na Inglaterra, o preço de compra das terras é calculado segundo o número de rendas anuais, o que é apenas outra maneira de expressar a capitalização da renda fundiária. É na realidade o preço de compra, não do solo, mas da renda fundiária que ele proporciona, calculando-se esse preço de acordo com a taxa corrente de juro. Essa capitalização da renda, porém, supõe a renda, enquanto reciprocamente a renda não pode ser derivada da própria capitalização nem por ela explicada. A existência da renda, independente da venda, é que é o pressuposto donde partiremos.

Segue-se daí que, suposta a renda fundiária magnitude constante, o preço da terra pode variar na razão inversa da variação da taxa de juro. Se a taxa de juro corrente cair de 5 para 4%, uma renda fundiária anual de 200 libras representará a valorização anual de um capital de 5.000 libras e não de 4.000, e assim o preço da mesma área de terra terá subido de 4.000 para 5.000 libras, ou de 20 anos de renda para 25. E vice-versa. Este é um movimento do preço da terra, independente do movimento da própria renda fundiária, e regulado apenas pela taxa de juro. Vimos que a taxa de lucro tende a cair no curso do desenvolvimento social e em consequência também a taxa de juro na medida em que a taxa de lucro a regula, e que, se abstraímos da taxa de lucro, a taxa de juro tende a cair em virtude do crescimento do capital-dinheiro disponível para empréstimo. Daí resulta que o preço da terra tende a subir, independente mesmo do movimento da renda fundiária e do preço dos produtos agrícolas, do qual a renda constitui parte.

A confusão da renda fundiária com o juro, a forma que ela assume para o comprador da terra, repousa sobre desconhecimento completo da natureza da renda fundiária e leva necessariamente aos mais estranhos paralogismos. A propriedade fundiária em todas as velhas nações passa por forma nobre de propriedade, e a compra dela, por investimento bastante seguro de capital. Por isso, o juro a que se compra a renda fundiária é em regra mais baixo do que nos outros investimentos de capital a longo prazo. Desse modo, o comprador de terra só recebe, digamos, 4% sobre o preço de compra, quando pelo mesmo capital, se investido noutro ramo, receberia 5%, ou, o que significa a mesma coisa, ele paga mais capital pela renda fundiária do que pelo mesmo rendimento anual correspondente a outros investimentos. Daí conclui Thiers, em sua horripilante obra sobre a propriedade (edição de seu discurso contra Proudhon em 1848 na Assembleia Nacional Francesa), que a renda fundiária é baixa, quando aquela circunstância apenas prova que é alto seu preço de compra.

A circunstância de a renda fundiária capitalizada se configurar no preço ou no valor da terra, e de a terra por isso ser comprada e vendida como qualquer outra mercadoria, é para alguns apologistas motivo para justificar a propriedade fundiária, pois o comprador teria pago por ela, como por qualquer outra mercadoria, um equivalente, e a maior parte das propriedades fundiárias teria assim mudado de mãos. A mesma argumentação legitimaria também a escravatura, pois, para o senhor que pagou dinheiro pelo escravo, o rendimento do trabalho deste representa apenas o juro do capital que empregou para comprá-lo. Justificar que a renda fundiária exista por ser ela comprada e vendida significa justificar sua existência com a própria existência.

Para analisar-se cientificamente a renda fundiária – a forma econômica específica, autônoma, da propriedade fundiária no sistema capitalista de produção – importa observá-la pura, despojada de todos os adornos que a falseiam e dissimulam. Além disso – para a compreensão dos efeitos práticos da propriedade fundiária e para se penetrar teoricamente uma série de fatos que contradizem a ideia e a natureza da renda fundiária, mas aparecem como modos de existência dela –, importa também conhecer os elementos que concorrem para turvar a teoria.

É natural que na prática se considere renda fundiária tudo o que o arrendatário paga ao proprietário na forma de tributo pela permissão de explorar a terra. Qualquer que seja a composição ou a fonte desse tributo,

INTRODUÇÃO

tem ele de comum com a renda fundiária propriamente dita este traço: o monopólio sobre um pedaço do globo terrestre capacita o intitulado proprietário para cobrar, impor o gravame. Outro traço comum – esse tributo, como a renda fundiária, determina o preço da terra, o qual nada mais é, conforme vimos, que receita capitalizada do aluguel da terra.

Já vimos que o juro pelo capital incorporado ao solo pode constituir um desses elementos estranhos embutidos na renda fundiária, sendo elemento que no curso do desenvolvimento econômico necessariamente acrescerá cada vez mais a totalidade das rendas de um país. Mas, se abstraímos desse juro, é possível que o arrendamento pago represente, em parte ou totalmente, em certos casos (quando há completa ausência da renda fundiária propriamente dita e a terra está sem valor real), dedução do lucro médio ou do salário normal, ou de ambos ao mesmo tempo. Essa parte do lucro ou do salário assume aí a figura da renda fundiária, pois em vez de caber, como seria normal, ao capitalista industrial ou ao assalariado, é paga na forma de arrendamento ao proprietário da terra. Sob o aspecto econômico, nem uma parte nem a outra é renda fundiária; mas, na prática, constitui o rendimento do proprietário da terra, valorização econômica de seu monopólio, do mesmo modo que a verdadeira renda fundiária, e como esta atua sobre o preço da terra, determinando-o.

Não tratamos aqui das condições em que a renda fundiária, o modo da propriedade fundiária correspondente ao sistema capitalista de produção, existe formalmente sem que exista o sistema capitalista de produção, sem que o próprio arrendatário seja capitalista industrial ou exerça exploração agrícola capitalista. É o que se dá por exemplo na Irlanda. O arrendatário aí é em regra um pequeno camponês. O que ele paga ao proprietário da terra a título de arrendamento absorve muitas vezes não só parte do lucro, isto é, do próprio trabalho excedente a que tem direito como dono dos instrumentos de trabalho, mas também parte do salário normal que noutras condições receberia pela mesma quantidade de trabalho. Além disso, como o faria um usuário em semelhantes condições, o proprietário da terra, que nada faz aí para melhorar o solo, o expropria do pequeno capital que ele na maior parte com o próprio trabalho incorpora ao solo. A única diferença é que o usuário pelo menos arrisca na operação o próprio capital. Essa espoliação contínua constitui o objeto da controvérsia em torno da legislação agrária irlandesa que, no essencial, se reduz a que ela procura obrigar o proprietário que rescinde o contrato de arrendamento a indenizar o arrendatário pelas benfeitorias que fez ou pelo capital que incorporou ao solo. No debate do assunto, Palmerston argumentava cinicamente:

"A Câmara dos Comuns é uma câmara de proprietários de terras."

Também não tratamos das condições excepcionais em que mesmo em países de produção capitalista o proprietário da terra pode extorquir arrendamento exagerado que não tem relação alguma com o produto do solo, como por exemplo nas zonas industriais inglesas o aluguel de pequenos pedaços de terra aos trabalhadores das fábricas, os quais nas horas livres aí fazem pequenos jardins ou agricultura de amadores (*Reports of Inspectors of Factories*).

Trataremos da renda agrícola em países de produção capitalista desenvolvida. Entre os arrendatários ingleses, por exemplo, encontra-se certo número de pequenos capitalistas que a educação, a formação, a tradição, a emulação e outras circunstâncias determinam e obrigam a que empreguem o capital na agricultura, como arrendatários. São forçados a se contentar com lucro inferior à média e a ceder parte dele na forma de renda ao arrendatário. Só sob esta condição lhes é permitido empregar o capital na terra, na agricultura. Uma vez que os proprietários das terras por toda parte exercem grande influência na legislação, e que chega a ser preponderante na Inglaterra, podem utilizá-la para fraudar a classe inteira dos arrendatários. As leis de proteção aduaneira aos cereais de 1815, por exemplo, constituíam um tributo sobre o pão, imposto ao país com o objetivo confesso de assegurar aos ociosos proprietários das terras a perenidade das rendas enormemente acrescidas durante a guerra contra a Revolução Francesa. Essas leis, se abstraímos de alguns anos excepcionalmente bons, tiveram o efeito de manter os preços dos produtos agrícolas acima do nível a que teriam caído se a importação de cereais fosse livre. Mas não mantiveram os preços altos decretados pelos proprietários legisladores como preços normais para constituir as barreiras legais à importação de trigo estrangeiro. Todavia, os contratos de arrendamento se concluíam sob a influência desses preços normais. Quando a ilusão esboroou-se, fez-se nova lei com novos preços normais que, como os antigos, eram apenas a expressão impotente dos vorazes proprietários de terras. Assim, fraudaram-se os arrendatários, de 1815 até a década de 1830. Daí ter sido tema permanente durante todo esse tempo a situação difícil da agricultura. Daí ter havido durante esse

INTRODUÇÃO

período a expropriação e a ruína de toda uma geração de arrendatários, e sua substituição por nova classe de capitalistas.[6]

Fato mais geral e mais importante porém é a redução do salário do trabalhador agrícola propriamente dito abaixo do nível médio normal, subtraindo-se do trabalhador fração do salário, a qual passa a constituir parte integrante do arrendamento e assim, sob a máscara de renda fundiária, vai para o proprietário da terra e não para o trabalhador. É o que por exemplo sucede em geral na Inglaterra e na Escócia, com exceção de alguns condados em melhor situação. Os trabalhos das comissões parlamentares de inquérito sobre os níveis dos salários, instituídas antes de se promulgarem as leis de proteção aduaneira aos cereais (trabalhos que até hoje constituem a mais valiosa contribuição, quase de todo inexplorada, à história dos salários no século XIX, e que são ao mesmo tempo um monumento de ignomínia que a aristocracia e a burguesia inglesas erigiram), provam amplamente, acima de qualquer dúvida, que as taxas elevadas das rendas fundiárias e a correspondente alta do preço da terra, durante a guerra contra a Revolução Francesa, eram devidas em parte a desfalque no salário e à redução deste abaixo mesmo do mínimo vital, isto é, à passagem de fração do salário normal para o bolso do proprietário da terra. Diversas circunstâncias, entre as quais a depreciação do dinheiro, a aplicação das leis de assistência à pobreza nas zonas agrícolas etc., possibilitaram essa operação, ao mesmo tempo que as receitas dos arrendatários tinham acréscimos enormes e os proprietários das terras enriqueciam fabulosamente. E um dos principais argumentos utilizados pelos arrendatários e pelos proprietários em favor da proteção aduaneira ao trigo era que seria fisicamente impossível rebaixar ainda mais o salário dos jornaleiros agrícolas. Essa situação não se alterou no essencial, e na Inglaterra, como em todos os países europeus, fração do salário normal continua a fazer parte da renda fundiária. Quando o Conde de Shaftesbury, então Lorde Ashley, um dos aristocratas filantropos, profundamente comovido pela situação dos trabalhadores fabris ingleses, lançou-se como seu porta-voz parlamentar na campanha pela jornada de 10 horas, os porta-vozes dos industriais, para se vingarem dele, publicaram

---

6 Ver a obra *Anti-Corn-Law Prize-Essays*. Entretanto, as leis de proteção aduaneira aos cereais mantinham sempre os preços em nível artificialmente elevado. Para os melhores arrendatários isto era favorável. Eles lucravam com a situação estacionária em que a proteção aduaneira mantinha a grande massa dos arrendatários, que com ou sem razão acreditavam nesse preço médio excepcional.

uma estatística sobre o salário dos trabalhadores agrícolas nas aldeias que lhe pertenciam (ver Livro I, Capítulo XXXIII, 5, *e*: proletariado agrícola britânico), a qual mostrava claramente que fração da renda fundiária desse filantropo só existe porque seus arrendatários por ele furtam parte do salário dos trabalhadores agrícolas. Essa publicação é também de interesse porque os fatos nela contidos nada ficam a dever às piores revelações feitas pelas comissões de 1814 e 1815. Sempre que as circunstâncias forçam subida momentânea do salário dos jornaleiros agrícolas, gritam os arrendatários, sustentando que elevação do salário ao nível normal, vigente em outros ramos industriais, é impossível e necessariamente os arruinará, se não houver redução simultânea da renda fundiária. Aí está portanto implícita a confissão de que os arrendatários retiram do salário uma fração que sob o nome de renda fundiária transferem para o bolso do proprietário da terra. De 1849 a 1859, por exemplo, subiu na Inglaterra o salário dos trabalhadores agrícolas em virtude de um concurso de circunstâncias avassaladoras, como: o êxodo da Irlanda que cortou a oferta de trabalhadores de lá procedentes; a extraordinária absorção de população agrícola pela indústria; a procura de soldados para a guerra; a extraordinária emigração para a Austrália e para os Estados Unidos (Califórnia), e outras causas que não nos cabe considerar aqui. Ao mesmo tempo, com exceção das colheitas desfavoráveis de 1854 a 1856, os preços médios do trigo caíram em mais de 16% durante esse período. Os arrendatários bradavam, pedindo redução das rendas fundiárias. Essa reivindicação, embora vencedora em alguns casos, fracassou de modo geral. Recorreram à redução dos custos de produção e para isso, entre outras coisas, introduziram em massa locomóveis e novas máquinas que, além de substituírem os cavalos e os expulsarem da economia, criavam superpopulação artificial desempregando jornaleiros agrícolas, o que acarretava nova baixa de salário. E isto ocorreu apesar do decréscimo geral relativo da população rural durante a década, comparado com o crescimento da população global, e apesar do decréscimo absoluto da população rural em alguns distritos puramente agrícolas.[7] Também Fawcett, então professor de economia política em Cambridge (faleceu em 1884 como diretor-geral dos Correios), diz no Congresso de Sociologia (Social Science Congress), em 12 de outubro de 1865:

---

7 John C. Morton, *The Forces Used in Agriculture*, conferência feita na Society of Arts de Londres, em 1859, baseada em documentos autênticos, colhidos junto a uns 100 arrendatários de 12 condados escoceses e de 35 ingleses.

INTRODUÇÃO

"Os jornaleiros agrícolas começaram a emigrar, e os arrendatários a se queixar de que não seriam capazes de pagar rendas fundiárias tão altas como as que costumavam pagar, porque o trabalho em virtude da emigração se tornara mais caro."

A renda fundiária alta se identifica aí diretamente com salário baixo. E na medida em que esta circunstância aumentando a renda influi sobre o nível do preço da terra, acréscimo do valor da terra significa desvalorização do trabalho, alta do preço da terra, baixa do preço do trabalho.

O mesmo se estende à França.

"O preço do arrendamento sobe porque de um lado sobe o preço do pão, do vinho, da carne, das verduras e das frutas, e do outro permanece invariável o preço do trabalho. Se os velhos compararem as contas de seus pais, o que nos faz recuar a quase 100 anos, verificarão eles que outrora o preço de uma jornada de trabalho na França rural era exatamente o mesmo de hoje. De então para cá, o preço da carne triplicou-se... Quem é a vítima dessa transformação? Será o rico, o proprietário da terra arrendada, ou o pobre que a trabalha?... A elevação dos arrendamentos é sinal de desgraça pública" (*Du mécanisme de la societé en France et en Angleterre*, de M. Rubichon, 2ª ed., Paris, 1837, p. 101).

Exemplos de deduções feitas no lucro médio e no salário médio, incorporadas à renda fundiária:

Citamos Morton, agente rural e engenheiro agrônomo. Ele diz que em muitas regiões observou-se que a renda para grandes arrendamentos é mais baixa do que para pequenos, porque

"a concorrência entre estes é em regra maior do que entre aqueles, e porque os pequenos arrendatários, sendo raramente capazes de se lançar a outro negócio que não seja a agricultura, com frequência se dispõem a pagar renda que eles mesmos sabem ser alta demais, forçados pela necessidade de encontrar um negócio que lhes seja mais adequado" (John L. Morton, *The Resources of Estates*, Londres, 1858, p. 116).

A seu ver, porém, essa diferença tende a desaparecer na Inglaterra, e para isso muito contribui a emigração de elementos da classe dos pequenos arrendatários. Num exemplo de Morton se evidencia sem dúvida que entra na renda fundiária fração do salário do arrendatário e ainda mais seguramente portanto das pessoas que ele emprega. É o caso de arrendamentos de áreas com menos de 70 a 80 acres (30 a 34 hectares), onde não se pode manter arado com dois tiros.

> "O arrendatário, se não trabalha ativamente com as próprias mãos como qualquer trabalhador, não poderá subsistir na área arrendada. Se deixa para seus empregados a execução do trabalho e se limita apenas a vigiá-los, o mais provável é que logo se veja na impossibilidade de pagar a renda" (*loc. cit.*, p. 118).

Daí conclui Morton que, excetuado o caso de os arrendatários da região serem muito pobres, os arrendamentos não devem ser inferiores a 70 acres, de modo que os arrendatários possam manter 2 a 3 cavalos.

Excelsa a sabedoria de Monsieur Léonce de Lavergne, membro do Institut de la Société Centrale d'Agriculture. Em sua obra *Économie rurale de l'Angleterre* (citada de acordo com a tradução inglesa, Londres, 1855), compara, como vemos a seguir, os resultados anuais da criação de gado *vacum* na França, onde é empregado no trabalho da lavoura, com os da Inglaterra, onde não é, pois o substituem os cavalos (p. 42):

	FRANÇA Milhões de libras esterlinas		INGLATERRA Milhões de libras esterlinas
Leite	4	Leite	16
Carne	16	Carne	20
Trabalho	8	Trabalho	0
	28		36

Mas se os resultados da Inglaterra são maiores é porque nela o leite é duas vezes mais caro que na França, segundo o próprio autor que admite para a carne os mesmos preços nos dois países (p. 35); assim, a produção inglesa de leite se reduz a 8 milhões de libras esterlinas e a produção global a 28 milhões, como na França. Lavergne exagera um tanto, ao misturar nos seus cálculos as quantidades de produtos e as diferenças de preços, pois, desse modo, o fato de a Inglaterra produzir certos artigos mais caros que a França, o que no máximo significa maior lucro de arrendatários e proprietários de terras, aparece como predominância da agricultura inglesa.

INTRODUÇÃO

Monsieur Lavergne, além de conhecer os êxitos econômicos da agricultura inglesa, acredita nos preconceitos dos arrendatários e dos proprietários de terras ingleses. É o que demonstra à página 48:

> "Os cereais em geral acarretam grande inconveniente... esgotam o solo onde se plantam."

Lavergne acredita que isso não se dá com outras plantas, e que as plantas forrageiras e rastejantes enriquecem o solo:

> "Plantas forrageiras retiram da atmosfera os principais elementos para viver, dando ao solo mais do que dele retiram; contribuem de dois modos, seja diretamente, seja pela transformação em estrume, para reparar o prejuízo causado pelos cereais e pelas outras culturas esgotantes; por isso, é fundamental que pelo menos se alternem com essas culturas, e nisto consiste o afolhamento de Norfolk" (p. 50 s.).

Não admira que Lavergne, com sua fé no espírito rural inglês, além de crer nessas lendas, ainda acredite que, depois de abolidos os direitos aduaneiros sobre trigo, o salário do jornaleiro agrícola inglês não tenha mais a antiga anormalidade. Ver o que dissemos antes no Livro I, Capítulo XXIII, 5, pp. 779-806. E ouçamos o discurso de John Bright, em Birmingham, em 13 de dezembro de 1865. Depois de falar dos 5 milhões de famílias que não têm representação alguma no Parlamento, prossegue:

> "Entre esses há no Reino Unido um milhão ou mais que figuram na lista dos indigentes. Há ainda outro milhão acima da indigência, mas que está exposto ao perigo de nela cair. Não é mais favorável a situação destes nem as perspectivas. Observai as camadas inferiores e ignorantes dessa parte da sociedade. Considerai sua situação de párias, a miséria, os sofrimentos, a completa falta de esperanças. Mesmo nos Estados Unidos, nos estados do Sul, quando dominava a escravatura, todo negro acreditava que um dia haveria de chegar seu ano de jubileu. Mas, para essas pessoas, para essa massa das camadas mais baixas de nosso país não existe, estou aqui para expressá-lo, fé em melhoria alguma nem mesmo desejo dela. Não leram recentemente nos jornais uma notícia sobre John Cross, um jornaleiro agrícola em Dorsetshire? Trabalhava seis dias na semana, tinha excelentes referências de seu empregador, para o qual trabalhara 24 anos a 8 xelins por semana. Com esse salário, John Gross tinha de sustentar

em sua cabana uma família de sete filhos. A fim de aquecer a mulher enferma e a criança de peito apanhou varas de um cercado – juridicamente, suponho, diz-se que ele as roubou – no valor de 6 pence. Por esse crime foi condenado pelos juízes de paz a 14 ou 20 dias de prisão. Posso dizer-lhes que há muitos milhares de casos como o de John Cross no país todo, particularmente no Sul, e que a situação desses seres humanos é tal que até agora o mais correto investigador não conseguiu descobrir o segredo de ainda continuarem vivos. Lançai um olhar sobre todo o país e observai esses 5 milhões de famílias e a situação desesperada das camadas mais baixas. Na verdade, não se pode dizer que da nação a massa privada do direito de voto moureja e se extenua sem cessar, desconhecendo praticamente o repouso? Comparai-a com a classe dominante – mas se faço isto, acusar-me-ão de pregar comunismo... Contudo, comparai essa grande nação que se mata no trabalho, sem voz, com a parte que se pode considerar como as classes dominantes. Contemplai a riqueza, o esplendor, o luxo delas. Olhai a lassidão – pois nelas também reina a lassidão, a que vem da saciedade – e vede como se precipitam de um lugar para outro, como se apenas valesse descobrir novos prazeres" (*Morning Star*, 14 de dezembro de 1865).

A seguir, mostraremos como se confunde trabalho excedente e por conseguinte produto excedente em geral com a renda fundiária, essa parte do produto excedente especificamente determinada em quantidade e qualidade, pelo menos na base do modo capitalista de produção. Em suma, a base natural do trabalho excedente, a condição sem a qual ele não é possível, é a circunstância de a natureza fornecer – em produtos do solo, vegetais ou animais, da pesca etc. – os meios de subsistência necessários com o emprego de um tempo de trabalho que não absorva a jornada toda. Essa produtividade natural do trabalho agrícola (que abrange o simples trabalho de colher, caçar, pescar, criar gado) é a base de todo o trabalho excedente; todo trabalho no início e na origem se destina a apropriar-se da alimentação e a produzi-la (o animal dá ainda a pele que aquece nos climas frios; as cavernas servem de habitação etc.).

A mesma confusão entre produto excedente e renda fundiária se encontra expressa de outro modo em Dove. Na origem, o trabalho agrícola e o industrial não estavam separados, um se ligava ao outro. O trabalho excedente e o produto excedente da tribo, do clã ou da família de agricultores correspondem tanto ao trabalho agrícola quanto ao industrial. Ambos marcham juntos. Caça, pesca, agricultura são impossíveis sem instrumentos adequados. Tecer, fiar etc. são primeiro explorados como atividades que complementam os trabalhos agrícolas.

Já mostramos que, se o trabalho do trabalhador individual se divide em necessário e excedente, o trabalho global da totalidade da classe trabalhadora pode dividir-se de maneira que a parte que produz os meios de subsistência necessários à classe trabalhadora (inclusive os meios de produção exigidos para esse fim) executa o trabalho necessário à sociedade toda. O trabalho efetuado por toda a parte restante da classe trabalhadora pode ser considerado trabalho excedente. Mas o trabalho necessário não consiste apenas de trabalho agrícola, constituindo-se também do trabalho que produz todos os demais produtos que necessariamente entram no consumo médio do trabalhador. Sob o aspecto social, uns executam apenas trabalho necessário porque outros só realizam trabalho excedente, e vice-versa. Há apenas divisão do trabalho entre eles. É como a divisão do trabalho em geral entre trabalhadores agrícolas e industriais. Ao caráter puramente industrial do trabalho, de um lado, corresponde o puramente agrícola, do outro. Esse trabalho puramente agrícola não procede da natureza, mas é um produto e bem moderno, que não se encontra por toda parte, do desenvolvimento social, e corresponde à fase claramente determinada da produção. Parte do trabalho agrícola se materializa em produtos que constituem artigos de luxo ou servem de matéria-prima para a indústria, mas não entram na alimentação, e muito menos ainda na das massas; por outro lado, parte do trabalho industrial se materializa em produtos que constituem meios de consumo necessários aos trabalhadores, agrícolas ou não. Sob o aspecto social, é erro considerar o trabalho industrial trabalho excedente. É em parte tão necessário quanto a parte necessária do trabalho agrícola. E é simplesmente forma autônoma de parte do trabalho industrial antes naturalmente combinado com o agrícola; complemento necessário, recíproco, do trabalho puramente agrícola hoje deste separado (do ponto de vista puramente material, 500 tecelões com teares mecânicos, por exemplo, produzem tecido excedente em escala bem maior, isto é, produzem mais que o necessário para o próprio uso).

Finalmente, quando estudamos as formas em que aparece a renda fundiária, o arrendamento que se paga ao proprietário da terra sob o título de renda fundiária, pelo uso dela, seja para fins produtivos ou de consumo, devemos considerar que o preço das coisas que de *per se* não têm valor porque não são produto do trabalho (e a terra não foi produzida pelo trabalho) ou porque pelo menos não podem ser reproduzidas pelo trabalho como antiguidades, obras-primas etc., pode ser determinado por circunstâncias variadas e fortuitas. Uma coisa, para ser vendida, basta que seja suscetível de monopólio e alienável.

Quando se estuda a renda fundiária é mister evitar três erros principais que turvam a análise.

1) A confusão entre as diferentes formas de renda fundiária, correspondentes a estádios diversos de desenvolvimento do processo social de produção.

Qualquer que seja a forma específica da renda fundiária, todos os seus tipos têm de comum: o apropriar-se da renda é a forma econômica em que se realiza a propriedade fundiária, e a renda fundiária supõe propriedade fundiária, que determinados indivíduos sejam proprietários de determinadas parcelas do globo terrestre. E tanto faz que o proprietário seja a pessoa que representa a comunidade como na Ásia, no Egito etc., ou que a propriedade fundiária seja mero acessório do direito de propriedade de determinadas pessoas sobre as pessoas dos produtores diretos, como na escravatura e na servidão, ou que não produtores detenham a nua propriedade privada da natureza, mero título de propriedade sobre o solo, ou finalmente que se trate de uma relação com o solo, como se dá com colonos e pequenos proprietários camponeses, a qual, com o sistema de trabalho isolado e socialmente não desenvolvido, parece implicar que os produtores diretos se apropriem do que produzem em determinadas parcelas do solo.

Esse *caráter comum* das diferentes formas da renda fundiária – de ser a realização econômica da propriedade fundiária, da ficção jurídica em virtude da qual diferentes indivíduos detêm com exclusividade determinadas parcelas do globo terrestre – faz que se esqueçam as diferenças.

2) Toda renda fundiária é mais-valia, produto de trabalho excedente. Na forma menos desenvolvida, é diretamente produto excedente, a renda natural. Mas, no modo capitalista de produção, a renda fundiária é sempre sobra acima do lucro, acima da fração do valor das mercadorias, a qual por sua vez consiste em mais-valia (trabalho excedente). Por isso, erra-se quando então se procura explicar a renda fundiária, aí componente particular e específico da mais-valia, recorrendo simplesmente às condições gerais da mais-valia e do lucro. Essas condições são: os produtores imediatos devem trabalhar além do tempo necessário para reproduzir a própria força de trabalho e a si mesmos. Devem executar trabalho excedente. Esta é a condição

subjetiva. A condição objetiva é que *possam* executar trabalho excedente, que os recursos naturais sejam tais que *parte* do tempo de trabalho disponível baste para a própria reprodução e manutenção como produtores, e que a produção dos meios de subsistência necessários não consuma toda a força de trabalho. A fertilidade da natureza constitui aqui um limite, um ponto de partida, uma base. Outro fator fundamental é o desenvolvimento da produtividade social do trabalho. Vejamos a coisa mais de perto: uma vez que a produção dos alimentos é a condição primordial da vida e de toda produção, o trabalho empregado nessa produção, portanto o trabalho agrícola no sentido econômico mais amplo, tem de possuir rendimento bastante para que a totalidade do tempo de trabalho disponível não se absorva na produção de alimentos, em suma, para que seja possível trabalho excedente agrícola e em consequência produto excedente agrícola. E mais, o trabalho agrícola total – o necessário e o excedente – a cargo de parte da sociedade deve bastar para produzir os alimentos necessários para toda a sociedade, por conseguinte para os trabalhadores não agrícolas, de modo a ser possível essa grande divisão do trabalho entre agricultores e industriais, e também a divisão entre agricultores que produzem alimentos e os que produzem matérias-primas. O trabalho dos produtores diretos de alimentos, embora se divida, para eles, em necessário e excedente, representa, para a sociedade, o trabalho necessário, exigido para produzir os alimentos. Aliás, isto se estende a toda divisão do trabalho na sociedade em seu conjunto, e difere da divisão do trabalho em cada estabelecimento isolado. É o trabalho necessário para produzir artigos específicos, para satisfazer necessidade específica da sociedade por esses artigos. Se essa repartição se faz na proporção das necessidades sociais, os produtos dos diferentes ramos se vendem pelo valor (com o desenvolvimento ulterior, aos preços de produção) ou a preços que são modificações desses valores ou desses preços de produção, determinadas por leis gerais. Na realidade, é a lei do valor tal como se impõe não a mercadorias ou a artigos isolados, mas à totalidade eventual dos produtos dos ramos particulares da produção social, ramos que se tornaram autônomos pela divisão do trabalho. Desse modo, a cada mercadoria isolada só se aplica o tempo de trabalho necessário, e da totalidade do tempo de trabalho social só se emprega nos diferentes ramos a quantidade proporcional necessária. É que o valor de uso continua sendo condição fundamental. Mas se o valor de uso, no caso da mercadoria isolada, depende de ela satisfazer de *per se* uma necessidade, quando se trata da massa dos produtos sociais, depende de ela ser adequada à necessidade social quantitativamente determinada para cada espécie particular de produto, e de o trabalho por isso se repartir aos diversos ramos de produção proporcionalmente a essas necessidades sociais, quantitativamente delimitadas (considerar esse assunto, no estudo da repartição do capital nos diversos ramos de produção). A necessidade social, isto é, o valor de uso em nível social, se patenteia aí fator que fixa as cotas da totalidade do tempo de trabalho social, as quais cabem aos diversos ramos particulares de produção. Mas é a mesma lei que já se revela na mercadoria isolada, a saber: o valor de uso é condição necessária do valor de troca e por conseguinte do valor. Este ponto só diz respeito à relação entre trabalho necessário e excedente, na medida em que, prejudicada a proporção, não se pode realizar o valor da mercadoria nem a mais-valia, portanto, que ele encerra. Se proporcionalmente se produz tecido demais, só se converte em dinheiro, nas condições, o tempo de trabalho necessário para a produção global de tecido. Gastou-se nesse ramo particular trabalho social demais, isto é, parte do produto é inútil. Por isso, a totalidade só se vende como se fosse produzida na proporção necessária. Esse limite quantitativo das cotas do tempo de trabalho social aplicáveis nas diversas esferas particulares de produção é apenas expressão mais desenvolvida da lei do valor em geral. Entretanto, o tempo de trabalho necessário assume aqui outro sentido. Tanto dele é necessário para satisfazer a necessidade social. É o valor de uso que aí determina o limite. Nas condições dadas, a sociedade só pode dar a essa espécie particular de produto determinada quantidade do seu tempo global de trabalho. Mas as condições subjetivas e objetivas do trabalho excedente e da mais-valia em geral nada têm que ver com a forma particular do lucro ou da renda fundiária. Elas valem para a mais-valia como tal, qualquer que seja a forma especial que assuma. Por isso, não explicam a renda fundiária.

3) Justamente na valorização econômica da propriedade fundiária, no desenvolvimento da renda fundiária, aparece como sendo peculiar a circunstância de o montante dessa renda não ser determinado pela intervenção do beneficiário, mas pelo desenvolvimento do trabalho social, que dele não depende e em que não participa. Assim, considera-se facilmente peculiaridade da renda fundiária (e dos produtos agrícolas em geral) o que é comum a todos os ramos de produção e a todos os produtos no sistema de produção de mercadorias e mais precisamente na produção capitalista, que em seu conjunto é produção de mercadorias.

INTRODUÇÃO

O nível da renda fundiária (e com ela o valor da terra) aumenta no curso do desenvolvimento social; é resultado da totalidade do trabalho social. Assim crescem o mercado e a procura de produtos da terra, e imediatamente a procura de terra, ou seja, da condição de produção que todos os ramos, inclusive não agrícolas, porfiam por obter. A renda fundiária e com ela o valor do solo, para nos cingirmos à derivada da agricultura, desenvolve-se com o mercado dos produtos agrícolas e por conseguinte à medida que cresce a população não rural, que aumenta suas necessidades e sua procura de alimentos e de matérias-primas. Está na natureza da produção capitalista o decréscimo contínuo da população agrícola em relação à não agrícola, pois na indústria (no sentido estrito) o acréscimo do capital constante em relação ao variável está ligado ao acréscimo absoluto, embora decréscimo relativo, do capital variável, enquanto na agricultura o capital variável exigido para a exploração de determinado pedaço de terra decresce em termos absolutos, só podendo portanto aumentar se novas terras forem cultivadas, o que porém supõe crescimento ainda maior da população não agrícola.

Na realidade não há aí um fenômeno que seja peculiar à agricultura e a seus produtos. Pelo contrário, o mesmo se manifesta em todos os demais ramos de produção e seus produtos, no sistema de produção de mercadorias e na forma absoluta dele, a produção capitalista.

Estes produtos são mercadorias, valores de uso, que possuem valor de troca realizável, conversível em dinheiro apenas na medida em que outras mercadorias constituem equivalente para eles, outros produtos os confrontam como mercadorias e como valores; na medida em que, portanto, não são produzidos como meios diretos de subsistência para os próprios produtores, mas como mercadorias, como produtos que só se tornam valores de uso depois de transformados em valor de troca (dinheiro), depois de alienados. O mercado dessas mercadorias desenvolve-se por meio da divisão social do trabalho; a dissociação dos trabalhos produtivos transforma os respectivos produtos reciprocamente em mercadorias, em equivalentes, faz que eles, uns aos outros, sirvam de mercado. Nada disso é privativo dos produtos agrícolas.

A renda fundiária só pode desenvolver-se como renda monetária no sistema de produção de mercadorias, mais precisamente na produção capitalista, e se desenvolve na mesma medida em que a produção agrícola se torna produção de mercadorias; portanto, na mesma medida em que a produção não agrícola possui em relação à agrícola desenvolvimento autônomo, pois é na medida desse desenvolvimento que o produto agrícola se torna mercadoria, valor de troca e valor. A produção de mais-valia e de produto excedente aumenta na mesma medida em que, com a produção capitalista, a produção de mercadorias acresce e por conseguinte a produção de valor. E na mesma medida em que aquela aumenta, desenvolve-se a capacidade da propriedade fundiária de apoderar-se – em virtude do monopólio sobre a terra – de parte crescente da mais-valia, e de elevar por isso o valor da sua renda e o próprio preço do solo. O capitalista é todavia agente automático do desenvolvimento dessa mais-valia e desse produto excedente. O proprietário da terra só tem de apoderar-se da porção, que cresce sem sua interferência, do produto excedente e da mais-valia. É isto que caracteriza sua posição, e não a circunstância de o valor dos produtos agrícolas e, portanto, o da terra crescerem sempre na medida em que o mercado deles se amplia, a procura acresce e com ela o mundo de mercadorias que se antepõe aos produtos agrícolas, em outras palavras, a massa dos produtores e da produção de mercadorias não agrícolas. Não tendo interferência aí o proprietário fundiário, parece que lhe é específica a circunstância de a massa do valor, da mais-valia e a conversão de parte dessa mais-valia em renda fundiária depender do processo social de produção, do desenvolvimento da produção de mercadorias em geral. Por isso, Dove, por exemplo, quer inferir daí a renda fundiária. Diz que a renda fundiária não depende da massa dos produtos agrícolas, mas do valor deles; este, contudo, depende da massa e da produtividade da população não agrícola. Isto se estende a qualquer outro produto, que só se desenvolve como mercadorias com a massa e com a variedade das outras mercadorias que constituem equivalentes. É o que já mostramos no estudo geral do valor.[I] Para um produto, a possibilidade de troca depende da multiplicidade das mercadorias existentes além dele. E disto depende em particular a quantidade em que pode ser produzido como mercadoria.

Nenhum produtor considerado isoladamente, fabricante ou agricultor, produz valor ou mercadoria. Seu produto só se torna valor e mercadoria em determinado contexto social. Em primeiro lugar, é mister que apareça representando trabalho social, que o próprio tempo de trabalho portanto configure porção do tempo de trabalho social, e, em segundo lugar, que esse caráter social do trabalho imprima caráter social ao produto, por meio

---

I Livro 1, p. 92s.

INTRODUÇÃO

do caráter monetário e da permutabilidade geral do produto, determinada pelo preço.

Se, em vez de renda fundiária, o que se explica é mais-valia ou, de maneira ainda mais simples, o produto excedente em geral, comete-se o erro de atribuir exclusivamente aos produtos agrícolas um caráter que pertence a todos os produtos como mercadorias e valores. A explicação ainda é mais superficial quando, partindo-se da determinação geral do valor, volta-se à *realização* de determinado valor-mercadoria. Toda mercadoria só pode realizar seu valor no processo de circulação, e a circunstância e a extensão em que o realiza dependem das condições eventuais do mercado.

Não constitui característica peculiar da renda fundiária a circunstância de os produtos agrícolas se tornarem valores e se desenvolverem como tais, e a de os produtos não agrícolas os confrontarem como mercadorias, ou a de eles se desenvolverem como expressões particulares do trabalho social. A característica peculiar consiste em que, com as condições em que os produtos agrícolas se desenvolvem como valores (mercadorias) e com as condições em que se realizam esses valores, desenvolve-se o poder do proprietário fundiário de apropriar-se de porção crescente desses valores criados sem interferência dele, e porção crescente da mais-valia se transforma em renda fundiária.

XXXVIII.
Renda diferencial.
Generalidades

Em nossa análise da renda fundiária, de início, estabelecemos a hipótese: os produtos que pagam essa renda são vendidos aos preços de produção, como todas as outras mercadorias. Nesses produtos, parte da mais-valia, e do preço global, se reduz a renda fundiária, e para nosso objetivo basta considerar os produtos agrícolas ou os da mineração. Assim, os preços de venda são iguais aos elementos do custo (o valor do capital consumido, constante e variável), acrescidos de um lucro determinado pela taxa geral de lucro, incidente sobre o capital global adiantado, consumido ou não. Supomos portanto que os preços médios de venda desses produtos são iguais aos preços de produção. Nessas condições, perguntamos como pode surgir uma renda fundiária, isto é, como parte do lucro pode transformar-se em renda fundiária, e assim caber ao proprietário da terra parte do preço da mercadoria.

Para mostrar o caráter geral dessa forma da renda fundiária, supomos que a maior parte das fábricas de um país é acionada por máquinas a vapor, e a minoria, por quedas-d'água naturais. Admitamos que o preço de produção nos ramos industriais do primeiro grupo seja de 115 para uma massa de mercadorias em que se consome um capital de 100. O lucro de 15% não é calculado apenas sobre o capital consumido de 100, mas sobre a totalidade do capital aplicado na produção do valor-mercadoria. Esse preço de produção, conforme expusemos antes, não é determinado pelo preço de custo individual de cada produtor industrial, mas pelo preço de custo médio da mercadoria nas condições médias do capital no ramo de produção todo. É na realidade o preço de produção do mercado, a média do preço de mercado, distinguindo-se das oscilações dele. Em suma, é na figura do preço de mercado e, mais, é na figura do preço regulador do mercado ou no preço de produção do mercado que se revela a natureza do valor das mercadorias; este se determina não pelo tempo de trabalho necessário a um produtor individual, para produzir dada quantidade de mercadorias ou mercadorias avulsas, mas pelo tempo de trabalho socialmente necessário; pelo tempo de trabalho exigido para produzir, nas condições sociais médias de produção, a quantidade global socialmente requerida das espécies de mercadorias que estão no mercado.

Admitamos ainda, uma vez que não importam aqui os dados precisos, que o preço de custo nas fábricas movidas por força hidráulica seja de 90 em vez de 100. Uma vez que o preço de produção que regula o mercado da massa dessas mercadorias é igual a 115, inclusive o lucro de 15%, os fabricantes que acionarem suas máquinas com força hidráulica venderão também a 115, isto é, ao preço médio que regula o preço de mercado. Por isso, o lucro deles será de 25 em vez de 15; o preço de produção que regula o mercado permite-lhes um lucro suplementar de 10%, não porque vendam as mercadorias acima do preço de produção, mas a esse preço, porque as mercadorias são produzidas ou o capital funciona em condições excepcionalmente favoráveis, condições que estão acima da média das reinantes no ramo.

Duas coisas logo se revelam:

Primeira: O lucro suplementar dos produtores que empregam a queda--d'água natural como força motriz, antes de mais nada, comporta-se como todo lucro suplementar (analisamos essa categoria ao estudar os preços de produção) que não resulta casualmente de transações efetuadas no processo de circulação, de oscilações fortuitas dos preços do mercado. Esse lucro suplementar é igual à diferença entre o preço individual de produção desses produtores favorecidos e o preço geral social de produção, regulador do mercado de todo o ramo de produção. Essa diferença é igual ao que sobra, subtraindo-se do preço geral de produção da mercadoria o preço individual de produção. Os dois limites dentro dos quais se situa esse excedente são de um lado o preço individual de custo e mais precisamente o preço individual de produção, e do outro o preço geral de produção. O valor da mercadoria produzida com a queda-d'água é menor porque para produzi-la é mister quantidade global menor de trabalho; emprega-se menos trabalho na forma materializada, como parte do capital constante. O trabalho aí empregado é mais produtivo, a produtividade individual é maior que a do trabalho aplicado na maior parte das fábricas do mesmo ramo. A maior produtividade evidencia-se na circunstância de precisar de menor quantidade de capital constante, de menor quantidade de trabalho materializado, para produzir a mesma quantidade de mercadorias; além disso, necessita de menor quantidade de trabalho vivo, pois a roda hidráulica prescinde de aquecimento. Essa produtividade individual maior do trabalho aplicado reduz o valor; diminui também o preço de custo e em consequência o preço de produção da mercadoria. Para o industrial, isto significa que o preço de custo da mercadoria é menor. Paga menos trabalho materializado e menos salário por empregar força de trabalho viva menor. Sendo menor o preço de custo de sua mercadoria, também o é seu preço individual de produção. Para ele, o preço de custo é 90 em vez de 100. Seu preço individual de produção, em

RENDA DIFERENCIAL. GENERALIDADES

vez de 115, será, portanto, de $103\frac{1}{2}$ (100 : 115 = 90 : $103\frac{1}{2}$). A diferença entre o preço individual de produção e o geral encontra limitação na diferença entre o preço individual de custo e o geral. Esta é uma das grandezas que limitam o lucro excedente. A outra é o preço geral de produção em que entra a taxa geral de lucro como um dos elementos reguladores. Se o carvão ficar mais barato, diminui a diferença entre o preço individual de custo e o geral, e em consequência o lucro suplementar. Se o industrial tiver de vender a mercadoria ao valor individual dela ou ao preço de produção determinado pelo valor individual, desaparecerá a diferença. Esta resulta de se vender a mercadoria ao preço geral de mercado, ao preço em que a concorrência nivela os preços individuais, e ainda de a maior produtividade individual do trabalho mobilizado redundar em favor do empregador e não dos trabalhadores, como toda produtividade do trabalho, a qual aparece como produtividade do capital.

Esse lucro suplementar tem por um dos limites o nível do preço geral de produção, do qual um dos fatores é a taxa geral de lucro. Assim, só pode derivar da diferença entre o preço geral de produção e o individual, por conseguinte da diferença entre a taxa individual de lucro e a geral. Excesso sobre essa diferença supõe a venda do produto não ao preço de produção regulado pelo mercado, mas acima dele.

Segunda: Até agora, o lucro suplementar do fabricante que emprega como força motriz a queda-d'água natural, em vez de vapor, nada apresenta que lhe dê peculiaridade. Todo lucro suplementar normal, isto é, que não deriva de negócios casuais ou de oscilações do preço de mercado, é determinado pela diferença entre o preço individual de produção das mercadorias desse capital particular e o preço geral de produção que no final de contas regula os preços de mercado das mercadorias do capital desse ramo de produção, ou seja, os preços de mercado das mercadorias da totalidade do capital empregado no ramo.

Mas agora vem a diferença.

A que circunstância deve o fabricante no presente caso o lucro suplementar, o excedente que o preço de produção regulado pela taxa geral de lucro lhe proporciona pessoalmente? Antes de mais nada, a uma força natural, à força motriz da queda-d'água, fornecida pela natureza. O carvão, que transforma a água em vapor, ao contrário, é produto do trabalho, por isso possui valor, deve ser pago com um equivalente, tem um custo. A queda-d'água é um agente natural da produção e nenhum trabalho a cria.

Mas não é tudo. O fabricante que emprega a máquina a vapor emprega também forças naturais que nada lhe custam, mas que tornam o trabalho mais produtivo e, na medida em que barateiam a produção dos meios de subsistência necessários aos trabalhadores, aumentam a mais-valia e, em consequência, o lucro. O capital as monopoliza tão completamente quanto as forças naturais sociais do trabalho, oriundas da cooperação, da divisão do trabalho etc. O fabricante paga o carvão, mas não a propriedade da água de mudar de estado físico, de converter-se em vapor, nem a elasticidade do vapor etc. Essa monopolização das forças naturais, isto é, da potenciação que produzem da força de trabalho, é comum a todo capital que emprega máquinas a vapor. Pode aumentar do produto do trabalho a parte que representa mais-valia em relação à parte que se converte em salário. Ao produzir esse efeito, aumenta a taxa geral de lucro, mas não cria lucro suplementar que consiste justamente no excesso do lucro individual sobre o lucro médio. A criação do lucro suplementar por uma força natural, a queda-d'água, não pode, portanto, decorrer apenas da circunstância de a produtividade acrescida do trabalho dever-se à aplicação de uma força natural. Interferirão aí necessariamente outros fatores.

Ao revés, o mero emprego de forças naturais na indústria pode influir no nível da taxa geral de lucro, atuando sobre a quantidade de trabalho exigida para produzir os meios de subsistência necessários. Mas, de *per se* não cria desvio em relação à taxa geral de lucro, a qual está justamente em jogo no caso. E mais: o lucro suplementar que de outro modo realiza um capital individual num ramo particular de produção – pois os desvios das taxas de lucro nos diferentes ramos de produção tendem continuamente a anular-se, estabelecendo o lucro médio – decorre (se abstraímos dos desvios casuais) de redução do preço de custo, ou seja, dos custos de produção. Essa redução (1) deriva de empregar-se capital em escala superior à média, o que diminui os falsos custos, e possibilita às causas gerais da elevação da produtividade do trabalho (cooperação, divisão do trabalho etc.) atuarem em grau mais elevado, com maior intensidade, pois em campo mais amplo de atividade; ou (2) provém, se pomos de lado a quantidade do capital operante, de se aplicarem melhores métodos de trabalho, novas invenções, máquinas aperfeiçoadas, segredos químicos de fabricação etc., em suma, meios de produção e métodos de produção novos, aperfeiçoados, acima do nível médio. O decréscimo do preço de custo e o consequente lucro suplementar procedem aí da maneira como se emprega o capital operante.

RENDA DIFERENCIAL. GENERALIDADES

Derivam ou da concentração numa só mão de volume de capital excepcionalmente grande – circunstância que se elimina, quando se aplica em média o mesmo volume de capital – ou do funcionamento de dada magnitude de capital, de maneira singularmente produtiva, circunstância que desaparece logo que o método excepcional de produção se generaliza ou é superado por outro mais aperfeiçoado.

A causa do lucro suplementar aí tem sua origem, portanto, no próprio capital (que abrange o trabalho por ele mobilizado); derive ela de diferença na magnitude do capital aplicado, ou de emprego mais adequado dele; em princípio, nada se opõe a que todo capital se aplique do mesmo modo na mesma esfera de produção. A concorrência entre os capitais tende antes a desfazer mais e mais essas diferenças; a determinação do valor pelo tempo de trabalho socialmente necessário impõe-se, barateando as mercadorias e forçando a que sejam produzidas nas mesmas condições favoráveis. Mas é diferente o que se dá com o lucro suplementar do fabricante que emprega a queda-d'água. A produtividade acrescida do trabalho que emprega não deriva do capital nem do trabalho, nem da simples aplicação de uma força natural, diversa do capital e do trabalho, mas incorporada ao capital. O trabalho aí é naturalmente mais produtivo por estar ligado ao emprego de uma força natural, mas não de uma força natural que esteja à disposição de todo capital no mesmo ramo de produção, como por exemplo a elasticidade do vapor, e que tenha sua aplicação subentendida, sempre que se empregue capital no ramo. Trata-se, ao contrário, de força natural monopolizável, que, como a queda-d'água, só pode ser utilizada por aqueles que dispõem de parcelas especiais do globo terrestre com seus acessórios. Não depende absolutamente do capital criar essa condição natural de maior produtividade do trabalho, como se houvesse aí analogia com a capacidade que tem todo capital de transformar água em vapor. Essa condição só existe em certos locais da natureza e, onde não existe, não a pode produzir determinado emprego de capital. Não está ligada a produtos que o trabalho possa produzir, como máquinas, carvão etc., mas a recursos naturais definidos de porções determinadas do solo. Os fabricantes que possuem quedas-d'água excluem da aplicação dessa força natural os fabricantes que não as possuem, pois o solo, e ainda mais o que a natureza dotou de queda-d'água, é limitado. A circunstância de ser restrito num país o número de quedas-d'água não exclui a possibilidade de aumentar a quantidade de força hidráulica utilizável pela indústria. A queda-d'água pode ser artificialmente canalizada, para se aproveitar a força motriz toda; a roda hidráulica pode ser aperfeiçoada, a fim de se obter a maior quantidade possível de força hidráulica; onde a roda comum não se ajusta ao jorro da água, podem se empregar turbinas etc. Constitui monopólio do respectivo proprietário dispor dessa força natural, condição de maior produtividade do capital aplicado, que não pode ser fabricada pelo processo de produção do capital;[8] não se separa do solo essa força natural que se monopoliza. Uma força dessa natureza não pertence às condições gerais do ramo de produção considerado, nem às condições dele que geralmente se possam produzir.

Imaginemos agora as quedas-d'água, com o solo a que pertencem, nas mãos de pessoas tidas por titulares desses trechos do globo terrestre, por proprietários de terras. Essa propriedade exclui que o capital se empregue na queda-d'água e a utilize. Os proprietários podem permitir ou impedir que seja utilizada. Mas o capital não pode, por si mesmo, criar a queda-d'água. O lucro suplementar, oriundo do emprego da queda-d'água, não provém por isso do capital, mas da aplicação pelo capital de uma força natural monopolizável e monopolizada. Nessas condições, o lucro suplementar se converte em renda fundiária, isto é, cabe ao proprietário da queda-d'água. A este paga o fabricante 10 libras esterlinas anualmente pela queda-d'água, e assim obtém lucro de 15 libras esterlinas; 15% sobre 100 libras esterlinas, montante dos custos de produção; sua situação é a mesma, possivelmente melhor que a de todos os demais capitalistas do ramo que trabalham com vapor. Não haveria aí alteração, se o capitalista possuísse a queda-d'água. Perceberia então o lucro suplementar de 10 libras não por ser capitalista, mas por ser proprietário da queda-d'água, e essa sobra transforma-se em renda fundiária justamente por decorrer não do próprio capital, mas da disposição de força natural de volume restrito, separável do capital e monopolizável.

Primeiro: É claro que essa renda é sempre renda diferencial, pois não constitui fator determinante do preço geral de produção da mercadoria, antes o supõe. Decorre da diferença entre o preço individual de produção do capital particular que dispõe da força natural monopolizada, e o preço geral de produção do capital empregado no conjunto do ramo considerado.

Segundo: Essa renda fundiária não decorre do acréscimo absoluto da produtividade do capital aplicado, ou do trabalho de que ele se apropria,

---

8 Quanto ao superlucro, ver *Inquiry* (contra Malthus).

RENDA DIFERENCIAL. GENERALIDADES

acréscimo que só pode reduzir o valor das mercadorias; provém da circunstância de certos capitais isolados empregados num ramo de produção terem fecundidade maior em relação aos investimentos de capital que estão excluídos dessas excepcionais condições favoráveis, criadas pela natureza. Por exemplo a utilização do vapor, embora o carvão tenha valor e a queda-d'água não apresenta vantagens predominantes que estejam excluídas do uso da força hidráulica, sobrepujando-a, a força hidráulica não seria empregada e não produziria lucro suplementar, nem renda portanto.

Terceiro: A força natural não é a fonte do lucro suplementar, mas base natural dele, por ser a base natural da produtividade excepcionalmente acrescida do trabalho. Do mesmo modo, o valor de uso não é a causa, mas o suporte do valor de troca. O mesmo valor de uso, se puder ser obtido sem trabalho, não terá valor de troca, embora mantenha a mesma utilidade natural que o caracteriza. Mas uma coisa não possui valor de troca sem valor de uso, esse veículo natural do trabalho. Se os diversos valores não se nivelassem pelos preços de produção, e os diversos preços individuais de produção por um preço geral de produção regulador do mercado, esse mero acréscimo da produtividade do trabalho, obtido com o uso da força hidráulica, apenas baixaria o preço das mercadorias produzidas com o emprego dessa força, sem aumentar a porção de lucro nelas inserida. Do mesmo modo, a produtividade acrescida do trabalho não se converteria em mais-valia se o capital não se apropriasse da produtividade, natural e social, do trabalho que aplica, como se fosse dele mesmo.

Quarto: O direito de propriedade sobre a queda-d'água nada tem que ver de *per se* com a criação da parte da mais-valia (lucro) e portanto do preço da mercadoria, produzida com o auxílio da queda-d'água. Esse lucro suplementar anda existiria, se não existisse propriedade fundiária, se por exemplo a terra que tivesse a queda-d'água fosse utilizada pelo fabricante como terra sem dono. A propriedade fundiária não cria, portanto, a parte do valor que é transformada em lucro suplementar, mas só capacita o proprietário da terra, da queda-d'água, a extrair do fabricante esse lucro suplementar e embolsá-lo. Não cria esse lucro suplementar, mas transforma-o em renda fundiária, sendo a causa, portanto, de o proprietário da terra ou da queda-d'água apropriar-se dessa parte do lucro ou do preço da mercadoria.

Quinto: É claro que o preço da queda-d'água, o preço que o proprietário do solo receberia se a vendesse a outra pessoa ou ao próprio fabricante, de princípio não entra no preço de produção das mercadorias, embora faça parte do preço individual de custo do fabricante, pois a renda fundiária provém do preço de produção das mercadorias da mesma espécie produzidas por máquinas a vapor, e esse preço é regulado sem depender da queda-d'água. Além disso, o preço da queda-d'água é uma expressão irracional que dissimula relação econômica real. A queda-d'água, como as terras, como toda força natural, não possui valor, pois nela não se materializa trabalho, e por isso não possui preço, que normalmente é o valor expresso em dinheiro. Onde não há valor, nada por isso mesmo se pode expressar em dinheiro. O preço da queda-d'água não passa de renda capitalizada. A propriedade fundiária capacita o proprietário para apoderar-se da diferença entre o lucro individual e o lucro médio; o lucro, assim extraído, renova-se todo ano, pode ser capitalizado e desse modo assume o aspecto de preço da própria força natural. Se o lucro suplementar que a utilização da queda-d'água proporciona ao fabricante é de 10 libras por ano, e o juro médio é de 5%, essas 10 libras anuais representam o juro de um capital de 200 libras; e aparece então como valor-capital da própria queda-d'água essa capitalização das 10 libras anuais que a queda-d'água habilita o respectivo proprietário a extrair do fabricante. A própria queda-d'água não tem valor, e seu preço, calculado em termos capitalistas, é mero reflexo do lucro suplementar extraído. É o que logo se evidencia no fato de o preço de 200 libras representar apenas o produto da multiplicação do lucro suplementar de 10 libras por 20 anos, quando, não se alterando as demais circunstâncias, a mesma queda-d'água, por tempo indeterminado, 30, 100, x anos, habilita o proprietário a captar, todo ano, essas 10 libras. Além disso, se novo método de produção, não aplicável à força hidráulica, baixasse o preço de custo das mercadorias produzidas com a máquina a vapor, de 100 para 90, desapareceria o lucro suplementar e, com ele, a renda e, com esta, o preço da queda-d'água.

Conceituamos em termos gerais a renda diferencial, e agora passamos a estudá-la na agricultura, propriamente. O que a esta se aplica estende-se em regra à mineração.

XXXIX. Primeira forma da renda diferencial (renda diferencial I)

XXIX.
Primeira forma da
renda diferencial
(renda diferencial I)

Ricardo tem plena razão ao dizer:

> "Renda" (isto é, a renda diferencial, a única que ele admite existir) "é sempre a diferença entre os produtos obtidos com o emprego de duas quantidades iguais de capital e trabalho" (*Principles*, p. 59).

Deveria ter acrescentado "em áreas iguais de terra", desde que se tratasse de renda fundiária e não de lucro suplementar de modo geral.

Em outras palavras, lucro suplementar, se normal, se não é oriundo de ocorrências fortuitas do processo de circulação, sempre se revela diferença entre produtos de duas quantidades iguais de capital e trabalho, e esse lucro suplementar se converte em renda fundiária, quando duas quantidades iguais de capital e trabalho se aplicam em extensões de terra iguais, com resultados desiguais. Demais, não é indispensável que esse lucro suplementar decorra dos resultados desiguais de capitais aplicados em quantidades iguais. Nos diversos investimentos podem ser empregados capitais de magnitude desigual; é mesmo o que em regra se supõe; mas porções iguais, digamos 100 libras, de cada capital dão resultados desiguais; isto é, diverge a taxa de lucro. Esta é a condição prévia, geral, para que exista o lucro suplementar num ramo qualquer onde se empregue capital em geral. A segunda condição é a conversão desse lucro suplementar em renda fundiária (em renda[1] em geral, como forma distinta do lucro); é mister sempre investigar, quando, como, em que circunstâncias se dá essa transformação.

É também acertada, desde que restrita à renda diferencial, a seguinte observação de Ricardo:

> "Todo fator que diminui a desigualdade no produto que se obtém no mesmo ou em novo solo tende a rebaixar a renda fundiária, e todo fator que aumenta essa desigualdade produz necessariamente efeito contrário, e tende a elevá-la" (p. 74).

Entre esses fatores figuram, além dos gerais (fertilidade e localização), os seguintes: (1) a distribuição dos impostos, segundo se efetue de maneira uniforme ou não; a segunda hipótese é a que se verifica quando, como na Inglaterra, a tributação não é centralizada, e quando a incidência recai

---

1 Renda no sentido de *rent*. Nesta parte do livro, a palavra *renda* é geralmente usada nesse sentido.

sobre a terra e não sobre a renda; (2) as desigualdades oriundas do desenvolvimento diverso da agricultura em diferentes regiões do país, pois esse setor industrial,[1] em virtude do apego à tradição, se nivela mais dificilmente que a produção fabril, e (3) a desigualdade na repartição do capital entre os arrendatários. Apossar-se da agricultura, transformando os camponeses independentes em assalariados, foi na realidade a última conquista do modo de produção capitalista. Por isso, essas desigualdades são maiores aí que em qualquer outro ramo industrial.

Após essas observações preliminares apresentarei resumidamente o que distingue minha concepção da de Ricardo.

Observaremos de início os resultados desiguais de iguais quantidades de capital, aplicadas em terras diferentes mas com áreas iguais; ou, se as áreas forem desiguais, os resultados em relação a superfícies iguais.

Há duas causas gerais, independentes do capital, desses resultados desiguais: (1) a *fertilidade* (cabe aqui examinar o que se entende por fertilidade natural das terras e quais são os fatores dela), (2) a *localização* das terras. Este ponto é decisivo para as colônias e, de modo geral, para a sequência em que as terras podem ser exploradas. Demais, é evidente que essas duas causas da renda diferencial, fertilidade e localização, podem atuar em sentidos opostos. Um terreno pode estar bem situado e ser pouco fértil, e vice-versa. Essa circunstância é importante, esclarecendo por que, ao se desbravarem as terras de um país, tanto se pode ir dos solos melhores para os piores, quanto inversamente. Por fim, é claro que o progresso da produção social atua no sentido de anular a localização como causa da renda diferencial, criando mercados locais ou facilitando a localização com meios de comunicação e de transportes; mas, por outro lado, acentua as diferenças na localização das terras, ao separar a agricultura da manufatura, ao formar grandes centros de produção, ao mesmo tempo abandonando relativamente o campo.

Por ora, deixemos de lado este ponto, a localização, e estudemos apenas a fertilidade natural. Se abstraímos dos elementos climáticos etc., a fertilidade natural varia com a composição química da terra arável, isto é, com o teor que ela tem de elementos nutritivos das plantas. Entretanto, supondo-se para dois terrenos igual teor químico e sob esse aspecto a mesma fertilidade natural, a fertilidade real, efetiva, dependerá de os elementos nutritivos serem mais ou menos assimiláveis, diretamente utilizáveis pela

---

[1] A agricultura aí é considerada atividade industrial.

PRIMEIRA FORMA DA RENDA DIFERENCIAL (RENDA DIFERENCIAL I)

alimentação das plantas. Para terras com a mesma fertilidade natural, a proporção em que se pode obter acesso a essa fertilidade igual é função do desenvolvimento químico e mecânico. Assim, a fertilidade, embora propriedade objetiva do solo, sempre implica relação econômica, relação com dado nível de desenvolvimento químico e mecânico da agricultura, e em consequência varia com esse nível. Com meios químicos (por exemplo, aplicação de certos adubos líquidos em terrenos argilosos compactos ou a queimada para terrenos argilosos pesados) ou com meios mecânicos (por exemplo, arados especiais para terras pesadas) podem ser removidos os obstáculos que fazem um terreno produzir menos que outro de igual fertilidade (a drenagem também é um desses meios). Por isso, pode até alterar-se a sequência das espécies de terra cultivadas, como se deu numa fase do desenvolvimento da agricultura inglesa entre os terrenos arenosos leves e os argilosos pesados. Isto é mais uma indicação de que, na marcha histórica do cultivo das terras, tanto se pode ir do solo mais fértil para o menos fértil, quanto ao revés. Os mesmos resultados podem decorrer da melhoria artificial da composição do solo ou da modificação dos métodos agrícolas. Finalmente, podem provir de modificações na hierarquia das espécies de terra, em virtude das qualidades diversas do subsolo, desde que este se incorpore ao domínio cultivável e se junte à camada arável. Isto depende de emprego de novos métodos agrícolas (como a cultura forrageira) ou de meios mecânicos que revolvem o subsolo ou o misturam com a superfície ou cultivam o subsolo sem revolvê-lo.

Todas essas influências sobre a fertilidade diferencial das diversas terras se reduzem a isto: para a fertilidade econômica, o nível da produtividade do trabalho (aqui a capacidade da agricultura de tornar imediatamente explorável a fertilidade natural do solo, capacidade que varia nos diferentes estádios de desenvolvimento) constitui fator da chamada fertilidade natural do solo tanto quanto a composição química e as outras qualidades naturais dele.

Supomos, portanto, dada fase de desenvolvimento da agricultura. Supomos ainda que está determinada a hierarquia das espécies de solo relativa a essa fase de desenvolvimento, como se dá naturalmente com investimentos simultâneos de capital nas diversas áreas. A renda diferencial pode então apresentar-se em sequência crescente ou decrescente, pois, embora seja dada a sequência para a totalidade das terras efetivamente cultivadas, houve sempre um movimento sucessivo que a formou.

O CAPITAL

Admitamos quatro espécies de solo, A, B, C, D, e ainda que o preço de 1 quarter de trigo = 3 libras esterlinas ou 60 xelins. Uma vez que se trata apenas de renda diferencial, esse preço de 60 xelins por quarter é igual ao custo de produção para o pior terreno, isto é, igual ao capital + o lucro médio.

Se A, o pior terreno, com o desembolso de 50 xelins, dá 1 quarter = 60 xelins, o lucro será de 10 xelins ou de 20%.

Se B, com o mesmo desembolso, dá 2 quarters = 120 xelins, teremos lucro de 70 xelins ou lucro suplementar de 60 xelins.

Se C, com igual desembolso, dá 3 quarters = 180 xelins, teremos lucro global = 130 xelins, e lucro suplementar = 120 xelins.

Se D dá 4 quarters = 240 xelins, teremos superlucro de 180 xelins. Teremos então a seguinte sequência:

QUADRO I

Tipo de terra	Produto		Capital adiantado	Lucro[1]		Renda	
	quarters	xelins		quarters	xelins	quarters	xelins
A	1	60	50	1/6	10	-	-
B	2	120	50	1 1/6	70	1	60
C	3	180	50	2 1/6	130	2	120
D	4	240	50	3 1/6	190	3	180
Total	10	600	-	-	-	6	360

1 Inclusive lucro suplementar em B, C e D.

As respectivas rendas fundiárias seriam, para D = 190 xelins – 10 xelins, ou a diferença entre o lucro de D e o de A; para C = 130 – 10 xelins, ou seja, a diferença entre o lucro de C e o de A: para B = 70 xelins – 10 xelins, ou a diferença entre o lucro de B e o de A; e a renda fundiária global de B, C, D, = 6 quarters = 360 xelins, igual à soma das diferenças entre os lucros de D e A, C e A, B e A.

Essa sucessão que configura um produto dado numa situação dada pode gerar-se, abstratamente considerada (e já indicamos as razões por que isso pode acontecer na realidade), tanto em gradação decrescente (de D decaindo para A, indo de terras fecundas para terras cada vez menos férteis) quanto em gradação crescente (subindo de A para D, indo de terrenos relativamente estéreis para terrenos cada vez mais férteis), enfim, alternativamente, ora decrescente, ora crescente, por exemplo, de D para C, de C para A, de A para B.

PRIMEIRA FORMA DA RENDA DIFERENCIAL (RENDA DIFERENCIAL I)

Com a ordem decrescente o processo terá sido o seguinte: o preço do quarter eleva-se progressivamente, digamos, de 15 xelins para 60. Quando os 4 quarters (poderíamos imaginar milhões de quarters) produzidos por D não são mais suficientes, o preço do trigo sobe tanto que a oferta de C que está faltando pode ser gerada, isto é, o preço terá de elevar-se a 20 xelins por quarter. Quando o preço do trigo atingir 30 xelins por quarter, poderá ser cultivada a terra B, e quando chegar a 60, a área A, sem ter o capital aplicado de contentar-se com taxa de lucro inferior a 20%. Assim, para D constituiu-se primeiro uma renda fundiária de 5 xelins por quarter = 20 xelins pelos 4 quarters que produziu; depois, de 15 xelins por quarter = 60 xelins, e, em seguida, de 45 xelins por quarter = 180 xelins, por 4 quarters.

Na origem, a taxa de lucro de D era também de 20%, e assim seu lucro global sobre os 4 quarters era também de 10 xelins apenas, mas essa quantia, com o preço do trigo de 15 xelins, representava mais trigo do que com preço de 60 xelins. Mas, uma vez que o trigo entra na reprodução da força de trabalho, e de cada quarter parte tem de repor salário e outra parte, capital constante, a mais-valia nessas condições fica mais alta e por conseguinte, desde que não se alterem as demais condições, a taxa de lucro (quanto a esta é assunto a ser ainda examinado em particular e mais de perto).

Se a sequência for inversa, começando o processo por A, o preço do quarter ultrapassará 60 libras, logo que se imponha o cultivo de nova área; mas, uma vez que a oferta necessária, digamos de 2 quarters, passa a ser feita por B, o preço volta a 60 xelins. Embora B produza o quarter a 30 xelins, vende-o a 60, pois sua oferta é apenas o suficiente para cobrir a procura. Assim se constituirá uma renda fundiária para B e que será de 60 xelins; o mesmo acontecerá com C e D, supondo-se sempre que, embora ambos produzam o quarter respectivamente a 20 e a 15 xelins, o preço de mercado continua de 60 xelins, porque a oferta de 1 quarter, feita por A, continua a ser necessária para satisfazer a procura global. Neste caso, a circunstância de a procura ultrapassar o fornecimento de A, depois o de A e B, poderia não ter atuado no sentido de B, C, D serem sucessivamente explorados, mas no sentido de se expandir a área desbravada, e de as terras mais férteis só mais tarde caírem, casualmente, no domínio da agricultura.

Na primeira sucessão, ao acrescer o preço, subiria a renda fundiária e baixaria a taxa de lucro. Essa baixa pode ser de todo ou em parte paralisada pela ação contrária de certos fatores; mais tarde trataremos pormenorizadamente do assunto. É mister não esquecer que a taxa geral de lucro não é determinada de maneira uniforme pela mais-valia, em *todos* os ramos de produção. Não é o lucro agrícola que determina o lucro industrial, e sim o contrário. Voltaremos ao tema.

Na segunda sequência, a taxa de lucro do capital desembolsado permaneceria a mesma; o montante do lucro se configuraria em menos trigo; mas o preço relativo do trigo, comparado com o de outras mercadorias, teria subido. Só o acréscimo do lucro onde houver, em vez de fluir para o bolso do arrendatário industrial e de configurar-se em lucro crescente, dissocia-se do lucro na forma de renda fundiária. Mas, nas condições supostas, o preço do trigo permaneceria estacionário.

Desenvolvimento e acréscimo da renda diferencial continuarão os mesmos, seja com preços estáveis ou com preços ascendentes, tanto com progressão contínua dos solos piores para os melhores, quanto com regressão contínua dos solos melhores para os piores.

Até agora admitimos que (1) o preço eleva-se numa sequência e fica estacionário na outra, e que (2) de maneira constante se passa dos melhores para os piores ou, inversamente, dos piores para os melhores solos.

Mas, admitamos que a procura de trigo suba dos primitivos 10 quarters para 17, e que o pior solo A seja deslocado por outro solo A que ao custo de produção de 60 xelins (50 xelins de custo + 10 xelins correspondentes ao lucro de 20%) forneça $1\frac{1}{3}$ quarter, sendo assim de 45 xelins o preço de produção do quarter. Podemos supor também que o velho solo A tenha melhorado em virtude de exploração racional continuada ou que seja cultivado mais produtivamente com os mesmos custos, em virtude, por exemplo, da introdução do trevo etc., de modo que o produto, para o mesmo capital adiantado, aumente para $1\frac{1}{3}$ quarter. Admitamos ainda que os solos B, C, D continuem fornecendo o mesmo produto, mas que sejam cultivados novos solos, A', de fertilidade entre A e B, e B' e B", de fertilidade entre B e C. Nessas condições ocorreriam os seguintes fenômenos.

Primeiro: O preço de produção de 1 quarter de trigo ou o preço regulador de mercado cairia de 60 para 45 xelins ou diminuiria de 25%.

Segundo: Haveria simultaneamente a passagem de terrenos mais férteis para menos férteis e destes para aqueles. O terreno A' é mais fértil que A, menos fértil porém que os terrenos B, C, D até agora cultivados; e B' e B" são mais férteis que A, A' e B, mas menos férteis que C e D. A sequência se efetua em zigue-zagues; não atinge terrenos decididamente improdutivos, se comparados com A etc., mas solos relativamente improdutivos, comparados

PRIMEIRA FORMA DA RENDA DIFERENCIAL (RENDA DIFERENCIAL I)

com os mais produtivos até agora, C e D; e não atinge os solos absolutamente mais produtivos, mas os relativamente mais férteis em confronto com os menos férteis até agora, A ou A e B.

Terceiro: A renda fundiária de B teria caído e também a de C e D. Mas a totalidade da renda fundiária em trigo teria subido de 6 para $7\frac{3}{3}$ quarters; a extensão das terras cultivadas e que dão renda fundiária teria aumentado, e o volume do produto teria subido de 10 para 17 quarters. O lucro de A, embora fosse o mesmo, expresso em trigo, teria aumentado; mas a própria taxa de lucro poderia ter subido, pois aumentou a mais-valia relativa. Neste caso, em virtude de baratearem os meios de subsistência teria baixado o salário e em consequência o desembolso em capital variável e todo o desembolso de capital. Em dinheiro, a totalidade da renda fundiária teria caído de 360 xelins para 345.

Reproduzimos a seguir a nova sequência.

QUADRO II

Tipo de terra	Produto quarters	Produto xelins	Capital investido	Lucro quarters	Lucro xelins	Renda quarters	Renda xelins	Preço de produção por quarter xelins
A	1 1/3	60	50	2/9	10	–	–	45
A'	1 2/3	75	50	5/9	25	1/3	15	36
B	2	90	50	8/9	40	2/3	30	30
B'	2 1/3	105	50	1 2/9	55	1	45	25 5/7
B"	2 2/3	120	50	1 5/9	70	1 1/3	60	22 1/2
C	3	135	50	1 8/9	85	1 2/3	75	20
D	4	180	50	2 8/9	130	2 2/3	120	15
Total	17					7 2/3	345	

Por fim, se apenas os terrenos A, B, C e D continuarem a ser cultivados, mas com produtividade acrescida de modo que A forneça 2 quarters em vez de 1, B 4 em vez de 2, C 7 em vez de 3, e D 10 quarters em vez de 4, tendo as mesmas causas atuado de maneira diversa sobre os diferentes terrenos, a produção global terá aumentado de 10 para 23 quarters. Admitamos que a procura, em virtude do acréscimo da população e da queda do preço, tenha absorvido esses 23 quarters. Temos então o seguinte resultado:

Quadro III

Tipo de terra	Produto		Capital investido	Preço de produção por quarter	Lucro		Renda	
	quarters	xelins			quarters	xelins	quarters	xelins
A	2	60	50	30	1/3	10	0	0
B	4	120	50	15	2 1/3	70	2	60
C	7	210	50	8 4/7	5 1/3	160	5	150
D	10	300	50	6	8 1/3	250	8	240
Total	23						15	450

As relações numéricas aí, como nos demais quadros, são arbitrárias, mas as suposições são absolutamente racionais.

A primeira delas e a principal é a hipótese de o melhoramento introduzido na agricultura atuar desigualmente em diferentes tipos de solo, e seus efeitos aqui são maiores nos melhores solos c e d que nos solos a e b. Em regra assim acontece, conforme ensina a experiência, embora possa ocorrer o contrário. Se o melhoramento atua mais sobre o solo pior que sobre o melhor, a renda deste cairá ao invés de subir. Com o aumento absoluto de fertilidade de todos os tipos de solo, supomos no quadro acréscimo simultâneo da fertilidade relativa superior das melhores espécies de solo, c e d, e portanto aumento da diferença entre produtos obtidos com emprego de capital igual, daí resultando acréscimo da renda diferencial.

A segunda hipótese é que a procura global cresce com o produto global. *Primeiro*, podemos imaginar que o crescimento, em vez de súbito, é progressivo, até constituir-se a sequência III. *Segundo*, é falso que o consumo dos meios de subsistência necessários não cresça quando eles barateiam. A abolição das leis de proteção aduaneira aos cereais na Inglaterra (ver Newman) evidenciou esse erro, oriundo da circunstância de grandes e súbitas variações nas colheitas, devidas simplesmente às condições atmosféricas, provocarem nos preços dos cereais ora alta ora baixa desproporcionadas. Se, por ser súbita e efêmera, a baixa não chega a influir plenamente na expansão do consumo, dá-se o contrário quando ela resulta da queda do próprio preço de produção regulador, quando é duradoura, portanto. *Terceiro*, parte dos cereais pode ser utilizada na fabricação de aguardente ou cerveja. E o consumo crescente de ambos os artigos não se prende a limites estreitos. *Quarto*, a procura depende do crescimento da população e da possibilidade

PRIMEIRA FORMA DA RENDA DIFERENCIAL (RENDA DIFERENCIAL I)

de o país exportar cereais, como o fazia a Inglaterra até além da metade do século XVIII, não estando a procura regulada apenas pelos limites do consumo nacional. *Finalmente,* o acréscimo e o barateamento da produção de trigo podem ter por consequência fazer dele o alimento principal das massas populares, substituindo centeio ou cevada, o que já basta para aumentar seu mercado, do mesmo modo que se pode dar o contrário, se decrescer sua produção e aumentar o preço. Nessas condições e de acordo com as relações numéricas estabelecidas, a sequência III apresenta os seguintes resultados: o preço por quarter cai de 60 para 30 xelins, por conseguinte de 50%; a produção, comparada com a da sequência I, aumenta de 10 para 23 quarters, ou seja, de 130%; a renda do solo B fica estacionária, a de C eleva-se para 25% e a de D, para $33\frac{1}{3}$ %, e a totalidade da renda aumenta de 18 para $22\frac{1}{2}$ libras esterlinas, de 25% portanto.

Os três quadros (tomando-se a sequência I em dois sentidos, ascendente de A até D, e descendente, de D até A) podem ser considerados ou gradações dadas de determinada situação social, simultâneas, existindo, por exemplo, em três países diferentes, ou fases sucessivas correspondentes a diversas épocas de desenvolvimento do mesmo país. Comparando esses quadros formulamos as seguintes conclusões:

1) Completada a sequência, qualquer que tenha sido o itinerário de sua formação, parece sempre ser ela descendente, pois, no estudo da renda, começa-se sempre pelo solo que dá a renda máxima, para no fim se chegar ao que não proporciona renda alguma.

2) O preço de produção do pior solo, que não dá renda, é sempre o preço regulador de mercado, embora este, no quadro I em sequência ascendente, só permaneça estacionário porque se cultivam sempre solos melhores. Nessas condições, o preço do trigo produzido no *melhor solo* é regulador na medida em que a quantidade nele produzida permite ou não que o solo A continue sendo regulador. Se B, C e D produzirem além da procura, A cessará de ser regulador. É o que pressentiu Storch, quando considerou reguladora a melhor espécie de terra. Nesse sentido, o preço dos cereais americanos regula o preço dos ingleses.

3) A renda diferencial decorre da diferença existente, em cada etapa determinada do desenvolvimento da agricultura, na fertilidade natural das terras (continuamos abstraindo da localização); por conseguinte, da quantidade limitada das melhores terras e da circunstância de capitais iguais terem de ser aplicados em solos desiguais, isto é, que proporcionam rendimento desigual para o mesmo emprego de capital.

4) A existência de uma renda diferencial e de uma renda diferencial escalonada tanto pode surgir, em escala descendente, com a passagem dos melhores para os piores solos quanto inversamente, indo dos piores para os melhores, ou em zigue-zague, alternando as direções (a sequência I se forma indo de D para A ou de A para D, e a II, com ambos os tipos de movimento).

5) De acordo com o modo como se origina, a renda diferencial pode formar-se com preços estacionários, ascendentes e descendentes. Caindo o preço, podem aumentar a produção global e a renda fundiária global, e constituir-se renda em terras que até então nada rendiam, embora A, o pior solo, tenha sido substituído ou melhorado, e embora caia a renda em outros solos melhores e mesmo nos melhores (quadro II); esse processo pode conjugar-se com uma queda da totalidade da renda fundiária (em dinheiro). Finalmente, com a baixa de preços, devida à melhoria geral da agricultura, de modo que o produto da pior terra e o preço dele sejam os menores, pode a renda não variar ou baixar em certas terras de boa qualidade, e aumentar nas melhores. A renda diferencial de cada solo, tomando-se por termo de comparação o pior solo, depende sem dúvida do preço, por exemplo, do quarter de trigo, se é dada a diferença entre as quantidades produzidas. Mas, se é dado o preço, depende da magnitude da diferença entre as quantidades produzidas; e, se com o acréscimo da fertilidade absoluta de todas as terras, a dos melhores solos aumenta mais relativamente que a dos piores, acresce por isso também a grandeza dessa diferença. Assim, no quadro I, para um preço de 60 xelins, a renda de D é determinada por seu produto diferencial em relação a A, portanto pela sobra de 3 quarters; por isso, é a renda = $3 \times 60 = 180$ xelins. Mas, no quadro III, no qual o preço é de 30 xelins, é ela determinada pela quantidade do produto excedente de D sobre A = 8 quarters, e $8 \times 30 = 240$ xelins.

Fica assim eliminada a primeira tese errônea acerca da renda diferencial, ainda sustentada por West, Malthus, Ricardo, a saber, que essa renda supõe necessariamente a passagem para terrenos cada vez piores ou fertilidade sempre decrescente da agricultura. Conforme vimos, ela pode ocorrer com a passagem para terrenos cada vez melhores, ou ainda quando um bom terreno ocupa a posição mais baixa em lugar do que era antes o pior; pode estar ligada a progresso crescente na agricultura. Sua condição única de existência é a desigualdade dos tipos de solo. Ela supõe, quando se considera o desenvolvimento da produtividade, que o acréscimo da fertilidade

PRIMEIRA FORMA DA RENDA DIFERENCIAL (RENDA DIFERENCIAL I)

absoluta de todas as superfícies cultivadas não elimina essa desigualdade, e sim a aumenta ou deixa estacionária ou apenas a reduz.

Na primeira metade do século XVIII vigorou na Inglaterra, apesar da queda do preço do ouro ou da prata, baixa contínua dos preços dos cereais ao lado de acréscimo simultâneo (observando-se todo o período) da renda fundiária, da totalidade dessa renda, da área cultivada, da produção agrícola e da população. Esse fenômeno corresponde ao quadro I, combinado com o II em sentido ascendente, mas de modo que o terreno pior A ou é melhorado ou é excluído do cultivo de cereais, o que não significa que não tenha sido utilizado em outros fins agrícolas ou industriais.

Do início do século XIX até 1815 (data a precisar) houve ascensão contínua dos preços dos cereais, com acréscimo constante da renda fundiária, de sua totalidade, da extensão das terras cultivadas, da produção agrícola e da população. Essa evolução corresponde ao quadro I em progressão decrescente (aduzir citações acerca do cultivo das piores terras naquela época).

No tempo de Petty e Davenant, os agricultores e os proprietários das terras se queixam dos melhoramentos e arroteamentos; a renda cai nos melhores solos, e sobe a totalidade de sua receita com a ampliação das áreas que dão renda.

(Apresentar depois citações relativas a esses três pontos, e também sobre a diferença na fertilidade dos diversos solos cultivados de um país.)

No tocante à renda diferencial cabe observar que o valor de mercado está sempre acima do preço global de produção da quantidade produzida. Tomemos por exemplo o quadro I. O produto global de 10 quarters é vendido por 600 xelins, porque o preço de produção de A, de 60 xelins por quarter, determina o preço de mercado. Mas o preço real de produção é:

	Quarters		Xelins	Quarter		Xelins
A	1	=	60	1	=	60
B	2	=	60	1	=	30
C	3	=	60	1	=	20
D	4	=	60	1	=	15
Total	10	=	240	Média 1	=	24

O preço real da produção dos 10 quarters é de 240 xelins; são vendidos por 600, 250% mais caros. O preço médio real de 1 quarter é 24 xelins; o preço de mercado, de 60 xelins, também 250% mais caro.

É a determinação pelo valor de mercado, tal como se impõe no sistema de produção capitalista por meio da concorrência, que gera falso valor social. O fenômeno decorre da lei do valor de mercado, à qual estão sujeitos os produtos do solo. A determinação do valor de mercado dos produtos, inclusive dos produtos do solo portanto, é um ato social, embora sua realização social não seja consciente nem intencional e se funda necessariamente sobre o valor de troca do produto, não sobre o solo e sobre as diferenças de sua fertilidade. Se imaginamos abolida a forma capitalista da sociedade, e a sociedade convertida em associação consciente e planejada, os 10 quarters representariam, de tempo de trabalho autônomo, quantidade igual à contida nos 240 xelins. A sociedade não pagaria por esse produto agrícola $2\frac{1}{2}$ vezes o tempo de trabalho que nele se insere; desapareceria a base de uma classe de proprietários de terras. O efeito seria o mesmo que haveria com baixa equivalente de preço do produto, em virtude de importação do estrangeiro. Se é certo portanto dizer que – mantido o modo atual de produção, mas supondo-se que a renda diferencial caiba ao Estado – continuariam os mesmos os preços dos produtos agrícolas, desde que não se alterem as demais condições, é sem dúvida errado dizer que o valor dos produtos continua a mesma coisa, substituindo-se o sistema capitalista pelo de associação. A identidade do preço de mercado de mercadorias da mesma espécie é a maneira como se impõe o caráter social do valor na base da produção capitalista e, em geral, da produção fundada na troca de mercadorias entre *indivíduos*. O que a sociedade, no papel de consumidora, paga demais pelos produtos agrícolas, o que para ela representa quantidade negativa na realização de seu tempo de trabalho na produção agrícola, constitui então o excedente de parte da sociedade: os proprietários das terras.

Outra circunstância, importante para o que se expõe no capítulo seguinte:

Não se trata apenas da renda por acre ou por hectare, da diferença em geral entre preço de produção e preço de mercado, ou entre preço individual e preço geral de produção por acre, mas importa também saber quantos acres são cultivados de cada espécie de solo. Aqui só importa imediatamente o montante da renda fundiária, isto é, a renda fundiária total de toda a superfície cultivada; por esse meio chegaremos à análise da alta da *taxa da renda*, embora os preços não subam, nem aumentem as diferenças na fertilidade relativa dos tipos de solo com os preços em baixa. Conforme dados anteriores, temos:

PRIMEIRA FORMA DA RENDA DIFERENCIA (RENDA DIFERENCIAL I)

QUADRO I

Tipo de terra	Acres	Custo de produção libras esterlinas	Produto quarters	Renda em trigo quarters	Renda em dinheiro libras esterlinas
A	1	3	1	0	0
B	1	3	2	1	3
C	1	3	3	2	6
D	1	3	4	3	9
Soma	4		10	6	18

Admitamos então que, para cada tipo de solo cultivado, se **duplique o número de acres**. Teremos então:

QUADRO IA

Tipo de terra	Acres	Custo de produção libras esterlinas	Produto quarters	Renda em trigo quarters	Renda em dinheiro libras esterlinas
A	2	6	2	0	0
B	2	6	4	2	6
C	2	6	6	4	12
D	2	6	8	6	18
Soma	8		20	12	36

Imaginemos ainda dois casos. No primeiro, a produção expande-se em ambos os tipos inferiores de solo, da maneira seguinte:

QUADRO IB

Tipo de terra	Acres	Custo de produção		Produto quarters	Renda em trigo quarters	Renda em dinheiro libras esterlinas
		por acre libras esterlinas	total libras esterlinas			
A	4	3	12	4	0	0
B	4	3	12	8	4	12
C	2	3	6	6	4	12
D	2	3	6	8	6	18
Soma	12		36	26	14	42

O CAPITAL

No segundo, a produção e a área cultivada se expandem de maneira irregular nos quatro tipos de terra:

QUADRO IC

Tipo de terra	Acres	Custo de produção		Produto quarters	Renda em trigo quarters	Renda em dinheiro libras esterlinas
		por acre libras esterlinas	total libras esterlinas			
A	1	3	3	1	0	0
B	2	3	6	4	2	6
C	5	3	15	15	10	30
D	4	3	12	16	12	36
Soma	12		36	36	24	72

Antes de mais nada, em todos esses casos, I, I*a*, I*b*, I*c*, permanece constante a renda por acre, pois na realidade não variou o rendimento da mesma quantidade de capital por acre do mesmo tipo de solo. Admite-se aí o que sucede em todo país, em toda época dada, a saber, que as diversas espécies de terras constituem proporções determinadas do conjunto das terras cultivadas, e ainda o que sempre se verifica em dois países, quando comparados, ou em épocas diferentes do mesmo país, isto é, que varia a proporção em que os diversos tipos de solo se repartem pela totalidade da área cultivada.

Comparando I*a* com I, vemos que, se cresce em proporção igual o cultivo dos quatro tipos de terras, ao duplicar a quantidade cultivada de acres, duplicam a produção global, a renda em trigo e a renda em dinheiro.

Se comparamos sucessivamente I*b* e I*c* com I, verificamos que nos dois casos triplicou a superfície cultivada. Em ambos os casos, ela aumenta de quatro acres para 12, mas em I*b* são o tipo A, sem renda, e o B, com renda diferencial mínima, os que mais participam no crescimento; dos novos oito acres cultivados, três cabem a A e três a B, perfazendo um total de seis, enquanto 1 vai para C e 1 para D, num total de 2. Em outras palavras: $\frac{3}{4}$ do crescimento cabem a A e a B, e apenas a C e a D. Nessa hipótese, em I*b* à triplicação da área cultivada não corresponde produto triplo (em relação a 1) pois o produto não passa de 10 para 30, mas apenas aumenta para 26. Demais, uma vez que parte considerável do acréscimo coube a A, que não dá renda, e uma vez que do acréscimo das melhores terras cultivadas a parte principal foi de B, a renda em trigo aumenta apenas de 6 para 14

PRIMEIRA FORMA DA RENDA DIFERENCIAL (RENDA DIFERENCIAL I)

quarters, e a renda em dinheiro, de 18 para 42 libras esterlinas. Comparemos agora 1c com 1. Em 1c, o terreno desprovido de renda não cresce, o da renda mínima cresce pouco, enquanto o acréscimo principal é de C e D; desse modo, ao triplicar-se a superfície cultivada, a produção aumenta de 10 para 36 quarters, mais do que triplica portanto, a renda em trigo passa de 6 para 24 quarters, isto é, quadruplica, e o mesmo acontece com a renda em dinheiro, que vai de 18 para 72 libras esterlinas.

Em todos esses casos considerou-se naturalmente estacionário o preço do produto agrícola; em todos eles o total das rendas fundiárias cresce com a expansão da área cultivada, desde que ela não ocorra exclusivamente no pior solo que não paga renda. Mas essa expansão não é uniforme. Se se expande a área cultivada das melhores terras, a quantidade produzida aumenta não só no ritmo dessa expansão, mas com velocidade maior, e temos, na mesma proporção, o crescimento da renda em trigo e da renda em dinheiro. Se o acréscimo da área cultivada ocorre de preferência na terra pior e nas terras que lhe estão próximas em qualidade (estamos supondo que a terra pior constitui tipo constante), o total das rendas não aumenta proporcionalmente a esse acréscimo. Consideremos dois países onde é da mesma qualidade o solo A que não dá renda; admitamos neles investidos capitais iguais em superfícies globais iguais; o montante das rendas fundiárias está na razão inversa da fração que o pior solo e os de tipo inferior representam na área global cultivada, e, por conseguinte, na razão inversa da quantidade neles produzida. Na área global cultivada, a proporção entre a quantidade da pior terra e a das terras melhores atua sobre o total das rendas fundiárias em sentido inverso ao efeito que tem a proporção entre a qualidade da pior terra e a qualidade dos solos superiores sobre a renda por acre, e, por isso, em igualdade de condições, sobre aquele total. A confusão entre esses dois fatores tem motivado objeções errôneas diversas contra a renda diferencial.

A totalidade das rendas fundiárias cresce portanto com a simples expansão do cultivo e com a correspondente aplicação mais ampla ao solo de capital e de trabalho.

Vejamos o ponto mais importante. Segundo nossa hipótese, a relação entre as rendas por acre das diferentes espécies de solo permanece a mesma e em consequência a taxa da renda, calculada de acordo com o capital empregado em cada acre. Entretanto, se, comparando com 1, observamos 1a, o caso em que aumentaram proporcionalmente o número de acres cultivados e o capital neles aplicado, verificamos que a produção global cresceu na proporção em que se expandiu a área cultivada, tendo ambas duplicado, e o mesmo aconteceu com o montante da renda fundiária. Este elevou-se de 18 para 36 libras esterlinas, e do mesmo modo o número de acres foi de 4 para 8.

Para a superfície global de 4 acres, o total da renda é de 18 libras esterlinas, e a renda média, incluído o solo que não dá renda, é portanto de $4\frac{1}{2}$ libras esterlinas. Assim, por exemplo, poderia calcular um proprietário de terras a quem pertencessem todos os 4 acres; e assim se calcula a renda média de um país. A renda global de 18 libras decorre da aplicação de um capital de 10 libras. A relação entre ambos os números é o que chamamos taxa de renda, que é aqui de 180%.

A mesma taxa de renda encontramos em i*a*, onde se cultivam 8 acres em vez de 4, mas onde todas as espécies de solo participaram na mesma proporção do acréscimo da área cultivada. A renda total de 36 libras esterlinas representa, para 8 acres e 20 libras esterlinas de capital aplicado, renda média de $4\frac{1}{2}$ libras esterlinas por acre e taxa de renda de 180%.

Mas, se observamos i*b* em que o acréscimo se operou principalmente nos solos inferiores, teremos uma renda de 42 libras esterlinas para 12 acres, uma renda média portanto de $3\frac{1}{2}$ libras esterlinas por acre. Todo o capital empregado é de 30 libras esterlinas, e a taxa de renda, por conseguinte, de 140%. Assim, a renda média por acre diminuiu de 1 libra esterlina, e a taxa de renda caiu de 180 para 140%. A renda média por acre ou em relação ao capital decresce, enquanto crescem a renda total, de 18 libras esterlinas para 42, e a produção, embora esse crescimento não seja proporcional. É o que se dá, embora a renda em todos os tipos de solo, por acre ou segundo o capital aplicado, permaneça invariável. E a causa dessa ocorrência é o fato de $\frac{3}{4}$ do acréscimo de cultivo caberem ao solo A, que não dá renda, e ao solo B, que dá a renda mínima.

Se no caso i*b* todo o acréscimo de área cultivada coubesse ao solo A, este ficaria com 9 acres. B com 1, C com 1 e D com 1. A renda total continuaria sendo 18 libras esterlinas, e a renda média por acre, com os 12 acres, seria de $1\frac{1}{2}$ libra esterlina; com 18 libras de renda para 30 de capital empregado teríamos uma taxa de renda de 60%. A renda média por acre ou por capital empregado teria diminuído muito, e a renda total não teria crescido.

Examinemos i*c*, comparando-o com i e i*b*. Em relação a i triplicou em i*c* a superfície cultivada e do mesmo modo o capital empregado. A renda total é de 72 libras por 12 acres, por conseguinte 6 libras por acre contra

PRIMEIRA FORMA DA RENDA DIFERENCIAL (RENDA DIFERENCIAL I)

as $4\frac{1}{2}$ libras de I. A taxa de renda sobre o capital empregado (72 libras esterlinas ÷ 30 libras esterlinas) é de 240% em vez de 180%. O produto global subiu de 10 para 36 quarters.

É igual a I*b* nos seguintes pontos: o total de acres cultivados, o capital aplicado e as diferenças entre as espécies de solo cultivadas. Dele difere na maneira como se distribuem os solos. O produto é de 36 quarters, em vez de 26, a renda média por acre é de 6 libras esterlinas em vez de $3\frac{1}{2}$, e a taxa de renda com relação a todo o capital adiantado, de igual magnitude, é de 240%, em vez de 140%.

Tanto faz considerar as situações dos quadros I*a*, I*b* e I*c* como fases simultâneas que existam em diferentes países, ou como fases sucessivas ocorridas num mesmo país. Segundo o exposto, é estacionário o preço do trigo, ou seja, não varia o produto do pior solo, desprovido de renda; permanece a mesma a diferença de fertilidade entre os diversos tipos de solo cultivados; não varia o produto decorrente de aplicação de capital de igual magnitude sobre frações alíquotas iguais (acres) das superfícies cultivadas de cada espécie de solo; é por isso constante a relação entre as rendas por acre de cada espécie de solo e não varia a taxa de renda sobre o capital aplicado em cada fração do solo da mesma espécie. Nessas condições, concluímos: *primeiro*, a renda total aumenta sempre com a expansão da superfície cultivada e em consequência com a aplicação acrescida de capital, excetuado o caso em que toda a expansão ocorre no solo que não dá renda; *segundo*, a renda média por acre (o total das rendas dividido pelo total de acres cultivados) e a taxa média de renda (o total das rendas dividido pelo total de capital aplicado) podem variar consideravelmente, e no mesmo sentido, mas divergindo nas respectivas proporções. Pondo-se de lado o caso em que só se expande a área cultivada do terreno A sem renda, verificamos que a renda média por acre e a taxa média de renda sobre o capital aplicado na agricultura dependem da participação proporcional das diferentes espécies de solo na superfície global cultivada; ou, o que dá no mesmo, da maneira como se distribui todo o capital aplicado pelas espécies de solo de fertilidade diferente. Aumente ou diminua a terra cultivada, e por isso (excetuado o caso de acréscimo apenas em A) seja maior ou menor a renda total, a renda média por acre ou a taxa média de renda sobre o capital aplicado fica invariável, desde que não variem as proporções em que as diferentes espécies de terras participam da superfície global cultivada. Apesar do aumento e mesmo do aumento considerável da renda global, em virtude da expansão do cultivo e do emprego acrescido de capital, a renda média por acre e a taxa média de renda sobre o capital caem, se as terras desprovidas de renda e as de renda diferencial inferior se expandem mais do que as terras melhores, que proporcionam rendas mais elevadas. Ao revés, a renda média por acre e a taxa média de renda sobre o capital aumentam na medida em que as terras melhores têm participação relativamente maior na superfície global cultivada, cabendo-lhes por isso parte relativamente maior do capital aplicado.

Se consideramos, portanto, a renda média por acre ou por hectare da totalidade da terra cultivada, como em regra se faz nas obras estatísticas, comparando diferentes países na mesma época ou diversas épocas do mesmo país, verificamos que o nível médio da renda por acre e em consequência o total da renda (embora marchem em ritmo mais rápido) correspondem em certas proporções não à relativa, mas à fertilidade absoluta da agricultura de um país, isto é, à quantidade de produtos que ela fornece em média por superfície determinada. E há razão para isso: quanto maior a participação que os melhores solos têm na superfície global, tanto maior é a quantidade produzida para magnitude igual de capital aplicado e para área da mesma extensão; e tanto maior é a renda média por acre. E vice-versa. Assim, a renda não parece ser determinada pelas diferenças de fertilidade, mas pela fertilidade absoluta, o que eliminaria a lei da renda diferencial. Por isso, negam-se certos fenômenos ou procura-se explicá-los por meio de diferenças que não existem nos preços médios dos cereais ou que não se situam na fertilidade diferencial das terras cultivadas. É simples a razão desses fenômenos: a proporção entre a renda total e a superfície total do solo cultivado ou entre ela e o capital total empregado na terra (invariáveis: a fertilidade do solo sem renda, os preços de produção portanto, e a diferença entre os diversos tipos de solos) é determinada não só pela renda por acre ou pela taxa de renda sobre o capital, mas ao mesmo tempo pela proporção do número de acres que cada tipo de solo representa no total de acres cultivados; ou, o que dá no mesmo, pela maneira como se distribui o capital global pelos diferentes tipos de solo. É singular o esquecimento em que jaz até hoje essa circunstância. Seja como for, e isto é importante para prosseguirmos em nossa investigação, patenteia-se que o nível relativo da renda média por acre e a taxa média de renda ou a proporção entre a renda total e o capital total aplicado nas terras podem, em virtude da simples expansão do cultivo, subir ou descer, supondo-se

PRIMEIRA FORMA DA RENDA DIFERENCIAL (RENDA DIFERENCIAL I)

invariáveis os preços, a diferença na fertilidade das terras cultivadas e a renda por acre ou a taxa de renda do capital empregado por acre em cada tipo de solo que proporcione realmente renda, ou seja, a taxa de renda de todo capital que dê efetivamente renda.

Apresentaremos ainda observações adicionais relativas à forma I da renda diferencial, em parte aplicáveis à forma II.

Primeiro: Vimos que a renda média por acre ou a taxa média de renda referente ao capital pode subir com expansão do cultivo, com preços estacionários e com fertilidade diferencial invariável dos solos cultivados. Quando todas as terras de um país têm proprietários, quando o emprego de capital nas terras, a agricultura e a população atingiram certo nível – circunstâncias que estão subentendidas quando o modo capitalista de produção se torna dominante e se apodera da agricultura – o preço dos diversos tipos de solos não cultivados (estamos supondo existir apenas a renda diferencial) é determinado pelo preço das terras cultivadas de igual qualidade e localização equivalente. O preço é o mesmo – deduzindo-se os custos adicionais de desbravamento –, embora trate-se de terras que não estejam dando renda alguma. O preço do solo nada mais é que renda capitalizada. Também quando as terras são cultivadas, o que se paga no preço são apenas rendas futuras, por exemplo, pagam-se de uma vez e antecipadas rendas relativas a 20 anos, se a taxa vigente de juro é de 5%. A terra, quando se vende, é vendida como fonte de renda, e o caráter prospectivo da renda (considerada aqui fruto da terra, o que só é na aparência) não distingue entre terras incultas e cultivadas. O preço das terras incultas, como a renda, desta constituindo fórmula condensada, é puramente ilusório enquanto não se utilizam efetivamente as terras. Mas ele *a priori* assim se determina e se realiza, desde que haja compradores. Assim, se a renda média real de um país é determinada pela totalidade média anual das rendas efetivas calculada em relação ao total da superfície cultivada, o preço da terra inculta é determinado pelo preço da cultivada e por isso constitui apenas reflexo do emprego – e dos resultados correspondentes – do capital nas terras cultivadas. Excetuado o pior solo, todas as espécies de terras dão renda (e essa renda, conforme veremos adiante, aumenta com a quantidade do capital e com a consequente intensidade da cultura), e assim se forma o preço nominal dos terrenos incultos, que para os respectivos proprietários se transformam em mercadoria, em fonte de riqueza. Isso explica ao mesmo tempo por que em toda uma região aumenta o preço das terras, inclusive das incultas (Opdyke). A especulação com terras nos Estados Unidos, por exemplo, funda-se nesse reflexo que o capital e o trabalho projetam sobre a terra inculta.

Segundo: A expansão da terra cultivada prossegue ou em piores solos ou em diferentes tipos de solos em proporções diversas, na medida em que se acham. A extensão da cultura a solos piores não se faz naturalmente por livre escolha, mas pode decorrer, no sistema capitalista de produção, de alta de preços, e, em qualquer sistema, da necessidade. A afirmação não tem validade incondicional. A terreno relativamente melhor prefere-se terreno ruim em virtude da localização, fator decisivo sempre que se estende o cultivo em países jovens. E, embora a formação do solo o classifique de fértil no conjunto, ele é de fato constituído de terras de pior e de melhor qualidade misturadas, e assim solo ruim tem de ser cultivado por sua ligação com solo superior. Se terreno ruim se insere em terreno bom, este lhe dá a vantagem da localização em confronto com solo fértil, distante da área já cultivada ou em vias de ser.

Assim, entre os estados do Oeste, Michigan foi um dos primeiros a exportar trigo, e suas terras eram em geral pobres. Mas a vizinhança com o estado de Nova York e o transporte hidroviário pelos lagos e canal de Erie davam-lhe de início vantagem sobre os estados de terras mais férteis, situados mais para oeste. Aquele estado, em relação ao de Nova York, exemplifica a transição de melhores para piores solos. As terras do estado de Nova York, sobretudo as da parte ocidental, são muito mais férteis, especialmente para a cultura do trigo. Com a agricultura exaustiva, essas terras fecundas se tornaram estéreis, e então as de Michigan passaram a ser mais férteis.

> "Em 1838 embarcava-se em Buffalo para o Oeste farinha de trigo, oriunda principalmente da região tritícola de Nova York e do alto Canadá. Hoje, passados apenas 12 anos, cargas enormes de trigo e de farinha são trazidas do Oeste pelo lago e pelo Canal de Erie, e embarcadas para Leste em Buffalo e no porto vizinho de Blackrock. A carência de alimentos na Europa em 1847 estimulou fortemente a exportação de trigo e farinha. Daí resultou baratear o trigo na parte ocidental do estado de Nova York, e tornar-se sua cultura menos rentável; isto levou os fazendeiros dessa área a se dedicarem mais à pecuária

e à produção leiteira, à fruticultura etc., a ramos em que eles consideravam o Noroeste incapaz de concorrer diretamente com eles" (J.W. Johnston, *Notes on North American*, Londres, 1851, I. p. 222 s.).

Terceiro: É errôneo supor que, por terem colônias e países jovens em geral a possibilidade de exportar trigo a preços mais baratos, suas terras possuam necessariamente fertilidade natural maior. Os cereais aí são vendidos abaixo do valor, abaixo do preço de produção, isto é, abaixo do preço de produção determinado nos velhos países pela taxa média de lucro.

Se, como diz Johnston (p. 223),

> "Estamos habituados a imaginar que esses novos estados, donde procedem para Buffalo anualmente carregamentos tão grandes de trigo, são dotados de grande fertilidade natural e de extensões sem fim de terras ricas",

tal abundância é devida antes de mais nada a condições econômicas. A população toda de um país desse tipo, e Michigan ilustra esta situação, de início só se dedica quase à agricultura, sobretudo a que fornece produtos em massa, os únicos que podem trocar por artigos manufaturados e por produtos tropicais. Por isso, toda a produção excedente se configura em trigo. É o que de antemão distingue os estados coloniais baseados no mercado mundial moderno dos que existiram antes, especialmente os da Antiguidade. Recebem do mercado mundial produtos acabados que noutras circunstâncias eles mesmos teriam de produzir: roupas, instrumentos de trabalho etc. Só nessa base puderam os estados do Sul da União fazer do algodão seu produto principal. A divisão do trabalho no mercado internacional permite-lhes tal coisa. Se, por isso, apesar da existência recente e da população relativamente escassa, apresentam produto excedente muito grande, não se deve essa ocorrência à fertilidade da terra, nem à fecundidade do trabalho, mas à forma unilateral deste e por conseguinte do produto excedente em que se materializa.

Além disso, terras relativamente menos férteis, ainda virgens, desde que não estejam submetidas a condições climáticas extremamente desfavoráveis, quando cultivadas pela primeira vez, oferecerão acumulados, pelo menos nas camadas superiores, tantos elementos nutritivos vegetais de assimilação fácil que por longo tempo darão colheitas sem adubação, mesmo com cultivo muito superficial. Acresce que, nas pradarias do Oeste, quase não se exigem custos de desbravamento, pois a natureza já se encarregou disso.[9] Em regiões menos férteis desse gênero, o excedente decorre não da fertilidade do solo, nem do rendimento por acre portanto, mas da quantidade de acres que se possa cultivar de maneira superficial, uma vez que a terra nada custa ao lavrador ou custa-lhe uma insignificância, se tomamos por termo de comparação o que vige nos velhos países. É o caso por exemplo de lugares onde existe o contrato de parceria, como em partes do estado de Nova York, Michigan, Canadá etc. Uma família cultiva superficialmente, digamos, 100 acres e, embora seja modesto o produto por acre, é considerável o excedente que os 100 acres proporcionam para venda. Há ainda a criação de gado quase gratuita em pradarias naturais, dispensando pastagens artificiais. O decisivo aqui não é a qualidade, mas a quantidade da terra. O tempo em que se exaure a possibilidade desse cultivo artificial varia naturalmente na razão inversa da fertilidade da nova terra e na direta da exportação de seu produto.

> "Entretanto, as primeiras colheitas dessa terra são ótimas, mesmo de trigo; quem primeiro extrai o que nela há de melhor poderá mandar ao mercado copioso excedente de trigo" (*loc. cit.*, p. 224).

Em países de velha agricultura, as relações de propriedade, o preço da terra inculta determinado pelo preço da cultivada etc. tornam impossível essa exploração extensiva.

Por isso, não é mister, como suporia Ricardo, que essa terra seja muito fértil nem que se cultivem tipos de solo de igual fertilidade. É o que evidenciam os dados seguintes: no estado de Michigan, em 1848, 465.900 acres foram semeados de trigo, produzindo 4.739.300 bushels, ou em média $10\frac{1}{5}$ bushels por acre, o que representa, deduzidas as sementes, menos de 9 bushels por acre; dos 29 condados do estado, dois produziram em média 7 bushels por acre, três – 8, dois – 9, sete – 10, seis – 11, três – 12, quatro – 13, um só condado – 16 e outro – 18 (*loc. cit.*, p. 225).

---

[9] É justamente o cultivo crescente dessas pradarias ou estepes que hoje torna ridícula a célebre tese de Malthus: "A população pressiona os meios de subsistência"; ao contrário, esse cultivo provocou as lamúrias dos agricultores, alegando que a agricultura se arruína e, com ela, a Alemanha, se não se desfizerem de qualquer jeito dos meios de subsistência que pressionam a população. Mas, o cultivo dessas estepes, pradarias, pampas, planícies etc. está apenas no começo; seu efeito revolucionário sobre a agricultura europeia ainda será muito mais palpável do que o foi até hoje. — F.E.

PRIMEIRA FORMA DA RENDA DIFERENCIAL (RENDA DIFERENCIAL I)

Na prática agrícola, maior grau de fertilidade pode coincidir aí com a possibilidade de explorar imediatamente e mais a fertilidade existente. Esta possibilidade pode ser maior numa terra pobre que numa rica; e o colono logo se lançará à terra pobre, tendo de fazê-lo se lhe escasseia o capital.

Finalmente: Se abstrairmos do caso que acabamos de observar, em que se impõe a passagem a terras piores que as até então cultivadas, o acréscimo das áreas de cultivo, nos diversos tipos de solos de A a D, digamos, o cultivo de extensões maiores de B e C, não supõe de modo algum a alta prévia dos preços dos cereais, como não requer alta contínua dos preços dos fios a expansão observada todos os anos na indústria de fiação. Altas ou baixas importantes nos preços do mercado influem no volume da produção, mas, além disso, mesmo com preços médios, que não atuam no sentido de paralisar ou de estimular excepcionalmente a produção, é contínua na agricultura (como em todos os demais ramos de produção onde reina o sistema capitalista) aquela superprodução relativa, em si idêntica à acumulação e causada diretamente, noutros sistemas de produção, pelo aumento da população e, nas colônias, pela imigração ininterrupta. As necessidades crescem sem cessar, e nessa suposição empregam-se continuamente em novas terras novos capitais que delas extrairão, segundo as circunstâncias, diferentes produtos. É o que de *per se* acarreta a formação de novos capitais. Quanto ao capitalista individual, mede o volume de sua produção pelo tamanho do capital disponível, na medida em que ainda possa pessoalmente controlá-lo. Seu objetivo é obter a maior participação possível no mercado. Se há superprodução, atribui a culpa não a si, mas aos concorrentes. O capitalista individual pode expandir sua produção, tanto por apropriar-se de parte alíquota maior do mercado tal como existe, quanto por ampliá-lo ele mesmo.

XL.
Segunda forma da renda diferencial (renda diferencial II)

XL.
Segunda forma
da renda diferencial
(renda diferencial II)

A renda diferencial que estudamos até agora decorre da produtividade diversa de aplicações iguais de capital em terras de área igual e fertilidade desigual, de modo que a renda diferencial era determinada pela diferença entre o rendimento do capital empregado na pior terra, desprovida de renda, e o do capital empregado em terra melhor. Tínhamos então investimentos paralelos de capital em áreas de diferentes solos, e assim a cada novo emprego de capital correspondia cultura mais extensiva da terra, ampliação da superfície cultivada. Mas, no fim de contas, a renda diferencial era objetivamente apenas o resultado da produtividade diferente de capitais iguais, aplicados em terras. Qual a diferença se quantidades de capital de produtividade diversa se aplicarem sucessivamente no mesmo terreno, em vez de serem empregadas paralelamente em terrenos diferentes, supostos invariáveis os resultados?

O custo de produção de A – 3 libras esterlinas por acre – proporciona rendimento de 1 quarter, e desse modo 3 libras esterlinas é o preço de produção e o preço regulador de mercado para 1 quarter; o custo de produção de B – 3 libras esterlinas por acre – dá rendimento de 2 quarters e lucro suplementar de 3 libras esterlinas; o de C – 3 libras esterlinas por acre – 3 quarters e lucro suplementar de 6 libras esterlinas, e o de D – 4 quarters e lucro suplementar de 9 libras esterlinas. Em princípio, é inegável que, para a formação do lucro suplementar, desde que se alcance o mesmo resultado, tanto faz que sejam empregadas essas 12 libras de custo de produção, correspondentes a 10 de capital, dessa maneira, ou que sejam aplicadas num só e mesmo acre com os mesmos rendimentos na mesma gradação. Trata-se nos dois casos de um capital de 10 libras, repartido em frações de valor de $2\frac{1}{2}$ libras esterlinas cada uma, investidas em separado, seja paralelamente em 4 acres de fertilidade diversa, ou sucessivamente num só e mesmo acre. Diferindo na quantidade produzida, uma parte não proporciona lucro suplementar, e as demais, lucro suplementar correspondente à sobra do respectivo produto em relação ao da parte que não dá renda.

Em ambos os casos, os lucros suplementares e as diferentes taxas de lucro suplementar, correspondentes às diversas frações de capital, se formam de igual modo. E a renda nada mais é que forma desse lucro suplementar, a substância dela. Mas, seja como for, no segundo caso ocorrem dificuldades para a transformação do lucro suplementar em renda, para essa metamorfose que implica a transferência, ao proprietário da terra, dos lucros suplementares do arrendatário capitalista. Daí a oposição obstinada dos arrendatários ingleses a uma estatística oficial da agricultura. Daí ser a verificação dos resultados de seus investimentos o pomo de discórdia entre eles e os proprietários das terras (Morton). É que se fixa a renda quando se arrendam as terras, e enquanto dura o contrato de arrendamento os lucros suplementares oriundos de investimentos sucessivos vão para o bolso do arrendatário. Daí a luta dos arrendatários para obterem arrendamentos a longo prazo, enquanto os senhores das terras, ao contrário, empregam sua supremacia para aumentar o número de contratos rescindíveis anualmente (*tenancies at will*).

Por conseguinte, logo se evidencia que, se nada alteram na lei da formação dos lucros suplementares que se empreguem capitais iguais com resultados desiguais paralelamente em áreas de igual magnitude, ou que sejam aplicados sucessivamente na mesma área, essa alternação faz grande diferença para a metamorfose dos lucros suplementares em renda fundiária. O segundo processo coloca essa metamorfose dentro de limites mais estreitos e mais flutuantes. Por isso, nos países de cultura intensiva (e no plano econômico entendemos por cultura intensiva nada mais que o fato de o capital concentrar-se sobre a mesma área de terra, ao invés de espalhar-se por áreas seguidas) a função de avaliador se torna profissão muito importante, complicada e difícil, conforme expõe Morton em sua obra *Resources of Estates*. Ao expirar o contrato do arrendamento, se são duradouros os melhoramentos feitos na terra, a fertilidade diferencial do solo artificialmente acrescida confunde-se com a fertilidade natural, e em consequência aquilatar a renda equivale a avaliar entre espécies de terrenos de diferente fertilidade. Por outro lado, na medida em que o capital de exploração determina a formação do lucro suplementar, calcula-se o montante da renda, para dada magnitude do capital de exploração, tomando-se por base a renda média do país, e cuida-se de que o novo arrendatário disponha de capital suficiente para prosseguir a cultura na mesma intensidade.

No estudo da renda diferencial II cabe destacar ainda os seguintes pontos:

Primeiro: A base e o ponto de partida, no domínio histórico ou considerando-se o movimento dela em cada época particular, é a renda diferencial I, isto é, o cultivo simultâneo, paralelo, de vários tipos de solo com fertilidade e localização diversas; por conseguinte, o emprego simultâneo,

SEGUNDA FORMA DA RENDA DIFERENCIAL (RENDA DIFERENCIAL II)

paralelo, de partes distintas da totalidade do capital agrícola em áreas de qualidade diferente.

Sob o aspecto histórico, a proposição logo se impõe. Nas colônias, é pouco o capital que os colonos têm de empregar; trabalho e terra são os principais agentes da produção. Cada chefe de família, como os demais colonos, procura obter para si e para os seus um campo de atividade autônomo. Nos modos pré-capitalistas de produção assim já deve acontecer com a agricultura propriamente dita. Na pastagem de ovelhas e na pecuária em geral, como ramos autônomos, a exploração da terra é mais ou menos coletiva e, de início, extensiva. O modo capitalista de produção parte de modos de produção anteriores – em que os meios de produção pertencem, de fato ou de direito, ao próprio cultivador – em suma, da exploração artesanal da agricultura. Daí naturalmente desenvolvem-se pouco a pouco a concentração dos meios de produção e a transformação deles em capital, em oposição aos produtores diretos, convertidos em trabalhadores assalariados. O modo capitalista de produção, ao aparecer aí com suas características, de início surge sobretudo na pastagem de ovelhas e na pecuária; e não concentra logo o capital em áreas relativamente pequenas, e sim produz em escala maior, poupando na manutenção dos cavalos e em outros custos de produção; na realidade, não aparece empregando mais capital no mesmo terreno. Além disso, por força das leis naturais da agricultura, atingido certo nível de cultivo e de esgotamento das terras, o capital – assim considerados também os meios de produção já produzidos – torna-se o fator decisivo da cultura do solo. Quando as terras cultivadas constituem em relação às incultas área relativamente pequena e as reservas do solo ainda não estão esgotadas (o que se dá no período em que predomina a pecuária e que precede à fase de preponderância da agricultura propriamente dita e da alimentação vegetal), o novo modo nascente de produção opõe-se à produção camponesa pelo tamanho da superfície cultivada por conta de *um só* capitalista, mais uma vez portanto pelo emprego extensivo do capital em área mais vasta. Antes de mais nada está a assertiva de que a renda diferencial i é o fundamento histórico donde se parte. Demais, o movimento da renda diferencial ii em cada momento histórico dado só se efetiva num domínio que por sua vez constitui a base diversificada da renda diferencial i.

Segundo: Na renda diferencial ii, à diferença na fertilidade acrescem as desigualdades na maneira como se reparte entre os arrendatários o capital (e a capacidade de crédito). Na indústria fabril logo se estabelece para cada ramo tamanho de empresa mínimo adequado e correspondente mínimo de capital, abaixo do qual nenhuma empresa pode ser explorada com sucesso. Do mesmo modo, estabelece-se para cada ramo a média normal de capital, superior a este mínimo, da qual deve dispor e de fato dispõe a generalidade dos produtores. O capital acima da média pode produzir lucro extraordinário, e o abaixo dela não obtém o lucro médio. O modo capitalista de produção apodera-se da agricultura de maneira lenta e desigual, conforme se pode verificar na Inglaterra, o exemplo clássico do modo capitalista de produção na agricultura. Se não existe importação de trigo ou se é modesto o efeito dela por ser pequeno o volume, determinam o preço de mercado os produtores que trabalham nas terras ruins, portanto em condições menos favoráveis que as médias. Está em suas mãos grande parte da totalidade do capital empregado na agricultura e de que esta dispõe.

É verdade que o camponês, por exemplo, emprega muito trabalho em seu pequeno pedaço de terra, mas, trabalho isolado, desprovido e privado das condições objetivas, sociais e materiais, da produtividade.

Em virtude dessas condições, os verdadeiros arrendatários capitalistas são capazes de apropriar-se de parte do lucro suplementar, que desapareceria, admitindo-se a hipótese de o modo capitalista de produção ter na agricultura desenvolvimento tão uniforme como o tem na indústria fabril.

Por ora, observemos apenas a formação do lucro suplementar com a renda diferencial II, sem nos preocuparmos com as condições em que pode ocorrer a transformação desse lucro suplementar em renda fundiária.

É claro que a renda diferencial II é apenas outra expressão da renda diferencial I, coincidindo com esta em substância. A fertilidade diversa dos diferentes tipos de solo só manifesta seus efeitos, no caso da renda diferencial I, quando faz capitais empregados na terra dar resultados, produtos desiguais, considerando-se a igualdade ou a proporcionalidade na grandeza dos capitais. Que essa desigualdade se revele para distintos capitais aplicados no mesmo terreno ou para aplicados em vários terrenos de tipos diferentes em nada pode alterar as diferenças de fertilidade ou dos produtos, nem portanto a formação da renda diferencial das frações de capital mais rentáveis. É sempre a terra que apresenta fertilidade diversa para aplicação igual de capital, só que agora cabe ao mesmo terreno onde se investe um capital em distintas porções sucessivas o mesmo papel que, na renda diferencial I, desempenham diferentes tipos de solo onde se empregam distintas frações iguais do capital social.

SEGUNDA FORMA DA RENDA DIFERENCIAL (RENDA DIFERENCIAL II)

No quadro I,[1] os tipos de terreno A, B, C e D cedem um acre cada um onde diversos arrendatários empregam capitais autônomos de $2\frac{1}{2}$ libras esterlinas, totalizando um capital de 10 libras esterlinas. Se essas porções do capital de 10 libras fossem aplicadas sobre um só e mesmo acre de D, sucessivamente, de modo que o primeiro investimento produzisse 4 quarters, o segundo 3, o terceiro 2 e o último 1 quarter (a ordem pode ser inversa), o preço do único quarter, ou seja, 3 libras esterlinas, fornecido pela porção menos rentável do capital, não traria renda diferencial alguma, mas determinaria o preço de produção, enquanto necessária a oferta de trigo que tem o preço de produção de 3 libras esterlinas. Estamos supondo produção capitalista e portanto que o preço de 3 libras abrange o lucro médio obtido por um capital de $2\frac{1}{2}$ libras. Assim, as três outras porções de $2\frac{1}{2}$ libras cada uma proporcionarão lucro suplementar, segundo a diferença a mais do respectivo produto, vendido não pelo preço de produção próprio, mas pelo preço de produção do investimento menos rentável de $2\frac{1}{2}$ libras, que não proporciona renda e tem o preço de seu produto regulado pela lei geral dos preços de produção. A formação dos lucros suplementares seria a mesma do quadro I.

Mais uma vez evidencia-se que a renda diferencial II supõe a renda diferencial I. Estamos admitindo que é de 1 quarter o produto mínimo que proporciona um capital de $2\frac{1}{2}$ libras esterlinas, aplicado no pior solo. Estamos assim admitindo que o arrendatário do terreno D, além das $2\frac{1}{2}$ libras esterlinas que produzem 4 quarters por que paga 3 quarters de renda diferencial, aplica no mesmo solo $2\frac{1}{2}$ libras esterlinas que proporcionam apenas 1 quarter, como acontece com o mesmo capital aplicado no pior solo A. Neste caso, estará empregando capital sem renda, pois só obterá o lucro médio. Não haverá aí lucro suplementar para converter-se em renda. Mas esse rendimento decrescente do segundo emprego de capital em D também não terá efeito sobre a taxa de lucro. É como se fossem investidas $2\frac{1}{2}$ libras esterlinas noutro acre de A, circunstância que de maneira nenhuma influenciaria o lucro suplementar nem, portanto, a renda diferencial dos terrenos A, B, C e D. Para o arrendatário, entretanto, esse investimento adicional de $2\frac{1}{2}$ libras esterlinas no terreno D terá sido tão vantajoso quanto, segundo nossa hipótese, o primitivo emprego de $2\frac{1}{2}$ libras esterlinas num acre de D, embora esse investimento produza 4 quarters. Se faz mais duas

---

[1] Ver p. 765.

aplicações de capital de $2\frac{1}{2}$ libras esterlinas cada uma, obtendo adicionalmente com uma 3 quarters, e, com a outra, 2 quarters, terá havido outra vez redução de rendimento, em relação ao proporcionado pelo primeiro investimento de $2\frac{1}{2}$ libras esterlinas em D, que produziu 4 quarters, por conseguinte lucro suplementar de 3 quarters. Mas a redução só atingiria o lucro suplementar, não influindo no lucro médio nem no preço regulador de produção. Isto só ocorreria se a produção adicional que proporciona esses lucros suplementares decrescentes tornasse supérflua a produção de A e, portanto, eliminasse o cultivo desse tipo de terreno. A fertilidade decrescente do emprego adicional de capital no acre D ligar-se-ia então à queda do preço de produção, por exemplo, de 3 para $1\frac{1}{2}$ libra esterlina, desde que o acre B se tornasse o solo sem renda, regulador do preço de mercado.

Então seria o produto de D = 4 + 1 + 3 + 2 = 10 quarters, quando antes era de 4 quarters. Mas o preço do quarter regulado por B teria caído para $1\frac{1}{2}$ libra esterlina. Seria a diferença entre D e B = 10 – 2 = 8 quarters, libra esterlina por quarter = 12 libras, quando a renda em dinheiro de D era antes de 9 libras. É coisa para anotar. Calculada por acre, a renda teria aumentado de $33\frac{1}{3}$ %, apesar da taxa decrescente dos lucros suplementares relativos aos dois capitais adicionais de $2\frac{1}{2}$ libras esterlinas cada um.

Por aí se vê a que complexas combinações leva a renda diferencial, sobretudo quando se unem as formas II e I, quando Ricardo por exemplo faz dela exame de todo unilateral, tratando-a como coisa simples. Acima temos queda do preço regulador de mercado e ao mesmo tempo aumento da renda nas terras férteis, acrescendo tanto o produto absoluto quanto o produto suplementar absoluto (na renda diferencial I em sequência decrescente pode aumentar o produto suplementar relativo e por conseguinte a renda por acre, embora permaneça constante ou até decresça o produto suplementar absoluto por acre). Ao mesmo tempo diminui a fecundidade dos investimentos sucessivos de capital no mesmo terreno, embora grande parte deles se faça nas terras mais férteis. Quanto ao produto e aos preços de produção, sobe a produtividade do trabalho. Sob outro aspecto, ela diminui, pois reduzem-se a taxa do lucro suplementar e o produto suplementar por acre para as diferentes aplicações de capital no mesmo solo.

Com fecundidade decrescente das aplicações sucessivas de capital, a renda diferencial II só estaria necessariamente ligada à alta do preço de produção e ao decréscimo absoluto da produtividade, se essas aplicações

SEGUNDA FORMA DA RENDA DIFERENCIAL (RENDA DIFERENCIAL II)

de capital só fossem possíveis em A, o pior solo. Se o acre de A, com um capital aplicado de $2\frac{1}{2}$ libras esterlinas, fornece 1 quarter ao preço de produção de 3 libras esterlinas, e com investimento adicional de $2\frac{1}{2}$ libras esterlinas, isto é, com a aplicação global de 5 libras esterlinas, produz ao todo apenas quarter, o preço de produção desse $1\frac{1}{2}$ quarter será de 6 libras esterlinas, e, em consequência, o de 1 quarter, de 4 libras esterlinas. Todo decréscimo da produtividade com acréscimo do capital investido representaria aí diminuição relativa do produto por acre, enquanto nos melhores terrenos significaria apenas redução do produto suplementar excedente.

Naturalmente, ao desenvolver-se a cultura intensiva, ao se efetuarem aplicações sucessivas de capital no mesmo solo, serão elas de preferência ou em maior grau feitas nos melhores solos (não estamos falando dos melhoramentos permanentes que transformam terras até então inúteis em terras cultiváveis). A fertilidade decrescente das aplicações sucessivas de capital deverá em regra repercutir da maneira descrita. Escolhe-se o melhor solo por oferecer as maiores probabilidades para a rentabilidade do capital aplicado, pois contém o maior número dos elementos naturais da fertilidade, e trata-se apenas de aproveitá-los.

Depois de abolidas as leis de proteção aduaneira dos cereais, a agricultura na Inglaterra tornou-se ainda mais intensiva, e muitas terras que antes eram de plantação de trigo destinaram-se a outros fins, sobretudo a pastagens; ao revés, nas zonas férteis mais adequadas ao trigo fizeram-se melhoramentos, inclusive drenagem; assim, o capital na tricultura concentrou-se em área menor.

Neste caso (então todas as possíveis taxas suplementares situadas entre o lucro suplementar mais alto da melhor terra e o produto do solo A sem renda convergem não para o acréscimo relativo, mas para o acréscimo absoluto do produto suplementar por acre) o novo lucro suplementar (renda virtual) não representa parte do lucro médio anterior (fração do produto na qual se configurava o lucro médio) convertida em renda, mas lucro suplementar adicional que se converte em renda.

Ao revés, só no caso de a procura de trigo acrescer a ponto de elevar o preço de mercado acima do preço de produção de A – e por isso A, B ou qualquer outro tipo de terreno só poderem fornecer o produto suplementar a preço superior a 3 libras esterlinas – é que o decréscimo de rendimento de uma aplicação adicional de capital em terreno de qualquer tipo, A, B, C, D, estaria ligado a acréscimo do preço de produção e do preço regulador de mercado. Se essa situação durar muito tempo, sem suscitar cultivo de terra adicional A (da qualidade de A, pelo menos) ou sem que outros fatores gerem oferta mais barata, e desde que não se alterem as demais circunstâncias, o salário subirá em virtude do encarecimento do pão e a taxa de lucro terá uma queda correspondente. Nesta hipótese tanto faz que se satisfaça a procura acrescida incorporando ao cultivo terrenos piores que A ou aplicando capital adicional em qualquer dos quatro tipos de solos. A renda diferencial subirá ligada à baixa da taxa de lucro.

Ricardo converteu esta hipótese em caso único, normal, a que reduziu toda a formação da renda diferencial. É o caso em que a fecundidade decrescente dos capitais adicionalmente aplicados aos tipos de terrenos já incorporados ao cultivo pode acarretar aumento do preço de produção, queda da taxa de lucro e constituição de renda diferencial mais elevada, pois esta, nas condições dadas, subiria tanto como se o terreno pior que A estivesse regulando o preço de mercado.

Aconteceria o mesmo se apenas fosse cultivado o terreno A e aplicações sucessivas de capital nele feitas não resultassem em acréscimo proporcional do produto.

E neste ponto do estudo da renda diferencial II esquece-se completamente a renda diferencial I.

Excetuado este caso (onde não basta a oferta obtida com os solos cultivados, e por isso o preço de mercado permanece acima do preço de produção até que se cultive nova terra adicional pior, ou até que só se possa fornecer o produto todo do capital adicional aplicado nos diferentes tipos de terrenos, a preço de produção mais alto que o até então vigente), o decréscimo proporcional da produtividade dos capitais adicionais em nada influencia o preço de produção regulador e a taxa de lucro. Três outros casos ainda são possíveis:

a) Se capital adicional aplicado em qualquer terreno, A, B, C, D, só proporcionar a taxa de lucro determinada pelo preço de produção de A, não haverá superlucro, nem possibilidade de renda, portanto; é como se fosse cultivada terra adicional do tipo A.

b) Se o capital adicional proporciona produto maior, formar-se-á naturalmente novo produto suplementar (renda virtual), se o preço regulador continuar o mesmo. Essa ocorrência não é necessária, e não se dá notadamente quando essa produção adicional põe fora de cultivo o solo A, eliminando-o da série dos terrenos concorrentes. Nessas condições, o

SEGUNDA FORMA DA RENDA DIFERENCIAL (RENDA DIFERENCIAL II)

preço de produção regulador baixa. A taxa de lucro subirá se ao mesmo tempo houver baixa de salário ou se o produto mais barato for elemento do capital constante. Se a produtividade maior do capital adicional tiver ocorrido nos melhores terrenos C e D, a magnitude da produtividade acrescida e o montante dos novos capitais acrescentados determinarão em que medida a formação de lucro suplementar aumentado (portanto de renda aumentada) estará ligada à queda do preço e à alta da taxa de lucro. Esta poderá elevar-se, sem cair o salário, por terem barateado os elementos do capital constante.

c) Se ocorrer aplicação adicional de capital com lucros suplementares decrescentes, excedendo o produto o de igual capital no solo A, haverá necessariamente formação de novos lucros suplementares, a qual pode se dar simultaneamente em D, C, B e A, se a oferta acrescida não puser fora de cultivo o terreno A. Ao revés, se A, o pior terreno, deixa de ser cultivado, cairá o preço de produção regulador, e a circunstância de elevar-se ou cair o lucro suplementar expresso em dinheiro, e portanto a taxa diferencial de renda, depende da relação entre o preço em baixa de um quarter e o número acrescido dos quarters que constituem o lucro suplementar. Mas, é curioso que, com lucros suplementares decrescentes relativos a aplicações sucessivas de capital possa cair o preço de produção, em vez de subir necessariamente, como pareceria à primeira vista.

Essas aplicações adicionais de capital com produtos adicionais decrescentes correspondem, por exemplo, ao emprego de quatro novos capitais autônomos – cada um de $2\frac{1}{2}$ libras esterlinas – em terrenos com fertilidade situada entre A e B, B e C, C e D, obtendo-se respectivamente os produtos: $1\frac{1}{2}$ quarter, $2\frac{1}{3}$, $2\frac{2}{3}$ e 3 quarters. Em todos esses terrenos haveria para os quatro capitais adicionais lucros suplementares, rendas potenciais, embora a taxa de lucro suplementar tivesse diminuído, confrontada com a de igual aplicação de capital em terreno melhor. Não modificaria a questão a circunstância de esses quatro capitais serem empregados em D etc., ou repartidos entre D e A.

Chegamos agora a uma diferença essencial entre as duas formas de renda diferencial.

Na renda diferencial I, constantes o preço de produção e as **diferenças**, a renda média por acre ou a taxa média de renda relativa ao capital podem subir com a renda global; mas a média é apenas uma abstração. O montante real da renda por acre ou medido pelo capital permanece o mesmo.

Na renda diferencial II, nas mesmas condições, o montante da renda medido por acre pode subir, embora não varie a taxa de renda medida pelo capital empregado.

Admitamos que duplique a produção por se ter aplicado em cada um dos terrenos A, B, C, e D, em vez de $2\frac{1}{2}$ 5 libras, totalizando portanto 20 libras esterlinas de capital, em vez de 10, não se alterando a fertilidade relativa. Seria o mesmo que se cultivassem em cada um desses tipos de solos, com igualdade relativa de custos, 2 acres em vez de 1. A taxa de lucro continuaria a mesma, e também sua relação com o lucro suplementar ou a renda. Se A produz agora 2 quarters, B 4, C 6, D 8, o preço de produção continuará sendo o anterior de 3 libras esterlinas por quarter, pois se deve o aumento de produção não à fertilidade duplicada com o capital constante, mas à fertilidade proporcional constante com capital duplicado. Os 2 quarters de A custam agora 6 libras esterlinas, como 1 quarter antes custava 3. O lucro duplicou em todos os quatro terrenos, mas porque dobrou o capital aplicado. Da mesma maneira dobra a renda; em B passa de 1 para 2 quarters, em C de 2 para 4, e em D de 3 para 6; em consequência, a renda em dinheiro de B, C e D passa a ser respectivamente de 6, 12 e 18 libras esterlinas. Como o produto por acre, duplica a renda em dinheiro por acre e em consequência o preço da terra, que capitaliza essa renda em dinheiro. Assim calculado, sobe o montante da renda em trigo e em dinheiro, e por conseguinte o preço da terra, medido pelo acre, área de magnitude constante. Ao contrário, calculada a taxa de renda em relação ao capital aplicado, não se encontra variação alguma no montante proporcional da renda. A renda global de 36 está para o capital aplicado de 20, como a renda global de 18 estava para o capital aplicado de 10. O mesmo se estende à relação entre a renda em dinheiro de cada tipo de solo e o capital nele aplicado; assim, por exemplo em C, 12 libras esterlinas de renda estão para 5 de capital, como antes 6 de renda estavam para $2\frac{1}{2}$ de capital. Aí não surgem novas diferenças entre os capitais aplicados, mas novos lucros suplementares, simplesmente porque o capital adicional empregado em cada um dos solos fornecedor de renda, ou em todos, dá o mesmo produto proporcional. Se duplicar o investimento em C por exemplo, a renda diferencial, medida pelo capital, permanecerá constante em C, B, D; pois, se o montante dela dobra em C, também dobra o capital empregado.

Por aí se vê que, invariáveis o preço de produção, a taxa de lucro e as diferenças (e por conseguinte a taxa de lucro suplementar ou de renda,

SEGUNDA FORMA DA RENDA DIFERENCIAL (RENDA DIFERENCIAL II)

medida pelo capital), pode subir o montante da renda em produto e em dinheiro por acre e portanto o preço da terra.

O mesmo pode ocorrer com taxas decrescentes de lucro suplementar e portanto de renda, isto é, com produtividade decrescente das aplicações adicionais de capital que ainda deem renda. Se com a segunda série de investimentos de $2\frac{1}{2}$ libras esterlinas não houver a duplicação do produto, passando B a produzir apenas $3\frac{1}{2}$ quarters, C, 5 e D, 7, a renda diferencial de B, após essa segunda série, será apenas de 4 quarter em vez de 1, a de C, 1 em vez de 2, e a de D, 2 em vez de 3. As relações entre renda e capital para essas duas séries de investimentos apresentar-se-ão da seguinte maneira:

	Primeiro investimento (libras esterlinas)		Segundo investimento (libras esterlinas)	
	Renda	Capital	Renda	Capital
B	3	2 1/2	1 1/2	2 1/2
C	6	2 1/2	3	2 1/2
D	9	2 1/2	6	2 1/2

Apesar dessa queda da taxa da produtividade relativa do capital e portanto do lucro suplementar medido pelo capital, teria subido a renda em trigo e em dinheiro de B, indo de 1 para $1\frac{1}{2}$ quarter (de 3 para $4\frac{1}{2}$ libras esterlinas), a de C, de 2 para 3 quarters (de 6 para 9 libras esterlinas) e a de D, de 3 para 5 quarters (de 9 para 15 libras esterlinas). Neste caso teriam diminuído as diferenças dos capitais adicionais, confrontados com o capital investido em A, o preço de produção teria continuado o mesmo, mas teria subido a renda por acre e em consequência o preço da terra por acre.

Estudaremos a seguir as combinações da renda diferencial II, que pressupõe a renda diferencial I.

XLI.
Renda diferencial II – Primeiro caso: constante o preço de produção

Implica esta hipótese que o capital empregado em A, o pior solo, continue a regular o preço de mercado.

I. Se o capital adicional empregado em qualquer terreno de tipo B, C, D, fornecedor de renda, só produzir o mesmo que igual capital aplicado no solo A, isto é, se não der lucro suplementar, mas apenas lucro médio, ao preço de produção regulador, o efeito sobre a renda será igual a zero. Tudo continua como dantes. É como se um número qualquer de acres da qualidade A, a pior, fosse acrescentado à superfície até agora cultivada.

II. Os capitais adicionais dão em cada tipo de solo produtos adicionais, proporcionais à respectiva magnitude; isto é, o volume da produção aumenta, de acordo com a fertilidade específica de cada tipo de solo, proporcionalmente à magnitude do capital adicional. No capítulo XXXIX partimos do quadro I, que reapresentamos a seguir:

QUADRO I

Tipo de terra	Acres	Capital libras esterlinas	Lucro libras esterlinas	Custo de produção libras esterlinas	Produto quarters
A	1	2 1/2	1/2	3	1
B	1	2 1/2	1/2	3	2
C	1	2 1/2	1/2	3	3
D	1	2 1/2	1/2	3	4
Total	4	10		12	10

Preço de vendas libras esterlinas	Receita libras esterlinas	Renda		Taxa do lucro suplementar
		quarters	libras esterlinas	
3	3	0	0	0
3	6	1	3	120%
3	9	2	6	240%
3	12	3	9	360%
	30	6	18	

Este quadro se transforma agora em:

O CAPITAL

Quadro II

Tipo de terra	Acres	Capital libras esterlinas	Lucro libras esterlinas	Custo de produção	Produto quarters
A	1	2 1/2 + 2/12 = 5	1	6	2
B	1	2 1/2 + 2 1/2 = 5	1	6	4
C	1	2 1/2 + 2 1/2 = 5	1	6	6
D	1	2 1/2 + 2 1/2 = 5	1	6	8
Total	4	20			20

Preço de vendas libras esterlinas	Receita libras esterlinas	Renda quarters	Renda libras esterlinas	Taxa do lucro suplementar
3	6	0	0	
3	12	2	6	120%
3	18	4	12	240%
3	24	6	18	360%
	60	12	36	

Não é necessário que a aplicação de capital duplique em todos os tipos de terrenos, como no quadro. A lei continua a valer, desde que se empregue capital adicional em um ou mais terrenos que proporcionem renda, qualquer que seja a proporção dele. Basta que em cada tipo de terreno a produção aumente na mesma proporção do capital. A renda então aumenta em virtude apenas de acrescer o capital empregado no solo, e na proporção desse acréscimo. Esse aumento do produto e da renda, devido e proporcional ao acréscimo da aplicação do capital, é, no tocante à quantidade do produto e da renda, o mesmo aumento que se obteria acrescentando à superfície cultivada terrenos fornecedores de renda de igual qualidade, explorados com a mesma dose anterior de capital aplicada nesses tipos de terra. No caso do quadro II, por exemplo, o resultado continuaria o mesmo, se o capital adicional de $2\frac{1}{2}$ libras esterlinas por acre fosse aplicado em cada segundo acre dos terrenos B, C e D.

Esta hipótese não supõe aplicação mais rentável do capital, e sim aplicação apenas de mais capital na mesma área com o mesmo resultado anterior.

As proporções aqui não variam. Sem dúvida, se, em vez das diferenças proporcionais, observamos as puramente aritméticas, pode a renda dife-

RENDA DIFERENCIAL II – PRIMEIRO CASO: CONSTANTE O PREÇO...

rencial modificar-se nos diversos tipos de terrenos. Admitamos, por exemplo, que o capital adicional se aplique apenas em B e D. Então, a diferença entre D e A será de 7 quarters, quando antes era de 3; a que existe entre B e A será de 3 quarters, quando antes era de 1; a que separa C e B será de - 1, quando antes era de + 1 etc. Mas essa diferença aritmética, decisiva para a renda diferencial I, por expressar a diferença na produtividade para aplicação igual de capital, é aqui destituída de importância, pois decorre de diferenças ou da ausência das aplicações adicionais de capital, permanecendo constante a diferença para cada porção igual de capital aplicada nas diferentes terras.

III. Os capitais adicionais proporcionam produtos adicionais e por consequência lucros suplementares, mas com taxa decrescente, não na proporção do próprio acréscimo.

QUADRO III

Tipo de terra	Acres	Capital libras esterlinas	Lucro libras esterlinas	Custo de produção libras esterlinas	Produto quarters
A	1	2 1/2	1/2	3	1
B	1	2 1/2 + 2 1/2 = 5	1	6	2 + 1 1/2 = 3 1/2
C	1	2 1/2 + 2 1/2 = 5	1	6	3 + 2 = 5
D	1	2 1/2 + 2 1/2 = 5	3 1/2	6	4 + 3 1/2 = 7 1/2
Total		17 1/2		21	17

Preço de venda libras esterlinas	Receita libras esterlinas	Renda quarters	Renda libras esterlinas	Taxa do lucro suplementar
3	3	0	0	0
3	10 1/2	1 1/2	4 1/2	90%
3	15	3	9	180%
3	22 1/2	5 1/2	16 1/2	330%
Total	51	10	30	

Nesta terceira hipótese tanto faz também que seja ou não uniforme a maneira como as segundas aplicações de capital, as adicionais, se repartem pelos diferentes tipos de terrenos; que sejam ou não iguais as proporções em que se dá a produção decrescente de lucro suplementar; que todas as aplicações adicionais de capital recaiam sobre o mesmo tipo de terreno, fornecedor de renda, ou se repartam, de modo igual ou não, por terrenos fornecedores de renda e de qualidades diferentes. Todas essas circunstâncias não têm a menor importância para a lei que estamos considerando. A única condição é que aplicações adicionais de capital em qualquer tipo de terreno que dê renda proporcionem lucro suplementar, mas em proporção decrescente para o acréscimo de capital. Esse movimento decrescente, nos exemplos do quadro anterior, tem seus limites entre 4 quarters = 12 libras esterlinas, o produto do primeiro investimento de capital em D, o melhor solo, e 1 quarter = 3 libras esterlinas, o produto de igual investimento de capital em A, o pior solo. O produto das aplicações sucessivas de capital – em qualquer tipo de terreno que proporcione lucro suplementar, mas com produtividade decrescente dessas aplicações sucessivas – tem por limite superior o produto da melhor terra, obtido com o emprego do capital I, e por limite inferior, o produto obtido com emprego de capital igual no terreno A, o pior, que não dá renda nem lucro suplementar. Se a hipótese II corresponde à adição de novas parcelas de igual qualidade à superfície cultivada dos melhores solos, ao acréscimo da área de qualquer dos tipos de terra cultivados, a hipótese III corresponde ao cultivo de áreas adicionais, com graus de fertilidade que se escalonam entre D e A, entre melhores e piores solos. As aplicações sucessivas de capital, se ocorrerem unicamente no solo D, poderão apresentar diferenças situadas entre D e A, entre D e C, e entre D e B; se todas sucederem no solo C, diferenças entre C e A ou B; se no B, diferenças apenas entre B e A.

Temos então a lei: a renda aumenta de maneira absoluta nesses tipos de terrenos, mas não na proporção do capital suplementar aplicado.

Considerando-se o capital adicional e a totalidade do capital empregado no terreno, a taxa de lucro suplementar decresce, enquanto acresce a grandeza absoluta do lucro suplementar, do mesmo modo que a taxa decrescente de lucro do capital está geralmente ligada à magnitude absoluta crescente do lucro. Assim, o lucro suplementar médio do capital empregado em B é de 90% sobre todo o capital, quando, no primeiro investimento, era de 120%. Mas o total do lucro suplementar aumenta de 1 para $1\frac{1}{2}$ quarter, e de 3 para $4\frac{1}{2}$ libras esterlinas. Aumentou de maneira absoluta a renda global, se a consideramos à parte e não em relação com a magnitude duplicada do capital adiantado. Aí podem variar as diferenças entre as rendas dos diversos tipos de solos e suas relações recíprocas; mas essa variação nas diferenças é consequência e não causa do aumento de umas rendas em relação às outras.

IV. Não é mister analisar especialmente o caso em que as aplicações adicionais de capital em terrenos de melhor qualidade geram produto maior que as aplicações primitivas. É evidente que, nesta hipótese, aumentarão as rendas por acre, e em proporção maior que o capital adicional, qualquer que seja o tipo de solo em que se tenha empregado. Neste caso, o emprego adicional de capital está ligado a melhoramento da terra. Na hipótese inclui-se o caso em que a adição de menos capital tem eficácia igual ou maior que a adição anterior de mais capital. Há certa diferença entre este caso e o precedente, diferença que é importante para todas as aplicações de capital. Se por exemplo 100 dão um lucro de 10, e 200, aplicados de certa forma, lucro de 40, o lucro elevou-se de 10% para 20%, e sob esse aspecto é o mesmo que obter-se lucro de 10 em vez de 5, com a aplicação mais eficiente de 50. Estamos aqui supondo que o lucro está ligado ao acréscimo proporcional do produto. Mas a diferença é que num caso é mister duplicar o capital, enquanto no outro o resultado dobra com capital igual ao anterior. Não é a mesma coisa conseguir (1) o mesmo produto anterior, com metade do trabalho vivo e do materializado, (2) o dobro do produto anterior, com o mesmo trabalho, ou (3) o quádruplo do trabalho anterior com o dobro do trabalho. No primeiro caso, trabalho – vivo ou materializado – torna-se disponível, podendo ser aplicado de outro modo; acrescem as disponibilidades de trabalho e capital. A liberação de capital (e de trabalho) é em si aumento da riqueza, é como se esse capital adicional se obtivesse por acumulação, mas economizando o trabalho de acumulação.

Proporcione um capital de 100 um produto de 10 metros. Abranjam os 100, capital constante, trabalho vivo e lucro. O metro custa então 10. Se puder com o mesmo capital de 100 produzir agora 20 metros, o metro ficará custando 5. Mas, se puder com 50 produzir 10 metros, o metro também custará 5, e libera-se um capital de 50, desde que baste a oferta antiga. Se tenho de empregar 200 de capital para produzir 40 metros, o metro custará 5 do mesmo modo. A determinação do valor ou ainda do preço não deixa transparecer aí diferença, nem tampouco a massa de produto proporcional ao adiantamento do capital. Mas, no primeiro caso, libera-se capital; no segundo, poupa-se capital adicional, se por exemplo for necessário duplicar a produção; no terceiro, só se pode obter o produto acrescido, aumentando o capital adiantado, mas não na mesma proporção que seria exigida se o produto aumentado tivesse de ser fornecido de acordo com a produtividade primitiva (a matéria pertence à primeira parte).

Do ponto de vista da produção capitalista, se não consideramos o acréscimo da mais-valia e sim a redução do preço de custo, é sempre mais barato empregar capital constante que variável, e toda economia de custos mesmo relativa ao elemento criador da mais-valia, o trabalho, constitui para o capitalista, ao reduzir seu preço de produção, lucro, desde que continue constante o preço de produção regulador. Isto na realidade supõe o desenvolvimento do crédito e a abundância de capital de empréstimo, correspondentes ao modo capitalista de produção. Admitamos o emprego de 100 libras esterlinas de capital constante adicional, sendo 100 libras o produto anual de 5 trabalhadores, e ao mesmo tempo o emprego de 100 libras de capital variável. Se a taxa de mais-valia é de 100%, o valor criado pelos 5 trabalhadores é de 200 libras esterlinas. O valor de 100 libras de capital constante, ao contrário, é de 100 libras, e como capital pode ser de 105, se a taxa de juro for de 5%. As mesmas somas de dinheiro, segundo se adiantam à produção como magnitudes de valor do capital constante ou do capital variável, expressam, no respectivo produto, valores bem diversos. Quanto aos custos das mercadorias, ainda há para o capitalista esta diferença: das 100 libras de capital constante, se aplicadas em capital fixo, só o desgaste entra no valor da mercadoria, quando as 100 libras de salários têm de ser nele por inteiro reproduzidas.

Para os colonos e sobretudo para os pequenos produtores independentes, que não dispõem de capital e só podem obtê-lo a juros excessivos, a parte do produto a qual representa o salário é a respectiva renda, quando para o capitalista é adiantamento de capital. Aqueles portanto consideram esse emprego de trabalho condição indispensável do produto, e este ocupa o primeiro plano. Mas descontado o trabalho necessário, seu trabalho excedente se realiza seja como for num produto excedente, e, quando o podem vender ou mesmo aplicar, consideram-no coisa gratuita, pois não lhes custou trabalho materializado. Só o dispêndio deste constitui para eles alienação de riqueza. Procuram naturalmente vender tão caro quanto possível; mas, para eles sempre é lucro mesmo a venda abaixo do valor e do preço de produção capitalista, desde que dívida, hipoteca etc. não se antecipem a esse lucro. O capitalista, ao contrário, considera o emprego de capital variável ou constante, adiantamento de capital. O adiantamento relativamente maior do capital constante, não se alterando as demais condições, reduz o preço de custo e efetivamente também o valor das mercadorias. Em consequência, embora o lucro só derive do trabalho excedente, portanto unicamente do emprego de capital variável, pode não obstante o capitalista individual pensar que o trabalho vivo é dos custos de produção o elemento mais oneroso e que mais importa reduzir ao mínimo. Aí a concepção capitalista apenas deforma algo verdadeiro, a saber, que a aplicação proporcionalmente maior de trabalho pretérito, comparado com trabalho vivo, significa produtividade acrescida do trabalho social e maior riqueza social. Assim, vistas pelo prisma da concorrência, todas as coisas ficam deformadas e invertidas.

Supondo-se constantes os preços de produção, as aplicações adicionais de capitais podem ser feitas com produtividade invariável, crescente ou decrescente nos terrenos de melhor qualidade, isto é, em todos eles de B para cima. De acordo com nossa hipótese, isto seria possível em A mesmo, com produtividade invariável, continuando o terreno a não dar renda, ou ainda com produtividade crescente; então, uma parte do capital aplicado no solo A produziria renda, e a outra não. Mas seria impossível se admitíssemos produtividade decrescente em A, pois então o preço de produção, ao invés de ficar constante, subiria. O produto suplementar e o correspondente lucro suplementar por acre aumentam e em consequência pode aumentar a renda em trigo e em dinheiro, em todas estas circunstâncias, e por conseguinte tanto faz que o lucro suplementar trazido por essas aplicações adicionais seja proporcional ou mais ou menos que proporcional à magnitude delas, ou que a taxa de lucro suplementar do capital, ao acrescer este, fique invariável, suba ou caia. O aumento calculado por acre, da simples massa de lucro suplementar, de renda fundiária, isto é, a massa crescente por unidade constante, considerada portanto em relação a qualquer medida agrária, acre ou hectare, expressa proporção ascendente. Nessas condições, o montante da renda, calculado por acre, aumenta apenas em virtude do acréscimo do capital aplicado no solo. Esse acréscimo se dá com preços de produção constantes, não importando então que a produtividade do capital adicional fique a mesma, decresça ou aumente. As duas últimas circunstâncias alteram a dimensão do acréscimo da renda por acre, mas não o fato desse acréscimo. Este é um fenômeno peculiar à renda diferencial II, distinguindo-a da renda diferencial I. Se as aplicações adicionais de capital, em vez de se fazerem sucessivamente no mesmo solo se fizessem paralelamente em novos solos adicionais de qualidade correspondente, teria aumentado a massa da renda global e, conforme já vimos, a renda média da totalidade da superfície cultivada, mas não a magnitude da renda por acre. Com o mesmo resultado para a massa e o valor da produção global e do lucro suplementar, a concentração do capital em área menor aumenta a magnitude da renda por acre, quando, nas mesmas condições, se se dispersasse por área maior, não se alterando as demais circunstâncias, não produziria o mesmo efeito. Quanto mais se desenvolve o modo capitalista de produção, tanto mais acresce a concentração de capital na mesma área, tanto mais se eleva portanto a renda calculada por acre. Assim, em dois países em que fossem idênticos os preços de produção e as diferenças entre os tipos de solos, e igual a massa de capital aplicado, num porém mais na forma de aplicações sucessivas em área limitada, no outro mais na forma de aplicações paralelas em superfície mais vasta, a renda por acre e portanto o preço da terra seriam maiores no primeiro que no segundo, ainda que fosse igual nos dois países a massa da renda. A diferença na magnitude da renda não se explicaria aí pela divergência na fertilidade natural dos tipos de solos, segundo a quantidade do trabalho aplicado, mas unicamente pela maneira diversa de empregar o capital.

Quando falamos aqui de produto suplementar, queremos mencionar apenas a parte alíquota do produto que configura o lucro suplementar. De ordinário entendemos por produto excedente ou produto suplementar a parte do produto que representa a mais-valia global ou, em certos casos, a que representa o lucro médio. Conforme já vimos, o significado específico que a expressão adquire quando se trata do capital fornecedor de renda dá margem a mal-entendidos.

XLII.
Renda diferencial II – Segundo caso: descrente o preço de produção

O preço de produção pode cair quando se efetuam aplicações adicionais de capital, seja constante, decrescente ou crescente a taxa de produtividade.

1. CONSTANTE A PRODUTIVIDADE DO INVESTIMENTO ADICIONAL

Começamos portanto admitindo que nos diferentes tipos de solo, de acordo com a respectiva qualidade, o produto aumenta na mesma proporção que o capital neles aplicado. Ou seja, constantes as diferenças entre os tipos de solo, o produto suplementar cresce na mesma proporção do capital adicional. Fica portanto excluído todo investimento adicional que modifique a renda diferencial no solo A. Neste, a taxa de lucro suplementar é igual a zero, e continua sendo zero, pois admitimos permanecer constante a produtividade do capital adicional e por conseguinte a taxa de lucro suplementar.

Nessas condições, o preço regulador da produção só pode cair, porque, substituindo o preço de produção de A, se torna regulador o de B, solo imediatamente melhor, ou o de qualquer outro solo melhor que A; assim, retira-se capital de A, ou de A e de B se o preço de produção do solo C se tornar o regulador, se portanto saírem da concorrência dos solos produtores de trigo os menos fecundos. Para isso, nas condições estabelecidas, é necessário que o produto complementar oriundo das aplicações adicionais de capital satisfaça a procura, e por conseguinte a produção do solo menos fecundo A etc. se torne dispensável para inteirar a oferta.

Tomemos por exemplo o quadro II, mas de modo que, em vez de 20 quarters, 18 satisfaçam a procura. Seria eliminado A; B se tornaria regulador e com ele o preço de produção de 30 xelins por quarter. A renda diferencial tomará então esta forma:

QUADRO IV

Tipo de terra	Acres	Capital libras esterlinas	Lucro libras esterlinas	Custo de produção libras esterlinas	Produto quarters
B	1	5	1	6	4
C	1	5	1	6	6
D	1	5	1	6	8
Total	3	15	3	18	18

Quadro IV
(Continuação)

Preço de venda por quarters libras esterlinas	Receita libras esterlinas	Renda em trigo quarters	Renda em dinheiro libras esterlinas	Taxa do lucro suplementar
1 1/2	6	0	0	0
1 1/2	9	2	3	60%
1 1/2	12	4	6	120%
	27	6	9	

Em relação ao quadro II, a renda global cai de 36 libras esterlinas para 9, e em trigo de 12 quarters para 6; a produção global diminui de 2 quarters, passando de 20 para 18. A taxa de lucro suplementar, relativa ao capital, diminui de um terço, caindo de 180 para 60%. Decréscimo da renda em trigo e em dinheiro corresponde aí portanto à baixa do preço e produção.

Em relação ao quadro I verifica-se diminuição da renda em dinheiro; a renda em trigo, nos dois quadros, é de 6 quarters, correspondendo num caso a 8 libras esterlinas, e no outro a 9. Comparada com a do quadro I, a renda em trigo do solo C não variou. Na realidade formou-se nova renda diferencial I, em que o solo B de melhor qualidade desempenha o mesmo papel anterior do solo A, de pior qualidade. E isto porque a produção adicional obtida com capital adicional de eficácia uniforme expulsou do mercado o produto de A e por conseguinte eliminou o solo A de entre os agentes de produção concorrentes. Em consequência desaparece a renda de B, mas, de acordo com nossa hipótese, não se alteram as diferenças entre B, C e D em virtude do emprego de capital adicional. Reduz-se portanto a parte do produto que é transformada em renda.

Se o resultado anterior – procura satisfeita com exclusão de A – fosse porventura atingido empregando-se em C ou em D ou em ambos mais que o dobro do capital anterior, a coisa assumiria outro aspecto. Admitamos que se faça terceira aplicação de capital em C:

RENDA DIFERENCIAL II - SEGUNDO CASO: DESCRENTE O PREÇO...

QUADRO IVA

Tipo de terra	Acres	Capital libras esterlinas	Lucro libras esterlinas	Custo de produção libras esterlinas	Produto quarters
B	1	5	1	6	4
C	1	7 1/2	1 1/2	9	9
D	1	5	1	6	8
Total	3	17 1/2	3 1/2	21	21

Preço de venda libras esterlinas	Receita libras esterlinas	Renda		Taxa do lucro suplementar
		quarters	libras esterlinas	
1 1/2	6	0	0	0
1 1/2	13 1/2	3	4 1/3	60%
1 1/2	12	4	6	120%
	31 1/2	7	10 1/2	

Agora, em relação ao quadro IV, o produto de C passou de 6 quarters para 9, o produto suplementar, de 2 quarters para 3, a renda em dinheiro de 3 libras esterlinas para $4\frac{1}{2}$. Esta caiu em relação ao quadro II, onde é de 12 libras esterlinas, e em relação ao quadro I, onde é de 6 libras esterlinas. A renda global em trigo de 7 quarters caiu em relação ao quadro II (12 quarters), e subiu em relação ao quadro I (6 quarters); a renda global em dinheiro de $10\frac{1}{2}$ libras esterlinas caiu em relação a ambos (18 e 36 libras esterlinas).

Se a terceira aplicação de capital de $2\frac{1}{2}$ libras esterlinas fosse feita no solo B, ter-se-ia alterado o volume da produção, mas a renda não seria tocada, pois estamos supondo que as aplicações sucessivas de capital não geram diferença alguma no mesmo tipo de solo, e o solo B é destituído de renda.

Admitamos que se faça terceira aplicação de capital em D e não em C, e teremos:

QUADRO IVB

Tipo de terra	Acres	Capital libras esterlinas	Lucro libras esterlinas	Custo de produção libras esterlinas	Produto quarters
B	1	5	1	6	4
C	1	7 1/2	1	6	6
D	1	5	1 1/2	9	12
Total	3	17 1/2	3 1/2	21	22

Quadro IVB
(Continuação)

Preço de venda libras esterlinas	Receita libras esterlinas	Renda		Taxa do lucro suplementar
		quarters	libras esterlinas	
1 1/2	6	0	0	0
1 1/2	9	2	3	60%
1 1/2	18	6	9	120%
	33	8	12	

Em relação ao quadro I, o produto global agora de 22 quarters mais do que dobrou, embora não tenha chegado a dobrar o capital adiantado de 17 libras esterlinas, comparado com o de 10 libras esterlinas. Demais, o produto global supera em 2 quarters o do quadro II, embora neste o capital adiantado seja maior, indo a 20 libras esterlinas.

Em D, em relação ao quadro I, a renda em trigo aumentou de 3 quarters para 6, e a renda em dinheiro continuou a mesma, de 9 libras esterlinas. Em relação ao quadro II, a renda em trigo de D continuou a mesma de 6 quarters, mas a renda em dinheiro caiu de 18 para 9 libras esterlinas.

Consideradas as rendas globais, a renda em trigo de IVb = 8 quarters é maior do que a de I = 6 quarters e do que a de IVa = 7 quarters, e menor do que a de II = 12 quarters. A renda em dinheiro de IVb = 12 libras esterlinas é maior que a de IVa = $10\frac{1}{2}$ libras esterlinas; é menor do que a do quadro I = 18 libras esterlinas e do que a do quadro II = 36 libras esterlinas.

A fim de que a renda global, nas condições do quadro IVb, eliminada a renda de B, seja igual à do quadro I, precisamos de 6 libras esterlinas adicionais de lucro suplementar, portanto de 4 quarters a $1\frac{1}{2}$ libra esterlina, o novo preço de produção. Voltaremos a ter então renda global de 18 libras esterlinas como no quadro I. A magnitude do capital adicional exigido para esse fim divergirá, segundo se aplique em C, ou em D, ou em ambos.

Em C, um capital de 5 libras esterlinas proporciona produto suplementar de 2 quarters, e assim capital adicional de 10 libras esterlinas, produto suplementar adicional de 4 quarters. Em D, aditamento de 5 libras esterlinas basta para produzir renda adicional em trigo de 4 quarters, de acordo com a condição estabelecida, isto é, que seja a mesma a produtividade das aplicações adicionais de capital. Partindo daí chegamos aos seguintes quadros.

RENDA DIFERENCIAL II - SEGUNDO CASO: DESCRENTE O PREÇO...

Quadro IVc

Tipo de terra	Acres	Capital libras esterlinas	Lucro libras esterlinas	Custo de produção libras esterlinas	Produto quarters
B	1	5	1	6	4
C	1	15	3	18	18
D	1	7 1/2	1 1/2	9	12
Total	3	27 1/2	5 1/2	33	34

Preço de venda libras esterlinas	Receita libras esterlinas	Renda quarters	Renda libras esterlinas	Taxa do lucro suplementar
1 1/2	6	0	0	0
1 1/2	27	6	9	60%
1 1/2	18	6	9	120%
	51	12	18	

Quadro IVd

Tipo de terra	Acres	Capital libras esterlinas	Lucro libras esterlinas	Custo de produção libras esterlinas	Produto quarters
B	1	5	1	6	4
C	1	5	1	6	6
D	1	12 1/2	2 1/2	15	20
Total	3	22 1/2	4 1/2	27	30

Preço de venda libras esterlinas	Receita libras esterlinas	Renda quarters	Renda libras esterlinas	Taxa do lucro suplementar
1 1/2	6	0	0	0
1 1/2	9	2	3	60%
1 1/2	30	10	15	120%
	45	12	18	

A renda global em dinheiro é exatamente a metade da do quadro II onde os capitais adicionais se empregam com preços de produção constantes.

Releva comparar os quadros acima com o quadro I.

Verificamos que, ao cair à metade o preço de produção, indo de 60 para 30 xelins por quarter, a renda global em dinheiro ficou sendo a mesma, ou seja, 18 libras, e em correspondência a renda em trigo duplicou, passando de 6 para 12 quarters. A renda de B desaparece, a renda em dinheiro de C em IVc aumentou de metade, mas em IVd diminuiu de metade; a de D em IVc ficou sendo a mesma, de 9 libras, e em IVd aumentou de 9 para 15 libras esterlinas. A produção em IVc elevou-se de 10 para 34 quarters, e em IVd, para 30 quarters; o lucro em libras esterlinas aumentou de 2 para 5 $\frac{1}{2}$ em 2 IVc e para 4 $\frac{1}{2}$ em IVd. O investimento todo num caso aumentou de 10 para 27 $\frac{1}{2}$ libras esterlinas, e no outro de 10 para 22 $\frac{1}{2}$, mais do que duplicando em ambos os casos. A taxa de renda, a renda calculada em relação ao capital adiantado, permaneceu a mesma em cada tipo de terreno, em todos os quadros, de IV a IVd, o que já decorre de admitir-se invariável a taxa de produtividade de ambos os investimentos sucessivos de capital em todo tipo de solo. Entretanto, em relação ao quadro II diminuiu, para a média de todos os tipos de solos e para cada tipo de solo em particular. Em I, a média era de 180%, em IVc, de $\frac{18}{27\ 1/2} \times 100 = 65, \frac{5}{11}$ % e, em IVd, de $\frac{18}{27\ 1/2} \times 100 = 80$%. A renda média em dinheiro por acre subiu. Antes, em I, calculada em relação aos 4 acres, era de 4 $\frac{1}{2}$ libras esterlinas e agora, em IVc e d, calculada em relação aos 3 acres, é de 6 libras esterlinas. Se consideramos apenas os solos que dão renda, a média era antes de 6 e agora de 9 libras esterlinas. Subiu portanto o valor em dinheiro da renda por acre e representa agora o dobro do produto anterior em trigo; mas os 12 quarters de renda em trigo são menos da metade do produto global de 34 e 30 quarters respectivamente, quando no quadro I os 6 quarters constituem $\frac{3}{5}$ do produto todo de 10 quarters. Assim, embora tenha caído a renda como parte alíquota do produto global e também calculada em relação ao capital aplicado, subiu seu valor em dinheiro por acre e ainda mais seu valor em produto. Tomemos o solo D no quadro IVd; aí em libras esterlinas são os custos de produção = 15, dos quais o capital aplicado = 12 $\frac{1}{2}$; a renda em dinheiro é de 15 libras esterlinas. No solo D do quadro I, em libras esterlinas, os custos de produção = 3. O capital aplicado = 2 $\frac{1}{2}$, e a renda em dinheiro = 9, sendo esta o triplo dos custos de produção e quase o quádruplo do capital. A renda em dinheiro de D no quadro IVd é de 15 libras esterlinas, exatamente igual aos custos de produção e ultrapassando o capital apenas de $\frac{1}{5}$. Entretanto, a renda em dinheiro por acre é $\frac{2}{3}$ maior, ou seja, de 15 e não de 9 libras esterlinas. A renda em trigo de I é de 3 quarters = $\frac{3}{4}$ do produto global de 4 quarters; a do IVd é de 10 quarters, a metade do produto global (20 quarters) do acre de D. Fica portanto evidenciado que o valor da renda por acre em dinheiro e em trigo pode aumentar, embora represente parte alíquota menor do produto global e tenha diminuído em relação ao capital adiantado.

Em I, em libras esterlinas, o valor do produto global = 30, a renda = 18, mais que a metade dele. Em libras esterlinas, o valor do produto global de IVd = 45, sendo a renda = 18, menos da metade.

Apesar de o preço cair de $1\frac{1}{2}$ libra esterlina por quarter, de 50% portanto, e apesar de decrescer a área concorrente de 4 para 3 acres, a renda global em dinheiro não varia e a renda em trigo duplica, enquanto sobem as rendas em trigo e em dinheiro calculadas por acre. A razão disso está em que se obtêm mais quarters de produto suplementar. O preço do trigo diminui de 50%, e o produto suplementar acresce de 100%. Mas, para se atingir esse resultado, nas condições estabelecidas, é necessário que a produção global triplique e que seja mais do dobro o emprego de capital nos melhores solos. A proporção em que este aumenta, antes de mais nada, depende necessariamente da maneira como os capitais adicionais se repartem entre solos de melhor e os de ótima qualidade, calculando-se sempre que em cada tipo de solo a produtividade do capital cresce na proporção de sua magnitude.

Se é menor a queda do preço de produção, requer-se menos capital adicional para produzir a mesma renda em dinheiro. A oferta necessária para pôr A fora de cultivo depende do produto por acre de A e ainda da proporção em que ele participa do total da superfície cultivada. Se essa oferta acresce e em consequência a massa exigida de capital adicional em solos superiores a A, as rendas em dinheiro e em trigo, supostas as demais condições, terão aumentado ainda mais, embora deixem de existir no solo B.

Se o capital desaparecido de A tivesse sido de 5 libras esterlinas, caberia então comparar os quadros II e IVd. O produto global cresceria de 20 para 30 quarters. A renda em dinheiro reduzir-se-ia à metade, seria de 18 libras esterlinas em vez de 36; a renda em trigo continuaria sendo a mesma de 12 quarters.

Se se obtivesse em D um produto global de 44 quarters = 66 libras esterlinas com um capital de $27\frac{1}{2}$ libras esterlinas, de acordo com a proporção fixada para D, de 4 quarters por $2\frac{1}{2}$ libras, o total das rendas voltaria a alcançar o nível de II e teríamos o seguinte quadro:

Tipo de terra	Capital libras esterlinas	Produto quarters	Renda em trigo quarters esterlinas	Renda em dinheiro libras
B	5	4	0	0
C	5	6	2	3
D	27 1/2	44	22	33
TOTAL	37 1/2	54	24	36

A produção global seria de 54 quarters contra 20 do quadro II, e a renda em dinheiro continuaria sendo de 36 libras esterlinas. Mas o capital global seria de $37\frac{1}{2}$ libras esterlinas contra 20 do quadro II. O capital total adiantado quase duplicaria, e a produção quase triplicaria; a renda em trigo duplicaria, e a renda em dinheiro continuaria sendo a mesma. Se portanto cair o preço, em virtude da aplicação, com produtividade constante, de capital-dinheiro adicional nos solos que proporcionam renda, isto é, em todos os que são superiores a A, o capital total tenderá a crescer não na mesma proporção da produção e da renda em trigo, e desse modo a inferioridade na renda em dinheiro resultante da queda de preço pode ser compensada pelo aumento da renda em trigo. A mesma lei se revela na circunstância de o capital adiantado ter de ser maior na medida em que se aplica mais em C, o terreno que dá menos renda, que em D, o terreno que dá mais renda. Tudo se reduz ao seguinte: para a renda em dinheiro permanecer a mesma ou subir, é mister produzir-se determinada quantidade adicional de produto suplementar, e isto exige tanto menos capital quanto maior a fecundidade das terras que fornecem produto suplementar. Se fosse maior a diferença entre B e C, entre C e D, exigir-se-ia menos capital adicional. A proporção precisa depende (1) da proporção em que diminui o preço, da diferença portanto entre o solo que se tornou e o que era desprovido de renda, ou seja, entre B e C, (2) da proporção em que diferem os solos superiores a B, (3) do montante do novo capital aplicado e (4) da repartição dele pelos diferentes tipos de solos.

Na realidade verifica-se que a lei expressa apenas o que se expôs no primeiro caso: dado o preço de produção, qualquer que seja sua magnitude, a renda pode subir em virtude do emprego de capital adicional. Com a exclusão de A estabelece-se nova renda diferencial I, passando B a ser o solo pior e o preço de produção a ser de $1\frac{1}{2}$ libra esterlina por quarter. Os quadros IV estão sujeitos ao princípio que rege o quadro II. É a mesma lei, diferindo somente o ponto de partida: B em vez de A, e o preço de produção de $1\frac{1}{2}$ libra esterlina em vez de 3.

A única coisa importante aí é que, sendo necessária certa quantidade de capital adicional, para retirar o capital do solo A e sem este satisfazer o abastecimento, verifica-se então que a renda por acre pode ou ficar a mesma, ou acrescer, ou decrescer se não em todos os terrenos, pelo menos em alguns e na média dos terrenos cultivados. Vimos que não se comportam igualmente a renda em trigo e a renda em dinheiro. Só por força da tradição a renda em trigo ainda desempenha algum papel na economia. Nessa base seria possível demonstrar que um fabricante, por exemplo, com o lucro de 5 libras esterlinas, pode comprar dos fios que produz quantidade maior que antes, quando o lucro era de 10 libras esterlinas. Mas isto evidencia que os senhores das terras, quando ao mesmo tempo são proprietários ou coproprietários de indústrias, refinações de açúcar, destilarias etc., com renda em dinheiro decrescente ainda podem ganhar muito como produtores de suas próprias matérias-primas.[10]

2. DECRESCENTE A TAXA DE PRODUTIVIDADE DOS CAPITAIS ADICIONAIS

Aqui nada há a considerar de novo no tocante à circunstância de o preço de produção só poder cair, como no caso anterior, se em virtude da aplicação de capitais adicionais em melhores solos se tornar supérfluo o produto de A e por isso deste retirar-se o capital, ou empregar-se A para obter-se outro produto. Esta hipótese foi antes analisada de maneira exaustiva. Demonstrou-se que então a renda em trigo e em dinheiro por acre pode crescer, decrescer ou não variar.

Para um estudo comparativo mais fácil reproduzimos de início o quadro I:

---

10 Os quadros IV*a* e IV*d* tiveram de ser retificados em virtude de erro geral de cálculo. Este não teve influência alguma nas proposições teóricas inferidas dos quadros, mas em parte resultou em relações numéricas verdadeiramente monstruosas, referentes à produção por acre. Substancialmente, entretanto, elas não causam estorvos. Em todos os mapas de relevo e de perfis de alturas a escala utilizada na vertical é bem maior que a da horizontal. Quem tiver sentimentos agronômicos a satisfazer, pode à vontade multiplicar o número de acres pela quantidade que lhe pareça mais adequada. Pode-se também pôr no quadro I, em vez de 1, 2, 3, 4 quarters por acre, 10, 12, 14, 16 bushels (8 bushels = 1 quarter), e os dados dos outros quadros, decorrentes desses números, ficarão dentro dos limites da verossimilhança, e se verá que o resultado, a relação entre o aumento da renda e o do capital, vem a ser o mesmo. É o que fazemos no capítulo seguinte nos quadros que acrescentamos. — F.E.

O CAPITAL

Quadro I

Tipo de terra	Acres	Capital libras esterlinas	Lucro libras esterlinas	Custo de produção por quarter libras esterlinas	Produto quarters	Renda em trigo quarters	Renda em dinheiro libras esterlinas	Taxa do lucro suplementar
A	1	2 1/2	1/2	3	1	0	0	0
B	1	2 1/2	1/2	1 1/2	2	1	3	120%
C	1	2 1/2	1/2	1	3	2	6	240%
D	1	2 1/2	1/2	3/4	4	3	9	360%
Total	4	10			10	6	18	180% (média)

Admitamos que, com taxa de produtividade decrescente, B, C e D forneçam 16 quarters e que esta quantidade baste para pôr A fora de cultivo. Nessas condições, o quadro III se transforma no seguinte (ver quadro V).

Quadro V

Tipo de terra	Acres	Capital empregado libras esterlinas	Lucro libras esterlinas	Produto quarters
B	1	2 1/2 + 2 1/2	1	2 + 1 1/2 = 3 1/2
C	1	2 1/2 + 2 1/2	1	3 + 2 = 5
D	1	2 1/2 + 2 1/2	1	4 + 3 1/2 = 7 1/2
Total	3	15		16

Preço de venda libras esterlinas	Receita libras esterlinas	Renda em trigo quarters	Renda em dinheiro libras esterlinas	Taxa do lucro suplementar
1 5/7	6	0	0	0
1 5/7	8 4/7	1 1/2	2 4/7	51 3/7%
1 5/7	12 6/7	4	6 6/7	137 1/7%
	27 3/7	5 1/2	9 3/7	94 2/7%

Aí decresce a taxa de produtividade dos capitais adicionais, de maneira diversa para os diferentes solos, e o preço de produção regulador cai de 3 libras esterlinas para 1 $\frac{5}{7}$. O capital empregado aumentou de metade, indo de 10 para 15 libras esterlinas. A renda em dinheiro diminuiu de quase metade, passando de 18 libras esterlinas para $9\frac{3}{7}$, mas a renda em trigo reduziu-se apenas de $\frac{1}{2}$, indo de 6 quarters para $5\frac{1}{2}$. O produto global aumentou de 10 para 16, ou seja, de 60%. A renda em trigo é mais de um terço do produto global. O capital adiantado está para a renda em dinheiro como $15 : 9\frac{3}{7}$, quando a razão anterior era de 10 : 18.

3. CRESCENTE A TAXA DE PRODUTIVIDADE DOS CAPITAIS ADICIONAIS

A diferença entre este caso e a variante 1 do início deste capítulo – onde o preço diminui com taxa constante de produtividade – é somente esta: se a eliminação de A requer dado produto adicional, essa ocorrência se processa mais rápido.

Tanto para a produtividade decrescente quanto para a crescente dos capitais adicionais empregados pode o efeito variar, pela maneira como os investimentos se repartem pelos diversos tipos de terrenos. Na medida em que esse efeito varia, compensando ou ampliando as diferenças, cairá ou aumentará a renda diferencial dos solos de melhor qualidade e por conseguinte a renda global, conforme já observamos com a renda diferencial I. De resto, tudo depende da magnitude da área e do capital eliminados com o solo A, e do adiantamento relativo de capital necessário, em face da produtividade crescente, para fornecer o produto adicional destinado a satisfazer a procura.

O único ponto que merece estudo aqui e que nos leva de novo a investigar como esse lucro diferencial se converte em renda diferencial é o seguinte:

No primeiro caso, em que o preço de produção se mantém constante, o capital adicional porventura aplicado no solo A não influi na renda diferencial em si, pois o solo A continua a não proporcionar renda alguma, e o preço de seu produto, sem variar, prossegue regulando o mercado.

No segundo caso da variante 1, em que o preço de produção cai, com taxa constante de produtividade, elimina-se necessariamente o solo A, e com mais razão ainda na variante 2 (preço de produção decrescente com taxa decrescente de produtividade), pois do contrário o capital adicional aplicado ao solo A teria de aumentar o preço de produção. Mas agora, na variante 3 do segundo caso, em que o preço de produção cai porque a produtividade do capital suplementar sobe, pode esse capital suplementar, segundo as circunstâncias, aplicar-se tanto no solo A quanto em solos de melhor qualidade.

Admitamos que um capital adicional de $2\frac{1}{2}$ libras esterlinas aplicado em A produza, em vez de 1, $1\frac{1}{5}$ quarter.

Releva comparar o quadro VI não só com o quadro básico I, mas também com o quadro II, em que se duplica o emprego de capital com produtividade constante, proporcional ao investimento feito.

QUADRO VI

Tipo de terra	Acres	Capital empregado libras esterlinas	Lucro libras esterlinas	Custo de produção libras esterlinas	Produto quarters
A	1	2 1/2 + 2 1/2 = 5	1	6	1 + 1 1/5 = 2 1/5
B	1	2 1/2 + 2 1/2 = 5	1	6	2 + 2 2/5 = 4 2/5
C	1	2 1/2 + 2 1/2 = 5	1	6	3 + 3 3/5 = 6 3/5
D	1	2 1/2 + 2 1/2 = 5	1	6	4 + 4 4/5 = 8 4/5
Total	4	20	4	24	22

Preço de venda libras esterlinas	Receita libras esterlinas	Renda em trigo quarters	Renda em dinheiro libras esterlinas	Taxa do lucro suplementar
2 8/11	6	0	0	0
2 8/11	12	2 1/5	6	120%
2 8/11	18	4 2/5	12	240%
2 8/11	24	6 3/5	18	360%
	60	13 1/5	36	240%

Segundo a hipótese atual, cai o preço de produção regulador. Se ficasse invariável, igual a 3 libras esterlinas, A, o pior terreno, antes sem renda, com o emprego apenas de $2\frac{1}{2}$ libras esterlinas, passaria então a proporcionar renda sem que se incorporasse ao cultivo outro terreno pior ainda. É que a produtividade nele teria aumentado unicamente para a parte adicional e não para a primitiva do capital. Com o primeiro custo de produção de 3 libras esterlinas obtém-se 1 quarter, e com o mesmo custo adicional, 1 $\frac{1}{5}$ quarter, mas o produto todo de $2\frac{1}{5}$ quarters vende-se agora pelo preço médio. Se a taxa de produtividade aumenta com o emprego adicional de capital é que houve melhoria do solo. Esta pode resultar do emprego de mais capital por acre (mais adubos, mais trabalho mecânico etc.) ou da possibilidade de se obter, com esse capital adicional, investimento qualitativamente diverso, mais produtivo. Com ambos os investimentos, ou seja, aplicando-se 5 libras esterlinas de capital por acre, consegue-se um produto de 2 $\frac{1}{5}$ quarters, quando com o emprego da metade desse capital, isto é, com 2 $\frac{1}{2}$ libras esterlinas, conseguia-se apenas 1 quarter. Excluídas as condições temporárias do mercado, o produto do solo A só poderia continuar sendo vendido a preço de produção, superior ao novo preço médio, se importante extensão do terreno do tipo A continuasse a ser explorada com um capital de apenas 2 $\frac{1}{2}$ libras esterlinas por acre. Mas, logo que se generalizasse a nova relação de 5 libras esterlinas de capital por acre e por conseguinte a exploração melhorada, o preço de produção regulador teria de cair para 2 $\frac{8}{11}$ libras esterlinas. Desapareceria então a diferença entre ambas as porções de capital, e cultivar um acre de A apenas com 2 $\frac{1}{2}$ libras esterlinas seria de fato anormal, não se ajustando às novas condições de produção. Não se trataria mais de diferença entre receitas de diferentes porções de capital aplicadas no mesmo acre, mas de diferença entre emprego suficiente e insuficiente do capital total por acre. Daí inferimos, *primeiro*, que capital insuficiente nas mãos de grande número de arrendatários (é mister que sejam numerosos, pois em pequeno número seriam forçados a vender abaixo do respectivo preço de produção) produz o mesmo efeito que diferenciação dos solos em progressão descendente. Método pior de cultivo em terra de pior qualidade aumenta a renda nas terras melhores; mesmo solo de pior qualidade, sendo melhor cultivado, pode então proporcionar renda que noutras condições não daria. Inferimos, *segundo*: a renda diferencial decorrente de aplicações sucessivas de capital em dada área de terra se converte realmente em média em que não mais se podem discernir e distinguir os efeitos das diversas aplicações. Por isso, essas aplicações não produzem renda no pior solo, mas (1) fazem do preço médio da receita global obtida, digamos, num acre de A, o novo preço regulador, e (2) passam a configurar mudança na quantidade global de capital por acre, necessária, nas novas condições, para a exploração suficiente do solo, fundindo-se na totalidade as diversas aplicações e os respectivos efeitos. E o mesmo se estende às diversas rendas diferenciais dos solos de melhor qualidade. Em cada caso, elas são determinadas pela diferença entre o produto médio do solo considerado e o produto do pior solo, na base de um investimento acrescido que agora se tornou normal.

Nenhum solo produz sem emprego de capital. Mesmo quando se trata da renda diferencial simples, da renda diferencial 1, quando se diz que 1 acre de A, do solo regulador do preço de produção, proporciona tanto de produto a tal preço, e que os solos de melhor qualidade B, C, D fornecem tanto de produto diferencial e por conseguinte tanto de renda em dinheiro ao preço regulador, supõe-se sempre que se emprega determinado capital considerado normal nas condições dadas de produção. É como na indústria onde cada ramo industrial exige determinado mínimo de capital para poder fabricar as mercadorias ao preço de produção.

Esse mínimo modifica-se em virtude das aplicações sucessivas de capital no mesmo solo, relacionadas com melhoramentos, e essa mudança se opera pouco a pouco. Enquanto não se emprega capital adicional em certo número de acres de A, por exemplo, obtém-se renda nos acres de A, em virtude de se manter constante o preço de produção, e aumenta a renda de todos os solos de melhor qualidade, B, C e D. Mas, logo que se difunde o novo estilo de exploração a ponto de tornar-se normal, cai o preço de produção, diminui por sua vez a renda das terras de melhor qualidade, e a parte do solo A que não possui o capital médio atual tem de vender abaixo de seu preço individual de produção, não chegando portanto a obter o lucro médio.

Isto ocorre com preço de produção decrescente e mesmo com produtividade decrescente do capital adicional, desde que, em virtude da aplicação acrescida de capital, os solos de melhor qualidade forneçam todo o produto necessário, retirando-se por exemplo de A o capital de exploração. Assim, A não mais concorre para fornecer o produto em causa, digamos, o trigo. A quantidade de capital que então se aplica em média no novo solo regulador B, de melhor qualidade, passa a vigorar como normal; e, quando se fala da fecundidade diversa das terras, tem-se em vista o emprego dessa nova quantidade normal de capital por acre.

Demais, essa aplicação média de capital, na Inglaterra, por exemplo, de 8 libras esterlinas por acre, antes de 1848, e de 12 libras esterlinas, depois, serve sem dúvida de base ao se fazerem os contratos de arrendamento. Para o arrendatário que emprega soma superior, o lucro extra não se transforma em renda no período do contrato. A ocorrência dessa conversão depois de expirado o contrato dependerá da concorrência entre os arrendatários capazes de fazer o mesmo adiantamento extra. Não se trata aqui de melhorias permanentes do solo que prosseguem assegurando acréscimo do produto

RENDA DIFERENCIAL II - SEGUNDO CASO: DESCRENTE O PREÇO...

para aplicação igual ou até menor de capital. Essas melhorias, embora produto do capital, atuam como diferenças naturais de qualidade dos solos.

Há portanto na renda diferencial II aspectos que não se observam na renda diferencial I de *per se*, pois esta pode subsistir sem depender de qualquer mudança na aplicação normal de capital por acre. Vejamo-los. Confundem-se os resultados das diversas aplicações de capital no solo regulador A, e o produto delas se revela simplesmente produto médio normal por acre. Muda o mínimo normal ou a magnitude média da aplicação de capital por acre, de modo que essa mudança aparece como se fosse qualidade do solo. Finalmente difere o modo de o lucro suplementar se transformar em renda.

Confrontando o quadro VI com os quadros I e II, verificamos que a renda em trigo mais do que duplicou em relação a I, e aumentou de $1\frac{1}{5}$ quarter em relação a II, quando a renda em dinheiro, comparada com I, duplicou, e manteve-se a mesma, comparada com II. Teria crescido grandemente, se (não se alterando as demais condições) fosse aplicado mais capital adicional nos solos de melhor qualidade, ou se fosse menor o efeito do capital adicional empregado em A, ou seja, ficasse mais alto o preço médio regulador do quarter de A.

Se o aumento de fecundidade oriundo da aplicação adicional de capital tiver efeitos diferentes nos diversos solos, resultará daí modificação nas respectivas rendas diferenciais.

Em todo caso ficou demonstrado que, com preço de produção decrescente em virtude de taxa crescente de produtividade do capital adicional aplicado – desde que essa produtividade aumente, portanto, em proporção maior que o capital adiantado –, a renda por acre, no caso de dobrar o capital empregado, pode não só duplicar, mas ainda mais que duplicar. Pode também cair, se o acréscimo mais rápido de produtividade do solo A faz cair muito o preço de produção.

Admitamos que os capitais adicionais aplicados, por exemplo, em B e C, não aumentem a produtividade na mesma proporção que os empregados em A, e desse modo diminuam para B e C as diferenças proporcionais, não compensando o acréscimo do produto a queda de preço. Nessas condições, confrontada com o caso do quadro II, a renda aumentaria em D e cairia em B e C (ver quadro VI*a*).

Finalmente, a renda em dinheiro subiria, se se empregasse mais capital nas terras de melhor qualidade que em A, com o mesmo acréscimo proporcional de fertilidade, ou se os capitais adicionais empregados nas terras de melhor qualidade operassem com taxa crescente de produtividade. Em ambos os casos aumentariam as diferenças.

A renda em dinheiro diminui, quando os melhoramentos em virtude da aplicação adicional de capital reduzem no todo ou em parte as diferenças, influindo mais em A que em B e C. E baixa tanto mais quanto menor o aumento de produtividade nas melhores terras. A renda em trigo pode subir, descer ou ficar estacionária, dependendo da proporção em que divergem os resultados dos capitais investidos.

A renda em dinheiro e a renda em trigo sobem, quando, sendo constante a diferença proporcional na fertilidade adicional dos diversos tipos de solos, mais capital se aplica aos solos que produzem que ao solo A que não produz renda, e mais nos solos de renda alta que nos de renda baixa; ou quando a fertilidade, para igual capital suplementar, aumenta mais nos solos de melhor e ótima qualidade que em A, e na proporção em que este acréscimo de fertilidade é maior nos solos superiores que nos inferiores.

QUADRO VIA

Tipo de terra	Acres	Capital libras esterlinas	Lucro libras esterlinas	Produto por acre quarters
A	1	2 1/2 + 2 1/2 = 5	1	1 + 1 1/5 = 2 1/5
B	1	2 1/2 + 2 1/2 = 5	1	2 + 2 2/5 = 4 2/5
C	1	2 1/2 + 2 1/2 = 5	1	3 + 3 3/5 = 6 3/5
D	1	2 1/2 + 2 1/2 = 5	1	4 + 4 4/5 = 8 4/5
Total	4	20	4	22

Preço de venda libras esterlinas	Receita libras esterlinas	Renda	
		em trigo quarters	em dinheiro libras esterlinas
2 8/11	6	0	0
2 8/11	12	2 1/5	6
2 8/11	18	4 2/5	12
2 8/11	24	6 3/5	18
	60	13 1/5	36

A renda sempre aumenta relativamente, quando a produtividade acrescida decorre de um capital suplementar e não simplesmente de fecundidade maior com emprego do mesmo capital. Este aspecto tem validade absoluta, evidenciando que no presente caso como em todos os anteriores, a renda e a renda acrescida por acre (do mesmo modo que, na renda diferencial I referente à totalidade da superfície cultivada, o nível da renda global média) são consequência de acréscimo do capital empregado no solo, e tanto faz que esse capital adicional opere com taxa constante de produtividade e preços invariáveis ou decrescentes, ou com taxa decrescente de produtividade e preços constantes ou em baixa, ou com taxa ascendente de produtividade e preços em queda. É que nossas hipóteses – preço constante com taxa constante, decrescente ou crescente de produtividade do capital adicional, e preço decrescente com taxa constante, decrescente, ou crescente de produtividade – se reduzem a: taxa constante de produtividade do capital suplementar com preço constante ou decrescente, taxa decrescente de produtividade com preço constante ou em baixa, e taxa ascendente de produtividade com preço constante ou decrescente. A renda, embora possa em todos esses casos permanecer estacionária ou cair, diminuiria ainda mais se o emprego suplementar de capital, invariáveis as demais condições, não fosse condição da fertilidade acrescida. Então, o capital suplementar é sempre a causa da magnitude relativa da renda, embora ela tenha baixado de modo absoluto.

XLIII.
Renda diferencial II – Terceiro caso: crescente o preço de produção. Resultados

[Preço crescente de produção supõe que decresça a produtividade do terreno pior, que não proporciona renda. O preço de produção considerado regulador só pode ultrapassar 3 libras esterlinas por quarter quando as $2\frac{1}{2}$ libras esterlinas empregadas em A produzem menos de 1 quarter ou as 5 libras esterlinas menos de 2 quarters, ou quando se tem de cultivar terreno ainda pior que A.

Com produtividade constante ou até crescente da segunda aplicação de capital, isto só será possível se tiver diminuído a produtividade da primeira aplicação de capital de $2\frac{1}{2}$ libras esterlinas. Este caso ocorre com frequência. É o que se dá, por exemplo, quando método de exploração seguido de lavoura superficial esgota a camada arável superior, e se passa então, com método mais racional, a revolver as camadas aráveis mais profundas da terra que volta a proporcionar rendimentos mais elevados. Estritamente falando, não cabe aqui este caso especial. Mesmo admitindo-se nos terrenos de melhor qualidade condições análogas, a queda de produtividade do *primeiro* investimento de $2\frac{1}{2}$ libras esterlinas acarreta-lhes decréscimo da renda diferencial I; mas o que estudamos aqui é a renda diferencial II. O caso especial considerado não pode ocorrer sem se supor antes a existência da renda diferencial II, e na realidade configura a repercussão que tem uma alteração na renda diferencial I sobre a II. Por isso, ilustraremos o assunto com um exemplo.

A renda em dinheiro e a receita em dinheiro são as mesmas do quadro II. O acréscimo do preço de produção regulador compensa exatamente o decréscimo na quantidade do produto; variando ambos em razão inversa, o produto da multiplicação dos dois permanece o mesmo (ver quadro VII).

No quadro VII supomos que a produtividade do segundo investimento é maior que a do primeiro. Se admitimos para o segundo investimento a mesma produtividade que inicialmente atribuíamos ao primeiro, o resultado não se altera como se vê no quadro VIII.

Aí o acréscimo proporcional no preço de produção também compensa plenamente, para a receita e renda em dinheiro, o decréscimo na produtividade.

O terceiro caso só aparece de maneira pura, com produtividade decrescente no segundo investimento, ficando constante a do primeiro, conforme sempre admitimos nos dois casos anteriormente estudados. Então não se altera a renda diferencial I, e a modificação se dá apenas na fração oriunda da renda diferencial II. Daremos dois exemplos: num, a produtividade do segundo investimento se reduz à metade, e, no outro, a um quarto (ver quadro IX).

O quadro IX só se distingue do quadro VIII, porque no VIII o decréscimo de produtividade se dá na primeira aplicação de capital, e no IX, na segunda.

No quadro x receita e renda globais e taxa de renda continuam sendo as mesmas dos quadros II, VII e VIII, pois mais uma vez produto e preço de venda variam em razão inversa, ficando constante o capital empregado.

Consideremos outra possibilidade, com preço de produção crescente: passa a ser cultivado um terreno que até então não era lavrado por não dar lucro.

Admitamos que esse terreno, que chamaremos de *a*, passe a concorrer com os outros. Então, o solo A até agora desprovido de renda proporcionaria renda, e os quadros VII, VIII e X assumiriam os aspectos apresentados nos quadros VII*a*, VIII*a* e x*a*.

Com a entrada do terreno *a* surge nova renda diferencial I; nessa nova base desenvolve-se modificada a renda diferencial II. O solo *a* tem fertilidade diversa em cada um dos três quadros anteriores; a série das fertilidades progressivamente acrescidas começa com A. Em correspondência temos a série das rendas crescentes. A renda do terreno de renda mais baixa e antes sem renda constitui uma constante que simplesmente configura parcela de todas as rendas superiores; só após deduzir-se essa constante surge clara a série das diferenças das rendas superiores, e o paralelismo dela com a série das fertilidades dos diversos tipos de solo. Em todos os quadros as fertilidades de A a D se comportam de acordo com 1 : 2 : 3 : 4, e as rendas em correspondência apresentam as seguintes séries:

1 : 1 + 7 : 1 + (2 × 7) : 1 + (3 × 7), em VII*a*; 1 1/5 : 1 1/5 + 7 1/5 : 1 1/5 + (2 × 7 1/5) : 1 1/5 + (3 × 7 1/5) em VII*a*, e

2/3 : 2/3 + 6 2/3 : 2/3 + (2 × 6 2/3) : 2/3 + (3 × 6 2/3), em x*a*.

Em suma: se a renda de A = n, e a renda do solo de fertilidade imediatamente superior = n + m, a série será n : n + m : n + 2m : n + 3m etc. — F.E.]

[O manuscrito não desenvolveu o terceiro caso – nele está apenas o título – e por isso ficou para o editor a tarefa de preencher a lacuna da melhor maneira que lhe fosse possível, como o fez. Cabia-lhe ainda tirar as conclusões gerais decorrentes de toda a investigação feita na renda diferencial II, com seus três casos principais e nove variantes. Mas os exemplos dados no manuscrito não se prestam bem a esse objetivo. Os rendimentos dos terrenos confrontados, para superfícies iguais, se comportam como 1 : 2 : 3 : 4; diferenças que, de princípio, já são muito exageradas, e que com as hipóteses e cálculos desenvolvidos nessa base levam a relações numéricas

Quadro VII

Tipo de terra	Acres	Capital libras esterlinas	Lucro libras esterlinas	Custo de produção libras esterlinas	Produto quarters	Preço de venda libras esterlinas	Receita libras esterlinas	Renda em trigo quarters	Renda em dinheiro libras esterlinas	Taxa de renda
A	1	2 1/2 + 2 1/2	1	6	1/2 + 1 1/4 = 1 3/4	3 3/7	6	0	0	0
B	1	2 1/2 + 2 1/2	1	6	1 + 2 1/2 = 3 1/2	3 3/7	12	1 3/4	6	120%
C	1	2 1/2 + 2 1/2	1	6	1 1/2 + 3 3/4 = 5 1/4	3 3/7	18	3 1/2	12	240%
D	1	2 1/2 + 2 1/2	1	6	2 + 5 = 7	3 3/7	24	5 1/4	18	360%
Total	4	20			17 1/2		60	10 1/2	36	240%

Quadro VIII

Tipo de terra	Acres	Capital libras esterlinas	Lucro libras esterlinas	Custo de produção libras esterlinas	Produto quarters	Preço de venda libras esterlinas	Receita libras esterlinas	Renda em trigo quarters	Renda em dinheiro libras esterlinas	Lucro suplementar
A	1	2 1/2 + 2 1/2 = 5	1	6	1/2 + 1 = 1 1/2	4	6	0	0	0
B	1	2 1/2 + 2 1/2 = 5	1	6	1 + 2 = 3	4	12	1 3/4	6	120%
C	1	2 1/2 + 2 1/2 = 5	1	6	1 1/2 + 3 = 4 1/2	4	18	3 1/2	12	240%
D	1	2 1/2 + 2 1/2 = 5	1	6	2 + 4 = 6	4	24	5 1/4	18	360%
Total		20			15		60	10 1/2	36	240%

Quadro IX

Tipo de terra	Acres	Capital libras esterlinas	Lucro libras esterlinas	Custo de produção libras esterlinas	Produto quarters	Preço de venda libras esterlinas	Receita libras esterlinas	Renda em trigo quarters	Renda em dinheiro libras esterlinas	Taxa de renda
A	1	2 1/2 + 2 1/2 = 5	1	6	1 + 1/2 = 1 1/2	4	6	0	0	0
B	1	2 1/2 + 2 1/2 = 5	1	6	2 + 1 = 3	4	12	1 1/2	6	120%
C	1	2 1/2 + 2 1/2 = 5	1	6	3 + 1 1/2 = 4 1/2	4	18	3	12	240%
D	1	2 1/2 + 2 1/2 = 5	1	6	4 + 2 = 6	4	24	4 1/2	18	360%
Total		20		24	15		60	9	36	240%

Quadro X

Tipo de terra	Acres	Capital libras esterlinas	Lucro libras esterlinas	Custo de produção libras esterlinas	Produto quarters	Preço de venda libras esterlinas	Receita libras esterlinas	Renda em trigo quarters	Renda em dinheiro libras esterlinas	Taxa de renda
A	1	2 1/2 + 2 1/2 = 5	1	6	1 + 1/4 = 1 1/4	4 4/5	6	0	0	0
B	1	2 1/2 + 2 1/2 = 5	1	6	2 + 1/2 = 2 1/2	4 4/5	12	1 1/4	6	120%
C	1	2 1/2 + 2 1/2 = 5	1	6	3 + 3/4 = 3 3/4	4 4/5	18	2 1/2	12	240%
D	1	2 1/2 + 2 1/2 = 5	1	6	4 + 1 = 6	4 4/5	24	3 3/4	18	360%
Total		20		24	12 1/2		60	7 1/2	36	240%

Quadro VIIA

Tipo de terra	Acres	Capital libras esterlinas	Lucro libras esterlinas	Custo de produção libras esterlinas	Produto quarters	Preço de venda libras esterlinas	Receita libras esterlinas	Renda em trigo quarters	Renda em dinheiro libras esterlinas	Graduação de renda
a	1	5	1	6	1 1/2	4	6	0	0	0
A	1	2 1/2 + 2 1/2	1	6	1/2 + 1 1/4 = 1 3/4	4	7	1/4	1	1
B	1	2 1/2 + 2 1/2	1	6	1 + 2 1/2 = 3 1/2	4	14	2	8	1 + 7
C	1	2 1/2 + 2 1/2	1	6	1 1/2 + 3 3/4 = 5 1/4	4	21	3 3/4	15	1 + 2 × 7
D	1	2 1/2 + 2 1/2	1	6	2 + 5 = 7	4	28	5 1/2	22	1 + 3 × 7
Total	5			30	19		76	11 1/2	46	

Quadro VIIIA

Tipo de terra	Acres	Capital libras esterlinas	Lucro libras esterlinas	Custo de produção libras esterlinas	Produto quarters	Preço de venda libras esterlinas	Receita libras esterlinas	Renda em trigo quarters	Renda em dinheiro libras esterlinas	Graduação de renda
a	1	5	1	6	1 1/4	4 4/5	6	0	0	0
A	1	2 1/2 + 2 1/2	1	6	1/2 + 1 = 1 1/2	4 4/5	7 1/5	1/4	1 1/5	1 1/5
B	1	2 1/2 + 2 1/2	1	6	1 + 2 = 3 1/2	4 4/5	14 2/5	1 3/4	8 2/5	1 1/5 + 7 1/5
C	1	2 1/2 + 2 1/2	1	6	1 1/2 + 3 = 4 1/2	4 4/5	21 3/5	3 1/4	15 3/5	1 1/5 + 2 × 7 1/5
D	1	2 1/2 + 2 1/2	1	6	2 + 4 = 6	4 4/5	28 4/5	4 3/4	22 4/5	1 1/5 + 3 × 7 1/5
Total	5			30	16 1/4		78	10	48	

QUADRO XA

Tipo de terra	Acres	Capital libras esterlinas	Lucro libras esterlinas	Custo de produção libras esterlinas	Produto quarters	Preço de venda libras esterlinas	Receita libras esterlinas	Renda em trigo quarters	Renda em dinheiro libras esterlinas	Gradação de renda
a	1	5	1	6	1 1/8	5 1/3	6	0	0	0
A	1	2 1/2 + 2 1/2	1	6	1 + 1/4 = 1 1/4	5 1/3	6 2/3	1/8	2/3	2/3
B	1	2 1/2 + 2 1/2	1	6	2 + 1/2 = 2 1/2	5 1/3	13 1/3	1 3/8	7 1/3	2/3 + 6 2/3
C	1	2 1/2 + 2 1/2	1	6	3 + 3/4 = 3 3/4	5 1/3	20	2 5/8	14	2/3 + 2 × 6 2/3
D	1	2 1/2 + 2 1/2	1	6	4 + 1 = 5	5 1/3	26 2/3	3 7/8	20 2/3	2/3 + 3 × 6 2/3
Total				30	13 5/8		72 2/3	8	42 2/3	

RENDA DIFERENCIAL II - TERCEIRO CASO: CRESCENTE O PREÇO...

por inteiro artificiais. Além disso, criam falsa aparência. Se de graus de fertilidade na progressão de 1 : 2 : 3 : 4 etc., decorrem rendas na progressão de 0 : 1 : 2 : 3 etc., logo surge a tentação de deduzir a segunda série da primeira, e de explicar a duplicação, a triplicação etc. das rendas, com a circunstância de os rendimentos globais duplicarem, triplicarem etc. Mas isto seria totalmente falso. As rendas se comportam de acordo com a progressão 0 : 1 : 2 : 3 : 4, mesmo quando os graus de fertilidade seguem a progressão n : n + 1 : n + 2 : n + 3 : n + 4; as rendas não se comportam como os *graus* de fertilidade, mas constituem função das *diferenças* de fertilidade, e considera-se o terreno sem renda o ponto 0.

Era mister apresentar os quadros do manuscrito para elucidar o texto. Mas, para ilustrar os resultados da investigação expostos a seguir, aduzo a s1¹uir nova série dos quadros em que os rendimentos são dados em bushels (8̄8̄ de quarter ou 36,35 litros) e em xelins (= marcos).

O primeiro quadro (XI) corresponde ao quadro anterior I. Dá os rendimentos e as rendas referentes a cinco tipos de solo, de A a E, para um *primeiro* emprego de capital de 50 xelins, que, com o acréscimo do lucro de 10 xelins, forma custo global de produção de 60 xelins por acre. Os rendimentos em trigo estão fixados em níveis modestos: 10, 12, 14, 16, 18 bushels por acre. O resultante preço regulador de produção é de 6 xelins por bushel.

Os 13 quadros seguintes correspondem aos três casos da renda diferencial II, tratados neste e nos dois capítulos precedentes; supomos emprego *adicional* de capital no mesmo terreno, de 50 xelins por acre, com preço de produção constante, decrescente ou crescente. Mostra-se cada um desses casos como se configura, quando a produtividade do segundo investimento em relação à do primeiro é (1) constante, (2) decrescente, ou (3) crescente. E há ainda algumas variantes a ilustrar.

No caso I – constante o preço de produção – temos:

Variante 1 – produtividade constante da segunda aplicação de capital (quadro XII).

Variante 2 – produtividade decrescente. Esse decréscimo só pode ocorrer se não se fizer segundo investimento no solo A, de modo que:

a) o terreno B também não proporcione renda alguma (quadro XIII), ou

b) o terreno B não fique de todo desprovido de renda (quadro XIV).

Variante 3 – produtividade crescente (quadro XV). Essa variante exclui também segundo investimento no solo A.

No caso II – decrescente o preço de produção – temos:

O CAPITAL

Variante 1 – produtividade constante do segundo investimento (quadro XVI).
Variante 2 – produtividade decrescente (quadro XVII). Ambas as variantes acarretam que se expulse da concorrência o solo A e que o solo B fique sem renda e regule o preço de produção.
Variante 3 – produtividade crescente (quadro XVIII). O terreno A continua sendo o regulador.
No caso III – preço ascendente de produção –, são possíveis duas modalidades: o solo A pode continuar desprovido de renda e regulando o preço, ou então solo de qualidade inferior a A entra na concorrência e regula o preço, passando A a proporcionar renda.
Primeira modalidade – o solo A mantém a função reguladora:
Variante 1 – produtividade constante do segundo investimento (quadro XIX). Nas condições estabelecidas, essa hipótese só é possível quando decresce a produtividade do primeiro investimento.
Variante 2 – produtividade decrescente do segundo investimento (quadro XX); isto não exclui produtividade constante do primeiro investimento.
Variante 3 – produtividade ascendente do segundo investimento (quadro XIX), o que por sua vez supõe produtividade decrescente do primeiro.
Segunda modalidade – entra na concorrência terreno (denominado *a*) de qualidade inferior a A e que passa a proporcionar renda:
Variante 1 – produtividade constante do segundo investimento (quadro XXII).
Variante 2 – produtividade decrescente (quadro XXIII). Variante 3 – produtividade crescente (quadro XXIV).
Essas três variantes ocorrem de acordo com as condições gerais do problema, dispensando observações.
Seguem os quadros.

QUADRO XI

Tipo de terra	Custo de produção xelins	Produto bushels	Preço de venda xelins	Receita xelins	Renda xelins	Gradação da renda
A	60	10	6	60	0	0
B	60	12	6	72	12	12
C	60	14	6	84	24	2 × 12
D	60	16	6	96	36	3 × 12
E	60	18	6	108	48	4 × 12
					120	10 × 12

RENDA DIFERENCIAL II – TERCEIRO CASO: CRESCENTE O PREÇO...

Ocorre segundo investimento de capital num mesmo solo.
Primeiro caso – constante o preço de produção:
Variante 1 – constante a produtividade do segundo investimento:

QUADRO XII

Tipo de terra	Custo de produção xelins	Produto bushels	Preço de venda xelins	Receita xelins	Renda xelins	Gradação da renda
A	60 + 60 = 120	10 + 10 = 20	6	120	0	0
B	60 + 60 = 120	12 + 12 = 24	6	144	24	24
C	60 + 60 = 120	14 + 14 = 28	6	168	48	2 × 24
D	60 + 60 = 120	16 + 16 = 32	6	192	72	3 × 24
E	60 + 60 = 120	18 + 18 = 36	6	216	96	4 × 24
					240	10 × 24

Variante 2 – decrescente a produtividade do segundo investimento, que não se efetua em A:
a) Se o terreno B deixa de proporcionar renda:

QUADRO XIII

Tipo de terra	Custo de produção xelins	Produto bushels	Preço de venda xelins	Receita xelins	Renda xelins	Gradação da renda
A	60	10	6	60	0	0
B	60 + 60 = 120	12 + 8 = 20	6	120	24	0
C	60 + 60 = 120	14 + 9 1/3 = 23 1/3	6	140	48	20
D	60 + 60 = 120	16 + 10 2/3 = 26 2/3	6	160	72	2 × 20
E	60 + 60 = 120	18 + 12 = 30	6	180	96	3 × 20
					240	6 × 20

b) Se o terreno B não fica de todo sem renda:

Quadro XIV

Tipo de terra	Custo de produção xelins	Produto bushels	Preço de venda xelins	Receita xelins	Renda xelins	Gradação da renda
A	60	10	6	60	0	0
B	60 + 60 = 120	12 + 9 = 21	6	126	6	6
C	60 + 60 = 120	14 + 10 1/2 = 24 1/2	6	147	27	6 + 21
D	60 + 60 = 120	16 + 12 = 28	6	168	48	6 + 2 × 21
E	60 + 60 = 120	18 + 13 1/2 = 31 1/2	6	189	69	6 + 3 × 21
					150	4 × 6 + 6 × 21

Variante 3 – ascendente a produtividade do segundo investimento, que também não se faz no terreno A:

Quadro XV

Tipo de terra	Custo de produção xelins	Produto bushels	Preço de venda xelins	Receita xelins	Renda xelins	Gradação da renda
A	60	10	6	60	0	
B	60 + 60 = 120	12 + 15 = 27	6	162	42	42
C	60 + 60 = 120	14 + 17 1/2 = 31 1/2	6	189	69	42 + 27
D	60 + 60 = 120	16 + 20 = 36	6	216	96	42 + 2 × 27
E	60 + 60 = 120	18 + 22 1/2 = 40 1/2	6	243	123	42 + 3 × 27
					330	4 × 42 + 6 × 27

Segundo caso – decrescente o preço de produção:

Variante 1 – constante a produtividade do segundo investimento, ficando o solo A fora da concorrência, e o terreno B, sem renda:

Quadro XVI

Tipo de terra	Custo de produção xelins	Produto bushels	Preço de venda xelins	Receita xelins	Renda xelins	Gradação da renda
B	60 + 60 = 120	12 +12 = 24	5	120	0	0
C	60 + 60 = 120	14 +14 = 28	5	140	20	20
D	60 + 60 = 120	16 + 16 = 32	5	160	40	2 × 20
E	60 + 60 = 120	18 + 18 = 36	5	180	60	3 × 20
					120	6 × 20

Variante 2 – decrescente a produtividade do segundo investimento; fora da concorrência o solo A, e sem renda B:

QUADRO XVII

Tipo de terra	Custo de produção xelins	Produto bushels	Preço de venda xelins	Receita xelins	Renda xelins	Gradação da renda
B	60 + 60 = 120	12 + 9 = 21	5 5/7	120	0	0
C	60 + 60 = 120	14 +10 1/2 = 24 1/2	5 5/7	140	20	20
D	60 + 60 = 120	16 + 12 = 28	5 5/7	160	40	2 × 20
E	60 + 60 = 120	18 + 13 1/2 = 31 1/2	5 5/7	180	60	3 × 20
					120	6 × 20

Variante 3 – crescente a produtividade do segundo investimento; o solo A permanece concorrendo, e o B proporciona renda:

QUADRO XVIII

Tipo de terra	Custo de produção xelins	Produto bushels	Preço de venda xelins	Receita xelins	Renda xelins	Gradação da renda
A	60 + 60 = 120	10 + 15 = 25	4 4/5	120	0	0
B	60 + 60 = 120	12 +18 = 30	4 4/5	144	24	24
C	60 + 60 = 120	14 +21 = 35	4 4/5	168	48	2 × 24
D	60 + 60 = 120	16 + 24 = 40	4 4/5	192	72	3 × 24
E	60 + 60 = 120	18 + 27 = 45	4 4/5	216	96	4 × 24
					240	10 × 24

Terceiro caso – crescente o preço de produção:
Primeira modalidade – o terreno A continua sem renda e regula o preço:
Variante 1 – constante a produtividade do segundo investimento, o que supõe produtividade decrescente do primeiro:

O CAPITAL

QUADRO XIX

Tipo de terra	Custo de produção xelins	Produto bushels	Preço de venda xelins	Receita xelins	Renda xelins	Gradação da renda
A	60 + 60 = 120	7 1/2 + 10 = 17 1/2	6/67	120	0	0
B	60 + 60 = 120	9 +12 = 21	6/67	144	24	24
C	60 + 60 = 120	10 1/2 + 14 = 24 1/2	6/67	168	48	2 × 24
D	60 + 60 = 120	12 + 16 = 28	6/67	192	72	3 × 24
E	60 + 60 = 120	13 1/2 + 18 = 31 1/2	6/67	216	96	4 × 24
					240	10 × 24

Variante 2 – decrescente a produtividade do segundo investimento, o que não exclui produtividade constante do primeiro:

QUADRO XX

Tipo de terra	Custo de produção xelins	Produto bushels	Preço de venda xelins	Receita xelins	Renda xelins	Gradação da renda
A	60 + 60 = 120	10 + 5 = 15	8	120	0	0
B	60 + 60 = 120	12 + 6 = 18	8	144	24	24
C	60 + 60 = 120	14 + 7 = 21	8	168	48	2 × 24
D	60 + 60 = 120	16 + 8 = 24	8	192	72	3 × 24
E	60 + 60 = 120	18 + 9 = 27	8	216	96	4 × 24
					240	10 × 24

Variante 3 – crescente a produtividade do segundo investimento, o que implica, nas condições estabelecidas, produtividade decrescente do primeiro:

QUADRO XXI

Tipo de terra	Custo de produção xelins	Produto bushels	Preço de venda xelins	Receita xelins	Renda xelins	Gradação da renda
A	60 + 60 = 120	5 + 12 1/2 = 17 1/2	6/67	120	0	0
B	60 + 60 = 120	6 + 15 = 21	6/67	144	24	24
C	60 + 60 = 120	7 + 17 1/2 = 24 1/2	6/67	168	48	2 × 24
D	60 + 60 = 120	8 + 20 = 28	6/67	192	72	3 × 24
E	60 + 60 = 120	9 + 22 1/2 = 31 1/2	6/67	216	96	4 × 24
					240	10 × 24

RENDA DIFERENCIAL II – TERCEIRO CASO: CRESCENTE O PREÇO.

Segunda modalidade – passa a regular os preços terreno (denominado *a*) inferior a A, que então proporciona renda. Isto permite para todas as variantes produtividade constante do primeiro investimento:
Variante 1 – constante a produtividade do segundo investimento:

QUADRO XXII

Tipo de terra	Custo de produção xelins	Produto bushels	Preço de venda xelins	Receita xelins	Renda xelins	Gradação da renda
a	120	16	7 1/2	120	0	0
A	60 + 60 = 120	10 + 10 = 20	7 1/2	150	30	30
B	60 + 60 = 120	12 + 12 = 24	7 1/2	180	60	2 × 30
C	60 + 60 = 120	14 + 14 = 28	7 1/2	210	90	3 × 30
D	60 + 60 = 120	16 + 16 = 32	7 1/2	240	120	4 × 30
E	60 + 60 = 120	18 + 18 = 36	7 1/2	270	150	5 × 30
					450	15 × 30

Variante 2 – decrescente a produtividade do segundo investimento:

QUADRO XXIII

Tipo de terra	Custo de produção xelins	Produto bushels	Preço de venda xelins	Receita xelins	Renda xelins	Gradação da renda
a	120	15	8	120	0	0
A	60 + 60 = 120	10 + 7 1/2 = 17 1/2	8	140	20	20
B	60 + 60 = 120	12 + 9 = 21	8	168	48	20 + 28
C	60 + 60 = 120	14 + 10 1/2 = 24 1/2	8	196	76	20 + 2 × 28
D	60 + 60 = 120	16 + 12 = 28	8	224	104	20 + 3 × 28
E	60 + 60 = 120	18 + 13 1/2 = 31 1/2	8	252	132	20 + 4 × 28
					380	5 × 20 + 10 × 28

Variante 3 – produtividade ascendente do segundo investimento:

Quadro XXIV

Tipo de terra	Custo de produção xelins	Produto bushels	Preço de venda xelins	Receita xelins	Renda xelins	Gradação da renda
a	120	16	7 1/2	120	0	0
A	60 + 60 = 120	10 + 12 1/2 = 22 1/2	7 1/2	168 3/4	48 3/4	15 + 33 3/4
B	60 + 60 = 120	12 + 15 = 27	7 1/2	202 1/2	82 1/2	15 + 2 × 33 3/4
C	60 + 60 = 120	14 + 17 1/2 = 31 1/2	7 1/2	236 1/4	116 1/4	15 + 3 × 33 3/4
D	60 + 60 = 120	16 + 20 = 36	7 1/2	270	150	15 + 4 × 33 3/4
E	60 + 60 = 120	18 + 22 1/2 = 40 1/2	7 1/2	303 3/4	183 3/4	15 + 5 × 33 3/4
					581 1/4	5 × 15 + 15 × 33 3/4

Esses quadros põem em evidência o seguinte: de início, a série das rendas se comporta exatamente como a série das diferenças de fertilidade, considerando-se o terreno regulador, sem renda, como o ponto zero. O que determina a renda não são as receitas absolutas, mas as diferenças de receita. Tanto faz que os diversos terrenos forneçam por acre 1, 2, 3, 4, 5 bushels, ou 11, 12, 13, 14, 15; em ambos os casos, as rendas são, pela ordem, 0, 1, 2, 3, 4 bushels, ou o respectivo produto em dinheiro.

Mais importante, porém, é o que sucede com o total das rendas quando se faz investimento repetido de capital no mesmo solo.

Em cinco dos treze casos investigados, ao duplicar o emprego de capital, dobra o total das rendas; em vez 10 × 12 xelins passa a ser 10 × 24 xelins = 240 xelins. Eis os casos:

Caso I, preço constante, variante 1 – produtividade constante (quadro XII).

Caso II, preço decrescente, variante 3 – produtividade ascendente (quadro XVIII).

Caso III, preço ascendente, primeira modalidade em que o solo A continua sendo o regulador em todas as três variantes (quadros XIX, XX, XXI).

Em quatro casos, a renda *mais que duplica*, a saber:

Caso I, variante 3, preço constante, mas produtividade crescente (tabela XV. O montante global das rendas aumenta para 330 xelins.

Caso III, segunda modalidade, em que o solo A proporciona renda em todas as três variantes (quadro XXII, renda = 15 × 30 = 450 xelins; quadro XXIII, renda 5 × 20 + 10 × 28 = 380 xelins; quadro XXIV, renda = 5 × 15 + 15 × 33 3/4 = 581 1/4 xelins).

RENDA DIFERENCIAL II - TERCEIRO CASO: CRESCENTE O PREÇO...

Num caso a renda sobe, mas não chega a dobrar a que se obtém com o primeiro emprego de capital:

Caso I, preço constante, variante 2 – produtividade decrescente do segundo investimento, em condições que de todo não eliminam a renda de B (quadro XIV, renda $4 \times 6 + 6 \times 21 = 150$ xelins).

Finalmente, só em três casos, a renda global de todos os terrenos, depois do segundo investimento, continua no mesmo nível atingido com o primeiro investimento (quadro XI); são os casos em que se expele o solo A da concorrência, e o solo B se torna o regulador e portanto desprovido de renda. A renda de B não só desaparece, mas também é deduzida de cada termo da série de rendas, o que influi no resultado. Eis os casos:

Caso I, variante 2 – as condições são tais que não há segundo investimento em A (quadro XIII). A renda global = 6×20, coincidindo portanto com a da tabela XI = $10 \times 12 = 120$.

Caso II, variantes I e II; as condições aí excluem necessariamente o solo A (quadros XVI e XVII), e o total das rendas é novamente $6 \times 20 = 10 \times 12 = 120$ xelins.

Isto mostra que na grande maioria de todos os casos possíveis a renda aumenta por acre do terreno com renda e sobretudo no montante global, quando acresce o capital empregado no solo. Só em três dos treze casos investigados fica inalterado o total das rendas. Trata-se de casos em que se expele da concorrência o pior terreno, até então sem renda e com função reguladora, sendo substituído pelo imediatamente superior que fica desprovido de renda. Mas, mesmo aí, aumentam as rendas nos melhores terrenos, confrontadas com as obtidas com o primeiro emprego de capital; se a renda de C cai de 24 para 20, a de D e E sobe de 36 e 48 respectivamente para 40 e 60 xelins.

Queda do total das rendas abaixo do nível do primeiro emprego de capital (quadro XI) só seria possível se, além do solo A, saísse da concorrência o B, e C se tornasse o solo regulador e sem renda.

Quanto mais capital se aplica no solo, quanto mais se desenvolvem num país a agricultura e a civilização em geral, quanto mais sobem as rendas por acre e o total das rendas, tanto mais gigantesco é o tributo que com a feição de lucros suplementares a sociedade paga aos grandes proprietários de terras, desde que todos os tipos de terras que tenham sido objeto de cultivo continuem a concorrer.

Esta lei explica a espantosa vitalidade da classe dos grandes proprietários de terras. Nenhuma classe social é tão perdulária, nenhuma exige, como a dos grandes proprietários de terras, o direito a um luxo tradicional "de acordo com sua posição", qualquer que seja a origem do dinheiro, nenhuma acumula tão despreocupada dívidas sobre dívidas. E não obstante está sempre bem, graças ao capital que outras pessoas aplicam no solo que lhe traz rendas em desproporção completa com os lucros que o capitalista dele extrai.

A mesma lei porém explica por que essa vitalidade dos grandes proprietários de terras se esgota pouco a pouco.

Ao serem abolidos na Inglaterra, em 1846, os direitos aduaneiros sobre cereais, pensavam os fabricantes que a aristocracia territorial, com essa medida, ficaria reduzida à indigência. Em vez disso ficaram ainda mais ricos. E é fácil explicar isso. Daí em diante exigiu-se contratualmente dos arrendatários que desembolsassem anualmente, em vez de 8, 12 libras esterlinas por acre, e além disso os senhores territoriais amplamente representados na Câmara dos Comuns se outorgaram uma grande subvenção governamental para a drenagem e outras melhorias permanentes de suas terras. Não tendo sido totalmente eliminados os piores solos, no máximo empregados em outros fins, em caráter apenas provisório em regra, as rendas subiram em proporção ao acréscimo do capital empregado, e a situação da aristocracia territorial ficou ainda melhor.

Mas tudo é passageiro. Os navios transoceânicos e as ferrovias norte e sul-americanas e indianas permitiram que regiões estranhas concorressem nos mercados europeus de trigo. Havia as pradarias americanas, os pampas argentinos, as planícies, por natureza prontos para serem arados, terra virgem que proporcionava rendimentos abundantes anos a fio mesmo com método primitivo de cultura e sem adubos. Havia ainda as terras das comunidades camponesas russas e indianas, forçadas a vender parte cada vez maior do respectivo produto, a fim de obter dinheiro para os produtos que o despotismo cruel do Estado lhes extorquia, frequentes vezes empregando tortura. O camponês vendia esses produtos sem considerar o custo de produção, pelo preço que lhe oferecia o comerciante, pois tinha necessidade absoluta de dinheiro para pagar os impostos no prazo. Em face dessa concorrência, a da terra virgem das planícies ou a do camponês russo e indiano comprimidos por impostos, não poderiam medrar, na base das rendas antigas, o arrendatário e o camponês europeus. Parte das terras da Europa foi definitivamente expelida da concorrência relativa à plantação de trigo, as rendas caíram por toda parte, nosso caso segundo, variante 2 –

RENDA DIFERENCIAL II – TERCEIRO CASO: CRESCENTE O PREÇO...

preço decrescente e produtividade decrescente do capital adicional aplicado tornou-se a regra para a Europa, e por isso estendeu-se da Escócia à Itália e do Sul da França à Prússia Oriental a calamidade agrária. Felizmente ainda falta muito para explorar todas as planícies; ainda sobram bastantes para arruinar toda a grande propriedade fundiária europeia e, de quebra, a pequena. — F.E.]

Itens a tratar da renda:

A. Renda diferencial.

1. Conceito de renda diferencial. Ilustrar com a força hidráulica. Passagem para a renda agrícola propriamente dita.
2. Renda diferencial I, oriunda da diferença de fertilidade entre os diversos solos.
3. Renda diferencial II, oriunda de emprego subsequente de capital no mesmo solo. Investigar a renda diferencial II, com preço de produção:

   a) constante,
   b) decrescente,
   c) ascendente.

   Além disso,

   d) conversão de lucro suplementar em renda.

4. Influência dessa renda sobre a taxa de lucro.

B. Renda absoluta.
C. Preço da terra.
D. Observações finais sobre a renda fundiária.

A análise da renda diferencial considerada em sua totalidade leva-nos ao resultado geral seguinte:

Primeiro: Os lucros suplementares podem se formar de diversas maneiras. Na base da renda diferencial I, isto é, na base do emprego de todo o capital agrícola numa área constituída de solos com fertilidade diferente.

Além disso, na base da renda diferencial II, da produtividade diferencial variável de sucessivos investimentos de capital no mesmo solo, ou seja, produtividade maior – expressa, digamos, em quarters de trigo – que a obtida por igual dose de capital empregado no terreno pior, sem renda, regulador do preço de produção. Mas, para esses lucros suplementares, qualquer que seja a origem, se converterem em renda e se transferirem do arrendatário ao proprietário fundiário é mister antes que os diversos preços de produção individuais reais (que não dependem do preço de produção geral regulador do mercado) das parcerias produzidas pelos diversos investimentos sucessivos se nivelem num preço de produção individual médio. O preço de produção regulador geral do produto de um acre excede esse preço de produção individual médio, e esse excedente constitui e mede a renda por acre. Na renda diferencial I é possível distinguir de *per se* os resultados diferenciais, pois ocorrem em terrenos diferentes, espalhados ou juntos, com um investimento por acre considerado normal e o correspondente cultivo normal. Na renda diferencial II é mister antes estabelecer a possibilidade de distinguir esses resultados, de fato reduzindo-os à renda diferencial I, o que só se pode fazer da maneira indicada. Tomemos, por exemplo, o quadro III, p. 913.

O solo B, para o primeiro investimento de $2\frac{1}{2}$ libras esterlinas, dá 2 quarters por acre, e para o segundo de igual magnitude, $1\frac{1}{2}$ quarter; assim, o mesmo acre proporciona ao todo $3\frac{1}{2}$ quarters. Esses $3\frac{1}{2}$ quarters, oriundos do mesmo solo, não mostram qual a parte deles que provém do capital I e qual a que procede do capital II. São na realidade o produto do capital todo de 5 libras esterlinas, e efetivamente apenas sucedeu que um capital de $2\frac{1}{2}$ libras esterlinas produziu 2 quarters, e um de 5 libras esterlinas $3\frac{1}{2}$ quarters, em vez de 4. O caso teria a mesma natureza; se as 5 libras esterlinas dessem 4 quarters, de modo que as receitas de ambos os investimentos fossem as mesmas, ou ainda 5 quarters, de modo que o segundo capital empregado proporcionasse sobra de 1 quarter. O preço de produção dos primeiros 2 quarters é $1\frac{1}{2}$ libra esterlina por quarter, e o do segundo $1\frac{1}{2}$ quarter é 2 libras esterlinas por quarter. Por isso, só $3\frac{1}{2}$ quarters custam ao todo 6 libras esterlinas. Este é o preço individual de produção do produto todo, e em média representa 1 libra esterlina e $14\frac{2}{7}$ xelins por quarter, digamos, cerca de $1\frac{3}{4}$ libra esterlina. Na base do preço de produção geral de 3 libras esterlinas, determinado pelo solo A, há lucro suplementar de $1\frac{1}{4}$ libra esterlina por quarter, e por conseguinte, para 3

RENDA DIFERENCIAL II – TERCEIRO CASO: CRESCENTE O PREÇO...

$\frac{1}{2}$ quarters, de $4\frac{3}{8}$ libras esterlinas ao todo. Na base do preço médio de produção de B, esse lucro suplementar se configura em cerca de $1\frac{1}{2}$ quarter. O lucro suplementar de B se expressa, portanto, em parte alíquota do produto de B, nos $1\frac{1}{2}$ quarter, que representam a renda em trigo, sendo vendidos por libras esterlinas, de acordo com o preço geral de produção. Mas, reciprocamente, o que do produto de um acre de B excede o produto de um acre de A não representa sem mais nem menos lucro suplementar, ou seja, produto suplementar. Segundo nossa suposição, o acre de B produz $3\frac{1}{2}$ quarters, e o 2 de A 1 quarter apenas. O solo B produz mais $2\frac{1}{2}$ quarters portanto, mas o produto suplementar é só de $1\frac{1}{2}$ quarter, pois o capital aplicado em B é duas vezes maior que o empregado em A, e por isso dobra o custo de produção. Se em A se investissem também 5 libras esterlinas com taxa de produtividade constante, o produto seria, em vez de 1, 2 quarters, e ver-se-ia que o produto suplementar real se acha confrontando-se $3\frac{1}{2}$ e 2, em vez de $3\frac{1}{2}$ e 1, sendo portanto de $1\frac{1}{2}$ quarter e não de $2\frac{1}{2}$. Demais, se B empregasse terceira porção de capital de $2\frac{1}{2}$ libras esterlinas, a qual só produzisse 1 quarter, que assim custaria 3 libras esterlinas, como em A, o preço de venda de 3 libras esterlinas cobriria apenas o custo de produção, só proporcionaria o lucro médio; não existindo lucro suplementar, nada haveria que se convertesse em renda. Não basta comparar o produto por acre de um terreno qualquer com o produto por acre do terreno A; essa comparação não revela se ele provém de investimento igual ou maior de capital, nem se o produto excedente só cobre o preço de produção ou se resulta de produtividade maior do capital adicional.

Segundo: Quanto à nova formação de lucro suplementar, o limite dos investimentos adicionais é aquele emprego de capital que só cobre o custo de produção, que produz o quarter tão caro quanto o mesmo capital empregado num acre do solo A, isto é, a 3 libras esterlinas segundo nossa hipótese. Do que foi exposto infere-se que, para taxa decrescente de produtividade dos capitais adicionais, o limite em que o total do capital empregado não produziria mais renda no acre de B é aquele em que o preço individual médio de produção do produto por acre de B se nivela ao preço de produção por acre de A.

Se B acrescenta investimentos adicionais que apenas pagam o preço de produção, sem formar portanto lucro suplementar e nova renda, haverá em consequência acréscimo do preço individual médio de produção por quarter, mas não se alterará o lucro suplementar constituído pelos investimentos anteriores, nem eventualmente a renda. É que o preço médio de produção continua sempre inferior ao de A, e se decresce a diferença de preço por quarter, acresce proporcionalmente o número de quarters, de modo a manter-se constante o excedente global do preço.

No caso considerado, os dois primeiros investimentos de 5 libras esterlinas em B produzem $3\frac{1}{2}$ quarters, e segundo nossa hipótese renda de $1\frac{1}{2}$ quarter = $4\frac{1}{2}$ libras esterlinas. Acrescentando-se terceiro investimento de $2\frac{1}{2}$ libras esterlinas, mas que produz apenas 1 quarter adicional, o preço global de produção (inclusive os 20% de lucro) dos $4\frac{1}{2}$ quarters será de 9 libras esterlinas, e o preço médio por quarter, de 2 libras esterlinas. O preço médio de produção por quarter de B elevou-se de $1\frac{5}{7}$ para 2 libras esterlinas, e o lucro suplementar por quarter, comparado com o preço regulador de A, caiu portanto de $1\frac{2}{7}$ para 1 libra esterlina. Mas $1 \times 4\frac{1}{2} = 4\frac{1}{2}$ libras esterlinas, como dantes $1\frac{2}{7} \times 3\frac{1}{2} = 4\frac{1}{2}$ libras esterlinas.

Admitamos um quarto e um quinto investimentos em B, cada um de $2\frac{1}{2}$ libras esterlinas, produzindo o quarter ao preço geral de produção, então o produto global por acre seria de $6\frac{1}{2}$ quarters e o custo de produção, de 15 libras esterlinas. O preço médio de produção por quarter de B aumentaria novamente, passando de 2 para $2\frac{4}{13}$ libras esterlinas, e o lucro suplementar por quarter, considerando-se o preço de produção regulador de A cairia de 1 para $9\frac{9}{13}$ de libra esterlina. Mas esses $\frac{9}{13}$ seriam multiplicados por $6\frac{1}{2}$ quarters e não por $4\frac{1}{2}$. E $\frac{9}{13} \times 6\frac{1}{2} = 1 \times 4\frac{1}{2} = 4\frac{1}{2}$ libras esterlinas.

Daí logo se infere que, nessas circunstâncias, não é mister acréscimo do preço regulador de produção, para possibilitar investimentos adicionais nos terrenos que produzem renda até ao ponto em que o capital que se adiciona cessa completamente de fornecer lucro suplementar, só proporcionando o lucro médio. E mais: a soma do lucro suplementar por acre permanece a mesma, por mais que decresça o lucro suplementar por quarter; esse decréscimo se compensa sempre com acréscimo correspondente dos quarters produzidos por acre. Para o preço de produção médio nivelar-se com o preço geral de produção (chegar a 3 libras esterlinas para B), é mister empregar capitais adicionais cujo produto tenha preço de produção superior ao regulador, de 3 libras esterlinas. Mas veremos que isto só não basta para levar o preço médio de produção por quarter de B ao nível do preço geral de produção, de 3 libras esterlinas.

RENDA DIFERENCIAL II – TERCEIRO CASO: CRESCENTE O PREÇO

Admitamos se produzam no solo B:

1) $3\frac{1}{2}$ quarters como dantes, ao preço de produção de 6 libras esterlinas; há portanto dois investimentos de capital de $2\frac{1}{2}$ libras esterlinas cada um, ambos proporcionando lucros suplementares, mas de magnitude decrescente.

2) 1 quarter a 3 libras esterlinas – um investimento de capital em que o preço de produção individual é igual ao preço de produção regulador;

3) 1 quarter a 4 libras esterlinas – um investimento em que o preço individual de produção é $33\frac{1}{3}$% superior ao preço regulador.

Teremos assim por acre $5\frac{1}{2}$ quarters por 13 libras esterlinas, com um capital empregado de $10\frac{7}{10}$ libras esterlinas, quatro vezes o investimento original, mas sem chegar a três vezes o produto do primeiro investimento. $5\frac{1}{2}$ quarters a 13 libras esterlinas correspondem a preço médio de produção por quarter de $2\frac{4}{11}$ libras esterlinas, havendo portanto ao preço de produção regulador de 3 libras esterlinas excedente de $\frac{7}{11}$ libra esterlina por quarter, o qual pode se converter em renda. $5\frac{1}{2}$ quarters vendidos ao preço regulador de 3 libras esterlinas dão $16\frac{1}{2}$ libras esterlinas. Descontado de 13 libras esterlinas o custo de produção ficam $3\frac{1}{2}$ libras esterlinas do lucro suplementar ou renda que, na base do preço médio atual de produção do quarter de B, a $2\frac{4}{11}$ libras esterlinas por quarter, representam $1\frac{25}{52}$ quarter. A renda em dinheiro cai de 1 libra esterlina, e a renda em trigo de quase $\frac{1}{2}$ quarter, mas o lucro suplementar e a renda continuam a existir como dantes, apesar de o quarto investimento adicional em B não proporcionar lucro suplementar e dar menos que o lucro médio. Admitamos que, além da aplicação de capital 3), a 2) produza acima do preço de produção regulador, e desse modo tenhamos a produção global; $3\frac{1}{2}$ quarters a 6 libras esterlinas + 2 quarters a 8 libras esterlinas, ao todo $5\frac{1}{2}$ quarters ao custo do produção de 14 libras esterlinas. O preço médio de produção será $2\frac{6}{11}$ libras esterlinas, deixando excedente de $\frac{5}{11}$ libra esterlina. Os $5\frac{1}{2}$ quarters, vendidos a 3 libras esterlinas, produzirão $16\frac{1}{2}$ libras esterlinas; deduzidas daí as 14 do custo de produção, ficam $2\frac{1}{2}$ libras esterlinas de renda, o que representa ao preço médio atual de produção de B, $\frac{55}{56}$ quarter. Continua a haver renda, porém menor que antes.

Isto nos mostra que nos terrenos de melhor qualidade com investimentos adicionais cujo produto custa mais que o preço de produção regulador, a renda, pelo menos nos limites admissíveis pela prática, não deve desaparecer, mas apenas decrescer proporcionalmente à parte alíquota que esse

O CAPITAL

capital menos produtivo representa na totalidade do capital empregado, e ainda proporcionalmente ao decréscimo da produtividade. O preço médio do produto ficaria assim sempre abaixo do preço regulador e por isso deixaria sempre um lucro suplementar conversível em renda.

Vamos supor agora que o preço médio do quarter de B coincide com o preço geral de produção, em virtude de quatro investimentos sucessivos $(2\frac{1}{2}, 2\frac{1}{2}, 5$ e 5 libras esterlinas$)$ com produtividade decrescente.

Capital libras esterlinas	Lucro libras esterlinas	Rendimento quarters	Custo de produção		Preço de venda libras esterlinas	Receita libras esterlinas	Excedente para renda	
			por quarter libras esterlinas	total libras esterlinas			em trigo libras esterlinas	em dinheiro libras esterlinas
2 1/2	1/2	2	1 1/2	3	3	6	1	3
2 1/2	1/2	1 1/2	2	3	3	4 1/2	1/2	1 1/2
5	1	1 1/2	4	6	3	4/12	-1/2	-1 1/2
5	1	1	6	6	3	3	-1	-3
:al 15	3	6		18		18	0	0

O arrendatário aí vende a seu preço individual de produção cada quarter e, por conseguinte, ao preço de produção médio coincidente com o preço regulador de 3 libras esterlinas, a totalidade dos quarters. Assim, com o capital de 15 libras esterlinas continua a obter lucro de 20% = 3 libras esterlinas. Mas a renda desapareceu. Vejamos o que se deu com o excedente ao se compensarem os preços individuais de produção de cada quarter no nível do preço geral de produção.

O lucro suplementar da primeira aplicação de $2\frac{1}{2}$ libras esterlinas era de 3 libras esterlinas, e o da segunda de $2\frac{1}{2}$ era de $1\frac{1}{2}$; ao todo, o lucro suplementar de 5 libras, um terço do capital adiantado, era de $4\frac{1}{2}$ libras esterlinas = 90%.

As 5 libras esterlinas do investimento 3 não proporcionam lucro suplementar, e o respectivo produto de $1\frac{1}{2}$ quarter, vendido ao preço geral de produção, dá *deficit* de $1\frac{1}{2}$ libra esterlina. Finalmente, quanto ao investimento 4, também de 5 libras esterlinas, o produto de 1 quarter, vendido ao preço geral de produção, dá *deficit* de 3 libras esterlinas. Os *deficits* de ambos os investimentos somam $4\frac{1}{2}$ libras esterlinas, igualando o lucro suplementar de $4\frac{1}{2}$ libras esterlinas, resultante dos investimentos 1 e 2.

RENDA DIFERENCIAL II - TERCEIRO CASO: CRESCENTE O PREÇO...

Os lucros suplementares e os *deficits* se compensam, desaparecendo a renda. Isto na realidade só é possível porque os elementos da mais-valia que formavam lucro suplementar ou renda passam agora a constituir o lucro médio. O arrendatário obtém esse lucro médio de 3 libras esterlinas sobre 15, ou seja, de 20%, à custa da renda.

O ajustamento do preço individual médio de produção de B ao nível do preço geral de produção de A, regulador do preço de mercado, supõe que a diferença para mais entre o preço regulador e o preço individual do produto dos primeiros investimentos seja progressivamente contrabalançada e por fim anulada pela diferença para menos entre o preço regulador e o preço individual do produto dos investimentos posteriores. O que se configura em lucro suplementar, na venda separada do produto dos primeiros investimentos, torna-se pouco a pouco parte do preço médio de produção, entrando assim na formação do lucro médio até ser por este de todo absorvido.

Admitamos que se aplique em B um capital apenas de 5 libras esterlinas, em vez de 15, e que os 2 quarters adicionais da última tabela sejam produzidos empregando-se na exploração de $2\frac{1}{2}$ novos acres de A um capital de $2\frac{1}{2}$ libras esterlinas por acre; assim, o capital adicional desembolsado só atingiria $6\frac{1}{4}$ libras esterlinas, e portanto o capital todo desembolsado em A e B para produzir os 6 quarters seria de $11\frac{1}{4}$ libras esterlinas, em vez de 15, e o custo de produção que abrange o lucro, de $13\frac{1}{2}$ libras esterlinas. Os 6 quarters continuariam sendo vendidos por 18 libras esterlinas, mas o capital empregado teria diminuído de $3\frac{3}{4}$ libras esterlinas, e a renda de B por acre seria como dantes de $4\frac{1}{2}$ libras esterlinas. A coisa tomaria outro aspecto, se 2 para produzir os $2\frac{1}{2}$ quarters adicionais fosse necessário recorrer a solo pior que A, a A_1 a A_2 de modo que, para $1\frac{1}{2}$ quarter obtido no solo A_1, o preço de produção por quarter fosse de 4 libras esterlinas, e para o último quarter obtido em A_2, de 6 libras esterlinas. Nessas condições, 6 libras esterlinas seriam o preço de produção regulador por quarter. Os $3\frac{1}{2}$ quarters de B seriam vendidos por 21 libras esterlinas e não por $10\frac{1}{2}$, o que daria uma renda em libras esterlinas de 15 em vez de $4\frac{1}{2}$, e, em quarters, de $2\frac{1}{2}$, em vez de $1\frac{1}{2}$. E A então daria uma renda de 3 libras esterlinas, saída de um só quarter e igual a $\frac{1}{2}$ quarter.

Antes de entrar em pormenores sobre o assunto, ainda uma observação.

O preço médio do quarter de B nivela-se, coincide com o preço geral de produção de 3 libras esterlinas por quarter, regulado por A, desde que a fração do capital total produtora dos $1\frac{1}{2}$ quarter excedente se contrabalance com a fração que gera um *deficit* de $1\frac{1}{2}$ quarter. O tempo para se atingir essa compensação ou o montante de capital a empregar para esse fim em B, com produtividade deficitária depende, dada a produtividade superavitária dos primeiros investimentos, da infraprodutividade dos capitais posteriores empregados em face de investimento de igual magnitude no solo regulador A, o pior, ou do preço individual do produto deles, comparado com o preço regulador.

A análise precedente permite, antes de mais nada, as seguintes conclusões:

Primeiro: Enquanto os capitais adicionais aplicados no mesmo terreno proporcionam produto suplementar, embora decrescente, a renda em trigo e em dinheiro aumenta de maneira absoluta, embora decresça em relação ao capital adiantado (diminui portanto a taxa de lucro suplementar ou da renda). O limite aí é constituído por aquele capital adicional que só dá o lucro médio, ou que gera produto com preço individual de produção coincidente com o geral. Nessas condições, o preço de produção mantém-se constante, desde que o acréscimo da oferta não torne supérflua a produção dos terrenos piores. Mesmo caindo os preços, esses capitais adicionais ainda podem, dentro de certos limites, produzir lucro suplementar, embora menor.

Segundo: O emprego de capital adicional que só produz o lucro médio, sem produtividade excedente portanto, em nada altera o nível do lucro suplementar formado e, em consequência, tampouco o da ronda. Aumenta então o preço médio individual do quarter nos solos de melhor qualidade; diminui o excedente por quarter, mas acresce o número dos quarters que proporcionam esse excedente reduzido, de modo que o produto continua o mesmo.

Terceiro: Capitais adicionais gerando produto com preço individual de produção acima do preço regulador – com produtividade excedente portanto inferior a zero, negativa, isto é, inferior à produtividade de igual investimento no solo regulador A – levam o preço médio individual do produto todo do solo de melhor qualidade a aproximar-se cada vez mais do preço geral de produção, reduzindo cada vez mais entre ambos a diferença que constitui o lucro suplementar ou a renda. O que constituía lucro suplementar ou renda entra cada vez mais na formação do lucro médio.

RENDA DIFERENCIAL II - TERCEIRO CASO: CRESCENTE O PREÇO...

Entretanto, o capital total empregado no acre de B continua a dar lucro suplementar, embora decrescente em função da massa crescente do capital de produtividade deficitária e em função do grau dessa infraprodutividade. Enquanto aumentam aí capital e produção, cai a renda por acre de maneira absoluta, e não, como no segundo caso, em relação apenas à magnitude crescente do capital aplicado.

A renda só pode desaparecer quando o preço médio individual de produção do produto todo obtido no solo B de melhor qualidade coincide com o preço regulador, sendo portanto absorvido o lucro suplementar todo dos primeiros investimentos mais produtivos, para formar o lucro médio.

O limite da queda da renda por acre é o ponto em que ela desaparece. Esse ponto não se atinge quando os capitais adicionais empregados operam com infraprodutividade, e sim quando o emprego adicional das partes infraprodutivas do capital é tão grande que anula a produtividade excedente dos primeiros investimentos, e a produtividade do capital total aplicado se iguala à do capital de A, e por isso o preço médio individual do quarter de B se nivela com o do quarter de A.

Também nesse caso, o preço de produção regulador de 3 libras esterlinas por quarter ficaria o mesmo, embora a renda tivesse desaparecido. Só além desse limite teria de aumentar o preço de produção em virtude de acréscimo, seja do grau de infraprodutividade do capital adicional, seja da magnitude do capital adicional de infraprodutividade constante. Se no quadro da página 844 se produzissem a 4 libras esterlinas por quarter, em vez de $1\frac{1}{2}$ quarter, $2\frac{1}{2}$, teríamos ao todo 7 quarters ao custo de produção de 22 libras esterlinas; o quarter custaria $3\frac{1}{7}$ libras esterlinas, ou seja, estaria $\frac{1}{7}$ acima do preço geral de produção, que necessariamente subiria.

Por muito tempo poder-se-ia empregar capital adicional com infraprodutividade e mesmo com infraprodutividade crescente, até que o preço médio individual do quarter nas melhores terras se nivelasse com o preço geral de produção, até que desaparecesse a diferença entre este e aquele e, por conseguinte, o lucro suplementar e a renda.

E mesmo então, com o desaparecimento da renda nos solos de melhor qualidade, surgiria apenas a coincidência entre o preço médio individual do produto deles com o preço de produção geral, sem o acréscimo deste ser ainda necessário, portanto.

No exemplo acima, no terreno B, o último na escala dos terrenos de melhor qualidade ou que fornecem renda, produziram-se $3\frac{1}{2}$ quarters com capital de 5 libras esterlinas, dotado de produtividade excedente, e 2 $\frac{1}{2}$ quarters com capital de 10 libras esterlinas, infraprodutivo; ao todo, 6 quarters, cabendo $\frac{5}{12}$ às parcelas do capital empregado com infraprodutividade. E só nesse ponto o preço médio individual de produção dos 6 quarters atinge 3 libras esterlinas por quarter, coincidindo portanto com o preço geral de produção.

Entretanto, segundo a lei da propriedade fundiária não teria sido possível produzir os últimos 2 $\frac{1}{2}$ quarters dessa maneira, na base de 3 libras esterlinas por quarter, excetuada a possibilidade de serem produzidos em 2 $\frac{1}{2}$ novos acres do terreno A. O limite teria sido o caso em que o capital adicional ainda produz ao preço geral de produção. Além desse limite cessaria necessariamente o emprego de capital adicional no mesmo solo.

Uma vez que o arrendatário, com os dois primeiros investimentos, já tem de pagar 4 $\frac{1}{2}$ libras esterlinas de renda, continuará necessariamente a pagá-la, e todo emprego de capital que produzir o quarter acima de 3 libras esterlinas reduzirá seu lucro. Isto impede que o preço médio individual chegue ao nivelamento considerado com a hipótese da infraprodutividade.

Ilustremos este caso, utilizando o exemplo anterior em que o preço de produção do solo A, de 3 libras esterlinas por quarter, regula o preço de B.

Capital libras esterlinas	Lucro libras esterlinas	Custo de produção libras esterlinas	Rendimento quarters	Custo de produção por quarter libras esterlinas	Preço de venda por quarter libras esterlinas	total libras esterlinas	Lucro suplementar libras esterlinas	Perda libras esterlinas
2 1/2	1/2	3	2	1 1/2	3	6	3	–
2 1/2	1/2	3	1 1/2	2	3	4 1/2	1 1/2	–
5	1	6	1 1/2	4	3	4 1/2	–	1 1/2
5	1	6	1	6	3	3	–	3
15	3	18				18	4 1/2	4 1/2

O custo de produção dos 3 $\frac{1}{2}$ quarters obtidos com os dois primeiros investimentos é para o arrendatário também de 3 libras esterlinas por quarter, pois ele tem de pagar renda de 4 $\frac{1}{2}$ libras esterlinas, sem embolsar portanto a diferença entre seu preço individual de produção e o preço geral. O excedente do preço do produto dos dois primeiros investimentos não lhe pode, portanto, servir para compensar o *deficit* dos produtos do terceiro e quarto investimentos.

O $1\frac{1}{2}$ quarter obtido com o investimento 3 custa ao arrendatário, inclusive lucro, 6 libras esterlinas; mas, ao preço regulador de 3 libras esterlinas por quarter, só pode vendê-lo por $4\frac{1}{2}$ libras esterlinas. Além do lucro todo perderia ainda $\frac{1}{2}$ libra esterlina ou 10% do capital aplicado de 5 libras. A perda em lucro e capital com o investimento 3 seria para ele de $1\frac{1}{2}$ libra esterlina e com o investimento 4, de 3 libras esterlinas, o que totaliza 4 $\frac{1}{2}$ libras esterlinas. Esse montante equivale à renda proporcionada pelos primeiros investimentos, mas o preço individual de produção deles não pode ter função compensadora na formação do preço médio individual de produção do produto global de B, pois o excedente que deixa é renda que se paga a terceiro.

Se a procura necessitasse que o terceiro investimento produzisse os $1\frac{1}{2}$ quarter adicional, o preço regulador de mercado teria de subir para 4 libras esterlinas por quarter. Em virtude da alta do preço regulador, acresceria em B a renda do primeiro e do segundo investimentos, e formar-se-ia renda em A.

A renda diferencial é apenas conversão formal de lucro suplementar em renda, e a propriedade fundiária capacita unicamente o proprietário a transferir para si o lucro suplementar do arrendatário. Todavia, vê-se que o emprego sucessivo de capital na mesma área de terra, ou, o que é o mesmo, o acréscimo do capital empregado na mesma área, com taxa decrescente de produtividade do capital e preço regulador constante, chega muito mais rápido ao limite, na realidade mais ou menos artificial, em virtude da conversão puramente formal de lucro suplementar em renda fundiária, decorrência da propriedade fundiária. A alta do preço geral de produção, necessária então em limites mais estreitos que os comuns, causa aí o aumento da renda diferencial; além disso, a existência da renda diferencial como renda fundiária gera, ao mesmo tempo, a elevação antecipada e mais rápida do preço geral de produção, a fim de ficar assegurada a oferta acrescida do produto, que se tornou necessária.

Observemos ainda:

O preço regulador não poderia subir, como acima, a 4 libras esterlinas, mediante emprego suplementar de capital no solo B, se o terreno A com segundo investimento fornecesse por menos de 4 libras esterlinas o produto adicional, ou se solo pior que A entrasse na concorrência, com preço de produção superior a 3 libras esterlinas, porém inferior a 4. Verificamos assim que renda diferencial I e renda diferencial II – a primeira é base da segunda – ao mesmo tempo se limitam reciprocamente; daí serem requeridos ora investimentos sucessivos na mesma área de terra, ora investimentos paralelos em novas áreas adicionais. Elas se limitam mutuamente ainda em outros casos, quando, por exemplo, surge a oportunidade de explorar melhores terras.

XLIV.
Renda diferencial também no pior solo cultivado

Vamos supor ascendente a procura de trigo e que só se possa satisfazer o fornecimento necessário com investimentos sucessivos infraprodutivos nos terrenos que dão renda, ou com investimento adicional de produtividade também decrescente, no solo A, ou com emprego de capital em novas terras inferiores a A em qualidade.

Consideremos o terreno B representativo das terras que dão renda.

O emprego adicional de capital exige que o preço de mercado ultrapasse o preço de produção, até então regulador, de 3 libras esterlinas por quarter, a fim de ser possível produzir-se em B 1 quarter suplementar (cada quarter pode representar aqui um milhão de quarters, e cada acre, um milhão de acres). C, D etc., os solos de renda mais alta, podem fornecer também produto adicional, mas só com produtividade excedente em decréscimo, e mantemos a suposição de que o quarter suplementar de B é necessário para satisfazer a procura. O capital adicional em B regulará o preço de mercado se produzir 1 quarter mais barato que capital adicional da mesma magnitude aplicado em A ou que investimento em A_1, que, digamos, só pode produzir o quarter a 4 libras esterlinas, quando o capital adicional em A já poderia produzi-lo por $3\frac{3}{4}$ libras esterlinas.

Admitamos que A continue a produzir 1 quarter por 3 libras esterlinas, e que B, como dantes, obtenha os $3\frac{1}{2}$ quarters globalmente ao preço individual de produção de 6 libras esterlinas. Se for necessário em B um custo de produção de 4 libras esterlinas (inclusive lucro) para produzir 1 quarter suplementar, quando em A se poderia obtê-lo a $3\frac{3}{4}$ libras esterlinas, é evidente que seria produzido em A e não em B. Assim, vamos supor que se possa produzi-lo em B, com custo adicional de produção de $3\frac{1}{2}$ libras esterlinas. Então, $3\frac{1}{2}$ libras esterlinas seriam o preço regulador de toda a produção, e B venderia seu produto agora de $4\frac{1}{2}$ quarters por $15\frac{3}{4}$ libras esterlinas. Estão incluídos aí o custo de produção dos primeiros $3\frac{1}{2}$ quarters e o do último quarter, respectivamente de 6 e $3\frac{1}{2}$ libras esterlinas, ao todo $9\frac{1}{2}$ libras esterlinas. Fica para a renda o lucro suplementar de $6\frac{1}{4}$ libras esterlinas contra as anteriores $4\frac{1}{2}$. O acre de A também proporcionará renda, de $\frac{1}{2}$ libra esterlina, mas regulará o preço de produção de $3\frac{1}{2}$ libras esterlinas não o pior solo A e sim o B de melhor qualidade. Estamos naturalmente supondo que não se encontra novo solo com a qualidade e a mesma situação favorável do solo A até agora cultivado, mas que seria necessário segundo emprego de capital a custo maior de produção na área já cultivada de A, ou que se teria de recorrer ao solo A_1, ainda pior. Quando

O CAPITAL

começa a funcionar a renda diferencial II, em virtude de aplicações sucessivas de capital, os limites do preço ascendente de produção podem ser regulados por solo de melhor qualidade, e o pior solo, a base da renda diferencial I, pode também proporcionar renda. Assim, considerando-se a simples renda diferencial, todas as terras cultivadas produziriam renda. Teríamos então os dois quadros seguintes nos quais por custo de produção se entende a soma do capital adiantado acrescida de 20%, havendo, portanto, para cada $2\frac{1}{2}$ libras esterlinas de capital $\frac{1}{2}$ libra esterlina de lucro, o que totaliza 3 libras esterlinas.

Tipo de terra	Acres	Custo de produção libras esterlinas	Produto quarters	Preço de venda libras esterlinas	Receita libras esterlinas	Renda em trigo quarters	Renda em dinheiro libras esterlinas
A	1	3	1 1/2	3	3	0	0
B	1	6	3 1/2	3	10 1/2	1 1/2	4 1/2
C	1	6	5 1/2	3	16 1/2	3 1/2	10 1/2
D	1	6	7 1/2	3	22 1/2	5 1/2	16 1/2
Total	4	21	17 1/2		52 1/2	10 1/2	31 1/2

Assim ficam as coisas antes de haver em B novo investimento de $3\frac{1}{2}$ libras esterlinas que proporciona apenas 1 quarter. Após esse emprego de capital temos a seguinte situação.

Tipo de terra	Acres	Custo de produção libras esterlinas	Produto quarters	Preço de venda libras esterlinas	Receita libras esterlinas	Renda em trigo quarters	Renda em dinheiro libras esterlinas
A	1	3	1	3 1/2	3	1/7	1/2
B	1	9 1/2	4 1/2	3 1/2	15 3/4	1 11/14	6 1/4
C	1	6	5 1/2	3 1/2	19 1/4	3 11/14	13 1/4
D	1	6	7 1/2	3 1/2	26 1/4	5 11/14	20 1/4
Total	4	24 1/2	18 1/2		64 3/4	11 1/2	40 1/4

RENDA DIFERENCIAL TAMBÉM NO PIOR SOLO CULTIVADO

[Esse cálculo também não está rigorosamente certo. Para produzir os $4\frac{1}{2}$ quarters, o arrendatário de B desembolsa o custo de produção de $9\frac{1}{2}$ libras esterlinas e, além disso, as $4\frac{1}{2}$ de renda, ao todo 14 libras esterlinas, sendo a média por quarter de $3\frac{1}{9}$ libras esterlinas. Esse preço médio de sua produção global torna-se então o preço regulador de mercado. Então, a renda de A seria $\frac{1}{9}$ de libra esterlina, em vez de $\frac{1}{2}$, e a renda de B continuaria a ser $4\frac{1}{2}$ libras esterlinas. $4\frac{1}{2}$ quarters × $\frac{1}{9}$ esterlinas = 14 libras esterlinas, e deduzindo-se daí o custo de produção de $9\frac{1}{2}$ libras esterlinas, sobram $4\frac{1}{2}$ de lucro suplementar. Apesar da alteração nos números, o exemplo evidencia que, em virtude da renda diferencial II, o terreno de melhor qualidade que já proporciona renda pode regular o preço e em consequência todo solo dá renda, inclusive o que não a fornecia. — F.E.]

A renda em trigo necessariamente aumenta desde que suba o preço regulador de produção do trigo, ou seja, desde que encareça o quarter de trigo no solo regulador ou ainda acresça num dos terrenos o investimento regulador. É como se todos os terrenos tivessem ficado menos férteis e produzissem, por exemplo, com cada $2\frac{1}{2}$ libras esterlinas de novo investimento, $\frac{5}{7}$ apenas em vez de 1 quarter. O que produzem a mais em trigo com o mesmo investimento converte-se em produto suplementar em que se configura o lucro suplementar e por conseguinte a renda. Suposta invariável a taxa de lucro, o arrendatário menos trigo pode comprar com o lucro. A taxa de lucro pode continuar a mesma se o salário não sobe – porque está reduzido ao mínimo vital, situando-se abaixo do valor normal da força de trabalho; ou porque se tornaram relativamente mais baratos os outros objetos que a indústria fabril fornece ao consumo do trabalhador; ou porque a jornada de trabalho se prolongou ou se tornou mais intensa, e por isso a taxa de lucro nos ramos não agrícolas, a qual regula o lucro agrícola, ficou invariável, se não subiu; ou porque, embora seja o mesmo o capital na agricultora, acresce a parte constante e decresce a variável.

Acabamos de examinar o primeiro modo como pode surgir renda no pior dos solos até então cultivados – sem recorrer-se ao cultivo de solo ainda pior –, isto é, em virtude da diferença entre seu preço individual de produção, que era o regulador, e o novo preço de produção mais elevado a que o último capital adicional infraprodutivo aplicado em solo de melhor qualidade fornece o produto suplementar necessário.

Se o produto suplementar tiver de ser fornecido pelo solo A_1, que só pode produzir o quarter a 4 libras esterlinas, a renda por acre em A elevar-se-á a 1 libra esterlina. Então, A_1 passará a ser o pior terreno cultivado, substituindo A e este representará o degrau mais baixo na série dos terrenos que produzem renda. Ter-se-á modificado a renda diferencial I. Este caso situa-se, portanto, fora do campo de estudo da renda diferencial II, oriunda da produtividade diversa de aplicações sucessivas de capital na mesma área de terra.

Mas pode surgir renda diferencial no terreno A de duas outras maneiras.

Primeiro, com preço constante – qualquer preço dado, podendo ser mesmo inferior ao antigo –, se a aplicação adicional de capital tiver maior produtividade, o que evidentemente deve, até certo ponto, ocorrer sempre no pior solo.

Segundo, se, ao contrário, decresce a produtividade das aplicações sucessivas de capital no solo A.

Em ambos os casos supõe-se que o nível da procura exige a produção acrescida.

Mas, sob o ângulo da renda diferencial, há aí uma dificuldade peculiar em virtude da lei antes apresentada, a saber: o preço determinante é sempre o preço médio individual de produção do quarter, correspondente à produção toda (ou a todo o capital empregado). Mas para o solo A não existe fora dele, como para os solos de melhor qualidade, um preço de produção dado que limite, para novas aplicações de capital, o nivelamento do preço de produção individual com o geral, pois o preço individual de produção de A é precisamente o preço geral de produção que regula o preço de mercado.

Consideremos as seguintes hipóteses:

1. *Produtividade crescente das aplicações sucessivas de capital.* Empregando-se em 1 acre de A capital de 5 libras esterlinas, a que corresponde custo de produção de 6 libras, podem-se produzir 3 quarters em vez de 2. O primeiro investimento de $2\frac{1}{2}$ libras esterlinas fornece 1 quarter, e o segundo, 2 quarters. Neste caso, o custo de produção de 6 libras esterlinas proporciona 3 quarters, e o quarter custará em média 2 libras esterlinas; se os 3 quarters forem vendidos a 2 libras esterlinas por unidade, A continuará sem renda, e apenas se terá alterado a base da renda diferencial II. O preço de produção regulador já não é de 3 e sim de 2 libras esterlinas; no pior solo, um capital de $2\frac{1}{2}$ libras esterlinas produz agora em média, em vez de 1, $1\frac{1}{2}$ quarter, e esta passa a ser a fertilidade oficial para todos os solos superiores onde se empreguem $2\frac{1}{2}$ libras esterlinas. Parte do produto suplementar anterior

deles passa a entrar na formação do produto necessário, e parte do lucro suplementar, na constituição do lucro médio.

Trazendo-se para A o método aplicado aos terrenos de melhor qualidade – neles o cálculo de média não altera o excedente absoluto, pois o preço geral de produção limita o capital empregado – o preço do quarter do primeiro investimento custa 3 libras esterlinas e cada um dos 2 quarters do segundo, $1\frac{1}{2}$ libra esterlina. Surgiria assim em A uma renda em trigo de 1 quarter e uma renda em dinheiro de 3 libras esterlinas, e seriam vendidos os 3 quarters ao preço antigo, globalmente por 9 libras esterlinas. Se houver terceiro investimento de $2\frac{1}{2}$ libras esterlinas com a mesma produtividade do segundo, produzir-se-ão ao todo 5 quarters, ao custo de produção de 9 libras esterlinas. Se o preço médio individual de produção de A continuar a ser o regulador, o quarter terá de ser vendido a $1\frac{4}{5}$ libra esterlina. O preço médio teria novamente caído, não por ter aumentado a fertilidade do terceiro investimento e sim por se ter acrescentado nova aplicação de capital com a mesma produtividade adicional da segunda. Em vez de aumentar a renda nos terrenos que a produzem, as aplicações sucessivas de capital de produtividade superior mas constante no solo A reduziriam o preço de produção e proporcionalmente, em consequência, a renda diferencial em todos os outros terrenos, desde que não se alterassem as demais circunstâncias. Se, ao contrário, a primeira aplicação de capital que produz 1 quarter ao custo de produção de 3 libras esterlinas continuar a ser a reguladora, os 5 quarters serão vendidos por 15 libras esterlinas, e a renda diferencial dos investimentos posteriores no solo A importará em 6 libras esterlinas. O acréscimo de mais capital no acre de A, qualquer que fosse a forma de aplicação, constituiria então melhora, e tornaria também mais produtiva a fração primitiva do capital. Seria absurdo dizer que $\frac{1}{3}$ do capital produziu 1 quarter, e, os outros $\frac{2}{3}$, 4 quarters. 9 libras esterlinas por acre produziriam sempre 5 quarters, e, 3 libras, somente 1 quarter. Haja aí ou não renda, lucro suplementar, dependerá totalmente das circunstâncias. Normalmente, o preço de produção teria de baixar. É o que sucede quando se cultiva melhor o solo A, mas a custo mais elevado, só porque assim acontece nos solos de melhor qualidade, havendo, portanto, revolução geral na agricultura; nessas condições, quando se fala da fertilidade natural do solo A, supõe-se que nele se empregam 6 ou 9 libras esterlinas em vez de 3. Isto é válido sobretudo se a maioria dos acres cultivados do solo A, fornecedores da massa do abastecimento, fosse submetida a esse novo método. Mas se a melhora de início só atinge pequena parte de A, essa parte melhor cultivada proporcionará lucro suplementar, que o proprietário da terra logo procura converter total ou parcialmente em renda, qualificando-a como tal. Se a procura acompanhar o ritmo de expansão da oferta na medida em que toda a superfície do solo A for progressivamente submetida ao novo método, poderá constituir-se renda em todos os terrenos do tipo A e, segundo as condições do mercado, ser confiscada a produtividade excedente, por inteiro ou em parte. Assim, a fixação do lucro suplementar da aplicação acrescida de capital na forma de renda poderá impedir que, no caso dessa aplicação adicional, se nivele o preço de produção de A com o preço médio de seu produto. Encontraríamos então o que vimos nos melhores terrenos ao decrescer a produtividade dos capitais adicionais: o lucro suplementar converter-se-ia em renda, isto é, a propriedade fundiária interpor-se-ia, aumentando o preço de produção, e a renda diferencial não seria mera consequência das diferenças entre preço de produção individual e o geral. Para o solo A ambos os preços de produção não coincidiriam por se ter impedido que o preço de produção fosse regulado pelo preço médio de produção de A; estabelecer-se-ia portanto preço de produção mais elevado que o necessário, o que geraria renda. O mesmo resultado poderia surgir ou manter-se, com o trigo livremente importado do estrangeiro, obrigando-se os arrendatários a empregar em outros fins, em pastagens, por exemplo, o solo que, ao preço de produção determinado do exterior, só pudesse competir na triticultura sem dar renda. Assim, utilizar-se-iam na cultura de trigo apenas os solos que produzissem renda, com preço médio individual de produção por quarter inferior ao preço de produção estabelecido externamente. Em geral cabe neste caso admitir que o preço de produção cairá, sem chegar a se igualar ao preço médio, ficando em nível mais alto, mas inferior ao do preço de produção do solo A pior cultivado, de modo que A cerceia a concorrência de novas terras.

2. *Decrescente a produtividade dos capitais adicionais.* Imaginemos que o solo A_1 possa produzir o quarter adicional a 4 libras esterlinas, e o solo A, a $3\frac{3}{4}$, mais barato, portanto, porém $\frac{3}{4}$ de libra esterlina mais caro que o quarter produzido pelo primeiro investimento. Então, o preço global de ambos os quarters produzidos em A seria de $6\frac{3}{8}$ libras esterlinas, e o preço médio por quarter, de $3\frac{3}{8}$. O preço de produção aumentará apenas de $\frac{3}{8}$ libra esterlina, mas, se capital igual a esse adicional fosse aplicado a novo solo que produzisse o quarter a $3\frac{3}{8}$ libras esterlinas, haveria outro acréscimo

de $\frac{3}{8}$ libra esterlina para se chegar a $3\frac{3}{4}$, resultando daí aumento proporcional de todas as outras rendas diferenciais.

O preço de produção de A, de $3\frac{3}{8}$ libras esterlinas por quarter, estaria nivelado com o preço médio de produção e seria o regulador, caso houvesse aquela aplicação acrescida de capital; não daria renda alguma por não fornecer lucro suplementar.

Mas, se o quarter produzido pelo segundo investimento fosse vendido a $3\frac{3}{8}$ libras esterlinas, o solo A daria renda de $\frac{3}{4}$ de libra, renda que proporcionariam também todos os acres de A onde não se empregasse capital adicional, continuando o quarter a ser produzido aí por 3 libras esterlinas. Enquanto houver áreas incultas de A, só temporariamente poderia o preço elevar-se a $3\frac{3}{4}$ libras esterlinas. A concorrência de novos preços de A manteria em 3 libras esterlinas o preço de produção, até que se esgote todo terreno A cuja situação favorável permita que se produza o quarter abaixo de $3\frac{3}{4}$ libras esterlinas. É o que se pode supor, embora o proprietário da terra, se 1 acre lhe dá renda, não ceda outro a arrendatário sem cobrá-la.

Da maior ou menor generalização do segundo investimento no solo A dependeria a alternativa de o preço de produção nivelar-se ao preço médio ou de se tornar regulador o preço de produção individual de $3\frac{3}{4}$ libras esterlinas, do segundo investimento. Ocorrerá a segunda hipótese se o proprietário tiver oportunidade de converter em renda o lucro suplementar que se obtivesse enquanto a procura fosse satisfeita ao preço de $3\frac{3}{4}$ libras esterlinas por quarter.

No tocante à produtividade decrescente do solo com aplicações sucessivas de capital convém consultar Liebig. Vimos que invariável o preço de produção os decréscimos sucessivos da produtividade excedente das aplicações de capital sempre aumentam a renda por acre, o que também pode acontecer com preço decrescente.

Uma observação de ordem geral:

Do ponto de vista da produção capitalista, os produtos se encarecem sempre, quando, para produzir a mesma quantidade, se tem de desembolsar, pagar algo que não se pagava antes. Quando se fala em reposição do capital consumido na produção, deve-se entender apenas a reposição de valores que se configuraram em determinados meios de produção. Elementos da natureza que atuam de graça na produção, qualquer que seja a função que nela desempenhem, não operam como componentes do capital, mas como força natural gratuita do capital, isto é, como produtividade natural gratuita do trabalho que, no sistema capitalista, como toda força produtiva assume o aspecto de produtividade do capital. Força natural dessa espécie, de origem gratuita, se entra na produção, não é levada em conta ao determinar-se o preço, desde que baste à procura do produto que ajuda a produzir. Mas, se no curso do desenvolvimento for necessário produto maior que o possível de obter-se com a cooperação dessa força natural, se portanto esse produto suplementar tiver de ser gerado não com ajuda dessa força natural, mas com a da ação humana, a do trabalho, incorporar-se-á ao capital novo elemento complementar. Haverá, portanto, emprego de capital relativamente maior para obter-se o mesmo produto e, não se alterando as demais circunstâncias, a produção encarecerá.

[De um caderno: "Iniciado em meados de fevereiro de 1876." — F.E.]

RENDA DIFERENCIAL E RENDA CONSIDERADAS MERO JURO DO CAPITAL INCORPORADO À TERRA

Os melhoramentos chamados permanentes – que modificam as propriedades físicas e, em parte, as químicas do solo por meio de processos que custam desembolso de capital e podem ser considerados incorporação do capital à terra – reduzem-se quase todos a dar a determinada área, ao solo de espaço delimitado e localização definida, propriedades que outro solo com outra localização e muitas vezes próximo possui por natureza. Um solo é naturalmente plano, e, o outro, tem de ser nivelado; num, as águas se escoam naturalmente, e, no outro, é necessária drenagem artificial; um possui por natureza camada arável profunda, que, no outro, tem de ser artificialmente aprofundada; num, a argila e a areia já se misturam nas proporções adequadas, e, no outro, essas proporções ainda têm de ser criadas; uma pradaria é naturalmente irrigada e coberta de humo, quando outra para isso requer trabalho, ou, na linguagem da economia burguesa, capital.

A teoria é realmente divertida: a renda é juro para o terreno onde as propriedades comparativas foram adquiridas, mas não o é para o terreno que as possui por natureza (na realidade, ao apresentar-se a teoria, a coisa se deforma tanto que a renda, por realmente coincidir num caso com o juro, tem, nos demais casos em que de fato não há essa coincidência, de chamar-se juro, de dissimular-se em juro). O solo proporciona renda após o emprego de capital, não por nele ter sido aplicado capital, mas porque

RENDA DIFERENCIAL TAMBÉM NO PIOR SOLO CULTIVADO

o investimento o tornou mais produtivo que antes. Admitamos que todos os terrenos de um país precisem desse emprego de capital; então, todo solo que ainda não o tiver recebido deverá passar primeiro por essa fase, e a renda (o juro, no caso considerado) que proporciona o solo onde se fez o investimento constitui renda diferencial como se ele possuísse por natureza essa propriedade e o outro terreno tivesse de adquiri-la artificialmente.

Além disso, essa renda redutível a juro torna-se renda diferencial pura, quando se amortiza o capital desembolsado. Do contrário, o mesmo capital deveria existir duas vezes como capital.

São deliciosas as ideias de todos os adversários de Ricardo que combatem a determinação do valor apenas pelo trabalho: alegam, no tocante à renda diferencial oriunda das diferenças entre os terrenos, que a natureza aí, e não o trabalho, se converte em agente determinante do valor; mas, ao mesmo tempo, reivindicam esse papel determinante para a localização e, ainda mais, para o juro do capital incorporado ao solo com o cultivo.

O mesmo trabalho gera o mesmo valor para o produto criado num dado lapso de tempo; mas, a grandeza ou a quantidade desse produto, e portanto a fração de valor configurada em parte alíquota desse produto, depende, para dada quantidade de trabalho, unicamente do volume da produção, e, este, por sua vez, da produtividade de dada quantidade de trabalho e não da magnitude dessa quantidade. Tanto faz que essa produtividade derive da natureza ou da sociedade. A produtividade só acresce o custo de produção com novo componente quando custa trabalho, capital portanto, o que não se dá quando se trata apenas da natureza.

XLV.
A renda fundiária absoluta

Ao estudar a renda diferencial supusemos que o pior solo não paga renda fundiária, ou, em termos mais gerais, que a renda fundiária só é paga pelo solo que fornece o produto a preço individual de produção abaixo do preço de produção que regula o mercado, surgindo assim lucro suplementar que se converte em renda. Antes de mais nada convém observar que a lei da renda diferencial como renda diferencial absolutamente não depende da justeza ou não daquela suposição.

Se chamamos de P o preço de produção que regula o mercado, então P coincide com o preço individual de produção do produto do solo A, o pior; isto é, paga o preço dos capitais constante e variável consumidos na produção, acrescidos do lucro médio (= lucro do empresário + juro).

A renda aí é igual a zero. O preço individual de produção do terreno imediatamente melhor B é igual a P', e P > P'; assim, P ultrapassa o preço real de produção do produto do terreno B. Se P − P' = d, d, o excedente de P sobre P' será o lucro suplementar, obtido pelo arrendatário de B. Converte-se d em renda, a ser paga ao proprietário da terra. Se para o terreno de classe C o verdadeiro preço de produção for P'', e P − P'' = 2d, esses 2d se converterão em renda. Da mesma maneira, admitimos para o terreno de classe D o preço individual de produção P''', com P − P''' = 3d, que se convertem em renda fundiária, e assim por diante. Consideremos falsa a hipótese de o terreno de classe A ter renda = 0 e, por isso, preço do produto = P + 0, e admitamos, ao contrário, que pague uma renda = r. Decorrerão daí duas coisas:

Primeiro: O preço do produto do solo A não seria regulado pelo preço de produção, mas além deste conteria um excedente, seria P + r. Suposto o funcionamento normal do modo capitalista de produção, admitindo-se portanto que o excedente r que o arrendatário paga ao proprietário da terra não constitui desconto de salário nem do lucro médio do capital, só pode ele pagar esse excedente porque vende o produto acima do preço de produção, obtendo lucro suplementar que não embolsa por ter de cedê--lo na forma de renda ao proprietário. O preço regulador de mercado da totalidade do produto de todos os tipos de terra não seria então o preço de produção, a que o capital geralmente dá origem, isto é, preço igual ao capital consumido acrescido do lucro médio, mas seria o preço de produção acrescido da renda, P + r e não P. É que o preço do produto do solo A expressa, em suma, o limite do preço geral regulador do mercado, do preço ao qual a totalidade do produto pode ser fornecida, e nesse sentido, regula o preço do produto global.

Segundo: Então, embora se modificasse substancialmente o preço geral do produto agrícola, não se alteraria por isso a lei da renda diferencial. É que, se o preço do produto de A, e por conseguinte o preço geral de mercado = P + r, o preço de B, C, D etc. seria do mesmo modo = P + r. Mas, uma vez que para o tipo de solo B, P − P' = d, então (P + r) − (P' + r) = d; para C, P − P" = (P + r) − (P" + r) = 2d; finalmente, para D, P − P'" = (P + r) − (P'" + r) = 3d, e assim por diante. A renda diferencial não se alteraria portanto, continuando regida pela mesma lei, e embora contivesse, sem depender dessa lei, elemento que de modo geral a acresceria e, ao mesmo tempo, aumentaria o preço. Infere-se daí que a lei da renda diferencial não depende da circunstância de haver ou não renda nos terrenos menos férteis, e que a única maneira de apreender o caráter da renda diferencial é supondo-se que a renda do terreno A = 0. Para a renda diferencial tanto faz que seja 0 ou > 0, alternativa que não se leva em conta.

Assim fica entendido que a lei da renda diferencial não depende da pesquisa que segue.

Em que se baseia a suposição de o produto do pior solo A não pagar renda? A resposta é necessariamente esta: quando o preço de mercado do produto agrícola, digamos, trigo, atinge nível tal que o emprego adicional de capital no terreno A paga o preço de produção corrente, obtendo portanto o capital o lucro médio normal, bastará essa condição para que se aplique o capital adicional no terreno A. É condição suficiente para o capitalista empregar novo capital, com o lucro ordinário, valorizando-o normalmente.

Cabe aqui observar que, ainda neste caso, o preço de mercado deve ser superior ao preço de produção de A. É que, uma vez criada a oferta adicional, altera-se evidentemente a relação entre oferta e procura. A oferta antes não bastava; agora, basta. O preço tem de cair, portanto. E, para cair, é mister que esteja acima do preço de produção de A. Mas a fertilidade inferior do novo terreno cultivado, do tipo A, faz que o preço não caia tanto quanto no tempo em que o preço de produção do tipo B regulava o mercado. O preço de produção de A constitui o limite não para a elevação temporária, mas para a alta relativamente estável do preço de mercado. Se, ao contrário, o novo terreno cultivado for mais fértil que o do tipo A, então regulador, sendo apenas o bastante para satisfazer a procura adicional, o preço de mercado não se altera. Ainda neste caso, a questão de saber se o terreno inferior paga renda coincide com a que se tratará agora. É que, também aqui, a suposição de que o terreno A não paga renda se explicaria por bastar o preço de mercado ao arrendatário capitalista, para cobrir exatamente com esse preço o capital despendido, acrescido do lucro médio; em suma, por lhe assegurar o preço de mercado o preço de produção.

Então pode o arrendatário capitalista cultivar o terreno A se tiver de decidir como capitalista. Realizou-se a condição para que se valorize normalmente capital empregado em A. Se não tivesse renda a pagar, o arrendatário poderia agora empregar o capital no terreno do tipo A nas condições médias de valorização, mas não se infira daí que esse terreno esteja, sem mais nem menos, ao seu dispor. A circunstância de o arrendatário poder valorizar seu capital com o lucro corrente, se não pagar renda, absolutamente não induz o proprietário da terra a alugá-la de graça ao arrendatário, nem a ser tão filantrópico em suas relações com esse parceiro, a ponto de estabelecer o regime de empréstimo gratuito (*credit gratuit*). Admitir essa valorização do capital implica abstrair da propriedade fundiária, suprimi-la, quando a existência dela constitui justamente barreira a que o capital se empregue no solo e livremente nele se valorize. Não basta para derrubar essa barreira a reflexão do arrendatário: se não pagasse renda, se pudesse, na prática, considerar inexistente a propriedade fundiária, o nível do preço do trigo permitir-lhe-ia obter com seu capital o lucro corrente, explorando o terreno A. O monopólio da propriedade fundiária, erigida em barreira ao capital, é condição da renda diferencial, pois, sem esse monopólio, o lucro suplementar não se converteria em renda e caberia ao arrendatário e não ao proprietário da terra. E a propriedade fundiária continua a constituir a barreira, mesmo quando a renda desaparece como renda diferencial, isto é, no terreno A. Examinando os casos em que num país de produção capitalista se pode empregar capital no solo sem pagar renda, verificamos que todos implicam de fato, embora não de direito, abolição da propriedade fundiária, abolição que só pode ocorrer em circunstâncias bem definidas e, por natureza, fortuitas.

Primeiro: O proprietário mesmo é capitalista, ou este é proprietário. Pode então o capitalista *explorar diretamente* a terra, ao atingir o preço de mercado o nível do preço de produção do atual terreno A, bastando assim para repor o capital, acrescido do lucro médio. E por quê? Porque para ele a propriedade fundiária não é barreira que o impeça de empregar capital. Pode considerar o solo mero elemento da natureza e por isso guiar-se apenas pela ideia de valorizar o capital, por motivos puramente capitalistas. Na prática há casos dessa espécie, mas constituem exceções. A agricultura capitalista, do mesmo modo que supõe a dissociação entre o capital operante e a propriedade da terra, em regra exclui a exploração direta da terra pelo proprietário. Essa exploração direta, logo se vê, é puramente casual. Se a procura acrescida de trigo requer o cultivo de áreas do terreno A mais vastas que as cultivadas diretamente pelos respectivos proprietários, se parte delas portanto tiver de ser cultivada mediante arrendamento, logo desaparecerá essa abolição hipotética da barreira que a propriedade fundiária opõe ao emprego do capital. A dissociação entre capital e terra, entre arrendatário e proprietário, é característica do modo capitalista de produção e, por conseguinte, constitui contradição absurda admitir esse fato e em seguida supor, ao contrário, a exploração agrícola direta pelo proprietário como regra até ao ponto e por toda parte em que o capital não extrai renda do cultivo da terra, desde que não haja propriedade fundiária dele independente (ver, sobre a renda das minas, a passagem de A. Smith citada mais adiante.)[1] É fortuita essa abolição da propriedade fundiária. Pode ocorrer ou não.

Segundo: No conjunto de uma terra arrendada pode haver certos trechos que a dado nível do preço de mercado não pagam renda, sendo assim de fato emprestados de graça, mas o proprietário não vê a coisa sob esse aspecto, pois o que lhe interessa é a renda global da terra arrendada e não a renda particular de cada uma de suas parcelas. Então, no tocante às parcelas do arrendamento desprovidas de renda, a propriedade fundiária não impede ao arrendatário que empregue o capital, em virtude do contrato mesmo com o proprietário. Mas o arrendatário não paga renda por essas parcelas porque a paga pela terra de que são parte integrante. Justamente aí, para completar a oferta carente, se tem de recorrer ao terreno A, o pior, que entretanto deixa de ser campo de produção novo, autônomo, para ser apenas pedaço inserido em terra de melhor qualidade e dela inseparável. Mas o que cabe investigar aqui é justamente o caso em que os terrenos da classe A têm de ser explorados de maneira autônoma, devendo portanto ser arrendados em separado, nas condições gerais do modo capitalista de produção.

Terceiro: Um arrendatário pode empregar capital adicional na mesma área arrendada, embora o produto adicional assim obtido, aos preços vigentes de mercado, só lhe proporcione o preço de produção, o lucro normal, sem capacitá-lo a pagar renda adicional. Assim paga a renda fundiária

---

[1] Ver p. 892.

com uma parte do capital empregado no solo e não com a outra. Mas essa suposição não nos ajuda a resolver o problema como evidencia esta outra: se o preço de mercado (e ao mesmo tempo a fertilidade do solo) capacita o arrendatário a obter com o capital adicional um produto suplementar que lhe proporciona, como o capital antigo, além do preço de produção, um lucro suplementar, será este por ele embolsado durante a vigência do contrato de arrendamento. É que, enquanto perdura o contrato, a propriedade fundiária não constitui empecilho a que ele empregue o capital na terra. Mas, se, para lhe ser assegurado esse lucro suplementar, é mister que independentemente se cultive e se arrende nova área do terreno pior, então fica sem dúvida demonstrado que não basta o emprego de capital adicional na área antiga para satisfazer o acréscimo necessário da oferta. Uma hipótese exclui a outra. Poder-se-ia, por certo, dizer: a renda de A, o pior terreno, é renda diferencial, tomando-se por comparação o terreno cultivado diretamente pelo proprietário (em estado de pureza, ocorrência excepcional e fortuita), ou o emprego adicional de capital nos arrendamentos antigos, sem haver renda. Mas, (1) teríamos aí renda diferencial que não decorreria de diferenças na fertilidade dos tipos de terrenos, e por isso *não* suporia que o terreno A não paga renda e vende o produto ao preço de produção. E (2) a alternativa de os capitais adicionais empregados na mesma área arrendada darem ou não renda em nada influi na alternativa de o novo terreno tipo A a lavrar pagar ou não renda. Do mesmo modo, por exemplo, a quem instala independentemente nova fábrica não interessa que outro fabricante de igual ramo empregue parte de seu capital em papéis rentáveis, por não valorizá-lo por inteiro no respectivo negócio, ou que faça ampliações que, embora não lhe proporcionem o lucro completo, lhe dão mais que o juro. O novo fabricante não faz caso disso. Entretanto, os novos estabelecimentos devem proporcionar o lucro médio e são construídos de acordo com essa expectativa. Por certo, os capitais adicionais empregados nos velhos arrendamentos e o cultivo adicional de novas terras do tipo A se limitam reciprocamente. Os novos investimentos concorrentes feitos nos terrenos do tipo A estabelecem o limite até onde pode aplicar-se capital adicional na mesma área arrendada, em condições de produção menos favoráveis; por outro lado, os concorrentes investimentos adicionais feitos nas antigas áreas arrendadas limitam a renda que os terrenos A podem proporcionar.

Toda essa argumentação escapatória, porém, não resolve o problema, que se reduz ao seguinte: admitamos que o preço de mercado do trigo (que em nossa pesquisa representa todos os produtos agrícolas) seja bastante alto para que se possam explorar terrenos do tipo A e que o capital aplicado nessas novas áreas obtenha o preço de produção do produto, isto é, reposição do capital acrescido do lucro médio. Supomos portanto existentes nas terras do tipo A as condições para a valorização normal do capital. Basta isso para se empregar realmente o capital? Ou o preço de mercado terá de subir até o ponto em que o terreno A, o pior, proporcione renda? O monopólio da propriedade fundiária não estabelece para o emprego do capital uma barreira que no quadro puramente capitalista deixaria de existir, se não houvesse esse monopólio? As condições mesmas das perguntas formuladas evidenciam que a circunstância, por exemplo, de existirem capitais adicionais aplicados nos velhos arrendamentos, não proporcionando ao preço vigente de mercado renda e sim apenas o lucro médio, não resolve o problema de saber se, então, é realmente possível aplicar capital no terreno A, que do mesmo modo proporcionaria o lucro médio e não renda. Este é que é o problema. A necessidade de recorrer a novos terrenos do tipo A prova que não satisfazem à procura os capitais adicionais aplicados que não proporcionam renda. Se só ocorre o cultivo adicional do terreno A, quando este proporciona renda, portanto, mais que o preço de produção, teremos então apenas dois casos possíveis. Ou (1) o preço de mercado será tal que até os últimos investimentos adicionais nos velhos arrendamentos proporcionam lucro suplementar, embolse-o o arrendatário ou o proprietário da terra. Essa alta do preço e esse lucro suplementar dos últimos investimentos adicionais decorreriam de o solo A não poder ser cultivado sem proporcionar renda. Se para o cultivo bastasse o preço de produção, o mero lucro médio, o preço não teria subido tanto, e os novos terrenos entrariam na concorrência logo que obtivessem esse preço de produção. Nessas condições, com os capitais adicionais empregados nos velhos arrendamentos sem darem renda concorreriam os investimentos no solo A, que também não proporcionariam renda. Ou (2) os últimos investimentos nos velhos arrendamentos não proporcionam renda, mas apesar disso o preço de mercado é bastante alto para que o solo A possa ser cultivado e dê renda. Nesse caso, o investimento adicional que não proporciona renda só foi possível porque o terreno A só pode ser cultivado depois que o preço de mercado lhe permite pagar renda. Sem essa condição já teria havido esse cultivo a nível inferior de preço; e aqueles investimentos posteriores que, nos velhos arrendamentos, precisam da alta do preço de mercado para pro-

A RENDA FUNDIÁRIA ABSOLUTA

porcionar o lucro normal sem renda não poderiam ter ocorrido. Havendo essa alta, proporcionam apenas o lucro médio. A preço inferior, no nível do preço de produção que se teria tornado regulador por corresponder ao cultivo do solo A, esses investimentos não aufeririam esse lucro, e por isso absolutamente não se realizariam. A renda do solo A seria assim renda diferencial, tomando-se por comparação as aplicações adicionais de capital nos velhos arrendamentos, sem haver renda. Mas a circunstância de as áreas de A darem renda decorre de só serem acessíveis ao cultivo se proporcionarem renda; provém, portanto, da necessidade dessa renda que de *per se* não depende das diferenças de solo e constitui o limite para o possível emprego de capitais adicionais nos velhos arrendamentos. Nos dois casos, a renda do solo A não seria mera decorrência da ascensão do preço do trigo, mas, ao contrário, a circunstância de o pior terreno ter de dar renda a fim de ser possível o cultivo seria a causa da ascensão do preço do trigo até ao ponto em que se preenchesse essa condição.

Caracteriza a renda diferencial o fato de o proprietário só apoderar-se aí do lucro suplementar que o arrendatário noutra hipótese embolsaria e em certas circunstâncias realmente embolsa enquanto vige o contrato de arrendamento. A propriedade fundiária causa apenas a transferência de um acréscimo ocorrente no preço da mercadoria e que se converte em lucro suplementar, a transferência dessa fração do preço, de uma pessoa para outra, do capitalista para o proprietário. Esse acréscimo não provém da ação da propriedade fundiária, mas decorre do preço de produção determinado pela concorrência e regulador do mercado. Mas a propriedade fundiária não é a causa que *gera* esse elemento componente do preço, ou a elevação do preço da qual provém esse componente. Entretanto, se o terreno A, o pior, não puder ser cultivado – embora esse cultivo proporcione o preço de produção – enquanto não produzir um excedente sobre esse preço de produção, uma renda, então a propriedade fundiária passa a ser a causa geradora dessa elevação de preço. *E a propriedade mesma gera renda*. Nada aí se altera, se, como sucede no segundo caso, a renda agora obtida no terreno A constitui renda diferencial, tomando-se por comparação o último investimento adicional nos velhos arrendamentos, que só consegue o preço de produção. A razão é que o terreno A não pode ser cultivado enquanto o preço regulador de mercado não tiver subido bastante para permitir ao terreno A a obtenção de renda, e só esse fato faz que o preço de mercado se eleve até ao nível em que paga o preço de produção dos últimos investimentos adicionais nos velhos arrendamentos, mas sendo esse preço de produção tal que ao mesmo tempo proporciona renda ao terreno A. Ser este obrigado a pagar renda é então a causa de se gerar a renda diferencial entre o terreno A e as últimas aplicações adicionais de capital nos velhos arrendamentos.

Quando, admitindo que o preço de produção regule o preço de trigo, dizemos de modo geral que o solo A não proporciona renda, entendemos renda no sentido preciso da palavra. Se o que o arrendatário paga pelo arrendamento constitui desconto do salário normal dos trabalhadores, ou do próprio lucro médio, não estará ele pagando renda que é fração independente do preço das mercadorias, diversa do salário e do lucro. Já vimos antes que isto na prática sucede com frequência. Quando o salário dos trabalhadores agrícolas de um país está geralmente abaixo do nível médio normal do salário, entrando na renda uma parte descontada do salário, esse desconto será também a regra para o arrendatário do pior terreno. Esse salário baixo já é elemento constitutivo do preço de produção que permite o cultivo do pior solo, e a venda do produto ao preço de produção não capacita o arrendatário desse solo a pagar renda. O proprietário da terra também pode arrendá-la a um trabalhador que concorda em pagar-lhe na forma de renda o total ou a maior parte do que aufere, acima do salário, com o preço de venda. Em todos esses casos porém não se paga renda, embora se pague arrendamento. Mas, onde existem as condições correspondentes ao modo capitalista de produção, renda e arrendamento a pagar devem coincidir. E é justamente essa situação normal que cabe investigar aqui.

Os casos acima considerados de capitais aplicados no solo sem haver renda podem realmente ocorrer dentro do sistema capitalista. E, se esses casos em nada contribuem para resolver nosso problema, menos útil ainda será recorrer-se às condições coloniais. O que caracteriza a colônia – só estamos falando das colônias agrícolas propriamente ditas – não é apenas a quantidade das terras férteis existentes em estado natural. É antes a circunstância de não constituírem elas propriedade, de não estarem submetidas ao regime de propriedade fundiária. E, no tocante à terra, a grande diferença entre os velhos países e as colônias é esta: não existir nelas, de fato ou de direito, a propriedade fundiária, o que Wakefield[11] acertadamente registra e, bem antes dele, Mirabeau pai, o fisiocrata, e outros economistas mais antigos já tinham descoberto. Tanto faz que os colonos se apropriem dire-

---

11 Wakefield, *England and America*, Londres, 1833. Ver também Livro 1, capítulo XXV.

A RENDA FUNDIÁRIA ABSOLUTA

tamente da terra, ou que paguem ao Estado a título de preço nominal da terra uma simples taxa por um documento legal que lhe assegure a posse do terreno, ou ainda que colonos já estabelecidos juridicamente sejam proprietários de terras. Aí, na realidade, a propriedade fundiária não limita o emprego de capital ou até de trabalho sem capital; a circunstância de os colonos já instalados se terem apoderado de parte das terras não exclui os que chegam depois da possibilidade de empregarem o capital ou o trabalho em novas terras. Quando se trata de investigar a influência da propriedade fundiária sobre os preços dos produtos agrícolas e sobre a renda, nos países onde ela limita o emprego do capital na terra, é inteiramente absurdo falar-se de livres colônias burguesas, quando aí não existe o modo capitalista de produção na agricultura, nem, para efeitos práticos, a correspondente forma de propriedade fundiária. É o que faz, por exemplo, Ricardo, no capítulo em que estuda a renda fundiária. De início, diz que seu objetivo é investigar o efeito da propriedade da terra sobre o valor dos produtos agrícolas, para logo em seguida recorrer ao exemplo das colônias, onde supõe que as terras existem em estado quase natural e o monopólio da propriedade fundiária não limita a exploração delas.

Para o proprietário da terra, a mera propriedade jurídica não gera renda. Confere-lhe, entretanto, o poder de impedir a exploração de sua terra até que as condições econômicas propiciem valorização donde retire o excedente, seja a terra aplicada propriamente na agricultura, seja em outros ramos de produção, como construção etc. Não pode aumentar nem diminuir a quantidade absoluta desse campo de aplicação, nisso pode alterar a quantidade existente no mercado. Por isso, conforme já observava Fourier, é uma característica de todos os países civilizados o fato de parte relativamente importante das terras subtrair-se à agricultura.

Se a procura exige o desbravamento de novas terras, digamos de terras menos férteis que as até então cultivadas, arrendá-las-á de graça o proprietário, porque o preço de mercado do produto agrícola elevou-se o suficiente para que o capital nelas empregado pague o preço de produção e por conseguinte proporcione o lucro normal? De maneira nenhuma. É mister que o capital empregado lhe dê renda. Só as arrendará quando um arrendamento lhe possa ser pago. O preço de mercado portanto tem de elevar-se acima do preço de produção, a $P + r$, de modo que o proprietário da terra possa auferir uma renda. Uma vez que, segundo a suposição estabelecida, a propriedade fundiária sem o arrendamento nada rende e fica desprovida de valor sob o aspecto econômico, bastará pequeno acréscimo ao preço de mercado, ultrapassando o preço de produção a fim de trazer para o mercado as novas terras de pior qualidade.

Pergunta-se então: uma vez que a renda do pior solo não pode derivar de diferença de fertilidade, justifica-se a conclusão de ser o preço do produto agrícola necessariamente preço de monopólio no sentido corrente, ou preço em que a renda entra sob a forma de um imposto que não é coletado pelo Estado mas pelo proprietário da terra? É evidente que esse imposto tem limites econômicos definidos. Está limitado pelas aplicações adicionais de capital nos velhos arrendamentos, pela concorrência dos produtos agrícolas estrangeiros – suposta a importação livre deles –, pela concorrência entre os proprietários das terras e finalmente pelas necessidades e pela capacidade de pagar dos consumidores. Mas não é esta a questão em debate. O que se quer saber agora é se a renda paga pelo pior solo entra no preço de seu produto (e esse preço segundo nossa hipótese regula o preço geral de mercado) da mesma maneira que um imposto se incorpora ao preço da mercadoria em que incide, isto é, como elemento independente do valor dela.

Não é mister que assim seja e só chegamos a acenar com essa conclusão porque é mister esclarecer a diferença entre o valor das mercadorias e o preço de produção delas. Vimos que não há identidade entre o preço de produção e o valor de uma mercadoria, embora os preços de produção das mercadorias, consideradas em sua totalidade, sejam regulados pelo valor global delas, e embora o movimento dos preços de produção das diferentes espécies de mercadorias, invariáveis todas as demais circunstâncias, seja determinado pelo movimento de seus valores. Mostramos que o preço de produção de uma mercadoria pode estar acima ou abaixo de seu valor, só excepcionalmente com ele coincidindo. A venda dos produtos agrícolas acima do preço de produção não demonstra que são vendidos acima do valor, do mesmo modo que a venda em média dos produtos industriais ao preço de produção não demonstra que são vendidos pelo valor. É possível que os produtos agrícolas se vendam acima do preço de produção e abaixo do valor, quando muitos produtos industriais só proporcionam o preço de produção, por se venderem acima do valor.

A relação entre o preço de produção e o valor de uma mercadoria é determinada exclusivamente pela relação entre a parte variável e a constante do capital com que é produzida, ou seja, pela composição orgânica desse capital. Se num ramo de produção a composição do capital é inferior à do capital social médio, isto é, se a parte variável, empregada em salários, comparada com a constante, empregada nas condições materiais do trabalho, constitui proporção maior que a encontrada no capital social médio, então o valor do produto desse ramo estará necessariamente acima do preço de produção. Vale dizer, por empregar mais trabalho vivo, esse capital, para igual exploração do trabalho, produz quantidade maior de mais-valia, portanto mais lucro que parte alíquota da mesma grandeza do capital social médio. Então, o valor do produto ultrapassa o preço de produção, pois este é igual à reposição do capital acrescido do lucro médio, e este é inferior ao lucro produzido nessa mercadoria. A mais-valia produzida pelo capital social médio é menor que a obtida por um capital dessa composição inferior. O contrário se dá quando o capital empregado em determinado ramo de produção tem composição superior à do capital social médio. O valor das mercadorias que produz está abaixo do preço de produção, o que geralmente acontece com os produtos das indústrias mais desenvolvidas.

A composição do capital num ramo determinado de produção, se inferior à do capital social médio, indica antes de mais nada que a produtividade do trabalho social nesse ramo particular está abaixo do nível médio, pois o grau de produtividade atingido se expressa pela preponderância relativa da parte constante sobre a variável do capital, ou pelo decréscimo constante da parte de um dado capital, empregada em salário. Ao contrário, a composição de capital em determinado ramo de produção, se é superior, expressa desenvolvimento da produtividade acima do nível médio.

Postas de lado as obras artísticas propriamente, excluídas por natureza de nosso estudo, é evidente que os diferentes ramos de produção exigem, segundo as respectivas peculiaridades técnicas, proporções diversas de capital constante e de capital variável, e que varia de um para outro o espaço ocupado pelo trabalho vivo. Na indústria extrativa, por exemplo, de características bem diversas da agricultura, a matéria-prima não faz parte do capital constante, e só em alguns casos os materiais auxiliares desempenham papel ponderável. Já na indústria de mineração, a outra parte do capital constante, o capital fixo, tem considerável importância. Entretanto, aí também se pode medir o progresso da produtividade pelo crescimento relativo do capital constante, em confronto com o variável.

A composição do capital na agricultura propriamente dita, se é inferior à do capital social médio, expressa imediatamente nos países industrializados que a agricultura não progrediu no mesmo ritmo da indústria de transformação. Pondo-se de lado todas as demais condições econômicas, às vezes decisivas, já encontraria esse atraso a seguinte explicação: as ciências mecânicas e sobretudo sua aplicação se desenvolveram mais cedo e com mais rapidez que a química, a geologia e a fisiologia, que sob alguns aspectos são bem recentes e têm aplicação particularmente defasada na agricultura. Demais, é fato indubitável e há muito tempo conhecido[12] que os progressos da própria agricultura se expressam sempre no crescimento relativo da parte constante do capital, confrontada com a variável. Para nosso propósito não é mister entrar em pormenores de uma questão que só a estatística pode decidir, a saber, se em determinado país de produção capitalista, na Inglaterra, por exemplo, a composição do capital agrícola é inferior à do capital social médio. Seja como for, o certo teoricamente é que, só nessa hipótese, o valor dos produtos agrícolas pode ultrapassar o preço de produção deles; em outras palavras, tomando-se por medida capital de composição social média, de igual magnitude, é maior a mais-valia que um capital produz na agricultura, o trabalho excedente (e por conseguinte o trabalho vivo em geral) que mobiliza e comanda.

Só admitida esta condição pode existir a forma de renda fundiária que estamos considerando e por isso basta, para analisá-la, estabelecer essa suposição. Se eliminamos esse pressuposto, desaparece também a forma de renda que lhe corresponde.

Contudo, a simples circunstância de o valor dos produtos agrícolas ultrapassar o preço de produção não bastaria de *per se* para explicar a existência de uma renda fundiária independente da diferença no rendimento dos diversos solos ou das aplicações sucessivas de capital no mesmo solo; em suma, a existência de uma renda conceitualmente distinta da renda diferencial e que por isso chamamos de *renda absoluta*. Para um bom número de produtos industriais, o respectivo valor está acima do preço de produção, sem por isso proporcionarem excedente além do lucro médio, ou seja, um lucro suplementar que se pudesse converter em renda. Ao contrário. Existência e ideia do preço de produção e da taxa geral de lucro que ele abrange baseiam-se em que as mercadorias isoladamente consideradas não se vendem pelo valor. Os preços de produção provêm de um nivelamento nos valores das mercadorias, o qual, depois de ressarcidos os capitais consumidos nos diversos ramos de produção, distribui o

---

12 Ver Dombasle e R. Jones

total da mais-valia; não na proporção em que é produzida em cada ramo e se insere nos respectivos produtos, mas na proporção da magnitude dos capitais adiantados. Só assim surgem o lucro médio e o preço de produção das mercadorias, e o primeiro é elemento característico do segundo. É tendência permanente dos capitais, por meio da concorrência, efetuar esse nivelamento na repartição da mais-valia produzida pela totalidade do capital e superar todos os obstáculos a esse nivelamento. Os capitais portanto tendem a só tolerar lucros suplementares que, seja como for, derivam não da diferença entre os valores e os preços de produção das mercadorias, e sim da diferença entre o preço geral de produção regulador do mercado e os preços individuais de produção que dele diferem. Por isso, esses superlucros não aparecem quando se comparam dois ramos de produção, mas dentro de cada ramo de produção, e portanto não influem nos preços gerais de produção dos diversos ramos, ou seja, na taxa geral de lucro, supondo ao contrário a conversão dos valores em preços de produção e a taxa geral de lucro. Mas, conforme explicamos antes, essa hipótese baseia-se na repartição proporcional, sempre variando, da totalidade do capital social pelos diferentes ramos de produção; no vaivém dos capitais; na capacidade que têm de deslocar-se de um ramo para outro e, em suma, na liberdade com que se movem pelos diferentes ramos de produção, como campos de aplicação disponíveis para as porções autônomas da totalidade do capital social. Supomos aí que nenhum limite, a não ser de caráter fortuito e temporário, impede a concorrência dos capitais – por exemplo num ramo de produção onde o valor das mercadorias ultrapassa o preço de produção, ou onde a mais-valia produzida excede o lucro médio – de reduzir o valor ao preço de produção e por esse meio repartir a mais-valia que sobra nesse ramo por todas as esferas exploradas pelo capital. Se o contrário sucede, chocando-se o capital com uma força estranha – que de maneira nenhuma ou apenas em parte pode vencer, limitando seu emprego em determinadas esferas de produção e só admitindo esse emprego em condições que excluem total ou parcialmente aquele nivelamento geral da mais-valia com o lucro médio – surgirá evidentemente nessas esferas, em virtude de o valor da mercadoria ultrapassar o preço de produção, um lucro suplementar que pode se converter em renda e nessa qualidade possuir autonomia em relação ao lucro. E como uma força estranha, um obstáculo dessa natureza, a propriedade fundiária se opõe às aplicações do capital na terra, ou o proprietário da terra faz frente ao capitalista.

A propriedade fundiária aí é a barreira que, para permitir aplicação nova de capital em terreno que ainda não tenha sido cultivado ou arrendado, cobra tributo, isto é, exige renda, embora o novo terreno que passa a ser cultivado seja de uma espécie que não proporciona renda diferencial e que, não fora a propriedade fundiária, já poderia ter sido cultivado com elevação menor do preço de mercado, bastando que o preço regulador do mercado pagasse ao agricultor desse pior solo o preço de produção. Mas, em virtude do limite estabelecido pela propriedade fundiária, o preço de mercado deve subir até ao ponto em que o solo pague um excedente sobre o preço de produção, isto é, uma renda. Uma vez que o valor das mercadorias produzidas pelo capital agrícola, segundo nossa hipótese, supera o preço de produção, essa renda constitui (excetuado caso que iremos examinar) o excedente do valor sobre o preço de produção ou parte dessa sobra. Abranger a renda a diferença toda entre o valor e o preço de produção ou fração maior ou menor dessa diferença dependerá por completo da relação entre a oferta e a procura e da extensão das novas terras cultivadas. Quando a renda não absorve o excedente todo do valor dos produtos agrícolas sobre o preço de produção deles, parte desse excedente entrará no nivelamento geral e na repartição proporcional da mais-valia toda entre os capitais existentes individualmente considerados. Desde que a renda se iguale ao excedente do valor sobre o preço de produção, temos, depois de deduzido o lucro médio, sobra de mais-valia que fica fora do nivelamento considerado. Seja a renda absoluta igual à totalidade ou à fração desse excedente, os produtos agrícolas contudo vender-se-ão sempre a preço de monopólio, não por estar o preço acima do valor, e sim por ser igual ao valor, ou estar abaixo do valor, mas acima do preço de produção. O monopólio deles consiste nisto: não serem nivelados ao preço de produção como acontece com outros produtos industriais cujo valor ultrapassa o preço geral de produção. Uma parte do valor e também do preço de produção é de fato uma constante dada, a saber, o preço de custo, o capital consumido na produção = k, e por isso os produtos agrícolas se distinguem pela outra parte, a variável – a mais-valia. No preço de produção, ela é igual a 1, o lucro, ou seja, igual à mais-valia global calculada sobre o capital social e sobre cada capital individual como porção alíquota do social. Mas, no valor das mercadorias, essa parte variável é igual à mais-valia real, obtida por esse capital particular e que constitui componente dos valores das mercadorias que ele produz. Se o valor da mercadoria ultrapassa o preço de produção, será o preço de produção = $k + 1$,

A RENDA FUNDIÁRIA ABSOLUTA

e o valor = k + 1 + d, de modo que 1 + d = mais-valia **nela contida**. Assim, a diferença entre o valor e o preço de produção = d, o que sobra da mais-valia produzida por esse capital depois de deduzido o que lhe cabe pela taxa geral de lucro. Segue-se daí que o preço dos produtos agrícolas pode ultrapassar o preço de produção sem atingir o valor, e que, antes de o preço coincidir com o valor, pode até certo ponto ocorrer elevação persistente dos preços dos produtos agrícolas. Também daí se infere que, só em virtude do monopólio da propriedade fundiária, o excedente do valor dos produtos agrícolas sobre o preço de produção pode tornar-se fator determinante do preço geral de mercado. Finalmente, outra consequência a considerar no caso é que não é o encarecimento do produto que gera a renda, mas a renda que gera o encarecimento do produto. Se o preço do produto por unidade de superfície do pior terreno = p + r, todas as rendas diferenciais serão acrescidas dos múltiplos correspondentes de r, pois segundo nossa hipótese p + r se torna o preço regulador do mercado.

Admitindo-se a composição média do capital social não agrícola = 85_c + 15_v, e taxa de mais-valia = 100%, será o preço de produção = 115. Se a composição do capital agrícola = 75_c + 25_v, então o valor do produto, para a mesma taxa de mais-valia, e o valor regulador do mercado serão de 125. Se o produto agrícola se igualar com o não agrícola no nível do preço médio (para simplificar supomos ser o capital total de um ramo igual ao do outro), então será a totalidade da mais-valia = 40, portanto 20% sobre o capital de 200. Tanto o produto de um setor quanto o do outro serão vendidos por 120. Ao se nivelarem nos preços de produção, os preços médios de mercado dos produtos não agrícolas estariam acima, e os dos produtos agrícolas abaixo dos respectivos valores. Os produtos agrícolas, se forem vendidos pelo valor pleno, serão acrescidos de 5, e os industriais baixarão de 5, tomando-se por base o preço resultante do nivelamento. Se as condições de mercado não permitirem que os produtos agrícolas se vendam pelo valor pleno, abrangendo o excedente todo acima do preço de produção, o resultado ficará entre ambos os extremos, sendo os produtos industriais vendidos um pouco acima do respectivo valor, e os produtos agrícolas um pouco acima do respectivo preço de produção.

Embora a propriedade fundiária possa fazer o preço ultrapassar o preço de produção, não depende dela, mas da situação geral do mercado, até onde o preço de mercado, superando o preço de produção, se aproxima do valor, e em que proporção a mais-valia agrícola produzida além do preço médio se converte em renda ou entra no nivelamento geral da mais-valia, contribuindo para formar o lucro médio. Seja como for, a renda absoluta, proveniente da sobra do valor depois de deduzir-se o preço de produção, é apenas parte da mais-valia agrícola, conversão desse excedente em renda, apreensão dele pelo proprietário da terra; do mesmo modo, dado o preço geral de produção regulador, a renda diferencial deriva de converter-se em renda lucro suplementar, de ser este apreendido pelo proprietário fundiário. Ambas as formas de renda são as únicas normais. Fora delas, a renda só pode basear-se no preço de monopólio propriamente dito, que não é determinado pelo preço de produção, nem pelo valor das mercadorias e sim pelas necessidades e pela capacidade de pagar dos compradores, e cabe estudar essa matéria na teoria da concorrência. Investiga-se aí o movimento real dos preços de mercado.

 Supondo-se o modo capitalista de produção e condições normais, todas as terras cultiváveis de um país, se estiverem arrendadas, darão renda, mas poderá haver investimentos, certas parcelas do capital aplicado ao solo, que não proporcionarão renda, pois, uma vez arrendada a terra, a propriedade fundiária deixa de ser limite absoluto ao emprego necessário de capital. Mas ainda constitui empeço relativo, pois a reversão ao proprietário fundiário do capital incorporado ao solo limita o arrendatário de maneira bem definida. Só neste caso toda renda se converteria em renda diferencial determinada não pela diferença de qualidade da terra, mas pela diferença entre os lucros suplementares obtidos com os últimos investimentos em determinado solo e a renda que se paga pelo arrendamento do pior solo. A propriedade fundiária só se torna limite absoluto quando o acesso à terra, como campo de aplicação do capital, depende de se pagar um tributo ao proprietário dela. Uma vez obtido esse acesso, não pode o proprietário opor limites absolutos à quantidade do capital aplicado em dado terreno. A propriedade de um terceiro sobre o solo onde se pretenda edificar constitui um limite à indústria de construções em geral. Mas, uma vez arrendado esse solo para construção, depende do arrendatário nele fazer uma edificação grande ou pequena.

 Se a composição média do capital agrícola fosse igual ou superior à do capital social médio, desapareceria a renda absoluta, no sentido considerado, isto é, diversa da renda diferencial e ainda da oriunda do preço de monopólio propriamente dito. O valor do produto agrícola não ultrapassaria então o preço de produção, e o capital agrícola não mobilizaria mais

A RENDA FUNDIÁRIA ABSOLUTA

trabalho, nem realizaria mais trabalho excedente que o capital não agrícola. O mesmo ocorreria se a composição do capital agrícola, com o progresso da agricultura, se igualasse à do capital social médio.

À primeira vista parece uma contradição admitir que a composição do capital agrícola se eleva, aumenta a parte constante em relação à variável, e ao mesmo tempo que o preço do produto agrícola suba o suficiente para que terras novas e piores que as até agora cultivadas paguem renda que só poderia provir, no caso, de um excedente do preço de mercado sobre o valor e sobre o preço de produção, enfim, de um preço de monopólio do produto.

Cabe aqui fazer uma distinção.

De início, conforme vimos ao estudar a formação da taxa de lucro, capitais que têm a mesma composição técnica, isto é, que empregam igual quantidade de trabalho em relação às máquinas e matérias-primas utilizadas, podem não obstante apresentar composição diversa segundo os valores diferentes das respectivas partes constantes. As matérias-primas ou as máquinas podem ser mais caras para um capital que para outro. Para mobilizar a mesma quantidade de trabalho (que, segundo nossa hipótese, é necessária para transformar a mesma quantidade de matéria-prima), ter-se-ia de adiantar num caso capital maior que no outro, pois não é possível, digamos, mobilizar com um capital de 100 a mesma quantidade de trabalho se a matéria-prima, a ser paga desses 100, num caso custa 40 e no outro 20. Que esses capitais, entretanto, possuem a mesma composição tecnológica logo se evidencia quando o preço das matérias-primas adquiridas caro cai, nivelando-se ao preço das adquiridas barato. As relações de valor entre a parte variável e a constante do capital tornar-se-iam então as mesmas, embora em nada se alterasse a relação técnica entre o trabalho vivo aplicado e a massa e a natureza das condições de trabalho empregadas. Por outro lado, um capital de composição orgânica inferior, em virtude de simples aumento dos valores dos elementos constantes, poderia, considerando-se apenas a composição segundo o valor, nivelar-se na aparência com um capital de composição orgânica superior. Seja um capital = $60_c + 40_v$, empregando grande quantidade de máquinas e matérias-primas em relação à força de trabalho viva, e outro capital = $40_c + 60_v$, utilizando muito trabalho vivo (60%), pouca maquinaria (digamos 10%) e, em relação à força de trabalho, matérias-primas em pequena quantidade e baratas (digamos 30%). Se o valor destas matérias-primas aumentasse simplesmente de 30 para 80, a composição dos dois capitais poderia igualar-se, e, desse modo, no segundo capital, a 10 de máquinas e a 80 de matérias-primas corresponderiam 60 de força de trabalho, o que dá $90_c + 60_v$, em termos percentuais também = $60_c + 40_v$, sem ter havido mudança alguma na composição técnica. Capitais da mesma composição orgânica podem portanto diferir na composição segundo o valor, e capitais que têm a mesma composição percentual segundo o valor podem situar-se em estádios diferentes de composição orgânica, expressando assim níveis diversos do desenvolvimento da produtividade social do trabalho. A mera circunstância de o capital agrícola, quanto à composição segundo o valor, encontrar-se no nível geral não demonstra que tenha atingido o mesmo grau de desenvolvimento, quanto à produtividade social do trabalho. Só poderia demonstrar que o produto agrícola, que por sua vez constitui parte das próprias condições de produção, encareceu, ou que matérias auxiliares como adubos, antes à mão, são agora trazidas de muito longe etc.

Mas, abstraindo dessas considerações, temos de perquirir o caráter peculiar da agricultura.

Admitamos que ela empregue mais máquinas, mais elementos químicos auxiliares etc., ou seja, que o capital constante, sob o aspecto técnico e em relação à massa de força de trabalho aplicada, acresça em valor e em volume. Mas, na agricultura (como na indústria de mineração), temos de considerar, além da produtividade social, a produtividade natural do trabalho, e esta depende das condições naturais. É possível que o acréscimo da produtividade social na agricultura apenas compense ou nem mesmo compense o decréscimo da produtividade natural – compensação que só pode ser transitória – e, desse modo, apesar do desenvolvimento técnico, o produto não barateia e meramente se impede que encareça mais. É possível também que, ao elevar-se o preço do trigo, decresça o volume absoluto da produção, enquanto aumenta o produto suplementar relativo, o que implica acréscimo proporcional do capital constante – consistente sobretudo em máquinas ou gado, a serem repostos apenas pelo desgaste – e ainda decréscimo correspondente do capital variável, desembolsado em salários e que o produto tem sempre de repor por inteiro.

Outra possibilidade a considerar. Com o progresso da agricultura basta que o preço de mercado supere ligeiramente a média, a fim de que terra de pior qualidade possa ser cultivada e ao mesmo tempo proporcione renda, quando, se fosse inferior o nível dos meios técnicos, para isso teria sido necessário aumento maior do preço de mercado.

A RENDA FUNDIÁRIA ABSOLUTA

A circunstância de na pecuária em grande escala, por exemplo, ser muito reduzida a quantidade de força de trabalho, em confronto com o capital constante existente em gado mesmo, poderia ser considerada decisiva para destruir a tese de o capital agrícola mobilizar, em termos percentuais, mais força de trabalho que o capital social médio não agrícola. Mas cabe observar aí que, ao tratar da renda, tomamos por determinante a parte do capital agrícola que produz o alimento vegetal decisivo, o principal meio de subsistência dos povos civilizados. Um dos méritos de A. Smith é ter demonstrado que é totalmente diversa a formação do preço na pecuária e, em geral, em todos os investimentos de capital feitos na terra e que não tenham relação com a produção dos alimentos essenciais como o trigo etc. Vejamos como se estabelece esse preço. Consideremos o produto de solo utilizado, digamos, como pastagem artificial na pecuária, mas que poderia transformar-se em terra arável de certa qualidade; o preço desse produto tem de subir o suficiente para proporcionar a mesma renda que se obteria com a lavoura de trigo em terra da mesma qualidade. Assim, a renda das terras de triticultura influi de maneira determinante no preço do gado, e por isso Ramsay observou com razão que, desse modo, a renda, a expressão econômica da propriedade fundiária, a propriedade da terra portanto, eleva artificialmente o preço do gado.

> "Em virtude da expansão da lavoura, as terras incultas não chegam para a produção de gado de corte. Grande parte das terras cultivadas tem de ser empregada na criação e na engorda de gado, e o preço deste tem por isso de ser bastante alto para pagar o trabalho aplicado e ainda a renda e o lucro que, respectivamente o proprietário e o arrendatário poderiam ter obtido da terra, se fosse empregada na triticultura. O gado criado nas áreas mais inadequadas à lavoura, as pantanosas, se vende por peso e qualidade no mesmo mercado e ao mesmo preço que o criado na melhor espécie de solo cultivado. Os proprietários dessas terras pantanosas tiram vantagem disso, aumentando sua renda de acordo com os preços do gado" (A. Smith, Livro I, capítulo XI, parte 1).

Diferindo, portanto, da renda em trigo, a renda diferencial aí favorece o solo de pior qualidade.

A renda absoluta explica alguns fenômenos que de imediato criam a aparência de que a renda deriva de mero preço de monopólio. Consideremos o proprietário de uma floresta que não resultou da intervenção humana, que não é portanto produto da silvicultura, situada digamos na Noruega, para ficarmos com o exemplo de A. Smith. Pode um capitalista, para satisfazer a procura de madeira na Inglaterra, por exemplo, explorar a floresta e pagar renda ao dono, ou pode este efetuar diretamente essa exploração como capitalista. Neste caso, a madeira proporcionará ao dono, além do lucro sobre o capital adiantado, renda mais ou menos alentada. Esta parece ser mera tributação de monopólio, pois trata-se de produto da natureza. Mas, na realidade, o capital aí consiste quase exclusivamente de capital variável, empregado em trabalho, mobilizando portanto mais trabalho excedente que outro capital de igual magnitude. O valor da madeira contém quantidade maior de trabalho não pago, ou de mais-valia, que o produto de capitais de composição superior. Por isso, a madeira pode pagar o lucro médio e proporcionar ainda importante excedente na forma de renda ao proprietário da floresta. Em sentido contrário, é de supor-se que, dada a facilidade com que pode expandir-se a derrubada das árvores e aumentar portanto a produção madeireira, é mister que a procura acresça bastante, a fim de que o preço se iguale ao valor da madeira e assim obtenha o proprietário, sob a forma de renda, tudo o que sobra do trabalho não pago depois de deduzir-se a parte que cabe ao capitalista, o lucro médio.

Segundo a hipótese estabelecida, a nova terra cultivada é pior que a pior terra até então cultivada. Se for melhor, proporcionará renda diferencial. Investigamos justamente o caso em que a renda não assume o aspecto de renda diferencial, quando se apresentam duas possibilidades. O novo terreno cultivado ou é inferior ou equivalente ao pior cultivado por último. Se é inferior, temos caso que já examinamos. Se é equivalente, temos caso a investigar ainda.

Conforme vimos ao tratar da renda diferencial, podem ser cultivadas, com o desenvolvimento da agricultura, novas terras de qualidade igual, superior ou inferior às já cultivadas. E eis as razões:

Primeiro: Na renda diferencial (e na renda em geral, pois para a renda não diferencial há sempre o problema de saber se a fertilidade e a situação do solo permitem que ele seja cultivado com lucro e renda, dado o preço regulador de mercado) estes dois fatores, fertilidade e situação do solo, atuam em sentido contrário, ora se anulando reciprocamente, ora se estabelecendo o predomínio de um dos dois. A elevação do preço de mercado pode fazer que terras mais férteis, antes afastadas da concorrência pela situação, sejam cultivadas, desde que o preço de custo do cultivo não tenha diminuído, isto é, que progressos técnicos não constituam fator da nova exploração agrícola. Essa alta pode tornar a situação de terrenos menos férteis tão vantajosa que compense a fertilidade inferior deles. Ou, sem subir o preço de mercado, pode a situação levar terras melhores a participarem da concorrência, desde que os meios de transporte se tornem mais eficientes, conforme vemos em grande escala nos estados das Grandes Planícies norte-americanas. O mesmo se dá constantemente nos velhos países civilizados, mas não na proporção observada nas colônias, onde o fator situação é decisivo, conforme acertadamente observou Wakefield. Em suma, os efeitos contraditórios da situação e da fertilidade e a variabilidade do fator situação – sem cessar contrabalançado, passando por contínuas e progressivas modificações compensatórias – fazem terras de igual, melhor ou pior qualidade entrar alternativamente na concorrência com as já cultivadas.

Segundo: O desenvolvimento das ciências naturais e da agronomia modifica a fertilidade do solo, ao proporcionar novos meios que possibilitam a exploração imediata dos elementos da terra. Assim, na França e nos condados orientais da Inglaterra, terras arenosas, antes reputadas inferiores, elevaram-se à primeira categoria (ver Passy). E terras consideradas ruins não pela composição química, mas por oporem obstáculos mecânicos e físicos ao cultivo, convertem-se em boas logo que se descobrem os meios de dominá-los.

Terceiro: Em todos os velhos países civilizados, velhas condições históricas e tradicionais na forma, por exemplo, de terras do Estado, de terras comuns etc. subtraem ao cultivo de maneira puramente casual grandes áreas, que só pouco a pouco a ele se incorporam. A sequência em que são exploradas não depende da fertilidade nem da situação, mas de circunstâncias totalmente extrínsecas. Quando se considera a história das terras comuns na Inglaterra, transformadas uma após outra em propriedade privada, pelas leis que estabelecem o cercamento delas, para serem cultivadas, nada mais ridículo que imaginar a fantástica suposição de aquela sequência ter sido organizada por um químico agrícola moderno, um Liebig, por exemplo, indicando certas áreas, em virtude das propriedades químicas, para o cultivo e deste excluindo outras. O decisivo aí foi, pelo contrário, a ocasião que faz o ladrão: os pretextos jurídicos mais ou menos plausíveis que se ofereciam aos grandes proprietários de terras para se apropriarem de mais terras.

Quarto: O grau atingido pelo incremento da população e do capital em cada fase constitui um limite, embora elástico, à expansão da área cultivada. Pondo-se de lado essa circunstância e ainda eventualidades que influem temporariamente no preço de mercado, como uma série de boas e más safras, a extensão da área cultivada num país depende do estado geral do mercado de capitais e da situação dos negócios. Em período de escassez de capitais, não basta que a terra não cultivada possa proporcionar ao arrendatário o lucro médio – pague ele ou não renda –, a fim de encaminhar para a agricultura capital adicional. Em período de abundância flui o capital para a agricultura, mesmo que não se eleve o preço de mercado, desde que não se alterem as condições normais. Terras melhores que as até agora cultivadas só seriam excluídas realmente da concorrência pelo fator situação, ou por empeços que a agricultura ainda não pôde transpor, ou por mera casualidade. Só temos por isso de nos ocupar com os terrenos da mesma qualidade dos cultivados por último. Mas, entre o novo terreno e o cultivado por último há sempre a diferença dos custos de desbravamento, e que este seja ou não empreendido depende da posição dos preços de mercado e das condições de crédito. Logo que o novo terreno entra de fato na concorrência, o preço de mercado, não se alterando as demais condições, volta ao nível anterior, mais baixo, e então esse novo terreno pode proporcionar a mesma renda que o antigo de igual qualidade. Os que supõem que não proporcionará renda procuram demonstrar sua suposição admitindo o que deve ser demonstrado, a saber, que o último terreno cultivado não proporcionou renda. Da mesma maneira, poder-se-ia provar que as casas construídas por último, além do aluguel propriamente dito correspondente à construção, não pagam renda, embora estejam alugadas. O fato é que proporcionam renda, antes mesmo de produzir aluguel, pois muitas vezes ficam vazias por muito tempo. Assim como aplicações sucessivas de capital na mesma área podem dar rendimento suplementar proporcional e, por conseguinte, a mesma renda que os primeiros investimentos, terrenos de qualidade igual à dos últimos cultivados podem proporcionar o mesmo rendimento aos mesmos custos. Do contrário, não se explicaria a cultura sucessiva das terras da mesma qualidade, e teríamos o cultivo simultâneo de todas, ou melhor, o de uma que puxaria atrás de si a concorrência de todas. O proprietário da terra está sempre pronto a extrair uma renda, isto é, a receber algo de graça; mas o capital precisa de certas condições para satisfazer tal desejo. A concorrência das terras entre si portanto não depende da vontade do proprietário fundiário, mas de haver capital que ponha as novas terras em competição com as antigas.

Se a renda agrícola propriamente dita é mero preço de monopólio, esse preço só poderá ser pequeno, do mesmo modo que a renda absoluta aqui, em condições normais, é necessariamente exígua, por mais que a sobra do valor do produto ultrapasse o preço de produção. Vejamos em que consiste a essência da renda absoluta. Para igual taxa de mais-valia ou para exploração igual do trabalho, capitais de igual magnitude produzem em diversos ramos, de acordo com as diferenças na composição média, quantidades diferentes de mais-valia. Na indústria, essas quantidades diversas de mais-valia se igualam no nível do lucro médio e se repartem uniformemente pelos capitais individuais como se fossem partes alíquotas do capital social. A propriedade fundiária impede que assim se nivelem os capitais empregados na terra e se apodera de parte da mais-valia que de outro modo entraria nesse nivelamento que dá a taxa geral de lucro; é o que se dá quando a produção precisa de terra, seja para a agricultura, seja para a indústria extrativa. A renda representa então parte do valor, mais particularmente da mais-valia das mercadorias, a qual em vez de caber à classe capitalista que a tirou dos trabalhadores pertence aos proprietários que a extraíram dos capitalistas. Aqui estamos supondo que o capital agrícola mobiliza mais trabalho que o capital não agrícola, desde que sejam iguais as respectivas magnitudes. O grau ou a existência mesmo dessa discrepância depende do desenvolvimento relativo da agricultura em confronto com a indústria. Pela natureza das coisas, essa discrepância decresce necessariamente com o progresso da agricultura, a não ser que a proporção em que a parte variável diminui, comparada com a constante, seja ainda maior para o capital industrial que para o agrícola.

Essa renda absoluta desempenha papel ainda mais importante na indústria extrativa propriamente dita, onde falta por completo um dos elementos do capital constante, a matéria-prima, e onde necessariamente reina a mais baixa composição do capital, excetuados os ramos em que é avultada a parte consistente em máquinas e noutros elementos do capital fixo. Justamente aí, onde a renda parece decorrer apenas de preço de monopólio, são necessárias condições de mercado extremamente favoráveis para as mercadorias se venderem pelo valor ou para a renda ser igual ao que sobra da mais-valia da mercadoria depois de deduzido o preço de produção. É o que se observa por exemplo com a renda das zonas de pesca, das pedreiras, das florestas naturais etc.[13]

---

13 Ricardo trata a questão de maneira muito superficial. Ver o que diz contra A. Smith, a propósito da renda florestal na Noruega, em *Principles*, no início do capítulo II.

XLVI.
Renda dos terrenos para construção. Renda das minas. Preço do solo

Em toda parte onde há renda (*rent*), a renda diferencial aparece e segue as mesmas leis da renda diferencial agrícola. Onde quer que os recursos naturais possam ser objeto de monopólio e assegurar ao industrial que os explora um lucro suplementar – trate-se de quedas-d'água, minas de ricos veios, águas piscosas ou terrenos para construir bem situados – apodera-se desse lucro suplementar, na forma de renda, subtraindo-o do capital ativo, aquele que detém o privilégio de dono desses recursos em virtude de título de propriedade sobre uma parcela do globo terrestre. No tocante aos terrenos para construção, A. Smith já mostrou que a respectiva renda, como a de todos os terrenos não agrícolas, se baseia na renda agrícola propriamente dita (Livro I, capítulo XI, 2 e 3). Caracteriza-se, (1) pela influência decisiva da localização sobre a renda diferencial (muito importante (por exemplo para a vinhataria e para os terrenos de construção nas grandes cidades); (2) por evidenciar a passividade total do proprietário, que se limita (especialmente na mineração) a explorar o progresso do desenvolvimento social para o qual em nada contribui e no qual nada arrisca, ao contrário do que faz o capitalista industrial; (3) pelo predomínio do preço de monopólio em muitos casos, sobretudo na exploração mais impudente da miséria (para os proprietários de imóveis, a miséria é mais rentável do que jamais o foram, para a Espanha, as minas de Potosí).[14] E o poder imenso que deriva dessa propriedade fundiária, quando na mesma mão se junta ao capital industrial, capacita este a impedir praticamente de residirem neste planeta os trabalhadores na luta pelo salário.[15] Parte da sociedade exige da outra um tributo pelo direito de habitar a terra, pois de modo geral na propriedade fundiária se inclui o direito do proprietário de explorar o solo, as entranhas da terra, o ar e por conseguinte o que serve para conservar e desenvolver a vida. Concorrem para elevar necessariamente a renda fundiária relativa a construções o aumento da população, a necessidade crescente de habitações daí resultante e o desenvolvimento do capital fixo, que se incorpora à terra ou nela lança raízes ou sobre ela repousa, como todos os edifícios industriais, ferrovias, armazéns, estabelecimentos fabris, docas etc. Aí não é possível reduzir o aluguel, que representa juro e amortização do capital empregado na construção, à renda correspondente apenas ao terreno, mesmo

---

14 Laing, Newman.
15 Crowlington Strike. Engels, *Lage der arbeitenden Klasse in England*, p. 307 (edição de 1892, p. 259).

com a boa vontade de Carey, sobretudo quando o proprietário da terra e o especulador em construção são pessoas diferentes, como na Inglaterra. Cabe aí considerar dois aspectos: a exploração da terra com o fim de reprodução ou de extração, e o espaço, elemento necessário a toda produção e a toda atividade humana. E a propriedade fundiária cobra seu tributo nos dois domínios. A procura de terrenos para construir aumenta o valor do solo na função de espaço e de base, e ao mesmo tempo faz acrescer a procura de elementos da terra que servem de material de construção.[16]

Nas cidades de progresso rápido, em particular onde a construção se faz com métodos fabris como em Londres, o que constitui objeto principal da especulação nessa indústria não é o imóvel construído, mas a renda fundiária. É o que nos mostra depoimento prestado perante a Comissão Bancária de 1857 pelo grande especulador londrino na indústria de construção, Edward Capps. Disse ele então, item 5.435:

> "Acho que quem quiser ir para a frente dificilmente pode progredir atendo-se a uma indústria regular... Além disso, é mister construir para especular, e em grande escala, pois é muito reduzido o lucro que o empresário obtém com as próprias construções, advindo-lhe o lucro principal das rendas fundiárias acrescidas. Consegue por exemplo uma área, pagando anualmente 300 libras esterlinas; se, depois de planejar cuidadosamente a construção, edifica a adequada categoria de imóveis, é possível que daí lhe advenham 400 ou 450 libras anuais, e seu lucro consistiria muito mais na renda fundiária acrescida de 100 ou 150 libras por ano, do que no lucro obtido com as edificações e que em muitos casos deixa na prática de levar em conta."

E não se deve esquecer que, ao expirar o arrendamento que geralmente dura 99 anos, perde o especulador em construções ou seu sucessor o direito sobre o solo que retorna ao último proprietário, com todas as edificações que nele se erguem e com a renda fundiária mais do que duplicada ou triplicada no período do contrato.

A renda na mineração é determinada do mesmo modo que a renda agrícola.

---

16 "O calçamento das ruas de Londres permitiu aos proprietários de alguns penhascos ao longo da costa escocesa obterem renda de rochas que antes eram absolutamente inúteis." A. Smith, Livro I, capítulo XI, 2.

"Há certas minas que produzem apenas o suficiente para pagar o trabalho e para repor o capital nelas aplicado, acrescido do lucro normal. Dão algum lucro ao empresário, mas não chegam a proporcionar renda ao proprietário. Só pode explorá-las com proveito o proprietário que, transformando-se em empresário, obtém o lucro normal com o capital investido. Muitas minas de carvão na Escócia são exploradas dessa maneira, e de outra não o podem ser. O proprietário não permite a outra pessoa explorá-las sem exigir renda, mas ninguém está em condições de pagá-la" (A. Smith, Livro I, capítulo XI, 2).

São duas coisas a distinguir: (1) ou a renda deriva de preço de monopólio por haver dela independente preço de monopólio dos produtos ou do próprio solo, ou (2) os produtos se vendem a preço de monopólio por existir renda. Entendemos por preço de monopólio o determinado apenas pelo desejo e pela capacidade de pagamento dos compradores, sem depender do preço geral de produção ou do valor dos produtos. Uma vinha onde se obtém vinho de qualidade excepcional e que só pode ser produzido em quantidade relativamente reduzida proporciona preço de monopólio. O excedente desse preço sobre o valor do produto é determinado unicamente pela riqueza e pela paixão dos bebedores requintados, e em virtude de tal preço o viticultor realiza importante lucro suplementar. Esse lucro suplementar que deriva do preço de monopólio converte-se em renda e sob esta forma cabe ao proprietário da terra, em virtude de seu direito sobre esse pedaço do globo terrestre dotado de qualidades especiais. O preço de monopólio gera aí a renda. Ao revés, a renda gera o preço de monopólio quando cereais se vendem acima do preço de produção e ainda acima do valor em virtude de a propriedade fundiária impedir aplicação do capital em terras incultas, se este não lhe pagar renda. Apenas os direitos de propriedade sobre o globo terrestre, detidos por certo número de pessoas, capacitam-nas a se apropriarem, tributando de parte do trabalho social excedente, a qual se torna cada vez maior com o desenvolvimento da produção. Essa realidade é dissimulada pela circunstância de a renda capitalizada, isto é, esse tributo capitalizado, aparecer na forma de preço da terra e esta poder ser vendida como qualquer outro artigo de comércio. Assim, ao comprador não parece que a renda lhe chegue às mãos gratuitamente, sem o trabalho, o risco e o espírito de empreendimento do capital, e sim que tenha sido paga por um equivalente. Conforme vimos antes, a renda parece-lhe ser juro do capital com que compra a terra e por **conseguinte** o direito à renda. O mesmo acontece com o senhor de escravos que comprou um negro; a propriedade sobre o negro não lhe parece obtida por meio da instituição da escravatura como tal, e sim pelo ato comercial de compra e venda. Mas não é a venda que cria esse direito, apenas o transfere. É necessário que o direito exista antes de poder tornar-se objeto de venda: uma venda não pode produzi-lo, nem uma série dessas vendas, continuamente repetidas. Geraram esse direito as relações de produção. Quando chegam a um ponto em que a mudança é inevitável, a fonte material desse direito, econômica e historicamente legitimada, oriunda do processo de formação da vida social, desaparece junto com todas as transações que ele justifica. Quando a sociedade atingir formação econômica superior, a propriedade privada de certos indivíduos sobre parcelas do globo terrestre parecerá tão monstruosa como a propriedade privada de um ser humano sobre outro. Mesmo uma sociedade inteira não é proprietária da terra, nem uma nação, nem todas as sociedades de uma época reunidas. São apenas possuidoras, usufrutuárias dela, e como *bonipatres familias*[1] têm de legá-la melhorada às gerações vindouras.

No estudo que segue sobre o preço da terra abstraímos de todas as oscilações da concorrência, de todas as especulações e ainda da pequena propriedade fundiária quando a terra constitui o instrumento principal dos produtores, tendo eles por isso de comprá-la a qualquer preço.

I. O preço da terra pode ascender, sem elevar-se a renda, (1) por baixar simplesmente a taxa de juro, o que faz vender-se a renda mais caro e por conseguinte aumentar a renda capitalizada, o preço da terra; (2) por subir o juro do capital incorporado ao solo.

II. O preço da terra pode elevar-se, por aumentar a renda.

A renda pode aumentar, por elevar-se o preço do produto agrícola, quando sempre sobe a taxa da renda diferencial, e tanto faz que a renda no pior solo cultivado seja grande, pequena ou inexistente. Por taxa de renda diferencial entendemos a relação entre a parte de mais-valia que se converte em renda e o capital adiantado com que se obtém o produto agrícola. Essa relação difere da que há entre o produto excedente e o produto total, pois este não abrange o capital adiantado por inteiro, isto é, o capital fixo que continua a existir ao lado do produto. Entretanto, nos solos que propor-

---

[1] Bons pais de família.

cionam renda diferencial cabe considerar que parte crescente do produto se converte em produto suplementar excedente. No pior terreno, a alta do preço do produto agrícola gera de início renda e em consequência preço da terra.

Mas a renda também pode aumentar sem que suba o preço do produto agrícola; este pode permanecer constante ou até diminuir.

Se permanece constante, pode a renda aumentar por duas causas:

– sem alterar-se a magnitude do capital aplicado nas velhas terras, cultivam-se novas de melhor qualidade e apenas bastantes para satisfazer o acréscimo da procura, ficando assim invariável o preço regulador de mercado; neste caso, não sobe o preço das velhas terras, mas ultrapassa-o o das novas cultivadas;

– aumenta o capital que explora o solo, sem que se modifiquem o rendimento relativo e o preço de mercado. Embora, nessas condições, a renda não varie em relação ao capital adiantado, sua magnitude duplica, pois o próprio capital dobrou. Não tendo havido baixa de preço, a segunda aplicação de capital, como a primeira, proporciona lucro suplementar que também se transforma em renda depois de expirar o prazo do arrendamento. Aumenta a massa da renda por aumentar a massa do capital que a produz. Afirmar que diferentes aplicações sucessivas de capital na mesma área só podem produzir renda se o rendimento respectivo é desigual, dando origem a renda diferencial, equivale a sustentar que de dois capitais de 1.000 libras esterlinas cada um, aplicados em duas áreas diferentes com a mesma fertilidade, só um deles pode proporcionar renda, embora ambos os solos sejam da categoria que dá renda (a totalidade das rendas de um país aumenta com a massa do capital aplicado, sem ser necessário que acresça o preço de cada terreno em particular, ou a taxa da renda, ou ainda a massa de renda individual de cada área; nessas condições, a totalidade da renda aumenta com a extensão das superfícies cultivadas. E isto pode até acontecer com a baixa da renda nos diversos terrenos particulares). Para suprimir tal dificuldade seria mister afirmar que dois capitais simultaneamente aplicados, cada um num terreno diferente, obedeceriam a leis diversas das que regem as aplicações sucessivas de capital na mesma área, quando a renda diferencial deriva justamente da mesma lei nos dois casos, isto é, do acréscimo do rendimento do capital tanto na mesma quanto em diferentes áreas. Esquece-se a única modificação a considerar aí, a de que aplicações sucessivas de capital feitas em terrenos diferentes encontram o empeço da propriedade

O CAPITAL

fundiária, o que não se dá com aplicações sucessivas de capital na mesma área. Decorrem daí os efeitos opostos dessas duas formas de investimento, que na prática se limitam reciprocamente. A diferença aí nunca provém do capital. Se a composição do capital e a taxa de mais-valia permanecem constantes, não varia a taxa de lucro, e desse modo, duplicado o capital, dobra a massa de lucro. Nas condições dadas, também não se altera a taxa de renda. Se é de x a renda fundiária obtida com um capital de 1.000 libras esterlinas, a de um capital de 2.000 libras esterlinas será, nas condições supostas, de 2x. Mas, aumentando a massa da renda, sua grandeza acresce em relação à área invariável, pois, segundo a hipótese estabelecida, dobrou o capital empregado na mesma área. O mesmo acre que proporcionava 2 libras esterlinas de renda dá agora 4.[17]

A relação entre parte da mais-valia, entre renda em dinheiro – o dinheiro é a expressão autônoma do valor – e a terra é em si absurda e irracional, pois são duas grandezas incomensuráveis que se medem mutuamente: de um lado, determinado valor de uso, terreno com tantos metros quadrados, e do outro, valor, mais-valia especificamente. Na realidade, isto significa apenas que, nas condições dadas, a propriedade daqueles metros quadrados de terreno capacita o proprietário a apoderar-se de trabalho não pago, realizado pelo capital que os remexe como um porco focinhando as batatas [no manuscrito, entre parênteses, mas riscado: Liebig]. Evidentemente é a mesma coisa falar da relação entre uma nota de 5 libras esterlinas e o diâmetro da terra. As mediações das formas irracionais em que aparecem e praticamente se condensam determinadas relações econômicas não preocupam os agentes práticos dessas relações em seus negócios; e, estando acostumados a se mover no meio delas, sua inteligência nelas não vê problema algum. Para eles, uma contradição perfeita nada tem de misterioso. Sentem-se à vontade, como peixe na água, em meio às formas fenomênicas

---

[17] Ter desenvolvido este ponto é um dos méritos de Rodbertus, e no livro quarto voltaremos a seu importante trabalho sobre a renda. Erra apenas sob dois aspectos. Primeiro, supõe que o aumento do lucro expressa sempre aumento do capital, de modo que não varia a relação entre ambos ao crescer a massa de lucro. Isso é inexato, pois, variando a composição do capital, embora não se altere a exploração do trabalho, pode subir a taxa de lucro, justamente por decrescer o valor proporcional da parte constante do capital, comparada com a variável. Segundo, trata essa relação entre a renda em dinheiro e determinada área de terreno, um acre por exemplo, como se fosse algo admitido pela economia clássica em seus estudos sobre alta e baixa renda. Isso também é inexato. Para os economistas clássicos, a taxa da renda é a relação entre a renda na forma natural e o produto, ou a relação entre a renda em dinheiro e o capital adiantado, e essas relações constituem realmente as expressões racionais.

alheadas da contextura interna, absurdas, se consideradas isoladamente. Aplica-se aqui o que diz Hegel sobre certas fórmulas matemáticas: o que o bom senso considera irracional é racional, e o que acha racional é a própria irracionalidade.

Assim, em relação à área do terreno, o aumento da massa da renda se expressa do mesmo modo que a elevação da taxa de renda, e daí a perplexidade quando as condições que explicariam um caso faltam no outro.

Mas o preço da terra pode subir, mesmo quando o preço do produto agrícola diminua.

Neste caso, por meio de nova diferenciação, pode ter aumentado a renda diferencial das terras de melhor qualidade e, em consequência, o respectivo preço. Ou, se não for assim, pode ter caído o preço do produto agrícola com o aumento da produtividade do trabalho, mas de modo que o acréscimo de produção mais do que compense essa queda. Admitamos que o quarter custe 60 xelins. Se o mesmo capital produz no mesmo acre 2 quarters em vez de 1, e o quarter cai para 40 xelins, os 2 quarters darão a receita de 80 xelins, e desse modo o valor do produto do mesmo capital no mesmo acre aumenta de um terço, enquanto o preço por quarter diminui de um terço. Vimos como isto é possível, sem vender-se o produto acima do preço de produção ou do valor, quando estudamos a renda diferencial. Só de duas maneiras se efetiva essa possibilidade: (1) terrenos de qualidade ruim saem da concorrência, mas aumenta o preço dos de melhor qualidade, por acrescer a renda diferencial, e assim a melhora geral atua de maneira diversa pelos diferentes tipos de solo; (2) nos terrenos de pior qualidade, o mesmo preço de produção (e o mesmo valor, caso se pague renda absoluta) se expressa em massa maior do produto, por aumentar a produtividade do trabalho. O produto configura o mesmo valor antigo, mas aumentou o número de suas partes alíquotas, caindo o preço delas. Isto é impossível se não varia o capital aplicado, pois nesse caso qualquer quantidade de produto expressa sempre o mesmo valor. É possível, porém, se foram feitos investimentos adicionais em gipsita, guano etc., isto é, em melhoramentos cujos efeitos se estendem por vários anos. A condição é que o preço do quarter diminua, mas não na mesma proporção em que aumenta o número dos quarters.

III. Esses diferentes fatores que aumentam a renda, por conseguinte o preço da terra em geral ou de terrenos de certa qualidade, podem ora confluir, ora excluir-se uns aos outros e atuar alternativamente. Mas do exposto se infere que alta do preço da terra não acarreta necessariamente elevação da renda, e que alta da renda, embora redunde sempre em elevação do preço da terra, não resulta necessariamente em alta dos produtos agrícolas.[18]

Em vez de ir-se às causas naturais do esgotamento da terra – desconhecidas de todos os economistas que escreveram sobre a renda diferencial, em virtude do nível da química agrícola do tempo deles – recorre-se à concepção superficial de ser impossível empregar qualquer quantidade desejada de capital numa área limitada de terra. Sustenta essa teoria por exemplo a *Edinburgh Review* que, replicando a Richard Jones, diz que não se pode alimentar a Inglaterra toda com o cultivo de Soho Square. Temos aí, ao invés de desvantagem, vantagem específica da agricultura: nela se podem fazer com rendimento aplicações sucessivas de capital, pois a própria terra exerce o papel de instrumento de produção, o que numa fábrica – onde serve de sustentáculo, de suporte, de base física de operação – não acontece ou só acontece em limites muito estreitos. Pode-se – e é o que faz a grande indústria – concentrar grande produção em pequeno espaço, se tomamos para comparação o artesanato disperso. Mas, dado o nível de desenvolvimento da produtividade, é indispensável determinado espaço, e a construção na vertical tem limites práticos também determinados. Além deles, a expansão da produção exige ampliação de espaço. O capital fixo empregado em máquinas etc., ao invés de melhorar com o uso, se desgasta. Em virtude de novas invenções podem ser acrescentados à máquina certos melhoramentos, mas ela só pode piorar, supondo-se o desenvolvimento da produtividade. Com o desenvolvimento mais rápido da produtividade, a velha maquinaria toda tem de substituir-se por nova, mais eficiente, de reduzir-se a ferro velho. A terra, ao contrário, adequadamente tratada, melhora sem cessar. A faculdade da terra de proporcionar frutos a investimentos sucessivos de capital, sem se perderem os anteriores, abrange a possibilidade da diferença nos rendimentos dessas aplicações sucessivas de capital.

---

18 Sobre casos reais de baixa dos preços da terra com elevação da renda, ver Passy.

XLVII.
Gênese da renda fundiária capitalista

XLVII.
Gênese da renda
fundiária capitalista

1. OBSERVAÇÕES PRELIMINARES

É mister ver com clareza onde está propriamente a dificuldade da análise da renda fundiária no contexto da economia política moderna, expressão teórica do modo capitalista de produção. Grande número de autores da atualidade ainda não percebeu isso, como demonstram as tentativas renovadas de dar "nova" explicação à renda fundiária. A novidade aí consiste quase sempre no retrocesso a concepções há muito tempo superadas. A dificuldade não está em explicar como o capital agrícola gera o produto excedente e a correspondente mais-valia. Esse problema se resolve antes na análise da mais-valia produzida por todo capital produtivo, qualquer que seja o ramo em que se empregue. A dificuldade está em demonstrar donde provém o suplemento de mais-valia pago pelo capital empregado na terra ao proprietário desta sob a forma de renda, depois de a mais-valia se igualar, para os diferentes capitais, no nível do lucro médio – de acordo com participação proporcional, correspondente às magnitudes relativas deles, na mais-valia global que o capital social produziu em todas as esferas de produção –, depois de aparentemente consumada a distribuição da mais-valia toda a repartir. O problema para os economistas modernos, como teóricos, era de interesse decisivo. Estamos abstraindo dos motivos práticos que os incitavam, como porta-vozes do capital industrial contrário à propriedade da terra, a estudar esse problema (motivos que examinaremos detidamente no capítulo sobre a história da renda fundiária). Admitir que o fenômeno da renda relativa ao capital empregado na agricultura deriva de efeito especial do próprio campo de investimento, de propriedades inerentes à crosta terrestre como tal, equivale a renunciar ao conceito mesmo de valor, por conseguinte a toda possibilidade de conhecimento científico nesse domínio. Mesmo a simples observação de o pagamento da renda sair do preço do produto agrícola – o que deve ocorrer até com o pagamento em produto, ficando para o arrendatário o respectivo preço de produção – mostrava o absurdo de se explicar o excedente desse preço sobre o preço normal, a carestia relativa do produto agrícola, com o excedente da produtividade natural da indústria agrícola sobre a produtividade dos outros ramos industriais. Bem ao contrário, quanto mais produtivo o trabalho, tanto mais barata cada parte alíquota do produto, pois tanto maior a massa de valores de uso em que se configura a mesma quantidade de trabalho, o mesmo valor portanto.

Na análise da renda, a dificuldade toda consistia portanto em explicar o excedente do lucro agrícola sobre o lucro médio, não a mais-valia e sim a mais-valia suplementar específica desse ramo da produção, por conseguinte, não o "produto líquido" e sim o excedente desse produto líquido sobre o produto líquido dos outros ramos industriais. O próprio lucro médio é resultado, formação do processo social que se efetua dentro de relações históricas bem determinadas de produção, resultado que, conforme vimos, supõe uma série de mediações. Para falar de um excedente sobre o lucro médio, é mister consideremos esta norma e, como acontece no modo capitalista de produção, regulador da produção. Nas formas de sociedade onde não é o capital que exerce a função de extorquir todo o trabalho excedente e de apropriar-se em primeira mão de toda a mais-valia, onde o capital portanto não submeteu a si o trabalho social, ou só o fez esporadicamente, não se pode falar da renda no sentido moderno, da renda como excedente sobre o lucro médio, isto é, sobre a participação percentual de cada capital particular na mais-valia produzida pela totalidade do capital social. Passy, por exemplo (ver mais adiante), revela ingenuidade ao falar de renda, em épocas primitivas, como excedente sobre o lucro, como se essa forma social historicamente determinada da mais-valia pudesse existir sem relação com a sociedade.

Para os antigos economistas que fazem os primeiros estudos do modo capitalista de produção, nascente em sua época, a análise da renda não oferecia dificuldade ou apresentava dificuldade de outra natureza. Petty, Cantillon, em geral os autores mais próximos da era feudal, consideram a renda fundiária a forma normal da mais-valia, e confundem com o salário o lucro para eles ainda indefinido ou, no máximo, parecendo-lhes ser, dessa mais-valia, a parte que o capitalista extorque do proprietário da terra. Partem de uma era social em que a população agrícola representa a grande maioria da nação e o proprietário da terra é o protagonista que, em virtude do monopólio da propriedade fundiária, em primeira mão se apropria do trabalho excedente dos produtores imediatos, constituindo a propriedade fundiária a condição principal da produção. Para eles não podia existir a questão oposta, formulada no contexto do modo capitalista de produção, a de descobrir como a propriedade fundiária consegue por sua vez subtrair do capital parte da mais-valia que este produziu (extorquiu dos produtores diretos) e de que já se apropriou em primeira mão.

Já os *fisiocratas* encontram dificuldade de outra natureza. Sendo na realidade os primeiros intérpretes sistemáticos do capital, procuram analisar a natureza em si da mais-valia. Essa análise coincide com a da renda, a única forma da mais-valia para eles existente. Por isso, veem no capital que proporciona renda, ou seja, no agrícola, o único que produz mais-valia; e no trabalho agrícola que ele mobiliza, o único gerador de mais-valia, o único produtivo portanto, afirmação exata segundo o prisma capitalista. Com toda a razão, consideram a produção de mais-valia o fator determinante. Tiveram antes de mais nada o grande mérito (além de outros a examinar no livro quarto) de considerar, como a fonte original, o capital produtivo e não o capital mercantil, opondo-se ao mercantilismo que em seu realismo grosseiro constituía a economia vulgar daquele tempo, cujos interesses práticos puseram no esquecimento os primórdios da análise científica devidos a Petty e seus sucessores. Nesta crítica ao sistema mercantilista estamos referindo-nos apenas a suas concepções de capital e mais-valia. Já tivemos oportunidade de observar que o sistema monetário, com acerto, proclama que a produção para o mercado mundial e a conversão do produto em mercadoria, por conseguinte em dinheiro, constituem condição preliminar da produção capitalista. No mercantilismo, continuação do sistema monetário, o decisivo não é mais a conversão do valor-mercadoria em dinheiro e sim a produção de mais-valia, considerada de maneira conceitualmente vazia na esfera da circulação, e assim essa mais-valia se configura em dinheiro excedente, em *superavit* da balança comercial. Mas o mercantilismo reflete exatamente os interesses dos comerciantes e fabricantes da época e se ajusta ao estado de desenvolvimento capitalista que eles representam, pois, na transformação das sociedades agrícolas feudais em industriais e na correspondente luta das nações pelo mercado mundial, o que importa é o desenvolvimento acelerado do capital, desenvolvimento a ser obtido não pela chamada via natural e sim por meios coercitivos. Faz grande diferença que o capital nacional se converta em industrial de maneira progressiva e lenta, ou que essa conversão se acelere por diversos meios: os impostos, constituídos por tarifas aduaneiras protetoras, sobrecarregando principalmente os proprietários das terras, os médios e pequenos camponeses e os artesãos; a expropriação acelerada dos produtores diretos autônomos, a acumulação e a concentração forçadas dos capitais. Tudo isto resultou em criação acelerada das condições do modo capitalista de produção. Daí decorre diferença enorme na exploração capitalista e industrial das forças produtivas naturais da nação. Assim, o caráter nacional do mercantilismo não é mera frase na boca de seus corifeus. Sob o pretexto de se ocuparem apenas com a riqueza da nação e com as fontes de recursos do Estado, na realidade declaram os interesses da classe capitalista e o enriquecimento em geral por fim último do Estado, e contra o velho Estado de direito divino proclamam a sociedade burguesa. Mas, ao mesmo tempo, têm a consciência de que o desenvolvimento dos interesses do capital e da classe capitalista, da produção capitalista, tornou-se a base do poder nacional e da supremacia nacional na sociedade moderna.

Os fisiocratas estão ainda certos ao afirmarem que na realidade toda produção de mais-valia e por conseguinte todo desenvolvimento do capital têm por base natural a produtividade do trabalho agrícola. Se o ser humano não fosse capaz de produzir num dia de trabalho mais meios de subsistência, ou seja, em sentido estrito, mais produtos agrícolas que os necessários para reproduzir cada trabalhador, se o dispêndio diário da força de trabalho de cada um apenas desse para gerar os meios de subsistência indispensáveis às respectivas necessidades individuais, não se poderia falar de produto excedente nem de mais-valia. Produtividade do trabalho agrícola excedendo as necessidades individuais do trabalhador é a base de toda sociedade e sobretudo da produção capitalista, que libera da produção dos meios imediatos de subsistência parte cada vez maior da sociedade, convertendo-a, conforme diz Stuart, em "braços livres", tornando-a disponível para ser explorada noutros ramos.

Mas o que dizer de economistas mais recentes, como Daire, Passy e outros, que no crepúsculo, no estertor de toda a economia clássica, repetem as ideias mais primitivas sobre as condições naturais do trabalho excedente e da mais-valia em geral, supondo apresentar algo novo e decisivo sobre a renda fundiária, depois de essa renda há muito tempo já se ter desenvolvido como forma particular e parte específica da mais-valia? Caracteriza a economia vulgar apossar-se de ideias que em fase anterior ultrapassada do desenvolvimento eram novas, originais, profundas e adequadas, para repeti-las, quando se tornaram triviais, caducas e errôneas. Revela assim que não tem a menor noção dos problemas que preocuparam a economia clássica. Confunde-os com questões que só poderiam ser propostas em estádio inferior do desenvolvimento da sociedade burguesa. É o que faz quando incansável pontifica remoendo as teses fisiocráticas sobre livre-câmbio. Essas teses perderam há muito tempo validade teórica, por mais que possam interessar a este ou àquele Estado.

Na economia natural propriamente, nenhum produto agrícola ou só parte ínfima dele se lança no processo de circulação, ou neste só entra fração relativamente insignificante da parte do produto na qual se configura a renda (*revenue*) do proprietário da terra, como se observava por exemplo em numerosos latifúndios da velha Roma, nas vilas de Carlos Magno e mais ou menos em toda a Idade Média (ver Vinçard, *Histoire du travail*). Nessas condições, o produto e o produto excedente desses grandes domínios não consistem unicamente em produtos do trabalho agrícola. Abrangem também os produtos do trabalho industrial. Trabalhos domésticos de artesanato e de manufatura, atividades acessórias da agricultura, que constitui a base, condicionam o modo de produção em que se baseia essa economia natural, na Antiguidade e na Idade Média europeias e ainda hoje na comuna rural indiana, onde ainda persiste a organização tradicional. O modo capitalista de produção extingue por completo essa conexão; um processo que se pode observar em grande escala notadamente na Inglaterra, no último terço do século XVIII. Espíritos que se formaram em sociedades mais ou menos semifeudais, como Herrenschwand, ainda nos fins do século XVIII, consideravam essa dissociação entre agricultura e manufatura, temerária empresa social, modo de existência com riscos inconcebíveis. E mesmo nas economias agrícolas da Antiguidade, as de Cartago e Roma, onde se encontra mais analogia com a economia agrícola capitalista, a semelhança é maior com a economia de plantações do que com a forma correspondente ao verdadeiro modo de exploração capitalista.[18a] Analogia formal (vê que é ilusória com relação a todos os pontos essenciais quem compreendeu o modo capitalista de produção e não faz o papel de Mommsen[19] que descobre o modo capitalista de produção em toda economia monetária) não se encontra na Antiguidade, na Itália continental, mas, quando muito, na Sicília, região com os produtos agrícolas tributados por Roma e com a agri-

---

18a A. Smith ressalta que em seu tempo (o que se estende ao nosso tempo quando se trata das plantações tropicais e subtropicais) renda e lucro ainda não se separam, quando o proprietário é ao mesmo tempo o capitalista, como Catão por exemplo em seus domínios. Mas, essa dissociação é justamente a condição preliminar do modo capitalista de produção, que aliás de princípio está em contradição com a base da escravatura.

19 Mommsen em sua *História de Roma* entende a palavra capitalista não no sentido da economia e da sociedade modernas, mas de acordo com a ideia popular que perdura, não na Inglaterra ou na América, mas no Continente, deixada pela tradição acerca da velha usura de estádios ultrapassados.

cultura, por isso, voltada essencialmente para a exportação. Encontram-se aí arrendatários no sentido moderno.

Há uma concepção errada a respeito da renda, baseada na circunstância de a renda na forma natural ter sobrevivido à economia natural da Idade Média e se arrastado até os tempos modernos, seja nos dízimos da Igreja, seja como relíquia preservada por velhos contratos. Daí nasce a ilusão de que a renda não provém do preço, mas da massa do produto agrícola, portanto não das relações sociais e sim da terra. Já mostramos antes que, embora a mais-valia represente produto excedente, não é verdadeira a afirmação inversa de que um produto excedente no sentido de mero acréscimo da massa do produto representa mais-valia. Pode representar decréscimo de valor. A não ser assim, a indústria têxtil algodoeira de 1860, comparada com a de 1840, teria de configurar mais-valia enorme, quando, ao contrário, caiu o preço do fio. A renda pode aumentar em virtude de uma série de anos com más colheitas, por elevar-se o preço dos cereais, embora esse valor acrescido se configure em massa absolutamente menor de trigo mais caro. Ao revés, em virtude de uma série de anos de colheitas abundantes pode a renda cair, por cair o preço, embora a renda decrescida represente massa maior de trigo mais barato. Primeiro, no tocante à renda em produtos, cabe observar que é sobrevivência de um modo de produção arcaico, tradição que se vai esvaindo no desuso. Por estar em contradição com o modo capitalista de produção, desapareceu por si mesma dos contratos particulares e foi violentamente rejeitada como incongruência onde a legislação pôde intervir, como na Inglaterra, com respeito aos dízimos da Igreja. Mas, segundo, onde continuava a existir no sistema de produção capitalista, nada mais era e nada mais podia ser que a renda em dinheiro com disfarce medieval. Admitamos que o quarter de trigo esteja a 40 xelins. Desse quarter, parte deve repor o salário nele contido e vender-se para ser de novo adiantada em salário; há a parte que é mister vender a fim de pagar a cota de impostos que recai sobre o quarter. Com o desenvolvimento do modo capitalista de produção e da repartição social do trabalho, sementes e parte dos adubos são mercadorias que entram na reprodução, devendo portanto ser compradas; a fim de obter-se o dinheiro para repô-las, é mister vender nova fração do quarter. Se realmente não é necessário comprá-las como mercadorias, sendo tiradas diretamente do produto mesmo, para serem empregadas na própria reprodução, exercendo o papel de condições da produção – o que se dá não só na agricultura, mas em muitos ramos de produção que produzem capital constante –, são contabilizadas em dinheiro de conta, constituindo componentes do preço de custo. O desgaste das máquinas e do capital fixo em geral deve ser reposto em dinheiro. Por fim vem o lucro, calculado sobre a soma desses custos expressos em dinheiro real ou de conta. Esse lucro representa fração definida do produto bruto, determinada pelo preço, e a parte então restante constitui a renda. A renda contratual em produtos, no que ultrapassa esse resto determinado pelo preço, não constitui renda, mas dedução do lucro. Essa possibilidade já evidencia que a renda em produto é forma antiquada; não segue o preço do produto, podendo ser maior ou menor que a verdadeira renda, e acarretar dedução a ser feita no lucro e ainda nos componentes da reposição do capital. Na realidade, essa renda em produtos, se é real e não nominal, é determinada unicamente pelo excedente do preço do produto sobre os custos de produção. Apenas supõe ser constante essa magnitude variável. Mas é bem saudosista essa ideia de o produto fisicamente primeiro dar para nutrir os trabalhadores, segundo, deixar para o arrendatário capitalista mais alimentos que os necessários e além disso o excedente que constitui a renda natural. É como se um fabricante produzisse 200.000 metros de tecido e essa quantidade se destinasse e desse para vestir os trabalhadores, ele mesmo, a mulher e os descendentes, sobrando-lhe ainda tecido para vender e, por fim, para pagar enorme renda em tecido. Tudo fica muito simples. Dos 200.000 metros de tecido subtraem-se os custos de produção, e fica necessariamente como renda uma sobra de tecido. É pura ingenuidade pretender subtrair dos 200.000 metros de tecido, digamos, 10.000 libras esterlinas de custos de produção, ignorando-se o preço de venda do tecido; querer tirar de um valor de uso como tal um valor de troca, determinando-se assim o excedente dos metros de tecido sobre as libras esterlinas. É pior que a quadratura do círculo, que pelo menos tem por base o conceito dos limites onde linha reta e curva se confundem. Mas é a receita de Passy. Subtrai-se dinheiro de tecido, antes de este converter-se mentalmente ou na realidade em dinheiro. O excedente é a renda, que deve ser aprendida de maneira natural e não por meio de "sofismas" diabólicos (ver, por exemplo, Karl Arndt). Descontar de tantos alqueires de trigo o preço de produção e subtrair de um volume uma soma de dinheiro são os absurdos a que se reduz toda essa restauração da renda em produtos.

2. A RENDA EM TRABALHO

A forma mais simples da renda fundiária é a *renda em trabalho*: durante parte da semana, o produtor direto, com os instrumentos (arado, animais etc.) que lhe pertencem de fato ou de direito, lavra o terreno de que dispõe de fato e, nos outros dias da semana, trabalha nas terras do solar senhorial, para o proprietário das terras, gratuitamente. Aí a coisa ainda está meridianamente clara – renda e mais-valia se identificam. Aí, a forma em que se expressa o trabalho excedente não pago é a renda e não o lucro. Até que ponto o trabalhador (o servo que sustenta a si mesmo) pode então obter um excedente sobre os meios de subsistência necessários, sobre o que se chama de salário no modo capitalista de produção, depende, não se alterando as demais condições, da proporção em que seu tempo de trabalho se reparte em trabalho para si mesmo e corveia para o dono das terras. Esse excedente sobre os meios de subsistência indispensáveis, o gérmen, do que no modo capitalista de produção aparece como lucro, é determinado totalmente pela magnitude da renda fundiária, que aí, além de ser de imediato trabalho excedente não pago, tem essa aparência; trabalho excedente não pago para o "proprietário" das condições de produção, que então se confundem com a terra e dela são, quando distinguidas, mero acessório. O produto do servo deve, além de bastar para a subsistência própria, repor os meios de trabalho. Esse fato é comum a todos os modos de produção, pois não resulta da forma específica deles, sendo condição natural de todo trabalho contínuo e reprodutivo em geral, de toda produção continuada, que ao mesmo tempo sempre é reprodução, abrangendo as condições da própria atividade. Demais, é claro que, em todas as formas em que o produtor direto "possui" os meios de trabalho e os meios de produção necessários para gerar os próprios meios de subsistência, a relação de propriedade surge simultânea e fatalmente como relação direta de domínio e servidão, aparecendo o produtor imediato como servo. Essa dependência pode reduzir-se, indo da servidão com corveia para a mera obrigação de pagar um tributo. Admitimos que o produtor imediato possui então os próprios meios de produção, os meios materiais necessários para realizar o próprio trabalho e produzir os meios de subsistência. Tem autonomia para cuidar de sua lavoura e trabalhar na indústria doméstico-rural com ela relacionada. Essa autonomia não desaparece quando esses pequenos camponeses formam entre si, como acontece na Índia, comunidade mais ou menos primitiva de produção, pois o que se está considerando é apenas a independência perante o senhor nominal das terras. Nessas condições, o senhor só lhes pode extrair o trabalho excedente mediante coerção extraeconômica, qualquer que seja a forma que esta assuma.[20] Neste ponto o sistema se distingue da economia escravista ou de plantações em que o escravo emprega meios de produção alheios, não tendo autonomia no trabalho. Por isso, para funcionar, o sistema precisa de relações pessoais de dependência, de subordinação pessoal, qualquer que seja o grau de vinculação do trabalhador à gleba como acessório, de servidão no verdadeiro sentido da palavra. Se quem faz frente aos produtores diretos não são os proprietários particulares das terras, mas o Estado como na Ásia, soberano e proprietário das terras, a renda e os impostos coincidem, ou melhor, não existe nenhum tributo diferente dessa forma de renda fundiária. Nessas condições, a relação de dependência sob os aspectos político e econômico não precisa assumir forma mais dura que a observada na subordinação de todos ao Estado. O Estado aí é o senhor supremo das terras. A soberania então é a propriedade das terras concentrada em escala nacional. Em consequência, não existe propriedade fundiária privada, embora haja posse e usufruto da terra, particulares ou comunitários.

A forma econômica específica na qual trabalho não pago se extorque dos produtores imediatos exige a relação de domínio e sujeição tal como nasce diretamente da própria produção e, em retorno, age sobre ela de maneira determinante. Aí se fundamenta toda a estrutura da comunidade econômica – oriunda das próprias relações de produção – e, por conseguinte, a estrutura política que lhe é própria. É sempre na relação direta entre os proprietários dos meios de produção e os produtores imediatos (a forma dessa relação sempre corresponde naturalmente a dado nível de desenvolvimento dos métodos de trabalho e da produtividade social do trabalho) que encontramos o recôndito segredo, a base oculta da construção social toda e, por isso, da forma política das relações de soberania e dependência, em suma, da forma específica do Estado numa época dada. Isto não impede que a mesma base econômica, a mesma quanto às condições fundamentais, possa apresentar – em virtude de inumeráveis circunstâncias empíricas diferentes, de condições naturais, de fatores étnicos, de influências históricas de origem externa etc. – infinitas variações e gradações que só a análise dessas condições empiricamente dadas permitirá entender.

---

20 Após a conquista de um país, o primeiro passo dos conquistadores era sempre o de se apropriarem também dos seres humanos. Ver Linguet e Möser.

Quanto à renda em trabalho, a forma mais simples e mais antiga da renda, é claro que a renda então é a forma original da mais-valia e com ela coincide. Além disso, a coincidência da mais-valia com trabalho alheio não pago dispensa aí análise, pois existe em forma visível, palpável, pois o trabalho que o produtor direto efetua para si mesmo se distingue, no tempo e no espaço, do que executa para o senhor das terras e que aparece diretamente na forma brutal de trabalho sob coação para terceiro. E a "propriedade" que possui a terra de dar renda é mistério que aí se dissolve em claridade meridiana, pois a natureza que fornece a renda abrange também a força humana de trabalho vinculada à gleba e a relação de propriedade que força o dono dessa força a usá-la e a empregá-la além do necessário para satisfazer suas próprias necessidades indispensáveis. A renda resulta diretamente de o senhor da terra apropriar-se desse dispêndio excedente da força de trabalho, e o produtor imediato não lhe paga outra renda. Aí a mais-valia e a renda são idênticas, a mais-valia aparece ainda palpável na forma de trabalho excedente, sendo evidentes as condições naturais ou os limites da renda por serem os do próprio trabalho excedente. É mister que o produtor imediato (1) possua força de trabalho bastante e (2) que as condições naturais do trabalho, sobretudo a fecundidade da terra cultivada, sejam suficientes, em suma, que a produtividade natural do trabalho baste para lhe possibilitar trabalho excedente, isto é, acima do necessário para satisfazer as indispensáveis necessidades próprias. Essa possibilidade não gera renda, que se torna realidade mediante coerção. Mas a possibilidade mesma depende de condições naturais, subjetivas e objetivas. Também aí nada há de misterioso. Se a força de trabalho é pouco eficaz e as condições naturais de trabalho, insuficientes, o trabalho excedente será reduzido, e o mesmo se dará com as necessidades dos produtores, com o número relativo dos exploradores do trabalho excedente, enfim, com o produto excedente em que se materializa esse trabalho excedente pouco rentável, destinado a esse número menor de proprietários exploradores.

Finalmente, na renda em trabalho, é evidente que, invariáveis as demais condições, depende por completo da magnitude do trabalho excedente ou jeira,[1] até que ponto o produtor direto é capaz de melhorar a própria situação, enriquecer-se, produzir uma sobra acima dos meios de subsistência indispensáveis; em outras palavras, se antecipamos a terminologia capita-

---

[1] A palavra *jeira* está usada no sentido arcaico de "serviço de lavoira obrigatória e gratuito" (Caldas Aulete), sendo, sob esse aspecto, sinônimo de *corveia*.

lista, até que ponto pode produzir um lucro qualquer, isto é, uma sobra acima do salário por ele mesmo produzido. A renda aí é a forma normal, por assim dizer legítima, absorvendo tudo, e bem longe de ser um excedente sobre o lucro, isto é, sobre qualquer sobra acima do salário; ao contrário, a dimensão desse lucro e mesmo a existência dele dependem, não se alterando as demais condições, do montante da renda, isto é, do trabalho excedente a prestar coercitivamente ao proprietário.

O produtor imediato não é proprietário, mas apenas possuidor, e de direito todo o trabalho excedente dele pertence ao proprietário da terra. Por isso, alguns historiadores se admiram que tenha podido ocorrer desenvolvimento autônomo de patrimônio e, relativamente falando, de riqueza entre sujeitos à corveia ou servos. Contudo, é claro que a tradição desempenha necessariamente papel preponderante nas condições primitivas e pouco desenvolvidas em que se baseiam essas relações sociais de produção e o correspondente modo de produção. Além disso, é evidente que, então como sempre, o interesse da camada dominante da sociedade é consagrar legalmente o que existe, fixar em lei os limites estabelecidos pelo uso e pela tradição. Abstraindo de todas as outras considerações, verificamos que isso se produz automaticamente, logo que assume forma regulada e ordenada, no curso do tempo, a reprodução permanente da base do estádio social existente, das relações em que se fundamenta; e essa regulação e ordenação constituem fator imprescindível a todo modo de produção, para que possua solidez social e não dependa de mero acaso ou arbítrio. Essa ordenação é justamente a forma em que o modo de produção se consolida e se emancipa relativamente da arbitrariedade pura e do simples acaso. Atinge ele essa forma, em condições estáveis do processo de produção e das correspondentes relações sociais, por força da mera reprodução repetida de si mesmo. Se essa reprodução perdura, consolidam-na o uso e a tradição, e a lei por fim a consagra expressamente. A forma desse trabalho excedente, a corveia – uma vez que se fundamenta no escasso desenvolvimento de todas as forças produtivas sociais do trabalho, nos próprios métodos rudimentares do trabalho – deve naturalmente extrair do trabalho global dos produtores imediatos parte alíquota bem menor que a sugada nos modos de produção desenvolvidos, sobretudo no modo de produção capitalista. Admitamos que originalmente a corveia devida ao proprietário da terra era de dois dias por semana. Essa jeira semanal fixada em dois dias constitui magnitude constante, regulada pelo direito consuetudinário ou escrito. Mas a produtividade dos dias restantes da semana, à disposição do produtor imediato, é magnitude variável, que se desenvolve com a experiência, ao mesmo tempo que as novas necessidades que passa a conhecer, a expansão do mercado para os produtos dele, a segurança crescente com que usa essa parte da força de trabalho incitam-no a distendê-la mais. Não se deve esquecer aí que o emprego dessa força de trabalho não se limita à agricultura, mas abrange também a indústria doméstica rural. Existe aí a possibilidade de certo desenvolvimento econômico, dependendo naturalmente de circunstâncias favoráveis, de caracteres étnicos congênitos etc.

3. A RENDA EM PRODUTOS

Quando a renda em trabalho se converte na renda em produtos nada se altera, sob o aspecto econômico, na essência da renda fundiária. Nas formas que estamos agora observando, essa essência consiste em ser a renda fundiária a única forma dominante e normal da mais-valia ou do trabalho excedente, ou, dito de outro modo, o único trabalho excedente ou o único produto excedente que o produtor imediato, na *posse* das condições de trabalho necessárias à própria reprodução, deve fornecer ao *proprietário* da terra. Nesse estádio, a terra é a condição de trabalho que tudo engloba. Demais, só a terra defronta o produtor direto de maneira autônoma, como condição de trabalho que de direito pertence a outrem, personificada no respectivo proprietário. Quando a renda em produtos é a forma dominante e mais difundida da renda fundiária, acompanham-na sempre, em maior ou menor grau, sobrevivências da forma anterior – a renda a pagar diretamente em trabalho, a corveia –, e tanto faz que o senhor das terras seja um particular ou o Estado. A renda em produtos supõe estádio cultural superior do produtor imediato, nível mais alto de desenvolvimento de seu trabalho e da sociedade em geral, distinguindo-se da forma anterior porque o trabalho excedente não deve mais prestar-se de maneira natural, sob a vigilância e a coação diretas do senhor da terra ou de seu representante; ao contrário, por força das circunstâncias e não por coação direta, compelindo-o a lei, em vez de o açoite, deve o produtor imediato efetuar o trabalho excedente, responsabilizando-se ele mesmo pela execução. Torna-se então evidente a regra: a produção excedente, no sentido de produção acima das necessidades indispensáveis do produtor imediato, efetua-se em área que lhe pertence de fato, no solo que ele mesmo explora, e não mais, como antes, nas terras do solar senhorial, separadas e ao lado da sua. Nessas condições, emprega mais ou menos a seu critério o tempo inteiro de trabalho, embora parte dele – na origem, a parte que excede as necessidades indispensáveis, toda ou quase toda – continue a pertencer gratuitamente ao proprietário da terra. A única diferença é que este não mais a recebe diretamente na própria forma natural, mas na forma natural do produto em que ela se corporifica. Quando a renda em produto existe em estado puro, desaparecem as interrupções cansativas em que se trabalha para o proprietário da terra, as quais, dependendo da convenção em vigor sobre a corveia, acarretam maiores ou menores transtornos (ver Livro 1, Capítulo VIII, 2: A avidez por trabalho excedente. O fabricante e o boiardo). Ou, então, reduzem-se a intervalos do ano raros e breves, persistindo certos serviços de corveia ao lado da renda em produto. O trabalho do produtor para si mesmo e o que fornece ao proprietário da terra não se separam mais, de maneira palpável, no tempo e no espaço. Embora possam persistir sobrevivências da renda pura em produtos, em modos e em relações de produção mais desenvolvidos, ela sempre supõe economia natural, isto é, que os meios de produção na totalidade ou na maior parte sejam criados pela própria exploração que os emprega e que sejam repostos e reproduzidos diretamente, partindo-se do próprio produto bruto. Demais, implica a união da indústria doméstica rural com a agricultura; o produto excedente que constitui a renda provém desse trabalho familiar que reúne agricultura e indústria, e, como ocorria na Idade Média, tanto faz que a renda em produtos abranja mais ou menos produtos industriais ou que se forneça apenas na forma de produtos agrícolas propriamente ditos. Não é mister que o trabalho excedente corporificado na renda em produtos abranja o trabalho todo que a família rural poderia prestar depois de prover as necessidades indispensáveis. Esta renda, comparada com a renda em trabalho, deixa ao produtor maior sobra de tempo para trabalhar em seu proveito além do tempo em que trabalha para as necessidades imediatas. Com ela aparecem diferenças maiores de situação econômica entre os produtores diretos. Existe pelo menos essa possibilidade e ademais a de esse produtor imediato obter os meios para diretamente explorar por sua vez o trabalho alheio. Agora não estudaremos esse aspecto, pois estamos tratando da forma pura da renda em produtos; tampouco examinaremos as combinações infinitamente diversas em que as diferentes formas de renda se podem juntar, adulterar e amalgamar. Essa forma serve inteiramente para constituir a base de sociedades estacionárias, como evidencia o exemplo da Ásia. E as razões são estas: vincula-se a certo tipo de produção; conjuga necessariamente a agricultura e a indústria doméstica; torna a família rural autarcia quase completa; não depende do mercado, nem dos movimentos da produção e da história dos segmentos sociais situados fora de sua esfera; em suma, possui as características da economia natural. Conforme ocorria antes com a renda em trabalho, a renda fundiária aí é a forma normal da mais-valia e por conseguinte do trabalho excedente, isto é, de toda a sobra em trabalho que o produtor imediato deve fornecer de graça, ou seja, coercitivamente – embora a coerção não se exerça mais com a brutalidade antiga – ao proprietário do meio de trabalho mais essencial, a terra. O lucro – se assim chamamos, por antecipação injustificada, a fração de que o produtor se apossa, tirada da sobra de trabalho demarcada depois de deduzir-se o trabalho necessário –, longe de determinar a renda em produtos, forma-se sub-repticiamente e encontra o limite natural no volume da renda em produtos. A dimensão desta pode chegar ao ponto de pôr em sério risco a reprodução das condições de trabalho e dos próprios meios de produção, tornar quase impossível a ampliação da produção e reduzir ao mínimo vital os meios de subsistência dos produtores imediatos. Conforme demonstram os ingleses na Índia, isso acontece sobretudo quando uma nação comercial conquistadora encontra essa forma e a explora.

4. A RENDA EM DINHEIRO

Aqui, a renda em dinheiro significa a renda fundiária resultante de simples metamorfose da renda em produtos, por sua vez oriunda de transformação da renda em trabalho. Com este significado distingue-se da renda fundiária comercial ou industrial baseada no modo capitalista de produção e que constitui apenas um excesso sobre o lucro médio. O produtor imediato em vez de entregar o produto ao proprietário da terra, que pode ser o Estado ou um particular, paga-lhe o correspondente preço. Assim, não basta mais produto excedente na forma natural; é mister que ele deixe essa forma, assumindo a forma de dinheiro. O produtor direto, embora produza como dantes pelo menos a maior parte dos próprios meios de subsistência, tem agora de converter parte do produto em mercadoria, de produzi-lo como tal. Em consequência, muda de caráter em maior ou menor grau o modo de produção. Perde a independência e não se isola mais do conjunto das relações sociais. Dos custos de produção, a proporção constituída de desembolsos variáveis em dinheiro passa a ser decisiva; em todo caso, agora é fator determinante o excedente que a parte, a converter-se em dinheiro, do produto bruto forma em relação à parte que tem de servir de meio de reprodução e de meio de subsistência imediato. Entretanto, o fundamento dessa espécie de renda, embora ela tenda a dissolver-se, continua sendo o mesmo da renda em produtos, que constitui o ponto de partida. Como dantes, o produtor direto está na posse da terra, por herança ou tradição, e coercitivamente tem de fornecer ao senhor dela, o proprietário do meio de produção mais essencial, trabalho excedente, não pago, sem contraprestação equivalente, na forma de produto excedente convertido em dinheiro. Nas formas anteriores de renda, os meios de trabalho que não a terra, os instrumentos agrícolas e outros bens móveis já se tinham tornado propriedade dos produtores imediatos, primeiro de fato e depois de direito, o que é mais verdadeiro ainda para a renda em dinheiro. A transformação da renda-produto em renda-dinheiro, primeiro esporádica, depois em escala mais ou menos nacional, supõe desenvolvimento já considerável do comércio, da indústria urbana, da produção mercantil em geral e por conseguinte da circulação monetária. Requer ainda que os produtos tenham preço de mercado e sejam vendidos aproximadamente pelo valor, o que de modo algum precisa ocorrer nas formas anteriores. Ainda podemos ver aspectos dessa transformação na Europa Oriental. A possibilidade de ela efetivar-se depende de certo desenvolvimento da produtividade social do trabalho. É o que demonstra o malogro das tentativas feitas sob o Império Romano, quando se procurava converter geralmente em renda-dinheiro pelo menos a parte que era tributo devido ao Estado: a renda-dinheiro retroagia à forma de renda-produto. A mesma dificuldade de transição aparece por exemplo na França, antes da Revolução, quando sobrevivências das formas anteriores se misturavam com a renda em dinheiro e a adulteravam.

Mas a renda-dinheiro, enquanto mudança de forma da renda em produtos e a esta se opondo, é porém a última forma e ao mesmo tempo a forma de dissolução da espécie de renda fundiária que vimos estudando até agora, isto é, da renda fundiária como a forma normal da mais-valia e do trabalho excedente não pago devido ao proprietário das condições de produção. Na forma pura, essa renda, como a renda-trabalho e a renda-produto, não constitui excedente sobre o lucro. Por definição absorve-o. Quando ele surge de fato ao lado dela, configurando fração especial do trabalho excedente, a renda-dinheiro continua sendo, como o eram as formas anteriores, o limite normal desse lucro embrionário que só tem força para desenvolver-se na medida em que é possível explorar trabalho próprio e alheio que sobe após a prestação do trabalho excedente representado na renda-dinheiro. Assim, aparecendo realmente lucro ao lado dessa renda, não é o lucro que limita a renda, mas, ao contrário, é a renda que limita o lucro. Mas, conforme já vimos, a renda em dinheiro é ao mesmo tempo a forma de dissolução da renda fundiária estudada até agora e que de imediato coincide com a mais-valia e com o trabalho excedente, sendo a forma normal e dominante da mais-valia.

Se abstraímos das formas intermediárias, como por exemplo a do pequeno camponês arrendatário, a renda em dinheiro, em seu desenvolvimento ulterior, deve tornar a terra propriedade camponesa livre ou chegar à forma do modo capitalista de produção, à renda que é paga pelo arrendatário capitalista.

Com a renda-dinheiro, a relação tradicional e consuetudinária entre o subordinado que possui e explora parte do solo e o proprietário da terra se converte em relação contratual puramente monetária, determinada pelas regras sólidas do direito positivo. Por isso, o que possui e lavra a terra se transforma naturalmente em mero arrendatário. Essa transformação, se as condições gerais de produção o permitem, serve ao propósito de despojar progressivamente da terra os antigos possuidores que a cultivam, substituindo-os por arrendatário capitalista, e, além disso, leva o antigo possuidor a remir a terra do ônus da renda e a converter-se em camponês independente com propriedade plena do solo que lavra. A formação de uma classe de jornaleiros, sem posses e que se alugam por dinheiro, necessariamente acompanha e mesmo precede a transformação da renda-produto em renda-dinheiro. Assim, no estádio embrionário dessa nova classe, quando ela aparece apenas de maneira esporádica, desenvolveu-se necessariamente entre os camponeses mais bem situados, sujeitos a renda, o hábito de explorar por conta própria jornaleiros rurais, do mesmo modo que na época feudal os servos camponeses mais bem aquinhoados dispunham de outros servos. Desse modo, aumenta pouco a pouco a possibilidade de juntarem certa fortuna e de se converterem mais tarde em capitalistas. Entre os antigos possuidores de terra, que a cultivam diretamente, surge um viveiro de arrendatários capitalistas. Seu desenvolvimento está condicionado pelo desenvolvimento geral da produção capitalista fora do campo e se acelera particularmente quando circunstâncias especiais o favorecem, como ocorreu no século XVI na Inglaterra. Então, a moeda se deprecia progressivamente, enriquecendo os arrendatários à custa dos donos das terras, em virtude dos tradicionais contratos de arrendamento a longo prazo.

E mais. Quando a renda assume a forma de renda-dinheiro, e a relação entre camponês que paga renda e proprietário da terra, a forma contratual (transformação que só é possível em certo nível elevado de desenvolvimento do mercado mundial, do comércio e da manufatura), a terra passa necessariamente a ser arrendada a capitalistas, que até então estavam fora do domínio rural. Eles trazem para o campo e para a agricultura o capital obtido nas cidades e o modo capitalista de produção já desenvolvido na economia urbana: o produto que se gera é mercadoria apenas e simples meio de extorquir mais-valia. Essa forma só pode generalizar-se nos países que estejam dominando o mercado mundial, na fase de transição do modo feudal para o modo capitalista de produção. Com a interferência do arrendatário capitalista entre o dono da terra e o que efetivamente a cultiva dissolvem-se todas as relações oriundas do velho modo rural de produção. O arrendatário se torna o comandante efetivo desses trabalhadores agrícolas e o verdadeiro explorador do trabalho excedente que efetuam, enquanto o proprietário só mantém relação direta, e de caráter puramente monetário e contratual, com esse arrendatário capitalista. Então muda de fato a natureza da renda, como ocasionalmente já ocorria às vezes nas formas anteriores, e transmuta-se a forma normal, reconhecida e dominante. A renda deixa de ser a forma normal da mais-valia e do trabalho excedente para reduzir-se a sobra desse trabalho excedente, a qual aparece depois de deduzida a parte de que se apropria o explorador capitalista sob a forma de lucro. Do mesmo modo, o total do trabalho excedente, o lucro e o que o ultrapassa, extrai ele agora diretamente, recebendo-o na forma de produto excedente global e convertendo-o em dinheiro. A renda que entrega ao proprietário da terra é apenas fração remanescente dessa mais-valia que extrai com o capital, explorando diretamente os trabalhadores agrícolas. Em média, o montante da renda a pagar tem por limite o lucro médio proporcionado pelo capital nos ramos de produção não agrícolas, e os preços de produção não agrícolas que o lucro médio regula. A renda então deixa de ser a forma normal da mais-valia e do trabalho excedente para converter-se em remanescente que é peculiar ao ramo agrícola de produção e fica após deduzir-se a parte do trabalho excedente, de antemão exigida pelo capital como coisa que normalmente lhe cabe. O lucro, e não mais a renda, é a forma normal da mais-valia. E a renda agora só é forma autônoma em certas circunstâncias especiais, mas não da mais-valia em geral e sim de determinada ramificação dela, o lucro suplementar. Não é mister pormenorizar como a essa transformação corresponde mudança progressiva no modo de produção. Essa transformação já decorre de esse arrendatário capitalista produzir normalmente o produto agrícola todo como mercadoria e só converter de imediato em meios de subsistência para si mesmo proporção evanescente dessas mercadorias, quando antes só reduzia a mercadoria o que ultrapassava seus meios de subsistência. Não é mais a terra, e sim o capital que diretamente submete a si e à sua produtividade até mesmo o trabalho agrícola.

O lucro médio e o preço de produção por ele regulado formam-se à margem das condições rurais, no domínio do comércio e da manufatura das cidades. Para o nivelamento do lucro médio não concorre o lucro do camponês sujeito à prestação de renda, pois não é capitalista a relação que existe entre ele e o proprietário da terra. Ao obter lucro, isto é, excedente sobre os meios de subsistência necessários, empregando trabalho próprio ou explorando trabalho alheio, obtém-no à margem da relação normal e, não se alterando as demais circunstâncias, o nível desse lucro não regula a renda, que, ao contrário, constitui o limite que o determina. Na Idade Média, a alta taxa de lucro se deve à baixa composição do capital, ao predomínio da parte variável, desembolsada em salário, e ainda à especulação praticada contra o campo, absorvendo fração da renda fundiária e da parte do produto destinada aos servos. Na Idade Média, embora o campo, no domínio político, explorasse a cidade por toda parte – excetuadas as áreas onde desenvolvimento urbano excepcional superava o feudalismo, como na Itália –, no plano econômico, a cidade sempre espoliava o campo, com os preços de monopólio, com o sistema de tributos, com as corporações, com a fraude mercantil direta e com a usura.

Poder-se-ia imaginar que o simples aparecimento do arrendatário capitalista na produção rural prova que o preço dos produtos agrícolas, que sempre pagaram renda numa ou noutra forma, tinha de estar, pelo menos por ocasião desse aparecimento, acima dos preços de produção da manufatura, fosse porque tivesse atingido o nível de preço de monopólio ou porque tivesse alcançado o valor dos produtos agrícolas, o qual está na realidade acima do preço de produção regulado pelo lucro médio. Se não fora assim, o arrendatário capitalista não poderia, com os preços em curso dos produtos agrícolas, realizar o lucro médio e ainda pagar, na forma de renda, excedente sobre esse lucro. Poder-se-ia concluir daí que a taxa geral de lucro, que leva o arrendatário capitalista a contratar com o proprietário da terra, constituiu-se sem incluir a renda e por isso, ao se tornar elemento regulador da produção agrícola, o arrendatário encontra esse excedente e o paga ao dono da terra. É essa explicação tradicional que Rodbertus entre outros adota. Mas:

Primeiro: Essa entrada do capital, força autônoma e diretora, na agricultura não se processa de maneira imediata e geral, mas progressiva e em certas atividades especiais da produção rural. No começo não penetra na agricultura propriamente dita, mas em ramos de produção como a pecuária, notadamente a ovinocultura, que tem por produto principal a lã, que, ao ascender a indústria, de início apresenta em caráter constante preço de mercado com excedente sobre o preço de produção, diferença que só mais tarde desaparece. É o que se deu na Inglaterra no decurso do século XVI.

Segundo: Uma vez que a produção capitalista no começo apenas de maneira esporádica se estabelece, nada há a opor à hipótese de que de início só se apodera de terras que no conjunto podem proporcionar renda diferencial em virtude da fertilidade específica ou de situação especialmente favorável.

Terceiro: Admitamos mesmo que os preços dos produtos agrícolas, ao estabelecer-se o modo capitalista de produção – que na realidade supõe importância crescente da procura urbana –, estejam acima do preço de produção, como sem dúvida ocorria no último terço do século XVII na Inglaterra. Essa diferença – desde que esse modo de produção ultrapasse a fase de mera subordinação da agricultura ao capital, acarretando seu desenvolvimento necessariamente melhoria na agricultura e baixa nos custos de produção – anular-se-á em virtude de reação, de queda no preço dos produtos agrícolas, como se deu na primeira metade do século XVIII na Inglaterra.

À maneira tradicional não se pode explicar a renda como excedente sobre o lucro médio. Quaisquer que sejam as circunstâncias históricas em que apareça, a renda só cria raízes quando existem as condições modernas, antes descritas, que possibilitam sua existência.

Por fim, releva observar que, com a transformação da renda-produto em renda-dinheiro, a renda capitalizada, o preço da terra e por conseguinte a alienabilidade e a alienação dela se tornam fatores decisivos. Então, o camponês que estava obrigado à prestação de renda podia tornar-se proprietário autônomo, e quem possuísse dinheiro, citadino ou não, podia adquirir terrenos e arrendá-los a camponeses ou a capitalistas, para auferir renda como forma de juro do capital que desembolsou. Essa circunstância favorece a mutação do antigo modo de produção, a da relação entre proprietário e cultivador efetivo e a da própria renda.

5. A PARCERIA E A PEQUENA PROPRIEDADE CAMPONESA

Chegamos ao fim de nosso estudo sobre as formas sucessivas de renda fundiária.

Em todas essas formas – renda-trabalho, renda-produto e renda-dinheiro como forma apenas em que se converte a renda-produto – supusemos que a renda é sempre fornecida por quem na realidade cultiva e possui a terra, indo o trabalho excedente não pago diretamente para as mãos do proprietário dela. Mesmo na última forma, a renda-dinheiro, enquanto pura, simples mudança de forma da renda-produto, nossa hipótese, além de possível, corresponde a fatos.

Pode ser considerado forma transitória entre a primitiva forma de renda e a capitalista, o sistema de parceria ou de repartição dos frutos da exploração no qual o agricultor (arrendatário) emprega, além de trabalho próprio ou alheio, parte do capital operante, e o proprietário fornece, além da terra, a outra parte desse capital (gado, por exemplo), sendo o produto dividido entre ambos em determinadas proporções que variam segundo os países. Aí falta ao arrendatário capital bastante para a plena exploração capitalista, enquanto o que toca ao proprietário da terra, sem ser a renda na forma pura, pode conter juro pelo capital que ele adiantou e, em suplemento, renda. Além disso, pode absorver de fato o trabalho excedente todo do arrendatário ou a esse permitir maior ou menor participação nele. O essencial, porém, é que a renda então não se apresenta mais como a forma normal da mais-valia. O agricultor, empregue apenas trabalho próprio ou também trabalho alheio, presumivelmente exigirá – além do que lhe cabe na qualidade de trabalhador – uma fração do produto, por possuir parte do instrumental de trabalho e por ser capitalista de si mesmo. O proprietário da terra, por sua vez, reivindica participação por ter a propriedade da terra e ainda por ter emprestado capital.[20a]

[20a] Ver Buret, Tocqueville, Sismondi.

GÊNESE DA RENDA FUNDIÁRIA CAPITALISTA

Na Polônia e na Romênia, por exemplo, o que restou das antigas terras de propriedade comum, após a transição para a economia camponesa independente, serviu de pretexto para o retorno às formas inferiores da renda fundiária. Parte das terras se distribui em lotes que pertencem individualmente aos camponeses, que os cultivam de maneira autônoma. Outra parte é cultivada em comum e fornece produto excedente que serve para pagar despesas da comunidade, ou de reserva para a eventualidade de más colheitas etc. Estas duas frações do produto excedente e por fim o produto excedente todo com as terras donde vêm são usurpados progressivamente por funcionários do Estado e por particulares. Mas os proprietários camponeses antes livres continuam obrigados a cultivar coletivamente essas terras, ficando assim sujeitos à corveia ou a fornecer a renda-produto, enquanto os usurpadores das terras comuns, além de se tornarem os donos delas, se apropriam dos lotes dos camponeses.

Não é mister entrar aqui em pormenores sobre a economia escravista (que apresenta gradações, indo do regime patriarcal, voltado antes de mais nada para o consumo doméstico, até ao sistema de plantações propriamente dito, que trabalha para o mercado mundial) nem sobre a economia fundiária em que o dono das terras cultiva-as por conta própria, possui todos os instrumentos de produção e explora mão de obra livre ou não, pagando-a com produtos ou em dinheiro. Aí são a mesma pessoa o proprietário da terra, o dos instrumentos de produção e portanto o explorador direto dos trabalhadores, que figuram entre esses elementos da produção. Renda e lucro também coincidem, não se destacando as diferentes formas da mais-valia. Todo o trabalho excedente dos trabalhadores, corporificado no produto excedente, é-lhes extorquido diretamente pelo proprietário de todos os instrumentos de produção, entre os quais se contam a terra e, na forma escravista, os próprios produtores diretos. Onde reina a concepção capitalista, como nas plantações americanas, essa mais-valia toda é considerada lucro; aparece como renda onde não existe o modo capitalista de produção nem a correspondente mentalidade, oriunda de países capitalistas. Seja como for, essa forma não traz dificuldades. O que recebe o proprietário da terra, qualquer que seja o nome que se lhe dê, o produto excedente disponível de que se apropria, é aí a forma normal e dominante em que se colhe de imediato a totalidade do trabalho excedente não pago, e a propriedade fundiária constitui a base dessa colheita.

Vejamos agora a *pequena propriedade, a propriedade parcelária*. O camponês aí é proprietário livre da terra, que se patenteia instrumento principal de produção, o indispensável campo de ação de seu trabalho e de seu capital. Nessa forma não se paga arrendamento; a renda não aparece como forma particular da mais-valia, embora, em países onde se tenha desenvolvido o modo capitalista de produção, se apresente como lucro suplementar, tomando-se por termo de comparação os outros ramos de produção, mas lucro suplementar que pertence ao camponês, a quem cabe o rendimento todo do trabalho.

Essa forma de propriedade fundiária, como as formas mais antigas, supõe que a população rural seja muito maior que a urbana, portanto que o modo capitalista de produção, embora reine no resto da economia, é relativamente pouco desenvolvido, e que nos demais ramos de produção é bastante limitada a concentração dos capitais, que predominantemente se encontram dispersos. Então, é natural que parte preponderante do produto rural entre no consumo do produtor, do camponês, como meio de subsistência imediato, e que apenas o excedente na forma de mercadoria se comercie com as cidades. Como quer que se forme o preço médio de mercado dos produtos agrícolas, a renda diferencial, a sobra que o preço deixa para as mercadorias obtidas nos terrenos melhores ou melhor situados, é aí patente como no modo capitalista de produção. Mesmo quando essa forma surge em estádios sociais onde não se gerou ainda preço geral de mercado, essa renda diferencial existe, aparecendo então no produto excedente suplementar. Mas, vai para as mãos do camponês que trabalha em condições naturais mais favoráveis. Nessa forma de propriedade, conforme se verifica em seu funcionamento, o preço da terra é elemento dos custos efetivos de produção, para o camponês: é-lhe adjudicada terra mediante pagamento de certa soma em dinheiro, nas partilhas de inventário, ou então, graças às transferências correntes de propriedades ou de lotes delas, terra é comprada pelo próprio agricultor, muitas vezes mediante empréstimo garantido por hipoteca. Nessas condições, o preço da terra nada mais é que renda capitalizada, constituindo dado preestabelecido, e por isso a renda parece ter existência independente de qualquer diferença na fertilidade e na situação do solo. Justamente nessa forma de propriedade deve-se geralmente admitir que não existe renda absoluta, que o pior terreno não paga renda, pois a renda absoluta supõe que, além do preço de produção, se realize um excedente do valor do produto, ou que um preço de mono-

GÊNESE DA RENDA FUNDIÁRIA CAPITALISTA

pólio ultrapasse o valor do produto. Mas, uma vez que a agricultura aí se destina em grande parte à subsistência imediata e a terra é indispensável campo de atividade do trabalho e do capital, para a maioria da população, o preço regulador de mercado do produto só atingirá o valor deste em circunstâncias excepcionais. Esse valor, porém, estará em regra acima do preço de produção, por força do predomínio do trabalho vivo embora esse excedente do valor sobre o preço de produção por sua vez se restrinja em virtude de ser também baixa a composição do capital não agrícola em países onde predomina a pequena propriedade camponesa. O lucro médio do capital não limita a exploração da pequena propriedade, enquanto o camponês é pequeno capitalista; tampouco a limita a necessidade de uma renda, enquanto ele é proprietário da terra. Embora pequeno capitalista, o único limite absoluto para ele é o salário que paga a si mesmo, após deduzir os custos propriamente ditos. Enquanto o preço do produto o cobrir, cultivará a terra, e frequentes vezes submetendo-se a salário reduzido, ao mínimo vital. Como proprietário da terra, desaparece para ele o limite da propriedade, o qual só pode surgir contra a aplicação do capital (inclusive trabalho) dela separado. Por certo, em regra há, do preço da terra, o juro a pagar a terceira pessoa, ao credor hipotecário, e que é um limite. Mas, esse juro pode ser pago, recorrendo-se à parte do trabalho excedente a qual nas condições capitalistas constituiria o lucro. A renda por antecipação determinada no preço da terra e no correspondente juro que se paga só pode ser parte do trabalho excedente dos camponeses, o trabalho que ultrapassa o indispensável à própria subsistência, sem que esse trabalho excedente se realize em valor igual à totalidade do lucro médio, e muito menos em suplemento acima do trabalho excedente representado pelo lucro médio, isto é, em lucro suplementar. A renda pode ser tirada do lucro médio, ou dele ser a única parte que se realiza. Para o pequeno camponês cultivar sua terra ou comprar terra para cultivar, não é necessário, como nas condições normais da produção capitalista, que o preço de mercado seja bastante alto para proporcionar o lucro médio, e isto é mais válido ainda para um suplemento, na forma de renda, acima desse lucro médio. Não é mister portanto que o preço de mercado atinja o valor ou o preço de produção do produto. Esta é uma das razões de o preço do trigo em países onde domina a propriedade parcelária estar mais baixo que nos países de produção capitalista. Parte do trabalho excedente dos camponeses que lidam nas condições mais desfavoráveis é dada de graça à sociedade e não contribui para regular os preços de produção, nem para formar o valor em geral. Esse preço mais baixo portanto resulta da pobreza dos produtores e não da produtividade do trabalho.

A propriedade parcelária livre do próprio cultivador da terra era, nos melhores tempos da Antiguidade clássica, a forma dominante, normal, e constituía a base econômica da sociedade; entre os povos modernos, é uma das formas que surgiu da decomposição da propriedade fundiária feudal. Encontramo-la na *yeomanry* da Inglaterra, na classe rural da Suécia, e entre os camponeses da França e da Alemanha Ocidental. Deixamos de lado as colônias, pois o camponês independente aí se desenvolve noutras condições.

A propriedade livre do próprio cultivador da terra é sem dúvida a forma mais normal da propriedade fundiária para a pequena exploração agrícola; isto é, para um modo de produção em que a posse da terra é condição para o trabalhador apropriar-se do produto do trabalho próprio e em que o agricultor, seja livre ou subordinado, tem de produzir com sua família, como trabalhador isolado e independente, os meios de subsistência próprios. A propriedade da terra é tão necessária para o pleno desenvolvimento desse modo de exploração quanto a propriedade do instrumental, para o livre desenvolvimento do artesanato. Serve aí de base para o desenvolvimento da independência pessoal. Constitui estádio necessário do desenvolvimento da agricultura. Vemos os limites dela nas causas que a arruínam. Essas causas são: extermínio da indústria camponesa doméstica, complemento normal dela, em virtude do desenvolvimento da grande indústria; empobrecimento progressivo e esgotamento do solo submetido a esse tipo de agricultura; usurpação pelos grandes proprietários de terras da propriedade comum que por toda parte constitui o segundo complemento da economia parcelária, sem o qual não lhe é possível a criação de gado; concorrência da agricultura em grande escala da empresa capitalista ou das plantações coloniais. Adicionem-se a essas causas os melhoramentos introduzidos na agricultura que contribuem para baixar os preços dos produtos agrícolas ou exigem desembolsos maiores e condições materiais de produção mais avultadas. É o que se deu na primeira metade do século XVIII na Inglaterra.

Por natureza, a propriedade parcelária exclui o desenvolvimento da produtividade social do trabalho, as formas sociais de trabalho, a concentração social dos capitais, a pecuária em grande escala, a aplicação progressiva da ciência.

A usura e o sistema tributário necessariamente a arruínam por toda a parte. Deixa-se de empregar na agricultura o capital que se desembolsa para comprar a terra. Os meios de produção se dispersam ao máximo e os produtores ficam isolados. É imenso o desperdício de força humana. Piora progressiva das condições de produção e encarecimento dos meios de produção constituem lei necessária da pequena propriedade camponesa. Os anos de colheitas abundantes constituem desastre para esse modo de produção.[21]

Um dos males específicos da pequena agricultura ligada à propriedade livre da terra decorre de o agricultor desembolsar capital para comprar terra (o mesmo se estende à forma intermediária em que o grande fazendeiro primeiro desembolsa capital para comprar a terra, e depois para cultivá-la como seu próprio arrendatário). Com a mobilidade assumida pela terra na condição de mera mercadoria, aumentam as transferências de propriedade,[22] e desse modo em toda geração nova, em toda partilha entre herdeiros, a terra vem a ser para o camponês nova aplicação de capital, terra por ele comprada. O preço da terra constitui aí elemento predominante dos falsos custos de produção individuais ou do preço de custo do produto para o produtor individual.

O preço da terra não passa de renda capitalizada e, por isso, antecipada. Se a exploração agrícola é capitalista, recebendo o latifundiário apenas a renda, e o arrendatário só pagando pela terra a renda anual, é evidente que o capital desembolsado pelo proprietário para comprar a terra é para ele investimento que rende juros, mas absolutamente nada tem que ver com o capital empregado na agricultura mesma. Do capital que aí opera não constitui parte fixa nem circulante;[23] se proporciona ao comprador o direito de receber a renda anual, de maneira alguma interfere na produção dessa renda. O comprador da terra entrega o capital justamente a quem lha

---

21 Ver a fala do trono do rei da França, em Tooke.
22 Ver Mounier e Rubichon.
23 Dr. H. Maron, na brochura *Extensiv oder intensiv?* [não há mais indicações sobre essa brochura], parte da suposição falsa daqueles que ele mesmo combate. Admite que o capital desembolsado para comprar a terra é "capital de instalação", e polemiza a propósito das definições de capital de instalação e capital de exploração, isto é, de capital fixo e capital circulante. Suas ideias primárias acerca de capital em geral, aliás desculpáveis num diletante se considerarmos o nível atual da "economia política" alemã, impedem-no de ver que esse capital não é de instalação, nem de exploração, como tampouco se "emprega" em nenhum ramo de produção o capital que alguém na bolsa investe para comprar ações ou papéis públicos, embora seja pessoalmente para esse comprador de títulos investimento de capital.

vende, e o vendedor, em troca, renuncia à propriedade dela. Esse capital portanto já não existe para o comprador, já não lhe pertence; não faz parte do capital que ele, seja como for, pode aplicar na terra. A circunstância de ter adquirido a terra caro ou barato ou de graça não modifica de maneira alguma o capital empregado pelo arrendatário na empresa agrícola, nem a renda. Única alteração a considerar aí: ser a renda para ele juro ou não, e, se for, juro alto ou baixo.

Na economia escravista, o preço pago pelo escravo nada mais é que a mais-valia antecipada e capitalizada, ou seja, o lucro que se pretende extrair dele. Mas, o capital desembolsado nessa compra não faz parte do capital com que se tira lucro, trabalho excedente do escravo. Ao contrário, é capital de que o senhor de escravos se desfez, deduzido do capital de que dispõe para a produção efetiva. Já não existe para ele, do mesmo modo que o capital desembolsado na compra da terra cessou de existir para a agricultura. E a melhor prova disso é que só pode voltar a existir para o senhor de escravos ou para o dono das terras, se um vender o escravo, e, o outro, a terra. Mas o comprador ficará na mesma situação em que eles estavam antes dessa venda. A compra não o capacita automaticamente a extrair lucro do escravo. Precisa de novo capital para aplicar na exploração escravista.

O capital não pode ter duas existências, uma nas mãos do vendedor e outra nas mãos do comprador da terra. Passa do comprador para o vendedor, e o negócio acaba aí. Agora, o comprador, em vez de capital, possui um terreno. A renda obtida com a aplicação efetiva de capital nesse terreno é então considerada pelo novo proprietário da terra juro do capital que, em vez de empregar no terreno, desembolsou para adquiri-lo. Essa circunstância em nada altera a natureza econômica do fator terra, do mesmo modo que o investimento de 1.000 libras esterlinas em títulos do Tesouro a 3% nada tem que ver com o capital que proporciona o rendimento para pagar os juros da dívida pública.

Na realidade, o dinheiro desembolsado para adquirir terra ou títulos públicos é apenas capital *em si*, capital potencial, como toda soma de valor no sistema capitalista. O que serve para pagar a terra, os títulos públicos e outras mercadorias compradas é uma soma de dinheiro. Esta é em si capital, por ser transformável em capital. Transformar-se efetivamente ou não em capital o dinheiro recebido depende da aplicação que lhe dá o vendedor. Para o comprador já não pode exercer a função de capital, como tampouco o pode qualquer outra soma de dinheiro que tenha desembolsado em caráter definitivo. Nas suas contas é capital que rende juros, pois a receita que recebe, constituída por renda da terra ou por juro da dívida pública, é por ele considerada juro do dinheiro que despendeu para adquirir o direito a essa receita. Só vendendo por sua vez esse direito pode realizar o dinheiro como capital. Nesse caso, a situação em que estava passa a ser a do novo comprador e nenhuma alienação pode converter o dinheiro assim desembolsado em capital efetivo de quem o já desembolsou.

Na pequena propriedade fundiária robustece-se ainda mais a ilusão de ter a terra de *per se* valor, sendo por isso capital que entra no preço de produção do produto, do mesmo modo que máquinas ou matérias-primas. Mas, vimos que só em dois casos a renda – e em consequência a renda capitalizada, o preço da terra – entra na formação do preço do produto agrícola. Primeiro, quando o valor do produto agrícola, em virtude da composição do capital agrícola (que nada tem de comum com o aplicado na compra da terra), está acima do preço de produção e as condições de mercado permitem ao proprietário tirar proveito dessa diferença. Segundo, quando há preço de monopólio. E os dois casos dificilmente ocorrem na economia parcelária e na pequena propriedade fundiária, pois justamente aí a produção, na maior parte, satisfaz o consumo próprio, efetivando-se sem depender do papel regulador da taxa geral de lucro. Mesmo quando a exploração parcelária se dá em terra arrendada, o dinheiro do arrendamento, bem mais que em quaisquer outras condições, abrange parte do lucro e até mesmo absorve parte do salário; a renda aí é apenas nominal, não constituindo categoria autônoma em face do salário e do lucro.

O desembolso de capital-dinheiro para comprar terra não é, portanto, investimento de capital agrícola. Reduz, de montante correspondente, o capital de que dispõem os pequenos camponeses na respectiva esfera de produção. Esse desembolso diminui, em correspondência, o montante dos meios de produção, reduzindo por isso a base econômica da reprodução. Submete o pequeno camponês à usura, pois nessa economia é escasso o crédito propriamente dito. Constitui entrave para a agricultura, mesmo quando se destina a comprar latifúndios. Na realidade, contradiz a produção capitalista, à qual não importa o endividamento do dono da terra, que ele tenha herdado ou comprado a propriedade. Embolse ele a renda ou tenha de transferi-la ao credor hipotecário, nada modifica na exploração em si mesma do domínio arrendado.

Vimos que, dada a renda fundiária, a taxa de juro regula o preço do solo. Se essa taxa desce, sobe o preço da terra, e vice-versa. Por conseguinte, preço alto da terra deveria normalmente coincidir com taxa baixa de juro, de modo que, se o camponês, em virtude da taxa inferior de juro, pagasse caro pelo terreno, essa mesma taxa lhe deveria proporcionar capital de exploração a crédito em condições favoráveis. Mas, onde reina a propriedade parcelária, a realidade é outra. Primeiro, as leis gerais do crédito não são compatíveis com os camponeses, pois supõem que os produtores são capitalistas. Segundo, se domina a propriedade parcelária – estamos abstraindo das colônias – e se o pequeno camponês constitui a base da nação, a formação de capital, isto é, a reprodução social, será relativamente débil e ainda mais débil a formação do capital-dinheiro de empréstimo no sentido em que já analisamos. Esta supõe concentração de capital e a existência de uma classe de capitalistas ricos e ociosos (Massie). Terceiro, sendo aí a propriedade da terra, para a maior parte dos produtores, condição vital e campo imprescindível de aplicação do capital, o preço da terra sobe, sem depender da taxa de juro e com frequência na razão inversa dela, em virtude de a procura de propriedade fundiária ultrapassar a oferta. Vendida em parcelas, a terra alcança preço bem mais alto do que se o fosse em vastas extensões, pois o número dos pequenos compradores é enorme, e o dos grandes é reduzido (*bandes noires*,[1] Rubichon; Newman). Por todos esses motivos, sobe aí o preço da terra, embora a taxa de juro esteja relativamente alta. Ao juro relativamente baixo que o camponês então retira do capital empregado para comprar a terra (Mounier) corresponde, do lado oposto, a taxa de juro usurária que ele mesmo tem de pagar ao credor hipotecário. No sistema irlandês encontramos a mesma coisa, mas sob outra forma.

O preço da terra, esse elemento estranho à produção em si, pode subir a tal nível que impossibilita a produção (Dombasle).

Que o preço da terra desempenhe esse papel, a compra e venda, a circulação da terra-mercadoria atinja tais proporções é consequência prática do desenvolvimento do modo capitalista de produção, que aí de maneira geral transforma em mercadoria os produtos e os instrumentos de produção. Todavia, os preços da terra só alcançam essa importância onde o modo capitalista de produção está pouco desenvolvido e todas as suas peculiaridades

---

[1] Referência às associações especuladoras imobiliárias que no início do século XIX na França operavam com os bens incorporados pela Revolução ao Patrimônio Nacional.

ainda não se desdobraram; essa fase depende justamente de a agricultura não estar já ou ainda submetida ao sistema capitalista de produção e sim a sistema oriundo de formas sociais extintas. As desvantagens do modo capitalista de produção, em que o produtor depende do preço em dinheiro do produto, coincidem aí portanto com as desvantagens que resultam do desenvolvimento deficiente desse modo de produção. O camponês se torna comerciante e industrial sem haver as condições para produzir seus produtos como mercadoria.

O preço da terra é elemento do preço de custo do produtor e não é elemento do preço de produção do produto (mesmo quando a renda entra na formação do preço do produto, a renda capitalizada adiantada por vinte anos ou mais, não concorre de maneira alguma para determinar esse preço). Esta é apenas uma das formas em que se manifesta a contradição entre a propriedade privada do solo e uma agricultura racional, com o aproveitamento normal da terra para a sociedade. Aliás, constitui base do modo capitalista de produção a propriedade privada do solo; ela implica a expropriação dos produtores imediatos: a propriedade privada do solo para uns tem por consequência necessária que ela não exista para os demais.

Na pequena agricultura, o preço da terra, forma e resultado da propriedade privada do solo, constitui entrave à produção. Também na agricultura em larga escala e na grande propriedade fundiária explorada pelos métodos capitalistas, a propriedade constitui entrave, pois limita o arrendatário nos investimentos produtivos que em última instância não o beneficiem e sim ao dono da terra. Em ambas as formas, em vez de se cultivar consciente e racionalmente a terra, como propriedade perpétua e coletiva, condição inalienável da existência e da reprodução das gerações que se sucedem, o que existe é a exploração que desperdiça as forças do solo, e, além disso, essa exploração não depende do nível atingido pelo desenvolvimento social, e sim das condições fortuitas e variáveis dos produtores particulares. Isso acontece com a pequena propriedade, por carência de meios e de conhecimentos científicos para aplicar a produtividade social do trabalho; com a grande propriedade, em virtude de a exploração desses meios se destinar ao enriquecimento mais rápido possível do arrendatário e do proprietário; e com ambas, por dependerem do preço de mercado.

Toda crítica da pequena propriedade reduz-se em última instância à crítica da propriedade privada, limite e estorvo da agricultura. O mesmo se estende à crítica oposta, a da grande propriedade. É evidente que nos dois casos estamos abstraindo de considerações políticas adicionais. Esse limite, esse estorvo que toda propriedade fundiária privada opõe à produção agrícola, ao tratamento racional, à conservação e à melhoria da própria terra, revela-se, dos dois lados, em diferentes formas, e no debate sobre essas formas específicas esquece-se a causa fundamental.

A pequena propriedade supõe que a imensa maioria da população é rural e que predomina o trabalho isolado e não o social. Implica portanto que não existam as condições materiais e espirituais da riqueza e do desenvolvimento da reprodução, e, em consequência, tampouco as condições de uma agricultura racional. Por outro lado, a grande propriedade fundiária reduz a população agrícola a um mínimo em decréscimo contínuo, opondo-lhe uma população industrial que aumenta sem cessar, concentrada em grandes cidades. Produz assim as condições que provocam ruptura insanável na coesão do metabolismo social estabelecido pelas leis naturais da vida. Em consequência, dissipam-se os recursos da terra, e o comércio leva esse desperdício muito além das fronteiras do próprio país (Liebig).

A pequena propriedade fundiária gera uma classe até certo ponto à margem da sociedade e que combina toda a crueza das formas sociais primitivas com todos os sofrimentos e todas as misérias dos países civilizados. A grande propriedade fundiária deteriora a força de trabalho no último refúgio onde se abriga sua energia natural e onde ela se acumula como fundo de reserva para renovar a força vital das nações: no próprio campo. A grande indústria e a grande agricultura industrialmente empreendida atuam em conjunto. Se na origem se distinguem porque a primeira devasta e arruína mais a força de trabalho, a força natural do homem, e a segunda, mais diretamente, a força natural do solo, mais tarde, em seu desenvolvimento, dão-se as mãos: o sistema industrial no campo passa a debilitar também os trabalhadores, e a indústria e o comércio, a proporcionar à agricultura os meios de esgotar a terra.

SÉTIMA SEÇÃO
AS RENDAS E SUAS FONTES

XLVIII.
A fórmula trinitária

XLVIII.
A formula trinitária

I[1]

Capital-lucro (lucro do empresário + juro), terra-renda fundiária, trabalho-salário, esta é a fórmula trinitária em que se encerram todos os mistérios do processo social de produção.

Já vimos antes que o juro aparece como o produto verdadeiro, característico do capital, e o lucro do empresário, em oposição, como salário independente do capital. Assim, aquela forma trina se reduz precisamente a capital-juro, terra-renda fundiária, trabalho-salário, com a divertida eliminação do lucro, a forma de mais-valia que especificamente caracteriza o modo capitalista de produção.

Examinando mais de perto essa trindade econômica, verificamos: antes de mais nada, as pretensas fontes da riqueza anualmente disponível pertencem a esferas totalmente díspares e não têm a menor analogia entre si. Relacionam-se mais ou menos como custas de cartório, beterrabas e música.

Capital, terra, trabalho! Mas, o capital não é coisa, mas determinada relação social de produção, pertencente a uma formação histórica particular da sociedade, e essa relação se configura numa coisa e lhe dá caráter social específico. O capital não é a soma dos meios de produção materiais e produzidos. O capital são os meios de produção convertidos em capital, os quais em si não são capital como o ouro ou a prata em si, tampouco são moeda. São os meios de produção monopolizados por determinada parte da sociedade, os produtos e condições de atividade da força de trabalho os quais se tornam autônomos em oposição à força de trabalho viva e, em virtude dessa oposição, se personificam no capital. O capital são os produtos gerados pelos trabalhadores e convertidos em potências autônomas dominando e comprando os produtores, e mais ainda são as forças sociais e a forma do trabalho com elas conexa, as quais fazem frente aos trabalhadores como se fossem propriedades do produto deles. Temos aí portanto determinada forma social, envolvida numa névoa mística, de um dos fatores de um processo social de produção fabricado pela história.

A seguir, vem a terra, a natureza inorgânica em si, essa massa bruta e caótica em sua originalidade primitiva. Valor é trabalho. Valor excedente, mais-valia, não pode portanto ser terra. Fertilidade absoluta da terra signi-

---

[1] Os três fragmentos seguintes encontram-se em diferentes trechos do manuscrito relativo à parte sexta. — F.E.

fica apenas que certa quantidade de trabalho dá certo produto, condicionado pela fertilidade natural da terra. A diferença na fertilidade faz que as mesmas quantidades de trabalho e de capital, o mesmo valor portanto, se expressem em quantidades diversas de produtos agrícolas; que esses produtos possuam, por isso, valores individuais distintos. O nivelamento desses valores individuais pelos valores de mercado leva a que

> "as vantagens do solo mais fértil... se transfiram do agricultor ou do consumidor para o dono das terras" (Ricardo, *Principles*, p. 62).

E, por fim, o terceiro componente da trindade, mero fantasma: "o" trabalho, simples abstração, sem existência de per si, ou, no sentido que se lhe dá, atividade produtiva que o homem em geral exerce e com que efetua o intercâmbio material com a natureza; atividade despojada de toda forma social e de toda especificação, em sua existência natural pura, sem depender da sociedade, separada de todas as sociedades e reduzida a manifestação e afirmação da vida comuns ao homem ainda não social e ao homem, seja como for, socialmente determinado.[1]

II

Capital-juro; propriedade fundiária, propriedade privada da terra, no sentido moderno, correspondente ao modo capitalista de produção – renda (fundiária); trabalho assalariado-salário. Nessa forma encontrar-se-ia portanto a coesão entre as fontes das rendas. Como o capital, o trabalho assalariado e a propriedade fundiária são formas sociais historicamente determinadas, respectivamente, do trabalho e da terra monopolizada e ambas estão em correspondência com o capital e pertencem à mesma formação econômica da sociedade.

O que logo surpreende nessa fórmula é que junto ao capital (a forma desse elemento de produção pertence a determinado modo de produção, a determinada estrutura histórica do processo social de produção), junto a esse elemento de produção que se combina com determinada forma social e nela se manifesta, se colocam, sem quaisquer explicações, a terra de um lado e o trabalho do outro, os quais são, nessa forma física, comuns a todos os

---

[1] Algumas palavras no texto foram restauradas, de acordo com o manuscrito, após a edição de Engels. É que este não conseguira decifrá-las.

modos de produção e constituem os elementos materiais de todo processo de produção, nada tendo que ver com a forma social.

E mais. Na fórmula capital-juro, terra-renda fundiária, trabalho-salário, aparecem capital, terra e trabalho como fontes, respectivamente, do juro (posto no lugar do lucro), da renda fundiária e do salário, que deles seriam produtos, frutos. Temos aí, de um lado, a razão, a causa e, do outro, a consequência, o efeito, apresentando-se o produto de cada fonte particular como coisa que ela gera e lança ao mundo. Todas as três rendas, juro (em vez de lucro), renda fundiária e salário, são três frações do valor do produto, parcelas do valor portanto, ou, expressando monetariamente, porções de dinheiro, parcelas do preço. A fórmula capital-juro, embora a fórmula do capital mais vazia de conteúdo, é parte dele. Mas, como pode a terra gerar valor, isto é, quantidade de trabalho socialmente determinada, e ainda a parte específica do valor de seus produtos a qual constitui a renda? A terra atua quando é agente da produção de um valor-de-uso, de um produto material, do trigo, por exemplo. Mas, nada tem que ver com a produção do *valor do trigo*. O trigo, enquanto representa valor, é considerado quantidade determinada de trabalho social materializado, não importando a matéria particular em que esse trabalho se corporifica, nem o valor-de-uso particular dessa matéria. Isto não está em contradição com os fatos que passamos a considerar. (1) Não se alterando as demais condições, a variação do preço do trigo depende da produtividade da terra. A produtividade do trabalho agrícola está ligada a condições naturais, e em função dela varia a quantidade de produtos, de valores-de-uso em que se corporifica a mesma quantidade de trabalho. A quantidade de trabalho materializada numa fanga de trigo depende do número de fangas fornecido pela mesma quantidade de trabalho. Depende da produtividade da terra a quantidade de produtos por que se distribui o valor; mas, esse valor é dado, sem depender dessa distribuição. Valor corporifica-se em valor-de-uso, e valor-de-uso é condição para se criar valor; mas, é absurdo opor a um valor-de-uso, à terra, um valor ou, pior ainda, uma parte específica do valor. (2) [Aí se interrompe o manuscrito].

III

Na realidade, a economia vulgar se limita a interpretar, a sistematizar e a pregar doutrinariamente as ideias dos agentes do capital, prisioneiros das relações de produção burguesas. Por isso, não admira que de todo se harmonize com as relações econômicas em sua aparência alienada, em que são evidentes contradições absurdas e completas (aliás, toda ciência seria supérflua se houvesse coincidência imediata entre a aparência e a essência das coisas); que aí se sinta em casa, parecendo-lhe essas relações tanto mais naturais quanto mais nelas se dissimule o nexo causal, e assim correspondam às ideias vigentes. Em consequência, a economia vulgar não tem a menor ideia de que a trindade em que se fundamenta, terra-renda (fundiária), capital-juro, trabalho-salário ou preço do trabalho, constitui três composições evidentemente impossíveis. Primeiro temos o valor-de--uso *terra*, que não possui valor, e o valor-de-troca *renda fundiária* uma relação social considerada coisa, estabelecendo-se entre ela e a natureza uma proporção; admite-se portanto a existência de uma proporção entre duas magnitudes incomensuráveis. Em seguida, *capital-juro*. Se se entende por capital certa soma de valor representada em dinheiro de maneira autônoma, é contundente absurdo supor que um valor valha mais do que vale. Justamente na forma capital-juro desaparece toda mediação, e o capital se reduz à fórmula mais geral, que por isso mesmo é de *per se* inexplicável e absurdo. E aí está a razão por que o economista vulgar prefere a fórmula capital-juro, com a qualidade oculta de possuir um valor que difere de se mesmo, à fórmula capital-juro, onde já se fica mais perto das verdadeiras relações capitalistas. Depois, inquieta-o a circunstância de 4 não ser 5 e de 100 táleres não poderem ser 110 táleres; abandona então o capital-valor e refugia-se no capital substância material, valor-de-uso que constitui para o trabalho condição de produção: maquinaria, matéria-prima etc. Assim consegue substituir a primeira relação ininteligível, em que 4 = 5, por uma relação de todo incomensurável, entre um valor-de-uso, uma coisa, e determinada relação social de produção, a mais-valia, como é, aliás, o caso da propriedade fundiária. O economista vulgar, ao atingir essa relação incomensurável, acha que tudo se esclareceu, e não sente mais necessidade de aprofundar o raciocínio, pois chegou ao "cerne racional" da concepção burguesa. Por fim, *trabalho-salário*, preço do trabalho, expressão que, segundo vimos no Livro 1, de imediato contradiz a ideia do valor e também a do preço, que em geral é apenas determinada manifestação do valor; e "preço do trabalho" é coisa tão irracional quanto um logaritmo amarelo. Mas, então, o economista vulgar fica plenamente satisfeito, pois atingiu a

A FÓRMULA TRINITÁRIA

profunda sagacidade contida na afirmação do burguês de que paga o trabalho, e a contradição entre a fórmula e a ideia do valor isenta-o da obrigação de apreender essa ideia.

Vimos[2] que o processo capitalista de produção é forma historicamente determinada do processo social de produção. Este abrange a produção das condições materiais da vida humana e ao mesmo tempo é processo que se desenvolve dentro de relações de produção específicas, histórico-econômicas, produzindo e reproduzindo essas relações de produção e, por conseguinte, os agentes desse processo, no contexto deles: as condições materiais de existência e as relações recíprocas, isto é, a forma econômica particular de sociedade que lhes corresponde. É que o conjunto das relações que os agentes da produção, produzindo dentro delas, mantêm entre si e com a natureza constitui justamente a sociedade, considerada em sua estrutura econômica. Como todos os anteriores, o processo capitalista de produção se efetua em certas condições materiais que ao mesmo tempo servem de suporte a determinadas relações sociais contraídas pelos indivíduos no processo de reprodução da vida. Aquelas condições e estas relações são, de um lado, requisitos prévios, e, do outro, resultados e criações do processo capitalista de produção; este as produz e reproduz. Vimos ainda que o capital – e o capitalista é o capital personificado, exercendo no processo de produção apenas a função de representante do capital –, no correspondente processo social de produção, extrai dos produtores diretos, ou seja, dos trabalhadores, determinada quantidade de trabalho excedente, de graça, trabalho excedente que, na essência, ainda é trabalho obtido por coerção, por mais que pareça resultar de livre estipulação contratual. Esse trabalho excedente é representado por mais-valia, e esta se corporifica em produto excedente. Haverá sempre, necessariamente, trabalho excedente no sentido de trabalho que excede o nível das necessidades dadas. No sistema capitalista, no sistema escravista etc. reveste-se, entretanto, de forma antagônica e corresponde à mera ociosidade de fração da sociedade. Os seguros contra acidentes e a expansão progressiva do processo de reprodução, necessária e correspondente ao desenvolvimento das necessidades e ao crescimento demográfico, exigem determinada quantidade de trabalho excedente. Temos aí o que se chama de acumulação, no domínio capitalista. O capital, e este

---
2 Começo do Capítulo XLVIII, no manuscrito.

é um de seus aspectos civilizadores, extorque esse trabalho **excedente de** maneira e em condições que – para o desenvolvimento das forças produtivas, das relações sociais e para a criação dos elementos de nova estrutura superior – são mais vantajosas que as vigentes nas formas anteriores como a escravatura e a servidão. Assim atingir-se-á estádio em que não haverá coação para o progresso social nem o monopólio dele (abrangendo as vantagens materiais e intelectuais), coação e monopólio que um segmento da sociedade exerce à custa do outro. Ademais, o trabalho excedente cria os meios materiais e o germe de uma situação que, em forma superior da sociedade, possibilitam a esse trabalho excedente situar-se dentro de tempo mais limitado do trabalho material. É que, dependendo do desenvolvimento da produtividade do trabalho, o trabalho excedente pode ser grande em pequena jornada ou relativamente pequeno em grande jornada. Se o tempo de trabalho necessário = 3, e o trabalho excedente = 3, será a jornada toda = 6, e a taxa de trabalho excedente = 100%. Se o trabalho necessário = 9, e o trabalho excedente = 3, será a jornada toda = 12, e a taxa de trabalho excedente, de $33\frac{1}{3}$ % apenas. Mas, a seguir, depende da produtividade do trabalho, a quantidade de valor-de-uso que se produz em determinado tempo e, por conseguinte, também em dado tempo de trabalho excedente. A riqueza efetiva da sociedade e a possibilidade de ampliar sempre o processo de reprodução depende não da duração do trabalho excedente e sim da produtividade deste e do grau de eficiência das condições de produção em que se efetua. De fato, o reino da liberdade começa onde o trabalho deixa de ser determinado por necessidade e por utilidade exteriormente imposta; por natureza, situa-se além da esfera da produção material propriamente dita. O selvagem tem de lutar com a natureza para satisfazer as necessidades, para manter e reproduzir a vida, e o mesmo tem de fazer o civilizado, sejam quais forem a forma de sociedade e o modo de produção. Acresce, desenvolvendo-se, o reino do imprescindível. É que aumentam as necessidades, mas, ao mesmo tempo, ampliam-se as forças produtivas para satisfazê-las. A liberdade nesse domínio só pode consistir nisto: o homem social, os produtores associados regulam racionalmente o intercâmbio material com a natureza, controlam-no coletivamente, sem deixar que ele seja a força cega que os domina; efetuam-no com o menor dispêndio de energias e nas condições mais adequadas e mais condignas com a natureza humana. Mas, esse esforço situar-se-á sempre no reino da necessidade. Além dele começa o desenvolvimento das forças humanas como um fim em si mesmo, o reino genuíno da liberdade, o qual só pode florescer tendo por base o reino da necessidade. E a condição fundamental desse desenvolvimento humano é a redução da jornada de trabalho.

Na sociedade capitalista, a mais-valia ou produto excedente – se abstraímos das oscilações fortuitas da distribuição e consideramos a lei que a regula, os limites que a normalizam – se reparte entre os capitalistas como dividendos na proporção da cota, pertencente a cada um, do capital social. A mais-valia aí se representa no lucro médio, que pertence ao capital e por sua vez se fraciona em lucro do empresário e juro, e nessas duas categorias pode caber a diferentes espécies de capitalistas. Entretanto, essa colheita e repartição da mais-valia, ou do produto excedente, pelo capital encontra limites na propriedade fundiária. Se o capitalista ativo extrai do trabalhador o trabalho excedente e, por conseguinte, na forma de lucro, a mais-valia e o produto excedente, o dono da terra por sua vez tira do capitalista parte dessa mais-valia ou trabalho excedente, na forma de renda, de acordo com as leis anteriormente estudadas.

Por conseguinte, o lucro definido como a parte destinada ao capital, da mais-valia, é o lucro médio (igual a lucro do empresário + juro), que já está reduzido pela renda deduzida do lucro total (na massa, idêntico à mais-valia total); supõe-se a dedução da renda. Lucro do capital (lucro do empresário + juro) e renda fundiária não passam portanto de componentes particulares da mais-valia, categorias que se distinguem segundo esta se destine ao capital ou à propriedade fundiária, classificação porém que em nada altera sua essência. A soma desses componentes forma a mais-valia social toda. O capital extrai diretamente dos trabalhadores o trabalho excedente que se representa na mais-valia e no produto excedente. Nesse sentido podemos considerá-lo produtor da mais-valia. A propriedade fundiária nada tem que ver com o processo real de produção. Seu papel se restringe ao desviar do bolso do capitalista para o seu parte da mais-valia produzida. Contudo, o proprietário das terras desempenha certo papel no processo capitalista de produção, pela pressão que exerce sobre o capital, por ser a grande propriedade fundiária (que despoja o trabalhador de seus meios de produção) condição prévia da produção capitalista, mas sobretudo por personificar ele uma das condições mais essenciais da produção.

Dono e vendedor da força pessoal de trabalho, o trabalhador recebe com o nome de salário fração do produto na qual se corporifica a parte do trabalho, a qual chamamos trabalho necessário, isto é, o trabalho necessário para manter e reproduzir essa força de trabalho, sejam as condições dessa manutenção e reprodução pobres ou ricas, favoráveis ou desfavoráveis.

Essas relações, por mais díspares que se revelem, têm uma coisa em comum: todo ano, o capital proporciona lucro ao capitalista; a terra, renda fundiária ao proprietário, e a força de trabalho em condições normais e, desde que continue aproveitável, salário ao trabalhador. Essas três partes do valor que constituem o valor total anualmente produzido e as partes correspondentes do produto total do ano – estamos por ora abstraindo da acumulação – podem ser consumidas anualmente pelos respectivos donos, sem esgotar-se por isso a fonte que as reproduz. É como se fossem frutos, todo ano renovados, de uma árvore perene, ou antes de três árvores; constituem a receita anual de três classes, os capitalistas, os proprietários das terras e os trabalhadores, as rendas que o capitalista ativo distribui, por ser quem extrai diretamente o trabalho excedente e emprega o trabalho em geral. O capitalista considera o capital, o proprietário fundiário a terra, e o trabalhador a força de trabalho, ou melhor, o trabalho mesmo (pois na realidade só vende a força de trabalho como força em ação, e conforme já expusemos, o preço da força de trabalho para ele, no sistema capitalista de produção, se configura necessariamente em preço do trabalho) como três fontes diversas das rendas específicas e respectivas – o lucro, a renda fundiária e o salário. Na realidade é o que são neste sentido: o capital é para o capitalista perene máquina de sugar trabalho excedente; a terra é para o proprietário eterno ímã que atrai parte da mais-valia sugada pelo capital, e finalmente o trabalho é condição e meio que se renovam sempre para adquirir, sob o título de salário, parte do valor criado pelo trabalhador e portanto fração do produto social determinada por essa parte do valor e que abrange os meios de subsistência necessários. É o que ainda são neste sentido: o capital retém na forma de lucro parte do valor e portanto do produto do trabalho anual; a propriedade fundiária retém na forma de renda outra parte, e o trabalho assalariado, na forma de salário, terceira parte; em virtude dessa transformação, elas se tornam as rendas do capitalista, do proprietário fundiário e do trabalhador, mas sem criar a substância mesma que se converte nessas categorias diferentes. A repartição supõe a existência prévia dessa substância, a saber, o valor total do produto anual, e esse valor é apenas trabalho social que se materializou. A coisa, porém, não se apresenta dessa forma, e sim de forma invertida, aos agentes da produção, aos que exercem as diferentes funções do processo de produção.

A FÓRMULA TRINITÁRIA

Por que assim acontece é matéria que continuaremos a estudar no decurso de nossa pesquisa. Capital, propriedade fundiária e trabalho, como tais, afiguram-se a esses agentes da produção três fontes diferentes e autônomas donde procedem três componentes diversos do valor anual produzido e, por conseguinte, do produto em que existe; fontes donde provêm as diferentes formas desse valor, ou seja, as rendas que cabem a agentes particulares do processo social de produção, esse valor mesmo e, em consequência, a substância dessas formas de renda.

[Aí falta uma folha no manuscrito.]

... A renda diferencial depende da fertilidade relativa das terras, ou seja, de propriedades inerentes ao próprio solo. Esta proposição é acertada na medida em que a renda diferencial repousa sobre os diferentes valores individuais dos produtos dos diversos tipos de solo; na medida em que se fundamenta sobre o valor geral regulador de mercado, diverso desses valores individuais, reina, efetivada pela concorrência, uma lei social que nada tem que ver com a terra nem com os diversos graus de sua fertilidade.

Poderia parecer que pelo menos a fórmula "trabalho-salário" expressasse uma relação racional, mas, ela carece de racionalidade como a fórmula "terra-renda fundiária". O trabalho, quando cria valor e se representa no valor das mercadorias, nada tem que ver com a repartição desse valor entre categorias diversas. Não é criador de valor ao assumir o caráter especificamente social de trabalho assalariado. Antes já mostramos que salário ou preço do trabalho não passa de expressão irracional do valor ou do preço da força de trabalho; e as condições sociais determinadas em que se vende a força de trabalho nada têm que ver com o trabalho no papel de agente geral da produção. Parte do valor da mercadoria constitui, como salário, o preço da força de trabalho; o trabalho nela se objetiva; gera essa parte e as demais do produto, e objetiva-se igualmente nas partes que constituem a renda ou o lucro. E quando atentamos para o trabalho como criador de valor, consideramo-lo não na forma concreta de condição da produção, mas segundo conceituação social diversa da do trabalho assalariado.

Aqui, mesmo a expressão "capital-lucro" é incorreta. Se concebemos o capital relacionado unicamente com a função de produzir mais-valia, isto é, em sua relação com o trabalhador, servindo-lhe esta para extrair trabalho excedente mediante coação que exerce sobre a força de trabalho, sobre o trabalhador assalariado, abrangerá essa mais-valia, além do lucro (lucro do empresário + juro), a renda, em suma, a mais-valia por inteiro. Aqui, entretanto, como fonte de renda, o capital se relaciona apenas com a parte que toca ao capitalista. E esta não é a mais-valia toda que o capital extrai, mas apenas a parte que extrai para o capitalista. Oculta-se mais ainda toda a conexão causal quando a fórmula se converte em "capital-juro".

Já vimos a disparidade das três fontes, e agora observamos que os produtos, os rebentos delas, as rendas, pertencem todos à mesma esfera, à esfera do valor. Dá-se caráter harmônico a essa relação entre magnitudes incomensuráveis, entre coisas de todo heterogêneas, desconexas e incomparáveis entre si, considerando-se o capital em homogeneidade com a terra e o trabalho, em sua mera substância material, como simples meio de produção produzido, e deixando-se de lado o capital como relação com o trabalhador e como valor.

E mais. Assim compreendida, a fórmula capital-juro (lucro), terra-renda (fundiária), trabalho-salário é uma incongruência com aspectos homogêneos e simétricos. À mente prisioneira das relações capitalistas de produção todo trabalho afigura-se por natureza trabalho assalariado, e não forma de trabalho socialmente determinada. Por isso, as específicas formas sociais que as condições materiais de trabalho assumem – os meios de produção produzidos e a terra – em face do trabalho assalariado (que elas reciprocamente supõem) se identificam, de imediato, com a existência material dessas próprias condições ou com a estrutura que elas em geral apresentam no processo real de trabalho, sem depender de forma social historicamente determinada desse processo, *seja ela qual for*. Essa configuração das condições de trabalho, deste alienada e independente, resultante de mudança em que os meios de produção produzidos se convertem em capital e a terra em terra monopolizada, em propriedade fundiária, essa configuração pertencente a determinado período histórico coincide assim com a existência e a função dos meios de produção produzidos e da terra, no processo de produção em geral. Os meios de produção produzidos são em si e de *per se*, por natureza, capital; capital é simplesmente sua "denominação econômica", e a terra é em si e de *per se*, por natureza, terra monopolizada por certo número de proprietários. No capital e na pessoa do capitalista – na realidade o capital personificado – os produtos se tornam força autônoma ante os produtores. A terra, por sua vez personificada no proprietário, resiste e se torna força autônoma que exige participação no produto obtido com sua ajuda. Desse modo, o que à terra cabe receber para renovar e acrescer a produtividade, o proprietário embolsa por meio da renda com que transaciona e que dissipa. É claro que o capital requer previamente que o trabalho seja trabalho assalariado. Mas, é claro também que, e o ponto de partida é o trabalho assalariado, parecerá natural identificar o trabalho em geral com o trabalho assalariado, e o capital e a terra monopolizada parecerão ser necessariamente a forma lógica das condições de trabalho, em face do trabalho em geral. Capital parece ser a forma natural dos meios de trabalho e portanto mera qualidade objetiva oriunda da função que desempenham no processo de trabalho em geral. Desse modo são expressões idênticas capital e meio de produção produzido. Tornam-se também expressões idênticas terra e terra monopolizada pela propriedade privada. Os meios de trabalho, capital por natureza, tornam-se a fonte do lucro, e a terra como tal, a fonte da renda.

O trabalho considerado simplesmente atividade produtiva útil relaciona-se com os meios de produção na materialidade deles e não na forma social que os define; eles são materiais e meios de trabalho que só se distinguem uns dos outros materialmente, como valores-de-uso, sendo a terra meio de trabalho não produzido, e os demais, meios de trabalho produzidos. Se o trabalho portanto coincide com o trabalho assalariado, a forma social determinada com que as condições de trabalho defrontam o trabalho identificar-se-á também com a existência material delas. Então, os meios de trabalho como tais são capital, e a terra como tal é propriedade fundiária. A autonomia formal dessas condições de produção ante o trabalho, a forma particular dessa autonomia que elas possuem perante o trabalho assalariado, passa a ser então propriedade inseparável delas, como coisas, como condições materiais de produção; caráter que lhes é inato, imanente, que necessariamente possuem como elementos da produção. O caráter social que apresentam no processo capitalista de produção e é determinado por dada época histórica passa a ser caráter objetivo, inato, inerente a elas, de toda e por toda a eternidade, como elementos do processo de produção. Assim, a terra – primitivo campo de emprego do trabalho, reino das forças naturais, arsenal de todos os objetos de trabalho preexistentes – e os meios de produção produzidos (instrumentos, matérias-primas etc.), por participarem no processo de produção, têm de encontrar a expressão aparente dessa participação, nas respectivas partes que lhes cabem, como capital e como propriedade fundiária, isto é, nas partes que tocam aos respectivos representantes sociais, na forma de lucro (juro) e renda. Da mesma maneira, o trabalhador recebe no salário o correspondente à sua participação no processo de produção. Renda fundiária, lucro e salário parecem provir do papel que a terra, os meios de produção produzidos e o trabalho desempenham no mero processo de trabalho, mesmo quando consideramos esse processo ocorrendo simplesmente entre o ser humano e a natureza e abstraímos de toda determinação histórica. Exprime-se a mesma coisa, de outra maneira, quando se diz: o produto que representa o trabalho que o assalariado efetua para si mesmo, a receita que a este cabe, é apenas o salário, a parte do valor (e por conseguinte do produto social que ela mede), configurada pelo salário. Por isso, se o trabalho assalariado coincide com o trabalho em geral, o salário coincidirá com o produto do trabalho, e a parte do valor representada pelo salário, com o valor criado pelo trabalho. Mas, assim, as outras partes do valor, o lucro e a renda, defrontam o salário também com autonomia, e têm de proceder de fontes próprias, especificamente diversas e independentes do trabalho; têm de derivar dos outros fatores da produção e pertencem aos respectivos proprietários: o lucro portanto provirá dos meios de produção, dos elementos materiais do capital, e, a renda, da terra representada pelo proprietário, ou da natureza (Roscher).

Propriedade fundiária, capital e trabalho assalariado são fontes de renda neste sentido: o capital adjudica ao capitalista, na forma de lucro, parte da mais-valia que ele extrai do trabalho; o monopólio da terra, ao dono do solo, outra parte, na forma de renda, e o trabalho, ao trabalhador, a parte restante do valor ainda disponível, na forma de salário. Assim, parte do valor toma a forma de lucro, outra parte, a de renda (fundiária), e, terceira, a forma de salário. Agora, essas fontes passam a ser os mananciais efetivos donde provêm essas partes do valor e as correspondentes partes do produto que as corporificam e pelas quais se podem trocar. E nesses mananciais fica então a origem última do valor mesmo do produto.[3]

Ao estudar as categorias mais simples do modo capitalista de produção, vigentes na produção mercantil, a mercadoria e o dinheiro, pusemos em evidência o caráter mistificador que transforma as relações sociais – a que os elementos materiais da riqueza servem de suporte na produção – em propriedades dessas coisas mesmas (mercadoria), e que de maneira ainda mais

---

[3] "Salário, lucro e renda fundiária são as três fontes primitivas de todas as espécies de renda e de todo valor-de-troca" (A. Smith). "Assim, as causas da produção material são ao mesmo tempo as fontes das rendas originais existentes" (Storch [*Cours d'économie politique*, São Petersburgo, 1815], I, p. 259).

acentuada converte em coisa (dinheiro) a relação mesma de produção. Todas as formas de sociedade, ao chegarem à produção de mercadorias e à circulação de dinheiro, participam dessa perversão. E esse mundo enfeitiçado e invertido desenvolve-se ainda mais no sistema capitalista de produção e com o capital, que constitui a categoria dominante do sistema, a relação dominante de produção. Se de início consideramos o capital no processo de produção imediato, na qualidade de extrator de trabalho excedente, essa relação ainda é muito simples, e a verdadeira conexão causal não escapa à percepção dos agentes desse processo, os próprios capitalistas, estando presente à sua consciência. A prova mais contundente disso é a dura luta para limitar a jornada de trabalho. As coisas contudo se complicam mesmo dentro dessa esfera onde não há mediação, dentro do processo onde capital e trabalho atuam diretamente. Com o desenvolvimento da mais-valia relativa no modo de produção especificamente capitalista, que implica a expansão das forças produtivas sociais do trabalho, essas forças e as conexões sociais do trabalho no processo direto de trabalho parecem transferidas do trabalho para o capital. Em consequência, o capital se torna ser sumamente místico, pois todas as forças produtivas sociais do trabalho parecem provir, brotar dele mesmo e não do trabalho como tal. Intervém então o processo de circulação que nas suas mudanças de matéria e de forma envolve todas as partes do capital, inclusive do capital agrícola, na medida em que se desenvolve o modo especificamente capitalista de produção. Na esfera da circulação eclipsam-se por inteiro as relações da produção original do valor. Já no processo imediato de produção, o capitalista tem dupla atividade: a de produtor de mercadorias e a de diretor da produção de mercadorias. Por isso, esse processo de produção não se lhe afigura apenas processo de produção de mais-valia. Mas, qualquer que seja a mais-valia que o capital tenha extraído no processo direto de produção, e que se corporifica em mercadorias, o valor e a mais-valia contidos nas mercadorias têm primeiro de realizar-se no processo de circulação. A reposição dos valores adiantados na produção e particularmente a mais-valia encerrada nas mercadorias parecem que, além de se converterem em dinheiro na circulação, desta decorrem; aparência que duas circunstâncias confirmam: o lucro obtido com a venda depende de logro, astúcia, conhecimento técnico, habilidade e de mil fatores conjunturais do mercado; além disso, ao lado do tempo de trabalho surge outro elemento determinante: o tempo de circulação. Este, no tocante à formação do valor e da mais-valia, exerce apenas a função de limite negativo, mas parece ser fator tão positivo quanto o trabalho e trazer uma determinação oriunda da natureza do capital e independente do trabalho. No Livro 2 era mister tratar da esfera da circulação, apenas em relação às determinações formais que ela engendra, evidenciando como prossegue o desenvolvimento, nela ocorrente, da configuração do capital. Na realidade, essa esfera é a esfera da concorrência e, se consideramos cada caso isoladamente, é dominada pelo azar; a lei interna que aí se impõe aos eventos e os regula só é perceptível quando são grupados em grandes massas, e desse modo ela fica invisível e incompreensível para cada agente da produção. E mais: o processo real de produção, unidade do processo imediato de produção e do processo de circulação, gera novas configurações em que se perde cada vez mais o fio do nexo causal interno, as relações de produção adquirem autonomia que as separa, e as partes componentes do valor se ossificam em formas reciprocamente autônomas.

Conforme vimos, a conversão da mais-valia em lucro é determinada tanto pelo processo de circulação quanto pelo processo de produção. Na forma de lucro, a mais-valia não se relaciona mais com a parte do capital desembolsada em trabalho e da qual se origina, mas com o capital todo. Leis próprias que regulam a taxa de lucro permitem e até condicionam a modificação dela com taxa invariável de mais-valia. Tudo isso dissimula cada vez mais a verdadeira natureza da mais-valia e por conseguinte o motor autêntico do capital. Esse eclipse se acentua ainda mais quando o lucro se converte em lucro médio, e, os valores, em preços de produção, nas médias reguladoras dos preços de mercado. Interfere aí complicado processo social, o processo de nivelamento dos capitais, que dissocia os preços médios relativos das mercadorias dos respectivos valores, e os lucros médios nos diferentes ramos de produção, da exploração real do trabalho pelos capitais particulares (estamos abstraindo dos investimentos de capital singularmente considerados em cada ramo particular de produção). Aí, tanto na aparência quanto na realidade, o preço médio das mercadorias difere do respectivo valor, por conseguinte do trabalho nelas corporificado, e o lucro médio de um capital particular difere da mais-valia que esse capital extraiu dos trabalhadores que empregou. O valor das mercadorias só continua a aparecer de maneira direta na influência que a variação da produtividade do trabalho exerce sobre a alta e a baixa dos preços de produção, sobre o movimento, não sobre os últimos limites deles. Na aparência, só de maneira acessória continua o lucro a ser determinado pela exploração direta do trabalho:

quando esta permite ao capitalista realizar lucro superior ao médio, com os preços de mercado reguladores que parecem existir sem depender dela. Os lucros médios normais parecem imanentes ao capital, independentes da exploração; a exploração anormal ou ainda a exploração média em condições excepcionalmente favoráveis parecem determinar não o próprio lucro médio, mas os desvios que o excedem. A bifurcação do lucro em lucro do empresário e juro (para não falarmos da interferência do lucro comercial e do lucro bancário, baseados na circulação, parecendo provir desta diretamente e não do processo de produção) dissocia a mais-valia da respectiva forma, que se torna autônoma e se ossifica em relação à substância, à essência. Uma parte do lucro, contrastando com a outra, destaca-se totalmente da relação capitalista como tal, e apresenta-se como se procedesse não da função de explorar o trabalho assalariado, mas do trabalho assalariado do próprio capitalista. Em oposição, o juro parece não depender do trabalho assalariado do trabalhador, nem do próprio trabalho do capitalista, mas ter no capital a fonte própria, autônoma. Se o capital, de início, na superfície da circulação, é o talismã capitalista, o valor que gera valor, agora aparece na figura do capital que dá juros: a forma mais alienada e mais característica. Por isso, juntar às formas "terra-renda" e "trabalho-salário", o termo "capital-juro" e muito mais lógico que adicionar "capital-lucro", pois no lucro sempre subsiste uma reminiscência de origem que desaparece no juro. Além disso, opõe-se a essa origem a forma definida da proveniência do juro.

Finalmente surge ao lado do capital, como fonte autônoma de mais-valia, a propriedade fundiária, que limita o lucro médio e transfere parte da mais-valia a uma classe que não trabalha, nem explora diretamente os trabalhadores, nem pode se consolar, como o faz o capital a juros, com motivos morais edificantes, alegando, por exemplo, o risco e o sacrifício de emprestar o capital. Uma vez que aí parte da mais-valia não parece estar diretamente ligada a relações sociais, mas a um elemento natural, a terra, dá-se o arremate final à forma alienada e ossificada das diferentes partes da mais-valia, dissociadas umas das outras; rompe-se definitivamente o nexo causal interno e obstrui-se a fonte dela por completo, justamente porque as relações de produção vinculadas aos diversos elementos materiais do processo de produção ficam reciprocamente autônomas.

Quando a fórmula capital-lucro, ou melhor capital-juro, terra-renda fundiária, trabalho-salário, essa trindade econômica, passa a configurar a conexão entre as partes componentes do valor, da riqueza em geral e as respectivas fontes, completa-se a mistificação do modo capitalista de produção, a reificação das relações sociais, a confusão direta das condições materiais de produção com a determinação histórico-social dessas condições; é o mundo enfeitiçado, desumano e invertido, onde os manipansos, o senhor Capital e a senhora Terra, protagonistas sociais e ao mesmo tempo coisas, fazem suas assombrações. O grande mérito da economia clássica é ter dissolvido essa aparência, esse embuste, essa emancipação e ossificação dos diversos elementos sociais da riqueza, essa personificação das coisas e reificação das relações de produção, essa religião do cotidiano, reduzindo o juro a parte do lucro, e a renda a excedente sobre o lucro, de modo a se identificarem ambos com a mais-valia; vendo no processo de circulação simples metamorfose formal, e no processo direto de produção convertendo em trabalho o valor e a mais-valia das mercadorias. Contudo, mesmo os melhores corifeus dela, e não poderia ser de outro modo sob o prisma burguês, permanecem mais ou menos prisioneiros do mundo falaz que destruíram com sua crítica, incidindo mais ou menos em inconsequências, em conclusões paliativas e contradições insolúveis. Mas é também natural que, ao revés, os agentes efetivos da produção se sintam muito à vontade com essas formas alienadas e irracionais, capital-juro, terra-renda, trabalho-salário, as quais são justamente as configurações do mundo aparente em que se movem e com que têm de lidar todos os dias. Por isso, é também compreensível que a economia vulgar – que não passa de interpretação didática, mais ou menos doutrinária das ideias correntes dos promotores reais da produção, nelas introduzindo certa ordem inteligível – ache, justamente nessa trindade onde desaparece toda a conexão causal interna, a base adequada e indestrutível de sua presunçosa superficialidade. Demais, essa fórmula corresponde ao interesse das classes dominantes, pois proclama e erige em dogma a necessidade natural e a legitimidade eterna de suas fontes de renda.

Ao estudar as relações de produção convertidas em coisas e em entidades autônomas em face dos representantes da produção, não analisamos como as interferências do comércio mundial, as conjunturas deste, os ciclos da indústria e do comércio, as alternâncias de prosperidade e crise se patenteiam a esses agentes leis naturais de poder imenso e irresistível que os dominam, impondo-se cegamente como fatalidade. É que está fora do nosso plano estudar o movimento real da concorrência, sendo nosso propósito apenas analisar a organização interna do modo capitalista de produção, de acordo com a média ideal, por assim dizer.

A FÓRMULA TRINITÁRIA

Nas estruturas sociais anteriores, essa mistificação econômica era menor, manifestando-se principalmente no tocante ao dinheiro e ao capital produtor de juros. Pela natureza das coisas está excluída, primeiro, onde predomina a produção voltada para o valor-de-uso, para o consumo próprio e imediato; segundo, onde a escravatura ou a servidão constitui a extensa base da produção social, como na Antiguidade e na Idade Média: o domínio das condições de produção sobre os produtores está aí implícito nas relações entre senhores e servos, as quais parecem ser e evidentemente são as molas diretas do processo de produção. Nas comunidades primitivas, onde reina comunismo natural, e mesmo nas antigas comunidades urbanas são as próprias coletividades com suas condições que se apresentam como a base da produção, que tem por fim último reproduzi-las. Mesmo nos grêmios medievais, nem o capital nem o trabalho se patenteiam livres; suas relações aparecem determinadas pelo sistema corporativo, pelas vinculações do sistema e pelas correspondentes ideias de obrigações do ofício, mestria etc. Só ao chegar o modo capitalista de produção é que...[I]

I Interrompe-se aí o manuscrito.

XLIX.
Elementos para a análise do processo de produção

No estudo que segue pode ser posta de lado a diferença entre preço de produção e valor, pois essa diferença no final de contas desaparece, quando, como sucede aqui, se considera o valor do produto total anual do trabalho, ou seja, do produto do capital total da sociedade.

Lucro (lucro do empresário + juro) e renda não passam de formas específicas assumidas por frações particularizadas da mais-valia das mercadorias. A magnitude da mais-valia é o limite da soma das magnitudes das partes em que ela se pode dividir. Por isso, a mais-valia é igual à soma do lucro médio e da renda. É possível que parte do trabalho excedente – e por conseguinte da mais-valia – contido nas mercadorias não tenha participação direta no nivelamento em torno do lucro médio, não se expressando no preço parte do valor da mercadoria. Mas, isto se compensa, primeiro, ou por acrescer a taxa de lucro, se a mercadoria vendida abaixo do valor constituir elemento do capital constante, ou por lucro e renda se representarem em produto maior, se a mercadoria vendida abaixo do valor destinar-se ao consumo individual, entrando na parte do valor despendida como renda; e, segundo, isto se compensa também, com o movimento que estabelece a média. Em todo caso, mesmo quando parte da mais-valia não se exprime no preço da mercadoria, deixando de participar na formação dele, pode a soma do lucro médio e da renda, na forma normal, ser inferior, mas nunca superior à totalidade da mais-valia. A forma normal da renda supõe salário correspondente ao valor da força de trabalho. Mesmo a renda de monopólio, ressalvada a hipótese de ser desconto de salário e de assim formar categoria especial, indiretamente tem de constituir sempre fração da mais-valia; se não for parte do excedente do preço sobre os custos de produção da mercadoria de que constitui componente (caso da renda diferencial), nem parte suplementar da mais-valia – da mercadoria de que constitui componente – acima da parte que o lucro médio delimita (caso da renda absoluta), será por certo fração da mais-valia de outras mercadorias, isto é, das mercadorias que se trocarem por essa mercadoria que tem preço de monopólio. A soma do lucro médio e da renda fundiária não pode ser maior que a magnitude de que ambos são partes e que preexiste a essa repartição. Por isso, para nosso estudo não importa que a mais-valia toda, por inteiro, das mercadorias, ou seja, o trabalho excedente todo nelas contido, se realize ou não no preço. O trabalho excedente já não se realiza por completo, porque, variando sempre a quantidade de trabalho socialmente necessário para produzir dada mercadoria, em virtude da variação contínua da produtividade do trabalho, parte das mercadorias se produz sempre em condições anormais e, portanto, tem de ser vendida abaixo do valor individual. Em todo caso, lucro + renda são iguais à totalidade da mais-valia realizada (trabalho excedente), e para nosso estudo pode igualar-se a mais-valia realizada à mais-valia toda, pois lucro e renda são mais-valia realizada no final de contas, a mais-valia que entra no preço das mercadorias, praticamente, portanto, a mais-valia total que constitui componente desse preço.

Por outro lado, o salário, a terceira forma particular da renda (*revenue, income*), é sempre igual à parte variável do capital, à parte que não se desembolsa em meios de trabalho mas para comprar força de trabalho viva, para pagar trabalhadores (o trabalho pago com o dispêndio de renda (*revenue*) é pago por salário, lucro ou renda fundiária, e por isso esse pagamento não constitui componente do valor das mercadorias. Não cabe portanto considerá-lo na análise do valor das mercadorias e de seus componentes). É da jornada global dos trabalhadores a materialização da parte em que se reproduz o valor do capital variável, ou seja, o preço do trabalho; do valor das mercadorias, a parte em que o trabalhador reproduz o valor da respectiva força de trabalho, ou seja, o preço do trabalho. A jornada total de trabalho se divide em duas partes. Numa o trabalhador executa a quantidade de trabalho necessária para reproduzir o valor dos seus meios de subsistência; é a parte paga do trabalho todo, a parte necessária ao sustento e à reprodução do próprio trabalhador. A parte restante toda da jornada, a quantidade excedente toda do trabalho, a qual efetua além do trabalho que se configura no valor do salário, é trabalho excedente, trabalho não pago, que se representa na mais-valia de todas as mercadorias que produz (por conseguinte, em sobra de mercadorias), mais-valia que se divide em partes com diferentes nomes, em lucro (lucro do empresário + juro) e renda fundiária.

A parte inteira do valor das mercadorias na qual se representa um dia ou um ano do trabalho total dos trabalhadores, o valor total, criado por esse trabalho, do produto anual, se reparte em valor do salário, em lucro e renda fundiária. É que esse trabalho total se reparte em trabalho necessário que gera a parte do valor do produto a qual serve para pagar o próprio trabalhador, o salário portanto, e em trabalho excedente não pago com que ele cria a parte do valor do produto a qual se representa na mais-valia e depois se cinde em lucro e renda fundiária. Além desse trabalho, o trabalhador

ELEMENTOS PARA A ANÁLISE DO PROCESSO DE PRODUÇÃO

não efetua outro e, além do valor global do produto, valor que assume as formas de salário, lucro e renda fundiária, não cria outro valor. Do produto anual, o valor que representa o trabalho adicionado durante o ano é igual ao salário ou ao valor do capital variável, acrescido da mais-valia, que por sua vez se reparte nas formas de lucro e renda fundiária.

A porção inteira do valor do produto anual, criada pelo trabalhador durante o ano, expressa-se na soma do valor anual das três rendas, o valor do salário, do lucro e da renda fundiária. Por isso, é claro que no valor anualmente criado dos produtos não está reproduzido o valor da parte constante do capital, pois o salário é igual apenas ao valor da parte variável do capital adiantada para produção, e a renda fundiária e o lucro somados igualam à mais-valia somente, ao valor excedente produzido acima do valor total do capital adiantado, igual ao valor do capital constante + o valor do capital variável.

Para a dificuldade a resolver agora tanto faz que parte da mais-valia, na forma de lucro ou de renda fundiária, sirva para o consumo, como renda (*revenue*), ou seja acumulada. A parte que se poupa destinada ao fundo de acumulação serve para formar capital novo, adicional, mas não para repor o capital antigo, nem o desembolsado em trabalho, nem o investido em meios de trabalho. Para simplificar, podemos admitir portanto que as rendas são por inteiro despendidas no consumo individual. A dificuldade assume então dois aspectos. Primeiro: o valor do produto anual em que se despendem essas rendas, salário, lucro e renda fundiária, contém uma parte que é o valor do capital constante consumido na produção. Contém essa parte além da relativa a salário e da que se decompõe em lucro e renda fundiária. Logo, o valor do produto = salário + lucro + renda fundiária + c, sendo c a parte constante do valor. Como pode então o valor anualmente produzido = salário + lucro + renda fundiária comprar um produto de valor = (salário + lucro + renda fundiária) + c? Como pode o valor anualmente produzido comprar um produto de valor maior?

Segundo: se abstraímos da parte do capital constante a qual não entrou no produto e, por isso, embora com o valor diminuído, continua a existir depois como existia antes da produção anual das mercadorias; se por ora abstraímos, portanto, do capital fixo aplicado, mas não consumido, verificamos que a parte constante do capital, adiantada na forma de matérias-primas e matérias auxiliares foi completamente absorvida pelo novo produto, enquanto os meios de trabalho tiveram por inteiro desgastada uma parte deles, e outra apenas parcialmente, e desse modo só se consumiu na produção parte do valor deles. Essa parte do capital constante por inteiro consumida na produção tem de ser reposta fisicamente. Supostas invariáveis todas as demais condições, sobretudo a produtividade do trabalho, custa essa parte a mesma quantidade de trabalho anterior, isto é, é mister repô-la por valor igual. Do contrário, não poderá haver nem mesmo a reprodução na escala antiga. Mas, quem deveria efetuar esses trabalhos e quem os efetua realmente? Quanto à primeira dificuldade – saber quem pagará e com que pagará a parte constante do valor contida no produto – supõe-se que o valor do capital constante consumido na produção reaparece como parte do valor do produto. Essa hipótese não contradiz os pressupostos da segunda dificuldade. É que já se mostrou no Livro 1, Capítulo v (processo de trabalho e processo de produzir mais-valia), como a simples adição de novo trabalho, embora não reproduza o valor antigo, gerando para este apenas acréscimo, valor adicional, conserva simultaneamente no produto o valor antigo; verificou-se então que esse resultado decorria do trabalho, não na qualidade de criador de valor, de trabalho em geral portanto, mas na função de determinado trabalho produtivo. Não é portanto necessário trabalho adicional para manter o valor da parte constante no produto em que se gastam as rendas, isto é, o valor todo criado durante o ano. Entretanto, é mister trabalho adicional para repor o valor e o valor-de-uso do capital constante consumido no decurso do ano, e a reprodução é de todo impossível se não houver essa reposição.

Todo o trabalho novo adicionado configura-se no valor novo criado durante o ano, e esse valor se reparte por inteiro nas três rendas: salário, lucro e renda. Não há portanto sobra alguma de trabalho social para repor o capital constante consumido, que em parte deve reconstituir-se fisicamente e segundo o valor, e em parte apenas segundo o valor (em virtude do mero desgaste do capital fixo). Demais, o valor anualmente criado pelo trabalho e que se reduz às formas de salário, lucro e renda, despendendo-se nessas formas, parece não ser suficiente para pagar ou comprar a parte do capital constante a qual o produto anual deve conter, além desse valor.

Já se encontrara a solução deste problema no estudo da reprodução da totalidade do capital social, na Terceira Seção do Livro 2. Voltamos ao assunto, primeiro porque a mais-valia então não fora decomposta nas formas de lucro (lucro do empresário + juro) e renda fundiária, não podendo por isso ser tratada nessas formas, e segundo porque justamente às formas de salário, lucro e renda associou-se imenso erro de análise que desde A. Smith repercute em toda a economia política.

Dividimos então o capital todo em duas grandes seções: a I que produz meios de produção, e a II que produz meios de consumo individual. A circunstância de certos produtos poderem servir tanto para consumo pessoal quanto de meios de produção (cavalos, grãos etc.), não destrói de maneira alguma a justeza absoluta dessa classificação. Aí não se trata de hipótese, mas pura e simplesmente de uma realidade. Consideremos o produto anual de um país. Parte dele, qualquer que seja a capacidade que tenha de servir de meio de produção, entra no consumo individual. É o produto em que se gastam salário, lucro e renda fundiária, e é obtido em determinada seção do capital social. É possível que o mesmo capital forneça também produtos pertencentes à seção I. Nesse caso, a parte desse capital consumida no produto da seção II, realmente destinado ao consumo individual, não fornece os produtos correspondentes à seção I, consumidos produtivamente. O produto II todo, que entra no consumo individual e no qual portanto se gastam as rendas, configura o capital nele consumido + a adição produzida. E por conseguinte o produto de um capital empregado unicamente para produzir meios de consumo. Analogamente, na seção I, o produto anual, que serve de meio de reprodução e se constitui de matérias-primas e auxiliares e de instrumental de trabalho – qualquer que seja a possibilidade que tenha de desempenhar por natureza o papel de meio de consumo – é obtido por capital empregado para produzir apenas meios de produção. A maior parte dos produtos que formam o capital constante existe em forma material que não se pode utilizar no consumo individual. Pode esse consumo ser possível, pode o camponês por exemplo comer a semente, abater os animais de trabalho, mas o limite econômico prossegue atuando da mesma maneira, como se essa parte tivesse forma não consumível.

Conforme já dissemos, nas duas seções abstraímos daquela parte fixa do capital constante, a qual prossegue existindo fisicamente e em valor, sem depender do produto anual delas.

Despendem-se salário, lucro e renda fundiária, em suma, gastam-se as rendas nos produtos da seção II; o próprio produto desta, segundo o valor, constitui-se de três componentes. Um componente é igual ao valor do capital constante consumido na produção; outro é igual ao valor do capital variável empregado na produção, desembolsado em salário; o terceiro é igual à mais-valia produzida, isto é = lucro + renda fundiária. O primeiro componente do produto da seção II, o valor do capital constante absorvido, não pode ser consumido pelos capitalistas e pelos trabalhadores da seção II, nem pelos proprietários das terras. Não constitui parte da renda deles, tendo de ser repostos fisicamente, e para que isso aconteça, é mister que sejam vendidos. Ao revés, os dois outros componentes desse produto são iguais ao valor das rendas produzidas nesta seção: salário + lucro + renda fundiária.

Segundo a forma são os mesmos os componentes do produto da seção I. Mas, a parte que aí constitui as rendas – salário + lucro + renda fundiária, em suma, capital variável + mais-valia – não se consome aí na forma natural dos produtos dessa seção e sim na dos produtos da seção II. O valor das rendas de I tem portanto de ser consumido na parte do produto de II a qual constitui o capital a ser reposto de II. A parte do produto de II a qual tem de repor o capital constante, é consumida na forma natural pelos trabalhadores, capitalistas e proprietários de terras de I. Eles todos despendem as rendas nesse produto de II. Demais, o produto de I na forma natural, quando representa as rendas de I, é consumido produtivamente pela seção II e desta repõe fisicamente o capital constante. Finalmente, o capital constante consumido de I é reposto pelos próprios produtos dessa seção, constituídos de meios de trabalho, matérias-primas e matérias auxiliares etc. Essa reposição opera-se mediante troca entre os capitalistas de I e ainda em virtude da possibilidade que tem parte desses capitalistas de empregar diretamente o produto próprio como meio de produção.

Consideremos o esquema anterior de reprodução simples (Livro 2, Capítulo XX, 2):

I. $4.000_c + 1.000_v + 1.000_m = 6.000$
$= 9.000$
II. $2.000_c + 500_v + 500_m = 3.000$

Desse modo, os produtores e proprietários de terras de II consomem como renda $500_v + 500_m = 1.000$. Ficam 2.000_c para repor. Consomem-nos os trabalhadores, capitalistas e perceptores de renda fundiária, localizados em I e com receita $= 1.000_v + 1.000_m = 2.000$. O produto de II é consumido por I como renda, e a parte das rendas de I configurada no produto não consumível é consumida por II como capital constante. Falta portanto prestar contas relativas a 4.000_c de I. Repõe-nos o próprio pro-

ELEMENTOS PARA A ANÁLISE DO PROCESSO DE PRODUÇÃO

duto de I = 6.000, ou precisamente = 6.000 – 2.000, pois esses 2.000 já se converteram em capital constante de II. Notemos que são arbitrários os números escolhidos, parecendo portanto arbitrária a relação entre o valor das rendas de I e o valor do capital constante de II. Evidencia-se entretanto que, se o processo e reprodução se efetua de maneira normal e sem se alterarem as demais circunstâncias, pondo-se por conseguinte de lado a acumulação, o total de valor do salário, lucro e renda fundiária de I tem de ser igual ao valor do capital constante a seção II. Do contrário, não pode a seção II repor o capital constante, nem a seção I converter as respectivas rendas impossíveis de serem convertidas à forma em que se tornam consumíveis.

O valor do produto-mercadoria anual, do mesmo modo que o valor do produto-mercadoria de um investimento particular de capital e o valor de toda mercadoria, reduz-se a dois componentes: A, que repõe o valor do capital constante adiantado, e B, que se representa na forma de renda, em salário, lucro e renda fundiária. O segundo componente, B, opõe-se ao primeiro, A, pois este, não se alterando as demais circunstâncias, (1) nunca assume a forma de renda, e (2) reflui sempre na forma de capital, mas de capital constante. O componente B por sua vez encerra antinomia essencial. Lucro e renda fundiária têm em comum com o salário a condição de serem todos três formas de rendas. Mas, diferem na essência, pois em lucro e renda fundiária se configura mais-valia, trabalho não pago portanto, e, em salário, trabalho pago. A parte do valor do produto a qual representa dispêndios em salário, repondo-o portanto, e que, segundo nossa hipótese de reprodução na mesma escala e nas mesmas condições, volta a converter-se em salário, de início reflui na função de capital, de componente do capital a adiantar de novo para a reprodução. Esse componente exerce duplo papel. Existe na forma de capital e como tal se troca por força de trabalho. Nas mãos do trabalhador transforma-se na renda que ele obtém vendendo a força de trabalho, e na função de renda transmuta-se em meios de subsistência e é consumido. Esse duplo processo se patenteia na mediação da circulação monetária. O capital variável é adiantado em dinheiro, desembolsado em salário. Esta é sua primeira função de capital. Ao trocar-se por força de trabalho, esse capital converte-se na exteriorização dessa força, em trabalho. Este é o processo para o capitalista. Mas, a seguir, com esse dinheiro os trabalhadores compram parte do seu produto medida por esse dinheiro e consumida por eles como renda. Abstraiamos da circulação monetária: parte do produto dos trabalhadores está em poder do capitalista na forma de capital disponível. Ele adianta essa parte na condição de capital, cede-a ao trabalhador, permutando-a por nova força de trabalho, enquanto o trabalhador a consome como renda, diretamente ou mediante troca por outras mercadorias. A parte do valor do produto destinada, na reprodução, a transmutar-se em salário, em renda para os trabalhadores, retorna antes às mãos do capitalista na forma de capital, mais precisamente de capital variável. O retorno nessa forma é condição essencial para que o trabalho se reproduza sempre como trabalho assalariado, os meios de produção como capital e o próprio processo de produção como processo capitalista.

Para evitar dificuldades inúteis, é mister distinguir produto bruto e produto líquido, de renda bruta e renda líquida.

O rendimento bruto ou o produto bruto é a totalidade do produto reproduzido. Excluída a parte do capital fixo empregada, mas não consumida na produção, o valor do rendimento bruto ou do produto bruto é igual ao valor do capital adiantado e consumido na produção, constante e variável, acrescido da mais-valia, que se decompõe em lucro e renda fundiária. Ou, ainda, se consideramos não o produto de um capital isolado, mas do capital todo da sociedade, o produto bruto é igual aos elementos materiais que formam o capital constante e o variável, mais os elementos materiais do produto excedente, em que se representam lucro e renda fundiária.

A renda bruta é a fração do valor ou a parte do produto bruto medida por essa fração, as quais restam após deduzir-se, da totalidade da produção, a parte do valor (e a parte do produto por ela medida) destinada a repor o capital constante adiantado e consumido na produção. Assim, a renda bruta = salário (a parte do produto destinada a vir a ser de novo renda do trabalhador) + lucro + renda fundiária. A renda líquida é a mais-valia, ou seja, o produto excedente que fica após deduzir-se o salário; representa a mais-valia realizada pelo capital, a ser repartida pelos proprietários das terras, e o produto excedente por ela medido.

Vimos que o valor de toda mercadoria individual e o valor da totalidade do produto-mercadoria de todo capital individual se decompõe em duas partes: uma repõe apenas o capital constante, e a outra – embora fração dela reflua como capital variável, na *forma* de capital – destina-se a converter-se por inteiro em renda bruta e a assumir a forma de salário, lucro e renda fundiária, e a soma desses três elementos constitui a renda bruta. Vimos ainda que isto se estende ao valor da totalidade do produto anual de uma sociedade. Há apenas uma diferença entre o produto do capitalista individual e

ELEMENTOS PARA A ANÁLISE DO PROCESSO DE PRODUÇÃO

o da sociedade: do ponto de vista do capitalista individual, a renda líquida se distingue da renda bruta, pois esta abrange o salário e aquela o exclui. Considerando-se a sociedade toda, a renda nacional consiste em: salário + lucro + renda fundiária, coincidindo portanto com a renda bruta. Todavia, isto é também abstração no sentido de que a sociedade por inteiro, que se baseia na produção capitalista, se coloca sob o prisma capitalista e por isso só considera renda líquida a renda que se reduz a lucro e renda fundiária.

Ao contrário, temos a fantasia por exemplo de Say, para quem o rendimento total, o produto bruto todo de uma nação se reduz a produto líquido, deste não se distingue, desaparecendo a diferença entre os dois termos, no plano nacional. Essa ideia é a expressão inevitável e final do dogma que, desde A. Smith, domina a economia política toda e segundo o qual o valor das mercadorias em última análise se decompõe por inteiro em rendas, isto é, em salário, lucro e renda fundiária.[4]

Naturalmente é muito fácil de entender que, para todo capitalista, parte do produto tem de reconverter-se em capital (mesmo pondo-se de lado a reprodução ampliada ou a acumulação), e não só em capital variável, destinado a transformar-se em renda para os trabalhadores, mas ainda em capital constante, que nunca é conversível em renda. É o que evidencia a observação mais simples do processo de produção. A dificuldade só começa quando consideramos o processo de produção na totalidade. O valor da parte do produto de todo consumida como renda, na forma de salário, lucro e renda fundiária (não importando que o consumo seja individual ou produtivo) reduz-se de fato na análise à totalidade do valor constituída de salário, lucro e renda fundiária, ao valor global portanto das três rendas, embora o valor dessa parte do produto, do mesmo modo que o valor que não entra nas rendas, encerre uma fração de valor c, igual ao valor do ca-

---

4 A respeito de Say observa muito bem Ricardo: "Quanto ao produto líquido e ao produto bruto informa Say: 'O valor global produzido é o produto bruto; esse valor, depois de deduzidos os custos de produção, é o produto líquido!' (Vol. II, p. 491). Não pode haver então produto líquido, pois segundo Say os custos de produção constituem-se de renda fundiária, salários e lucro. Na página 508 diz ele: 'O valor de um produto, o valor de um serviço produtivo, o valor do custo de produção são todos portanto valores singulares, desde que deixemos as coisas seguir o curso natural.' Tirai tudo de um todo, e nada resta" (Ricardo, *Principles*, capítulo XXXII, p. 512, nota). Aliás, como veremos depois, Ricardo nunca refutou a falsa análise smithiana do preço da mercadoria, a redução deste ao valor total das rendas. Não se preocupa com ela, tomando-a por exata em seus estudos, na medida em que "abstrai" da parte constante do valor das mercadorias. E de vez em quando recai no mesmo erro de Smith.

pital constante nele contido, não podendo evidentemente ser limitado pelo valor das rendas. Temos, assim, de um lado, fato incontestável na prática, e, do outro, inegável contradição teórica. Essa dificuldade dissimula-se mais facilmente com o postulado de que o valor-mercadoria só na aparência, sob o prisma do capitalista isolado, contém outra porção de valor, diversa da existente nas formas de renda. O raciocínio para na frase: o que representa renda para uns constitui capital para outros. Como é possível então repor o capital consumido se o valor do produto todo é consumível na forma de renda? E como pode o valor de cada capital igualar-se à totalidade do valor das três rendas, acrescida de c, o capital constante, se o valor total dos produtos de todos os capitais é igual ao valor total das três rendas, acrescido de zero? Estas questões parecem enigma insolúvel. Surgiu assim a necessidade de decifrá-lo com a argumentação de que a análise é incapaz de penetrar nos arcanos dos elementos simples do preço, devendo contentar-se com o círculo vicioso, com a ideia de um desdobramento sem fim. Desse modo, o que se revela capital constante é redutível a salário, lucro e renda fundiária, enquanto os valores-mercadorias que representam salário, lucro e renda fundiária são por sua vez determinados por salário, lucro e renda fundiária, e assim por diante até o infinitos.[5]

O dogma absolutamente falso de o valor das mercadorias ser em última análise redutível a salário + lucro + renda fundiária expressa-se igualmente ao afirmar que o consumidor em última análise paga o valor total do produto todo; ou ainda ao afirmar-se que a circulação monetária entre produtores e consumidores tem de igualar-se em última análise à circulação monetária entre os próprios produtores (Tooke); postulados esses que são tão falsos quanto a proposição fundamental em que se baseiam.

---

5 "Em toda sociedade, o preço de toda mercadoria reduz-se, por fim, a um ou outro desses três elementos" (salário, lucro, renda fundiária) "ou a todos eles ao mesmo tempo... Um quarto elemento pode parecer necessário para repor o capital do arrendatário ou o desgaste dos animais de trabalho e de outros instrumentos agrícolas. Mas, deve-se considerar que o preço de qualquer instrumento agrícola, de um animal de trabalho, por exemplo, compõe-se por sua vez desses mesmo três elementos: a renda da terra onde se cria, o trabalho da criação e o lucro do arrendatário que adianta essa renda fundiária, e o salário correspondente a esse trabalho. Por isso, o preço do trigo, embora reponha o preço e o custo de manutenção do animal, ainda assim reduz-se, de imediato ou em última instância, a esses três elementos: renda fundiária, trabalho" (isto é, salário) "e lucro" (A. Smith). Mais tarde veremos que o próprio A. Smith sente a contradição e a insuficiência dessa evasiva, pois se trata de mera evasiva em que nos manda de Pôncio para Pilatos, sem nunca ter indicado um investimento efetivo de capital em que o preço do produto se reduza pura e simplesmente a esses três elementos, em última análise e sem se ir adiante.

ELEMENTOS PARA A ANÁLISE DO PROCESSO DE PRODUÇÃO

As falhas que levam a essa análise errônea e que de imediato se evidenciam absurdas são em suma as seguintes:

1) Não se apreende a relação fundamental entre o capital constante e o variável, nem a natureza da mais-valia portanto, ficando assim ininteligível o próprio fundamento do modo capitalista de produção. O valor de toda parcela do produto do capital, de toda mercadoria, compreende parte = capital constante, parte = capital variável (convertida em salário dos trabalhadores) e parte = mais-valia (em seguida dissociada em lucro e renda fundiária). Como é possível que o trabalhador com o salário, o capitalista com o lucro, o proprietário da terra com a renda fundiária comprem mercadorias, cada uma contendo não só uma. dessas partes, mas todas as três ao mesmo tempo? Como é possível que o valor total do salário, lucro e renda fundiária, das três fontes de renda portanto, compre as mercadorias que entram na totalidade do consumo dos que recebem essas rendas, quando essas mercadorias encerram, além dessas três partes do valor, uma parte adicional, o capital constante? Como é possível comprar um valor de quatro com um valor de três?[6]

---

[6] Proudhon expressa incapacidade de compreender esse problema ao apresentar esta formulação: o trabalhador não pode comprar o próprio produto, por causa do juro nele contido e que acresce o preço de fabricação. Vejamos a lição que lhe ensina Eugène Forcade. "A objeção de Proudhon, se fosse verdadeira, não atingiria apenas os lucros do capital, mas destruiria mesmo a possibilidade de existência da indústria. Se o trabalhador é forçado a pagar com 100 pelo que só recebeu 80, se de volta o salário só pode pagar, de um produto, o valor que lhe acrescentou, então o trabalhador nada poderá comprar de volta, o salário nada poderá pagar. Na realidade, o preço de fabricação contém sempre algo mais que o salário do trabalhador, e o preço de venda algo mais que o lucro do empresário, por exemplo, o preço da matéria-prima para muitas vezes ao estrangeiro... Proudhon esqueceu o crescimento ininterrupto do capital nacional, e que esse crescimento verifica para todos os que labutam, para os empresários e para os trabalhadores (*Revue des deux mondes*, 1848, vol. XXIV, p. 998s.). Temos aí o fátuo otimismo burguês na simulação de sabedoria que mais lhe assenta. Primeiro, Forcade acha que o trabalhador não poderia viver se não recebesse valor superior ao que produz, quando, ao contrário, é o modo capitalista de produção que seria impossível se o trabalhador recebesse realmente o valor que produz. Segundo, acertadamente generaliza a dificuldade que Proudhon expressa sob um prisma muito estreito. O preço da mercadoria encerra um excedente que, além de ultrapassar o salário, supera o lucro, e que é a parte constante do valor. Por conseguinte, segundo o raciocínio de Proudhon, nem o capitalista com o lucro poderia comprar de volta a mercadoria. Como resolve Forcade o enigma? Com uma frase vazia – o crescimento do capital. Assim, o crescimento constante do capital poria em evidência, entre outras coisas, que a análise do preço da mercadoria, embora o economista político não possa fazê-la para um capital de 100, torna-se supérflua para um capital de 10.000. Que dizer de um químico que explicasse porque o produto agrícola contém mais carbono que a terra, afirmando que a causa é o crescimento constante da produção agrícola? A doce intenção de ver num mundo burguês o melhor dos mundos possíveis substitui, na economia vulgar, o amor à verdade e a paixão pela pesquisa científica.

O CAPITAL

O assunto foi estudado no Livro 2, Terceira Seção.

2) Não se compreende o modo como o trabalho, ao acrescentar valor novo, conserva em nova forma o valor antigo sem o produzir de novo.

3) Não compreendem as conexões do processo de reprodução, como se configura ele não do ponto de vista de um capital singular, mas da totalidade do capital; existe a dificuldade de entender como o produto em que se realizam salário e mais-valia, o valor global portanto gerado pelo trabalho todo novamente adicionado durante o ano, pode repor a parte constante do valor e ao mesmo tempo reduzir-se a valor circunscrito às rendas. Além disso, não se apreende como o capital constante consumido na produção pode repor-se por novo fisicamente e em valor, embora a totalidade do trabalho de novo adicionado se realize apenas em salário e mais-valia e se configure por inteiro no valor total de ambos. Justamente aí está a dificuldade principal para o estudo da reprodução e das relações entre os componentes dela, tanto sob o aspecto material quanto sob o do valor.

4) Acresce outra dificuldade, que se agrava por aparecerem na forma de rendas reciprocamente autônomas os diversos componentes da mais-valia: as definições fixas de renda e capital permutam-se e trocam de lugar entre si, parecendo ser, do ponto de vista do capitalista isolado, definições relativas que se desvanecem quando consideramos o processo global de produção. Exemplo: a renda dos trabalhadores e dos capitalistas da seção I, que produz capital constante, repõe em valor e fisicamente o capital constante dos capitalistas da seção II, que produz meios de consumo. É possível assim contornar a dificuldade se imaginamos que o que é renda para uns é capital para outros, e que essas definições nada têm por isso que ver com a particularização efetiva dos componentes do valor da mercadoria. Além disso, mercadorias destinadas por fim a constituir os elementos materiais do dispêndio de renda, meios de consumo portanto, passam durante o ano por diversas fases, por exemplo, a de fio, de pano. Numa fase constituem parte do capital constante; na outra são objeto de consumo individual e correspondem por completo à renda. Podemos assim imaginar, como A. Smith, que o capital constante só na aparência é elemento do valor-mercadoria, extinguindo-se no processo global. E ainda sucede a troca entre capital variável e renda. Com o salário, o trabalhador compra a parte das mercadorias que forma sua renda. Assim repõe, para o capitalista, a forma dinheiro do capital variável. Finalmente, parte dos produtos que formam

capital constante é substituída fisicamente ou mediante troca entre os produtores mesmos do capital constante, processo com o qual nada têm que ver os consumidores. Omitindo-se isto, prevalece a ilusão de que a renda dos consumidores repõe o produto todo e por conseguinte a parte constante do valor.

5) Ao lado da confusão provocada pela transformação dos valores em preços de produção, surge outra resultante da conversão da mais-valia em formas particulares de renda, em lucro e renda fundiária, reciprocamente autônomas e relacionadas com os diferentes elementos de produção. Esquece-se que os valores das mercadorias são a base primordial e que a determinação do valor e a lei que a rege absolutamente não se alteram por nenhuma destas circunstâncias: a decomposição do valor-mercadoria em componentes particulares que se tornam formas de renda, a conversão deles em relações entre os diversos proprietários dos diferentes fatores de produção e os referidos componentes distintamente considerados, a distribuição destes entre esses possuidores segundo categorias e títulos determinados. O nivelamento do lucro – a repartição da mais-valia global entre os diferentes capitais – e os obstáculos que a propriedade fundiária (na renda absoluta) opõe em parte a esse nivelamento também não alteram a lei do valor, ao fazerem os preços médios reguladores das mercadorias se desviar dos valores individuais. Isto só influi na distribuição da mais-valia pelos diversos preços das mercadorias, mas não elimina a mais-valia mesma, nem o valor global das mercadorias, o qual continua sendo a fonte desses diversos componentes.

Esse quiproquó, que examinaremos no capítulo seguinte, está necessariamente ligado à ilusão de que o valor procede dos próprios componentes. De início, os diversos componentes do valor da mercadoria assumem formas autônomas nas rendas e nesta condição, em vez de se ligarem ao valor da mercadoria, a fonte efetiva, são derivados dos elementos materiais particulares da produção. Estão realmente relacionados com esses elementos, mas não na qualidade de componentes do valor e sim na condição de rendas, como componentes do valor que cabem a essas categorias determinadas de agentes da: produção: o trabalhador, o capitalista, o proprietário da terra. Entretanto, pode-se imaginar que esses componentes, em vez de provirem da decomposição do valor das mercadorias, ao contrário, formam-no ao agregarem-se. Surge então o belo círculo vicioso: o valor das mercadorias provém do total dos valores do salário, lucro e renda fundiária, e o valor do salário, lucro e renda fundiária é por sua vez determinado pelo valor das mercadorias etc.⁷

No estado normal da reprodução, a parte do novo trabalho adicionado empregado para produzir capital constante e por conseguinte repô-lo é justamente a parte que repõe o capital constante consumido na produção de meios de consumo, os elementos materiais das rendas. Mas, com a compensação que se estabelece, essa parte constante da seção II não custa nenhum trabalho adicional. O capital constante não é produto do novo trabalho adicionado (se consideramos o processo global de reprodução, incluindo aquela compensação entre as seções I e II), embora não fosse possível sem ele obter-se o produto desse trabalho. Esse capital constante, no curso do processo de reprodução, está materialmente sujeito a acidentes e perigos que podem destruí-lo (além disso, pode perder valor por modificar-se a produtividade do trabalho, o que só diz respeito ao capitalista isolado). Em consequência, parte do lucro, ou seja, da mais-valia ou do produto excedente que, sob o aspecto do valor, representa apenas novo trabalho adicionado, serve de fundo de seguro. A natureza dessa ocorrência não se altera com a circunstância de esse fundo ser administrado ou não

---

7 "O capital circulante empregado em materiais, matérias-primas e produtos acabados compõe-se de mercadorias cujo preço necessário se constitui dos mesmos elementos; desse modo, ao considerar-se a totalidade das mercadorias de um país, seria duplicação desnecessária incluir-se essa parte do capital circulante entre os elementos do preço necessário" (Storch, *Cours d'éc. pol.*, II, p. 140). Storch entende por elementos do capital circulante (o fixo é apenas o capital circulante que mudou de forma) a parte constante do valor. "É verdade que o salário do trabalhador e a parte do lucro do empresário, a qual consiste em salários, se os consideramos porção de meios de subsistência, compõem-se também de mercadorias adquiridas a preço de mercado, as quais encerram por sua vez salários, renda do capital, renda fundiária e lucro do empresário... Essa observação serva para demonstrar que é impossível converter o preço necessário em seus elementos mais simples" (*ib.*, nota). Em suas *Considérations sur la nature du revenue national* (Paris, 1824) reconhece Storch, polemizando com Say, o absurdo a que leva a análise falsa do valor-mercadoria, reduzindo-o simplesmente a rendas, e expressa com acerto o disparate que dela resulta – no domínio nacional e não do capitalista isolado –, mas sem dar ele mesmo um passo adiante na análise do preço necessário, embora em seu *Cours* diga ser impossível converter esse preço em seus verdadeiros elementos, restando o errôneo desdobramento até o infinito. "É claro que o valor do produto anual comprará regularmente os produtos que a nação precisa, tanto para manter o capital, quanto para renovar o estoque de consumo" (p. 134 s.) "Pode ela" (uma família camponesa que supre as necessidades com o próprio trabalho) "morar em seus celeiros ou estábulos, comer as sementes e o alimento do gado, vestir-se com a pele dos animais de trabalho, divertir-se com os próprios instrumentos agrícolas? Segundo a doutrina de Say teríamos de responder afirmativamente a todas essas questões" (p. 135 s.) "Se admitimos que a renda de uma nação é igual ao produto brito, não havendo capital a deduzir, temos de admitir também que essa nação pode consumir improdutivamente o valor todo do produto anual, sem causar o menor dano à renda futura" (p. 147). "Não são consumidos os produtos que constituem o capital de uma nação" (p. 150).

por companhias seguradoras como negócio especializado. Esta é a única parte da renda que não é consumida como tal, nem serve necessariamente de fundo de acumulação. Depende do azar que sirva de fato à acumulação ou apenas compense perdas da reprodução. Esta é a única porção da mais--valia e do produto excedente, ou do trabalho excedente a qual, junto com a parte destinada à acumulação, a ampliar o processo de reprodução, teria de continuar a existir após extinguir-se o modo capitalista de produção. Isto supõe naturalmente que a parte regularmente consumida pelos produtores imediatos não fique reduzida ao mínimo atual. Além do trabalho excedente em favor daqueles que, em virtude da idade, ainda não podem ou não podem mais participar da produção, não haverá mais trabalho para manter aqueles que não trabalham. Nos albores da sociedade, ainda não existem meios de produção produzidos, capital constante portanto, cujo valor entre no produto e que, para a reprodução na mesma escala, tenha de ser reposto fisicamente com parcela do produto e de conformidade com o valor. A natureza então fornece de imediato os meios de subsistência, que de início não precisam ser produzidos. Proporciona assim ao selvagem, com poucas necessidades para satisfazer, tempo não para empregar inexistentes meios de produção em produção nova, e sim para transformar outros produtos naturais em meios de produção – arcos, facas de sílex, canoas etc. –, sem excluir o trabalho que custa apropriar-se dos meios de subsistência encontrados na natureza. Se consideramos apenas o aspecto material, esse processo do selvagem corresponde por inteiro à conversão de trabalho excedente em capital novo. No processo de acumulação ocorre continuamente a transformação desse produto de trabalho excedente em capital; e a circunstância de todo capital novo provir de lucro, renda fundiária ou de outras formas de renda, isto é, do trabalho excedente, leva à ideia errônea de que todo valor das mercadorias procede de uma renda. A análise mais detida revela, ao contrário, que, na reversão do lucro a capital, o trabalho adicional, que se apresenta sempre na forma de renda, não serve para conservar ou reproduzir o antigo valor-capital, mas para criar novo capital excedente, desde que não se consuma como renda.

A dificuldade toda decorre de todo trabalho adicionado – se não se converte em salário o valor que cria – aparecer como lucro (considerado aqui a forma da mais-valia em geral), como valor que nada custou ao capitalista e não lhe tem de repor nenhum adiantamento, capital algum. Esse valor existe por conseguinte na forma de riqueza disponível, suplementar, em suma, do ponto de vista do capitalista individual, na forma de renda. Mas, esse novo valor criado pode ser consumido produtiva ou individualmente, como capital ou como renda. Em parte, pela forma natural terá de ser consumido produtivamente. Está claro portanto que o trabalho anualmente adicionado tanto cria capital quanto renda, como se verifica aliás no processo de acumulação. Da força de trabalho, a parte empregada para criar novo capital (por analogia, a parte do dia de trabalho, empregada pelo selvagem, não para apropriar-se de alimentos, mas para fazer instrumentos que lhe possibilitem apropriar-se deles) torna-se invisível porque de início a forma de lucro representa o produto todo do trabalho excedente. Essa circunstância nada tem que ver com o produto excedente em si, dizendo respeito à relação privada do capitalista para com a mais-valia que embolsa. Na realidade, a mais-valia criada pelo trabalhador se reparte em rendas e capital, isto é, em meios de consumo e em meios de produção adicionais. Mas o capital constante antigo, procedente do ano anterior (excetuada a parte danificada e, em correspondência, destruída, pondo-se de lado portanto o que normalmente não deva reproduzir-se; e essas perturbações do processo de reprodução se situam no campo do seguro), não é reproduzido quanto ao valor pelo novo trabalho adicionado.

Mas, verificamos que parte do novo trabalho adicionado se absorve constantemente no objetivo de reproduzir e repor capital constante consumido, embora esse trabalho adicionado só se reduza a rendas, salário, lucro e renda fundiária. Esquece-se então (1) que parte do valor do produto desse trabalho adicionado *não* é produto deste, mas de capital constante que já existia e foi consumido, e que a parte do produto na qual se representa essa parte do valor não se converte por isso em renda, mas repõe fisicamente os meios de produção desse capital constante; (2) que a parte do valor na qual se representa esse trabalho adicionado não se consome fisicamente como renda, mas repõe o capital constante noutra esfera onde esse capital assume forma natural em que pode ser consumido como renda, que por sua vez não é produto exclusivo de novo trabalho adicionado.

Quando a reprodução se dá na mesma escala, todo elemento consumido do capital constante tem de repor-se fisicamente, se não na mesma quantidade e na mesma forma, ao menos quanto à eficácia, por novo exemplar de tipo correspondente. Se não varia a produtividade do trabalho, essa reposição física implica repor o mesmo valor que o capital constante possuía na forma antiga. Mas, se acresce a produtividade do trabalho de modo que menos trabalho possa reproduzir os mesmos elementos materiais, será possível com parte menor do valor do produto repor fisicamente por inteiro a parte constante. A sobra pode então servir para formar novo capital suplementar, ou para se dar a uma parte maior do produto a forma de meios de consumo, ou para reduzir-se o trabalho excedente. Se, ao contrário, diminui a produtividade do trabalho, parte maior do produto tem de entrar na reposição do capital antigo; o produto excedente decresce.

A conversão do lucro (ou de qualquer outra forma da mais-valia) em capital revela – se abstraímos da forma historicamente determinada que a reveste e a consideramos sob o aspecto puro de criação de novos meios de produção – que prossegue existindo para o trabalhador a situação de trabalhar para obter os meios de subsistência imediatos e ainda para produzir os meios de produção. Conversão de lucro em capital não passa de emprego de parte do trabalho excedente para formar meios de produção novos, adicionais. Que isso ocorra na forma de conversão de lucro em capital nada mais expressa que o capitalista é quem dispõe do trabalho excedente e não o trabalhador. A circunstância de esse trabalho excedente ter de passar antes por um estádio em que aparece como renda (quando no caso do selvagem, por exemplo, aparece como trabalho excedente diretamente destinado a produzir meios de produção) significa apenas que o não trabalhador é quem se apropria desse trabalho ou do produto dele. Mas, o que de fato se transforma em capital não é o lucro como tal. Conversão de mais-valia em capital significa apenas que o capitalista não consome individualmente, como renda, a mais-valia e o produto excedente. Mas, o que efetivamente assim se transforma é valor, trabalho objetivado, ou o produto em que esse valor imediatamente se representa ou pelo qual se troca depois de se ter convertido em dinheiro. O lucro, essa forma da mais-valia, mesmo quando o lucro se converte em capital, não constitui a fonte do novo capital. A mais-valia então passa simplesmente de uma forma para outra. Mas, não é essa mudança de forma que faz dela capital. O que funciona então como capital é a mercadoria e o valor dela. E a circunstância de não ser pago o valor da mercadoria, o qual só por isso se torna mais-valia, não importa absolutamente à objetivação do trabalho, ao próprio valor.

O quiproquó se expressa de diferentes formas, por exemplo: diz-se que as mercadorias em que consiste o capital constante encerram igualmente os elementos salário, lucro e renda fundiária; ou que a renda de uns é capital de outros, sendo os conceitos aí puramente subjetivos. Assim, o fio do fiandeiro contém porção de valor que para ele representa o lucro. O fabricante de tecidos, se lhe compra o fio, converte em dinheiro o lucro do fiandeiro, mas para esse comprador o fio só é parte do capital constante.

Ao que já se expôs sobre a relação entre renda e capital cabe acrescentar agora: no que tange ao valor, o elemento constitutivo que entra, com o fio, no capital do fabricante de tecidos é o valor do fio. A maneira como esse valor se repartiu, para o fiandeiro, em capital e renda, isto é, em trabalho pago e não pago, não tem a menor influência na determinação do valor da própria mercadoria (excetuadas as modificações que o lucro médio determina). No fundo continua vigorando a crença de que o lucro – a mais-valia em geral – é algo que ultrapassa o valor, só podendo ser obtido mediante acréscimos, logros recíprocos, ganhos resultantes de venda. Pagar o preço de produção ou o valor da mercadoria significa sem dúvida pagar as partes do valor da mercadoria as quais, para o vendedor, representam forma de renda. Naturalmente não se trata aqui de preços de monopólio.

Além disso, é certo que os componentes das mercadorias que constituem o capital constante, como qualquer valor-mercadoria, são redutíveis a partes do valor que, para os produtores e proprietários dos meios de produção, se converteriam em salário, lucro e renda fundiária. Isto é simplesmente a maneira capitalista de dizer que o valor de toda mercadoria é apenas a medida do trabalho socialmente necessário nela contido. Mas, já vimos no Livro 1 que isso absolutamente não impede que o produto-mercadoria de qualquer capital se dissocie em partes distintas, uma representando a parte constante do capital, outra, a parte variável, e, terceira, a mais-valia.

Storch expressa opinião bastante difundida quando diz:

> "Os produtos vendíveis que constituem a renda nacional devem ser considerados, na economia política, de duas maneiras diferentes: relativamente aos indivíduos, como valores, e relativamente à nação, como bens, pois a renda de uma nação não se avalia como a de um indivíduo, pelo valor, mas pela utilidade ou segundo as necessidades que pode satisfazer" (*Consid. sur la nature du revenu national*, p. 19).

Primeiro, é uma abstração falsa supor que uma nação com modo de produção baseado no valor e organizada em moldes capitalistas seja um organismo que trabalhe unicamente para satisfazer as necessidades nacionais.

Segundo, suprimido o modo capitalista de produção e mantida a produção social, a determinação do valor continuará predominando no sentido de que será mais necessário que nunca regular o tempo de trabalho, repartir o trabalho social entre os diversos grupos de produção e finalmente contabilizar tudo isso.

L.
As ilusões oriundas da concorrência

As ilusões oriundas
da concorrência

Vimos que o valor das mercadorias ou o preço de produção regulado pelo valor total delas se reduz a três partes:

1. A que repõe o capital constante ou representa trabalho pretérito consumido na forma de meios de produção, ao fabricar-se a mercadoria; é, em suma, o valor ou o preço dos meios de produção que entram no processo de produção da mercadoria. Aqui, nunca falaremos da mercadoria isolada; trataremos do capital-mercadoria, isto é, da forma em que se apresenta o produto do capital em determinado período, digamos um ano; a mercadoria isolada constitui, desse produto, apenas um elemento, que aliás se divide, segundo o valor, nas mesmas partes componentes.

2. A parte correspondente ao capital variável que mede a renda do trabalhador e para este se converte em salário, reproduzido pelo trabalhador nessa parte variável; em suma, a parte em que se representa a fração paga do trabalho adicionado, na produção da mercadoria, à primeira parte, a constante.

3. A mais-valia, isto é, a parte do valor do produto-mercadoria na qual se representa trabalho não pago ou trabalho excedente. Esta parte assume por sua vez as formas autônomas que são também as das rendas: as formas de lucro do capital (juro, relativo ao capital em si, e lucro do empresário, relativo ao capital em funcionamento) e renda fundiária que cabe ao proprietário da terra engrenada no processo de produção. As partes 2 e 3 formam componente que assume as formas de renda, a saber, o salário (mas só depois de ter passado pela forma de capital variável), o lucro e a renda fundiária; esse componente distingue-se da parte 1, a constante, porque a ele se reduz todo o valor em que se objetiva o novo trabalho adicionado à parte constante, aos meios de produção de mercadorias. Abstraindo da parte constante do valor, podemos dizer que o valor da mercadoria, ao configurar portanto trabalho adicionado, se reduz sempre a três partes, que constituem as formas de renda – salário, lucro e renda fundiária;[8] as

---

[8] Ao decompor-se o valor adicionado ao capital constante em salário, lucro e renda fundiária, é claro que se trata de partes do valor. Podemos naturalmente imaginar que existam no produto direto em que se representa esse valor, no produto imediato que trabalhadores e capitalistas obtiveram num ramo de produção, na fiação por exemplo, em fio portanto. Mas, na realidade, representam-se nesse produto como em qualquer outra mercadoria, em qualquer outro elemento da riqueza material do mesmo valor. E na prática o salário é pago em dinheiro, a expressão pura do valor; o mesmo se dá com o juro e a renda fundiária. Para o capitalista é de fato muito importante a conversão do produto na expressão pura do valor; é condição prévia da própria repartição. Nada tem que ver com a coisa a circunstância de esses valores se reconverterem no produto ou mercadoria de cuja produção provieram,

magnitudes do valor delas, isto é, as partes alíquotas do valor total as quais elas representam, são determinadas por diferentes leis particulares que já foram objeto de estudo. Mas, reciprocamente seria falsa a proposição de que o valor do salário, a taxa de lucro e a taxa de renda fundiária são elementos constitutivos do valor, os quais reunidos dariam origem ao valor da mercadoria, pondo-se de lado a parte constante; em outras palavras, seria errôneo dizer que são elementos que formam o valor-mercadoria ou o preço de produção.[9]

Percebe-se logo essa distinção.

Seja o valor do produto de um capital de 500 = $400_c + 100_v + 150_m$ = 650; repartam-se os 150_m em 75 de lucro + 75 de renda fundiária. Para evitar dificuldades inúteis, admitiremos que esse capital é de composição média, coincidindo assim o preço de produção com o valor. Essa coincidência ocorre sempre quando o produto desse capital individual pode ser considerado produto de parte do capital total à qual corresponda a sua grandeza.

O salário, medido pelo capital variável, representa aí 20% do capital adiantado; a mais-valia, calculada em relação ao capital todo, constitui 30%, sendo 15% para lucro e 15% para renda fundiária. Do valor da mercadoria, a parte toda em que se objetiva o trabalho adicionado é igual a $100_v + 150_m = 250$. Sua magnitude não depende de decompor-se em salário, lucro e renda fundiária. As proporções entre essas partes revelam que a força de trabalho que recebeu 100 em dinheiro, digamos 100 libras esterlinas, forneceu quantidade de trabalho que, em dinheiro, se expressa em 250 libras esterlinas. O trabalho excedente que o trabalhador forneceu foi de $1\frac{1}{2}$ vez maior que o trabalho que efetuou para si mesmo. Se a jornada era de 10 horas, trabalhou 4 para si mesmo e 6 para o capitalista. Assim, o trabalho remunerado com 100 libras esterlinas expressa-se num valor monetário de 250 libras esterlinas. Além desse valor de 250 libras esterlinas, nada mais resta a dividir entre trabalhador e capitalista, entre

---

ou a circunstância de o trabalhador recuperar, comprando, parte do produto que produziu diretamente ou a de comprar produto de outro trabalho de espécie diferente. O assunto leva Rodbertus a arrebatamentos inúteis.

9 "Basta reparar que a mesma lei geral que regula o valor das matérias-primas e das manufaturas se estende também aos metais; o valor deles não depende da taxa de lucro, nem da taxa de salário, nem da renda fundiária, pagas pela mineração, mas da quantidade total de trabalho necessária para extrair o metal e levá-lo ao mercado" (Ricardo, *Princ.*, capítulo III, p. 77).

capitalista e proprietário da terra. É a totalidade do valor adicionado ao valor de 400 dos meios de produção. Por isso, o valor-mercadoria de 250 assim produzido e determinado pela quantidade de trabalho nele objetivado constitui o limite para as quotas que o trabalhador, o capitalista e o proprietário da terra podem retirar desse valor na forma de renda, isto é, de salário, lucro e renda fundiária.

Admitamos que um capital da mesma composição orgânica, isto é, com a mesma relação entre a força de trabalho viva empregada e o capital constante mobilizado, tenha de pagar, em vez de 100, 150 libras esterlinas por igual força de trabalho que põe em movimento o capital constante de 400; e que a mais-valia se reparta em proporção diferente entre lucro e renda fundiária. Uma vez que o capital variável de 150 libras esterlinas mobiliza agora a mesma massa de trabalho que o anterior de 100, o novo valor produzido será, como dantes, de 250, e o valor do produto global continuará a ser de 650, mas teríamos então: $400_c + 150_v + 100_m$; e estes 100_m decompor-se-iam, digamos, em 45 para lucro e 55 para renda. Seria muito diferente a proporção em que o novo valor global produzido se reparte em salário, lucro e renda; divergiria também a magnitude do capital global adiantado, embora se pusesse em movimento a mesma massa total de trabalho. Em relação ao capital adiantado, o salário atingiria $27\frac{3}{11}$ %, o lucro $8\frac{2}{11}$ %, e a renda fundiária 10%; a totalidade da mais-valia seria ligeiramente superior a 18%.

Em virtude da elevação do salário modifica-se a parte não paga do trabalho global e por conseguinte a mais-valia. Em jornada de 10 horas, o operário trabalha para si 6 e para o capitalista 4. Seria também diversa a relação entre lucro e renda, a mais-valia diminuída se dividiria em proporção diferente entre capitalista e proprietário da terra. Finalmente, uma vez que não se modifica o valor do capital constante, e aumenta o valor do capital variável adiantado, a mais-valia reduzida se expressa numa taxa de lucro bruto ainda mais reduzida, e por tal taxa entendemos a relação entre a mais-valia global e a totalidade do capital adiantado.

A variação no valor do salário, na taxa de lucro e na taxa de renda fundiária só poderia ocorrer dentro dos limites estabelecidos pelo novo valor-mercadoria criado de 250, quaisquer que sejam os efeitos das leis que regulam a relação entre essas partes. A única exceção seria a renda (fundiária) baseada em preço de monopólio. Isso em nada alteraria a lei, mas complicaria nosso estudo, pois, nessa hipótese, se observássemos somente o produto em si, verificaríamos a diferença na repartição da mais-valia, mas, se observássemos seu valor em relação das outras mercadorias encontraríamos apenas esta diferença: parte da mais-valia delas se teria transferido para esse produto, essa mercadoria específica.

Recapitulemos:

VALOR DO PRODUTO	VALOR NOVO	TAXA DE MAIS-VALIA	TAXA DE LUCRO BRUTO
Primeiro caso.			
$400_c + 100_v + 150_m = 650$	250	150%	30%
Segundo caso:			
$400_c + 150_v + 100_m = 650$	250	$66\frac{2}{3}\%$	$18\frac{2}{11}\%$

Primeiro, a mais-valia diminui de um terço, caindo de 130 para 100. A taxa do lucro tem decréscimo pouco superior a um terço, passando de 30% para 18%, pois a mais-valia diminuída se compara com um capital global adiantado maior. Mas, não cai na mesma proporção da taxa de mais-valia. Esta baixa de $\frac{150}{100}$ para $\frac{100}{150}$ portanto de 150% para $66\frac{2}{3}$, quando a taxa de lucro cai de $\frac{150}{100}$ para $\frac{100}{550}$ ou de 30% para $18\frac{2}{11}$. Proporcionalmente, a taxa de lucro diminui mais que a massa de mais-valia, menos porém que a taxa de mais-valia. Além disso, os valores e as massas dos produtos continuam os mesmos, se se aplica a mesma massa anterior de trabalho, embora tenha aumentado o capital adiantado em virtude do acréscimo da parte variável. Esse aumento do capital adiantado tem por certo muita importância para o capitalista que começa um negócio. Mas, se consideramos a totalidade da reprodução, acréscimo do capital variável significa unicamente que parte maior do valor criado pelo trabalho adicionado se converte em salário, antes de mais nada, portanto, em capital variável, e não em mais-valia e produto excedente. O valor do produto continua portanto o mesmo, pois o delimita, de um lado, o valor do capital constante = 400, e, do outro, a cifra de 250 em que se representa o trabalho adicionado. E ambos os valores ficaram invariáveis. Esse produto se por sua vez constituir capital constante, representará, para a mesma magnitude de valor, igual massa de valores-de-uso; não variará portanto o valor para a mesma massa de elementos do capital constante. A coisa mudará, se, ao invés de o salário aumentar por receber o trabalhador parte maior do próprio trabalho, o trabalhador receber parte maior do próprio trabalho por ter decrescido a produtividade do trabalho.

AS ILUSÕES ORIUNDAS DA CONCORRÊNCIA

Nesse caso, o valor global em que se representa o mesmo trabalho, pago e não pago, não variará; mas, diminuirá a massa de produto em que se representa essa massa de trabalho, subindo o preço de cada fração alíquota do produto, pois cada uma representará mais trabalho. O salário elevado a 150 não representará quantidade maior de produto que o anterior de 100; a mais-valia reduzida a 100 só representará $\frac{2}{3}$ do produto – $66\frac{2}{3}$ % da massa de valor-de-uso – que antes se exprimia com 100. Nesse caso, encarecerá também o capital constante na medida em que nele entrar esse produto. Mas esse encarecimento não será consequência da elevação do salário; ao contrário, a elevação do salário será a consequência do encarecimento da mercadoria e da menor produtividade da mesma quantidade de trabalho. Gera-se a ilusão de que o aumento de salário aí encarece o produto; mas, esse aumento não é aí causa e sim consequência de variação do valor da mercadoria em virtude de se ter reduzido a produtividade do trabalho.

Se, ao contrário, sem que se alterem as demais circunstâncias, continuando portanto a mesma quantidade de trabalho empregada a representar-se em 250, se der acréscimo ou decréscimo no valor dos meios de produção aplicados, haverá então acréscimo ou decréscimo correspondente no valor da mesma massa de produto, $450_c + 100_v + 150_m$ dão produto-valor = 700; ao revés, $350_c + 100_v + 150_m$ dão, para a mesma massa de produto, o valor de 600, em vez de 650 como dantes. Se portanto aumentar ou diminuir o capital adiantado que a mesma quantidade de trabalho põe em movimento não se alterando as demais condições, o valor do produto aumentará ou diminuirá se o acréscimo ou decréscimo do capital adiantado provier de variação na magnitude do valor da parte constante do capital. Ao contrário, permanecerá invariável se o acréscimo ou o decréscimo do capital adiantado provier de variação na magnitude do valor da parte variável do capital, desde que não se altere a produtividade do trabalho. No capital constante, o acréscimo ou decréscimo do valor não é compensado por nenhum movimento oposto. No capital variável, não se alterando a produtividade, o acréscimo ou decréscimo do valor é compensado pelo movimento oposto da mais-valia, de modo que permanece invariável a soma do valor do capital variável e da mais-valia, ou seja, o valor novo que o trabalho adiciona aos meios de produção e se representa no produto.

Ao contrário, influi sobre o valor do produto o acréscimo ou decréscimo do valor do capital variável ou do salário, quando é consequência de alta ou baixa do preço das mercadorias, isto é, do decréscimo ou acréscimo da produtividade do trabalho empregado no investimento considerado. Mas, aí, a alta ou baixa de salário não é causa e sim mero efeito.

O valor do produto não varia no exemplo acima, se não se alterando o capital constante de $400_c + 100_v + 150_m$ mudar para $150_v + 100_m$, subindo, portanto, o capital variável, em consequência do decréscimo da produtividade do trabalho, não nesse ramo particular, digamos, na fiação, e sim na agricultura que fornece os meios de subsistência do trabalhador; a alta do capital variável decorrerá portanto do encarecimento desses meios de subsistência. O valor de 650 continuará a representar-se na mesma massa de fio de algodão.

Depreende-se ainda do exposto: o decréscimo no dispêndio de capital constante, em virtude de economias etc. em ramos de produção cujos produtos entrem no consumo dos trabalhadores, poderá acarretar, como o acréscimo direto da produtividade do próprio trabalho aplicado, redução do salário, por baratearem os meios de subsistência do trabalhador e por isso aumentar a mais-valia; desse modo, a taxa de lucro subirá por duas causas: porque decresce o valor do capital constante e porque acresce a mais-valia. Quando estudamos a conversão da mais-valia em lucro, admitíramos que o salário não diminui, mas permanece constante, pois então tínhamos de pesquisar as flutuações da taxa de lucro independentemente do variações da taxa de mais-valia. Além disso, as leis de que então tratamos são gerais e valem também para os investimentos destinados a obter produtos que não entram no consumo do trabalhador e cujo valor varia sem influir portanto nos salários.

O valor acrescentado anualmente aos meios de produção ou à parte constante do capital pelo trabalho adicionado se particulariza e se reduz às diferentes formas de renda – salário, lucro e renda fundiária. Essa circunstância em nada altera o limite desse valor, a soma do valor a repartir entre essas diferentes categorias; do mesmo modo, variação na relação entre essas partes distintas não pode alterar a soma delas, essa magnitude dada de valor. Dado o número 100, ele não se altera por decompor-se em 50 + 50, ou em 20 + 70 + 10, ou em 40 + 30 + 30. A parte do valor do produto a qual se divide nessas rendas é determinada, como a parte constante do valor do capital, pelo valor das mercadorias, isto é, pela quantidade do trabalho que nelas se objetiva. Primeiro, portanto, é dada a massa de valor das mercadorias a qual se reparte em salário, lucro e renda; portanto, o limite absoluto da soma das porções de valor dessas mercadorias. Segundo, no tocante às diferentes categorias, são dados os limites médios e reguladores. O salário serve de base nessa delimitação. Até certo ponto, regula-o uma lei natural; seu limite mínimo é dado pelo mínimo físico de meios de subsistência que o trabalhador precisa obter para conservar e reproduzir a força de trabalho; é dado assim por determinada quantidade de mercadorias. O valor delas é determinado pelo tempo de trabalho necessário para reproduzi-las; portanto, por parte do trabalho adicionado aos meios de produção, ou pela fração do dia de trabalho a qual o trabalhador precisa para produzir e reproduzir um equivalente ao valor desses meios de subsistência necessários. Se o valor dos meios de subsistência médios diários correspondem a 6 horas de trabalho médio, terá ele de trabalhar em média para si mesmo 6 horas do tempo de sua jornada. O valor real da força de trabalho desvia-se desse mínimo físico; difere segundo o clima e a fase do desenvolvimento social; depende não só das necessidades físicas mas também das necessidades sociais historicamente desenvolvidas, que se convertem em segunda natureza. Mas, em todo país, em determinado período, esse salário médio regulador é magnitude dada. Assim, o valor de todas as demais rendas encontra um limite. É sempre igual ao valor em que se objetiva a jornada total (coincidente aqui com a jornada média, pois abrange a totalidade do trabalho posto em movimento pela totalidade do capital social) menos a parte dela expressa em salário. O limite é portanto dado pelo limite do valor que exprime o trabalho não pago, isto é, pela quantidade desse trabalho não pago. Se o segmento da jornada do qual precisa o trabalhador para reproduzir o valor do salário tem por limite último um mínimo físico do salário, o outro segmento em que se objetiva o trabalho excedente, portanto a parte do valor a qual expressa a mais-valia, tem por limite o máximo físico da jornada, isto é, a quantidade total do tempo diário de trabalho a qual o trabalhador pode dar enquanto conserva e reproduz a força de trabalho. Uma vez que se estuda agora a repartição do valor em que se representa o trabalho todo adicionado durante o ano, pode a jornada ser considerada magnitude constante, o que se admite aqui, embora ela se desvie mais ou menos de seu máximo físico. Está portanto dado o limite absoluto da parte do valor a qual constitui a mais-valia e se reduz a lucro e renda fundiária. É determinado pelo que, na jornada, excede a parte paga do trabalho e forma a parte não paga, ou seja, pela parte do valor do produto global na qual se objetiva esse trabalho excedente. Se, como já fizemos, chamamos de lucro a mais-valia assim delimitada, calculada em relação à totalidade do capital adiantado, vemos que esse lucro, quanto à grandeza absoluta, é igual à mais-valia, sendo seus limites portanto determinados pelas mesmas leis. E o nível da taxa de lucro é também magnitude contida dentro de certos limites determinados pelo valor das mercadorias. É a relação entre a totalidade da mais-valia e a totalidade do capital social adiantado para a produção. Se o capital é de 500 (podemos dizer milhões) e a mais-valia é de 100, o limite absoluto da taxa de lucro será 20%. A repartição do lucro social, de acordo com essa taxa, entre os capitais empregados nos diferentes ramos de produção produz preços de produção que se desviam dos valores das mercadorias e são os preços médios de mercado efetivamente reguladores. Apesar disso, os desvios não anulam a determinação dos preços pelos valores, nem os limites do lucro, regulados por leis. O valor de uma mercadoria é igual ao capital nela consumido acrescido da mais-valia nela encerrada, mas, agora, em lugar disso, temos o preço de produção que é igual ao capital k nela consumido, acrescido da mais-valia que a ela cabe em virtude da taxa geral de lucro, digamos de 20% sobre o capital adiantado para produzi-la, consumido ou simplesmente empregado. Esse acréscimo de 20% é determinado pela mais-valia que o capital social todo produziu e pela relação entre ela e o valor do capital; por isso, temos 20% e não 10 ou 100. A conversão dos valores em preços de produção não elimina portanto os limites do lucro, mas apenas altera a repartição dele entre os diferentes capitais particulares de que se compõe o capital social e pelos quais o lucro se reparte de maneira uniforme, na proporção das frações de valor que eles representam, do capital total. Os preços de mercado ora estão acima ora abaixo desses preços de produção reguladores, mas essas oscilações se eliminam reciprocamente. Observemos as tabelas de preços relativas a períodos longos: se excluímos os casos em que o valor real das mercadorias se altera em virtude de variação na produtividade do trabalho, e também os casos em que acidentes naturais ou sociais perturbam o processo de produção, ficaremos admirados, primeiro, com a amplitude relativamente reduzida dos desvios e, segundo, com a regularidade com que se compensam. Encontraremos aí o mesmo domínio das médias reguladoras que Quételet demonstrou existirem na esfera dos fenômenos sociais. Se não há obstáculo a que os valores-mercadorias se uniformizem em preços de produção, a renda fundiária se reduzirá à renda diferencial, isto é, ficará limitada pela liquidação dos lucros suplementares que os preços de produção reguladores

AS ILUSÕES ORIUNDAS DA CONCORRÊNCIA

dão a parte dos capitalistas e de que se apropria o dono da terra. A renda fundiária encontra aí limite determinado de valor nos desvios das taxas individuais de lucro, causados pela circunstância de os preços de produção serem regulados pela taxa geral de lucro. Se a propriedade fundiária se opõe ao ajustamento que converte os valores-mercadorias em preços de produção, e se apropria da renda absoluta, limitará a esta o excedente do valor dos produtos agrícolas sobre o preço de produção, portanto, o excedente da mais-valia neles contida sobre a taxa de lucro que cabe aos capitais em virtude da taxa geral de lucro. Essa diferença constitui então o limite da renda, que continua a ser parte determinada da mais-valia existente, contida nas mercadorias.

Por fim, se o nivelamento da mais-valia em lucro médio encontra, nos diferentes ramos de produção, obstáculos em monopólios artificiais ou naturais e especialmente no monopólio da terra, de modo que seja possível preço de monopólio acima do preço de produção e acima do valor das mercadorias objeto do monopólio, ainda assim não se eliminariam os limites dados pelo valor das mercadorias. O preço de monopólio de certas mercadorias apenas transferiria para elas parte do lucro dos outros produtores de mercadorias. Seria perturbada de maneira indireta e tópica a repartição da mais-valia entre os diferentes ramos de produção, mas não se alteraria o limite da mais-valia mesma. A mercadoria com preço de monopólio, se entrar no consumo necessário do trabalhador, fará subir o salário e em consequência reduzirá a mais-valia, caso o trabalhador continue a receber o valor de sua força de trabalho. Poderá reduzir o salário a nível abaixo do valor da força de trabalho, mas somente se o salário estiver acima do limite do mínimo vital. Nesse caso, o preço de monopólio seria pago mediante redução do salário real (da massa de valores-de-uso que o trabalhador recebe em troca de dada massa de trabalho) e do lucro dos outros capitalistas. Os limites dentro dos quais o preço de monopólio prejudicaria a regulação normal dos preços das mercadorias estariam claramente definidos e poderiam ser exatamente calculados.

A divisão do valor adicionado das mercadorias, redutível a rendas, tem limites dados e reguladores na relação entre trabalho necessário e excedente, entre salário e mais-valia; do mesmo modo, a divisão da mais-valia mesma em lucro e renda fundiária encontra seus limites nas leis que regulam o nivelamento da taxa de lucro. Ao dividir-se em juro e lucro do empresário, o lucro médio mesmo constitui o limite da soma de ambos. Mede o valor total que ambos devem e podem dividir. A proporção em que aí se dá a divisão é casual, isto é, determinada unicamente pelas condições da concorrência. Em regra, a coincidência entre a procura e a oferta equivale à eliminação do desvio entre os preços de mercado e os preços médios reguladores, isto é, à eliminação do papel da concorrência, mas, no caso, esta é o único elemento determinante. E por quê? Porque o mesmo fator de produção, o capital, tem de dividir a parte da mais-valia que lhe cabe entre dois que ao mesmo tempo o possuem. A circunstância de não haver aí limite determinado, regulado por lei, para a repartição do lucro médio não anula o limite deste como parte do valor-mercadoria, do mesmo modo que em nada altera os limites do lucro a circunstância de dois sócios o dividirem desigualmente por motivos extrínsecos ao negócio.

Se, portanto, a parte do valor-mercadoria, na qual se representa o trabalho adicionado ao valor dos meios de produção se decompõe em frações diversas que, na forma de rendas, configuram entidades distintas, nem por isso salário, lucro e renda fundiária devem ser considerados elementos constitutivos que, reunidos ou somados, dariam origem ao preço regulador (preço natural, preço necessário) das mercadorias. A ser assim, o valor-mercadoria, depois de deduzida a parte constante do valor, não seria a unidade original que se decompõe nessas três frações, mas, ao contrário, o preço de cada uma dessas três frações seria determinado de maneira autônoma, só se formando então o preço da mercadoria com a adição dessas três magnitudes independentes. Na realidade, o valor-mercadoria é a magnitude primacial, a totalidade, o conjunto dos valores do salário, lucro e renda fundiária, qualquer que sejam as proporções que existam entre eles. Segundo a concepção errônea que examinamos, salário, lucro e renda fundiária são três valores independentes que somados produzem, limitam e determinam a magnitude do valor-mercadoria.

Antes de mais nada, é claro que, se salário, lucro e renda fundiária constituem o preço das mercadorias, isto se estenderia tanto à parte constante do valor-mercadoria quanto à outra parte em que se representam o capital variável e a mais-valia. Essa parte constante pode aqui ser posta totalmente de lado, pois o valor das mercadorias em que ela existe se reduziria também à soma dos valores do salário, lucro e renda fundiária. Conforme já observamos, essa concepção nega mesmo a existência dessa parte do valor, a parte constante.

AS ILUSÕES ORIUNDAS DA CONCORRÊNCIA

Além disso, é claro que nela desaparece totalmente a ideia de valor. Fica apenas a ideia de preço, no sentido de que certa quantidade de dinheiro é paga aos possuidores de força de trabalho, capital e terra. Mas, o que é dinheiro? Não é coisa, mas forma determinada do valor, supondo por sua vez o valor. Diríamos portanto que se paga certa quantidade de ouro ou prata por aqueles elementos de produção, ou que mentalmente essa quantidade se lhes equipara. Mas ouro e prata (e os iniciados da economia política se orgulham desse conhecimento) são também mercadorias como quaisquer outras. O preço do ouro ou da prata é portanto determinado também pelo salário, lucro e renda fundiária. Não podemos portanto definir o salário, o lucro e a renda fundiária equiparando-os a certa quantidade de ouro e prata, pois o valor do ouro e da prata que serviriam de equivalente para avaliá-los deve ser antes determinado por eles, sem depender do ouro e da prata, isto é, sem depender do valor de mercadoria alguma, o qual resulta justamente daqueles três elementos. Dizer que o valor do salário, lucro e renda fundiária consiste em que se igualam a certa quantidade de ouro e prata, significa unicamente dizer que são iguais a certa quantidade de salário, lucro e renda fundiária.

Comecemos pelo trabalho, pois, mesmo nessa teoria, o ponto de partida necessário é o trabalho. Como se determina o preço regulador do salário, o preço em torno do qual oscilam os preços de mercado?

Diríamos que pela procura e oferta da força de trabalho. Mas, de que procura da força de trabalho se trata? Da procura de iniciativa do capital. A procura de trabalho equivale portanto a oferta de capital. Para falar da oferta de capital, precisamos saber, antes de mais nada, o que é capital. Em que consiste o capital? Em dinheiro e mercadorias, se consideramos sua manifestação mais simples. Mas, se dinheiro é apenas uma forma de mercadoria, o capital consiste em mercadorias. Sendo o valor das mercadorias, segundo a hipótese formulada, determinado em primeira instância pelo preço do trabalho que as produz, pelo salário, supõe-se dada a existência do salário que é tratado como elemento constitutivo do preço das mercadorias. Este preço deve então ser determinado pela relação entre a oferta de trabalho e o capital. O preço do capital mesmo é igual ao preço das mercadorias em que consiste esse capital. A procura de trabalho, de iniciativa do capital, é igual à oferta de capital. E a oferta de capital é igual à oferta de uma soma de mercadorias de dado preço, que é regulado, em primeiro lugar, pelo preço do trabalho, que, por sua vez, é igual à parte do preço das mercadorias a qual forma o capital variável, que se cede ao trabalhador em troca do trabalho; e o preço das mercadorias que constituem esse capital variável é por sua vez determinado, em primeiro lugar, pelo preço do trabalho, uma vez que o determinam os preços de salário, lucro e renda fundiária. Para determinar o salário não podemos portanto pressupor o capital, uma vez que o valor do capital mesmo é determinado em parte pelo salário.

Além disso, de nada adianta procurar a ajuda da concorrência. A concorrência faz subir ou descer os preços de mercado do trabalho. Mas, se supomos coincidirem a procura e a oferta de trabalho, que é que determina o salário? A concorrência. Mas acabamos de supor que a concorrência cessa de atuar, tendo os efeitos anulados por se equilibrarem as duas forças que dentro dela se opõem. E nosso objetivo é justamente encontrar o preço natural do salário, isto é, o preço do trabalho, preço que, ao invés de ser regulado pela concorrência, a regula.

Resta apenas determinar o preço necessário do trabalho pelos meios de subsistência necessários ao trabalhador. Mas, esses meios de subsistência são mercadorias que têm preço. O preço do trabalho é portanto determinado pelo preço dos meios de subsistência necessários, e o preço dos meios de subsistência, como o de todas as outras mercadorias, é determinado, em primeiro lugar, pelo preço do trabalho. Por conseguinte, o preço do trabalho, ao ser determinado pelo preço dos meios de subsistência, é determinado pelo preço do trabalho. O preço do trabalho é determinado por si mesmo. Em outras palavras, ignoramos o que determina o preço do trabalho. Nessa concepção, o trabalho tem preço porque é considerado mercadoria. Por conseguinte, para falar do preço do trabalho, precisamos saber o que é preço em geral. Mas, é o que não conseguimos saber por esse caminho.

Admitamos entretanto que o preço necessário do trabalho seja determinado dessa maneira tão alentadora. Como será então determinado o lucro médio, o lucro de todo capital em condições normais, o segundo elemento do preço da mercadoria? O lucro médio tem de ser determinado pela taxa média de lucro; mas, como se determina esta? Pela concorrência entre capitalistas? Essa concorrência porém já pressupõe existir o lucro. Pressupõe taxas de lucro diferentes, lucros diversos portanto, nos mesmos ou em diferentes ramos de produção. Na taxa de lucro, a concorrência só pode influir se influi nos preços das mercadorias. A concorrência só pode fazer que os produtores no mesmo ramo de produção vendam as mercadorias a preços iguais e que em ramos de produção diferentes vendam as

AS ILUSÕES ORIUNDAS DA CONCORRÊNCIA

mercadorias a preços que lhes proporcionem o mesmo lucro, o mesmo acréscimo proporcional ao preço da mercadoria já determinado em parte pelo salário. A concorrência só pode portanto nivelar as desigualdades na taxa de lucro. E para nivelar taxas de lucro desiguais é mister que o lucro já exista antes como elemento do preço da mercadoria. A concorrência não o cria. Faz subir ou baixar mas não cria o nível que se estabelece quando ocorre a igualação. E, quando falamos de taxa necessária de lucro, procuramos justamente conhecer a taxa de lucro que não depende dos movimentos da concorrência, mas a regula. A taxa média de lucro se estabelece ao se equilibrarem as forças dos capitalistas concorrentes. A concorrência pode instalar esse equilíbrio, mas não a taxa de lucro que se estabelece com ele. Uma vez instalado esse equilíbrio, por que então a taxa geral de lucro é 10 ou 20 ou 100%? Por causa da concorrência. Mas, ao contrário, a concorrência neutralizou as causas que provocavam os desvios dos 10 ou dos 20 ou dos 100%. Deu lugar a preço de mercadoria com que todo capital proporciona o mesmo lucro em relação à magnitude. Mas, a grandeza desse lucro não depende da concorrência. Esta apenas reduz, sem cessar, todos os desvios a essa grandeza. Força o industrial a vender a mercadoria pelo mesmo preço dos outros competidores. Mas, por que esse preço é 10, 20 ou 100? Só nos resta assim uma explicação: a taxa de lucro e portanto o lucro é um acréscimo, que se estabelece de maneira ininteligível, ao preço da mercadoria, até aqui determinado pelo salário. A concorrência só nos diz que essa taxa de lucro tem de ser magnitude dada. Mas, já sabíamos disto quando falamos da taxa geral de lucro e do "preço necessário" do lucro.

É desnecessário repetir essa argumentação absurda com relação à renda fundiária. Logo se vê que, se desenvolvida de maneira consequente, levará o lucro e a renda fundiária a parecerem meros acréscimos, regidos por leis incompreensíveis, feitos ao preço da mercadoria, determinado em primeiro lugar pelo salário. Em suma, a concorrência tem de tomar a si o encargo de explicar as ideias absurdas dos economistas, quando estes, ao contrário, deveriam explicar o que é a concorrência.

Se abstraímos da fantasia de terem sido o lucro e a renda fundiária – essas partes do preço – criados pela circulação, isto é, oriundos da venda – e a circulação nunca pode dar o que não recebeu antes –, a coisa se reduz simplesmente ao seguinte:

Seja o preço de uma mercadoria determinado pelo salário de 100; a taxa de lucro = 10% do salário, e a renda fundiária = 15% do salário. Assim, determinado pela soma do salário, lucro e renda fundiária, o preço da mercadoria = 125. Esse acréscimo de 25 não pode provir da venda da mercadoria, pois todos os que vendem, vendem reciprocamente por 125 o que lhes custou 100 de salário, e tudo daria no mesmo se todos vendessem por 100. A operação portanto deve ser examinada independentemente do processo de circulação.

Se os três elementos repartem entre si a mercadoria que custa agora 125 – e a coisa em nada se altera se o capitalista primeiro vende por 125 e depois paga ao trabalhador 100, a si mesmo 10, e ao proprietário da terra 15 –, receberá o trabalhador $\frac{4}{5}$ = 100 do valor e do produto. O capitalista receberá $\frac{2}{25}$ do valor e do produto e o proprietário da terra $\frac{3}{25}$. O capitalista, vendendo por 125, e não por 100, só dá ao trabalhador $\frac{4}{5}$ do que este produziu com o próprio trabalho. Teríamos a mesma coisa se desse 80 ao trabalhador, retivesse 20, tirando daí 8 para si e 12 para o proprietário da terra. Teria então vendido a mercadoria pelo valor, pois de fato os acréscimos de preço são altas independentes do valor da mercadoria, determinado, segundo a hipótese estabelecida, pelo valor do salário. Nessa concepção chega-se por um rodeio ao seguinte: a palavra salário, os 100, é igual ao valor do produto, isto é, à soma em dinheiro na qual se representa determinada quantidade de trabalho; mas, esse valor por sua vez difere do salário real, apresentando um excedente, obtido mediante simples aumento nominal do preço. Assim, se o salário for de 110, em vez de 100, o lucro deverá ser de 11, e a renda fundiária de 16 $\frac{1}{2}$, e o preço da mercadoria, portanto, de 137 $\frac{1}{2}$. As proporções não se alterariam. Uma vez que se manteria sempre a repartição mediante acréscimo nominal de certa percentagem sobre o salário, o preço subiria e cairia com o salário. Nessa teoria, supõe-se de início o salário igual ao valor da mercadoria, e depois diferente dele. Na realidade, por um rodeio sem sentido, chega-se a este resultado: o valor da mercadoria é determinado pela quantidade de trabalho nela contido; o valor do salário, pelo preço dos meios de subsistência necessários, e o excedente do valor sobre o salário constitui o lucro e a renda fundiária.

Depois de deduzido o valor dos meios de produção consumidos, os valores das mercadorias – essa massa de valor dada, determinada pela quantidade de trabalho materializado no produto-mercadoria – se decompõem em três partes que assumem aspecto de formas autônomas e reciprocamente independentes de rendas: salário, lucro e renda fundiária. Essa decompo-

AS ILUSÕES ORIUNDAS DA CONCORRÊNCIA

sição se configura invertida na superfície visível da produção capitalista e por conseguinte no espírito dos agentes dessa produção, nela confinados.

Seja 300 o valor global de uma mercadoria qualquer, representando 200 o valor dos meios de produção ou os elementos do capital constante consumidos para produzi-la. Restam portanto 100 como a soma do valor novo, adicionado a essa mercadoria no processo de produção. Esse valor novo de 100 é tudo que é disponível para repartir-se pelas três formas de rendas. Se o salário = x, o lucro = y, e a renda fundiária = z, a soma de x + y + z será, nesse caso, sempre igual a 100. Mas a coisa assume aspecto totalmente diverso na mente dos industriais, comerciantes e banqueiros e também na do economista vulgar. Para eles, o valor da mercadoria, depois de deduzido o valor dos meios de produção nela consumidos, não é um elemento dado = 100, depois repartido por x, y, z. Ao contrário, o preço da mercadoria se compõe simplesmente do valor do salário, do lucro e da renda fundiária, determinados cada um de maneira independente e sem subordinação ao valor da mercadoria. Desse modo, x, y e z são dados e determinados cada um de per si, de maneira autônoma, e só da soma dessas magnitudes, que pode ser maior ou menor que 100, resultaria a grandeza do valor da mercadoria, como a adição dos elementos que produzem o valor dela. Esse quiproquó é inevitável por diversos motivos:

Primeiro: Os componentes do valor da mercadoria se confrontam como rendas autônomas, como tais referidas a três fatores de produção completamente diversos entre si, o trabalho, o capital e a terra, parecendo por isso provir deles. A propriedade da força de trabalho, do capital e da terra é a causa que faz esses diversos componentes do valor das mercadorias caber aos respectivos proprietários e para estes se converter em rendas. Mas o valor não provém de uma conversão em renda; tem de existir antes de poder converter-se em renda, de assumir essa configuração. A aparência do oposto impõe-se ainda mais porque a determinação da magnitude relativa dessas três partes segue leis diferentes, e a superfície da sociedade capitalista dissimula a conexão que têm essas leis com o valor das próprias mercadorias e o limite que encontram nesse valor.

Segundo: Vimos que alta ou baixa geral do salário, desde que não se alterem as demais circunstâncias, ao produzir movimento da taxa geral de lucro em sentido oposto, altera os preços de produção das diferentes mercadorias: uns sobem, outros caem, de acordo com a composição média do capital nos ramos de produção considerados. Em todo caso, a experiência em alguns ramos de produção revela que o preço médio de uma mercadoria sobe porque o salário subiu, e cai porque o salário caiu. O que não se "experimenta" é a regulação secreta dessas alterações pelo valor das mercadorias, o qual não depende do salário. Se a alta do salário é restrita, ocorrendo apenas em ramos particulares de produção em virtude de circunstâncias peculiares, pode sobrevir em correspondência elevação nominal do preço das mercadorias desses ramos. Essa alta do valor relativo de uma espécie de mercadorias, confrontada com as outras espécies para as quais o salário não variou, não passa de reação contra a perturbação tópica da repartição uniforme da mais-valia pelos diferentes ramos de produção, é apenas meio de nivelar as taxas particulares de lucro de acordo com a taxa geral. E a "experiência" mostra de novo que o preço é determinado pelo salário. O que a experiência indica portanto nos dois casos é que o salário determinou os preços das mercadorias. O que não se percebe é a causa oculta dessa conexão. E mais: o preço médio do trabalho, isto é, o valor da força de trabalho, é determinado pelo preço de produção dos meios de subsistência necessários. O primeiro varia com o segundo. Ainda aí a experiência mostra que existe uma conexão entre o salário e o preço das mercadorias; mas a causa pode aparecer como efeito, e o efeito como causa. No movimento dos preços de mercado, por exemplo, alta do salário acima da média corresponde a elevação, em período de prosperidade, dos preços de mercado acima dos preços de produção, e queda subsequente do salário abaixo da média corresponde a queda dos preços de mercado abaixo dos preços de produção. A circunstância de os preços de produção estarem ligados aos valores das mercadorias deveria, se abstraímos dos movimentos oscilatórios dos preços de mercado, corresponder de imediato à verificação de que, se o salário sobe, baixa a taxa de lucro, e vice-versa. Mas, vimos que a taxa de lucro pode ser determinada por movimentos no valor do capital constante, sem depender dos movimentos do salário; desse modo, é possível que salário e taxa de lucro se movam no mesmo sentido e não em sentido oposto, ambos subindo ou caindo conjuntamente. Isto não poderia ocorrer se houvesse coincidência direta entre taxa de mais-valia e a taxa de lucro. Mesmo quando o salário sobe em virtude de preços elevados dos meios de subsistência, a taxa de lucro pode não variar ou até subir em consequência de intensidade maior do trabalho ou de prolongamento da jornada. Todas essas experiências confirmam a aparência produzida pela forma autônoma e invertida das partes do valor, como se o salário apenas, ou salário e lucro em conjunto determinassem o valor das mercadorias. Esse raciocínio ilusório, uma vez aplicado ao salário, parecendo assim preço do trabalho coincidir com o valor criado pelo trabalho, estende-se naturalmente ao lucro e à renda fundiária. Os preços do lucro e da renda fundiária, isto é, suas expressões em dinheiro, devem ser então regulados independentemente do trabalho e do valor por ele produzido.

Terceiro: Admitamos que os valores das mercadorias ou os preços de produção, deles independentes só na aparência, coincidam manifesta, imediata e constantemente com os preços de mercado das mercadorias, ao invés de se imporem na função exclusiva de preços médios reguladores por meio das compensações contínuas das oscilações incessantes dos preços de mercado. Admitamos ainda que a reprodução ocorra em condições invariáveis, ficando assim constante a produtividade do trabalho para todos os elementos do capital. Admitamos por fim que a parte do valor do produto-mercadoria gerada em todo ramo de produção mediante acréscimo de nova quantidade de trabalho, de novo valor produzido, adicionado ao valor dos meios de produção, se divida, segundo proporções invariáveis, em salário, lucro e renda fundiária, de modo que o salário na realidade pago, o lucro de fato realizado e a renda fundiária real, respectivamente, coincidam sempre e de imediato com o valor da força de trabalho, com o segmento da mais-valia global destinado, em virtude da taxa de lucro médio, a cada porção autônoma do capital total, e com os limites em que a renda fundiária, nessa base, normalmente se encerra. Em suma, admitimos que ocorram a repartição do produto-valor social e a regulação dos preços de proibição em base capitalista, mas sem que opere a concorrência.

Nessas condições, o valor das mercadorias pareceria e seria constante, a parte do valor do produto-mercadoria, a qual se reduz a rendas, permaneceria magnitude constante e como tal se apresentaria; finalmente, essa parte dada e constante do valor se dividiria sempre, segundo proporções invariáveis, em salário, lucro e renda fundiária. Mesmo nessas condições, o movimento real assumiria necessariamente configuração invertida: não pareceria haver decomposição de valor anteriormente dado, em três partes que assumem formas de rendas com independência recíproca, mas, ao contrário, pareceria haver criação desse valor pela soma dos elementos que o constituem, determinados de maneira independente e autônoma. Essa ilusão surge necessariamente porque no movimento real dos capitais particulares e de seus produtos-mercadorias o valor das mercadorias não parece ser a condição prévia dessa decomposição; ao contrário, os componentes em que elas se dividem parecem funcionar como condição prévia do valor das mercadorias. Conforme vimos no início, o preço de custo da mercadoria aparece ao capitalista como grandeza dada, e assim constantemente se apresenta no processo real de produção. Mas o preço de custo é igual ao valor do capital constante dos meios de produção adiantados, acrescido do valor da força de trabalho, o qual para os agentes da produção se representa na forma irracional de preço do trabalho, de modo que o salário ao mesmo tempo aparece como renda do trabalhador. O preço médio do trabalho é magnitude dada, porque o valor da força de trabalho, como o de qualquer outra mercadoria, é determinado pelo tempo de trabalho necessário para reproduzi-la. Mas, a parte do valor das mercadorias a qual se reduz a salário não provém de ela assumir essa forma de salário, de o capitalista adiantar, na forma de salário, ao trabalhador a participação deste no próprio produto; ela decorre de o trabalhador produzir equivalente ao salário, isto é, de parte de sua jornada diária ou anual produzir o valor contido no preço de sua força de trabalho. Mas, o salário é estipulado por contrato, antes de ser produzido o valor que lhe corresponde. Elemento do preço, de magnitude dada antes de produzidos a mercadoria e o valor-mercadoria, componente do preço de custo, o salário não aparece portanto como parte que se desprende do valor global para assumir forma autônoma, mas, ao contrário, como grandeza dada que de antemão determina esse valor, isto é, como gerador de preço ou de valor. O papel do lucro médio no preço de produção da mercadoria é análogo ao do salário no preço de custo, pois o preço de produção é igual ao preço de custo acrescido do lucro médio relativo ao capital adiantado. Esse lucro médio entra praticamente no raciocínio e nos cálculos do capitalista, como elemento regulador, não só para decidir da transferência dos capitais aplicados num ramo para outro, mas também para todas as vendas e contratos que envolvam processo de reprodução que se estenda por períodos longos. No exercício dessa função é grandeza dada, que na realidade não depende do valor e da mais-valia produzidos em cada ramo particular de produção, o que é mais válido ainda quando se trata do valor e mais-valia produzidos por cada capital em cada um desses ramos. Longe de parecer resultado de divisão do valor, patenteia-se na aparência independente do valor do produto-mercadoria, grandeza que é dada de antemão no processo de produção das mercadorias e que determina o preço médio das próprias mercadorias; em suma, apresenta-se como elemento que

AS ILUSÕES ORIUNDAS DA CONCORRÊNCIA

gera valor. E a mais-valia, por se separarem suas diferentes partes em formas de todo independentes umas das outras, parece preexistir à produção do valor das mercadorias, em forma muito mais concreta. Parte do lucro médio, na forma de juro, ante o capitalista ativo surge de maneira autônoma, como elemento que precede a produção das mercadorias e do valor delas. O juro, por mais que oscile sua grandeza, é em todo momento e para todo capitalista magnitude dada, que para ele, o capitalista individual, entra no preço de custo das mercadorias que produz. O mesmo se estende à renda fundiária na forma de arrendamento devido pelo capitalista agrícola e estipulado por contrato, e na forma de aluguel de locais utilizados por outros empresários. Essas partes em que se divide a mais-valia parecem, ao inverso do real, gerar a mais-valia, parte do preço da mercadoria, enquanto o salário geraria a outra, porque, para o capitalista individual, são elementos dados do preço de custo. Esses produtos da decomposição do valor-mercadoria sempre aparecem como se fossem as condições prévias da própria formação do valor, e o segredo dessa ilusão é simples: o modo capitalista de produção, como qualquer outro, não só reproduz sem cessar o produto material, mas também as relações econômicas e sociais e as formas econômicas específicas, adequadas para criar esse produto. Temos assim a permanente ilusão: os resultados parecem condições prévias, e estas, resultados. E esta reprodução permanente das mesmas relações é o que o capitalista individual preliba, considerando-a fato evidente, indiscutível. Enquanto persistir a produção capitalista como tal, uma fração do trabalho adicionado se reduzirá a salário, outra a lucro (juro e lucro do empresário), e terceira a renda fundiária. Nos contratos entre os donos dos diversos fatores de produção pressupõe-se essa divisão, e esse pressuposto é acertado, por mais que oscilem as relações quantitativas segundo os casos individuais. A configuração definida em que se confrontam as partes do valor é suposta antecipada porque é sempre reproduzida, e é sempre reproduzida por sempre ser pressuposta.

Sem dúvida, a experiência e os fenômenos ocorrentes mostram também que os preços de mercado, que para o capitalista parecem de fato determinar de maneira exclusiva o valor, considerados segundo a grandeza, não dependem dessas antecipações, não se regulam pelo juro ou pela renda fundiária que, em nível alto ou baixo, forem convencionados. Mas os preços de mercado só são constantes na variação, e a média deles em períodos longos produz as médias respectivas do salário, lucro e renda fundiária como as magnitudes constantes que os regulam em última análise.

Demais, o raciocínio parece muito simples: se salário, lucro e renda fundiária são criadores de valor porque se supõem existentes antes da produção do valor e porque são para o capitalista pressupostos do preço de custo e do preço de produção, então é também criadora de valor a parte constante do capital, pois seu valor, previamente dado, entra na produção de toda mercadoria. Mas a parte constante do capital é mera soma de mercadorias e portanto de valores-mercadorias. Chegamos assim a essa tautologia absurda: o valor-mercadoria gera e causa o valor-mercadoria.

Mas, se o capitalista tivesse algum interesse de refletir sobre esse problema – e suas reflexões, como capitalista, são ditadas exclusivamente pelo interesse e por motivos de interesse –, a experiência mostrar-lhe-ia que o produto que ele mesmo produz entra como parte constante do capital em outros ramos de produção, e os produtos desses outros ramos de produção entram como parte constante do capital no produto dele. Para ele, na produção nova, o valor adicionado se forma, segundo parece, pelas grandezas do salário, lucro e renda fundiária. Por isso, passa a ver por esse prisma a parte constante que consiste em produtos de outros capitalistas, e o preço da parte constante do capital e por conseguinte o valor global das mercadorias se reduzem, em última análise, embora de maneira que não fica de todo esclarecida, à soma de valor resultante da adição dos criadores de valor, autônomos, regulados por leis diferentes e oriundos de fontes diversas: o salário, o lucro e a renda fundiária.

Quarto: Ser ou não pelo valor a venda da mercadoria, isto é, a determinação mesma do valor, absolutamente não importa ao capitalista individual. De início, essa determinação já é algo que se dá sem conhecimento dele, por força de relações que dele não dependem, pois não são os valores, mas os preços de produção, deles diferentes, que formam os preços médios reguladores em todo ramo de produção. A determinação do valor como tal só interessa ao capitalista individual e ao capital em cada ramo particular de produção e os condiciona quando a quantidade de trabalho reduzida ou acrescida que, com o aumento ou o decréscimo da produtividade do trabalho, é necessária para produzir as mercadorias, num caso, o capacita para obter lucro extra aos preços de mercado vigentes, e, no outro, o força a elevar o preço das mercadorias porque as oneram mais trabalho, mais capital constante e por isso mais juros. Essa determinação só lhe interessa quando aumenta ou diminui para ele os custos de produção das mercadorias, quando o coloca portanto em posição excepcional.

AS ILUSÕES ORIUNDAS DA CONCORRÊNCIA

Por outro lado, o salário, o juro e a renda fundiária patenteiam-se-lhe limites reguladores não só do preço com que pode realizar a parte do lucro que lhe cabe como capitalista ativo, o lucro do empresário, mas também do preço a que terá de vender a mercadoria para que seja possível a continuidade da reprodução. Não lhe importa que realize ou não, com a venda, o valor e a mais-valia encerrados na mercadoria, desde que retire do preço o lucro de empresário – em nível normal ou superior – a ser acrescido ao preço de custo que lhe é individualmente dado pelo salário, juro e renda fundiária. Excluindo-se a parte constante do capital, aparecem-lhe o salário, o juro e a renda fundiária como os elementos determinantes que delimitam e por conseguinte criam o preço da mercadoria. Se consegue, por exemplo, comprimir o salário abaixo do valor da força de trabalho, abaixo do nível normal portanto, obter capital com taxa reduzida de juro e pagar renda fundiária menor que a normal, absolutamente não lhe importará vender o produto abaixo do valor e mesmo abaixo do preço geral de produção e ceder assim gratuitamente parte do trabalho excedente contido na mercadoria. Isto se estende também à parte constante do capital. Um industrial, se consegue adquirir matéria-prima abaixo do preço de produção, estará evitando perdas mesmo quando, no produto acabado, a revende abaixo do preço de produção. O lucro do empresário pode ficar o mesmo e até aumentar, desde que não varie ou acresça o excedente do preço da mercadoria sobre os elementos desse preço que tenham de ser pagos e repostos por um equivalente. Mas, além do valor dos meios de produção que na qualidade de magnitudes dadas de preço entram na produção das mercadorias, o salário, o juro e a renda fundiária ingressam nessa produção como grandezas que lhe delimitam e regulam o preço. Aparecem perante o capitalista como os elementos que determinam o preço das mercadorias. Olhado por esse aspecto, o lucro do empresário parece determinado pelo que sobra dos preços de mercado, dependentes das condições fortuitas da concorrência, depois de deduzido o valor imanente das mercadorias, estabelecido por aqueles elementos do preço; ou esse lucro, quando influi no preço de mercado, parece depender da concorrência entre compradores e vendedores.

Na concorrência entre os capitalistas ou na concorrência travada no mercado mundial são as magnitudes dadas e pressupostas do salário, do juro e da renda fundiária que entram nos cálculos como grandezas constantes e reguladoras; constantes não no sentido de invariáveis, mas significando que em cada caso individual são dadas e constituem o limite constante para os preços de mercado que oscilam sem cessar. Na concorrência reinante no mercado mundial, por exemplo, o que importa exclusivamente é saber se, com o salário, o juro e a renda fundiária dados, a mercadoria pode vender-se aos preços gerais de mercado dados ou abaixo deles, com proveito, isto é, realizando adequado lucro de empresário. Se num país forem baixos o salário e o preço da terra, e alto o juro do capital, por não estar desenvolvido nele o modo capitalista de produção, enquanto noutro país o salário e o preço da terra são nominalmente altos, embora o juro do capital seja baixo, então o capitalista aplicará no primeiro mais trabalho e mais terra, e no segundo proporcionalmente mais capital. Esses fatores são determinantes para o cálculo das possibilidades que têm ambos os países de concorrer entre si. Aí, a experiência teoricamente e o cálculo interessado do capitalista praticamente se encarregam de mostrar que os preços das mercadorias são determinados por salário, juro e renda fundiária, pelo preço do trabalho, do capital e da terra, e que esses elementos na realidade criam e regulam os preços.

Naturalmente, deixa-se sempre de pressupor aí elemento que resulta do preço de mercado das mercadorias e que é o excedente sobre o preço de custo constituído da adição daqueles elementos: o salário, o juro e a renda fundiária. Em todo caso individual, esse quarto elemento aparece determinado pela concorrência e, na média dos casos, pelo lucro médio, por sua vez regulado pela concorrência apenas em períodos longos.

Quinto: Na base do modo capitalista de produção, decompor o valor que representa o trabalho adicionado nas formas de rendas, em salário, lucro e renda fundiária, torna-se tão natural que esse método (para não falar de períodos históricos anteriores referidos em exemplos a propósito da renda fundiária) também se aplica onde faltam de antemão as condições existenciais daquelas formas de rendas. Em suma, tudo por analogia se lhes assimila.

Quando um trabalhador independente – escolhamos um pequeno camponês, pois no seu caso podem ser levadas em conta as três formas de renda – trabalha para si mesmo e vende o próprio produto, será considerado de início como seu próprio empresário (capitalista) que emprega a si mesmo como trabalhador, e como seu próprio senhorio que emprega a si mesmo como arrendatário. Como trabalhador assalariado paga a si mesmo salário, como capitalista apropria-se de lucro, e como senhorio paga a si mesmo renda fundiária. Supondo-se que a sociedade em geral se baseia no modo capitalista de produção e nas correspondentes relações sociais, essa assimila-

AS ILUSÕES ORIUNDAS DA CONCORRÊNCIA

ção passa a ser justa porque a faculdade que tem de apoderar-se do próprio trabalho excedente ele a deve não a seu trabalho, mas à propriedade dos meios de produção (que então assumem de modo geral a forma de capital). Demais, se o que produz se destina ao mercado, se depende portanto do preço do produto (e, se não for o caso, o preço pode ser avaliado), o trabalho excedente de que pode tirar proveito não depende da magnitude dele, mas da taxa geral de lucro; e, do mesmo modo, o excedente eventual sobre a cota de mais-valia estabelecida pela taxa geral de lucro não é governado pela quantidade de trabalho que efetuou, e esse camponês só pode apropriar-se desse excedente por ser proprietário da terra. É possível, de maneira até certo ponto justificável, ajustar às formas capitalistas de rendas forma de produção que não corresponde ao sistema capitalista, e essa possibilidade ainda mais robustece a ilusão de que as relações capitalistas são as relações naturais de todo modo de produção.

Admitamos estas condições: o salário reduzido ao fundamento geral, a saber, à fração do produto do trabalho próprio a qual entra no consumo individual do trabalhador; essa fração liberada do empeço capitalista e ampliada de modo a assegurar o consumo, de um lado, permitido pela produtividade social existente (isto é, a produtividade social do trabalho próprio enquanto trabalho efetivamente social) e, do outro, exigido pelo desenvolvimento pleno da personalidade; o trabalho excedente e o produto excedente reduzidos ao nível requerido, nas condições de produção dadas da sociedade, para constituir um fundo de seguro e de reserva e para ampliar, de maneira contínua, a reprodução na medida determinada pelas necessidades sociais; (1) no trabalho necessário e (2) no trabalho excedente incluída a quantidade de trabalho que os aptos devem sempre efetuar para os que ainda não podem ou não podem mais trabalhar; em suma, o salário e a mais-valia, o trabalho necessário e o excedente despojados do caráter especificamente capitalista. Então, todas aquelas formas se desvanecerão, por certo, ficando apenas os fundamentos que são comuns a todos os modos de produção social.

Aliás, essa espécie de assimilação também se encontra nos modos de produção dominantes anteriores, no sistema feudal, por exemplo. Relações de produção que não lhe correspondiam, que lhe eram estranhas, eram assimiladas a institutos feudais. Assim, na Inglaterra, os feudos de camponeses livres, *tenures in common socage* (contrastando com os feudos por serviços de cavaleiro, *tenures on knight's service*), só implicavam obrigações de pagamento em dinheiro e só pelo nome pertenciam ao sistema feudal.

LI.
Relações de distribuição e relações de produção

II.
Relações de distribuição
e relações de produção

O valor adicionado pelo trabalho efetuado durante o ano – ou seja, a parte do produto anual na qual se representa esse valor e que se pode extrair, dissociar do produto global – se divide, pois, em três partes que são outras tantas formas de renda; essas formas revelam que parte desse valor pertence ou cabe ao dono da força de trabalho, parte ao dono do capital, e terceira parte ao dono da terra. Trata-se, portanto, de relações ou formas de distribuição que exprimem as proporções em que a totalidade do valor novo produzido se reparte entre os possuidores dos diversos fatores de produção.

Segundo a percepção corrente, essas relações de distribuição se patenteiam relações naturais, relações que decorrem da natureza de toda produção social, das leis da produção humana em geral. Não se pode ocultar que sociedades pré-capitalistas apresentam outros modos de repartição, mas esses são considerados modos rudimentares, imperfeitos e dissimulados dessas relações naturais de distribuição, variantes que ainda não atingiram a expressão mais pura e mais alta.

Nessa concepção só está certo isto: na produção social, seja ela qual for (por exemplo, a das comunidades primitivas indianas e a do comunismo dos incas, mais conscientemente desenvolvido), podem ser sempre separadas a parte do trabalho fornecedora do produto de imediato consumido individualmente pelos produtores e por seus dependentes e, – pondo-se de lado a fração situada no domínio do consumo produtivo – a parte constituída de trabalho excedente fornecedora de produto para satisfazer necessidades sociais gerais, qualquer que seja a repartição desse produto e seja quem for que represente essas necessidades sociais. A identidade dos diferentes modos de distribuição reduz-se a que são idênticos se abstraímos de suas diferenças e formas específicas para neles considerar apenas a unidade que se opõe à diversidade.

Consciência mais evoluída, mais crítica, já admite ser histórica a formação do caráter das relações de distribuição,[9a] mas, ao revés, se aferra ainda mais ao caráter imutável das relações de produção, o qual seria oriundo da natureza humana, independente portanto de todo desenvolvimento histórico.

A análise científica, entretanto, revela o seguinte: o modo capitalista de produção tem natureza particular, especificidade historicamente definida; como qualquer outro modo determinado de produção pressupõe, como condição histórica, dado estádio das forças produtivas sociais e de suas for-

---

9a J. Stuart Mill, *Some Unsettled of Pol. Econ.*, Londres, 1844

mas de desenvolvimento; essa condição é o resultado histórico e o produto de processo anterior, e dela parte e nela se baseia o novo modo de produção; as relações de produção correspondentes a esse modo particular de produção historicamente determinado – relações que os homens estabelecem no processo da vida social, na formação da vida social – têm caráter específico, histórico e transitório; as relações de distribuição, na essência, se identificam com as relações de produção, das quais são a outra face, de modo que estas e aquelas participam do mesmo caráter historicamente transitório.

Quando se observam as relações de distribuição parte-se *a priori* do pretenso fato de repartir-se o produto anual em salário, lucro e renda fundiária. Mas, assim expresso, o fato não é exato. O produto se decompõe em duas partes: em capital e em rendas. Uma dessas rendas, o salário, só assume a forma de renda, a renda do trabalhador, depois de ter enfrentado esse trabalhador na *forma de capital*. Para as condições de trabalho produzidas e os produtos do trabalho enfrentarem como capital os produtores diretos, é mister que as condições materiais de trabalho possuam caráter social determinado em face dos trabalhadores e por conseguinte que estes se encontrem em relação determinada, na produção mesma, com os donos dessas condições e entre si. A conversão das condições de trabalho em capital implica terem sido expropriados da terra os produtores diretos e por conseguinte supõe determinada forma de propriedade fundiária.

Se uma parte do produto não se transformasse em capital, a outra não assumiria as formas de salário, lucro e renda fundiária. Demais, o modo capitalista de produção, se supõe existente essa determinada estrutura social das condições de produção, a reproduz sem cessar. Além de gerar os produtos materiais, reproduz constantemente as relações de produção em que são produzidos e por conseguinte também as correspondentes relações de distribuição.

Sem dúvida pode-se dizer que o capital (e a propriedade fundiária que ele engloba como seu contrário) já supõe repartição: os trabalhadores desapropriados das condições de trabalho, a concentração dessas condições nas mãos de minoria de indivíduos, enquanto outros indivíduos têm a propriedade exclusiva da terra, em suma, todas as condições que foram estudadas na parte relativa à acumulação primitiva (Livro 1, Capítulo XXIV). Mas, essa repartição difere totalmente do que se entende por relações de distribuição, reconhecendo-se nestas – o reverso das relações de produção – caráter histórico. As relações de distribuição significam os diferentes direitos à parte do produto destinada ao consumo individual. Aquelas condições de repartição, ao contrário, são os fundamentos de funções sociais particulares que dentro do próprio sistema de produção cabem a determinados agentes, em oposição aos produtores diretos. Dão às condições de produção e aos representantes delas qualidade social específica. Determinam por inteiro o caráter e o movimento da produção.

O modo capitalista de produção se distingue, antes de mais nada, por dois característicos.

Primeiro: Seus produtos são mercadorias. Produzir mercadorias não o distingue de outros modos de produção, mas a circunstância de seu produto ter, de maneira dominante e determinante, o caráter de mercadoria. Isto implica, de saída, que o próprio trabalhador se apresente apenas como vendedor de mercadoria e por conseguinte como assalariado livre, aparecendo o trabalho em geral como trabalho assalariado. Não é mister demonstrar de novo que a relação entre capital e trabalho assalariado determina de todo o caráter desse modo de produção. Os agentes principais desse modo de produção, o capitalista e o assalariado, como tais, são meras encarnações, personificações do capital e do trabalho assalariado; caracteres sociais definidos que o processo social de produção imprime aos indivíduos; produtos dessas relações sociais definidas da produção.

A característica (1) de o produto ser mercadoria e a (2) de a mercadoria ser produto do capital já acarretam todas as relações de circulação, isto é, processo social definido por que os produtos têm de passar e em que assumem caracteres sociais determinados; implicam também dadas relações entre os agentes de produção as quais determinam que o produto se converta em valor e se reconverta em meios de subsistência ou em meios de produção. Mesmo pondo-se isto de lado, toda a determinação do valor e a regulação da produção inteira pelo valor resultam de ambas as características mencionadas, a de o produto ser mercadoria e a de a mercadoria ser produto capitalista. Nessa forma de valor específica, o trabalho só atua como trabalho social: mas, sua repartição, a integração recíproca e a troca dos produtos, a subordinação ao mecanismo social e a inserção nesse mecanismo são deixados por conta das maquinações eventuais, que reciprocamente se anulam, dos produtores capitalistas particulares. Uma vez que estes só se defrontam como possuidores de mercadorias, e cada um procura vender sua mercadoria tão caro quanto possível (parecendo também que regula a própria produção exclusivamente de acordo com seu arbítrio), a lei interna se impõe apenas por meio da concorrência entre eles, da pressão que exercem uns sobre os outros, assim anulando-se reciprocamente os desvios. A lei do valor opera aí como lei imanente, natural, cega ante os agentes particulares, e estabelece o equilíbrio social da produção em meio às flutuações eventuais desta.

Além disso, a mercadoria, e mais ainda a mercadoria como produto do capital, já traz implícitas a reificação dos caracteres sociais da produção e a subjetivação dos fundamentos materiais da produção, o que marca por inteiro o modo capitalista de produção.

Segundo: O que distingue particularmente o modo capitalista de produção é a circunstância de a produção da mais-valia ser objetivo direto e causa determinante da produção. O capital produz essencialmente capital, e só o faz se produz mais-valia. Ao estudar a mais-valia relativa e ainda a conversão da mais-valia em lucro, vimos que se ergue sobre essa base modo de produção peculiar à era capitalista: forma particular do desenvolvimento das forças produtivas sociais do trabalho, mas como forças do capital, autônomas ante o trabalhador e por isso em oposição direta ao desenvolvimento dele. A produção pelo valor e pela mais-valia, conforme também vimos, implica a tendência, sempre operante, para reduzir o tempo de trabalho necessário à produção de uma mercadoria, o valor dela, abaixo da média social vigente. O impulso para restringir ao mínimo o custo de produção torna-se a mais poderosa alavanca para acrescer a produtividade social do trabalho; mas, esse acréscimo toma a aparência de elevação constante da produtividade do capital.

A autoridade que o capitalista assume, personificando o capital no processo direto de produção, e a função social que exerce, dirigindo e dominando a produção, diferem essencialmente da autoridade baseada na produção escravista, feudal etc.

No regime capitalista de produção, a massa dos produtores diretos enfrenta o caráter social da respectiva produção na forma de severa autoridade reguladora e de mecanismo completamente organizado segundo uma ordem hierárquica, mas, os detentores dessa autoridade não são mais, como nas formas antigas de produção, os dominadores políticos e teocráticos. Ao revés, entre os portadores dessa autoridade, os capitalistas que se enfrentam apenas como possuidores de mercadorias, reina a mais completa anarquia, e em meio dela a coesão social da produção se impõe como lei natural de extremo poder, oposta ao livre-arbítrio do indivíduo.

RELAÇÕES DE DISTRIBUIÇÃO E RELAÇÕES DE PRODUÇÃO

Só por existirem, antes, o trabalho na forma de trabalho assalariado e os meios de produção na forma de capital – por conseguinte só em virtude dessa configuração social específica desses dois agentes essenciais da produção –, parte do valor (do produto) configura mais-valia, e essa mais-valia, lucro (e renda fundiária), ganho do capitalista, riqueza adicional disponível que lhe pertence. Mas, só por configurar a mais-valia o *lucro dele* é que os meios de produção adicionais destinados a ampliar a reprodução, constituídos de parte do lucro, representam novo capital adicional, e a ampliação do processo de produção em geral, o processo de acumulação capitalista.

Embora o trabalho na forma de trabalho assalariado seja decisivo para a estrutura do processo todo e para o modo específico dessa produção, o trabalho assalariado não determina o valor. Na determinação do valor trata-se do tempo de trabalho social apenas, da quantidade de trabalho de que a sociedade pode dispor e cuja absorção relativa pelos diferentes produtos determina, por assim dizer, o respectivo peso social. A forma definida em que o tempo de trabalho social impõe-se determinando o valor das mercadorias está por certo ligada ao trabalho na forma de trabalho assalariado e aos meios de produção na forma de capital, e só a partir dessa base a produção de mercadorias se torna a forma geral da produção.

Procuremos deter-nos nas chamadas relações de produção. O salário supõe o trabalho assalariado, e, o lucro, o capital. Essas formas de distribuição supõem caracteres sociais determinados das condições de produção e relações sociais determinadas entre os agentes da produção. Por conseguinte, determinado regime de distribuição apenas expressa regime de produção historicamente determinado.

Examinemos o lucro. Essa forma particular da mais-valia implica que se criem os novos meios de produção na forma da produção capitalista; uma relação que domina portanto a reprodução, embora ao capitalista isolado lhe pareça que pode realmente consumir o lucro todo como renda. Encontra, porém, barreiras erigidas na forma de fundos de seguro e de reserva, das leis da concorrência etc. Essas limitações lhe demonstram praticamente não ser o lucro mera categoria de distribuição do produto que entra no consumo individual. Demais, todo o processo capitalista de produção está regulado pelos preços dos produtos. Mas os preços de produção reguladores são por sua vez regulados pelo nivelamento da taxa de lucro e pela correspondente repartição do capital pelos diferentes ramos da produção social. Aí, portanto, o lucro se patenteia fator principal, não da distribuição dos produtos, mas da própria produção deles, elemento da repartição mesma dos capitais e do trabalho pelos diferentes ramos de produção. A divisão do lucro em lucro de empresário e juro aparece como distribuição da mesma renda. Provém, antes de tudo, o desenvolvimento do capital, o valor que se valoriza a si mesmo, gera mais-valia, essa figura social específica do processo dominante de produção. Dá origem ao crédito e a suas instituições e por conseguinte à estrutura da produção. Com o juro etc., as supostas formas de distribuição entram no preço como elementos determinantes da produção.

Poderia parecer que a renda fundiária é mera forma de distribuição, pois a propriedade fundiária em si não desempenha função ou pelo menos função normal no processo de produção. Mas, a circunstância de (1) a renda limitar-se ao que excede o lucro médio, e (2) de o proprietário da terra, outrora dirigente e dominador do processo de produção e do processo todo da vida social, ser rebaixado a mero locador de terra, usurário de solo, simples cobrador de renda fundiária, é resultado histórico específico do modo capitalista de produção. É pressuposto histórico deste sistema que a terra tenha assumido a forma de propriedade fundiária. É produto do caráter específico do modo capitalista de produção que a propriedade fundiária adote formas que permitam a exploração capitalista da agricultura. É possível que se chame de renda fundiária a receita do dono da terra em outras formas de sociedade. Mas essa receita é essencialmente diferente da renda fundiária tal como aparece no modo capitalista de produção.

As chamadas relações de distribuição correspondem portanto e devem sua origem a formas especificamente sociais, historicamente determinadas, do processo de produção e das relações que os homens estabelecem entre si no processo de reprodução da vida. O caráter histórico dessas relações de distribuição é o caráter histórico das relações de produção das quais expressam apenas uma face. A distribuição capitalista difere das formas de distribuição oriundas de outros modos de produção, e toda forma de distribuição desaparece com a forma particular de produção de que surgiu e a que corresponde.

A ideia de considerar históricas apenas as relações de distribuição e não as relações de produção foi apresentada pela crítica principiante, ainda acanhada, da economia burguesa. Ela se baseia aliás numa confusão que identifica o processo social de produção com o simples processo de trabalho, tal como o efetuaria um ser humano, anormalmente isolado, sem ajuda social alguma. Na medida em que o processo de trabalho é apenas processo entre ser humano e natureza, seus elementos simples não mudam com as formas sociais de seu desenvolvimento. Mas, toda forma histórica do processo de trabalho prossegue desenvolvendo os fundamentos materiais e as formas sociais do correspondente processo. Atingido certo nível de amadurecimento, afasta-se essa forma histórica determinada que é sucedida por outra superior. Evidencia-se que chegou o momento de uma crise dessa natureza, quando se ampliam e se aprofundam a contradição e a oposição, entrechocando-se, de um lado, as relações de distribuição, portanto determinada configuração histórica das correspondentes relações de produção, e, do outro, as forças produtivas, a capacidade de produção e o desenvolvimento dos elementos propulsores. Entram, então, em conflito o desenvolvimento material da produção e a forma social dela.[10]

---

10 Ver obra sobre Competition and Co-operation (1832?).

LII.
As classes

Os proprietários de mera força de trabalho, os de capital e os de terras, os que têm por fonte de receita, respectivamente, salário, lucro e renda fundiária, em suma, os assalariados, os capitalistas e os proprietários de terras, constituem as três grandes classes da sociedade moderna baseada no modo capitalista de produção.

Sem dúvida, a estrutura econômica da sociedade moderna desenvolveu-se mais ampla e classicamente na Inglaterra. Não obstante, mesmo nesse país não se patenteia pura essa divisão em classes. Também lá, as camadas médias e intermediárias obscurecem por toda a parte as linhas divisórias (embora muito menos nas zonas rurais que nas urbanas). Esse fato, contudo, não tem importância para nossa análise. Vimos ser tendência constante e lei do desenvolvimento do modo capitalista de produção separar cada vez mais do trabalho os meios de produção e concentrar em constelações cada vez maiores os meios de produção dispersos, ou seja, converter o trabalho em trabalho assalariado e os meios de produção em capital. E a essa tendência corresponde, noutro plano, o fato de a propriedade fundiária, como entidade autônoma, se dissociar do capital e do trabalho,[11] isto é, a conversão de toda propriedade fundiária à forma adequada ao modo capitalista de produção.

A questão que se propõe agora é esta: que constitui uma classe? A resposta decorre automaticamente da que for dada à pergunta: que faz dos assalariados, dos capitalistas e dos proprietários de terras membros das três grandes classes sociais?

À primeira vista, a identidade das rendas e das fontes de renda. São três grandes grupos sociais, e seus componentes, os indivíduos que os constituem, vivem respectivamente de salário, de lucro e de renda fundiária, utilizando a força de trabalho, o capital e a propriedade fundiária.

Sob esse aspecto, porém, os médicos e os funcionários públicos, por exemplo, constituiriam também duas classes, pois pertencem a dois grupos sociais distintos, e as rendas dos membros de cada um deles fluem da mesma fonte. O mesmo se estenderia à imensa variedade de interesses e

---

11 F. List observa acertadamente: "O predomínio das grandes fazendas administradas pelos próprios donos revela carência de civilização, de meios de transporte e comunicação, de indústrias nacionais e de cidades ricas. Por isso, encontramos esse sistema por toda parte na Rússia, Polônia, Hungria, Mecklemburgo. Outrora prevalecia também na Inglaterra, mas, com o progresso do comércio e da indústria, foi substituído pelo parcelamento em explorações medianas e pelo arrendamento" (*Die Ackerverfassung, die Zwergwirthschaft und die Auswanderung*, 1842, p. 10).

ofícios segundo os quais a divisão do trabalho social separa os trabalhadores, os capitalistas e os proprietários de terras; estes, por exemplo, se dividem em proprietários de vinhedos, de áreas de lavoura, de florestas, de minas, de pesqueiras.

[Interrompe-se aí o manuscrito.]

ADITAMENTO AO LIVRO 3 DE *O CAPITAL*

O Livro 3 de *O capital*, desde que foi entregue ao julgamento público, tem sido objeto de numerosas e variadas interpretações. Ao preparar o livro para impressão importava-me sobretudo apresentar texto o mais possível autêntico, os novos achados de Marx, sempre que pudesse, com suas próprias palavras, só interferir onde fosse absolutamente imprescindível e, nesse caso, não deixar no leitor a menor dúvida sobre quem lhe estava falando. Fui criticado por isso, opinando-se que deveria ter transformado o material em minhas mãos em livro sistematicamente elaborado, *en faire un livre*, como dizem os franceses, ou seja, sacrificar a autenticidade do texto à comodidade do leitor. Mas não concebi assim minha tarefa. Nada me autorizava a fazer essa transformação; um homem como Marx tem o direito de ser ouvido diretamente, de transmitir à posteridade suas descobertas científicas na plena legitimidade de sua própria exposição. Ademais, não estava absolutamente disposto a cometer o que se me afigurava felonia, profanando dessa maneira – e este era meu inarredável modo de ver – o legado de um homem tão extraordinário. E esse trabalho teria sido, na verdade, inteiramente inútil. Não vale a pena despender energias para as pessoas que não podem ou não querem ler, que já no Livro 1 empregavam para deturpar-lhe o sentido esforço maior que o necessário para entendê-lo bem. Mas, para aqueles que se preocupam realmente em entender, o mais importante é justamente o próprio documento original; para eles, esse trabalho de transformar e refundir teria tido no máximo o valor de um comentário e ainda por cima de um comentário feito a obra inédita e inacessível: na primeira controvérsia teria sido necessário confrontá-lo com o original e a publicação deste na íntegra se tornaria indispensável nas controvérsias seguintes.

Essas controvérsias são naturais numa obra que traz tantas coisas novas apresentadas em primeira elaboração, rapidamente esboçada e em parte com lacunas. É aí que pode ser útil minha intervenção para obviar dificuldades de entendimento, para ressaltar ideias valiosas que não estão adequadamente destacadas no manuscrito e adicionar ao texto elaborado em 1865 certos complementos importantes, requeridos para ajustá-lo ao estado de coisas de 1895. Com efeito, já se apresentam dois pontos sobre os quais necessária me parece breve explicação.

1. LEI DO VALOR E TAXA DE LUCRO

Era de prever que a solução da contradição aparente entre esses dois fatores provocaria debates tanto depois quanto antes da publicação do texto de Marx. Havia os que esperavam um milagre completo e se desencantaram porque, em vez do esperado passe de mágica, encontraram mediação simples, racional, prosaica e sóbria da contradição. Naturalmente freme de alegria entre os desencantados o ilustre e renomado Loria. Para ele era por fim a descoberta do ponto de apoio de Arquimedes, que permitiria mesmo a um pobre duende como ele fazer saltar e explodir a construção gigantesca e sólida de Marx. Como, exclama ele indignado, pode isso ser uma solução? Isso é mistificação pura! Os economistas, quando falam de valor, referem-se ao valor que se estabelece efetivamente na troca.

> "Mas, ocupar-se com um valor a que as mercadorias não se vendem nem podem jamais vender-se (*nè possono vendersi mai*) é o que nunca fez nem fará economista algum que possua pelo menos indícios de inteligência... Quando Marx afirma que o valor a que as mercadorias *nunca* se vendem se determina na proporção do trabalho nelas contido, que faz ele senão repetir de forma invertida a proposição formulada pelos economistas ortodoxos, ao sustentarem que o valor a que se vendem as mercadorias *não* é proporcional ao trabalho nelas empregado?... De nada adianta dizer Marx que, apesar de os preços individuais se desviarem dos valores individuais, o preço total do conjunto das mercadorias coincide sempre com o valor total delas, ou seja, com a quantidade de trabalho encerrada na totalidade das mercadorias. É que, por ser o valor apenas a proporção em que uma mercadoria se troca por outra, a simples ideia de um valor total já constitui absurdo, disparate... *contradictio in adjecto*."

Argumenta Loria: no começo da obra, diz Marx que duas mercadorias só podem equiparar-se em virtude de um elemento nelas contido de natureza e magnitude iguais, a saber, a quantidade igual de trabalho que encerram; agora, desmente-se da maneira mais solene assegurando que as mercadorias se trocam numa proporção que nada tem que ver com a quantidade de trabalho que corporificam.

ADITAMENTO AO LIVRO 3 DE O CAPITAL

Quando houve jamais tão completa redução ao absurdo, tão fragorosa falência teórica? Quando jamais se praticou um suicídio científico com maior pompa e com maior imponência? (*Nuova Antologia*, 1º de fev. de 1895, p. 477 ss.)

Nosso Loria transpira felicidade por todos os poros. Não mostrou ele que tinha razão quando tratou Marx como indivíduo da sua igualha, como reles charlatão? A plateia agora vê: Marx escarnece do público tal como Loria, vive de mistificações do mesmo modo que o minúsculo professor italiano de economia. Mas, enquanto Dulcamara pode fazer essas coisas, pois conhece muito bem seu ofício, Marx, esse nórdico bronco, deixa à mostra seus desazos, acumula disparates e absurdos, e no fim só lhe resta o pomposo suicídio.

Mais adiante examinaremos a proposição de que as mercadorias nunca se venderam nem poderão vender-se aos valores determinados pelo trabalho. Vamos deter-nos na afirmação de Loria, de que

> "por ser o valor apenas a proporção em que uma mercadoria se troca por outra, a simples ideia de um valor total já constitui absurdo, disparate etc."

A proporção em que duas mercadorias se trocam, o valor delas é portanto algo puramente casual, que vem de fora e nelas se pespega, podendo mudar de um dia para outro. O fato de trocar-se um quintal métrico de trigo por um grama ou por um quilo de ouro não depende absolutamente de condições que sejam inerentes ao trigo ou ao ouro, e sim de circunstâncias por inteiro estranhas a ambos. Do contrário, essas condições teriam de impor-se também na troca, de dominá-la no consumo e possuir existência autônoma, mesmo pondo-se de lado a troca, de modo que se poderia falar de um valor global das mercadorias. Isto é absurdo, diz o ilustre Loria. O valor é a proporção, seja qual for, em que se trocam duas mercadorias, e ponto final. O valor é portanto idêntico ao preço, e toda mercadoria tem tantos valores quantos preços obtenha. E o preço é determinado pela oferta e pela procura, e quem perguntar mais é um idiota se espera resposta.

Mas a coisa não é assim tão simples. Em condições normais, oferta e procura coincidem. Dividamos então em duas partes iguais, uma constituindo a oferta e a outra a procura, todas as mercadorias existentes no mundo. Admitamos represente cada parte um preço de 1.000 bilhões de marcos ou francos ou libras esterlinas ou qualquer outra moeda. De acordo com a tabuada, a soma das duas partes dará um preço ou valor de 2.000 bilhões. Absurdo, disparate, diz Loria. Ambas as parcelas podem representar um preço de 2.000 bilhões, mas isto não se estende ao valor. Se falamos de preço, 1.000 + 1.000 = 2.000, mas se falamos de valor, 1.000 + 1.000 = 0. Pelo menos neste caso em que se trata da totalidade das mercadorias, pois aí as mercadorias de cada setor só valem 1.000 bilhões porque cada setor quer e pode dar essa soma pelas mercadorias do outro. Mas, se juntarmos a totalidade das mercadorias de ambos os setores nas mãos de um terceiro, o primeiro não disporá mais de valor, tampouco o segundo, e o terceiro justamente agora não o detém. No fim, ninguém possuirá nada. Mais uma vez admira a superioridade com que nosso Cagliostro meridional corroeu a ideia de valor, de modo que nem mesmo o mais leve indício dela restou. Chegamos assim à perfeição máxima da economia vulgar![12]

---

12 Esse cavalheiro "célebre pela glória"? (para usar as palavras de Heine) viu-se pouco depois obrigado a responder a meu prefácio ao livro terceiro, publicado em italiano no primeiro caderno da revista *Rassegna*, em 1895. A resposta saiu na *Riforma sociale* de 25 de fevereiro de 1895. Depois de me cumular das lisonjas nele irrefreáveis e por isso mais repugnantes, declara que nunca lhe ocorreu a pretensão de escamotear para si mesmo os méritos de Marx no tocante à concepção materialista da história. Disse que já os tinha reconhecido em 1885, indicando alusão feita de passagem num artigo de revista. Mas aferra-se mais ao propósito de omiti-los onde cabia mencioná-los, isto é, em seu livro sobre o assunto; aí só cita Marx na página 129 e apenas com referência à pequena propriedade fundiária na França. E agora tem a petulância de declarar que Marx não foi mesmo o autor dessa teoria; segundo Loria, se não existem já indícios dela em Aristóteles, sem dúvida em 1665 a proclamava Harrington, e muito antes de Marx desenvolveu-a uma plêiade de historiadores, políticos, juristas e economistas. Tudo isto se lê na edição francesa de sua obra. Marx foi, em suma, rematado plagiador. Depois que lhe tornei impossível continuar pavoneando-se com ideias tiradas de Marx, afirma ele cinicamente que Marx, à imagem e semelhança dele, também se adornava com penas alheias.
Dos demais ataques que lhe fiz só respondeu àquele em que o acusei de ter afirmado não pretender Marx escrever um segundo livro e muito menos um terceiro de *O capital*. "E agora Engels triunfante replica jogando contra mim o segundo e o terceiro livros... Excelente! Alegro-me tanto com esses volumes, e eles me deram muita satisfação intelectual, que uma vitória nunca me foi tão cara quanto essa derrota de hoje – se houve na realidade uma derrota. Mas será que houve de fato para mim um revés? É verdade mesmo que Marx escreveu, com a intenção de publicar, esse montão de notas desconexas, que Engels juntou, movido por compadecida amizade? É realmente lícito admitir que Marx... tenha confiado a essas páginas o coroamento de sua obra e de seu sistema? Será realmente exato que Marx teria publicado aquele capítulo que trata da taxa média de lucro e onde a solução há tantos anos prometida se reduz a mistificações desoladoras, à fraseologia mais vulgar? A dúvida aí é pelo menos permitida... Isto demonstra, segundo me parece, que Marx, após publicar seu esplêndido livro, não pretendia dar-lhe sequência, ou por certo não queria deixar a seus herdeiros, e fora de sua própria responsabilidade, a conclusão de sua obra gigantesca."
É o que está escrito na página 267. Heine não podia falar de seu público de filisteus alemães de maneira mais desprezível que ao dizer: O autor acaba se acostumando ao público como se este fora um ser racional. Que juízo faz então o ilustre Loria de seu público?

ADITAMENTO AO LIVRO 3 DE O *CAPITAL*

Na revista *Archiv für soziale Gesetzgebung*, de Braun, VII, caderno 4, faz Werner Sombart uma exposição, excelente no conjunto, sobre as linhas gerais do sistema de Marx. É a primeira vez que um professor de universidade alemão consegue, no essencial, ver nos escritos de Marx o que neles foi realmente dito, e declara que a crítica ao sistema de Marx não pode consistir em impugná-lo – "que se encarreguem dessa tarefa os que têm ambições políticas" –, e sim apenas em dar-lhe novo desenvolvimento. Sombart, naturalmente, também trata de nosso tema. Analisa o sentido que o valor tem no sistema de Marx e chega às seguintes conclusões: o valor não aparece na relação de troca das mercadorias produzidas no regime capitalista; não vive na consciência dos agentes da produção capitalista; não é um fato empírico, e sim do domínio do pensamento lógico; em Marx, a ideia de valor, materialmente definida, expressa nada mais que a circunstância de a força produtiva social do trabalho ser a base da vida econômica; a lei do valor domina, em última instância, o processo econômico no regime capitalista, onde tem, de modo geral, este conteúdo: o valor das mercadorias é a forma histórica específica em que a força produtiva do trabalho – a qual, em última instância, domina o processo econômico todo – se impõe de maneira determinante. Até aí, Sombart; não se pode dizer que seja inexata essa interpretação da lei do valor na forma capitalista de produção. Mas, parece-me lata demais, suscetível de uma formulação mais delimitada, mais precisa; acho que não esgota o sentido completo da lei do valor nos estádios de desenvolvimento econômico da sociedade regidos por essa lei.

No semanário *Sozialpolitisches Zentralblatt*, de Braun, de 25 de fevereiro de 1895, nº 22, encontra-se um artigo também excelente, de Conrad Schmidt, sobre o Livro 3 de *O capital*. Cabe aí destacar sobretudo ter o autor mostrado que Marx, ao derivar o lucro médio da mais-valia, foi quem primeiro respondeu à pergunta até hoje não formulada pelos economistas, a saber: como é determinado o nível dessa taxa de lucro e como se explica que seja, digamos, 10 ou 15% e não 50 ou 100%. A questão se resolve por si mesma quando passamos a saber que a mais-valia de que se apropria o capitalista industrial em primeira mão é a fonte única e exclusiva donde

---

Por fim e por desgraça, atira-me uma saraivada de lisonjas. Nosso Sganarell compara-se então a Balaão, que veio para amaldiçoar, mas os lábios, contra a vontade, só pronunciavam "palavras de bênção e de amor". O bom Balaão era famoso sobretudo por cavalgar um asno mais inteligente que o dono. Desta vez, está claro, Balaão deixou o asno em casa.

fluem o lucro e a renda fundiária. Essa parte do artigo de Schmidt poderia ter sido escrita diretamente para economistas da espécie de Loria, se não fora vão o esforço de tentar abrir os olhos daqueles que não querem ver.

Também Schmidt faz ressalvas formais à lei do valor. Chama-a de *hipótese* científica proposta para explicar o processo efetivo de troca e que se evidencia o ponto de partida teórico necessário, esclarecedor e inevitável mesmo perante os fenômenos em que se configura a concorrência dos preços e que parecem contradizê-la de todo; sem a lei do valor, segundo seu modo de ver, cessa toda compreensão teórica da engrenagem econômica da realidade capitalista. E numa carta particular, que me autoriza a citar, declara Schmidt ser a lei do valor dentro dos limites da forma de produção capitalista uma ficção apenas, embora teoricamente necessária. Essa concepção, segundo penso, não está certa. Para a produção capitalista, a lei do valor tem sentido imensamente maior e mais decisivo que o de uma simples hipótese, para não se falar de uma ficção, embora necessária.

Sombart e Schmidt – o ilustre Loria só aparece aqui nas bufonarias da economia vulgar – não atentam bastante para a circunstância de não se tratar de um processo puramente lógico, e sim de um processo histórico e da sua reprodução inteligível no pensamento, da averiguação lógica dos seus nexos internos.

A passagem decisiva sobre o assunto encontra-se no livro terceiro, página 211, onde diz Marx: "A dificuldade toda provém de as mercadorias se trocarem não como *mercadorias* simplesmente, mas como *produtos de capitais* que exigem, na proporção da respectiva magnitude, ou para magnitude igual, participação igual na totalidade da mais-valia." Para ilustrar essa diferença supõe Marx que os trabalhadores são proprietários dos meios de produção, em média trabalham durante tempo igual e com a mesma intensidade, e diretamente trocam entre si as mercadorias. Então, dois trabalhadores numa jornada teriam adicionado com o respectivo trabalho quantidade igual de valor novo ao respectivo produto, mas o produto de cada um teria valor diferente de acordo com o trabalho anterior já corporificado nos meios de produção. Esta parte do valor corresponderia ao capital constante da economia capitalista, a fração do valor novo adicionado empregada em meios de subsistência representaria o capital variável, e o restante desse valor adicionado constituiria a mais-valia, que pertenceria então ao trabalhador. Ambos os trabalhadores receberiam portanto, após deduzida a reposição da parte "constante" do valor por eles adiantada, valores iguais; a relação entre a parte que representa a mais-valia e o valor dos meios de produção – o que seria correspondente à taxa de lucro capitalista – não seria igual para ambos. Mas, como cada um deles readquire na troca o valor dos meios de produção, é-lhes de todo indiferente essa circunstância. "A troca das mercadorias exata ou aproximadamente por seus valores supõe *condições bem mais atrasadas* que a troca aos preços de produção, a qual exige determinado nível de desenvolvimento capitalista... Mesmo não se levando em conta que os preços e o movimento dos preços se regem pela lei do valor, enquadra-se inteiramente na realidade considerar que os valores das mercadorias precedem os preços de produção não só *teórica* mas *historicamente*. Isto é válido em condições *em que os meios de produção pertencem ao trabalhador*, e esse é o caso tanto no mundo antigo quanto no moderno, do camponês que cultiva a própria terra e do artesão. Isto concorda com nossa ideia anterior de que a transformação dos produtos em mercadorias tem sua origem na troca entre diferentes comunidades e não entre membros da mesma comunidade. O que vale para essa fase social primitiva estende-se às fases ulteriores baseadas na escravatura e na servidão, e às corporações de ofícios. Isto vigora enquanto os meios de produção fixados num ramo só com dificuldade se podem transferir para outro, e por isso os diferentes ramos de produção até certo ponto se comportam reciprocamente como se fossem países estrangeiros ou comunidades coletivistas" (Marx, *O capital*, Livro 3, pp. 233-4).

Se Marx tivesse chegado a rever o livro terceiro, teria sem dúvida desenvolvido mais as passagens citadas. Como estão, proporcionam apenas esboço em linhas muito gerais do que se deve dizer sobre a questão. Examinemo-la, portanto, um pouco mais de perto.

Sabemos que, nos primórdios da sociedade, os produtos são consumidos pelos próprios produtores, que se organizam rudimentarmente em comunidades de caráter mais ou menos comunista; que a permuta, com estrangeiros, do excedente desses produtos introduz a conversão dos produtos em mercadorias, ocorrência ulterior que primeiro só se dá entre diversas comunidades de tribos diferentes e mais tarde se institui dentro da comunidade e essencialmente concorre para desagregá-la em grupos familiares de maior ou menor dimensão. Mas, mesmo após essa desagregação, os chefes de família, que efetuam as trocas, continuam a ser camponeses que trabalham e produzem quase tudo o que precisam, com a ajuda da família, em terra própria, só obtendo fora parte ínfima das coisas necessárias mediante permuta do produto excedente próprio. A família, além de cuidar da lavoura e da criação, transforma os produtos dessas atividades em artigos acabados de consumo, às vezes faz mesmo a farinha com o moinho de mão, coze o pão, fia, tinge, tece o linho e a lã, curte o couro, levanta e conserta construções de madeira, fabrica instrumentos e utensílios, faz obras de carpintaria e não raro de ferreiro. Assim, a família ou o grupo familiar se basta no essencial.

O pouco que essas famílias tinham de obter mediante permuta ou comprando constituía-se predominantemente, mesmo até inícios do século XIX, na Alemanha, de objetos de artesanato, de coisas portanto que o camponês sabia como fabricar e que só não produzia diretamente porque a matéria-prima não lhe era acessível ou porque o artigo comprado era bem melhor ou bem mais barato. Assim, o camponês da Idade Média conhecia de maneira bastante exata a quantidade de trabalho necessária para produzir os objetos que obtinha por troca. Trabalhavam à sua vista o ferreiro, o construtor de carroças da aldeia; também o alfaiate e o sapateiro, que ainda ao tempo de minha juventude peregrinavam pelas casas dos camponeses renanos, onde transformavam os materiais produzidos pelos próprios camponeses em roupas e calçados. O camponês e as pessoas de quem comprava eram todos trabalhadores, e os artigos trocados eram os produtos próprios de cada um. Que despenderam para produzir esses produtos? Trabalho, apenas trabalho: para repor os instrumentos, para obter a matéria-prima, para transformá-la gastaram unicamente a força de trabalho própria. Como poderiam então trocar os respectivos produtos pelos de outros produtores diretos, a não ser na proporção do trabalho aplicado? O tempo do trabalho era o único elemento apropriado para medir as magnitudes a trocar, e, além dele, não era possível achar outro. Seria crível que o camponês e o artesão fossem tão estúpidos a ponto de um deles dar o respectivo produto de dez horas de trabalho pelo produto de uma hora apenas do outro? Em todo o período da economia natural camponesa só é possível o intercâmbio em que as quantidades trocadas de mercadorias têm a tendência a medir-se cada vez mais de acordo com as quantidades de trabalho nelas corporificadas. A partir do momento em que o dinheiro penetra nesse sistema econômico, robustece mais a tendência para a adaptação à lei do valor (isto é, a lei do valor segundo a formulação de Marx), mas, já as investidas do capital usurário e da rapina fiscal perturbam essa tendência; já se tornam mais longos os períodos em que os preços em média se aproximam dos valores até se estabelecer diferença insignificante.

O mesmo se estende à troca entre os produtos dos camponeses e os dos artesões citadinos. No início, efetua-se diretamente sem intervenção do comerciante, nos dias de feira nas cidades, quando o camponês vende seus produtos e faz compras. Também aí, o camponês conhece as condições de trabalho do artesão, e este as do camponês. É que o próprio artesão ainda é bastante camponês; cultiva legumes e frutas e muitas vezes dispõe de um pedaço de terra, de uma ou duas vacas, porcos, aves etc. Assim, na Idade Média as pessoas eram capazes de avaliar, umas das outras, os custos de produção em matérias-primas, matérias auxiliares, tempo de trabalho, com exatidão bastante – pelo menos quando se tratava de artigos de uso corrente e geral.

Mas, como nesse intercâmbio medido pela quantidade de trabalho era possível calculá-la, ainda que indireta e relativamente, para produtos que exigiam trabalho mais longo, interrompido por intervalos irregulares, de rendimento inseguro, como trigo ou gado? E por cima tratando-se de pessoas que não sabiam calcular? Evidentemente só por meio de longo processo de aproximação em zigue-zague, muitas vezes tateando sem rumo na escuridão, e em que, como de ordinário, só se aprende à própria custa. Mas a necessidade para cada um de avaliar de modo geral os custos impulsionava na direção certa, e o pequeno número das espécies de objetos em circulação e o método de produzi-los muitas vezes estável durante séculos tornavam mais fácil chegar-se ao objetivo. E não demorou muito a estabelecer-se a magnitude relativa do valor desses produtos, com bastante aproximação. Para demonstrá-lo basta a circunstância de a mercadoria em que isso parecia mais difícil em virtude do longo tempo de produção de cada unidade, o gado, ter sido a primeira mercadoria-dinheiro reconhecida de maneira bastante generalizada. Para haver isso era mister que o valor do gado, a relação de troca para com uma série inteira de outras mercadorias, já tivesse alcançado fixação relativamente extraordinária, reconhecida sem contestação no território de inúmeras tribos. E as pessoas tinham por certo inteligência bastante, tanto os criadores quanto seus fregueses, para não dar gratuitamente, ao fazerem permutas, tempo de trabalho que tenham despendido. Ao contrário: quanto mais próximas estão as pessoas do estádio primitivo da produção mercantil – os russos e os orientais, por exemplo –, tanto mais se esforçam ainda hoje num longo e tenaz mercadejar para extrair a recompensa completa do tempo de trabalho que empregaram num produto.

Partindo dessa determinação do valor pelo tempo de trabalho desenvolveu-se então a produção mercantil inteira e com ela as múltiplas relações em que se afirmam os diferentes aspectos da lei do valor, expostos na Primeira Seção do Livro 1 de *O capital*; desenvolvem-se por conseguinte particularmente as condições em que só o trabalho gera valor. E essas condições se impõem sem chegar à consciência dos interessados; só mediante penosa investigação teórica podem ser abstraídas da prática cotidiana: atuam portanto à maneira de leis naturais, tendo Marx demonstrado que derivam necessariamente da natureza da produção de mercadorias. O progresso mais importante e mais decisivo foi a transição para o dinheiro-metal, a qual porém teve por consequência não aparecer mais na superfície da troca de mercadorias a determinação do valor pelo tempo de trabalho. O dinheiro tornou-se praticamente a medida decisiva do valor, e tanto mais quanto mais variadas se tornaram as mercadorias objeto de comércio, quanto mais afastados eram os países donde provinham e quanto menos portanto se podia controlar o tempo de trabalho necessário para produzi-las. No início, o próprio dinheiro vinha em regra do estrangeiro; mesmo quando o metal precioso era obtido no país, o camponês e o artesão não estavam em condições de avaliar aproximadamente o trabalho aplicado na sua produção; além disso, já lhes estava bastante obscurecida a consciência da propriedade que tem o trabalho de medir o valor, em virtude do hábito de calcular em dinheiro. No espírito do povo, o dinheiro passou a representar o valor absoluto.

Em suma, a lei do valor de Marx tem validade geral, isto é, a validade própria das leis econômicas, durante o período todo da produção mercantil simples por conseguinte até o tempo em que ela se modifica por introduzir-se a forma capitalista de produção. Até então os preços tendem para os valores determinados pela lei de Marx e oscila em torno deles, de modo que, quanto mais desenvolvida a produção mercantil simples, tanto mais os preços médios de períodos mais longos em que não há perturbações violentas de origem externa coincidem com os valores, e os desvios são insignificantes. Assim, a lei do valor de Marx tem validade econômica geral durante um período que vai dos primórdios da troca que transforma os produtos em mercadorias até ao século xv de nossa era. A troca de mercadorias porém remonta a uma época que precede toda a história escrita, fazendo-nos recuar no Egito a pelo menos 3.500, talvez 5.000, e na Babilônia a 4.000 e talvez a 6.000 anos antes de nossa era. A lei do valor vigorou portanto durante um período de cinco a sete milênios. Assombra, então, a profundeza do ilustre Loria, ao considerar o valor vigente de maneira geral e direta durante todo esse tempo como valor a que as mercadorias nunca se vendem nem poderão vender-se e com que jamais se ocupará um economista que possua um mínimo de bom senso!

Até aqui não falamos do comerciante. Sua intervenção podia ser posta de lado até o momento em que passamos a considerar a transição da produção mercantil simples para a produção mercantil capitalista. O comerciante era o elemento revolucionário dessa sociedade onde tudo era estável, hereditariamente por assim dizer; por herança e em caráter quase inalienável recebia o camponês a jeira (Hufe),[13] a posição de proprietário livre, de censatário livre ou dependente ou de servo; o artesão citadino, o ofício e os privilégios corporativos; cada um deles, a clientela e o mercado, a habilidade aperfeiçoada desde a juventude para a profissão herdada. Surgiu então nesse mundo o comerciante, que serviria de fermento para transformá-lo. Mas não era revolucionário consciente; era farinha do mesmo saco e vinho da mesma pipa. O comerciante da Idade Média absolutamente não era individualista, era na essência gremialista como todos os contemporâneos. No campo havia a exploração coletiva das terras, sistema derivado do comunismo primitivo. Na origem, todo camponês dispunha de área igual, com parcelas iguais de terra de cada qualidade e correspondente participação igual nos direitos sobre as terras comuns. Quando as terras comuns se regem por sistema fechado e não se repartem mais novas jeiras, as heranças etc. provocam subdivisões da jeira e, em consequência, subdivisões dos direitos às terras comuns; mas a jeira completa continua a ser a unidade, de modo que passa a haver metade, um quarto e um oitavo de jeira a que correspondem metade, a quarta parte e a oitava dos direitos às terras comuns. Todas as associações posteriores de produção adotaram o sistema aplicado na exploração coletiva das terras, sobretudo as corporações nas cidades, organizadas de acordo com esse modelo que então se aplica não só a um território limitado, mas também a um privilégio profissional.

---

13 Aí *jeira* = antiga medida agrária que variava, conforme o lugar, de 19 a 36 hectares. Traduz aproximadamente Hufe = antiga medida agrária, em regra com 30 a 60 Morgen. Morgen = medida agrária ainda usada na Alemanha e que varia de 25 a 36 ares. A medida Rufe pode atingir ou mesmo ultrapassar o limite mínimo da jeira. Na origem, baseava-se na área necessária ao sustento de uma família.

O eixo da organização toda era a participação igual de cada associado nos privilégios e fruições assegurados à totalidade, o que ainda de maneira contundente se patenteia no privilégio de "abastecimento de fios" de 1527, de Elberfeld e Barmen (Thun, *Industrie am Niederrhein*, II, p. 164 ss.). O mesmo se estende às corporações das minas, onde cada cota tinha igual participação e, como a jeira do participante das terras comuns, era divisível junto com os respectivos direitos e deveres. E esse regime se aplica no mesmo grau às corporações mercantis, que fizeram nascer o comércio ultramarino. Os venezianos e os genoveses no porto de Alexandria ou Constantinopla, cada nação em seu próprio *fondaco* – moradia, estalagem, entreposto, locais de exposição e venda, escritório central –, constituíam corporações mercantis completas. Fechadas aos competidores e aos clientes, vendiam a preços estabelecidos entre elas mercadorias de qualidade certa, garantida por investigação pública e muitas vezes por selo, e decidiam em comum os preços a pagar aos nativos pelos produtos deles etc.

Era igual o procedimento da Hansa na "ponte tedesca" (*Tydske Bryggen*) em Bergen na Noruega, e o mesmo faziam os concorrentes holandeses e ingleses. Ai de quem tivesse vendido abaixo ou comprado acima do preço estabelecido! O boicote que o atingia significava então a ruína completa, mesmo não se considerando as penas diretas a que era condenado. Fundaram-se corporações ainda mais fechadas, para fins determinados, como por exemplo a Maona de Gênova, que nos séculos XIV e XV, por muitos e muitos anos, foi dona das minas de alume de Fosseia, na Ásia Menor, e da ilha de Quios; a grande sociedade comercial de Ravensberg, que desde os fins do século XIV fazia negócios com a Itália e a Espanha, lá estabelecendo sucursais, e a sociedade alemã dos Fugger, Welser, Vöhlin, Höchstetter etc., de Augsburgo, e dos Hirschvogel e outros de Nuremberg, a qual participou da expedição portuguesa à Índia em 1505-1506, com um capital de 66.000 ducados e três navios, obtendo um lucro líquido de 150% ou, segundo alguns, de 175% (Heyd, *Levantehandel*, II, p. 524); e toda uma série de organizações *Monopolia* que tanto iravam Lutero.

Encontramos aí pela primeira vez lucro e taxa de lucro. E os comerciantes se empenhavam intencional e conscientemente em igualar essa taxa de lucro para todos os participantes. Tanto entre os venezianos no Levante quanto entre os hanseáticos no Norte, cada um pagava pelas mercadorias os mesmos preços que os demais coassociados, era onerado pelo mesmo custo de transporte delas, recebia por elas os mesmos preços e comprava frete de retorno aos mesmos preços que qualquer outro comerciante de sua "nação". A taxa de lucro era portanto igual para todos. A repartição dos ganhos das grandes sociedades mercantis *pro rata* das partes que os sócios têm no capital é tão natural quanto a fruição dos direitos às terras comuns na proporção das porções de jeira legitimamente possuídas ou a participação nos lucros das minas na proporção das frações de cota mineira pertencentes aos associados. A taxa igual de lucro – que, em seu pleno desenvolvimento, é um dos resultados finais da produção capitalista – na forma mais simples patenteia-se aqui uma das fontes históricas do capital, e mesmo um derivado direto daquela exploração das terras comuns, que por sua vez procede diretamente do comunismo primitivo.

Essa primeira taxa de lucro era necessariamente muito alta. Os negócios eram muito arriscados: os piratas infestavam os mares; as nações competidoras se permitiam às vezes, quando a ocasião lhes era propícia, todos os gêneros de violência; finalmente, as vendas e as condições das vendas repousavam sobre privilégios concedidos por príncipes estrangeiros que os violavam ou revogavam com bastante frequência. O ganho tinha de incluir portanto alto prêmio de seguro. Além disso, os negócios eram lentos, difíceis de concluir, e nos melhores tempos, que raramente duravam muito, processava-se o comércio de monopólio, com lucro de monopólio. A taxa de lucro era muito elevada: provam-no as altíssimas taxas de juro então vigentes, as quais, entretanto, deviam no conjunto ser sempre inferiores à percentagem costumeira do ganho comercial.

Essa elevada taxa de lucro obtida pela ação de caráter coletivo da corporação, igual para todos os participantes, só tinha validade local, dentro da corporação, portanto da "nação", no sentido considerado aqui. Os venezianos, genoveses, hanseáticos, holandeses tinham, cada uma dessas nações de *per se*, taxa de lucro própria que no início poderia variar conforme o local de negócios. Pelo caminho oposto, pela concorrência impôs-se o nivelamento dessas diversas taxas de lucro corporativas. Essa uniformização atingiu primeiro as taxas de lucro, nos diferentes mercados, para a mesma nação. Se Alexandria proporcionava às mercadorias venezianas ganhos maiores que Chipre, Constantinopla ou Trebizonda, Veneza mobilizaria mais capitais para Alexandria tirando-os do comércio com os outros mercados. Tinha então de chegar a vez do nivelamento progressivo das taxas de lucro das diferentes nações que exportavam mercadorias iguais ou semelhantes para os mesmos mercados, e com frequência havia nações que eram comercialmente esmagadas e desapareciam do cenário. Mas esse processo foi constantemente interrompido por acontecimentos políticos. Assim, por exemplo, as invasões mongólicas e turcas foram arruinando todo o comércio com o Levante, e as grandes descobertas geográficas e comerciais, a partir de 1492, aceleraram e tornaram definitiva essa ruína.

A resultante expansão súbita dos mercados e a consequente transformação das linhas de tráfego não trouxeram de início modificação substancial nos métodos mercantis. No começo, as corporações de comerciantes ainda predominavam no tráfico com a Índia e a América. Mas, primeira observação a fazer, atrás dessas corporações estavam nações maiores. No lugar dos catalães que negociavam com o Levante, surgiu a Espanha inteira, grande e unificada, comerciando com a América; ao lado dela apareceram dois grandes países, a Inglaterra e a França; e mesmo os menores, Holanda e Portugal, eram pelo menos tão grandes e tão fortes quanto Veneza, a nação mercantil maior e mais forte do período anterior. Isto dava ao mercador navegante, nas empresas aventuradas dos séculos XVI e XVII, um apoio que tornava a corporação que protegia os associados, inclusive com armas, cada vez mais supérflua, e os custos dela, nitidamente importunos. Então passou a desenvolver-se muito mais rapidamente a riqueza individual, e logo apareceram comerciantes isolados que podiam empregar num empreendimento tantos fundos quanto uma sociedade inteira. As sociedades comerciais sobreviventes em sua maioria se transformaram em companhias armadas que, sob a proteção e a soberania da metrópole, conquistavam países inteiros recém-descobertos e os exploravam em regime de monopólio. Quanto mais nos novos territórios se estabeleciam colônias, predominantemente fundadas pelo Estado, tanto mais o comércio corporativo recuava ante o comerciante individual e por conseguinte cada vez mais o nivelamento da taxa de lucro estava na dependência exclusiva da concorrência.

Até aqui só encontramos taxa de lucro para o capital mercantil, pois até então só havia, além deste, o capital usurário, e ainda não se desenvolvera o capital industrial. A produção, pela maior parte, estava nas mãos de trabalhadores que eram proprietários dos meios de produção, e assim o trabalho deles não proporcionava mais-valia a capital algum. Se tinham de ceder grátis a terceira fração do produto, faziam-no na forma de tributo ao senhor feudal. Por isso, pelo menos no começo, o capital mercantil só podia extrair lucro dos compiladores estrangeiros de produtos indígenas ou dos compradores indígenas de produtos estrangeiros; só nos fins desse período – na Itália, portanto, ao decair o comércio levantino – a concorrência externa e as dificuldades de mercado podiam forçar o artesão que produzia mercadorias de exportação a entregá-las ao exportador abaixo do valor. Observamos então que no comércio retalhista interno entre os produtores individuais as mercadorias se vendem em média pelos valores, mas não no comércio internacional, pelas razões mencionadas. Era o contrário do que se passa no mundo hodierno, onde os preços de produção vigoram no comércio internacional e no comércio por atacado, enquanto no comércio urbano a retalho a formação de preços se regula por taxas de lucro inteiramente diversas. Hoje por exemplo a carne bovina no trajeto que faz em Londres entre o atacadista e o consumidor tem acréscimo muito maior de preço que no trajeto que faz entre o atacadista de Chicago e o de Londres, mesmo incluindo-se o transporte.

Foi o capital industrial o instrumento que progressivamente efetuou essa mudança na formação dos preços. Na Idade Média já começara a brotar o capital industrial, e em três domínios: navegação, minas e indústria têxtil. A navegação na escala praticada pelas repúblicas marítimas italianas e hanseáticas era impossível sem marinheiros, isto é, sem assalariados (embora a relação salarial se disfarçasse em formas corporativas, com participação nos ganhos), e as galeras da época exigiam remadores, fossem assalariados ou escravos. Os membros das sociedades mineiras, na origem trabalhadores corporativos, já tinham passado a constituir em quase todos os casos sociedades anônimas para explorar a mineração por meio de trabalhadores assalariados. E na indústria têxtil o comerciante já começara a pôr a seu serviço os tecelões, fornecendo-lhes o fio e pagando-lhes salário fixo para que o transformassem por conta dele em tecido; em suma, convertia-se de simples comprador no que se chamava de distribuidor (Verleger).

Encontramos aí os primórdios da formação capitalista de mais-valia. Podemos abstrair das associações mineiras por serem corporações monopolistas fechadas. Quanto aos armadores é evidente que os lucros tinham de ser pelo menos os usuais no país, com acréscimo especial para seguro, desgaste dos navios etc. Mas, que se passava com os distribuidores de tecidos que pela primeira vez levavam ao mercado mercadorias produzidas diretamente por conta deles, capitalistas, para concorrer com mercadorias da mesma espécie produzidas por conta de artesãos?

Já existia a taxa de lucro do capital comercial. Além disso, já estava nivelada em torno de uma taxa média, pelo menos na mesma praça. Que podia então levar o comerciante a meter-se nesse negócio extra em que interfere na produção? Uma coisa apenas: a perspectiva de maior lucro, vendendo ao mesmo preço dos outros. E essa perspectiva correspondia à realidade. Ao tomar o artesão a seu serviço, rompia com as barreiras tradicionais da produção, dentro das quais o produtor vendia o produto acabado e nada mais fora disso. O capitalista mercantil comprava a força de trabalho, que no momento ainda era proprietária dos instrumentos de produção, mas já não possuía mais a matéria-prima. Assegurando ao tecelão ocupação regular, podia comprimir-lhe o salário de modo a obter de graça parte da jornada de trabalho que se efetuasse. O distribuidor apropriava-se assim de mais-valia que se acrescentava ao ganho comercial anterior. Em compensação tinha de empregar agora capital na função suplementar de comprar fio etc., material que ficava em poder do tecelão até fabricar-se o pano pelo qual, antes, só tinha de pagar o preço inteiro por ocasião da compra. Mas, primeiro, já adiantara, na maioria das vezes, capital extra ao tecelão, que por estar sujeito a dívidas era levado a submeter-se às novas condições de produção. E, segundo, mesmo se abstraímos disso, os cálculos se amoldam ao seguinte esquema:

Seja um comerciante que movimente o negócio de exportação com capital de 30.000 ducados, cequins, libras esterlinas ou qualquer outra moeda. Desse montante estejam 10.000 empregados na compra de mercadorias indígenas, e 20.000 investidos nos mercados ultramarinos. Efetue o capital uma rotação em dois anos, sendo a rotação anual de 15.000. Nosso comerciante resolve mandar tecer por sua conta, interferindo na produção. Quanto de capital tem então de aditar ao dos produtores? Admitamos que o tempo de produção da peça de tecido da espécie que vende dure em média 2 meses, o que por certo já é muito. Admitamos ainda que tenha de pagar tudo à vista. Será assim obrigado a inverter capital suficiente para abastecer de fio os tecelões durante 2 meses. Sendo a rotação anual de 15.000, adquire em 2 meses 2.500 de tecido. Digamos que 2.000 representem o valor do fio, e 500 o salário dos tecelões; nesse caso, o capital que nosso comerciante adita ao dos produtores será de 2.000. Imaginemos que a mais-valia que extrai dos tecelões com o novo método importe somente em 5% do valor do pano, o que significa uma taxa de mais-valia de 25%, muito modesta sem dúvida ($2.000_c + 500_v\ 125_m$; m' = $\frac{125}{500}$ = 25%, l' = $\frac{100}{2.500}$ = 5%). Nessas condições, nosso exportador com a rotação anual de 15.000

obtém lucro extra de 750 e assim, em 2 $\frac{2}{3}$ anos, ganha de novo o capital que adita ao dos produtores.

Mas, para acelerar as vendas e com elas a rotação do capital, e assim obter com o mesmo capital o mesmo lucro em menor tempo, ou seja, lucro maior no mesmo tempo, presenteará o comprador com pequena parte da mais-valia, venderá mais barato que os competidores. Estes se converterão pouco a pouco em distribuidores que interferem na produção, e então o lucro extra se reduz para todos ao lucro habitual ou mesmo inferior a este, para o capital acrescido de todos. Restabelece-se a igualdade da taxa de lucro, embora possivelmente noutro nível, por se ter cedido parte da mais-valia produzida no país aos compradores estrangeiros.

A introdução da manufatura constitui o passo subsequente para subordinar a indústria ao capital. O manufator fica também em condições de produzir mais barato que o artesão, o competidor arcaico. Nos séculos XVII e XVIII exporta diretamente o respectivo produto, na maioria dos casos, o que na Alemanha até 1850 ainda constituía quase a regra e ainda hoje ocorre esporadicamente. Repete-se o mesmo processo: a mais-valia de que se apropria o capitalista manufator permite a ele, ou ao exportador com quem a reparte, vender mais barato que os concorrentes até generalizar-se o novo modo de produção e sobrevir então novo nivelamento. A taxa de lucro comercial já preestabelecida, mesmo quando nivelada apenas localmente, é o leito de Procusto a que se ajusta a mais-valia industrial, amputando-se o excedente.

Se a manufatura já se expande barateando os produtos, muito maior ainda é o desenvolvimento da indústria moderna que com as revoluções sempre renovadas na produção reduz cada vez mais os custos de fabricação das mercadorias e implacavelmente elimina todos os modos de produção anteriores. Assim conquista definitivamente para o capital o mercado interno, liquida a pequena produção e a economia natural autossuficiente da família camponesa, suprime a troca direta entre os pequenos produtores, coloca a nação inteira a serviço do capital. Nivela numa taxa única geral de lucro as taxas de lucro dos diferentes ramos comerciais e industriais e assegura, por fim, para si mesma o posto de comando que lhe cal nesse nivelamento, removendo a maior parte dos obstáculos que até então se opunham à transferência de capital de um ramo para outro. Assim, *grosso modo*, efetua-se, para o intercâmbio todo, a conversão dos valores em preços de produção. Essa conversão se opera portanto segundo leis objetivas, sem depender portanto da consciência ou da intenção dos participantes. Não oferece a menor dificuldade teórica a circunstância de a concorrência reduzir ao nível geral os lucros que ultrapassam a taxa geral e assim subtrair ao primeiro industrial que os capta a mais-valia que excede a média. Mas, na prática, aparecem os obstáculos, pois os ramos de produção com mais-valia em excesso, isto é, com elevado capital variável e baixo capital constante, ou seja, com capital de composição inferior, são por natureza os que mais tardiamente e de maneira mais incompleta se submetem à exploração capitalista, como sucede sobretudo com a agricultura. Ao revés, a elevação dos preços de produção acima dos valores das mercadorias, necessária para altear ao nível da taxa média de lucro a mais-valia deficitária nos produtos dos ramos com capital de composição superior, parece extremamente difícil no plano teórico, mas na prática se efetua da maneira mais fácil e mais rápida. É que as mercadorias desses ramos, quando começam a ser produzidas por processo capitalista e entram no comércio capitalista, competem com mercadorias da mesma espécie, fabricadas por métodos pré-capitalistas, mais caras portanto. É sempre possível que o produtor capitalista, mesmo renunciando a uma parte da mais-valia, ainda extraia a taxa de lucro vigente em sua praça e que, na origem, não tinha relação direta com a mais-valia, pois proviera do capital mercantil muito antes de existir produção capitalista, de aparecer por conseguinte taxa industrial de lucro.

2. A BOLSA

1. Na parte quinta do livro terceiro e especialmente no capítulo XXVII vemos a posição que a Bolsa ocupa na produção capitalista. Mas, depois de 1865, ano em que o livro foi escrito, sobreveio transformação que, além de conferir à Bolsa importância acrescida e cada vez maior, tende, com o desenvolvimento ulterior, a concentrar nas mãos dos que manejam os títulos de Bolsa a produção toda, industrial e agrícola, e a circulação econômica toda, os transportes e comunicações e as funções de troca, tornando-se assim a Bolsa a instituição que representa da maneira mais conspícua a produção capitalista.

2. Em 1865, ainda era a Bolsa um elemento *secundário* no sistema capitalista. Os títulos públicos representavam a massa principal dos valores de Bolsa e constituíam montante relativamente pequeno. Ao lado, os bancos

por ações preponderantes na Europa Continental e na América e que, na Inglaterra, apenas davam os primeiros passos para absorver os bancos privados aristocráticos. Mas o número deles ainda era relativamente insignificante. O montante das ações ferroviárias, comparado com o de hoje, ainda era bem modesto. Na forma de sociedades por ações havia poucas empresas diretamente produtivas, e o mesmo se dava com os bancos, sobretudo em países *mais pobres*, na Alemanha, Áustria, América etc., pois na época "o olho do patrão" ainda era superstição inexpugnável.

Nesse tempo, a Bolsa era portanto o lugar onde os capitalistas tiravam reciprocamente uns dos outros os respectivos capitais acumulados, e só atingia diretamente os trabalhadores por ser nova evidência da ação desmoralizadora geral da economia capitalista e por confirmar a tese calvinista de ser a predestinação, aliás o acaso, que já nesta vida decide da bem-aventurança ou da perdição eterna, da riqueza, que proporciona deleite e poder, e da pobreza, que significa penúria e servidão.

3. Mudanças hodiernamente ocorridas. Depois da crise de 1866, a acumulação efetuou-se com velocidade sempre crescente, de modo que em nenhum país industrial pôde o aumento da produção acompanhar o da acumulação, não conseguindo o capitalista isolado empregar plenamente a acumulação feita para ampliar o respectivo negócio, e isso era mais verdadeiro ainda na Inglaterra: a indústria têxtil algodoeira inglesa já em 1845 transfere capitais para a especulação com ações ferroviárias. Mas aumentou com essa acumulação a massa dos *rentiers*, das pessoas que estavam cansadas da tensão normal dos negócios e apenas desejavam recrear-se ou exercer as suaves funções de diretor ou de conselheiro administrativo de companhias. E, além disso, para facilitar a aplicação do capital-dinheiro assim flutuante, estabeleceram-se, por toda parte onde ainda não havia, novas formas legais de sociedade com responsabilidade limitada, e foram mais ou menos reduzidas as obrigações dos sócios até então com responsabilidade solidária (sociedades por ações na Alemanha em 1890 representam 40% do capital total subscrito).

4. Em correspondência, a indústria se converte progressivamente em empresas por ações. Um ramo após outro, como um destino inapelável. No início, a siderurgia onde são necessários investimentos gigantescos (antes as minas quando já não estavam constituídas segundo o sistema de cotas mineiras). A seguir, a indústria química. Indústria de maquinaria. Indústria têxtil na Europa Continental e na Inglaterra apenas em algumas zonas de

Lancashire (fiação em Oldham, tecelagem em Burnley; cooperativas de alfaiates, as quais não passam de organizações preliminares, pois na crise próxima caem em poder dos patrões), fábricas de cerveja (as norte-americanas vendidas, há alguns anos, a capitalistas ingleses; em seguida, Guinness, Bass, Allsopp). Depois, os trustes que criam empresas gigantescas com direção comum (como a United Alkali). A costumeira firma solidária serve unicamente de degrau para levar o negócio até o nível em que se possa fundar uma sociedade de capital com responsabilidade limitada.

O mesmo se aplica ao comércio: Leafs, Persons, Morleys, Morrison, Dillon, todos sociedades de capital. E já se estende também ao comércio retalhista, e não só sob a capa de cooperativismo, no estilo de *stores*.

O mesmo se dá com bancos e outras empresas de crédito inclusive na Inglaterra: surgiram inúmeras organizações novas, todas de capital com responsabilidade limitada. Mesmo bancos como Glyns etc. transformaram-se em sociedade de 7 acionistas privados.

5. A mesma coisa na agricultura. Os bancos que se espalharam tanto na Alemanha sobretudo (com diversos nomes burocráticos) emprestam cada vez mais sobre hipoteca, e com seus títulos o verdadeiro domínio sobre as terras se transfere para a Bolsa, principalmente se os bens hipotecados caem nas mãos dos credores. Atua aí poderosa a revolução agrícola decorrente da cultura das planícies. A prosseguir assim, é de esperar o dia em que as terras inglesas e francesas ficarão subordinadas à Bolsa.

6. E agora os investimentos no estrangeiro, todos em ações. Falando apenas da Inglaterra: ferrovias da América do Norte e do Sul (consultar a lista de cotação da Bolsa), Goldberger etc.

7. Por fim, a colonização, hoje autêntica sucursal da Bolsa; no interesse desta, as potências europeias, há alguns anos, dividiram a África, os franceses conquistaram Túnis e Tonquim. África arrendada diretamente a companhias (Niger, África do Sul, África alemã do Sudoeste e Oriental). Cecil Rhodes apossou-se do território dos maxonas e de Natal para ficarem subordinados à Bolsa.

FRIEDRICH ENGELS

TABELA DE PESOS, MEDIDAS E MOEDAS INGLESES[I]

PESOS

TONELADA................................	= 20 QUINTAIS INGLESES (*HUNDRED WEIGHTS*)	=	1.016,050 kg
QUINTAL INGLÊS (HUNDREDWEIGHT, *CWT*)..........	= 112 LIBRAS	=	50,802 kg
QUARTER.....................................	= 112 LIBRAS	=	12,700 kg
LIBRA...	= 28 LIBRAS	=	453,592 g
ONÇA...	= 16 ONÇAS	=	28,349 g

MEDIDAS

DE COMPRIMENTO

MILHA..	= 5.280 PÉS	=	1 609,329 M
PÉ...	= 12 POLEGADAS	=	30,480 CM
POLEGADA.................................		=	2,540 CM

DE SUPERFÍCIE

ACRE...	= 4 *ROODS*	=	4046,7 M²
ROOD..		=	1011,7 M²
POLEGADA QUADRADA............		=	6,452 CM²

DE CAPACIDADE

QUARTER..................................	= 8 bushels	=	291,1 aproximadamente
BUSHEL.....................................	= 8 galões	=	36,349
GALÃO..		=	4,544
PÉ CÚBICO................................		=	28,3

I Atualmente, na Inglaterra, procura-se adaptar este sistema ao sistema métrico.

O CAPITAL

PESOS

LIBRA ESTERLINA	= 20 xelins
XELIM	= 12 pence
PÊNI	= 4 farthings
GUINÉU	= 21 xelins
SOBERANO (MOEDA DE OURO)	= 1 libra esterlina

ÍNDICE ONOMÁSTICO

Alexander, Nathaniel, 481, 642
Ana (Stuart), 708
Anderson, Adam, 386
Anderson, James Andrew, 612-13, 654, 719
Arbuthnot, John, 640
Aristóteles, 445, 1020
Arndt, Karl, 422, 907
Arquimedes, 1018
Attwood, Matthias, 626, 651
Attwood, Thomas, 626, 651
Augier, Marie, 691, 709

Babbage, Charles, 127, 139
Baker, Robert, 112, 114, 147-52
Balzac, Honoré de, 52
Baring, 622-23
Bastiat, Frédéric, 183, 401
Baynes, John, 148-49
Bekker, Immanuel, 445
Bell, G.M., 634
Bellers, John, 336
Bentinck, George, 487
Bernal Osborne, Ralph, 163
Bessemer, Henry, 163
Bosanquet, James Whatman, 432, 466
Braun, Heinrich, 1020-21
Bright, John, 731-32
Briscoe, John, 699
Brown, William, 653
Buret, Eugène, 920
Büsch, Johann Georg, 709

Cagliostro, Alexandro, 1020
Cairnes, John Elliot, 443-44
Campbell, John, 113
Cantillon, Richard, 902
Capps, Edward, 653, 892-93
Cardwell, Edward, 644
Carey, Henry Charles, 139, 183, 460, 693, 719, 722, 892
Carlos II, 699, 708
Carlos Magno, 695-96, 905
Catão (Marcus Portius Cato), 384, 444-45, 905
Cayley, 497-98, 626

Chalmers, Thomas, 291, 517
Chamberleyne, Hugh, 699
Chapman, David Barclay, 501-2, 594, 613-16, 618-29, 667
Cherbuliez, Antoine Elisée, 193
Child, Josiah, 458, 700-1
Clay, William, 640
Comte, François Charles Louis, 717-18
Coquelin, Charles, 467
Corbet, Thomas, 200, 204, 218, 247, 357
Cotton, William, 487
Curtis, Timothy Abraham, 450

Daire, Louis François Eugène, 904
Dante Alighieri, 31
Davenant, Charles, 763
Davidson, Daniel Mitchell, 623
Disraeli, Benjamin, 487
Dombasle, Christophe J. A. Mathieu de, 876, 928
Dove, Patrick Edward, 732, 738
Dureau de la Malle, Adolphe Jules César, 127

Enfantin, Barthélemy Prosper, 702
Engels, Friedrich, 15-33, 68, 87, 91-97, 135, 145, 147, 150-51, 167, 178, 184, 201, 213, 268-70, 305-7, 349, 387-88, 425, 447-48, 466, 473-76, 485, 487, 499-501, 507, 513-15, 533-35, 545, 547, 550-51, 568, 582, 601, 610, 614-15, 620, 631, 637-40, 644-47, 654-55, 664, 667-70, 679, 702-3, 774, 811, 823-39, 855, 860, 891, 896, 935-37, 943, 1017-36
Engels, Friedrich (pai), 545
Epicuro, 383, 696

Fairbairn, William, 113
Fawcett, Henry, 728
Feller, Friedrich Ernst, 363
Fireman, Peter, 25-27, 33
Forcade, Eugène, 965
Fourier, Charles, 703, 873
Francis, John, 699, 701
Frederico II, 695
Fullarton, John, 470, 526-33, 537-38, 541, 640

Gardner, Robert, 478, 565-66
Garibaldi, Giuseppe, 31
Gilbart, James William, 396, 419, 470-73, 628, 632, 708
Gilchrist-Thomas, Sidney, 91
Glyn, George Grenfell, 632, 1036
Greg, Robert Hyde, 133
Grey, George, 113
Gurney, Samuel, 478, 481, 486-87, 491, 608, 613-15, 627, 633, 667

Hamilton, Robert, 457
Hardcastle, Daniel, 633, 709
Harrington, James, 1020
Hegel, Georg Wilhelm Friedrich, 24, 63, 716, 897
Heine, Heinrich, 628, 1020
Henderson, 160
Henrique VIII, 708
Herrenschwand, Jean, 905
Heyd, Wilhelm, 1028
Hodgskin, Thomas, 449, 460
Hodgson, Adam, 478-79, 564-65
Horner, Leonard, 112-13, 120-21, 149, 152
Hubbard, John Gellibrand, 485, 617, 632, 640-41, 669, 682
Hüllmann, Karl Dietrich, 369, 371, 695
Hume, David, 437, 638

Jacob I, 708
Jevons, William Stanley, 23
Johnston, James, 717-18, 773-74
Jones, Richard, 310, 876, 898
Jorge III, 458

Kennedy, Primrose William, 611, 653
Kiesselbach, Wilhelm, 381
Kincaid, John, 113
Kinnear, John G., 521, 612

Laing, Newman, 891
Laing, Samuel, 891
Lavergne, Louis Gabriel Léonce de, 730-31
Law, John, 517, 701
Leatham, William Henry, 465-66
Lexis, Wilhelm, 21-23
Liebig, Justus, 859, 885, 896, 930
Linguet, Simon Nicolas Henri, 108, 909
List, Friedrich, 1013
Lister, James, 480-81, 526
Locke, John, 408, 722
Loria, Achille, 28-32, 1018-22, 1026
Loyd, *ver* Overstone, lorde Samuel Jones Loyd
Luís XIV, 126

Lutero, Martinho, 385, 403, 455-56, 697, 708, 1028
Luzac, Elie, 371

Macaulay, Thomas, 701
MacCulloch, John Ramsay, 82, 265, 280
MacDonnell, John, 612
Malthus, Thomas Robert, 49, 52, 60, 62, 203, 226, 232, 457, 748, 762, 774
Manley, Thomas, 700
Maron, H., 925
Marx, Karl, 15-33, 167, 213, 217, 255, 501, 513, 637, 702-3, 705, 1017-26
Massie, Joseph, 386, 408-9, 417-18, 421, 423, 436-37, 928
Maurer, Georg Ludwig von, 213
Menger, Karl, 23
Meynert, Theodor Hermann, 16
Mill, John Stuart, 449, 460, 603, 646-47, 669, 1003
Mirabeau, Victor R. de, 872
Mommsen, Theodor, 381, 444-45, 905
Moore, Samuel, 17
Morgan, Lewis Henry, 213
Morris, James, 487, 530-31, 545, 550, 595, 663
Morton, John Chalmers, 728
Morton, John Lockhart, 729-30, 780
Möser, Justus, 909
Mounier, L., 925, 928
Müller, Adam Heinrich, 413, 458-59
Murray, Robert, 612

Napoleão Bonaparte, 702
Nasmyth, James, 120-23
Neave, Sheffield, 552, 611
Newman, 928
Newman, Francis William, 692, 760
Newman, Samuel Philips, 326
Newmarch, William, 581, 610, 613, 628, 630-31, 648, 659, 661, 664-66, 671-79
Norman, George Warde, 488-90, 499, 639, 642
North, Dudley, 709, 722

O'Conor, Charles, 445
Odermann, Karl Gustav, 363
Opdyke, George, 422, 772
Ord, William Miller, 118-19
Overstone, lorde Samuel Jones Loyd, 470, 490-507, 563, 593, 597-603, 626-27, 637--39, 642-45, 647, 652-55, 666
Owen, Robert, 702-3

ÍNDICE ONOMÁSTICO

Palmer, John Horsley, 648-50, 663
Palmerston, lorde Henry John Temple, 113, 726
Parmentier, Antoine Augustin, 126
Passy, Hippolyte Philibert, 885, 898, 902, 904, 907
Paterson, William, 701
Pease, Joseph, 470, 488
Pecqueur, Constantin, 706
Peel, Robert, 637, 640
Péreire, Émile, 703
Péreire, Isaac, 517
Petty, William, 408, 543, 763, 902-3
Pilatos, Pôncio, 964
Píndaro, 446
Pitt, William, 456-58
Plínio, o Velho (Gajus Plinius Secundus), 127
Poppe, Johann Heinrich Moritz von, 389
Price, Richard, 456-60
Proudhon, Pierre Joseph, 52, 401-3, 411, 705, 724, 965

Quételet, Lambert Adolphe Jacques, 984

Radcliffe, John Netten, 119
Ramsay, George, 52, 60, 326, 420-21, 439-40, 883
Redgrave, Alexander, 123, 160-63
Rhodes, Cecil John, 1036
Ricardo, David, 21, 28, 51, 61, 82, 132, 140, 214, 218, 232, 239-40, 265, 280-81, 287-89, 294, 304, 378, 502, 637-39, 753-54, 762, 774, 784, 786, 861, 873, 887, 936, 963, 978
Ritchie, Charles Thomson, 631
Rodbertus, Johann Karl, 21, 168, 896, 919, 978
Rodwell, William, 577
Roscher, Wilhelm, 266, 357, 378, 460, 946
Rothschild, James, 545
Roy, Henry, 419, 422
Rubichon, Maurice, 729, 925, 928
Russell, lorde John, 486

Saint-Simon, Claude Henri, 702-3, 705-6
Say, Jean Baptiste, 326, 963, 968
Schmidt, Conrad, 23-25, 28, 30, 33, 1021-22
Senior, Nassau William, 47, 60
Shaftesbury, conde de Anthony Ashley Cooper (Lorde Ashley), 727

Shaw, George Bernard, 23
Siemens, Friedrich, 91
Simon, John, 114-15, 117, 119-20
Sismondi, Jean Charles Léonard de, 555, 920
Smith, Adam, 175, 225-26, 232, 255, 266, 280, 378, 382, 384, 443, 458, 521, 548--49, 716, 868, 883-84, 887, 891-93, 905, 946, 959, 963-64, 966
Smith, Edward, 116-17
Sombart, Werner, 1020-22
Stiebeling, George, 31-33
Storch, Heinrich Friedrich, 218, 761, 946, 968, 972
Stuart, James, 423

Thiers, Louis Adolphe, 724
Thun, Alphons, 1027
Tocqueville, Alexis de, 920
Tooke, Thomas, 411, 419, 431-32, 466-67, 469, 488, 514-15, 521-24, 527, 530-31, 537, 563, 611, 627, 640, 647, 662-63, 666, 925, 964
Torrens, Robert, 51-52, 60, 132, 410, 639
Tuckett, John Debell, 699
Turgot, Anne Robert Jacques, 722
Turner, Charles, 479-80, 486, 565
Twells, John, 593, 651-52

Ure, Andrew, 104, 127, 446

Verri, Pietro, 326
Vinçard, Pierre, 905
Vissering, Simon, 369, 371
Von Reden, Friedrich Wilhelm, 543

Wakefield, Edward Gibbon, 872, 885
Walton, Alfred, 720-21
Weguelin, Thomas, 527, 576-77, 581, 583, 602-3, 613, 665, 672-73
West, Edward, 288, 762
Wilson, James, 521, 527, 619, 621, 628-30, 640, 654, 670-75, 677-80
Wilson-Patten, John, 114
Wolf, Julius, 27-28, 31
Wood, Charles, 644, 676-79
Woolf, Arthur, 122-23
Wright, Charles, 611, 614
Wylie, Alexander Henry, 602, 643-44

Zwilchenbart, R., 545

ÍNDICE ANALÍTICO

ações, 192, 296, 307, 473, 515-16, 536, 541, 556-57, 572
  ferroviárias, 544, 547, 564-65, 1034-35
  formas das, 547
ações ferroviárias, 544, 547, 564-65, 1034-35
acumulação do capital, 308, 555-57, 581-84, 939
  acumulação do capital real e, 555-603
  acumulação do capital-dinheiro, 546, 555--57, 563-64, 582-84
  fontes da, 582-85, 589-91
  leis gerais da, 260-61, 263-64
  limites da, 460
  produtividade do trabalho e, 106-7, 259--64, 460
  queda da taxa de lucro e, 264-67, 287, 293-94, 300-1, 307, 310, 460
acumulação primitiva do capital, 291, 1003
adiantamento de capital, 43-46
África, 1036
agentes de circulação, 319-21, 337, 339, 360, 363
agricultura
  capitalista, 276, 715-16, 774-75, 781-82, 882-83, 887
  colônias e, 773-75
  composição do capital na, 74-77, 875-76, 880-83
  comunismo e, 146-47, 764
  condicionamento da produção pela natureza, 143-44
  contradições da capitalista, 146, 720, 929-30
  decréscimo absoluto do capital variável, 737
  decréscimo da população agrícola, 737
  decréscimo do trabalho vivo na, 308
  desenvolvimento do capitalismo na, 717-18, 754, 780-82, 837, 919-20, 1008
  emprego de resíduos na, 124-25
  indústria doméstica e, 912-14
  manufatura e, 386-87, 905
  pré-capitalista, 230, 715, 781, 905-6, 923-25
  produtividade do trabalho na, 76-77, 142, 755, 823, 882, 937
  racionalização da, 146, 718-20, 781-82, 785, 823, 929-30
agronomia, 717-18, 720, 729, 754-56, 885
Alemanha, 1028, 1033, 1035-36
  finanças e bancos, 369, 1034-36
  indústria, 107, 145, 388
  transformação de camponeses livres em servos, 696
alienação, 108-10, 308, 693, 938, 944, 949--50; *ver* fetichismo
aluguel, 891, 995
América, 92, 556, 570-71, 921, 1030, 1034-35
amortização do capital fixo, 104, 133-34, 143-44, 400-1, 675, 706-7, 907
anarquia da produção capitalista, 220-22, 228-30, 300-4, 667-68, 950-51, 1005-6
Antiguidade, 383-85, 691, 693-94, 905, 924, 951
anuidades, 400
apologética, 449
  apologistas da propriedade fundiária, 724
Argentina, 838
aristocracia financeira, 381, 514
aristocracia latifundiária, *ver* aristocracia territorial
aristocracia territorial, 838
arrendamentos
  arrendamento de pequenas áreas aos trabalhadores fabris, 726
  juro do capital incorporado ao solo, 719-22
  renda e, 779-80; *ver* arrendatários; prazo de arrendamento; preço do arrendamento; renda fundiária
arrendatários
  capitalistas, 715, 718-20, 726, 781-83, 916-18
  concorrência entre os, 816
  emprego do capital que fazem no solo, 719-21, 816-17, 867-70
  luta entre proprietários de terras e, 779-80
  pequenos, 725-30
  proprietários de terras e, 718-21, 724-27, 849, 867-69, 871-72
artesanato, 213, 387-89, 692, 1023-24, 1026--27

Ásia, 601, 643, 650, 659, 664, 670-71, 717
  modo pré-capitalista de produção na, 694
associações de crédito, 699
Austrália, 583, 659-60, 664, 672, 685, 728
Áustria, 1035
autoridade, 1006

Babilônia, 1026
balança comercial, 685-86, 903
balanço de pagamentos, 570, 600-1, 661, 664, 684-86; *ver* balança comercial
Banco da Inglaterra, 532, 535-36, 550-52, 580, 602-3, 609, 620-23, 629-33, 645-46, 648-51, 653, 659
  circulação de bilhetes do, 527-29, 541, 607-14
  encaixe metálico do, 474, 505-6, 625-27, 630-21, 641-42, 645, 653-54, 661-63, 666, 683-84
  instituição semiestatal, 629
  lucro do, 630
bancos, 355, 368-73, 448, 468-69, 521, 528-29, 532-37, 583-84, 618-19, 630-34, 666
  de câmbio, 369
  de depósito, 470-71, 700
  de giro, 371
  nacionais, 469, 634, 660-61
  reservas bancárias (encaixe), 546-47, 549-52, 580, 616, 659-64, 666
  sociedades por ações, 448, 577, 1034; *ver* Banco da Inglaterra; comércio de dinheiro
bancos por ações (*joint-stock banks*), 448, 1034
Bank Restriction Act (1797 a 1820), 617
banqueiros, 419-20, 465-69, 556-57, 589-90, 593-95, 634
  lucros dos, 630
base e estrutura, 908-12
benfeitorias, 725-27, 780, 860-61
bens de consumo final, *ver* meios de consumo; meios de subsistência
bilhetes de banco, 465-66, 469-71, 527-30, 550-51, 602-3
bimetalismo, 23, 371-72
bolsa, 556, 1034-36
  história da, 1034-35

Califórnia, 583, 659
câmbio, *ver* casas de câmbio; corretores de câmbio; especulações de câmbio; operações de câmbio; taxa de câmbio

camponeses, 146, 256, 692, 1023-24, 1026-27
  expropriação, 693, 715-17, 725-27, 885
  pequenos, 52, 146, 692-97, 725, 798, 927-28, 998
  yeomanry, 924
capital
  circulante, 305, 400-1
  como transfere valor, 133-34
  componente do, 134
  difere do capital fixo, 46-47, 133-34, 184-85, 305, 337-38
  composição do
    agrícola, 74-77, 875-76, 880-83
    ascensão progressiva da composição orgânica, 253-55, 257, 281
    influi na taxa de lucro, 86-87, 169, 176-77, 180-85, 189-91, 253-56
    nos diferentes ramos de produção, 68, 176-77, 209, 279
    orgânica, 169, 176, 178, 180-83, 185, 189, 196-97, 278-79, 874-75, 881-82
    reflete o estado da produtividade do trabalho, 875, 882
    segundo as classes, capital fixo e capital circulante, 183-85
    segundo o valor, 68, 178, 881-82
    social médio, 197, 209-10, 262-64, 880-83
    técnica, 61, 77, 178, 874-75, 881-82
  constante, 177-78, 305, 875-76, 977
  absorção e liberação do, 142
  acréscimo do, 101, 254, 257, 260, 264-66
  baixa de preço dos elementos do, 278-79
  economia no emprego do, 76-78, 101-12, 464, 797-99, 982
  processo de criar valor e, 42-44, 47-48, 69, 957-58
  reparte-se em capital fixo e circulante, 101, 133-34, 136-39, 142-44, 184-85, 258, 305-6, 957-58
  reprodução do, 968-71
  taxa de lucro e, 76-78, 103-4, 289
  de circulação, 315-16, 378; *ver* capital-dinheiro; capital-mercadoria
  desvalorização (depreciação) do, 278-79, 290-91, 293-95, 297, 459-60
  dinheiro, 530, 538; *ver* capital bancário; capital financeiro; capital-dinheiro; capital de empréstimo
  fictício, 542-47, 572, 592, 630
  fixo, 719-22, 798, 875, 887, 891, 894, 898, 907, 925, 957-58

ÍNDICE ANALÍTICO

agricultura e, 718-20
amortização do, 105, 133-34, 142, 400-1, 675, 706-7, 906-7
componente do capital constante, 101-2, 957-58
desgaste do, 46, 104, 133-34, 139, 190
difere do capital circulante, 46-47, 133-34, 184-85, 305, 337-38
reprodução do, 101-2, 139
formas do, nos modos de produção pré-capitalistas, 378-79, 691-92
fórmula geral do, 57, 453, 936-39
industrial, 334-36, 338-48, 350, 353-54, 567, 569
aparecimento do, 1030-31
diferentes formas do, 315-22, 325-26, 350, 367-68, 377-78, 580
rotação do, 323-27, 353-64
indústria extrativa, 887
liberação e absorção do, 136-37, 140, 797-99
mercadoria, 407-11, 538
ociosidade e destruição do, 297-99
potencial, 411-12
produtivo, 317, 320-22, 377-78, 398, 561-62, 901
produtor de juros, 282-83, 390, 395-413, 441-42, 541-43, 547
fetichismo do, 453-61
fórmula do, 453-55
história do, 436-37, 691-92
ideias burguesas sobre, 436-39, 456-61; *ver* capital de empréstimo
movimento do, 397-400, 403-6
relação social, 229, 308, 461, 935-36, 940-41
segundo os economistas vulgares, 377-78, 937-38
social, 196-99, 209-10, 262-65, 301, 880-83
duas seções do, 618, 959
repartição do, entre os diversos ramos de produção, 195-97, 203, 877
valor do, 200, 955-56
subordinação do trabalho ao, 230-32, 256, 279
subordinação dos diversos ramos de produção ao, 254-55
valor que se valoriza a si mesmo, 411-12, 453-55
variação do valor do, 136-40, 168-69
variável:
absorção e liberação do, 140-42

decréscimo relativo do, 253-55, 257-59, 261-64, 294-95, 460
força de trabalho e, 177-79
mais-valia e, 47, 57-58, 93-95, 140-42, 178-80, 204
processo de criar valor e, 47-48
reprodução do, 962
rotação do, 93-95
salário e, 44-45, 140-41, 195, 956, 961--62; *ver* acumulação do capital; capital mercantil; concentração do capital; centralização do capital
Canadá, 477, 685, 774
capital, O
campo de pesquisa do Livro 1, 25-26, 41, 177-78, 263, 272
campo de pesquisa do Livro 2, 41
campo de pesquisa do Livro 3, 16-21, 25, 41, 395, 715-16, 1022-23
contribuição de Engels na edição do Livro 3, 15-21, 87, 91-97, 135, 145, 147, 150-51, 167, 178, 184, 213, 268-70, 305-7, 349, 387-88, 425, 448, 466, 487, 499-501, 513-14, 533-35, 545, 547, 550-52, 568, 582, 614-15, 631, 640, 644-47, 654-55, 667-70, 679, 703, 774, 811, 823-39, 855, 1017-36
história da feitura de, 16-17
método aplicado em, 41, 136, 175-76, 278, 280, 315-16, 950, 1021
capital adiantado, *ver* adiantamento de capital
capital bancário, 470-72
componentes do, 541-52
capital comercial, 315-27, 354, 367, 373
capital de empréstimo, 400-2, 407-9, 424-25, 431-33, 560, 566-67, 575-80, 602, 679-81; *ver* capital bancário; capital-dinheiro
capital financeiro, 367-73; *ver* capital bancário
capital mercantil, 246, 315-27
capital industrial e, 341-43, 345-50, 359-60, 363-64
concentração e centralização do, 343-44
custos do, 343-44
função do, 315-24, 342-43, 378-80
história do, 336, 344, 359-62, 377-90
ideias burguesas sobre, 324-26, 377-78
lucro e, 30-31, 266, 333-36, 346-47, 358-60, 363-64, 383, 1028-31
movimento do, 318-21, 353-55, 367-68, 378-80, 397, 453
não produz mais-valia, 326-27, 331-34
papel no processo de reprodução do capital social, 320-23, 326, 340-43

O CAPITAL

precondição histórica do modo capitalista de produção, 380-81
rotação do, 323-24, 336, 353-56, 359-64
capital por ações
　aumento do, 282-83, 1035-36
　em oposição ao capital privado, 512-13
capital usurário, 256-57, 691-93, 695-97, 1024, 1030
　formas do, 691-93
　paralisa o desenvolvimento das forças produtivas, 693-94
capital-dinheiro, 336-37, 398-99, 426-27, 431-32
　acumulação do, 546, 555-72, 575-85, 589-603
　capital-mercadoria e, 319-21, 336-38
　concentração e centralização do, 467-68
　fictício, 546-48, 551-52, 555-57
　forma do capital industrial, 367, 377-78, 541
　função do, 367-68
　oferta e procura do, 596-99, 601-3, 615-16, 664-65, 668
　oposição ao capital produtivo, 321
　potencial, 368, 569, 572, 593
capital-mercadoria, 347-48, 377, 398-400, 569-70, 572, 584
　capital-dinheiro em oposição ao capital produtivo e, 321
　circulação do, 315-16, 318-22, 398-99
　conversão em capital comercial, 321
　forma do capital industrial, 315-18, 350, 377
　função do, 317-20
capitalista, 57-58
　capital personificado, 333, 339, 434, 939, 944, 1005-6
　comercial, 316-19, 333-34, 339
　financeiro, 431-37, 442, 556-57, 569, 629, 634; *ver* banqueiros
　funções do, 291, 947, 1006
　ideias sobre a origem da mais-valia e do lucro, 48-52, 166, 201-4
　industrial, 282, 332-35, 338-41, 389-90, 431-38, 442-43, 719
　objetivo determinante das ações do, 57-59, 223, 231-32
　proprietário de terras, 867-68
　quando parece trabalhador, 442-43
cartéis, 145, 513, 568
casas de câmbio, 369-70
casas de penhor, 697-99
categorias dialéticas

　abstrato e concreto, 41
　causa e efeito, 937, 992
　essência e fenômeno, 202, 246-47, 938
　necessidade e casualidade, 939
　necessidade e liberdade, 940-41
causa e efeito, 937, 992
centralização do capital, 287, 291-92, 296, 307-8, 343-44, 515
　bancário, 545, 634, 660
China, 386-87, 642-43, 664, 672
ciclo do capital, 402, 404-6
ciclo industrial, 144-46, 359, 419-21, 425, 473-74, 561-64, 566-68, 583-84, 595-99, 613-14, 666-67, 680-83, 950
　circulação monetária e, 524-29
　comércio exterior e, 581-82
　lucro médio e, 245-46
　periodicidade, 567-69, 581-82; *ver* crise de dinheiro; crises econômicas; paralisação na circulação de mercadorias
cidade e campo, 918
cidades comerciais, *ver* cidades mercantis
cidades mercantis, 381-83
ciência, 105, 127, 363, 390, 876, 938; *ver* tecnologia
ciências naturais, 105, 310, 885
circulação, *ver* agentes de circulação; circulação de mercadorias; circulação monetária; custos de circulação; paralisação da circulação de mercadorias; processo de circulação
circulação de bilhetes de banco, 505-6, 511-12, 521-22, 527-30, 532-37, 541, 607-18, 627-31, 639, 645-48, 659, 661-62, 666
circulação de mercadorias
　base do modo capitalista de produção, 377
　capitalista, 229-30, 360-61, 398-400
　circulação monetária e, 370-73, 383
　simples, 229-30, 367, 371, 378-82, 558-60, 1024
circulação mercantil, *ver* circulação de mercadorias
circulação monetária, 378-79, 381-84, 511-12, 521-38, 548-49, 607-9, 611-19, 661-63
　economistas burgueses, 521-38, 964-65
　interna, 530-33, 659-63
　internacional, 530-32
　leis da, 353-54, 524, 608-13
　metálica, 639, 659-62
　reprodução e, 618, 961-62
　resultado da circulação das mercadorias, 371-73; *ver* circulação de bilhetes de banco

ÍNDICE ANALÍTICO

classe capitalista, 1013-14
  condições de existência da, 57
  exploração da classe trabalhadora, 231-32
classe trabalhadora, 1013-14
  capital e, 41-43, 231-32
  condições para surgir e existir a, 109-12, 231, 387-88
  reprodução da, 223
classes, 229, 697-99
  classe de dirigentes industriais e comerciais, 449
  da sociedade capitalista desenvolvida, 20, 718-19, 1013; *ver* camponeses; classe capitalista; classe trabalhadora; proprietários de terras
coerção
  extraeconômica, 909
  meios de, 903
  trabalho forçado, 909-10
colheitas
  más, 562, 565, 666, 696, 906, 921
colônias, 781, 872-73, 885, 1030
  fertilidade do solo nas, 772-75, 885
  taxa de lucro mais alta nas, 280-81, 754
colonização, 1036
colonos, 734, 781, 798, 872-73
comerciante, 339-40, 350, 1027-32
comerciantes de dinheiro, 370-71; *ver* banqueiros
comércio, 380-90
  atacadista, 338, 344, 355, 515, 610, 614, 628, 651, 1031
  crédito e, 559-60
  desenvolvimento da produção e, 378-80, 383-86, 389-90
  desenvolvimento nos modos de produção pré-capitalistas, 383-89, 1025-26
  levantino, 1029-30
  servidor da produção industrial, 389
  tráfico mercantil, 382-84
  varejo (retalho), 297, 315, 323, 898; *ver* comércio de dinheiro; comércio exterior
comércio colonial, 280-81, 475, 478-81, 642-43, 678, 1030
comércio de dinheiro
  comércio de barras (lingotes de ouro), 370-71, 467
  divisão do trabalho no, 368
  formas mais primitivas do, 369-70
  história do, 368-71, 467
  operações de câmbio, 369-70
  tarefas do, 372-73; *ver* bancos
comércio de mercadorias, 372-73

comércio de ópio, 642
comércio exterior, 581-82, 664, 674-79
  influência sobre a taxa de lucro, 279-81
  metais preciosos, 369-72, 531-32, 601 639, 642-43, 659-65, 667-68, 670-71, 679-81
  reprodução capitalista e, 279-81
  Ricardo, 280-81
comércio mundial
  influência na taxa de lucro, 131-32
  Ricardo sobre a, 132
  redução do tempo de rotação do, 91-92
Companhia das Índias Orientais, 450, 623, 627, 672-73, 676, 700
companhia de seguros, 968-69
Companhia Holandesa das Índias Orientais, 357, 382
comunidade primitiva, 213, 951, 1003
comunidades, 213, 382-84, 734, 838, 951, 1003, 1023
  rurais, 387
comunismo
  condições (relações) agrárias no, 764
  consumo no, 969, 999
  contabilidade no, 973
  determinação do valor no, 972-73
  distribuição no, 973
  fundamentos materiais do, 304, 308, 512-17
  fundo de seguros no, 968-69
  liberdade no, 940-41
  produção no, 301-2, 306, 973
  controle da produção e do processo de produção, 221-22, 301-2
  direção da produção, 447-48
  regulação da produção, 145, 940-41
  propriedade no, 893-94
  reprodução ampliada no, 999
  tempo de trabalho no, 221-22, 940-41, 973
  trabalho no, 106, 939-40, 968-69, 972-73, 998-99
  vigência das leis econômicas no, 301
comunismo primitivo, 838, 951, 1003, 1023, 1027, 1029
conceito, 25-26, 175
concentração da produção, 287, 1004
concentração do capital, 110-11, 260-61, 287, 291-92, 296, 344-46, 448, 747, 780-81, 800
  concentração do capital-dinheiro nos bancos, 448, 532, 583
concentração dos meios de produção, 103, 310, 512, 781, 1013

1045

concentração dos trabalhadores, 106, 114-15, 261, 512
concepção materialista da história, 28-29, 1020
falsificação da, 28-29
concorrência, 25-26, 50, 219, 227-29, 232, 266-67, 280-81, 296-302, 412-13, 417, 420-22, 715, 877, 886, 948, 988-89, 993, 997-98, 1030, 1033
 dentro de um ramo de produção, 215-16
 entre capitalistas financeiros, 629
 entre capitalistas financeiros e capitalistas industriais, 431
 entre comerciantes, 357-58, 364
 entre trabalhadores, 210-11
 lei fundamental da capitalista, 50, 209-10
 mercado mundial e, 135-36, 145, 280-81, 386, 568, 838-39, 997-98
 monopólio e, 144-45, 266-67, 514
 relações econômicas configuram-se invertidas na, 246-48, 266-67, 272
 taxa de lucro e, 185, 190-92, 245-46, 296-98, 307, 363, 424-25, 988-90
condições de produção, 57, 308-9
condições de trabalho
 dissociação entre os produtores e as, 291-92, 715, 941-42
conselhos de administração, *ver* conselhos diretores
conselhos diretores, 450
consertos, *ver* trabalhos de reparação
consignações, 151, 566, 570, 619
construções, *ver* indústria de construções; renda dos terrenos para construção
consumo
 comunismo e, 969, 999
 contradição entre produção e consumo no capitalismo, 290, 301-3, 562
 crédito e, 560-62
 individual, 222, 354, 760, 960-61, 999, 1003
 produtivo, 148-49, 222-23, 959-60, 1003
contabilidade, 368
 no comunismo, 973
contradição
 contradições da agricultura capitalista, 146, 720, 929-30
 contradições do modo capitalista de produção, 109-11, 144-46, 262-65, 289-90, 300-4, 306-8, 512-16, 563, 667-68, 1006
 entre forças produtivas e relações de produção, 144-46, 288, 290, 294-95, 302, 308-10, 1009
 entre o caráter social da produção e a maneira privada como o capitalista dela se apropria, 308, 310, 514-16, 667-68, 1006-7
 entre produção e consumo, 290, 301-3, 562
 entre produção e mercado, 513
 entre propriedade privada da terra e a agricultura racional, 719-21, 929-30
controle
 da produção é inconciliável com as leis da produção capitalista, 145
 da produção pela sociedade, 222, 301-2
conversão das mercadorias em dinheiro, *ver* realização das mercadorias
cooperação, 102-7, 115, 127, 310, 693
cooperativas de produção, *ver* fábricas cooperativistas
corporações medievais, 213, 387-90, 951, 1023, 1027-28
corporações mercantis, 1028-30
corretor, 651-52
corretores de câmbio, 551-52
corveia, 908, 910-13, 921
Crédit mobilier, 703, 706
crédito, 427, 557, 568, 580, 582-84, 601-2, 607-34, 638-40, 649, 666-68, 798, 1008
 bancário, 465-66, 557-58, 575, 680
 comercial, 465, 467-68, 557-59, 567, 570, 575, 580, 582, 589, 601, 664, 680
 base do sistema de crédito, 557-58
 ciclo do, 557-62
 limites do, 558-60
 consumo e, 560-62
 ideias burguesas sobre crédito, 465-67
 influência sobre a circulação monetária, 511-12, 525-26
 monetário, 563
 produção capitalista e, 511-17, 668, 704-5
crédito bancário, 465-66, 557-58, 575, 680
crédito comercial, *ver* crédito
crédito do Estado, 610
crédito em dinheiro, *ver* crédito monetário
crédito gratuito, 705, 867
crédito monetário, 563, 567
credores e devedores, 409-11, 413, 417, 427, 465, 489-90
crise de dinheiro, 150, 485-88, 491-93, 498-99, 536-38, 545-46, 568-69, 599-601, 614-16, 624-29, 645-46, 662-63, 697
crise financeira, *ver* crise de dinheiro
crises algodoeiras, 146, 149-55

ÍNDICE ANALÍTICO

crises econômicas, 287, 294-96, 299-300, 303, 355, 419, 504, 517, 536-38, 562-63, 567-72, 596, 645-46, 654-55, 666, 668, 1035
   algodoeiras, 146, 149-55
   causas das, 562-63
   comerciais, 637; *ver* mercado
   concepções burguesas sobre, 571, 599-601
   consumo e, 562
   crise de 1825, 92, 582, 662
   crise de 1836-37, 637, 644, 662
   crise de 1847, 419, 475, 480-81, 486-88, 491-93, 563-66, 615, 662-63
   crise de 1857, 146-47, 475, 481, 493, 514-15, 563, 566, 570, 651-52, 659, 662
   crise de 1867, 568
   solução momentânea e violenta das contradições existentes, 294; *ver* ciclo industrial; crise de dinheiro
cultura exaustiva
   do solo, 772
currency principle, 488-90, 530-31, 637-55
curso do dinheiro, *ver* circulação monetária
custo de produção, 756
   dos arrendatários, 848-49; *ver* preço de custo
custos de circulação, 332, 337-41, 343-44, 347-50, 511
custos do comércio, 332
custos improdutivos mas necessários, *ver* falsos custos

definições
   acumulação de capital, 259-60, 290, 307, 555
   acumulação de capital real, 555
   acumulação de capital-dinheiro, 545-46, 555-57
   arrendamento, 722-23, 733
   bilhete de banco, 469
   capital, 229, 308, 411-12, 453-55, 460, 941
   capital bancário, 541, 546
   capital circulante, 46-47
   capital comercial, 315-16, 318
   capital constante, 137, 305
   capital de composição inferior, 197
   capital de composição superior, 197
   capital fictício, 543, 572
   capital financeiro, 367
   capital fixo, 46-47
   capital industrial, 339

   capital mercantil, 315, 325-26
   capital potencial, 411-12
   capital produtivo, 321-22
   capital produtor de juros, 282, 390, 396-97
   capital real, 555, 581
   capital usurário, 691-93, 695
   capital variável, 44-45, 959
   capital-dinheiro, 337, 555
   capital-dinheiro fictício, 546-47
   capital-dinheiro potencial, 368, 569
   capital-mercadoria, 398-99
   centralização de capital, 291-92
   composição do capital, 177-78
   composição do capital segundo o valor, 178
   composição orgânica, 178
   composição técnica, 177-78
   consumo individual, 222, 959-60
   consumo produtivo, 222
   crédito bancário, 465-67
   crédito comercial, 557-58
   crédito financeiro, 563
   crédito monetário, 563
   custo de produção, 756, 848
   dinheiro, 168, 399-400, 599-600, 667, 896, 907
   dinheiro de crédito, 465, 600
   empréstimo, 548-49
   exploração secundária da força de trabalho, 707
   fundo de acumulação, 957, 969
   juro, 282, 402-10, 436-37, 941
   liberdade, 940-41
   lucro, 49-50, 57-68, 199-202, 209-10, 941, 956-57
   lucro comercial, 335-36, 350, 356
   lucro de empresário, 434-38, 941
   lucro do capitalista industrial, 335
   lucro médio, 185, 191-92, 209-10, 229, 902
   lucro suplementar ou extraordinário, 68, 214, 423, 744-47
   mais-valia, 938
   mais-valia absoluta, 101
   mais-valia relativa, 101
   necessidade social, 222-23, 735-36
   preço, 224-27, 270-71, 410-11, 749-50
   preço da terra, 925-26
   preço de custo (capitalista), 41-42, 198-99
   preço de custo real, 42
   preço de mercado, 214, 219-21, 224-25, 232-33, 411-12, 743-44
   preço de monopólio, 874, 880-81

preço de produção, 191, 199, 209, 214-15, 229, 232-33, 333-35, 412, 743-45, 866-67, 984
preço de produção de mercado, 246-47, 743-44
preço médio, 743-44, 948
preço médio do mercado, 246-47, 412
processo capitalista de produção, 939
processo de acumulação capitalista, 1007
processo de trabalho, 1008-9
processo social de produção, 939
produção intelectual, 105
produtividade do trabalho, 304-7
produto excedente, 939, 941
relações de distribuição, 1008-9
relações de produção, 1008-9
renda (fundiária) absoluta, 876-80
renda (fundiária) de monopólio, 955
renda (fundiária) em dinheiro, 914, 919-20
renda (fundiária) em produtos, 912-14
renda (fundiária) em trabalho, 908-9
renda (*income*) líquida, 962-63
renda (*rent*) diferencial, 748, 753, 780-83, 891, 943
renda fundiária, 941
salário, 44, 49, 938, 941-43, 956-57
superprodução de capital, 296
taxa anual de mais-valia, 96
taxa de acumulação, 287
taxa de juro, 412, 437, 580, 617-18
taxa de lucro, 58-63, 67-68, 81, 138-39, 209
taxa de mais-valia, 58, 67-68, 81-82
taxa de renda fundiária, 288
taxa média de juro, 196, 421-24
taxa média ou geral de lucro, 191-92, 209-10, 425-27
trabalho, 943
trabalho coletivo, 127-28
trabalho corporificado (morto, pretérito), 203, 305
trabalho excedente, 292-93, 939-40
trabalho intelectual, 105, 127
trabalho não pago, 395, 956
trabalho necessário, 733
trabalho socialmente necessário, 217
trabalho universal, 105, 127-28
trabalho vivo, 305-6
valor, 57, 110-11, 169, 182-83, 985-90, 1006-7
valor de mercado, 213-14, 217-29, 232-33
valor de troca, 217, 599
valor de uso, 217, 735-36

depósitos, 467-68, 541, 546-50, 576-85, 592-93, 611-12, 661-62; *ver* capital bancário
depreciação do dinheiro, 686, 727
descobertas geográficas, 386, 1029
desemprego, 156-58
deslocamento de capital, *ver* migração de capital
desperdício
   da vida e saúde dos trabalhadores, 109-12, 114-16
   do tempo de trabalho social, 221-22
despotismo, 838
desproporcionalidade
   dos diversos ramos de produção, 301
dinheiro
   capital, 396-401, 403, 406-8, 410-12, 453-55, 521-23, 530, 541
   de crédito, 465, 599-600, 624, 701
   encarnação da riqueza social, 667
   equivalente universal, 599-600
   forma autônoma do valor da mercadoria, 599-600, 896, 987
   mercadoria, 168, 400
   transformação em capital, 395-98, 406-7, 575
   funções do
   dinheiro universal, 369-71, 385, 530, 532, 538, 624-25, 695; *ver* ouro
   medida dos valores, 383-84, 530, 592, 1026; dinheiro de conta, 907
   meio de circulação, 227, 324-27, 353-54, 368, 371-72, 383-84, 395, 427, 521-25, 532, 580, 608; meio de compra, 326, 370-73, 427, 521, 524, 599; *ver* bilhetes de banco
   meio de entesouramento, 368, 370, 372, 383, 530, 695-96
   meio de pagamento, 269-70, 324-26, 354, 368, 371-73, 465-66, 521-24, 536-38, 607-8, 694-95, 697
   história do, 1024-26
   metálico, 522, 592, 600-1, 1026
   papel-moeda, 610
dinheiro de crédito, 465, 599-600, 624, 701
   desvalorização do, 599-601
direito, 716; *ver* equidade
direito de propriedade, 543-46, 555-56
diretores nominais, *ver* conselhos diretores
dissipação, *ver* desperdício
distribuição
   da mais-valia, 58-59, 287-89, 425, 876-78, 901, 941, 955-57, 961
   do capital social, 196-97, 203, 770-71

ÍNDICE ANALÍTICO

proporcional entre os ramos de produção, 877
do produto total da sociedade, 196-97, 203, 877
do trabalho social, 1005
proporcional entre os ramos de produção, 735-36
distribuidor, 1031-33
dívida pública, 456-57, 542-47, 613, 616
dividendos, 346, 359, 425, 487, 512, 547-48, 685, 941
divisão do trabalho
  capitalistas e, 322-23, 338-41
  comércio de dinheiro e, 368
  comércio e, 344, 349
  diversas funções do capital e, 368
  entre trabalho industrial e agrícola, 385, 733, 735
  produção de mercadorias e, 221
  sociedade e, 105, 310, 319, 377, 735, 1014
dízimos, 291, 906
dualismo, 666

economia
  capital constante e, 77-78, 101, 104-11, 434, 797-99, 981-82
  condições de produção e, 102-11
  invenções e, 127-28
  nos meios de circulação, 607-10
  nos meios de produção, 105-8, 115, 781
  nos pagamentos, 608
  trabalho e, 105-6, 109-12, 203-4, 797-99
economia camponesa, 781-82
economia escravista, 691-94, 921, 926
economia natural, 361, 378-79, 387-88, 904-6, 914, 1024, 1033-34
  camponesa, 1024
economia parcelária, 696, 781, 924, 927
economia pequeno-camponesa, *ver* economia parcelária
economia política
  características gerais da burguesa, 202-5, 255-56, 265-66, 275, 287, 315, 362-63, 901
  ciência, 180-81, 362-63, 390
  clássica, 132-33, 287-88, 378, 950
  história da, 390
  revolução que Marx fez na, 255; *ver* economia vulgar; fisiocratas; mercantilismo; sistema monetário (metalismo)
economia vulgar, 47, 272, 543, 645, 904, 937-38, 950
  capital e, 377, 454
  capital mercantil e, 325

capital produtor de juros e, 437-39
lucro e, 21-24
valor e, 990-93, 1018-20, 1026
educação, *ver* instrução pública
Egito, 1026
emigração, 728-29
emprego de capital
  limites absoluto e relativo na terra (no solo), 880
  mínimo do, 782, 816
  propriedade fundiária limita, na terra (no solo), 849-50, 866-69, 877-78
  terra (no solo) e, 715-16, 718-20, 775, 779-83, 785-89, 793-800, 849-50, 853-54, 860-61
empréstimos, 547-49, 616-17, 668-69
  formas de, 400-1, 468-69, 575-76
encaixe, *ver* entesouramento; fundo de reserva
entesouramento, 372, 532, 659, 661, 686-87, 691, 695-96
  duas formas de, 369-71
  encaixe metálico, 602-3, 659-64; *ver* ouro
equidade, 396
Escócia, 610-13, 640, 649-50, 653-54, 718, 727, 893
escravidão, 44, 213, 543, 691-94, 696, 724, 734, 909, 1006
  comércio na, 379, 384-85
  relações de produção, 379, 951
  relações de propriedade, 894
  trabalho de superintendência, 444-45
Espanha, 1028, 1030
especulação, 246, 287, 357, 419-20, 422, 471-73, 475-76, 512, 514-17, 547, 559, 565, 568-69, 596, 598-99, 626-28, 772
  na indústria de construções, 721-22, 891-92
especulação ferroviária, 150-51, 420, 477-78, 491, 565
especulações de câmbio, 475-76, 478-80, 562-63, 568-69, 578-79
essência e fenômeno, 202, 246-47, 938
Estado, 444, 514, 909
  proprietário do produto excedente em modos de produção pré-capitalista, 384
Estados Unidos, 96
  condições agrárias, 719-20, 772-75
  Guerra Civil, 135, 153-54
  imigração, 728
  indústria, 145
  moeda e comércio exterior, 570-71, 659-60
estatística burguesa 96-97
estoque de matérias-primas, 137-38

estoque de mercadorias, 315
eventos e lei, 948
excrementos da produção e do consumo, *ver* resíduos
expedição, custos de, 337-38
exploração da força de trabalho, 57, 263-64, 395, 939-44
    diversidade da, nos diferentes ramos de produção, 175
    exploração da totalidade da classe trabalhadora pela totalidade do capital, 231
    grau de exploração do trabalho, 231, 275-76
    diferenças nacionais, 175-76
    original e a secundária, 707
exploração exaustiva, *ver* cultura exaustiva do solo
exploração parcelária, *ver* economia parcelária
exportação de capital, 301-2, 570, 668-70, 684-85, 1036
expropriação
    dos cultivadores diretos da terra, 692-93, 715-17, 884-86, 916-17, 921, 941-42, 1004-5
    dos pequenos arrendatários pelos proprietários das terras, 725-27
    dos pequenos e médios capitalistas, 287, 291, 515
    dos produtores diretos, 261, 287, 903

fabricação de máquinas, 122-24, 1035
fabricação de móveis, 388
fábricas cooperativistas, 109, 447, 449
    dos trabalhadores, 516
fábricas
    construção de, 123-24
falência, 128, 139
falsos custos, 746
família
    trabalho em, 913, 1023-24
faux frais, *ver* falsos custos
ferrovias, 92, 283, 307, 361, 473, 477-78, 480, 663-64, 669-74, 1036
fertilidade da terra, *ver* fertilidade do solo
fertilidade do solo
    artificial, 755, 760, 762-63, 780, 784-86, 816-19, 823, 838, 860, 884-85
    aumento da, 719-21, 860
    natural, 719-20, 735, 753-55, 761, 772-75, 784-86, 838, 860, 884-85, 936
fetichismo
    do capital, 454, 943-48
    do capital produtor de juros, 453-61, 949
    do dinheiro, 599-600
    do juro, 453-55
    do lucro, 454; *ver* alienação
feudalismo
    alemão, 696
    características gerais, 384, 387-90, 694-95, 715-18, 734, 902, 918, 920-21, 1023-27
    cidade e campo, 918
    funções administrativas, 448
    relações de produção, 379, 908-12, 951
    relações de propriedade, 694
    transição para o modo capitalista de produção, 385-89, 903, 914-20
fisiocratas, 702, 872, 903-4
fisiologia, 876
força de trabalho
    desenvolvimento da produtividade do trabalho e, 263-65, 278, 292
    determinação da, 983
    mercadoria, 23, 440-42, 597, 1005
    procura de, 596-97, 987-88
    reprodução da, 140, 256, 292, 734-35, 941-42, 956-57; *ver* salário
    valor da, 43-45, 50, 107, 140, 243, 342, 348-49, 543, 597, 855, 955-56, 992-94
    valor de uso da, 43-45, 348-49, 408, 440-41
força hidráulica, 747-49
forças produtivas, 292-93, 308, 516-17, 924-25, 940, 947, 1003-4, 1006
    aceleração do desenvolvimento das pelo sistema de crédito, 517
    capital usurário estorva o desenvolvimento das, 693
    contradição entre forças produtivas e relações de produção no capitalismo, 144-46, 288, 290, 294-95, 302, 308-10, 1009
    desenvolvimento no capitalismo, 110, 275, 294-95, 304, 308, 517
    limites do desenvolvimento, 287-88
forma dinheiro
    capital e, 521-24
    da renda (*revenue*), 521-24
formações econômico-sociais, 894, 936-37, 939
formas de produção, 516-17, 1006-7; *ver* modo de produção
fórmula trinitária, 935-39
França, 702-3, 1030
    atividade financeira e bancária, 511
    comércio exterior, 642-43
    condições agrárias, 729-30
    desenvolvimento industrial, 387-88

ÍNDICE ANALÍTICO

funcionários, 1013
fundo de acumulação, 957, 969
fundo de reserva, 134, 468, 546-47, 999, 1007
   bancos e, 546, 550-52, 579-80, 616, 659-63, 666-67
   concentração do nacional, 532
   meios de pagamento e de meios de compra, 370, 372-73, 532
   para pagamentos internacionais, 532
fundo de seguros, 968-69, 999, 1007

gado
   mercadoria-dinheiro (pecúnia), 1025
geologia, 876
gerência da produção, 167, 443-44
grandes proprietários de terras, 836-40
Grécia, 369, 385
greve dos tecelões que operam teares mecânicos em Lancashire, 156
Guerra Civil americana, *ver* Guerra de Secessão
Guerra de Secessão, 135, 153
Guerra do Ópio, 473
guerras
   1792-1815, 495
   antijacobina, 726
   arruinou os camponeses francônios, 696-97
   arruinou os plebeus romanos, 696-97
   Crimeia, 153, 495, 677, 679
   despesas de, 679, 686
   usurário e, 696

hipoteca, 536, 541, 922, 927-28, 1036
Holanda, 386, 1030
   atividade financeira e bancária, 369, 371, 700
   país modelo de desenvolvimento econômico no século XVII, 700
homem, *ver* ser humano
humanismo, 302, 940-41

Idade Média, 905-6, 918, 951, 1023-25, 1027-28
   comércio na, 385-86, 1027-28
   feudalismo, *ver* feudalismo
   Igreja na, 698, 710
   juro na, 694-95, 707-10
   usura, *ver* usura
Igreja, 698, 710
impostos, 753, 838, 874, 903; *ver* tributos
Índia, 92, 256, 386-87, 642-43, 671-76
   comunidades, 838, 905, 1003
   produção de algodão, 145-46
Índias Ocidentais, 685

indústria em domicílio, *ver* indústria doméstica
indústria de construções, 891-92
indústria de lã, 125-26, 146-48, 150-55
indústria de linho, 150-54
indústria de malhas, 387
indústria de rendas, 387
indústria de seda, 115-16, 126, 387-88
indústria doméstica, 695
   rural, 905, 908, 912-14, 924
indústria extrativa, 126, 143, 875-76
   composição do capital, 74, 875-76
   renda absoluta na, 886-87
indústria moderna, 275-77, 388-89, 513-14, 898, 1035-36
   comércio e, 386-87
   composição do capital, 75-76, 97
   papel revolucionário da, 1033
   produtividade do trabalho e, 75-77
   transição para a, 388-90
indústria têxtil, 1031-32
indústria têxtil algodoeira, 133, 148-58
Inglaterra
   agricultura e condições agrárias, 125, 726-31, 785-86, 837-38, 885
   atividade financeira e bancária, 370, 422-24, 448-49, 456-58, 473-75, 485-507, 528-30, 535, 549-52, 568-69, 576-80, 583, 597, 601-3, 607-14, 616-17, 619-34, 637-55, 659-79, 683, 685-87, 695, 698-99
   centro do mercado financeiro mundial, 664
   comércio exterior, 386-87, 556, 565-66, 570-71, 581-82, 619-21, 642-43, 671-72, 760-61
   divisão de classes, 1013
   exportação de capital, 570-71, 663, 684-85, 1036
   fabril, 112-14, 134
   indústria, 125-26, 132-33, 146-47, 149-54, 156, 387-89, 514, 581-82
   indústria de construções, 721-22
   legislação, 211, 726-28, 760-61, 785, 837-38, 885; *ver* lei bancária de 1844
   país clássico do capitalismo na agricultura, 782
   população, 728-29
   sistema colonial, 386, 685
   situação das classes trabalhadoras, 111-20, 155-63
inspetores de fábricas, 112-14
instrução pública, 349
intensidade do trabalho, 139, 257-58, 261-62
   duração da jornada de trabalho e, 231, 275

taxa de mais-valia e, 68-69, 82-83, 231
invenções, 225, 307
    aplicação das, 91-92, 127
    taxa de lucro e, 272, 276, 279-80, 745-46
Irlanda, 611-12, 633, 649-50, 728
    condições agrárias, 725-26
irracionalismo
    e racionalismo, 896-97
Itália, 31, 918, 1028, 1030-31
    associações de caixas em Veneza, 369, 371

jeira, *ver* corveia
jornada de trabalho
    duração e grau de exploração do trabalho, 231, 261, 275
    duração e intensidade do trabalho, 231, 257, 275
    duração e taxas de mais-valia e de lucro, 68-70, 101-2, 257, 261, 275-77
    limites da (mínimo e máximo), 983
    luta dos trabalhadores para reduzir a, 133
    repartição em tempo de trabalho necessário e em tempo de trabalho excedente, 956, 983
juro, 396-98, 417-27, 431-42, 692-93, 935, 995, 1008
    aluguel, 891
    comercial, 594-96
    composto, 456-59
    forma irracional do preço, 410
    limite máximo do, 417-19
    limite mínimo do, 417
    lucro de empresário e, 434-36, 941
    relações entre dois capitalistas, 442
    renda diferencial e renda fundiária consideradas juro, 861
    trabalho assalariado e, 439; *ver* taxa de juro

lã, *ver* indústria de lã
latifundiários, *ver* grandes proprietários de terras
lavoura, 715, 773-75, 780-82
legislação fabril, 112-14, 133
lei, 195
    aumento da produtividade do trabalho, 305-7
    causalidade e, 948
    "do rendimento decrescente do solo", 762
    fundamental da concorrência capitalista, 50
    geral da acumulação capitalista, 260-61, 263-64
    tendência e, 195, 276-77
    tendência a cair da taxa de lucro, 25, 33, 253-72, 281-82, 723

    causas que determinam essa tendência, 253-59, 307-8
    contradições que envolve, 275-77, 287-88, 294-95
    crises e, 303
    economia política burguesa e, 254-56, 264-67, 303-4
    expressa no capitalismo o desenvolvimento da produtividade do trabalho, 254-57, 267-68
    fatores que se opõem à queda da taxa de lucro, 266-68, 275-82
    luta da concorrência e, 297-98, 301
lei bancária de 1844, 486-87, 497, 503-6, 551, 568, 580, 603, 614, 625-34, 637-55, 659
Lei da Oferta e Procura, 224-27; *ver* oferta e procura
Lei das Dez Horas, 133
Lei do valor, 21, 23-25, 185, 194-95, 209-15, 221-22, 362-63, 735-36, 747, 967-68, 1005-6, 1018-26
leis, 195
    da circulação de bilhetes de banco, 608-10
    da circulação monetária, 353-54, 524-25, 608, 610-11
    da repartição do lucro, 418-19
    da troca de mercadorias, 383, 1025-26; *ver* Lei do valor
    da variação da taxa de lucro, 202-3
    do modo capitalista de produção, 290, 412-13, 1013
    configuram-se invertidas na concorrência, 266-67, 272, 280
    configuram-se invertidas na mente dos capitalistas e dos agentes da circulação, 363
    econômicas, 211
    objetivas, 1033
    vigência das, 195, 1033-34
    maneira como se impõem no capitalismo, 211, 276-77, 301-2, 941, 948, 950, 1005-7, 1033-34
    vigência no comunismo, 301, 940-41
leis de assistência à pobreza, 727
leis de proteção aduaneira aos cereais, 726-27
    revogação das, 381, 726-27, 731, 760-61, 785, 838
leis dialéticas
    negação da negação, 514
    transformação da quantidade em qualidade, 780-82
    unidade e luta dos contrários, 231-32

ÍNDICE ANALÍTICO

letras, 325, 372, 465-67, 474-81, 486-88, 498-99, 533-35, 541, 546-47
   desconto das, 422, 424, 468-72, 495-504, 527, 533-34, 537, 546-47, 563, 594-95, 607-8, 619-21, 623-24, 628, 631-32, 650
   meio de circulação, 465-66, 627-29
   meio de pagamento, 557-58
liberdade, 940-41
liberdade e necessidade, 940-41
literatura socialista internacional, 15
livre-cambismo, 133, 904
logro (fraude), 107
lucro, 25-26, 29-30, 57-58, 255-56, 258-59, 630, 798-99, 947-48, 1006-8
   agrícola
   excedente do, sobre o lucro médio, 902
   lucro industrial e, 758
   regulação do, 855
   conceito de lucro como decorrência da venda, 271-72, 383, 453
   economia vulgar, 22-25
   extraordinário, 68, 201, 214, 423, 744-45
   conversão do, em renda fundiária, 748-50, 753, 779-80, 785-86, 816-17, 837-41, 849, 867, 877, 891
   diferença entre preço geral de produção e individual, 744-46
   dos comerciantes, 364
   dos que comerciam com dinheiro, 373
   limites do, 744-45
   na indústria, 744-46
   nas colônias, 280-81
   origem do, 201, 231-33, 272, 280, 303, 309, 745-47, 753, 779-89, 865-66, 877
   taxa e magnitude do, 796-97
   forma a que se converte a mais-valia, 49-50, 58, 62-63
   ideias errôneas sobre a origem do, 51-53, 333-34, 357-58, 935-51
   industrial, 288-89, 334-37, 417-18
   lucro agrícola e, 758
   mais-valia e, 67-68, 180-82, 194-96, 200-2, 209-10, 215, 255-56, 947-48, 955-57
   massa de, 259, 266-67, 270-72, 297, 300-1, 796-97
   acréscimo da, 259-63, 271-72, 277
   fatores que a determinam, 265-67
   médio, 21, 185, 191-92, 209-10, 229-30, 902, 941, 948-49, 955, 985-86
   fatores que influem no nível do, 215, 231
   origem do, 23-25, 192-94, 201-2, 229, 334-35, 877, 887, 901-2, 917-19

   relação que rege a reprodução, 1007
   repartição do, 412, 417-19, 422-23, 438-41, 986, 1007-8
   caráter do salário de direção e gerência, 443--50, 512-13
   repartição em juro e lucro de empresário, 434-36
   repartição em lucro líquido e juro, 433-35
   Ricardo, 82, 280-81, 287-89
   Smith, 280
lucro comercial, 25, 331-50, 361-62
   fontes do, 384
   salário e, 339
lucro de empresário, 282, 417, 431, 433-42, 496, 595-96
   juro e, 434-37, 941
   segundo o prisma capitalista, 442-43
   trabalho assalariado e, 439-41
luta de classes, 232, 891-92
   dos trabalhadores para reduzir a jornada de trabalho, 133, 155-56, 947

magnitude do valor
   massa dos valores de uso e, 260
mais-valia, 62-63, 292-93, 395-96, 736, 738
   absoluta, 101, 110-11, 276-77, 282
   aparece na forma de lucro, 48-50, 58-59, 63, 199, 200-2
   aparente na esfera da circulação, 947-48
   conversão em dinheiro (realização) da, 58-60, 327, 947, 955-56; condições dessa conversão, 289-90
   extraordinária, 214, 275-77
   fonte da, 47-48, 57-58, 181-82, 199, 204
   formação da, 47-50, 57-58, 341-43, 734, 901-2
   lucro e, 200-2, 948, 983-85
   massa de, 53, 182-83, 194-96, 200-1, 261-63, 275-78
   relação social de produção, 938
   relativa, 27, 101, 260, 275-76, 282, 947, 1006
   repartição da, 59, 288-89, 424, 577-78, 901, 941, 955-57, 970, 985-86
   salário e, 423
   taxa de, 67-68, 94-95, 231, 276-78, 358
   fatores que influem no nível da, 67-70, 73--75, 79-83, 85-87, 107, 243; taxa de lucro, 58, 60-63, 67-68, 82-87, 162, 200-2, 257, 282-83, 287
   taxa anual de mais-valia, 67-68, 94-97
   taxa nacional de mais-valia, 175, 182-83, 291

transformação em capital, 971-72; *ver* acumulação do capital, *ver* lucro
malthusianismo, 457, 774
manufatura, 386-90, 773, 905, 917-18, 978, 1033
máquinas/maquinaria, 101-5, 120-23, 127-28, 131-32
  aperfeiçoamento das, 104, 121-24, 139, 882
  desgaste das, 104, 133-34, 139, 143, 309
  desgaste moral das, 139
  intensidade do trabalho e, 139, 275-76
  limites no emprego das, no capitalismo, 306
  mecanismo de transmissão, 103, 121-23
  operadoras, 101, 103, 123
  qualidade das, 126
  reprodução do valor das, 127, 139, 309
  superprodução relativa das, 144
máquina a vapor, 120-23
material acessório (substâncias auxiliares), *ver* matérias auxiliares
matérias auxiliares, *ver* matérias-primas
matérias auxiliares, 106, 126, 131-33, 142
matérias-primas, 131-34, 137-38, 142-46, 887
  componente principal do capital constante, 132
  qualidade das, 106-7, 733
  reprodução das, 142-46
  variação dos preços influi na taxa de lucro, 131-38, 144-45
meios de comunicação, *ver* telegrafia; transportes e comunicações
meios de consumo, 733
  produção de (seção II da produção social), 959-61; *ver* meios de subsistência
meios de produção, 935
  acréscimo dos, 108, 260-61
  capital, 294-95, 935, 1007-8, 1013
  concentração dos, 103, 310, 781, 1013
  depreciação (desvalorização) dos, 107-9
  desgaste dos, 298
  destruição de, 298
  economia nos, 105-8, 114-15, 781
  processo de produzir valor e, 42-46
  procura de, 222-23, 225
  produção de (seção I da produção social), 959-61
  produtividade do trabalho e, 259-60, 278
  propriedade dos, 57, 109
  trabalhadores e, 57, 108-9, 935
  trabalho e, 744, 1013

meios de subsistência, 968-69
  barateamento dos, 759-60
  necessários, 131-32, 140, 195, 212, 222-23, 240, 243, 733, 735, 737, 746, 942, 956, 982-83, 988, 990, 992; *ver* meios de consumo
meios de trabalho, 41, 46, 944; *ver* meios de produção
melhoramentos, *ver* benfeitorias
mercado, 134, 257, 315-16, 559-60
  contradição entre produção e, 513
  expansão do, 389, 775
  saturação do, 218, 302, 474, 481, 537-38, 683; *ver* mercado de dinheiro; mercado mundial
mercado de capital, 886; *ver* mercado de dinheiro
mercado de dinheiro, 424-27, 455, 593-96, 614-16, 618-19, 624-26, 628-29, 659-60, 663-64, 668-71, 674-75, 679-83
mercado mundial, 295, 370, 372, 417, 582-83, 663, 773, 903
  base do modo capitalista de produção, 136, 386
  concorrência no, 136, 145-46, 280-81, 386-87, 568, 837-39
  influência na taxa de juro, 417, 426
  origem e desenvolvimento do, 385-90
mercadoria
  capital, 538
  condições para o produto converter-se em mercadoria, 380-83, 389, 737-39
  dinheiro, 538
  duplo caráter da, 217, 326-27, 407-8, 735--38, 748-49
  procura de, 597-98
  produto do capital, 211-13, 321-25
  realização da, 739
  valor da, 58-59, 189-90, 198-200, 204-5, 243-44, 305-6, 1006-7, 1018-21
mercantilismo, 390, 903-4
metais preciosos, 369-70, 530, 659-65, 670-75
metalismo, *ver* sistema monetário
metalurgia, 91
metamorfose das mercadorias, 367-68, 378--80, 397, 561
método
  aplicado em "O capital", 41, 136, 175-76, 278, 280, 315-16, 950, 1021
  de concretização, 41
métodos de produção, 290, 295

ÍNDICE ANALÍTICO

aperfeiçoamento dos, e taxa de lucro, 307, 746-47
métodos de trabalho, 746
migração de capital, 210-11, 230-31, 245-47, 424-25, 877, 886-87, 994, 1007-8, 1033
minas, 111-12, 143, 1027, 1031
mineração, 875, 882
modistas, 118-20
modo de produção capitalista
   agricultura e, 715-19, 736-38, 754, 771--73, 775, 781-83, 799-800, 928-29, 1007-8
   características gerais, 41-42, 216-17, 230-32, 360-61, 693-94, 715, 972-73, 995, 998-99, 1003-7
   caráter historicamente transitório do, 287--88, 301-4, 1004, 1009
   contradições do, 109-11, 144-46, 262-65, 289-90, 300-4, 306-8, 512-16, 563, 667-68, 1006
   economistas burgueses, 287-88, 301, 443-44, 972
   limites do, 287-88, 295-96, 301-8
   necessidade de transição para a direção social da produção, 308, 513-17
   pressupostos e condições do desenvolvimento do, 136, 210-11, 279-81, 377, 380-81, 385-86, 515-16, 693-94, 716-19, 1003-5
   tarefa histórica do, 517
modos de produção, 516-17
   circulação de mercadorias e, 378-79, 383-87
   formas do capital nos, 691-92
   papel do capitalismo mercantil, 378-81, 383-85
   pré-capitalistas, 256, 360, 600, 691-94, 781, 951, 1003, 1006
moedas, 369, 521-22, 661-62
   divisionárias, 522
   nacionais, 369-70, 372
moinhos, 126-27
monopólio, 230, 233, 280, 985, 1028-30
   concorrência e, 144-45, 266-67, 514
   fortuito, 213
   indústria e, 144-45, 266, 364, 514
   monopolização das forças naturais, 746-48, 891
   natural, 230
   produção e, 357
   primeiros países fornecedores de matéria--prima e, 144
   relativo à propriedade fundiária, 716-18, 724-25, 734, 738, 748-50, 867, 870, 873, 878-79, 891, 902

mortalidade, 114-18
móveis, fabricação de, 388
Movimento Internacional dos Trabalhadores, participação de Marx e Engels, 15

natureza
   condições naturais da produtividade do trabalho, 304, 744-49, 882
   força natural não tem valor, 749-50
   forças naturais como força produtiva do trabalho, 859-60
   monopolização das forças naturais, 745-49, 891
   ser humano e, 936, 945-46, 950, 1009
navegação, 1031
necessidade social, 219-23, 735-36
   solvível e real, 223
necessidade, 386
   reino da, 940-41
notas de banco, *ver* bilhetes de banco
número de rotações, 359-64

oferta e procura, 213-14, 216, 223-29, 412, 421, 424-27, 488-90, 642, 866, 987-88, 1019
   coincidência da, 223-28
   de capital-dinheiro, 596-99, 601-2, 617, 664-65, 668
   o que diz a economia vulgar sobre, 225-27
   preço de mercado e, 358, 423-26
   valor de mercado e, 213-14, 216-17, 219-21, 223-29; *ver* procura
operações de câmbio, 369-70
ópio, *ver* comércio de ópio; Guerra do Ópio
organização do trabalho, 310
Oriente, 1025
ouro (e prata)
   artigos de luxo, 659-60
   dinheiro, 537-38, 666-68
   dinheiro universal, 369-70, 530-31
   entrada e saída de, 497, 529-32, 534-38, 564-65, 641-43, 659-70, 683-87
   mercadoria, 987
   tesouro nacional de ouro ou de prata, 663-64; *ver* produção de ouro

Panamá (especulação), 515
papéis de crédito, *ver* títulos
papéis do estado, *ver* títulos públicos
paralisação das vendas, *ver* paralisação na circulação de mercadorias
paralisação na circulação de mercadorias, *ver* crises de dinheiro; crises econômicas; ciclo industrial

parceria 774, 920-21
pauperismo, 223
pauperização, 260, 718, 727-28
pecuária, 772-74, 781, 882-83, 919, 924
pequena produção, 212-13, 692-98, 1033; *ver* pequenos produtores
pequena propriedade camponesa, *ver* propriedade parcelaria
pequenos produtores, 692, 694-95, 798; *ver* pequena produção
Perúsia, 698
plantações (*plantations*), economia de, 905, 909, 921, 924
Polônia, 709, 921
população, 260
    decréscimo da agrícola, 737
Portugal, 1030
poupanças, 515, 591-92
povos comerciantes, 382-85
prazo do arrendamento, 719-21, 780, 816, 869
preço
    causas que determinam variação de preço, 267-71
    expressão monetária do valor, 227, 410-11, 738-39, 749-50
    influência da oferta e da procura, 224-26, 358
    influência da variação do preço das matérias-primas na taxa de lucro, 131-38, 144-46
    mercantil, 362
    produtos agrícolas, 878-80, 918-19
    regido pela lei do valor, 212-15; *ver* preço da terra; preço de mercado; preço de monopólio; preço de produção
preço da terra, 720, 723, 738, 749-50, 788-89, 893-95, 919, 922-23, 925
    juro e, 928
    movimento do, 723-25, 729, 733-34, 788-89, 894-95
    não cultivada, 771
    nível do, 725, 800
    renda fundiária capitalizada, 723-25, 750, 771-72, 922
preço de custo, 41-53, 197-99, 743-45, 994-95
    capitalista e o real, 41-43
    causas da redução do, 746, 798-99
    componentes do, 42-45, 192, 994-95
    variação do valor dos, 204-5
    igualdade dos preços de custo base da concorrência das aplicações de capital, 185
    preço de mercadoria e, 46-53

    significação modificada do, 198
preço de mercado, 134, 411-12, 423-27, 642, 743-45, 845, 879-80, 992-93, 995
    médio, 246-47, 412
    preço de produção e, 214-15, 232-33, 412, 425, 743-44, 856, 865-72, 877-81, 984, 992-93, 996
    quando se desvia do valor de mercado, 220, 224-26, 228-29, 232-33, 243-44
    venda abaixo do, 272
preço de monopólio, 201, 874, 878-81, 883, 886-87, 891, 918, 927, 979, 985
    renda e, 893
preço de produção de mercado, 246, 743-44
preço de produção, 191, 193-94, 197-99, 243-44, 334-35, 362, 743-45, 866-67, 876-77, 948, 984-85, 994, 1007
    economistas vulgares, 232
    fatores que influem no nível do, 199-200, 243-45, 743-45, 839-40, 849, 991-93
    fisiocratas, 232
    forma a que se converte o valor da mercadoria, 197-98, 209-10, 230, 232-33, 1033-34
    fórmula do, 197-99
    individual a geral, 743-45, 748-49, 840, 865, 877
    lei do valor e, 195, 214-15, 229
    lucro comercial e, 356-57
    preço de mercado e, 214-15, 232-33, 412, 425, 743-44, 856, 865-72, 877-81, 984, 992-93, 996
    Ricardo, 214-15, 232, 239-40
    Smith, 232
    valor-mercadoria, 873-79
preço do arrendamento, 726, 733, 871-72
preço do solo, *ver* preço da terra
prestamistas e prestatários, *ver* credores e devedores
processo de circulação, 315-17, 399-401, 947-48
    mediador do processo social de reprodução, 41, 381-83
    processo de produção e, 41, 58-60, 381-83
processo de produção, 1008-9
    capitalista, 41-42, 939
    processo de circulação e, 41, 58-60, 381-83
processo de trabalho
    elementos componentes do, 935-37, 945-46, 1008-9
procura
    de força de trabalho, 596-97, 987-88
    de meios de pagamento, 599

ÍNDICE ANALÍTICO

de meios de produção, 222-23, 225
de meios de subsistência, 222-23; *ver* oferta e procura
produção
  circulação e, 381-82
  consumo e, 301-3
  controle da produção pela sociedade, 222, 301-2
  duas seções da social, 618, 959-61
  em massa, 216, 389
  escala da, 127
  intelectual, 105
  leis da produção capitalista, 266-67, 271-72, 290, 1006-7
  limites da, 295
  mercado e, 513
  necessidade de regular a, 145-46, 973
  objetivo que a determina, 229, 289, 294-96, 301-4, 717, 971
  para consumo próprio, 951, 1023-24
produção de algodão, 145-46; *ver* crises algodoeiras; indústria têxtil algodoeira
produção de luxo, 131, 279, 370, 382, 388, 659-60
produção de mais-valia, 1006-7
  limites da, 288-90
  objetivo determinante da produção capitalista, 229, 289-90, 296
produção de mercadorias
  capitalista, 361, 380, 735-38, 1005-8
  simples, 305-6, 696-97, 1023-24, 1026-27
produção de ouro, 582-83, 618, 659-60
produção mercantil, *ver* produção de mercadorias
produção siderúrgica, 124, 513
produtividade do trabalho, 275-77, 292-95, 306-7, 460, 559
  agricultura e, 76-77, 142, 755, 823, 882, 937
  aumento da, 74-77, 91, 134, 142, 254, 257, 259-61, 304-7
  condições naturais da, 304-5, 746-49, 881-82, 937
  desenvolvimento diverso nos diferentes ramos industriais, 197, 303
  desenvolvimento no capitalismo, 275, 293-95, 305-8
  fator de acumulação do capital, 107, 261, 263-64
  influência no nível do salário, 980-81
  influência na magnitude do valor, 204-5, 254, 259-61, 278, 305-6, 744-45, 748--49, 901, 955-56, 1006

influência na quantidade produzida, 259--60, 278, 937
influência nas taxas de mais-valia e de lucro, 68, 105, 261, 281-83
maquinaria e, 134
social como produtividade de capital, 745, 859-60, 875, 1006
valor da força de trabalho e, 243
produto bruto, 962-63
produto excedente, 23-25, 289, 384, 395, 732-33, 800, 904-6, 939, 962, 999, 1003
produto total da sociedade
  forma natural do, 958-63
  repartição do, 196, 203, 735-36, 877
  valor do, 942-44, 955-64
produtos agrícolas, 736-39
  variações dos preços dos, 139-40, 143-45
produtos intermediários, 137; *ver* matérias--primas
produtos semifabricados, *ver* produtos intermediários
proporcionalidade, entre os diversos ramos de produção, 213-14, 290, 301, 735-36
propriedade
  abolição da privada, 310, 512-13, 704-5, 894
  comum da terra, 387, 921
  comunismo e, 894
  das construções, 721-22
  meios de produção e, 57, 108-9, 310
  parcelaria, 922-30
  usurpação da, 924; *ver* propriedade fundiária
propriedade da terra, *ver* propriedade fundiária
propriedade fundiária
  abolição fortuita no capitalismo, 867-68
  agricultura racional e, 717-20, 929-30
  apologistas da, 724
  capitalista, 715-18, 923-24
  características gerais, 715-23, **893**, **936-37**, 941-42, 1008
  colônias e, 773-75, 838, 885
  diferentes formas da, 717-18, **733-34**, 885
  expropriação dos produtores **diretos**, 692, 715-17, 725-27, 885
  feudal, 715
    dissolução da, 924
  Hegel sobre, 716
  pequena, 734, 894, 927, 929-30; *ver* propriedade parcelária
propriedade parcelária, 922-30
  impede desenvolvimento das forças produtivas, 925

1057

O CAPITAL

proprietários de terras
arrendatários e, 718-21, 724-27, 779-80, 849, 867-69, 871-72
características gerais, 716-20, 738-39, 891-92, 1013-14
personificam a propriedade fundiária, 944
quando capitalistas, 811, 867-68
prosperidade, 525-28, 567-68
proteção aduaneira, 145, 381, 513, 568, 726-27, 760, 785, 903
proudhonismo, 52, 401-3, 411, 705, 724, 965

qualidade
das máquinas, 126
das matérias-primas, 106-7, 126, 145-46, 733
química, 876
indústria química, 514, 1035
influência dos processos químicos no tempo de produção, 91
resíduos da indústria química, 124-27
química agrícola, 717, 719, 754-55

racionalismo
irracionalismo e, 896-97
realização das mercadorias, 739
reino da liberdade, 940-41
reino da necessidade, 940-41
relações de distribuição
aparecem como relações naturais, 1003-4
capitalismo e, 302
caráter histórico das, 1008-9
relações de produção e, 1004-9
relações de produção, 894, 1003-4
capitalistas, 57, 691-92, 1003-8
caráter histórico das, 1008-9
contradição entre relações de produção e forças produtivas, 144-46, 288, 290, 294-95, 302, 308-10, 1009
relações de distribuição e, 1004-9
religião, 687
renda (*income, revenue*), 991
bruta, 962-63
crítica das teorias burguesas, 962-68, 971--72
dos capitalistas e da classe capitalista, 355, 942-44, 1007, 1013-14
dos proprietários de terras, 1013-14
dos trabalhadores de classe trabalhadora, 942, 946, 961-62, 977, 1004, 1013
fonte de acumulação do capital de empréstimo, 583-85, 589
fontes de, 936-37, 942-46, 956-57, 960-62, 966-70, 1013

forma dinheiro da, 522-24
líquida, 962-63
nacional, 963
relações ou formas de distribuição, 1003-4
Ricardo, 963
Smith, 946, 963-64; *ver* renda em produtos
renda (*rent*) diferencial, 748, 755-58, 779, 839-40, 865, 871-72, 884-85, 942-43, 955
causas da ascensão e de queda da, 770-71, 787-88
com preço de produção ascendente, 823-36, 839, 846-50
com preço de produção constante, 793-800, 829-30, 836-37, 846
com preço de produção decrescente, 803-19, 829-33, 836-37
formação da, 839-40, 849, 880, 891
pior solo cultivado e, 853-61, 865
renda diferencial I, 753-75, 819, 839-40
condições para formar a, 753-54, 780-81, 815, 823-24, 839-40, 884, 922
renda diferencial II e, 781-88, 799-800, 817, 823-24, 839-40, 849-50
renda diferencial II, 771, 779-89
condições para formar a, 781-82, 784-87, 815-16, 823-24, 839-40
renda diferencial I e, 781-88, 799-800, 817, 823-24, 839-40, 849-50
renda dos terrenos para construção, 891-92
renda (fundiária) em dinheiro, 695-96, 737, 788-89, 809-11, 896, 914-16
forma a que se converte a renda em produtos, 914-17, 919-20
renda (*rent*) fundiária, 718-25, 733-34, 736-39, 876, 880-81, 886-87, 891-98, 901-2, 915-17, 955-57, 993, 995-96, 1008
absoluta, 876-80, 886-87, 922
capitalização da, 723-24, 750, 771, 922
causas de alta da, 719-22, 726-30, 736-39
causas de baixa da, 837-40
economistas burgueses, 861, 901-5
forma do lucro suplementar, 748-50, 753, 779-80
formas pré-capitalistas da, 695, 734-35, 737, 811, 906-14, 916-17, 919-21
juro e, 722-24
Petty, 902-3
preço de monopólio e, 893
Ricardo, 753-54, 786
Smith, 716, 883-84, 891
taxa da, 288; *ver* renda diferencial
renda fundiária de monopólio, 955
renda fundiária em trabalho, 908-14, 920

ÍNDICE ANALÍTICO

renda fundiária em trigo, 810-11, 855
renda fundiária natural, 734
renda em produtos, 789, 906-7, 912-17, 919-20
renda (*rent*) na mineração, 892-93
Smith, 868, 893
renda nacional, 963; *ver* renda (*income, revenue*)
rentiers, 420, 594, 1035
rentistas, *ver rentiers*
reparação e manutenção, *ver* trabalhos de reparação
representação simbólica de valor, 592
reprodução, 41, 220-21, 354-55, 908
  ampliada, 222, 555, 1007-8
  do capital constante, 558-59, 957-58, 968-71
  do capital fixo, 101-2, 139
  do capital social, 958, 966-67
  do capital variável, 874-75
  circulação monetária e, 618, 960-61
  condições da, 957-58, 970-71
  crise e, 355
  esquema da, 960-61
  estorvos à, 143, 317-18, 561-62
  da força de trabalho e da classe trabalhadora, 139-40, 222-23, 256, 292-93, 942, 956, 983
  das relações capitalistas de produção, 960-61, 995, 1004
  simples, 222-23; *ver* acumulação primitiva do capital
reserva em dinheiro, *ver* reserva monetária
reserva monetária, 322
resíduos:
  aproveitamento dos, 103, 124-27, 144
  condições para esse aproveitamento, 103, 124-25
  consumo e, 124
  economias mediante redução dos, 104, 126-27
  produção e, 124, 135
revolução industrial, 92
revolução socialista, 308, 894
riqueza social, 412, 667, 799, 940, 950
  dinheiro encarna a, 530, 667-68
Roma, 369, 385, 494, 691-92, 694, 696-97, 905
Romênia, 921
rotação do capital, 90-95
  do arrendatário, 324
  industrial, 323-27, 353-64
  influência da na taxa de lucro, 67-68, 91-97, 176-77, 268, 359-60
  mercantil, 323-24, 336, 353-56, 359-64

  num ramo de produção, 176-77
  prática comercial e, 269-70; *ver* ciclo industrial; número de rotações; tempo de rotação
Rússia, 20, 610, 659, 1013
  comércio, 387, 1025
  comunidades, 838-39
  produção capitalista, 387

salário
  aparência de preço do trabalho, 938
  capital variável e, 140-41, 195, 956, 961-62
  causas de aumento ou de redução do, 139-40, 157-59, 201-2, 239-40, 260-61, 282, 596-97, 727-29, 786, 980-82, 985, 991-92
  forma de renda (receita) dos trabalhadores, 941-42, 945-46, 955-56, 961-62, 977-78, 993-94, 1004
  forma do valor da força de trabalho, 44-45, 50, 341-42, 412, 955-56, 982-83
  limite mínimo do, 983
  luta por aumento de, 155-56
  mais-valia e, 68-70, 423
  preço de produção e, 991-93
  redução abaixo do valor da força de trabalho, 278, 855
  salário por peça, 157-58
  taxas de mais-valia e de lucro e, 82-84, 238-40, 596-97, 982-83, 992-93
  tendência a cair do, 349
seda, *ver* indústria de seda
seguros 274, 1117; *ver* companhia de seguros; fundo de seguros
ser humano
  força produtiva, 936
  natureza e, 935-36, 940, 946, 1009
servidão, 213, 717-18, 734, 908-12, 951, 1006
  forma do trabalho excedente, 908-9
siderurgia, *ver* produção siderúrgica
silvicultura, 717, 884
símbolos do valor, *ver* representação simbólica de valor
sistema colonial, 382, 386-88
sistema de crédito, 136, 230, 310, 325-26, 354, 420, 516-17, 557-59, 634, 665-66, 687, 697, 704-5
  acelera o desenvolvimento das forças produtivas, 516-17
  poderosa alavanca na transição do modo capitalista de produção para o trabalho associado, 517, 705

precondições, 465, 704
sistema monetário (metalismo), 530, 624, 666, 687
socialismo, *ver* comunismo
socialismo utópico, 702-3, 705
sociedades comerciais, 1028, 1030
sociedades por ações, 192-93, 310, 447-50, 512-16, 547, 556-57
    Alemanha e, 1034
    diferentes formas de, 513-14, 1034-35
    Inglaterra e, 514
    papel dos capitalistas nas, 512-13
    repartição do lucro nas, 544-45
    taxa de lucro e, 282-83, 512-13
    transição para nova forma de produção, 514--16
solo, *ver* terra
subemprego, 155-59
subprodução, 220
subprodutos, 124
substância do valor, 181-82, 199, 205, 216-17, 232, 246, 439, 861
Suez, canal de 92, 476
superpopulação relativa, 260, 279, 294-96, 299-302, 310, 728
    produtividade do trabalho e, 265, 308
superprodução, 296, 568, 570
    absoluta, 296
    crônica, 513
    de capital, 296-302
    economistas e, 301
    relativa, 144, 220, 296, 302, 775
    sistema de crédito propulsor principal da, 516
superstição, 145

taxa de acumulação, 287
taxa de câmbio, 371, 649-51, 668-79, 683-87
taxa de juro, 412, 437-38, 580, 616-18, 723
    durante os períodos de ciclo industrial, 417--21, 563-64, 567, 583-84, 596, 601-2, 664, 679-83
    influência no mercado mundial, 426
    média, 196, 421-24, 596
    do mercado, 421-26, 650, 666
    nacional, 256
    "natural", 412, 421, 423
    taxa de lucro e, 417-27, 435-36
    tendência para cair a, 419-20, 723
taxa de lucro, 57-63, 67-68, 77-87, 91, 133-34, 138-39, 168-69, 183, 199-203, 253-56, 264-67, 276-78, 281-83, 287-88, 417-20, 796-97, 896, 948, 984-85, 1028-29

    anual, 94-95
    cálculo da, 181-82, 267-71
    composição do capital, 179-84
    tempo de rotação do capital, 195, 268-70, 413
    variação do preço das matérias-primas, 131-32, 138-39, 144-45
    do capital mercantil, 1028-31
    estímulo da produção capitalista, 287, 303-4
    fatores que influem no nível da, 67-70, 78--83, 86, 91-97, 101-11, 141, 167-69, 175-76, 196-97, 199-204, 277-78, 291, 434, 855, 955, 982, 991-92
    lucro crescente apesar da queda progressiva da taxa de lucro, 258-63
    massa de lucro e, 297, 300-1
    média, 23-26, 30-31, 195-96, 203-4, 209-10, 262, 334-36, 395, 425, 757, 876-77
    cálculo da, 334-36; fatores que determinam o nível da, 196-97, 201, 231, 359-64
    constitui tendência, 424-25
    origem da, 23-24, 26, 185, 191-93, 195-96, 203, 209-10, 245-46, 309-10, 334-35, 984-85, 988-89, 994-95, 1034
    nacional, 175, 183, 256
    Ricardo, 132, 265, 287-88, 304
    salário e, 596-97; *ver* lei: tendência a cair da taxa de lucro
tecelagem, 387-88
tecnologia
    invenções, 225, 307
    novos processos reduzem o tempo de produção, 91-92
    sua aplicação, 91-92, 127
    taxa de lucro e, 272, 276, 280-81, 746-47
telegrafia, 361
tempo de circulação, 323-24, 327, 339, 354, 359, 947
    redução do, 91-92
tempo de produção, 323, 354
    redução do, 91-92
tempo de rotação, 362
    efeito da redução do sobre a produção de mais-valia, 91-93
    influência sobre a taxa de lucro, 91-95, 176--77, 183-85, 195, 413
    soma do tempo de produção e do tempo de circulação, 91
tempo de trabalho
    comunismo e, 221-22, 940-41, 973
    dissipação do social, 221-22
    excedente, 292-93
    prolongamento desmedido do, 139

ÍNDICE ANALÍTICO

redução do absoluto, 302
socialmente necessário, 105, 169, 222, 292, 308-9, 735-36, 743, 747, 1007, 1022-23
teoria da abstinência, 515
teoria da *currency*, *ver currency principle*
teoria da utilidade marginal, 23
teorias monetárias
  currency principle, 488-90, 530-31, 637-55
  "little shilling men", 626-27, 651
  Ricardo e, 637-39
terra (solo), 749-50, 837-38, 884-85, 891-92, 935-37, 944-46
  dissociação entre capital e, 867-68
  emprego de capital na, 715-16, 718-20, 775, 779-83, 785-89, 793-800, 849-50, 853-54, 860-61, 867-69, 877, 880
  meio de trabalho, 745-46, 755
  mero elemento da natureza, 867
  virgem, 838; *ver* fertilidade do solo; preço da terra; tipos de solo
terras comuns, 717, 936-38
tese calvinista, 1035
tipos de solo, 754-75, 786-88, 793-95
tipos de terra, *ver* tipos de solo
títulos, 528-29, 533-37, 541-47, 555-58, 592-94
  ciclo industrial e, 583
  curso dos, 419, 475; *ver* títulos públicos
títulos públicos, 535-36, 541-47, 555-58, 685, 925-26, 1034
  estrangeiros, 547
trabalhadores
  assalariados comerciais, 341-49
  concentração dos, 106
  meios de produção e, 57, 108-11
  produtivos, 342; *ver* trabalhadores agrícolas
trabalhadores agrícolas, 718, 917
  salários dos, 727-31, 872
trabalho, 935-37, 943-44
  agrícola e industrial, 732-33, 735
  atividade produtiva do ser humano, 936
  base natural do, 732
  comercial, 344-50
  diferença entre trabalho simples e complexo, 175
  distribuição pelos diferentes ramos de produção, 735-36
  duplo caráter do, 958
  materializado (pretérito, anterior), 24, 112, 203, 305, 439, 461
  necessário, 732-33, 735-36, 941-42, 956, 999
  socialmente necessário, 24, 217
  pago e não pago, 270, 272, 282, 395, 956
  produtivo, 107-8, 958
  fisiocratas, 903-4
  relação entre trabalho vivo e trabalho materializado, 177, 185
  decréscimo do trabalho vivo em relação ao materializado, 254-55, 257-60, 267, 282
  social, 105-8, 127-28, 261, 738-39, 1005
  caráter diretamente social do trabalho, 106, 112, 600
  combinação social do trabalho, 102-5
  comunismo e, 106, 939-40, 968-69, 972-73, 998-99
  diferença entre trabalho universal e trabalho coletivo, 127-28
  organização do trabalho, 310
  subordinação ao capital, 222-32, 256
  em escala social, 279
  substância do valor, 24-25, 58, 60-61, 110, 181-82, 199, 205, 216-17, 232, 246, 439, 861, 935-37, 942-44, 957-58, 1007, 1018, 1025-26
  trabalho concreto, 136, 943
  trabalho médio, 349
  trabalho qualificado, 280, 339, 349
  transformação do trabalho manual em trabalho mecânico, 279
  vivo, 24-25, 57, 60-61, 109-10, 112, 203-4, 305, 461; *ver* trabalho excedente
trabalho em domicílio, 119 e,
trabalho assalariado, 439-40, 943-45, 962, 1005-7, 1013
  propriedade fundiária e, 1079
trabalho das crianças, 111, 114, 116, 118, 276
trabalho das mulheres, 119, 276
trabalho em excesso, 117-20
trabalho excedente, 58, 179-81, 256, 387-88, 457-61, 693, 732-35, 798-99, 902, 908-9, 939-40, 955-56
  base natural do, 732-35
  capitalismo e, 908-9
  comunismo e, 940, 999
  escravidão e, 939
  feudalismo e, 908-10
trabalho, intensidade do, *ver* intensidade do trabalho
trabalho, produtividade, *ver* produtividade do trabalho
trabalhos de reparação, 105
trabalhos em obras públicas, 158-61
tradição, 911
transporte marítimo, 92, 361; *ver* navegação

transportes, indústria de, 337-38
transportes, meios de, 360-61, 838; *ver* ferrovias
transportes e comunicações, 92, 360-61, 476-77, 885, 1013, 1034
tributos, 697
   que a Índia paga à Inglaterra, 676, 684-85
tributos em dinheiro, 695, 697
troca, 401-2, 667-68
   desenvolvimento da, 213, 369, 382-85, 1022--24, 1026
   entre as duas seções da produção social, 618, 960, 969
   mercadorias como produtos do capital e, 210-11
   mercadorias pelos respectivos valores e, 210, 212-13
   pelos preços de produção, 212-13
trustes, 145, 514, 547, 568, 1035
Túnis, 1036

usura, 52, 455-56, 634, 691-701, 707-10, 925

valor, 110-11, 169, 362-63, 459, 747, 861, 935-37, 971-73, 991-94, 1018-26
   do capital total da sociedade, 200, 955
   caráter social do, 738-39, 764, 937-38
   desvalorização (depreciação) do capital, 278-79, 290-91, 293-5, 297, 459-60
   economia vulgar, 1026
   economistas, 232, 1018-22
   individual e social, 217
   medida dos valores, 592
   do produto total da sociedade, 942-44, 955--64
   taxa média de lucro e, 185, 202, 245; *ver* lei do valor; magnitude do valor e massa dos valores de uso; variação do valor; representação simbólica de valor; valor de mercado; valor-mercadoria
valor adicionado, *ver* valor novo
valor de mercado, 232-33, 763-64, 943
   preço de mercado e, 220, 224-25, 228-29, 232-33
   regulação do, 217-22
   valor individual e, 213-14, 216-20
valor de troca, 217, 326, 599, 736-38, 749, 938
valor de uso, 217, 219-21, 259-60, 326, 407-9, 735-37, 749, 937-38
   produção capitalista e, 229, 260, 667-68
valor novo, 43-45, 958, 970, 991, 993, 998
   repartição do em rendas, 1003
valor-mercadoria
   componentes do 41-51, 182, 197, 954-68, 971-73, 977-79, 990-91
   economistas burgueses, 218, 968
   Ricardo, 218
   Smith, 964, 966
valorização do capital, 543-44
variação do valor, 43-45, 168-69, 243-44, 749, 901, 955-56
   capital e, 168-69
   mercadoria e, 199-200, 204, 243-44, 305
   mercadoria-dinheiro e, 168
Veneza, 699, 1029-30
vulgarização científica, 349

yeomanry, 924; *ver* camponeses

Este livro foi composto na tipografia Adobe Garamond Pro,
em corpo 11,5/14, e impresso em
papel off-white no Sistema Cameron da
Divisão Gráfica da Distribuidora Record.